극으로 읽는 그리스신화

극으로 읽는 그리스신화

바이올라 M. 라구소 지음

송옥 옮김

도서출판 ❙동인

한국 독자들께

　그리스신화를 통해서 한국과 문화적인 교류를 할 수 있게 됨을 이 책의 저자로서 매우 기쁘게 생각한다. 나는 그리스신화를 나의 모교인 시카고의 휑거 고등학교(Fenger High School)에서 30년 동안 가르쳤다. 청소년 학생들과 수업을 하면서 그리스신화를 통해 인간의 조건들을 더 가까이 살필 수 있었다. 우리가 살아있다는 그 자체의 기쁨과 슬픔을 통찰력 깊게 설명해주는 그리스신화에 흥분하고 매료된 나는, 이를 독자들과 함께하고 싶은 열정에 『올림피아 극』(*Olympian Plays*)을 쓰게 되었다. 이야기를 들려주는 매체로 극 형식을 선택한 이유는 인간의 감정을 가장 잘 전달하는 적합한 장르가 드라마라고 믿었기 때문이다. 미국인인 나는 이 책을 영어로 썼으나, 송옥 교수가 한국어로 번역할 기회를 갖게 됨을 반갑게 생각한다. 언어는 우리를 인간답게 만들어주는 것이고, 특히 모국어는 개인적으로 체화되는 특별한 것이다.

부디 한국의 독자들께서 이 책을 즐겨주기 바라면서,

바이올라 M. 라구소

대부분의 사람들은 신화 속의 신들과 인간을 이 세상 인물과는 관련 없는 멀고 먼 이야기로 생각한다. 그러나 신화를 인생의 파노라마처럼 읽으면 등장인물들이 각각 우리와 다름없는 개성 있는 세상 인물로 읽힐 것이다.

예를 들어, 제우스는 우주의 최고 통치자인 으뜸신이지만, 자기 아들을 잃었을 때 어떻게 할 수 없어 힘들어 하는 한 아버지의 모습을 볼 수 있다. 아프로디테는 사랑의 여신이지만 아도니스와의 관계에서 사랑의 비극적인 희생자이기도 하다. 헤르메스는 올림포스에서 남을 잘 속이는 꾀쟁이지만, 그럼에도 아프로디테의 매력에 빠진 그는 속수무책의 무능한 자가 된다. 아폴로는 모든 신가운데 가장 미남임에도 불구하고 젊은 처녀들의 마음을 얻는 데 실패하고 어려움을 겪는다. 신화는 이런 아이러니가 가득하다.

이런 이유로 신화의 전반적인 이해를 돕기 위해서 나는 드라마 형식을 취했다. 신화에 내재한 아이러니에 초점을 맞추고 인생과의 병행을 끌어오는 데는 드라마가 완벽한 매체라고 믿는다. 만일 독자의 인생 행로에서 신화에서 일어난 비슷한 사건이 상기되고 이를 공감한다면, 내가 의도한 그 목적을 이룬 셈이다.

*   *   *

옛날 옛적 고대 그리스에는 올림포스산이라고 불리는 하늘나라가 있었고 하데스로 불리는 지하 세계가 있었다. 하늘과 지하, 그 사이에 땅이라 불리는 곳이 있었다. 이들 주변을 둘러서 거대한 대양이 있었다. 신 제우스는 모든 신들 위에 군림하였으나 그의 지배적인 영역은 올림포스산이었다. 제우스의 형제인 하데스는 그의 이름과 똑같이 불리는 하데스 지역을 통치하였고, 또 다른 형제 포세이돈은 대양을 지배했다. 인간들은 땅 위에 살았다.

제우스를 비롯한 신들의 왕국과 땅 위에 사는 인간 세계는 모두 배신의 토대 위에 불안하게 세워져있다. 제우스는 그의 아버지인 티탄 신 크로노스를 배신했고, 크로노스도 그 이전에 똑같이 아버지 우라노스를 배신했다. 크로노스는 투쟁 없이 아버지로부터 권좌를 탈취했으나, 제우스는 권좌를 뺏기 위해서 아버지 크로노스와 전쟁을 치러야만 했다.

그 전쟁은 엄청났으며, 크로노스의 동족 티탄이 그를 배신하기 전까지는 제우스에게 결코 유리하지 않은 싸움이었다. 배신한 티탄 동족은 바로 프로메테우스였는데, 제우스 편을 들게 된 이유는 크로노스가 프로메테우스의 조언을 따르지 않았기 때문이었다. 그의 조언은 유익한 것이었다. 크로노스가 그 조언에 귀를 기울였더라면, 제우스를 물리칠 수도 있었다. 그러나 크로노스는 그의 말을 듣지 않았고, 제우스는 아버지를 패배시켰다. 제우스는 아버지를 비롯한 다른 티탄 신들을, 의심할 바 없이 오늘까지 묶여 있을, 하데스의 가장 밑바닥인 타르타로스에 가두었다. 프로메테우스는 후에 올림포스산을 떠나서 새로운 그의 종족을 땅에 건설하였다. 그는 그러기 위해서 올림포스의 불이 필요했는데, 제우스가 이를 거절했기 때문에 그는 그 불을 훔쳐야 했다.

이와 같이 흔들리는 토대 위에 신들은 올림포스산 위에 있었고, 인간들은 땅 위에 있었다. 이 책에 담겨 있는 극들은 그 이후 일어난 일들을 설명해준다.

*   *   *

작가 메모:

　　신화 전설이 입을 통해 한 세대에서 다음 세대로 내려왔기 때문에 비슷한 사건이 여러 개의 버전으로 되어있다. 그러므로 똑같은 사건이 다른 극에 반복될 때에 나는 다른 버전을 포함시켰다. 예를 들어, 『아리아드네와 파이드라』 이야기에서 테세우스는 낙소스섬에서 아리아드네를 버리고 떠난다. 그러나 『테세우스』 이야기에서 그는 디오니소스 때문에 그녀를 포기한다. 독자는 이런 차이를 작품의 모순으로 보아서는 안 되고, 버전에 따라 이야기를 전달하는 자의 시각적 변주로 자연스럽게 받아들여야 한다.

V. M. R.

역자 서문

영어로 쓰인 이 책을 광화문 교보문고에서 우연히 구입한 때는 지금으로 부터 30여 년 전 일이었다. 이제야 비로소 번역할 마음을 굳히고 작가의 허락을 받았는데, 작가는 놀랍게도 올해 93세의 활력 넘치는 여인이었다. 그녀는 그리스신화를 고등학교의 교과목으로 정하고 30년간 열심히 가르쳤다. 이 책을 접하는 독자들은 작가가 보여주는 인간의 존엄성과 동등한 남녀의 인격에 대한 투철한 사상을 감지할 수 있을 것이다. 올림피아 신들 이야기를 작가는, 특히 청소년들이 이해하기 쉽도록, 영상/영화 매체의 대본 형식으로 맵시있게 구성하였다.

그리스신화에 관심 있는 독자들을 위해서 역자는 책 말미에 두 가지를 부록으로 담았다. 하나는 그리스신화에 대한 역자의 후기이고, 하나는 이 책에 등장하는 고유명사의 우리말 표기와 설명의 일러두기이다. 그리스어에 문외한인 역자의 길잡이로, 우리말 표기와 설명을 영한사전에 근거하였음을 밝힌다.

책이 나오기까지 감사할 분들이 있다. 우선, 기꺼이 번역을 허락해주신 저자 바이올라 M. 라구소 선생님께 감사드린다. 그리고 역자가 2010년 정년 이후 출간한 다섯 권의 책표지를 지금까지 변함없이 맡아주신, 나의 전속(?) 작가가 되다시피 하신, 이영순 선생님께 감사드린다. 끝으로, 편집을 맡아 수고를 아끼지 아니한 박하얀 선생님과 언제나 마다치 않고 역자의 책을 만들어주신 이성모 사장님께 고마운 마음을 전한다.

2018년 6월
역자 송옥

|차 례|

제3부 연인들

제4부 인물들

제1부 신들과 인간

1
제우스와 프로메테우스

	등장인물	
레아	에피메테우스	듀칼리온
제우스	판도라	퓌라
가이아	정령 1	포세이돈
프로메테우스	정령 2	헤라
테미스	정령 3	아테나
헤르메스	상자 속 정령	테티스

[페이드인: 옥외. 크레타. 제우스와 제우스의 어머니 레아.]

레아 제우스, 내 아들아, 이제는 티탄 고향으로 돌아갈 때가 되지 않았느냐.

제우스 아버지와 형제들과 누이들을 몰아내고 제가 그 자리로 들어가란 말씀
인가요?

레아 그렇다.

제우스 좋아요. 어머니. 저도 신탁의 예언이 이루어지기를 기다려왔어요.

레아 너의 아버지 크로노스는 거인들과 키클롭스들을 몇 해 전 그의 아버
지, 그러니까 너의 할아버지 우라노스한테서 해방시킨 후 다시 지옥에
가두었어.

제우스 이제 그 거인들과 키클롭스들을 제가 아버지 손에서 해방시키는 역사
를 반복해야 한다는 거군요.

레아   바로 그 말이다. 쉽지는 않을 거야. 그래서 너의 할머니 가이아가 너를
       도와주러 오신다.

제우스 우리 가족사는 아버지에서 아들로 이어지는 배신의 역사로군요. 이 고
       약한 내림이 저한테서 끝나기를 바랍니다.

레아   그래, 아들아. 이번이 마지막 배신이기를 빌자. (페이드아웃.)

[페이드인: 옥외. 지옥의 밑바닥. 타르타로스 지옥문 앞. 머리가 50개 달린 히드
라가 문을 지키고 있다. 제우스와 가이아가 문 쪽으로 간다.]

제우스 (*히드라를 가리키며*) 저 괴물을 어떻게 통과할 수 있겠어요?

가이아 미리부터 실망하지 마라, 손자야. 이 할미가 저 깊숙한 지옥의 비밀을
       알고 있느니라.

제우스 할머니 손에 들고 계신 게 뭐에요?

가이아 열쇠지.

제우스 그렇지만 그게 무슨 소용 있겠어요? 괴물이 지키고 있는 문 가까이엔
       갈 수도 없을 텐데요.

가이아 저건 머리가 50개 달린 괴물인데, 50개의 머리를 분리해서 떼어낼 수
       있어.

제우스 이해가 잘 안 되네요.

가이아 두통은 참기가 힘든 거란다. 한번 앓기도 힘든 판에 50번의 두통을 상
       상해 봐라. 그런 고통은 견딜 수 없지.

제우스 그렇지만 50개의 머리는 고사하고 어떻게 한 개의 머리라도 고통을
       줄 수 있다는 건지요.

(*가이아는 앞가슴에서 작은 물체를 꺼낸다.*)

가이아   이 작은 갈대는 째지는 소리를 울려 퍼지게 하거든. 그 소리에 히드라
            는 머리들이 쪼개져 나가는 통증을 느끼게 된다.

제우스   그럼 우리는 어쩌고요? 우리도 그 소리에 영향을 받지 않나요?

가이아   우리도 받지. 그래서 여기 나무껍질로 만든 귀마개를 준비했다.

제우스   그렇게 되면—

가이아   그러면 히드라가 고통스러운 비명을 지르고 몸부림치는 동안에 네가
            들어가서 거인들과 키클롭스들을 풀어주고 이들을 안전하게 크레타로
            데리고 가는 거야.

(*가이아는 제우스에게 열쇠와 귀마개를 건넨다. 둘은 귀마개를 낀다. 가이아는 갈대를 두들기기 시작한다. 효과는 곧바로 나타나서 히드라는 그 소리에 즉각 반응을 보인다. 고통을 없애려고 머리 하나하나를 연달아 바닥에 때린다. 히드라가 그러고 있는 동안 제우스는 열쇠로 문을 열고 들어간다. 페이드아웃.*)

[페이드인: 옥외. 크레타. 3명의 키클롭스와 100개의 팔이 달린 백수거인(百手巨人)들, 제우스, 그리고 가이아가 큰 소리로 웃고 있다.]

가이아   정말 끝내주게 웃기는 광경이었어— 히드라가 머리를 하나씩 하나씩
            바닥에 때리는 꼴이란!

제우스   머리 한 개를 때릴 때마다 얼굴은 점점 더 일그러졌어요.

가이아   (*진지하게*) 그런데— 얘야, 아직 할 일이 많이 남았다. 넌 가서 아버지
            크로노스가 삼킨 네 동생들을 구해야 한다.

제우스   불가능해 보이는 일이 또 있군요.

가이아   이번엔 네 엄마가 도와줄 거야. 크로노스가 좋아하는 감로 주스에 발
            산제를 섞어서 네 엄마가 벌써 준비해 두었어.

제우스   발산제라니요?

가이아　그건 크로노스가 삼킨 아이들을 모두 토해내는 약이야.

제우스　제가 태어났을 때 저인 줄 알고 삼킨 돌덩이도 토해낼까요?

가이아　물론이지. 네 엄마가 너 대신 돌덩이를 포대기에 쌌어. 다른 애들과 같은 줄 알고 네 아버지가 그 돌덩이를 통째 삼켰지.

제우스　자식이 아버지를 권좌에서 몰아낼 거라는 예언이 있었지요? 그 예언이 실현되는 걸 막으려고 아버지가 미리 자식들을 삼킨 거지요?

가이아　그래, 그 예언이 성취될 날이 드디어 다가왔어. 어서 가자. 네 운명이 너를 기다리고 있다. (페이드아웃.)

[페이드인: 실내. 크로노스의 궁전. 티탄의 땅. 크로노스. 레아. 레아는 크로노스에게 잔을 건넨다.]

레아　여보, 이걸 마시면 속이 시원할 거예요.

크로노스　아- 감로 주스로군. 신들을 위한 음료지.

(크로노스는 음료 잔을 받아 주욱 들이킨다. 곧바로 그가 삼켰던 하데스, 포세이돈, 헤라, 데메테르 그리고 제우스로 알고 삼켰던 돌덩이를 토해낸다.)

크로노스　(하나씩 툭툭 내뱉으면서) 레아, 당신이 날 배반하는군!

레아　난 단지 운명의 명령을 따를 뿐이에요.

크로노스　운명이건 아니건, 투쟁 없이 내 권좌를 빼앗기는 일은 없어.

(화가 난 크로노스는 침실 방문을 뛰쳐나간다. 페이드아웃.)

[페이드인: 옥외. 티탄들의 오트리산. 10년 후. 제우스와 프로메테우스.]

제우스　　프로메테우스, 자네는 크로노스와 티탄들을 배반하는 재주를 보여주었소.

프로메테우스　난 바보들을 참을 수 없었지! 그자들은 내 말을 듣지 않았거든. 동료 티탄인 내가 진실을 말할 때 크로노스가 그걸 판단하지 못했으니 배신당할 수밖에 없었던 거요.

제우스　　불행하게도 전쟁이 더 오래 지속되면 살아남을 자가 없을 거요. ─ 그게 바보든 아니든 말이오. 우린 서로가 서로를 파괴할 뿐이오.

프로메테우스　날 믿으시오. 오트리산을 마지막으로 한 번만 더 공격하면 싸움은 끝날 것이니까. 당신은 백수거인들과 키클롭스들을 천둥번개로 무장시키고 날 따라와요. (페이드아웃.)

[페이드인: 옥외. 오트리산. 제우스, 프로메테우스, 거인들, 키클롭스들이 천둥번개로 무장하고 오트리산을 공격하여 티탄들과 일대일로 대적한다. 거대한 땅덩어리가 떨어져 나가고 나무들이 뿌리째 뽑히고 불타는 전투 가운데 어마어마한 바위들이 날아다니고, 온통 화염에 쌓인 아수라장이 된다. 어느 쪽이 승리하는지 결과를 알 수 없다. 그러나 연기가 가라앉고 보니 크로노스와 티탄들이 패배했다.]

제우스　　(거인들과 키클롭스들을 향하여) 크로노스와 티탄들을 가장 깊은 타르타로스 지옥에 영원히 가두고 지키도록 하라.

(프로메테우스는 거인들과 키클롭스들이 크로노스와 티탄들을 이끌고 가는 것을 지켜보고는 제우스에게 다가간다.)

프로메테우스　저들을 저렇게 다루는 건 너무 심하지 않소? 그래도 크로노스는 당신 부친이 아니오.

제우스 프로메테우스, 나에게 설교할 생각 마시오. 당신이야말로 당신의 동지들 티탄족을 배반한 자요.

프로메테우스 슬프지만 그건 사실이오. 그 결과 난 이제 홀로 남았소. 난 타르타로스 지옥에 갇히지 않은 유일한 티탄이 되었소. 이젠 내 종족은 아무도 없으니, 내 종족을 새로 만들어야 할 것 같소.

제우스 그럴 수도 있지만 당신이 만들면 그건 불완전한 종족이 될 것이오.

(프로메테우스는 그의 장래를 깊이 숙고하며 떠난다. 페이드아웃.)

[페이드인: 옥외. 올림포스산. 프로메테우스와 그의 어머니 테미스.]

테미스 아들아, 넌 그리스 진영 보이오티아에서 보내는 시간이 너무 많구나.

프로메테우스 그래요. 어머니. 그 점에 대해서 어머니와 상의하려던 참이었어요. 저는 완벽한 한 종족을 창조하려고 합니다.

테미스 고귀한 업무다. 그런 일은 올림포스 신들도 하지 못한 일이지.

프로메테우스 아테나가 저를 도와줄 것입니다. 보이오티아에서 가져온 진흙으로 새로운 인물들을 창조하고 거기에 아테나가 생명과 지혜를 불어 넣어줄 계획입니다.

테미스 제우스가 너의 그 계획을 어떻게 받아들일 것 같으냐?

제우스 어머니가 추측하시는 대로지요. 제우스는 누구도 자기 위에 뛰어난 자가 있는 것을 원치 않지요.

테미스 네가 창조하는 종족이 당하게 될 고통스러운 앞날이 두렵구나.

프로메테우스 어머니 말씀이 맞을 거예요. 그래도 저는 이미 결심을 굳혔어요.
(페이드아웃.)

[페이드인: 실내. 제우스 궁전. 제우스와 프로메테우스.]

제우스   프로메테우스, 내 대답은 안 된다는 거요.

프로메테우스   나도 이 일이 절대적으로 필요한 것이 아니라면 결코 요청하지 않
        을 것이오.

제우스   다시 말하지만— 안 됩니다! 올림포스의 불은 올림포스산에 있어야
        합니다. 자, 이제 그만 가보시오. 내 인내에도 한계가 있소.

(*제우스는 프로메테우스를 노려보고, 프로메테우스는 궁전을 떠난다. 그는 화가
많이 난 얼굴로 걷는다. 걸어가면서 길가의 페넬 줄기를 화풀이로 뽑아낸다. 그
줄기를 던져버리려는 순간 하나의 생각이 떠오른다. 페이드아웃.*)

[페이드인: 옥외. 헤파에스투스의 용광로. 헤파에스투스는 프로메테우스가 나타
났을 때 자기 일에 열중하고 있다.]

프로메테우스   잘 있었나, 헤파에스투스. 내가 맡긴 쇠사슬은 모두 완성되었는가?

(*헤파에스투스는 쇠사슬이 있는 쪽을 고개로 가리킨다. 헤파에스투스가 화덕에
서 머리를 돌리고 있는 동안 프로메테우스는 불꽃 한 개를 훔쳐 페넬 줄기에 숨
긴다. 그리고 쇠사슬이 놓인 쪽으로 걸어가서 쇠사슬을 들어 올린다.*)

프로메테우스   고맙네, 헤파에스투스. 자넨 내게 큰 도움이 되었네. (*페이드아웃.*)

[페이드인: 옥외. 올림포스. 제우스와 헤르메스. 제우스는 지상을 내려다보고 있
다. 헤르메스는 그의 신발들을 살피고 있다. 제우스는 갑자기 지상에서 무언가
를 발견하고 헤르메스를 가까이 오도록 부른다.]

제우스   헤르메스! 네 눈에도 저것이 보이느냐?

헤르메스 번쩍이는 게 보이네요.

제우스 그래. 저쪽에도 불빛이 또 있어.

헤르메스 저기 저쪽에도 있군요.

제우스 망할 자식! 도둑놈! 프로메테우스가 내 불을 훔쳤어!

헤르메스 정말 그렇군요. 나만큼이나 교활한 도둑인가 봐요.

제우스 그렇지만, 헤르메스, 네 머리와 내 머리를 합쳐서 선수 치면 저자의 허
　　　　　　를 찌를 수 있을 거야!

(*제우스와 헤르메스는 서로 머리를 맞댄다. 페이드아웃.*)

[페이드인: 옥외. 보이오티아. 프로메테우스와 에피메테우스.]

프로메테우스 에피메테우스, 이 점을 기억해라. 선물을 주는 신들을 조심해야 한
　　　　　　　　다. 제우스는 불을 훔친 나를 복수하려고 벼르고 있어.

에피메테우스 약속할게, 프로메테우스 형. 누구한테서도 아무것도 받지 않을 테
　　　　　　　　니까.

프로메테우스 하찮은 풀 한 포기도 절대 받아선 안 돼. 제우스와 헤르메스 머리
　　　　　　　　가 비상하거든.

에피메테우스 염려 말고 형은 하던 일이나 계속하세요. 난 절대 속지 않을 테니.

(*프로메테우스는 자리를 뜨면서 그의 동생을 마음이 놓이지 않는 눈으로 쳐다본
다. 페이드아웃.*)

[페이드인: 옥외. 보이오티아. 첫 여자 판도라를 대동한 헤르메스가 작은 상자를
들고 에피메테우스에게 다가온다.]

헤르메스　에피메테우스, 당신네 종족이 발전하는 모습이 드러나는군요.

에피메테우스　그렇소. 프로메테우스는 출중한 지도자니까.

(*에피메테우스는 판도라를 보고 호기심에 젖어 그녀 주위를 맴돌면서 살핀다.*)

에피메테우스　이건 뭐요?

헤르메스　(*무관심한 표정으로, 교활하게*) 아ー 이거요ー 당신은 이런 건 관심이 없을 텐데ー 이건 여자라고 불리는 거요.

에피메테우스　우리 종족과 비슷해 보이면서도, 그런데 아주 다르네요.

헤르메스　(*순진한 척하면서*) 다르다고요?

에피메테우스　(*판도라를 손으로 만져보면서*) 훨씬 부드럽고 근사해요. 만지는 느낌이 이상하게 설레고 흥분되는데요.

헤르메스　흥분된다고요? 그건 별것 아니요. 흥분 같은 건 사라져 버릴 거요.

(*헤르메스는 생각에 몰두한 모습이다. 이야기의 주제를 바꾼다.*)

헤르메스　당신 작품인 새 종족을 보여주겠소?

(*에피메테우스는 계속 판도라를 보는 데 열중해 있다.*)

에피메테우스　이게 뭔지 말해주시오, 헤르메스. 당신 것이오?

헤르메스　이건 여자라고 부르는 거요. 부분적으로만 내가 만들었고 헤파에스투스가 흙으로 빚었어요. 아테나가 옷을 해 입혔고, 이 여자를 아름답게 만든 것은 아프로디테의 솜씨랍니다. "여성스러움"을 드러낸 건 내 솜씨고요.

에피메테우스　이건 정말 믿기지 않게 훌륭하군.

헤르메스 그런데, 이것이라고 하지 말고 여자라고 불러주시오, 에피메테우스.

에피메테우스 이 여자는 기가 막히게 훌륭하네요. (*판도라에게*) 사람들은 당신을 뭐라고 부릅니까?

판도라 판도라라고 불러요.

에피메테우스 아─ 목소리도 어쩜 그리 부드러울까.

(*판도라는 눈을 아래로 내리깔며 새침을 부린다.*)

에피메테우스 이것이─ 아니─ 이 여자가 누구의 소유도 아니라면 나하고 좀 지내도 괜찮겠지요?

헤르메스 아─ 그건─ 잘 모르겠는데요. 내가 이 여자와 같이 지내는 게 익숙하다 보니─

에피메테우스 그렇지만 당신은 늘 여기저기 심부름 다니지 않소. 올림포스의 메신저로 항상 움직여 다니는 게 당신 임무잖소.

헤르메스 듣고 보니 그것도 그러네요. 지금도 난 지하 세계에 혼령을 데리고 갈 일이 있지. 그동안 판도라가 여기 머물러 있어도 괜찮겠네요.

에피메테우스 잘됐군. 잘됐어. 내가 이 여자를 잘 돌보고 있을게요.

(*헤르메스는 그가 들고 있던 상자를 판도라에게 넘겨준다.*)

헤르메스 자 이건 너에게 주는 선물이니 받아라, 판도라. 그러나 상자 뚜껑은 절대 열어서는 안 된다.

판도라 판도라는 순종하겠어요.

헤르메스 그래야지. 난 이제 가 볼게. 에피메테우스, 판도라의 선물도 모두 당신 것이오.

(*헤르메스는 교활한 웃음을 지으며 나간다. 페이드아웃.*)

[페이드인: 실내. 보이오티아. 에피메테우스의 거처. 프로메테우스가 들어오면서
에피메테우스와 함께 있는 판도라를 발견한다.]

프로메테우스 이게 뭐냐?

에피메테우스 여자라고 하는 거야, 형. 이 여자하고 같이 있게 해달라고 내가 헤
　　　　　　　르메스를 설득했지.

프로메테우스 네가 헤르메스를 설득했단 말이지. 헤르메스는 누구한테도 무엇으
　　　　　　　로도 설득당할 자가 아닌데. 아− 다 틀렸구나! 헤르메스가 너를 속이
　　　　　　　려 들 줄을 내가 미처 몰랐다니.

에피메테우스 나를 속이려 했다고? 헤르메스는 내게 큰 기쁨을 선사하고 갔는
　　　　　　　데.

프로메테우스 너한테는 기쁨이 될지 모르지만 이건 인류에게 큰 재앙을 안겨준
　　　　　　　거다.

(*프로메테우스는 근심에 싸인 얼굴로 나간다.* 페이드아웃.)

[페이드인: 실내. 판도라의 침실. 판도라는 헤르메스가 주고 간 상자를 보면서
서 있다.]

판도라　　정말 아름다운 상자야. 이 안에 담긴 건 더 아름답겠지. 한번 보고 싶
　　　　　　다. 딱 한 번만 열어 봐야겠다.

(*판도라는 상자를 열어 본다. 뚜껑을 열자마자 날개 달린 정령들이 날아간다.*)

판도라　(놀라면서) 이게 누구야? 이게 뭐야?

정령 1　(날아가면서) 난 영원한 젊음이야.

정령 2　(날아가면서) 난 영원한 건강이야.

정령 3　(날아가면서) 난 영원한 평화야.

(정령들이 모두 날아가고 하나만 남았는데 판도라가 날아가기 전에 뚜껑을 닫는다.)

판도라　안에 있는 너는 누구니?

상자 속 정령　난 영원한 희망이고 인류의 유일한 위안이지.

판도라　(흐느껴 울며) 내가 무슨 짓을 한 거야? 내가 일을 저질렀어. (페이드아웃.)

[페이드인: 실내. 한 세대가 지난 후. 프로메테우스의 아들 듀칼리온과 에피메테우스의 딸 퓌라의 결혼식.]

프로메테우스　너하고 판도라의 결합으로 생긴 복된 결과는 딸 퓌라를 얻은 것이로구나.

에피메테우스　퓌라는 현명하고 덕스럽고 아름답고 - 형의 아들 듀칼리온에게 이상적인 배필이지.

프로메테우스　앞으로 펼쳐질 어려운 임무를 감당키 위해서도 저 애들은 이상적인 한 쌍이다.

(프로메테우스와 에피메테우스는 각기 흩어져 하객들 사이에 섞인다. 페이드아웃.)

[페이드인: 옥외. 물가. 정박해 있는 방주. 방주에 타려는 듀칼리온과 퓌라와 함께 있는 프로메테우스.]

프로메테우스 듀칼리온, 퓌라, 얘들아, 어서 서둘러라. 어서 방주에 올라가거라.
듀칼리온 아버지, 왜 그렇게 서두르세요?
프로메테우스 제우스가 지금 인간을 모두 파괴하려고 대홍수를 일으키고 있다. 너희들 지체할 시간이 없어. 어서, 어서 서둘러라!

(*듀칼리온과 퓌라는 급히 방주에 오른다. 페이드아웃.*)

[페이드인: 옥외. 방주. 듀칼리온과 퓌라.]

퓌라 우린 아흐레 낮과 밤을 물 위에 떠 있었어요. 얼마나 더 오래 있어야 하나요, 서방님?
듀칼리온 아버지 말씀으로는 이 방주가 정착할 곳을 알아서 찾아낼 것이라고 하셨소. 믿읍시다.
퓌라 믿고 있어요. 그래도 무서운걸요.
듀칼리온 나 역시 무섭소, 여보.

(*두 사람은 서로 몸을 의지하고 움츠린다.*)

퓌라 육지에 닿은 후에는 어떻게 되나요?
듀칼리온 새로운 종족을 만들어 인류를 건설해야 하오.
퓌라 새로운 인류를 우리가 어떻게 건설하나요?
듀칼리온 아직은 알 수 없어요. 할머니의 신탁과 의논해봐야 하오.

(쿵 하는 소리와 함께 둘은 방주의 한쪽 벽에 쓰러진다. 듀칼리온은 일어나서 그의 방주가 땅에 닿았음을 알아본다.)

듀칼리온 됐어요! 퓌라, 드디어 우리가 땅에 닿았어요!

(둘은 기뻐서 포옹한다. 페이드아웃.)

[페이드인: 옥외. 파르나소스산. 듀칼리온과 퓌라.]

퓌라 돌을 집어 들고 어깨너머로 던지란 말이지요. 그게 신탁이 가르쳐준 거라고 했나요?
듀칼리온 그래요. 당신이 던지는 돌들은 모두 여자가 되고, 내가 던지는 돌들은 남자가 될 거요.

(듀칼리온과 퓌라는 열심히 돌들을 집어서 어깨너머 뒤로 던진다. 돌들은 땅에 떨어지면서 각각 남자와 여자로 변한다.)

퓌라 (뒤를 돌아다보며) 신탁이 한 말이 맞군요. 돌들이 모두 남자 여자로 변했어요.
듀칼리온 빨리해요, 퓌라. 돌들을 많이 많이 던져야 해요. 물이 빠지고 있소. 우리 종족을 출발시킬 아테네로 떠나야 합니다.

(듀칼리온과 퓌라는 급하게 돌들을 던진다. 두 사람의 모습을 본뜬 남자와 여자들이 새롭게 속속 만들어진다.)

[페이드인: 옥외. 올림포스. 제우스와 헤르메스.]

헤르메스 프로메테우스가 새로운 종족을 만들었단 말이지요?

제우스 헤르메스, 난 단념하고 받아들이기로 했다. 실은 오히려 기다려지는 심정이야.

헤르메스 어떻게 그런 마음이 생겼어요?

제우스 그거야 내가 최고의 통치자 신이 아니냐?

헤르메스 네. 그건 사실이지요.

제우스 수많은 새로운 인종의 미녀들이 기대된다.

헤르메스 제우스는 결국 원하는 대로 하시잖아요. 그렇지 않은가요?

제우스 최고의 신이 자기 원대로 하는 게 당연한 일 아니냐? (페이드아웃.)

[페이드인: 옥외. 올림포스. 아테나의 텐트 외곽. 헤라, 아테나, 포세이돈이 서로 붙어있다.]

포세이돈 제우스가 최고의 신이라니 믿기지 않는군.

헤라 포세이돈, 누가 엿들을 수 있으니 크게 말하지 말아요. 조심해요. 헤르메스가 근처에서 서성거리고 있어요. 아무래도 우리 낌새를 눈치챈 것 같아요.

포세이돈 (*소리를 낮추면서*) 난 지금도 우리 어머니가 제우스 대신에 나를 돌로 싸맸어야 했다고 강력히 주장하지. 그랬으면 최고의 신 자리는 내 차지였는데.

아테나 그래 맞아요. 포세이돈. 이제 우리 작전을 세워야 해요.

헤라 그래서 우주 최고의 신을 끌어내리는 이 계획에, 아테나, 네가 끼어든 것이로구나.

아테나 실은 아버지 제우스와 난 무척 가까운 사이지만, 두뇌를 요구하는 지금 같은 도전을 나로선 거부하기 힘들거든요.

헤라 이번 계획에서 필요하다는 그 두뇌는 내게 없으니까 난 해당이 안 된다. 난 경멸스러운 여인의 고전적 본보기일 뿐이야. 여자 꽁무니를 쫓아다니는 바람잡이 제우스는 아내인 나를 조롱거리로 만들고 있어.

포세이돈 좌우지간 이 올림포스산에서는 배신이 더러운 단어가 아니라니까. 크로노스는 아버지 우라노스를 배신했고, 제우스는 또 그의 아버지 크로노스를 배신했잖아.

아테나 우리는 제우스를 배신하고. 자 모두들 내 텐트로 가서 우리의 작전을 모의합시다.

(포세이돈, 헤라, 아테나는 텐트 안으로 들어간다. 페이드아웃.)

[페이드인: 옥외. 올림포스. 헤르메스와 바다의 여신 테티스.]

헤르메스 테티스, 제우스에 대한 음모가 있는 것 같아요. 포세이돈이 가담하고 있어요.

테티스 포세이돈에겐 내가 영향력이 있지.

헤르메스 포세이돈이 당신의 매력적인 미모에 반한 사실을 난 알고 있어요.

테티스 무슨 음모가 있는지 내 알아볼게. *(페이드아웃.)*

[페이드인: 옥외. 아테나의 텐트. 아테나와 포세이돈.]

아테나 제우스를 붙들어 놓으면, 포세이돈, 당신이 바다 깊은 동굴 속으로 제우스를 데리고 갈 수 있지요.

포세이돈 그곳에 데려가서 나의 바다괴물이 영원토록 지키게 할 테다.

아테나 헤라의 말로는 그를 꼭 그렇게 가두어두겠다는 각오가 단단했어요. 기다려보지요. 제우스의 궁으로 갈 준비가 되면 헤라가 그녀의 공작새를 우리한테 보내줄 거예요.

포세이돈 그저 기다리고 있으란 말이지?

(*아테나는 머리를 끄덕이고 둘은 텐트 밖으로 나가서 아테나의 공작새를 기다린 다. 페이드아웃.*)

[페이드인: 실내. 헤라의 침실. 제우스와 헤라는 침대에 함께 있다.]

제우스 (*편안한 자세로*) 내가 제일 편안히 쉴 수 있고 안전을 느끼는 곳은 여 기 밖에 없소.

헤라 당신이야말로 안식과 안전이라면 재미 보는 침대보다 더 나은 곳이 또 어디 있겠어요?

제우스 게다가 아내와 함께 있으니 말이오.

(*제우스는 헤라에게 키스한다.*)

헤라 당신 아내가 당신한테 깜짝 놀래줄 일이 있어요.

제우스 놀래줄 일이라니?

헤라 눈을 감아 보세요. 보고 있으면 놀랄 일이 없지요.

(*제우스는 눈을 감는다. 헤라는 공작새 털로 짠 침대 덮개를 그에게 덮어준다. 제우스는 눈을 감고 덮개를 느낀다.*)

제우스 부드러운 새털 같구려.

헤라 깜짝 놀랄 일을 기대하세요. 아직 눈을 뜨면 안 됩니다.

(*헤라는 소리 없이 침실 문을 연다. 아테나와 포세이돈이 무거운 줄을 들고 살그*

머니 들어온다.)

헤라   (*제우스에게*) 이건 공작새 털로 짠 이불이에요. 아테나만이 짤 수 있
          지요. 내가 당신 옆에 갈 때까지는 눈을 뜨지 마세요.

(*포세이돈과 아테나는 제우스 양옆에 있다. 이들은 제우스를 꽉 붙잡고 포세이
돈이 힘겹게 제우스를 줄로 묶는다. 덮개를 벗은 제우스는 그가 배신당한 것을
안다.*)

제우스   이게 대체 뭐 하는 짓이야?
포세이돈 이건 최고의 신의 자리가 끝나는 모습이지. 아테나, 이리 와서 제우스
          를 마차에 태우는 걸 도와다오.
제우스   아테나! 너마저- 내가 제일 사랑했는데-

(*아테나는 포세이돈이 제우스를 끌고 가는 일을 돕는다. 제우스를 마차에 실으
려는 순간 거인 브리아레오스가 난데없이 어디선가 튀어나와 제우스를 채간다.
테티스는 이들을 도와 제우스의 묶은 줄을 풀어준다.*)

제우스   테티스, 그대의 충성이 고맙네. 브리아레오스, 자네의 도움도 고맙다.
          자네들은 나의 영원한 은총을 받을 것이다.

(*브리아레오스는 제우스를 풀어주고 제우스는 말문이 막혀 서 있는 포세이돈,
아테나, 헤라를 바라본다.*)

제우스   (*원한을 품지는 않았으나 슬픈 어조로*) 내 아내, 내 형제, 그리고 내
          딸까지- 배신은 이제 올림포스에서 살아가는 하나의 방법이 된 것

같구나.

아테나 아버지, 부끄러워요.

제우스 배신이라는 부패의 씨앗이 우리들 모두 안에 들어있어.

(*제우스는 머리를 숙이고 서 있는 헤라와 포세이돈에게 다가간다.*)

제우스 (*헤라에게*) 헤라, 당신에게 반감은 없소. 나를 배신할 이유를 당신에게
제공한 자는 바로 나니까. 그건 하늘도 알지.

(*제우스는 포세이돈에게 말한다.*)

제우스 포세이돈, 배신은 이 올림포스에서 사는 하나의 길이 되었으니, 우린
서로 영원히 배신하면서 살아야 하겠구려.

(*신들은 엄숙하고 슬프게 서로 각기 다른 방향으로 머리를 돌린다. 페이드아웃.*)

2
헤라와 헤파에스투스

등장인물		
하데스	헤파에스투스	네펠레
포세이돈	아프로디테	익시온
일리튀이아	아레스	숲의 요정 1
헤라	아폴로	숲의 요정 2
헤르메스	헤스티아	

[페이드인: 실내. 연회장. 올림포스 궁전. 제우스와 헤라의 결혼식. 결혼식에는 헤스티아, 데메테르, 하데스, 포세이돈 신들이 참여한다. 이들은 하객들이 신랑 신부에게 선물을 건네는 것을 지켜본다. 하데스와 포세이돈이 신랑신부에 대해 언급한다.]

하데스 헤라는 왕의 배우자가 되는군.
포세이돈 제우스는 왕이 되는 거고.

(두 형제는 소리 내어 웃는다. 제우스는 신부를 인도하여 춤을 춘다. 페이드아웃.)

[페이드인: 실내. 연회장. 올림포스 궁전. 한 세대가 지난 후. 헤파에스투스와 아프로디테의 결혼식. 결혼식에는 아레스, 헤베, 헤르메스, 아테나, 아폴로, 아르테

미스, 페르세포네가 있고 연장자 신들인 헤스티아, 데메테르, 하데스, 포세이돈은 제우스, 헤라와 함께 귀빈석 높은 자리에 앉아 있다. 나이 든 신들은 젊은 신들이 춤추는 것을 지켜본다. 하데스와 포세이돈이 신랑신부에 대해 언급한다.]

하데스   이 결혼식에는 어쩐지 한쪽에서 비아냥대는 소리가 들리는 느낌이야. 네 생각은 어때, 포세이돈?

포세이돈   불완전한 결혼이지.

하데스   우아해 보이려고 애쓰는 헤파에스투스의 우스꽝스러운 꼴이 보기 딱하군.

포세이돈   아프로디테는 신랑이 영 달갑지 않은 모양이야.

하데스   헤파에스투스는 아프로디테와 결혼한 걸 한탄하게 될 날이 올 걸세.

포세이돈   그것도 머지않은 장래에 말이지. 저길 좀 봐. 아레스가 벌써 아프로디테를 구출하려고 접근하고 있어.

하데스   저 구출은 시작에 불과해. 두고 보라고, 포세이돈.

(둘은 아프로디테와 아레스가 서로 껴안고 춤추는 모습을 지켜본다. 페이드아웃.)

[페이드인: 실내. 헤라의 침실. 올림포스 궁전. 헤라는 마음이 산란하여 서랍 속을 뒤지고 있다. 헤라의 딸, 조산의 여신 일리튀이아가 들어온다.]

일리튀이아   찾았어요, 어머니?

헤라   (정신없이 뒤지면서) 아직 못 찾았어. 일리튀이아, 내 기억력이 이렇게 약해지다니―

일리튀이아   누구나 다 잘 잊어버려요.

헤라   너의 아버지가 문제야. 끊임없이 바람피우고 여자들 꽁무니를 따라다니니- 내 정신이 온전할 리가 없지. 너의 아버진 날 미치게 만든다니까.

일리튀이아 아버지가 다른 남자들보다 더 나쁠 것도 없잖아요.

헤라 그럴지도 모르지. 그렇지만 난 다른 여자들과는 달라. 난 그런 짓이 용납이 안 된다.

일리튀이아 어머니. 이제 그만 찾으세요. 나한테 대체할 끈이 있어요. 빨리 서둘러야 해요. 아기가 곧 태어나겠어요.

헤라 그래, 그래. 어서 가서 도와줘야지. (페이드아웃.)

[페이드인: 옥외. 올림포스 숲. 제우스와 헤르메스가 사냥을 하고 있다.]

헤르메스 제우스, 며칠 동안 안 보이시던데 어디서 재미를 많이 보고 계셨나 봐요.

제우스 그래. 이젠 다른 사냥감을 찾아봐야겠어.

헤르메스 그거야, 사냥감이 제우스를 기다리고 있을 텐데요.

(*헤르메스는 제우스에게 앞서가도록 몸짓을 한다. 페이드아웃.*)

[페이드인: 실내. 헤파에스투스와 아프로디테의 침실. 아프로디테는 여전히 침대에 누워있다. 다리는 불구지만 활력이 넘치는 헤파에스투스는 절룩거리며 침대 덮개 위로 넘어간다. 아프로디테는 조롱 섞인 웃음을 짓고, 헤파에스투스는 바닥으로 굴러떨어진다.]

아프로디테 모자라기는! 정말 꼴사나워 못 봐주겠군!

(*헤파에스투스는 일어나서 아프로디테 옆으로 온다.*)

헤파에스투스 미안해. 여보. 난 움직이는 게 서툴러. 그렇지만 당신하고 있으니
　　　　　너무 기뻐서 그렇다오.

(*헤파에스투스가 그녀의 뺨에 키스하자 슬쩍 얼굴을 피한 아프로디테는 자신의
처지를 불만스러워 하며 힘없이 쓴 미소를 짓는다.*)

아프로디테 어서 가 봐요.－어서－어서－ 당신이 해야 할 일들이 기다리고 있잖
　　　　　아요.
헤파에스투스 당신도 알지. 내 사랑, 그대가 있어서 내가 하는 일에 힘이 생긴다
　　　　　오. 다녀와서 봐요.
아프로디테 어서 가기나 해요.－ 어서요－ 난 꼼짝 않고 여기 있을 테니.

(*헤파에스투스는 행복에 젖어 절뚝거리면서 나간다. 페이드아웃.*)

[페이드인: 옥외. 헤파에스투스의 궁전. 헤파에스투스가 대장간 그의 작업장으로
갈 때 풀섶에 숨어 있던 아레스가 숲에서 나와서 헤파에스투스의 궁전으로 들어
간다. 페이드아웃.]

[페이드인: 실내. 헤라의 침실. 헤라는 어린 아기 옷을 만들고 있다. 일리튀이아
가 들어온다.]

헤라　　　일리튀이아, 돌아왔구나. 알크메나는?
일리튀이아　쌍둥이를 낳았어요. 이피클레스와 헤라클레스요.
헤라　　　웃기는군. 제우스의 서자가 내 이름을 따다니. 조롱거리로구나.
일리튀이아　난 어머니가 지시하신 대로 출생을 막아보려고 했어요.
헤라　　　나도 미처 몰랐어. 너의 아버지는 언제든지 자기 맘대로 하니까.

일리튀이아   (*어머니를 위로하며*) 불행히도 어머니한테는 안 됐지만, 아버지는 늘 그러신 것 같아요. (페이드아웃.)

[페이드인: 실내. 아프로디테의 침실. 아프로디테는 아레스의 출현을 모른 채 여전히 침대에 누워있다.]

아레스   부끄럼 타는 신부는 어찌 지내고 있소?

아프로디테   (*놀라면서*) 아레스, 여기서 뭐 하는 거예요?

아레스   내가 말했잖소. 부끄럼 타는 신부가 어떻게 지내는지 조사하러 왔다고.

(*아프로디테는 베개를 아레스에게 던진다. 아레스는 이를 받아들고 아프로디테에게 온다.*)

아레스   사랑하는 나의 여신이여, 이 베개의 주인은 당신 남편이 아니니까요.

(*베개를 받아든 아프로디테가 이를 다시 던지려 하자 아레스는 그녀의 팔을 잡는다.*)

아레스   오늘 아침 기분이 좋지 않군요. 당신에게 좀 더 어울리는 사람이 이 베개 위에 누우면 당신 기분이 나아질 수 있을 텐데요.

아프로디테   당신이 바로 그 사람이란 말이군요.

아레스   그렇소.

(*아레스는 아프로디테를 거칠게 붙잡아 열렬히 키스한다. 입술을 닦으면서 아프로디테는 저항적으로 그를 올려다본다. 아레스는 더욱더 야생적으로 키스하며*

그녀를 밀어 쓰러트린다. 아레스가 자리를 뜰 때 아프로디테는 그를 향해 베개를 던진다. 숨을 가쁘게 쉬며, 화난 아프로디테는 음욕에 찬 미소 띤 얼굴로 교활하게 변한다. 페이드아웃.)

[페이드인: 실내. 헤라의 궁전. 아르고스. 제우스는 헤라와 일리튀이아가 출산을 앞둔 산모들을 돌보고 있는 방으로 들어온다.]

제우스　헤라, 당신과 얘기 좀 해야겠소.

(*헤라는 일하고 있던 붕대를 일리튀이아에게 넘겨준다.*)

헤라　애야, 곧 돌아오마. (페이드아웃.)

[페이드인: 실내. 헤라 궁전의 또 다른 방. 제우스와 헤라.]

제우스　당신 지금 일주일째 집을 비우고 있는 거 알고 있소?
헤라　그래서요?
제우스　헤라, 당신은 나의 아내요. 남편 있는 곳에 있어야 하는 존재란 말이오.
헤라　당신은 내 남편이지요. 남편도 아내가 있는 곳에 있어야 하는 존재가 아닌가요?
제우스　그건 무슨 뜻이오?
헤라　갑에 적용되는 것은 을에도 적용된다는 말이지요.
제우스　난 지금 우리 두 사람 이야기를 하고 있는 거요.
헤라　나도 그래요. 내 산모들한테 돌아가 보겠어요.
제우스　그렇지만─ 여보─

(*헤라는 떠나고 제우스는 불만에 차서 그대로 서 있다. 페이드아웃.*)

[페이드인: 옥외. 헤파에스투스는 대장간에서 일하고 있다. 열심히 흥겹게 일하고 있는 그에게 아폴로가 다가온다.]

아폴로　　정말이지, 자네를 보니 결혼이 좋긴 좋은가 보네.

헤파에스투스　아, 아폴로. 자네 말이 맞아. 아프로디테는 너무나 멋있어.

아폴로　　자네 일하는 데 내가 방해하지 않겠네. 그렇게 행복해하는 자네를 보니 나도 힘이 나는군.

(*헤파에스투스는 열심히 일을 계속한다. 페이드아웃.*)

[페이드인: 옥외. 아프로디테의 정자. 아프로디테는 나태한 모습으로 반쯤 누워서 자기의 비둘기를 쓰다듬고 있다.]

아프로디테　아, 저 멋대가리 없는 헤파에스투스! 정말이지 지루해 죽겠어.

(*아레스가 그녀의 등 뒤에 나타난다.*)

아레스　　아프로디테, 당신 기분이 저조하군요.

아프로디테　(*놀라서 벌떡 일어나 앉는다.*) 당신을 보니, 내 기분이 저조했던 게 사실이군요.

(*아레스는 그녀 옆에 앉는다.*)

아레스　　우리 화해협정을 맺읍시다. 아프로디테, 어느 때가 항복할 때인지 난 알아요.

(*아프로디테는 그녀의 비둘기를 날려 보낸다.*)

아프로디테   난 야만인과는 항복에 대한 이야기를 나누지 않습니다.

(*그녀는 일어나 가려고 한다. 아레스는 그녀의 팔을 붙잡는다.*)

아레스   잠깐- 당신 침실에서 내가 못되게 행동한 것을 인정합니다.

(*아프로디테는 잡힌 팔을 빼려고 몸을 세게 뒤튼다.*)

아레스   그렇지만 내 몸에 불을 지른 것은 당신이오- 그런 경우엔, 어느 남자
라도 마찬가지일 겁니다.

(*아프로디테는 팔을 빼려고 계속 애쓴다.*)

아프로디테   당신의 야만성을 내 탓으로 돌리지 마세요.
아레스   내 말은- 아프로디테, 난 전쟁을 다룰 줄은 알아도- 여자는-

(*아프로디테는 팔을 빼려는 노력을 덜 한다.*)

아프로디테   여자는 다룰 줄 모른다는 말인가요? 그래요?

(*아레스는 그녀를 그에게 가까이 끌어당긴다.*)

아레스   다시 말하지만, 난 전폭적으로 항복합니다.

아프로디테   (*애교를 띄면서*) 내 방식대로 항복한다는 건가요?

아레스   (*부드럽게*) 당신 방식대로.

(*아레스는 아프로디테를 자기 몸에 더 가까이 끌어당긴다.*)

아프로디테   협정을 맺읍시다.

(*아레스의 입은 굶주린 듯 정열적으로 그녀의 입술을 찾는다. 페이드아웃.*)

[페이드인: 옥외. 아르고스. 헤라의 궁전. 제우스와 헤르메스는 유리한 위치에 숨어서 익시온을 문으로 안내하고 있는 헤라를 지켜본다.]

제우스   얼씨구! 저 꼴이 보이냐, 헤르메스?

헤르메스   뭐가요?

제우스   익시온이 헤라의 손에 키스하고 있어.

헤르메스   존중의 표시겠지요.

제우스   존중의 표시라— 익시온은 존중이란 단어의 뜻을 모른단 말이다. 저놈이 얼마나 엉큼한 녀석인지 네가 몰라서 그래.

헤르메스   그렇지만 헤라는 나무랄 데 없이 훌륭한 현모양처잖아요. 헤라는 비난의 여지가 없는 분이어요.

제우스   난 모르겠어. 최근에 나한테 아주 쌀쌀하게 대하거든.

헤르메스   그래도 헤라는 충실한 아내라고 전 믿어요.

(*마음이 산란한 제우스는 대답 없이 왔다 갔다 서성댄다. 페이드아웃.*)

[페이드인: 옥외. 아프로디테의 정자. 아프로디테는 몹시 화가 나서 풀을 마구 뜯어 여기저기 내던진다.]

아프로디테 나한테 이런 짓을 하다니- 티탄 계집 에오스와 몰래 놀아나려고-

(*그녀는 더 많은 풀을 뜯어 던지던 중 생각이 하나 떠올랐다.*)

아프로디테 아레스 나쁜 자식, 대가를 꼭 치르게 하고 말 거야.

(*그녀는 결심한 듯 풀 뜯기를 멈추고 자리를 뜬다. 페이드아웃.*)

[페이드인: 옥외. 아르고스. 헤라의 궁전. 제우스. 제우스는 여전히 신경이 곤두 서서 서성거리다가 갑자기 멈춘다.]

제우스 알았어!
헤르메스 뭐를요?
제우스 익시온을 만족시켜 주면서 한편 헤라의 순결을 지킬 수 있는 방법 말 이야.
헤르메스 헤라에 대한 믿음이 그렇게 없으시다니, 믿을 수가 없군요.
제우스 오쟁이 질 처지는 네가 아니고 나란 말이다.
헤르메스 그렇지만 헤라는 절대로-
제우스 암, 절대로 헤라가 날 웃음거리로 만들어선 안 되지! 애야, 나하고 같 이 가자. 네 도움이 필요하다. (페이드아웃.)

[페이드인: 옥외. 난로의 여신, 처녀 헤스티아의 궁전. 아레스가 헤스티아 앞에 무릎을 꿇고 애원할 때 헤스티아는 난로를 돌보고 있다.]

헤스티아 나가요! 야비한 자식! 난 영원히 처녀로 살 작정이오.

아레스 당신이 그렇게 아끼고 지키는 난로를 나도 함께 아끼고 도와줄 수 있
게 해주십시오.

(헤스티아는 뜨겁게 달구어진 부지깽이를 집어 들고 아레스 앞에 흔들어댄다.)

헤스티아 어서 사라져요! 안 그러면 이 부지깽이로 당신 얼굴을 찍어서 괴물로
만들어 버릴 터이니!

*(아레스는 뒷걸음으로 물러선다. 헤스티아가 그를 몰아내자 아레스는 넘어지고
헤스티아는 문을 꽝 닫아버린다. 아레스는 바닥에 나가떨어져 주저앉는다. 아프
로디테는 백조가 끄는 그녀의 마차 안에 있다.)*

아프로디테 *(조롱조로)* 아이고, 아레스, 여기서 뭐 하는 거예요?

아레스 아프로디테, 당신이 내게 마술을 부린 거지요? 내 의지로는 절대로 헤
스티아에게 구애할 리 만무해요. 너무나- 너무나- 순수한 헤스티아
는 나 같은 자가 구애할 상대가 아니오.

아프로디테 *(복수심에 불타서)* 그 티탄 계집 에오스에게는 그런 순수성이란 게
없었겠지.

아레스 아, 그래서 당신이 이런 짓을 하는 거군. 내가 에오스와 놀아났다고 날
벌 주려고 이따위 마술을 부리는 거요?

아프로디테 마술? 무슨 소리 하는지 모르겠네.

아레스 내게 시침 뗄 생각은 마시오, 아프로디테. 우린 피차 서로를 너무 잘
아니깐.

아프로디테 잘 아는 것도 이젠 다 끝났어요!

(*아프로디테는 백조 마차를 타고 떠난다. 페이드아웃.*)

[페이드인: 옥외. 아르고스. 헤라의 정자. 제우스와 헤르메스. 제우스는 구름으로 가득 찬 지갑에서 구름이 천천히 빠져나가게 한다. 빠져나온 구름은 점점 헤라와 똑같은 형상으로 복제되어 나타난다.]

헤르메스　정말이지, 누구 말마따나, 가짜가 진짜 같아요. 헤라보다 더 헤라 같다니까요.

제우스　(*구름에게*) 네펠레, 넌 이제 내 구름이다.

네펠레　(*복종하면서*) 주인께 제가 무얼 해드리면 될까요?

제우스　익시온이 올 때까지 여기서 기다려라.

네펠레　분부대로 하겠습니다.

(*제우스와 헤르메스는 떠난다.*)

제우스　헤라가 저렇게 순종적이면 얼마나 좋을까.

헤르메스　그러나 헤라는 진실하잖아요.

제우스　그래, 그래. 아내의 진실성은 나도 인정해. (페이드아웃.)

[페이드인: 옥외. 아프로디테의 정자. 아프로디테와 아레스는 서로 포옹하고 있다.]

아레스　마술에서 벗어나니 이렇게 안심이 되고 좋은걸!

아프로디테　(*순진성에 대해 조롱하면서*) 헤스티아의 순진성이 마음에 들지 않던가요?

아레스　내가 그 여자를 좋아하지 않는다는 사실을 당신도 잘 알면서 그래요.

아프로디테 그래요. 그건 나도 잘 알지요. 당신은 훨씬 야만스러운 타입이니까.

아레스 당신이 이해하고 좋아하는 그런 야만성이지.

아프로디테 내가 헤파에스투스와 결혼한 건 인정하지만, 이따금 약간의 혼외 야
만성을 즐기고 있는 것도 사실이어요.

아레스 지금은 어떻소?

(*아레스는 열정적으로 아프로디테에게 키스한다. 페이드아웃.*)

[페이드인: 옥외. 헤라의 정자. 네펠레는 거대한 노송 그늘 아래 누워있다. 나무
뒤로 나타난 익시온은 주변에 아무도 없는 것을 확인한 후 네펠레에게 달려들어
그녀를 와락 움켜잡는다. 페이드아웃.]

[페이드인: 옥외. 대장간에 있는 헤파에스투스. 아폴로는 그의 마차 바퀴를 새로
끼고 있는 헤파에스투스를 지켜본다. 아폴로는 일을 끝낸 헤파에스투스의 어깨
에 손을 얹는다.]

아폴로 헤파에스투스, 이리 와서 나하고 같이 넥타르 주스 좀 마시지.

헤파에스투스 좋지. 아폴로. 넥타르는 맛 좋은 주스지.

(*둘은 앉는다. 두 개의 잔에 아폴로는 넥타르를 따르고 각각 들이킨다.*)

아폴로 자넨 전보다 마음이 평온해 보이는군.

헤파에스투스 이게 다 아프로디테 덕분이야. 그녀는 나의 기쁨, 나의 영감, 날
흥분시키는 존재거든.

(*이들이 볼 수 없는 곳에 줄곧 서서 지켜보던 아레스가 대화에 끼어든다.*)

아레스   (*비웃으며*) 흥분시키는 존재? 네가 무슨 소리 하는지 난 다 알아!

헤파에스투스   뭐? 형이 그걸 어떻게 알아? 그럼, 아프로디테하고 형이....?

(*헤파에스투스는 일어선다. 그는 장갑 한 짝을 땅에 던지고 아레스의 목을 꽉 잡는다. 아레스는 숨을 헐떡인다. 아폴로가 헤파에스투스의 손을 떼어놓으려 끼어들 때 그 틈을 기회로 아레스는 도망간다. 헤파에스투스는 멍하니 아폴로를 바라본다.*)

헤파에스투스   아폴로, 자넨 내 친구야. 아레스가 한 말이 사실인지 말해 봐. 사실이야?

(*아폴로는 머리를 숙이고 답을 못 한다. 답을 알아차린 헤파에스투스는 도구 있는 곳으로 가서 모루 위에 자기 머리를 묻고 자제력을 잃고 흐느낀다. 감정을 일단 자제한 그가 장도리로 모루를 내리치자 온 땅이 흔들린다. 심신의 힘이 빠진 그는 땅에 그대로 쓰러진다. 아폴로는 그에게 달려가서 그의 두 손을 비비고 이마에 손을 얹어보지만 반응이 없다. 아폴로는 일어나 그 자리를 뜨면서 얼이 빠져 듣지도 못하는 헤파에스투스에게 말한다.*)

아폴로   네 병을 고쳐주고 싶어도 내 약이 말을 안 듣는구나.

(*아폴로는 슬픈 기색으로 걸어 나간다. 페이드아웃.*)

[페이드인: 옥외. 아르고스. 헤라의 정자 근처. 기분이 상기된 익시온이 제우스와 헤르메스가 있는 곳으로 온다.]

익시온   아, 제우스, 안녕하시오− 아내 헤라도 안녕한가요?

제우스	우리 부부는 잘 지내고 있어.
익시온	제우스, 제우스의 아내는 정말 훌륭해요.
제우스	나도 그렇게 알고 있어. 익시온.
익시온	매력이 특출한 여인이오.
제우스	(약이 올라서) 나도 알아, 익시온.
익시온	(혼자 히죽이 웃으면서) 나도 알아요, 제우스.
제우스	자네도 안다니, 무슨 뜻으로 하는 소린가?
익시온	헤라의 매력을 알 만한 위치에 있다는 뜻이지요.
제우스	에잇, 자식! 너 말이야, 익시온, 제우스의 아내에 대해 그렇게 방자한 태도로 말하는 너 같은 놈은 없어!
익시온	그렇다면 제우스는 아내 관리를 좀 더 철저히 하셨어야지요. 헤라는 내게 기꺼이 달가운 자세를 보여주던데요.
제우스	넌 불한당이고 거짓말쟁이야!
익시온	그럼 헤라의 정자로 같이 가보실까요? 제우스가 직접 눈으로 확인해 보시지요.

(제우스와 헤르메스는 익시온을 따라 헤라의 정자로 간다. 페이드아웃.)

[페이드인: 실내. 헤파에스투스의 궁전. 아프로디테와 헤파에스투스의 침실. 헤파에스투스는 소리 없이 침실에 들어왔다. 아프로디테는 깨어있지만 머리를 돌린 자세로 침대에 누워있다. 헤파에스투스는 그녀를 증오심에 차서 내려다본다. 그러나 증오심을 숨기고 그는 몸을 구부려서 가볍게 그녀의 뺨에 키스한다.]

헤파에스투스 난 곧 떠나야 하오, 여보.

(아프로디테는 반응이 없다.)

헤파에스투스   내일 돌아올 거요.

(*아프로디테는 얼굴을 돌리지도 않고 알았다는 표시로 중얼댄다. 헤파에스투스는 떠난다. 페이드아웃.*)

[페이드인: 옥외. 아르고스. 헤라의 정자. 옷이 느슨하게 벗겨진 채로 누워있는 네펠레. 익시온, 제우스, 헤르메스가 다가온다.]

익시온   눈으로 직접 보고 확인하시지요. 나하고 맺은 관계의 효과를 아직도 헤라는 드러내고 있으니까요.

제우스   저 여자의 옷이 벗겨져 있는 건 내 눈에도 보이네. 그런데—

(*제우스는 말을 멈추고 그때에 헤라가 다가오는 것을 보고 가리킨다.*)

제우스   그런데 저기 오고 있는 여인은 누군가?

(*익시온은 믿을 수 없다는 듯 네펠레와 헤라를 번갈아 본다. 헤라는 이들 옆으로 다가온다.*)

헤라   제우스, 이 여자는 누구여요? 어쩜 이렇게도 나를 닮았을까?

제우스   (*네펠레에게*) 네가 누군지 말해봐라, 요정아.

네펠레   제 이름은 네펠레에요. 강력한 제우스가 구름으로 만든 요정이어요.

익시온   (*어리둥절해서*) 네펠레라니— 구름이라니— 헤라가 아니라니!

제우스   헤라가 아니야. 익시온.

헤라   익시온은 그럼— 내가—

제우스   그렇다오. 당신인 줄 안 거요.

(*제우스는 헤르메스에게 몸을 돌린다.*)

제우스 이 구더기 같은 역겨운 놈을 타르타로스 지옥 밑창에 가두어라.
헤르메스 저자의 운명은 내가 잘 알지요.

(*헤르메스는 놀라서 넋이 나간 익시온을 데리고 간다. 페이드아웃.*)

[페이드인: 실내. 타르타로스 지옥. 익시온은 50마리의 뱀이 때리는 매를 맞으며 돌아가는 바퀴에 영원히 묶여있다. 페이드아웃.]

[페이드인: 실내. 헤파에스투스의 궁전. 헤파에스투스는 아폴로, 포세이돈, 헤르메스를 동반하고 그의 침실을 향해 걸어간다.]

헤르메스 무슨 비밀이 있다는 건가?
포세이돈 그래 대체 무슨 비밀이 있다고 우리를 모두 불러낸 거야?
헤파에스투스 따라 오세요. 평생 잊지 못할 구경거리를 보여드릴 테니.

(*헤파에스투스는 침실에서 들려오는 "도와줘요!" 하고 부르짖는 소리를 듣고 말을 멈춘다. 헤파에스투스는 방문을 활짝 열어 재낀다. 페이드아웃.*)

[페이드인: 실내. 침실. 아프로디테와 아레스는 사람들 눈에 보이지 않는 그물에 걸려있다. 아폴로, 헤르메스, 포세이돈이 놀라서 바라본다. 헤파에스투스는 쩔쩔 매며 당황해하는 두 연인들을 열심히 가리킨다.]

헤파에스투스 보시오. 눈에 보이지 않게 내가 걸어 놓은 망에 걸려서 서로 껴안
　　　　　　고 버둥대는 부정한 내 아내와 나의 형이오. 저 짓거리 하는 저들의

증인이 되어 주십시오.

(*구경꾼들은 헛되이 몸부림치고 꿈틀대는 아프로디테와 아레스를 바라본다. 그러자 아프로디테는 몸부림치기를 중단한다.*)

아프로디테 그래, 잘 지켜보세요, 헤파에스투스. 지켜보면 당신은 뭔가 배울 게 있을 거요.

(*아프로디테는 구경꾼들 앞에서 아레스와 사랑의 행위를 시도한다. 헤파에스투스는 두 손으로 자기 눈을 가리고 열렬히 부르짖는다. "창녀!" 불편한 광경을 목도하게 된 다른 사람들은 말없이 무거운 발걸음으로 방을 나간다. 페이드아웃.*)

[페이드인: 옥외. 헤라의 정자. 헤라, 제우스, 네펠레.]

제우스 (*네펠레에게*) 네 안에 품고 있는 씨는 켄타우로스라는 새로운 종족이 될 것이다.
네펠레 (*절하고 물러나면서*) 주인님 뜻이 제 뜻입니다.
제우스 (*헤라에게*) 저 씨를 당신이 품을 뻔했잖소. 내가 막지 않았더라면 말이오.
헤라 내 특권을 애초에 당신이 빼앗지 말았어야 해요. 당신 하는 일에 내가 끼어들어 간섭하는 것을 당신은 허용하지 않잖아요.
제우스 그야 당신은 여자니까. 여자는 보호가 필요하지만 나야 필요치 않소.
헤라 나도 필요치 않아요. 나도 나 스스로 결정할 줄 압니다.

(*헤라는 제우스에게 돌아서서 그녀의 궁전으로 간다. 페이드아웃.*)

[페이드인: 옥외. 헤파에스투스가 그의 궁전에서 달려 나온다.]

헤파에스투스 창녀! 창녀! (페이드아웃.)

[페이드인: 실내. 아르고스. 헤라의 궁전. 침실. 제우스와 헤라. 헤라는 깨끗한 리넨을 접고 있다. 제우스가 그녀에게 다가와 그녀의 손을 잡는다.]

제우스 (*부드럽게*) 헤라, 여보, 당신은 내가 가장 사랑하는 여인이 당신이라는 사실을 알고 있지 않소.

헤라 그러면 다 되는 것 아니냐는 소리를 하고 싶은 거지요?

제우스 나 참! 헤라, 당신은 왜 그리 어려운 거요?

헤라 난 어려우려고 애쓰지 않아요. 내 자아를 지키고 싶어서 그럴 뿐이어요. 당신과 결혼한 이후로 난 나를 잃어버렸으니까요.

제우스 무슨 뜻이오?

헤라 내 말은 지금 내 꼴은 질투심에 차서 바람난 남편의 현장을 잡으려고 안달하는 그런 모습이어요. 이건 옛날의 헤라가 아닙니다.

제우스 그렇지만 어떤 일이 있어도 난 당신 남편이오.

헤라 그런 걸로 충분하지 않아요.

제우스 당신은 우주 최고의 지배자를 남편으로 두고 있소.

헤라 그렇지만 난 내 자존심을 상실했어요. 자존심은 모든 여인들이 필요로 하는 것입니다.

제우스 당신은 워낙 순결해서 나같이 될 수 없다는 건 나도 알아요.

헤라 그 말은 맞아요. 그러나 이제부터는 질투하는 여인 꼴로 나 자신을 우스꽝스럽게 만들지는 않을 것입니다.

제우스 그럼 어떻게 하겠다는 거요?

헤라 대상을 바꾸겠어요. 당신은 마음대로 바람피우세요. 바람둥이 남편 꽁

무나나 쫓아다니는 짓은 이제 하지 않을 터이니. 나의 우선순위를 재
정비할 생각입니다.

제우스   우선순위라니?

헤라   나의 가장 큰 관심사는 내가 돌보아 줄 산모들이어요.

제우스   당신 남편은 어쩌고?

헤라   남편은 그다음이오.

(*헤라는 개킨 리넨을 집어 들고 말문이 막혀 서 있는 제우스를 두고 방 밖으로
나간다.*)

[페이드인: 옥외. 대장간에 있는 헤파에스투스. 혼자 열심히 일하는 그의 얼굴에
고뇌가 가득하다. 두 명의 숲의 요정이 그의 눈에 띄지 않게 다가온다.]

숲이 요정 1   (*경멸조로*) 헤파에스투스, 머리에 난 뿔이 아프지 않아요?

숲의 요정 2   아프로디테에겐 새 연인이 생겼어요. 뿔난 당신 이마가 고통스럽겠
        어요.

숲의 요정 1과 2   (*함께*) 오쟁이 진 서방! 오쟁이 진 서방! 오쟁이 진 서방!

(*헤파에스투스는 달구어진 부젓가락을 번쩍 들어 그들을 몰아낸다.*)

헤파에스투스   놀려대는 너희 혓바닥을 지져버리겠다!

숲의 요정 1과 2   (*도망가면서 계속 놀린다.*) 오쟁이 진 서방! 오쟁이 진 서방! 오
        쟁이 진 서방!

(*헤파에스투스는 그들을 쫓아버리는 것이 헛됨을 알고 모루 위에 털썩 주저앉는
다. 들고 있는 부젓가락이 그의 손에서 맥없이 미끄러져 떨어진다. 페이드아웃.*)

3
아프로디테와 헤르메스

등장인물

아프로디테	유모	일리튀이아
뮈르라	키니라스 왕	아도니스
아폴로	제우스	아레스
헤르메스	목신(木神)	

[페이드인: 실내. 키프로스. 아프로디테의 신전. 아름다운 젊은 처녀 뮈르라는 머리를 매만지며 거울에 비친 자신의 용모를 감탄하고 있다. 컴컴한 신전 안에는 꽃은 시들어 있고 깨진 벽돌 조각들이 여기저기 흩어져 있어서 정돈되지 않은 지저분한 모습이다. 아프로디테는 들어오면서 뮈르라에게 화를 낸다.]

아프로디테 뮈르라, 너는 무례하게 내 신전은 치우지 않고 네 모습 가꾸기에만 열을 올리는구나.

뮈르라 우리 아버지 말씀으로는 제 모습이 당신보다 훨씬 더 아름답다는데, 그런 제가 왜 신전이나 돌보는 일을 해야 하지요?

(*아프로디테는 나가려고 몸을 돌린다.*)

아프로디테 너와 네 아버지의 그런 가당치 않은 억측은 대가를 치르게 될 것이다.

(*아프로디테는 화가 나서 나가고 뮈르라는 관심 없다는 듯 어깨를 으쓱인다. 페이드아웃.*)

[페이드인: 옥외. 올림포스산. 헤르메스와 아폴로.]

아폴로 헤르메스, 내가 헤파에스투스에게 충고한 얘기가 쓸데없는 것처럼 자네하고도 말해 봤자 시간 낭비만 하는 걸세. 난 헤파에스투스한테 아프로디테와 결혼하지 말라고 끝까지 말렸었네.

헤르메스 나도 알고 있어요, 아폴로.

아폴로 난 지금도 이해가 안 돼. 어떻게 자네 같은 올림포스 최고의 꾀돌이가 아프로디테에게 끌려들어 갔는지 말이야.

헤르메스 내가 끌려 들어간 게 아니라오. 아프로디테는 나를 조금도 원치 않아요. 내 모든 꾀도 그녀의 마음을 사는 데는 소용이 없어요.

아폴로 가망 없어 보이는군. 내가 한 가지 제안해 볼까?

헤르메스 뭐든지요. 정말이지 내 심정은 비참하기 짝이 없어요.

아폴로 제우스에게 요청해서 아프로디테의 마음이 자네에게 쏠리도록 힘 좀 써달라고 청해 봐. 그건 제우스나 할 수 있는 일이거든.

(*헤르메스는 제우스의 궁전을 향해 떠난다. 아폴로는 무겁게 발걸음을 옮기는 그를 지켜본다. 페이드아웃.*)

[페이드인: 실내. 키프로스. 키니라스 왕의 궁전. 키니라스 왕, 뮈르라, 유모.]

유모 아프로디테는 잊어버리지 않을 텐데, 걱정스럽네요.

키니라스 왕 별 걱정을 다 하네! 유모. 난 아프로디테 면전에 대고 내 딸이 훨씬 더 예쁘다고 했소.

뮈르라 유모는 걱정도 팔자야. 아버지, 안녕히 주무세요. 나도 자러 가겠어요.
키니라스 왕 잘 자라, 얘야.

(*뮈르라는 아버지에게 키스하고 유모와 함께 나간다. 페이드아웃.*)

[페이드인: 실내. 키니라스 왕의 침실문 밖. 잠옷을 입은 뮈르라는 부모의 침실문에 서서 엿듣는다. 그녀는 매우 흥분해있다. 유모가 다가온다.]

유모 뮈르라? 거기 있는 게 뮈르라 너냐? 거기 서서 뭐 하는 거야?
뮈르라 (*흐느껴 울면서*) 오, 유모. 난 너무 불행해.

(*유모는 뮈르라를 감싸 안아준다.*)

유모 자, 아가, 내 침실로 가자.

(*유모는 울면서 떨고 있는 뮈르라를 붙들고 걸어간다. 페이드아웃.*)

[페이드인: 제우스의 궁전. 제우스와 헤르메스.]

제우스 그러니까 너는 그 얼빠진 짓을 돌이킬 수 없다는 거구나.
헤르메스 제 열정을 어떻게 억제할 수가 없어요.
제우스 알았다. 여기 아프로디테의 신 한 짝이 있다.
헤르메스 (*경외의 눈빛으로 보면서*) 그 아름다운 발을 담고 있던 신발이군요.
제우스 넌 정말 못 말리는구나. 아켈로스강에 가면 아프로디테가 지금 목욕하고 있을 거야. 너와 함께하는 조건으로 신발을 내어 주겠다고 해보렴.
헤르메스 그렇지만 그 여자가 신 한 짝을 위해서 내 요구에 동의할 리 있겠어요?

제우스   그 신은 아프로디테가 자기 황금 허리띠 다음으로 애지중지하는 물건
이야.

(*헤르메스는 의심의 표정을 지으며 신을 받아들고 나간다. 페이드아웃.*)

[페이드인: 실내. 유모의 침실. 유모는 괴로워하는 뮈르라를 위로해주고 있다.]

유모   자, 자, 얘야, 너를 그렇게 힘들게 하는 게 대체 무언지 어디 말해보렴.

뮈르라   유모! 유모! 괴로워 못 살겠어.

유모   그렇게 못 살 일이 뭔데.

뮈르라   창피하고- 너무 부끄러워서-

유모   무슨 일인데 그러느냐, 아가?

뮈르라   내가- 내가- 음탕한 갈망을-

유모   그래서-

뮈르라   내가- 내가 음탕하게 내- 오, 오, 오-

(*뮈르라는 자제할 수 없이 흐느껴 운다. 유모는 그녀의 머리를 쓰다듬으면서 위로한다.*)

뮈르라   내가 내 아버지를- 나를 낳아준 친아버지에게 음욕을 품고 있어요.

(*유모는 너무나 큰 충격을 받고 뒤로 물러선다.*)

뮈르라   유모가 놀라는 것도 당연해. 난 너무나 혐오스러운 존재니까.

(유모는 이내 정신을 차리고 다시 뮈르라를 위로한다.)

유모   그건 안 된다. 안 돼- 얘야. 그런 생각을 하는 건 네가 아니다. 아무
        래도 아프로디테가 이 일을 꾸미는 것 같다.

뮈르라   그렇지만 아버지에 대한 욕정으로 내 속이 불붙고 있어요. 더 나쁜 건
        내 욕구가 채워져야만 한다는 거야.

(뮈르라는 통제할 수 없는 울음을 다시 터트린다.)

유모   자, 자, 진정해라. 너를 도와줄 방법을 찾아보자. (페이드아웃.)

[페이드인: 옥외. 아켈로스강. 아프로디테는 목욕을 하고 있다. 헤르메스는 근처
의 덤불에 몸을 숨기고 있다. 비둘기 몇 마리가 머리 위에서 날갯짓한다. 아프로
디테는 헤르메스의 존재를 의식하지 못하고 그녀의 비둘기들에게 말한다.]

아프로디테   비둘기들아, 내 옷을 가져다 다오.

(비둘기들이 그녀의 옷을 가지고 온다. 그녀는 옷을 입고 한쪽 신을 신고 또 한
쪽을 찾는다.)

아프로디테   내 황금 신발이 어디 있지? 두 짝 모두 여기 있었는데.

헤르메스 (앞으로 나오면서) 이걸 찾고 있나요?

아프로디테   깜짝이야. 언제부터 여기 있었어요?

헤르메스 충분히 있었습니다.

(아프로디테는 그녀의 신을 낚아채려 한다.)

아프로디테 헤르메스, 얘기했잖아요. 소용없다고. 당신보다는 차라리 당신 지팡이에 있는 두 마리 뱀의 구애를 받는 편이 낫겠어요.

헤르메스 난 그래도 당신의 동의를 얻고 싶습니다. 그러니 고약한 자가 되어 이 신 한 짝을 이용할 수밖에 없군요. 당신은 이 신의 가치를 알고 있지요.

아프로디테 파렴치한 거래지만 받아들여야겠군.

헤르메스 비열한 거래요. 이런 식으로 구애하는 나 자신은 더 비참하답니다.

(헤르메스는 아프로디테에게 신을 넘겨주고 그녀를 숲속으로 안내한다. 페이드 아웃.)

[페이드인: 실내. 다음 날. 키니라스 왕과 유모.]

유모 폐하, 페스티발이 열리는 동안 때때로 젊은 처녀들에게 은총을 입혀주셨지요—

키니라스 왕 음— 나와 잠자리를 같이 하는 은총을 말하는군.

유모 이번에 선정된 젊은 처녀는 폐하에 대한 경외심에 압도되어 있어요. 완전한 어둠 속에서 폐하의 은총을 입고 싶어 합니다.

키니라스 왕 으음— 그래. 색다른 경험을 해보겠구나. 알았소. 그렇게 하지.

유모 폐하의 은혜가 한량없습니다.

(유모는 절을 하고 나간다. 페이드아웃.)

[페이드인: 실내. 키니라스 왕의 캄캄한 침실. 숨을 가쁘게 몰아쉬며 뮈르라가 침대에 누워 있다. 문이 열리고 키니라스 왕이 들어온다. 페이드아웃.]

[페이드인: 실내. 다음 날 아침. 키니라스 왕과 유모.]

키니라스 왕 그렇게 완전히 몸을 내맡긴 방종한 여자는 처음 보았소— 아무래도
　　　　　아프로디테한테 직접 훈련받은 것 같아.

(유모는 왕의 마지막 말을 듣고 조금 불편해한다.)

유모　　　그 여자는 아주 젊고 교태를 부리는 기술에는 익숙지 않습니다.

(유모를 재미있다는 듯 보고 서 있는 왕을 두고 유모는 방을 나선다.)

키니라스 왕 (혼잣말로) 궁금하단 말이야. 그 여자 외모가 그 정열만큼이나 대단
　　　　　할까? 오늘 밤 확인해 봐야겠다. (페이드아웃.)

[페이드인: 실내. 키니라스 왕은 침실에 들어가기 전에 가운 속에 램프를 숨긴
다. 그는 침실에 들어가자 침대 옆 테이블에 램프를 놓고 급히 불을 켠다. 겁에
질린 뮈르라는 벌떡 일어난다. 그녀를 본 왕은 믿을 수 없다는 듯 가까이 가서
두 눈을 비빈다.]

키니라스 왕 아니, 안 된다. 이건 아니다! 네가— 뮈르라— 넌 뮈르라가 아니겠
　　　　　지!
뮈르라　　(히스테리 하게 울면서) 네. 저예요 아버지—
키니라스 왕 내 딸, 내 소망, 내 아기— 지난밤 네가— 여기서 나하고— 오—

(뮈르라와 키니라스 왕은 히스테리 하게 함께 운다. 한참 울고 난 왕은 분노가
치밀어 뮈르라의 목을 조른다.)

키니라스 왕　내가 범한 죄의 자리를 파괴하는 게 낫지.

뮈르라　(숨이 막혀 하면서) 안 돼요- 으-으- 아버지- 안 돼-어-

(뮈르라는 아버지의 손아귀에서 빠져나오려고 몸부림친다. 그녀는 침대 옆의 램프를 쳐서 쓰러트린다. 즉시 램프 불은 침대에 붙어 불길이 타오른다. 불이 왕에게 닿자 왕은 뮈르라를 잡고 있던 손을 놓는다. 뮈르라는 도망갈 기회를 잡는다. 왕은 타오르는 침대 앞에 그대로 서 있다.)

키니라스 왕　근친상간의 죄를 범한 침상의 불길아, 내 속의 악마의 피를 집어삼키거라.

(키니라스 왕은 침대에 몸을 던지고 소리 지른다.)

키니라스 왕　아프로디테! 복수하고 말 테다! (페이드아웃.)

[페이드인: 옥외. 남아라비아. 숲속. 목신 앞에 뮈르라가 서 있다.]

뮈르라　내게서 태어날 아기와 함께 나를 아프로디테의 손에서 안전하게 지켜주소서.

(목신이 뮈르라를 만지자 그녀의 피부는 나무껍질로 변하고 그녀의 사지는 나무의 몸통과 가지가 되어 새로 만들어진 한 그루의 뮈라나무로 변한다.)

목신　이제 너와 네 아이는 앞으로 안전할 것이다. (페이드아웃.)

[페이드인: 실내. 제우스의 궁전. 제우스와 헤르메스. 헤르메스는 침통한 얼굴로

제우스 옆에 앉아 있다.]

제우스 아프로디테에 대해서는 너에게 미리 말해 주려고 했었다.

(*헤르메스는 반응을 보이지 않은 채 계속 우울한 표정이다.*)

제우스 아프로디테는 언제나 자기 방식대로 하는 여자야.
헤르메스 (*무뚝뚝하게*) 알아요. 저도 그건 알아요.
제우스 기운을 내라, 헤르메스. 넌 진상을 전혀 모르고 있어.
헤르메스 애초에 강제성을 띠고 덤빈 건 저였으니까요. 원인 제공은 제가 한 셈
　　　　　 이지요.
제우스 보상받지 못하는 사랑의 쓰라림이 어떤 건지, 언젠가 아프로디테 스스
　　　　　 로 맛보는 날이 올 거다.
헤르메스 자기가 남을 괴롭힌 똑같은 방법으로 보복당한다 해도, 전 상관치 않
　　　　　 을 겁니다. (페이드아웃.)

[페이드인: 옥외. 뮈라나무. 남아라비아. 일리튀이아는 손에 도끼를 들고 아프로
디테와 함께 서 있다. 일리튀이아는 솜씨 좋게 한방에 나무를 쪼개어 그 안에서
아름다운 사내아이를 꺼낸다.]

일리튀이아 아기를 보세요. 정말 아름다운 옥동자네요. 애쓴 보람이 있군요.

(*일리튀이아는 황금빛 곱슬머리 아기를 들어 아프로디테의 팔에 안겨준다.*)

아프로디테 빛나는구나. 너무나 잘생긴 아이다! 이 아이는 나의 주인이 될 거야.
　　　　　 나의 주인 아도니스! (페이드아웃.)

[페이드인: 옥외. 남아라비아 숲. 16년 후. 아도니스와 아프로디테는 뮈라나무에 기대어 있다.]

아프로디테 (놀리면서) 아도니스, 당신은 나보다 사냥을 더 좋아하는 게 틀림없어요.

아도니스 사냥을 더 좋아하는 것은 아니고요, 아프로디테. 아마 내가 사냥을 좋아하는 만큼 당신을 좋아하지요. 그러나 숲속에 있으면 큰 위안을 받아요.

아프로디테 숲에서 당신이 행복을 얻는다면, 내 사랑, 나도 행복해요.

(아프로디테는 부드럽게 그에게 키스한다.)

아도니스 다른 사랑을 하나 고백할게요.

아프로디테 질투를 해야 하나요?

아도니스 멧돼지를 질투하지는 않겠지요.

(아프로디테는 놀라서 벌떡 일어나 앉는다.)

아프로디테 안 돼요! 안 돼! 그런 말 하면 안 돼요! 멧돼지 사냥은 생각도 하지 말아요.

아도니스 나를 남자답지 못한 응석받이로 취급하는 건 싫거든요.

아프로디테 멧돼지와 싸운다고 더 남자다울 건 없어요. 그놈이 당신을 죽일 수도 있잖아요.

아도니스 걱정이 너무 많으시네.

아프로디테 당신을 너무나 사랑하기 때문이어요.

아도니스 나도 당신을 무척 사랑해요. 다시 사냥하러 갑시다.

(*아도니스는 아프로디테의 손을 잡는다. 페이드아웃.*)

[페이드인: 옥외. 숲속. 아프로디테와 아도니스는 사냥을 계속한다. 수사슴 한 마리가 휙 지나간다.]

아도니스 (*흥분해서*) 저길 봐요! 우리가 찾고 있는 바로 그 수사슴이어요. 교묘하게 잘도 도망가던 그놈이오!

아프로디테 내가 마차를 타고 사슴이 사라진 방향을 알아낼게요.

(*아도니스는 수사슴 뒤를 좇아 달려간다.*)

아도니스 서둘러요! 어서요! (페이드아웃.)

[페이드인: 옥외. 숲속의 다른 지역. 아도니스는 사슴의 위치를 놓쳤고, 아프로디테의 마차도 보이지 않는다. 그는 다시 뮈라나무로 돌아온다. 피곤해 지친 그는 뮈라나무 아래 누워 곧 잠이 든다. 멧돼지로 가장한 아레스가 근처에 있다가 잠든 아도니스에게 다가온다.]

아레스 정말이지 준수한 용모를 인정하지 않을 수 없군. 아프로디테가 반할 만도 하다 — 아레스는 이런 걸 그냥 넘어가지 않지.

(*아레스는 멧돼지 울음소리를 거칠게 낸다. 아도니스는 깨어나 눈을 비빈다.*)

아도니스 저 우렁찬 소리는 하데스 지옥에서나 들을 법한 울부짖음인데.

(*아도니스는 벌떡 일어나 주변을 살피고 멧돼지의 코 뿔이 번뜩이며 사라지는*

모습을 본다.)

아도니스 끔찍한 멧돼지로군! 그 울음소리를 영원히 낼 수 없게 너를 끝내주마!

(*아도니스는 창을 들고 용감하게 나아간다. 아레스는 또 한 번 큰 소리로 악마 같은 험악한 울음소리를 낸다. 아도니스는 그에게 창을 겨눈다. 페이드아웃.*)

[페이드인: 옥외. 아프로디테는 마차를 타고 아도니스를 찾아 헤맨다. 그녀는 아도니스의 이름을 부르면서 구석구석 숲속을 가로지른다. 갑자기 엄청난 공포가 그녀의 온몸을 사로잡는다.]

아프로디테 얼어붙은 내 심장이 당신 있는 곳을 말해주는구나. 아도니스!

(*아프로디테는 마차를 몰고 뮈라나무를 향해 달린다. 페이드아웃.*)

[페이드인: 옥외. 뮈라나무 아래. 아프로디테는 아도니스의 시신 위에 몸을 던지고 미친 듯이 그의 입에 생명을 불어넣으려 시도한다. 뜨겁게 숨을 몰아쉬면서 그녀는 흐르는 눈물로 아도니스의 피 묻은 얼굴을 닦아준다. 끝없이 흐르는 그녀의 눈물과 아도니스의 핏물이 섞이면서 소용돌이를 만든다. 소용돌이는 점점 커지고 넓게 퍼져서 끝내는 아프로디테의 두 팔에 안긴 아도니스의 시신이 떨어져 뮈라나무 안으로 끌려 들어간다. 아도니스의 시신이 나무 속으로 사라지자, 나무껍질에서 검붉은 진액이 뿜어져 나온다. 어찌할 도리 없는 아프로디테는 무력하게 이를 지켜본다.]

아프로디테 뮈르라, 이제 알겠다. 너의 복수는 양날의 칼이었구나.

(비통한 아프로디테는 나무를 등지고 낙심하여 천천히 마차에 오른다. 한없는 눈물이 아름다운 그녀의 얼굴에 강물처럼 흐른다. 페이드아웃.)

4
하데스와 페르세포네

등장인물		
데메테르	하데스	드리아드 요정 2
페르세포네	민테	일리튀이아
헤카테	파르테노페	아프로디테
헤르메스	히메로파	테세우스
제우스	몰페	피리토우스
리게이아	드리아드 요정 1	

[페이드인: 옥외. 시실리. 데메테르와 그녀의 딸 페르세포네가 푸른 강둑 위에 앉아있다. 네 명의 요정이 근처 물속에 있다.]

데메테르 근처에 있는 사제들 몇 분과 의논할 일이 있으니, 페르세포네, 너는 멀리 가지 말고 요정들 가까이서 놀고 있어라.
페르세포네 알았어요, 어머니. 여긴 너무 아름다워요. 꺾고 싶은 꽃들도 많아요.
데메테르 꽃보다 네가 더 아름답구나.

(데메테르는 딸에게 키스하고 떠나면서 다시 말한다.)

데메테르 멀리 가면 안 된다. 잊지 마라, 애야.

(데메테르는 꽃을 따라 벌처럼 이 꽃에서 저 꽃으로 옮겨 다닌다. 그녀는 요정들의 시야에서 벗어난 것도 깨닫지 못한다. 요정들도 서로 노는 데 정신이 팔려 페르세포네가 보이지 않는 것을 모른다. 페르세포네는 지금까지 본 꽃 중 가장 아름다운 푸른 수선화를 발견한다.)

페르세포네   어머나, 어쩜 이렇게 아름다울까.

(페르세포네가 꽃을 따려 하자 땅이 갈라지면서 북청색 검은 말들이 끄는 아름다운 마차를 탄 하데스가 나타난다. 그는 한 송이 꽃이라도 따듯 페르세포네를 들어 올리고 몸부림치는 그녀를 데리고 땅 밑으로 내려간다. 요정들은 페르세포네의 비명을 들었지만 이들이 물에서 나와서 목격한 것은 하데스가 그녀를 데리고 사라지며 땅이 닫히는 것이었다. 페이드아웃.)

[페이드인: 옥외. 시실리. 멀리 떨어진 곳.]

(데메테르는 페르세포네의 비명을 듣는다. 그녀는 한 사제와 나누던 이야기를 중단한다.)

데메테르   (미친 듯이) 페르세포네! 페르세포네! 무슨 일이 일어난 게 틀림없어!

(데메테르는 사제를 남겨두고 달려간다. 페이드아웃.)

[페이드인: 옥외. 강둑. 데메테르는 비통하게 울고, 요정들은 그들이 목격한 것을 그녀에게 말한다.]

데메테르   이건 하데스의 농간이야! 내가 그렇지 않아도 걱정했어. 하데스가 내 딸에게 눈독 들이고 있단 말을 제우스한테 들었어. 난 페르세포네를 찾을 때까지 이 땅을 전부 뒤질 테다.

(*목적에 열이 오른 데메테르는 요정들과 헤어진다. 페이드아웃.*)

[페이드인: 옥외. 헤카테의 동굴 밖.]

(*데메테르는 지상을 샅샅이 뒤지고 헤카테의 동굴로 들어간다. 페이드아웃.*)

[페이드인: 실내. 헤카테의 동굴.]

데메테르 헤카테, 난 딸을 찾고 있어요. 그 애가 어디 있는지 아세요?
헤카테 내가 모르는 게 없다는 사실을 당신도 잘 알겠지요.
데메테르 아직도 하데스와 같이 지하에 있나요?
헤카테 당신이 할 수 있는 일이 없을 것 같은데요. 이건 제우스가 허락한 일이어요.
데메테르 제우스의 허락이라니요. 난 그 애의 엄마예요.
헤카테 그렇지만 제우스는 제우스가 아닙니까.
데메테르 난 데메테르, 땅의 어머니, 대지의 여신이오. (페이드아웃.)

[페이드인: 옥외. 올림포스. 제우스와 헤르메스. 일 년 후.]

헤르메스 제우스, 데메테르가 신전에서 일 년을 지내고 있어요.
제우스 나도 안다. 내가 인간들로부터 심한 불평을 듣고 있다. 땅이 황폐해졌고, 기근이 덮치고, 가뭄이 심해서 온 인류가 멸종될 위기에 처해 있는 걸 나도 알고 있어.

헤르메스 어떻게 하실 생각이어요?

제우스 데메테르를 내게 데리고 오너라. (페이드아웃.)

[페이드인: 옥외. 올림포스. 제우스. 헤르메스가 데메테르와 함께 들어온다.]

제우스 데메테르, 당신은 지금 전 인류를 위협하고 있소. 모두 말살될 위험에 놓여 있소. 당신 도움 없이는 인간들이 살아남을 수 없다는 걸 알잖소.

데메테르 나도 내 딸 없이는 살아남을 수 없어요.

제우스 그렇지만 그건 내가 하데스와 약속한 일이오.

데메테르 내 허락도 없이 말이지요. 어쨌든 난 그 애의 엄마예요. 하데스에게 허락하고 안 하고는 나의 권한입니다.

제우스 나도 그 점을 생각해 보았는데, 지금은 후회하고 있소.

데메테르 페르세포네를 내게 다시 돌려줄 거지요?

제우스 꼭 그렇지는 않소. 페르세포네가 겨울 동안 6개월은 하데스와 보내고 봄철 6개월은 당신하고 보내는 방법이 있지.

데메테르 하데스가 페르세포네와 지내는 6개월은 땅이 갈라지고 황폐할 겁니다.

제우스 그러나 당신하고 보내는 6개월은 열매 맺는 푸르른 계절이 되겠지?

데메테르 제우스의 제안을 받아들이는 것 이외는 달리 선택이 없겠군요.

제우스 다른 선택은 없소.

데메테르 좋아요. 그렇게 하겠어요. (페이드아웃.)

[페이드인: 실내. 일 년 후. 페르세포네는 그녀를 돌보는 새 같은 모양의 바다요정 사이렌인 리게이아와 깊은 숲속의 물에서 목욕을 하고 있다.]

페르세포네 리게이아, 이리 오렴. 우리가 언제나 이렇게 지낼 수 있는 건 아니야.

난 6개월 후엔 돌아가야 해.

리게이아 당신 어머니가 당신을 사랑하는 것만큼 우리 자매들도 당신을 사랑해요.

페르세포네 그렇게 헌신적인 사랑을 받으니 난 복이 많은 거야. 하데스는 나를 강제로 데리고 왔지만 자상하고 부드러운 사람이야. 난 어머니를 사랑하는 만큼 하데스도 사랑하고 있어.

리게이아 저와 제 동생들도 하데스와 당신 어머니를 당신만큼 무척 사랑해요.

페르세포네 (*리게이아의 손을 부드럽게 건드리며*) 강둑에 있던 그날부터 너와 네 여동생들이 모두 사이렌으로 변해서 나를 이렇게 보호해주니, 하데스와 함께 사는 그 날부터 내겐 자매들이 생겼구나.

리게이아 저희들은 자매 이상이어요. 당신의 행복을 위해서 전적으로 헌신하고 있으니까요.

페르세포네 고맙다. 이제 목욕을 끝내고 어머니가 기다리고 계신 시실리에 갈 준비를 해야겠어. (페이드아웃.)

[페이드인: 옥외. 시실리. 같은 강둑. 하데스와 민테가 나란히 누워있다.]

하데스 민테, 내가 왜 애초에 너와 이런 관계를 시작했는지 정말 모르겠구나.

민테 실은, 그 이유를 당신은 알고 있어요.

하데스 이상하게 들리겠지만 난 페르세포네를 너무나 사랑하기 때문에 이런 일이 시작됐다고 본다.

민테 당신이 그 여자를 너무나 그리워하기 때문에 내가 그 여자 자리를 대신하고 있는 셈이지요. 그래서 당신이 그 여자를 처음 본 그 장소로 온 것 아니겠어요?

하데스 너를 처음 보았을 때 난 페르세포네를 상상하고 있었어. 제우스의 결정이 내겐 너무 힘들다. 페르세포네 없이 6개월을 보낸다는 게 나한테는 고문이야.

민테　그 점에 있어선 제 마음속 죄의식을 인정해야겠어요. 제가 박하 향으로 당신을 유혹했으니까요. 이 향내는 거부하기 어렵다고들 하더군요.

하데스　맞는 말이오. 그뿐 아니라 중독성이 있지.

민테　(*장난기 있게*) 이리 오세요. 우리 함께 달려요.

(*민테는 하데스가 뒤에 쫓아오게 하고 강둑을 따라 달린다. 그는 쉽게 그녀를 잡고 부드럽게 포옹한다. 페이드아웃.*)

[페이드인: 실내. 하데스의 궁전. 일 년 후. 리게이아와 그녀의 사이렌 자매들인 파르테노페, 히메로파, 몰페.]

리게이아　애들아, 올해도 하데스가 여전히 그러고 있는지 모르겠다.

파르테노페　하데스가 민테와 아직도 밀회 관계를 계속하고 있느냐, 그 말이지, 언니?

리게이아　그래.

히메로파　페르세포네는 두 사람 관계를 아직 눈치채지 못하고 있어.

몰페　페르세포네가 절대로 알아선 안 될 일이야. 그녀의 행복을 깨트리는 일을 우린 결코 용납할 수 없어.

리게이아　그렇지만 언제까지나 비밀로 할 수도 없잖아. 언젠가는 알려지게 될 텐데.

파르테노페　무슨 수를 써서라도 그것만은 막아야 한다.

히메로파　무슨 수로 막지?

리게이아　우리가 요정에서 사이렌으로 변할 때 우리에게 특별한 능력이 주어졌는지도 몰라―

몰페　그래, 리게이아 언니. 방법이 있을 거야. (페이드아웃.)

[페이드인: 옥외. 같은 강둑. 하데스와 민테가 키스하고 있다.]

민테   페르세포네의 몫을 제가 뺏는 기분이어요.

(*페르세포네의 이름이 언급되자 하데스는 키스하기를 멈춘다.*)

하데스   그런데 난 대가를 치르고 있소. 페르세포네와 보낸 매 순간이 죄의식
            으로 어두워지고 있으니 말이오.

민테   그럴지라도 민테는 당신이 거부하기 어려운 상대지요. 그렇지요?

(*민테는 유쾌히 모래를 하데스에게 던지면서 일어난다. 하데스가 일어나기 전에
그녀는 이미 앞서가고 있다. 머리 위로 새들이 날고 사이렌의 노래가 들린다. 민
테는 노래를 들으며 노래를 따라 빠르게 달린다. 그녀는 하데스의 멋진 말들이
끄는 마차를 지나친다. 말들도 사이렌의 노랫소리를 따라 달린다. 하데스가 그
뒤를 쫓는다. 사이렌들은 점점 빠르게 날아간다. 이를 따라 민테도 점점 빠르게
달리고 말들도 달린다.*)

민테   (*사이렌들에게*) 제발 멈춰! (*숨을 헐떡인다.*) 그만 멈춰라!

(*사이렌들은 민테의 요청에는 관심이 없다. 말들이 민테의 발꿈치를 따라오자
민테는 넘어지고 말들은 쓰러진 민테를 밟고 노래를 따라 계속 달린다. 하데스
가 밟혀 죽은 민테에게 온다. 그가 도착했을 때 민테의 두 팔은 나무 잎사귀로
변하고 몸은 박하 향이 진동하는 푸른 나무로 변한다. 잎사귀를 짜서 손에 바른
하데스는 박하 냄새가 점점 더 강해지는 것을 알았다.*)

하데스   아, 민테, 이건 내게 내려진 저주인 모양이다. 너의 향기는 죽어서 더

욱 강하구나.

(하데스는 잎사귀 몇 개를 따서 발밑에 비벼 밟고는 회한의 한숨을 깊이 내쉰다.
사이렌들은 노래를 멈추고 멀리 사라진다. 페이드아웃.)

[페이드인: 실내. 하데스의 궁전. 하데스와 페르세포네는 6개월 후 다시 재회하
였다. 페르세포네는 하데스에게 달려가 키스하고 하데스도 키스로 그녀를 맞이
한다. 둘은 만족해하고 페르세포네는 하데스의 무릎 위에 앉는다.]

하데스   우리가 처음 만났을 때는 당신이 나를 얼마나 무서워했는지 기억하
           오?
페르세포네 당연하지요. 달리 무얼 기대했겠어요?
하데스   그래, 나도 알고 있소. 난 야만스러웠지. 그렇지만 당신을 소유하고 싶
           은 갈망이 너무 커서 어쩔 수가 없었소. 그때는 나도 미숙해서 당신이
           날 정중하게 남편으로 맞이해 줄 준비를 갖추지 못했으니까.
페르세포네 지금은 나도 당신을 사랑해요. 당신의 영원한 아내가 될 겁니다.
하데스   그래요, 영원히. 우리 사이에 누구도 끼어들 수 없지.

(사이렌들은 행복한 부부를 지켜보고 만족해서 서로 고개를 끄덕인다. 페이드아
웃.)

[페이드인: 옥외. 지상 세계. 남아라비아의 숲속. 숲의 요정 드리아드 두 명이 뭐
라나무에 귀를 대고 서 있다.]

드리아드 요정 1 해산할 때가 된 것 같아.
드리아드 요정 2 (아프로디테와 일리튀이아가 가까이 오는 것을 본다.) 아프로디

테가 일리튀이아를 데리고 해산 현장을 직접 보려고 하나 봐.

드리아드 요정 1 그렇구나. 아프로디테는 이번 해산에 특별히 관심을 보이고 있어.

(아프로디테와 일리튀이아는 그들에게 가까이 온다. 드리아드는 나무에서 비켜선다. 일리튀이아가 나무에 귀를 대고 아프로디테는 초조하게 그녀를 지켜본다. 일리튀이아가 허리춤에서 도끼를 꺼내어 날쌘 솜씨로 나무껍질의 특별한 부위를 자르자 그곳에서 아름다운 사내아기가 나온다.)

일리튀이아 자, 보세요. 정말 아름다운 아기예요. 각별한 실력을 요하더라도 꼭 출산시켜야 하는 출중한 아기네요.

(아프로디테는 두 팔로 아기를 안는다.)

아프로디테 같이 놀고 싶은 귀여운 아기야. 아직은 너무 어리구나.

일리튀이아 페르세포네에게 아기를 돌봐 달라고 부탁하지 그러세요. 모성 본능이 워낙 강하고, 아시다시피 하데스의 아내로서 아기는 평생 가질 수 없는 처지잖아요.

아프로디테 그렇게 하자. 아름다운 우리 아도니스를 위해서 페르세포네는 좋은 엄마 노릇을 해줄 거야.

일리튀이아 아도니스?

아프로디테 응, 아도니스― 아프로디테의 주인. 그렇지.

일리튀이아 지금 빨리 서두르면 페르세포네를 만날 수 있어요. 데메테르와의 방문을 끝내고 하데스에게 돌아갈 시간이거든요.

(일리튀이아와 아프로디테는 백조가 끄는 마차에 오른다. 아프로디테는 팔에 안

긴 아도니스를 부드럽게 흔들어준다. 페이드아웃.)

[페이드인: 옥외. 페르세포네의 숲. 지상과 지하 두 세계의 경계에 있는 시커먼 해변. 페르세포네는 지하의 스틱스강을 건너기 위해 뱃사공 카론과 함께 작은 배에 오르고 있다. 아프로디테의 마차는 배가 출발하려는 순간 도착한다.]

아프로디테 카론, 노를 멈춰요.

(아프로디테는 나무상자를 들고 마차에서 내린다.)

페르세포네 아프로디테, 무슨 일이어요?
아프로디테 *(상자를 가리키면서)* 이거요.
페르세포네 그게 무언데요?

(아프로디테는 그녀에게 상자를 건넨다.)

아프로디테 상자를 열어봐요.

(페르세포네는 상자를 열고 그 안의 아도니스를 발견한다.)

페르세포네 어머나, 어쩜 이렇게 예쁜 아기가 있을까.
아프로디테 어린 아도니스가 당신한테 즐거움이 될 거라고 생각했어요.
페르세포네 정말 사랑스럽네요. 내 손가락 잡는 것 좀 보세요.
아프로디테 당신에게 기분 전환의 즐거움이 될 거예요. 데메테르를 방문하러 봄에 올 때 그때 다시 아도니스를 볼게요.
페르세포네 *(아도니스에게 완전히 마음이 빼앗겨서)* 네, 네, 봄에요.

(*카론은 노를 집어 들고 아프로디테는 배가 스틱스강으로 사라지는 것을 지켜본다. 페이드아웃.*)

[페이드인: 실내. 지하 세계. 하데스의 궁전. 아도니스를 보살피고 있는 페르세포네를 하데스는 짜증스럽게 보고 있다.]

하데스   깩깩 울어대는 그 아이는 보내야 해요, 페르세포네.

페르세포네 인내심 좀 기르시지. 이 아이가 나한테 얼마나 소중한지 잘 알면서 그러세요.

하데스   그래요. 할 수 있는 동안 실컷 즐기시구려. 아도니스가 청년이 되면 아프로디테가 그 애를 여기다 두지 않을 건 확실하니깐.

(*아이를 어루만지고 키스하는 데 여념이 없는 페르세포네에게 하데스의 말은 들리지 않는다.*)

하데스   페르세포네, 당신은 아이한테 너무 빠져 있소. 나보다 그 애를 더 사랑하는 게 틀림없소.

페르세포네 오, 하데스, 어울리지도 않게 질투하는 남편 노릇을 하다니. 부끄러운 줄 아세요.

하데스   바보 같은 짓인 줄은 나도 알고 있소.

페르세포네 내 안에서 모성애가 얼마나 강하게 작용하는지 잘 아시잖아요 – 게다가 –

하데스   알았소. 우리 사이에 아이를 가질 수 없기 때문이지.

페르세포네 불만의 뜻으로 하는 말은 아니어요. 우리 사이에 아이가 없어도 당신에 대한 사랑만으로 충분히 메꿔지니까요.

하데스   당신에게 아이가 소중한 걸 알고 있기 때문에 난 그만큼 슬프다오. 망자들의 지하 세계에는 출생이란 없으니까.

페르세포네 그렇지만— 우리에게 어린 아도니스가 있잖아요.

하데스 그 애가 당신을 행복하게 해주니 나도 행복하오. 아프로디테가 방해하지 않았으면 좋겠소.

(*하데스의 근심에 찬 표정은 페르세포네의 즐거운 표정과 대조된다. 페이드아웃.*)

[페이드인: 옥외. 시실리. 여러 해 봄이 지난 후. 아프로디테는 페르세포네가 아이를 데려오기를 기다리며 불안하게 서성대고 있다. 헤르메스가 다가온다.]

아프로디테 페르세포네가 아도니스를 데리고 올 시간이 늦어지네요.

헤르메스 여기서 멀지 않은 곳에 페르세포네와 데메테르가 함께 있는 걸 보았소. 그런데 아도니스는 보이지 않던데요.

아프로디테 거기가 어디지요? (페이드아웃.)

[페이드인: 옥외. 시실리 들판. 페르세포네와 어머니 데메테르가 꽃을 따고 있다.]

데메테르 내가 왜 꽃을 꺾고 있는지 모르겠구나. 네 존재가 충분한 꽃다발인데 말이다.

페르세포네 어머니 말씀이 무슨 뜻인지 알아요. 아도니스한테 갖는 제 마음도 어머니의 그런 심정과 꼭 같거든요.

데메테르 그런데 아도니스는 어디 있니?

페르세포네 아도니스에 대한 아프로디테의 집착이 너무 심해요. 그 애를 이번에는 하데스로 돌려보내지 않을까 봐 두려워요.

데메테르 그래서 안 데려왔구나. 아프로디테가 좋아하지 않을 텐데.

페르세포네 좋아하지 않겠지만 어쩌겠어요? 아프로디테한테는 하데스의 말도
　　　　　통하지 않으니까요.

데메테르 그건 나도 알지. 그런데 아프로디테는 무슨 일이 있어도 뭐든지 자기
　　　　　맘대로 하지 않니.

페르세포네 저도 아도니스를 끔찍이 사랑해요. 아프로디테의 분노를 기회로 한
　　　　　번 부딪쳐 볼래요.

(*페르세포네가 이 말을 하고 있을 때 아프로디테가 사납게 그녀에게 돌진한다.*)

아프로디테 아도니스는 어디 있어요, 페르세포네?

페르세포네 당신이 데려올 수 없는 곳에 있어요.

아프로디테 아도니스는 당신이 데리고 있을 아이가 아니어요.

페르세포네 그건 상관없어요. 난 그 애를 포기하지 않을 겁니다. 그 애는 이제
　　　　　내 아이나 다름없어요.

아프로디테 배은망덕한 계집! 우리가 함께 기르자고 하지 않았는가?

페르세포네 그동안은 그랬었지요. 그러나 앞으로는 우리가 함께 기를 것 같지
　　　　　않군요.

아프로디테 내가 동의하지 않으면 어찌할 건데. 그 애는 처음부터 내 아이였어.

(*페르세포네는 감정이 북받쳐 흐느껴 운다.*)

페르세포네 미안해요, 아프로디테. 난 아도니스를 포기할 수 없어요.

아프로디테 운다고 될 일이 아니지. 난 내가 사랑하는 아도니스를 찾고야 말겠
　　　　　다.

(아프로디테는 화가 나서 걸어 나간다. 페르세포네는 계속 울고 있고 데메테르는 딸을 위로하려고 애쓴다. 페이드아웃.)

[페이드인: 실내. 제우스의 궁전. 아프로디테는 제우스 앞에 서 있다.]

제우스 그렇지만, 아프로디테, 하데스가 있는 지하 세계는 그의 세력권이야.
아프로디테 제우스의 세력권은 우주 전체에 있는 것으로 알고 있는데요.
제우스 이 문제에 대해서 내가 하데스와 얘기해보마. 헤르메스가 내 결정을 너에게 알려 줄 것이다. (페이드아웃.)

[페이드인: 실내. 하데스의 궁전. 페르세포네와 리게이아. 페르세포네는 아도니스의 죽음에 대한 소식을 접하고 통렬하게 울고 있다.]

페르세포네 제우스가 아도니스를 나하고 아프로디테와 서로 번갈아 지내도록 하는 그런 운명만 지어주지 않았더라도, 아도니스는 살아 있을 텐데. 그렇게 죽을 줄 알았으면 아도니스를 절대로 아프로디테에게 보내지 않았을 거야.
리게이아 그렇게 슬퍼 울지 마세요. 이젠 돌이킬 수 없는 일이어요.
페르세포네 아도니스가 나하고 같이 여기 있었더라면, 결코 그런 죽음을 맞지 않았을 거야.
리게이아 어쩌면 아프로디테는 그의 죽음을 당신보다 더 슬퍼할지 몰라요. 정말 사랑했거든요. 아프로디테는 아레스가 질투심으로 아도니스를 그렇게 죽이리라고는 전혀 예측 못 했어요.
페르세포네 그렇게 아름답고 그렇게 부드러운- 아도니스가 그런 광폭한 죽임을 당하다니.
리게이아 진정하세요. 하데스도 어머니도 당신을 가장 사랑하고 있으니, 아직은 좋은 세상을 누리고 계시잖아요.

페르세포네   그분들 사랑을 받고 있는 나는 운이 좋은 거지. 나도 알고 있어. 그 래도 아도니스에 대한 그리움은 내 마음에서 떠나지 않을 거야.

리게이아   그러겠지요. 그런데 지금은 바로 눈앞의 문제를 생각하셔야 합니다.

페르세포네   무슨 문제?

리게이아   제 동생들이 몰래 감시한 바로는 테세우스와 피리토우스가 스틱스강 을 건너오고 있답니다.

페르세포네   그 사람들이 누군데?

리게이아   테세우스는 아테네의 유명한 왕이고 피리토우스는 그의 친구로 테살 리의 왕이어요.

페르세포네   그 사람들은 하데스의 영역 침입을 시도하면 어떻게 되는지 모르나?

리게이아   피리토우스는 당신을 유괴할 계획이고 테세우스는 그 계획을 도와주 려는 것입니다.

페르세포네   나를 유괴한다고?! 하데스는 그의 전 지역에 감시자를 두고 나를 지 키기 위해서는 갑절이나 신경 쓰고 있어.

리게이아   저도 알아요. 그 점에 대해서는 피리토우스든 누구든 하데스를 이길 자는 없지요. (페이드아웃.)

[페이드인: 옥외. 지하 세계. 피리토우스와 테세우스는 스틱스강 건너 편에 있 다.]

테세우스   뱃사공 카론은 더러운 늙은이요.

피리토우스   망자들의 뱃사공인데 무얼 기대하십니까?

테세우스   아주 욕심 사나운 자요. 다행히 은화 주머니 두 개를 가져왔소. 한 개 갖고는 그 추잡한 노인네 성에 차지 않을 것 같아서 말이오.

피리토우스   난 하데스의 문을 지키는 머리 셋 달린 괴물을 달래기 위해서 이 케이크를 가져 왔어요.

테세우스 하데스 말을 꺼내니 저기 그가 오고 있네요.

(*하데스는 그들에게 다가와 친절히 손을 내민다. 피리토우스와 테세우스는 마중 나온 그의 다정한 태도에 놀란다.*)

하데스 어서들 오십시오. 이 하데스에게 방문객이 찾아오는 일은 흔치 않지요.

테세우스 (*억지로 유머를 보인다.*) 살아 있는 방문객은 별로 없겠지요.

(*하데스는 지하 세계를 지키는 머리 셋 달린 케르베로스 개를 쫓아낸다.*)

하데스 궁전으로 들어가서 여행의 피로를 푸시지요.

피리토우스 (*테세우스에게*) 우리가 생각했던 것보다 일이 쉽게 풀리겠는데요.

테세우스 (*약간 미심쩍어하면서*) 두고 봅시다.

(*둘은 하데스를 따라 궁전으로 들어간다. 하데스는 그들에게 앉으라고 권한다. 두 사람은 이들이 모르는 망각의 의자에 앉는다.*)

피리토우스 정말이지, 하데스, 아주 멋진 궁전이네요.

(*피리토우스는 자신의 몸이 의자에 꽉 붙어 있음을 깨닫는다.*)

피리토우스 어떻게 된 거지? 내 몸이 의자에 붙어 버렸어요.

(*테세우스도 의자에서 몸을 떼려고 하지만 움직이지 않는다.*)

테세우스 내가 말인데ー 피리토ー 이상하게 당신 이름을 기억할 수가 없네.

피리토우스 나도 내 이름을 모르겠군.

테세우스 내 머리가 멍청해졌어.

피리토우스 내 머리도ー

(*피리토우스는 문장을 끝낼 수가 없다. 피리토우스와 테세우스는 움직이지 않고 조용히 망각의 의자에 앉아 있다. 하데스는 시침을 떼고 이들을 지켜본다. 페이드아웃.*)

[페이드인: 실내. 침실. 하데스와 페르세포네.]

하데스 당신을 내게서 떼어 내려는 자는 이번에 충분히 교훈을 받았겠지.

페르세포네 누구도 나를 당신에게서 떼어낼 수 없어요. 당신은 나의 첫사랑이자 마지막 사랑인걸요.

하데스 내가 당신을 강제로 데려오기는 했지만 당신이 날 자유롭게 진심으로 사랑해주니 그 이상 행복할 수가 없소.

페르세포네 (*그에게 부드럽게 키스하면서*) 당신이 얼마나 부드럽고 사려 깊은 분인지 아무도 몰라요. 아도니스에 대해서도 이해심을 많이 보여 주었어요.

하데스 아도니스 얘기는 정말 안 됐소. 참 고운 청년이었소... 나도 그의 존재를 진정 좋아하기 시작했는데.

페르세포네 이제는 당신과 나, 우리 둘이 있잖아요. 다시는 우리 사이에 누구도 끼는 것을 원치 않아요.

(*둘은 사랑스럽게 포옹한다. 페이드아웃.*)

5
아테나와 아레스

등장인물		
아레스	알키페	아르테미스
아테나	포세이돈	헤르메스
제우스	헤라	아프로디테
테세우스	하데스	헤스티아
헤파에스투스	아폴로	

[페이드인: 올림포스산에 있는 아테나의 텐트. 아테나가 어깨 위에 올빼미를 앉히고 군사 작전을 계획하고 있다. 부상당한 아레스가 들어온다.]

아레스   (화가 나서) 아테나, 디오메데스를 도와서 나한테 창을 찔러 상처를 입힌 건 친절한 행위가 아니지요.

아테나   아레스, 친절은 내 의무가 아니어요. 당신이 전투장을 벗어나게 된 건 제우스가 허락한 일입니다.

아레스   이런 모욕이 나에게 얼마나 고통스러운지— 제우스는 몰라라 하는군요. 내가 트로이 군사를 이끌 때 그리스 군사는 퇴각했어요. 그럴 때 당신이 끼어든 건 정말 불공정한 처사요.

아테나   모든 일은 다 공정했어요.

아레스   트로이는 지게 생겼소. 아테나, 당신은 너무 무정하오.

아테나   내 심장은 인정하고는 아무 관계 없어요. 이건 전쟁입니다!

아레스   당신한테 말해봤자 소용없군. 내 부상이나 치료하러 가겠소. (페이드
         아웃.)

[페이드인: 실내. 제우스의 궁전. 제우스와 아테나.]

아테나   (*격앙되어*) 결국 내가 저자들을 위해서 ─ 기껏 카산드라를 더럽히는
         꼴만 가져온 셈이군요!
제우스   전쟁은 때로는 인간이 가지고 있는 야성을 드러내는 법이다.
아테나   그리스인들은 내 분노를 알게 될 거예요. 성한 몸으로 고향에 돌아갈
         자가 없을 겁니다.
제우스   여자의 복수심은 때로는 제우스조차 끼어들 여지가 없다니까.

(*아테나는 결심을 굳히고 나간다.* 페이드아웃.)

[페이드인: 옥외. 아테네. 수년 후. 아테나와 테세우스가 아직은 미완성으로 건설
중에 있는 파르테논 신전을 지켜보고 있다.]

테세우스 파르테논 신전은 세상에서 제일 위대한 신전이 될 겁니다. 아테나 여
         신, 당신께 평화를 바치는 신전이 될 것입니다.
아테나   당신의 평화 헌정을 받겠어요. 그리스인들로부터 내가 소외된 것은 내
         탓이 아니어요.
테세우스 어쩌면 그 일은 다행히 우리가 앞으로 해결할 과제겠지요.

(*아테나는 미소 지으며 고개를 끄덕이고 건설 현장을 계속 지켜본다.* 페이드아
웃.)

[페이드인: 실내. 올림포스산에 있는 아테나의 텐트. 아테나와 헤파에스투스.]

아테나   파르테논 신전을 전문가인 당신이 맡아서 건설하게 된 걸 환영해요.
헤파에스투스   나도 아테나 여신을 위한 기념물 작업을 하게 되어 기뻐요.
아테나   올림포스의 대장간엔 마술적인 솜씨가 있다니까요.

(아테나는 헤파에스투스의 어깨를 토닥거려주고 이에 헤파에스투스는 감사의 표시로 고개를 끄덕인다.)

[페이드인: 옥외. 아테네. 키프로스의 숲. 아레스가 슬피 울고 있는 그의 딸 알키페와 함께 있다.]

알키페   아버지, 끔찍한 일을 당했어요.
아레스   끔찍한 일을 당하다니? 어떻게? 징징 울지만 말고 어서 말해 봐.

(알키페가 감정을 자제하려고 애쓴다.)

알키페   내가 물가에서 거닐기를 좋아하는 것 아시지요.
아레스   알지. 그래서 요점이 뭐냐?

(알키페는 다시 울음을 터트린다.)

알키페   거기서 일이 일어났어요.
아레스   어디서 무슨 일이 일어났다는 거야? 알키페, 어서 말해 봐. 거 참, 내 인내심에도 한계가 있다.
알키페   할리르호티우스가 거기서 나를- 겁- 겁탈했어요. 오- 차라리 나를

　　　　　　죽여주었어야 하는데.

아레스　　너를 겁탈했다고? 포세이돈의 아들 할리르호티우스가?

알키페　　네.

(*그녀는 다시 울음을 터트린다. 아레스는 자기의 칼집에 손을 대고 할리르호티우스를 찾으러 나간다. 페이드아웃.*)

[페이드인: 옥외. 아테네. 물가. 할리르호티우스가 심한 상처를 입고 죽어서 누워 있다. 포세이돈은 죽은 아들을 들어 올린다.]

포세이돈　할리르호티우스, 너의 죽음을 복수해주겠다. 내가 맹세한다.

(*포세이돈은 아들을 안고 비통하게 천천히 걸어 나간다. 페이드아웃.*)

[페이드인: 실내. 아테네. 파르테논. 제우스, 헤라, 하데스, 헤파에스투스, 아폴로, 아르테미스, 헤르메스, 아프로디테, 헤스티아, 아레스, 포세이돈, 아테나. 이들은 긴 테이블에 앉아있는데, 테이블의 한쪽 끝에는 아테나 그리고 또 한쪽 끝에는 제우스가 앉아 있고, 다른 신들은 양옆으로 빙 둘러 앉아있다.]

제우스　　아테나, 판사 역할은 네가 해 다오. 아레스와 포세이돈은 각각 자기 입장을 설명하고 다른 신들은 평결을 내려주기 바라오.

아테나　　포세이돈, 당신의 입장을 먼저 말해보세요.

포세이돈　애비로서 느끼는 이 고통을 여기 있는 그 누군들 동정하지 않겠습니까? 아레스가 저지른 고의적인 광폭한 살인으로 내 아들이 목숨을 잃었어요. 살인자를 올림포스에 살도록 허용해서는 안 됩니다. 청컨대, 그에게 유죄 판결을 내려 타르타로스 지옥으로 보내주십시오.

아테나   아레스, 이에 대한 당신의 의견을 말해 주세요.

아레스   포세이돈은 나를 살인자라고 부르지만, 나는 그의 아들 할리르호티우스를 살인자라고 부르겠습니다. 그는 내 딸의 순결을 살해했습니다. 여기 계신 신들이 아무리 강하다 한들 알키페의 잃어버린 순결을 되찾아 줄 힘은 없습니다. 나의 행위는 모살이 아니라 정당한 살인이었습니다.

아테나   자, 포세이돈과 아레스의 쌍방 입장 설명을 들었습니다. 이제 배심원들은 심사숙고해서 심의해주시기 바랍니다. 두 분은 밖에서 기다려주시지요.

(*포세이돈과 아레스는 나간다.*)

아테나   첫 평결은 제우스가 해주시기 바랍니다.

제우스   보통 때라면 아레스의 폭력을 처벌하겠지만 이번 상황에서는 그의 행위를 정당하다고 생각하오. 나는 무죄를 선고하오.

아테나   헤라, 다음 평결은 당신 차례입니다.

헤라   나의 손녀 알키페를 생각하면 내 가슴이 피를 흘립니다. 나 또한 무죄를 선고합니다.

아테나   하데스, 당신 차례여요.

하데스   난 포세이돈의 비극적 상실을 동정합니다. 아이를 가질 수 없는 내 입장에서 아들의 존재 가치가 얼마나 큰지 알기 때문에 유죄를 선고합니다.

아테나   헤파에스투스?

헤파에스투스   아레스는 내 아내 아프로디테와 정사를 가질 때도 강간의 범죄에 대해 신중하게 생각지 않더군요. 난 기꺼이 유죄를 선고합니다.

아테나   지금까지 결과는 유죄 둘, 무죄 둘입니다. 아폴로 차례입니다.

아폴로   내 친구 헤파에스투스의 말에 동의합니다. 유죄입니다.

아테나   아르테미스?

아르테미스 보통은 나의 쌍둥이 동생 아폴로의 의견을 따르지만, 여성의 순결성
          에 대한 나의 강한 뜻을 모두 알고 계시지요. 난 무죄를 선고합니다.

아테나   헤르메스?

헤르메스   아레스의 위협에서 난 수많은 요정들을 구했지만 불행히도 손이 미치
          지 못한 많은 요정들은 아레스의 희생자가 되었습니다. 지금까지 그의
          성폭력 성적표를 보면 그럼에도 불구하고 징벌받은 기록이 없습니다.
          유죄를 평결합니다.

아테나   자, 이제 유죄 넷, 무죄 셋입니다. 아프로디테 차례여요.

아프로디테 난 아레스와의 관계를 숨기는 위선자는 되지 않겠어요. 그에게 반대
          표를 던지지 않겠어요. 우린 너무 가까웠어요.

*(아프로디테는 풀이 죽어 고개를 숙이고 있는 헤파에스투스를 도전적으로 쳐다
본다.)*

아프로디테 무죄를 선언합니다.

아테나   또다시 동수가 되었군요. 유죄 넷, 무죄 넷. 헤스티아, 당신이 결정 표
          를 쥐고 있습니다.

헤스티아   아레스의 품행이 방탕한 건 알지만, 그래도 베스타 여신들을 지켜주는
          보호자로서의 내 위치에서 무죄를 선고합니다.

(아테나는 아레스와 포세이돈을 불러들이려고 문 쪽으로 간다.)

아테나   *(아레스에게)* 당신의 살인 혐의는 무죄 선고를 받아 타르타로스 지옥
          에는 갇히지 않게 되었습니다.

포세이돈   졸렬하다. 이 재판은 졸렬한 장난이야.

아테나   포세이돈, 이건 장난이 아닙니다.

(*아테나는 아레스를 향해 몸을 돌린다.*)

아테나   아레스, 당신은 무죄 판결을 받았지만, 그래도 한 생명을 죽였어요. 아무리 신이라 해도 인간의 목숨을 취하는 특권은 없습니다. 따라서 당신은 지금부터 올림포스의 살인자로 불릴 것입니다.

(*신들은 테이블에서 일어서서 동의의 표시로 모두 고개를 끄덕인다. 페이드아웃.*)

[페이드인: 실내. 아테나의 텐트. 아테나가 편안하게 잠들어 누워있다. 헤파에스투스는 쇠로 된 도구를 몰래 들고 기어들어 온다. 아테나는 잠결에 뒤척인다. 헤파에스투스는 그녀에게 가까이 다가가서 갑자기 그녀의 한쪽 손목을 붙잡아 침대에 단단히 붙들어 맨다. 아테나가 소리 지르며 깨어난다.]

아테나   누구요? 무슨 짓을—

(*아테나는 손목을 풀려고 애쓰지만 헤파에스투스는 다른 손목도 침대 반대편에 묶는다.*)

헤파에스투스   두려워하지 마세요, 아테나. 나요, 나, 헤파에스투스요.

아테나   헤파에스투스? 당신이? 여기서 뭐 하는 거예요? 정신 나갔어요?

헤파에스투스   맞아요. 당신에 대한 욕망에 사로잡혀 내가 미쳐버렸어요.

아테나   대장간 용광로 불길이 당신의 뇌를 달군 모양이로군. 이 쇠붙이 도구는 뭐요?

(*아테나는 손목의 족쇄를 무리하게 당긴다.*)

헤파에스투스 곧 풀어줄게요. 도망가지 못하게 하려는 것뿐이오.
아테나 정말 미쳤군! 이거 당장 풀어요!
헤파에스투스 아, 아테나, 내가 얼마나 당신한테 끌리는지 모를 거요.
아테나 (*화가 치밀어서*) 이건 구역질 나는 반란이야! 더러운 야수 같은 놈! 내
옆에 얼씬도 하지 마! 만지지 마!

(*헤파에스투스는 아테나의 팔을 만진다.*)

아테나 내가 말했겠다. 만지지 말라고!

(*아테나는 침대 머리 오른쪽에 앉아 있는 올빼미 쪽으로 머리를 돌린다.*)

아테나 밤의 새야, 나의 구원자가 되어다오.

(*그녀의 구원 요청을 들은 수백 마리의 올빼미들이 텐트 안으로 몰려 들어와서
아테나의 몸 위에 내려앉는다. 아테나의 몸이 한구석도 보이지 않도록 새들은
그녀를 덮고 있다. 헤파에스투스가 그녀의 몸에 더 가까이 가려 하자 새들은 그
를 발톱으로 움켜잡는다. 아테나의 몸을 덮고 있는 또 다른 무리의 새들은 그를
부리로 콕콕 찍어댄다. 더 이상의 시도가 부질없음을 깨달은 헤파에스투스는 아
테나의 묶인 양쪽 손목을 모두 풀어주고 풀이 죽은 모습으로 힘없이 나가면서
혼자 중얼거린다.*)

헤파에스투스 내가 불을 붙일 수 있는 유일한 대상은 용광로뿐이로구나. 이제부터는 그저 용광로에나 틀어박혀 살아야겠다.

6
아르테미스와 아폴로

등장인물		
아르테미스	니오베	다프네
아폴로	헤르메스	시노페
칼리스토		

[페이드인: 실내. 올림포스. 아폴로의 궁전. 아르테미스와 아폴로.]

아르테미스 (*원한에 차서*) 트리우스가 타르타로스 지옥에서 고통당하고 있는 건
　　잘된 일이야.
아폴로　　나도 동감이야. 세상에, 우리 어머니를 겁탈하려 했다니.
아르테미스　그 거대한 몸집을 쓰러트리기에는 너의 활도 역부족이군.
아폴로　　제우스의 번개가 해치웠지.
아르테미스　독수리들이 그자의 간을 영원히 쪼아먹기를 바라야지.
아폴로　　영원토록 파먹을 거야.

(*아르테미스는 가려고 한다.*)

아폴로　　누나, 어디 가려고?
아르테미스　내 요정과 나눌 중요한 얘기가 있어서. (페이드아웃.)

[페이드인: 옥외. 아르카디아. 키프로스 숲.]

아르테미스 칼리스토, 네가 나의 사냥꾼이 되겠다고 결심했을 때 너는 처녀성을
지키겠다는 맹세의 뜻을 이해하고 받아들인 게 아니었니?

칼리스토 알고 있었어요. 그러나 그건 제 뜻이 아니고 제우스가 당신의 형체를
하고 숲에 들어와서 그렇게 되었어요. 전 당신인 줄 알고 따라갔지요.

아르테미스 어쨌든 넌 이제 처녀성을 잃었어.

칼리스토 여신께서는 심판의 잣대가 너무 심하십니다.

아르테미스 난 나의 모든 시종들에게 처녀성을 강요하고 있다.

칼리스토 (*반항적으로*) 그런 강력한 지침을 본인 스스로에게는 적용하지 않는
게 유감입니다.

아르테미스 (*화를 내며*) 네가 감히- 넌 무슨 암시라도-

칼리스토 암시하는 게 아니라- 당신이 오리온과 함께 있는 것을 에오스가 보
았대요.

아르테미스 거짓말! 거짓말이야!

칼리스토 정말이어요. 당신의 정직한 요정 오피스도 자기가 본 걸 말했어요. 오
리온이 에오스에게 관심을 보여서 질투를 느낀 당신이 오리온을 해치
려고 전갈을 놓는 걸 목격했대요.

아르테미스 (*포기하면서*) 오리온이 당했다면 그럴만했으니까 그랬겠지.

칼리스토 당신은 복수심이 너무 강하고 심판도 매우 독단적이어요.

아르테미스 그래, 심판자로서 선언하는데, 너는 나의 시종이 되기에 부적합하다.

칼리스토 상관없어요. 당신 같이 얄팍한 여신을 따를 생각은 없으니까요.

아르테미스 넌 누구도 따를 생각 마라. 너는 암곰이 되어 사냥감으로 죽을 테니
까.

(*칼리스토는 자기 살에 털이 생기고 손발은 짐승의 발로 얼굴은 곰의 얼굴로 변*

하는 것을 본다. 아르테미스는 화살집에서 화살을 꺼낸다. 완전히 곰으로 변한 칼리스토는 필사적으로 달아난다.)

아르테미스 칼리스토, 아르테미스의 화살을 피할 수 없다는 건 너도 잘 알지.

(아르테미스는 칼리스토를 따라 숲으로 쫓아간다. 페이드아웃.)

[페이드인: 실내. 아폴로의 궁전. 며칠 후. 아르테미스와 아폴로.]

아르테미스 우리가 지금 급히 할 일이 있어. 테베로 가야 해.
아폴로 무슨 일인데. 말해봐.
아르테미스 어머니 레토가 상심하고 계셔.
아폴로 무슨 일로?
아르테미스 니오베가 말이야, 일곱 아들과 일곱 딸을 가진 니오베가 자기를 위한 축제일을 두는 편이 두 아이를 가진 우리 어머니를 위한 축제보다 더 가치 있다고 주장하고 있어.
아폴로 감히! 뻔뻔하기 짝이 없군! 당장 테베로 갑시다. 가만둘 수 없지.
아르테미스 물론이지.

(아폴로와 아르테미스는 떠난다.)

[페이드인: 옥외. 테베. 니오베의 궁전 정원. 니오베는 정원에 앉아 열네 명의 아이들이 야단법석하며 즐겁게 놀고 있는 모습을 지켜보고 있다.]

니오베 애들이 어쩜 저렇게 떠들썩하게 잘 놀까. 내 두 귀가 윙윙대는구나. 안젤로스, 조심해! 네 여동생이 너무 가까이 있어.

(*갑자기 휙 하고 빠른 화살 하나가 날아와 아이 하나를 쓰러트린다. 연달아 화살들이 날아와 아들 안젤로스와 딸 클로리스만 남기고 모두 쓰러트린다.*)

니오베   레토! 레토! 당신이 복수하는군요! 제발 용서해주세요! 빕니다. 같은 어머니 된 입장에서 이해해주시고 제발 두 아이는 살려주세요.

(*잠깐 시간이 흐른 뒤 두 개의 화살이 날아와 두 과녁을 맞힌다.*)

니오베   (*무릎을 꿇고 슬픔에 몸이 굳어 버린다.*) 아이고, 애들 소리가 사라졌구나. 적막이 귀머거리를 만들 수 있다는 상상을 누가 했겠느냐. 무정한 화살아, 한 번 더 날아와서 이 가슴을 뚫어라.

(*니오베는 히스테리 하게 흐느껴 운다. 무릎 꿇고 하염없이 우는 그녀는 대리석으로 변한다. 끝없이 눈물방울을 떨구는 석상으로 변한다. 페이드아웃.*)

[페이드인: 실내. 아폴로의 궁전. 아폴로와 아르테미스.]

아폴로   아르테미스, 마지막 두 아이는 살려줄 걸 그랬어. 난 화살을 거두었는데, 누나는 왜 치우지 않은 거야?

아르테미스   한 번 정한 일은 끝을 봐야지.

아폴로   그렇지만 마음이 참 아프다. 치유의 신인 내가 상처 입은 자리에 형벌을 더 과하는 건 옳지 않아. 그리고 사냥의 여신인 누나도 야생동물을 보호해주어야 하는 맹세를 했잖아.

아르테미스   그래서?

아폴로   그래서 누나가 칼리스토한테 한 행동이나 니오베에게 한 행동은 사냥의 여신에게는 어울리지 않는다는 거지.

아르테미스 너한테는 어울리지 않게 보여도 난 내 방식대로 하는 거야.

아폴로 불행하게도 두 경우 모두 최선의 방법은 아니었다고 생각해.

(아르테미스는 어깨를 으쓱이고 화살집을 다시 매고 떠난다. 페이드아웃.)

[페이드인: 실내. 아폴로의 궁전. 아폴로와 헤르메스.]

헤르메스 아폴로, 당신도 아르테미스처럼 처녀성에 꽤나 집착하는군요.

아폴로 확실히 처녀성은 그 나름의 매력이 있거든.

헤르메스 분명한 건 처녀성을 지키겠다고 맹세한 처녀들만 고르는 당신의 태도
가 문제여요.

아폴로 자네는 내가 헤스티아를 쫓아다닌 걸 보고 그러는 거지?

헤르메스 맞아요. 헤스티아가 아레스를 딱 잘라 거절한 걸 아폴로 당신도 알잖
아요.

아폴로 그렇지만 아레스는 음침하게 생긴 전쟁의 신이고― 나로 말하면 아름
다운 태양신이 아닌가.

헤르메스 그건 문제가 안 돼요― 헤스티아는 일신을 바친 처녀란 말입니다.

아폴로 자네 말이 맞는지도 몰라. 어쨌거나 최근에 내 마음을 더 사로잡는 쪽
은 요정 다프네라니까.

헤르메스 강신(江神)의 딸, 심장이 강한 그 여자 말인가요? 그 여자한테도 거절
당하기 십상이어요.

아폴로 다프네는 내가 이길 수 있어.

헤르메스 내 말은 통 안 들으시는군요.

(헤르메스는 고개를 절레절레 흔들며 나간다. 페이드아웃.)

[페이드인: 외부. 테살리아 숲. 다프네는 화환을 만들고 있다. 아폴로가 가까이 오는 것을 본 그녀는 뒤로 움츠린다.]

다프네　난 내 처녀성을 지켜야 한다고 당신한테 분명히 말했는데요.

아폴로　그건 황홀한 사랑의 맛을 당신이 아직 모르기 때문이오. 그 맛을 가르쳐주고 싶소.

다프네　알고 싶지 않은데요.

아폴로　당신에게 가까이 가게 해주시오. 태양신이 어떻게 당신을 따뜻하게 해주는지 알게 될 거요.

(다프네는 화환을 떨어트리고 도망간다. 그 뒤를 아폴로가 쫓아간다.)

아폴로　무서워하지 말아요. 다프네, 기다려요.

(다프네의 발이 빠르지만 아폴로가 그녀를 따라잡는다.)

다프네　오, 어째야 하나? 아버지, 도와주세요!

(강신이 나타나서 다프네를 만진다. 그녀는 그 즉시 뿌리를 내리고 선다. 아폴로가 따라와서 그녀를 두 팔로 끌어안았을 때는 그녀의 젊은 온기는 이미 사라지고 거칠고 차가운 월계수로 변해 있다.)

아폴로　오, 다프네, 내가 당신에게 황홀한 맛을 가르쳐 줄 수만 있었다면!

(아폴로는 나무를 계속 꽉 붙잡고 잃어버린 다프네를 슬퍼한다. 페이드아웃.)

[페이드인: 실내. 아폴로의 궁전. 몇 달 후. 아폴로에게 아르테미스가 급히 달려온다.]

아르테미스 (*화가 나서*) 왜 너는 내 요정들을 가만두지 못하는 거니? 내 귀에 들려오는 시노페 얘기는 또 뭐야?

아폴로 시노페는 내가 본 중 가장 어여쁜 요정이던데.

아르테미스 내 요정들에 대한 네 얘기는 다 똑같아. 시노페도 다른 요정들과 마찬가지로 일신을 바친 요정이라는 걸 너한테 새삼 일깨워줘야 알겠니?

아폴로 시노페는 그렇게까지 맹세한 요정이 아닐 텐데. 사실 말이지, 내가 믿기로는 시노페는 내 사랑을 받겠다고 했어요.

아프로디테 그 애가 그렇게 말했어?

아폴로 그렇게 말한 거나 다름없어.

아르테미스 무슨 뜻이야?

아폴로 그 전에 우선 나한테 청이 있다고 하더군.

아르테미스 무슨 청?

아폴로 그건 나도 아직 모르지. 지금 만나러 가는 중이야. (페이드아웃.)

[페이드인: 옥외. 아폴로와 시노페가 갈대가 많은 강둑에 있다. 아폴로는 시노페를 포옹하려고 한다. 시노페는 그의 포옹을 살짝 피한다.]

시노페 저기— 제 청을 먼저 들어주세요, 아폴로.

아폴로 뭐든지— 뭐든지 들어줄게.

시노페 신이 들어주기로 한 청은 꼭 들어줘야 한다는 것 아시지요?

(*마음이 산란한 아폴로는 그녀의 머리를 만지작거린다.*)

아폴로   물론이지. 물론이지.

시노페   제 청은- 제 청은요-

아폴로   부끄러워하지 말고, 어서 뭐든지 요구하렴.

시노페   (*머뭇거리면서*) 제 청은-

아폴로   그래- 그래-

시노페   (*드디어 결심을 하고*) 제 청은- 제가 죽는 그 날까지 처녀로 있게 해
         달라는 것입니다.

아폴로   (*깜짝 놀라면서*) 속임수야! 이건 사기야! 이게 네가 꾸민 책략이냐, 시
         노페!

시노페   아마 그런지도 몰라요. 그렇지만 동생이 된 아폴로 편에서 보면 속임
         수지만 그의 누이 편에서는 진실입니다.

아폴로   속임수는 속임수야.

시노페   아폴로, 이게 다 한 가족 안에서 일어나는 일입니다.

(*시노페는 가볍게 춤추면서 사라지고 아폴로는 그 자리에 힘없이 서 있다.*)

7
디오니소스와 포세이돈

	등장인물	
제우스	병사	아테나
세멜레	펜테우스	하데스
디오니소스	메두사	벨레로폰
실레노스	포세이돈	

[페이드인: 옥외. 테베. 숲. 제우스와 세멜레가 열정적으로 포옹하고 있다.]

제우스   세멜레, 내가 이렇게 사랑에 빠져 본 적이 언제 있었나 싶다.

세멜레   저는 이전에는 사랑해 본 적이 없어요.

제우스   유일한 나의 슬픔은 당신이 인간이라는 거요. 그래서 영원히 사랑할
수 없는 대상이오.

세멜레   제 안에 있는 아기가 제게는 영원한 사랑의 대상입니다.

제우스   당신은 내게 큰 기쁨이오. 원하는 선물을 하고 싶소. 뭐든지.

세멜레   바라는 건 없어요. 제우스 신이 베푼 사랑으로 충분히 행복합니다.

제우스   그래도 말해 봐요. 뭐든지 요구하는 대로 들어줄 테니.

세멜레   그렇게 주장하신다면 한 가지 소원이 있어요.

제우스   뭐요. 신이 한 번 허락한 것은 절대 되돌릴 수 없다는 걸 알고 있겠지.

세멜레   좋아요. 하늘의 왕이요, 번개의 주인인 제우스 신의 황홀한 눈 부신 자
태를 제 눈으로 꼭 한 번 직접 보고 싶어요.

(제우스는 이 요구에 두려움으로 놀란다.)

제우스   안 돼! 안 돼! 그건 안 되는 일이오!

세멜레   *(당황해하며)* 그렇지만 왜 안 되나요? 그렇게 걱정스러운 요구인 줄 알았다면 저는 청하지 않았을 거예요.

제우스   나도 아오. 내 잘못이오. 그러나 일단 청을 했으니 난 들어줘야만 하오.

세멜레   그렇게 어려운 요구였으면 저는 결코 청하지 않았을 텐데요.

(제우스는 대답하지 않고 부드럽게, 그러나 슬픈 표정으로 그녀를 안아준다.)

제우스   자, 세멜레, 이제 당신의 요구를 들어주리다.

(제우스는 세멜레 앞에 서서 하늘의 왕, 번개의 주인으로 눈부시게 변신한다. 눈부신 빛이 세멜레에게 불을 붙이는 그 순간 제우스는 아직 태어나지 않은 세멜레 뱃속의 아기를 꺼내어 자신의 허벅지에 집어넣는다. 세멜레는 이미 타오르는 불길이 되었다.)

제우스   세멜레, 당신은 몰랐을 거요. 이렇게 될 줄을 몰랐을 거요.

(슬픈 제우스는 연기 나는 타다 남은 잿더미를 보고 서 있다. 허벅지를 비비면서 그 속의 아기를 생각한다.)

제우스   당신과 나, 인간과 신 사이의 우리 아이가 내게는 최소한의 위로가 되는구려. 이 아이를 디오니소스라 부르고 세상의 가장 좋은 것과 가장 나쁜 것을 알게 해주겠소. 그게 이 아이의 상속권이오. *(페이드아웃.)*

[페이드인: 옥외. 니사. 20년 후. 디오니소스와 실레노스. 사람 몸에 말의 귀와 꼬리를 가진 사티로스인 실레노스는 대머리에 배불뚝이다. 표범 가죽과 어린 사슴 껍질을 두른 거칠게 생긴 여인들이 한 무리의 뱀과 횃불을 들고 미친 듯 소리 지르면서, 불행히도 그들 앞을 지나가는 생물들의 몸을 갈기갈기 찢는다. 그들의 입에 피가 잔뜩 묻은 것으로 보아 이미 여러 희생자가 있었음을 증명한다. 실레노스는 광란의 마에나드들을 지켜보고 디오니소스를 돌아다본다.]

디오니소스 피비린내와 광란만 없다면 이 한적한 숲 한가운데서 펼쳐지는 자연의 종교의식이라 할 수도 있는데 말이오.

실레노스 저런 꼴이 어떻게 제의적 의식이 될 수 있다는 건지 난 모르겠소.

디오니소스 실레노스, 당신은 나의 이중성격을 잊었군요.

실레노스 당신이 신과 인간 사이에 태어난 제우스의 아들인 건 알고 있지만-

디오니소스 포도 열매의 이중성을 아시잖아요.

실레노스 저 광란의 여인들은 인간 세상의 가장 나쁜 본보기임엔 틀림없소.

디오니소스 그래요. 저것들은 포도 열매 때문에 생긴 폭력, 음란 같은 극단적 행동을 하고 있어요. 그렇지만 내 포도 열매에는 또 다른 면도 있어요. 같이 아테네로 가서, 그 점을 직접 확인해 보시지요. (페이드아웃.)

[페이드인: 옥외. 아테네. 봄. 디오니소스를 위한 예술 축제가 진행 중이다. 모든 사람이 축제행사에 참여한다. 이때는 일하는 사람은 아무도 없고, 누구나 즐기고 노는 날이다. 죄수들조차 감옥에서 나와 있다. 아테네의 여러 곳에서 드라마, 시, 음악 공연이 벌어지고 있다. 실레노스와 디오니소스는 축제 한가운데 있다.]

실레노스 디오니소스, 여기서는 제의가 없군.

디오니소스 당신 눈에는 보이지 않지만 이 사람들은 마음으로 제의를 다 행하고 있어요. 아테네 사람들은 내게 마음을 열었고 나의 불멸성에 감동하고 있지요.

실레노스 신성한 음악, 시, 드라마 – 저런 것이 모두 인간의 영혼 깊숙한 곳에서 솟아나는군.

디오니소스 방금 당신이 말한 바로 그것입니다. 실레노스, 나를 위한 제의 행사에서 이 점이 불멸의 속성이지요.

실레노스 한쪽 끝에는 광란의 여인들이 있고 또 반대쪽엔 창조성을 가진 심성들이 있단 말인가?

디오니소스 두 측면이 다 있어요. 제우스가 의도한 방식이지요.

(*디오니소스는 떠나려고 한다.*)

실레노스 이젠 어디로 가려는 것이오?

디오니소스 테베요. 거기서 광란의 여인들을 만날 겁니다. (페이드아웃.)

[페이드인: 실내. 테베. 펜테우스의 왕궁. 펜테우스 왕은 옥좌에 앉아 있고 병사 한 명이 뛰어 들어온다.]

병사 모두들 도망갔습니다! 모두요!

펜테우스 누가 도망갔단 말이냐?

병사 광란의 여인들이 감옥에서 도망갔어요. 소리소리 지르고 닥치는 대로 죽이고 그 피를 마시면서 지금 도시를 돌아다니고 있습니다!

펜테우스 어찌 그런 일이?

병사 묶어 놓은 쇠사슬이 풀렸어요. 잠가 놓은 옥문들이 열렸어요.

펜테우스 디오니소스는?

병사 디오니소스는 이중으로 묶어놓았지요. 제가 알기로는 아직까지 묶여 있을 것으로 압니다.

(병사가 이 말을 하고 있을 때 쇠사슬이 풀린 디오니소스가 들어온다.)

디오니소스 펜테우스, 어떤 쇠사슬도 나를 묶어 놓을 수 없다는 걸 모르시요?
한 번 더 요청하는데, 나에 대한 숭배의식과 그 성과의 보답을 받아들
이기 바라오. 그러면 놀라운 일들이 당신 도시에 일어날 것이오.

펜테우스 무슨 숭배의식? 야만스럽게 날뛰는 미치광이 여인들을 숭배하라는 거
요?

디오니소스 펜테우스, 당신은 믿음이 없기 때문에 스스로 멸망을 초래하는 거요.

(디오니소스는 떠난다. 병사와 펜테우스는 그를 저지할 힘이 없다. 페이드아웃.)

[페이드인: 옥외. 테베. 들판. 광란의 여인들과 테베 여인들이 함께 있다. 그중에
는 펜테우스의 모친과 이모들도 섞여 있다. 디오니소스는 포도송이들을 짜서 펜
테우스의 모친과 이모들에게 뿌린다.]

디오니소스 포도 열매는 당신들을 미치게 할 겁니다. 펜테우스는 여러분 앞에
사자의 모습으로 나타날 거요.

(펜테우스는 들판으로 다가오고 그의 모친과 이모들은 분노에 차서 그를 찢으려
고 달려든다.)

펜테우스 (죽어가면서) 난 믿지 않을 거야— 난—

(광란의 여인들은 펜테우스 모친과 이모들과 합세하여 왕을 갈기갈기 찢고 그의
피를 마신다. 그런 후 이들의 뱀들은 꼬인 사리를 풀고 함께 난잡한 춤을 춘다.
페이드아웃.)

[페이드인: 실내. 아테네. 아테나의 신전. 바다의 신 포세이돈과 아름다운 고르곤 메두사가 정열적으로 껴안고 있다.]

메두사   포세이돈, 우리가 아테나의 신전에서 이렇게 애정행각을 벌이면 안 되잖아요. 자기 신전을 모독한 자들에 대한 아테나의 복수심은 가차 없잖아요.

포세이돈   다른 데 갈 곳이 없잖소. 당신 곁을 밤낮으로 지키는 자매들을 피해서 멀리 떨어져, 당신과 나, 단둘이만 있고 싶었소.

(갑자기 눈 부신 빛이 둘러싸이고 전투복 차림의 아테나가 나타나서 메두사를 향해 준절히 말한다.)

아테나   메두사, 너의 자매들이 있는 곳으로 가거라. 이제부터는 네 모습도 너의 자매들처럼 끔찍하게 변할 것이다. 나의 신전을 더럽힌 대가를 너는 나중에 더 크게 치를 것이다.

(메두사가 일어나서 신전을 나설 때 그녀의 아름다운 모습은 변한다. 머리카락이 모두 뱀으로 된 끔찍한 괴물로 변한다.)

아테나   포세이돈, 당신의 아름다운 메두사가 어떤 모습으로 변했는지 보세요. 신성 모독에 대한 대가는 포세이돈 당신도 치를 것입니다.

포세이돈   아테나는 나를 위협하지 못하지.

(아테나는 반응을 하지 않고 나가면서 포세이돈을 차갑게 노려본다. 페이드아웃.)

[페이드인: 옥외. 서쪽 먼 곳에 있는 에리테아섬. 포세이돈과 지하 세계의 왕인 그의 형제 하데스가 함께 하데스 소유의 말 떼를 지켜보고 서 있다.]

포세이돈 메두사한테 무슨 일이 일어났는지 들었어?

하데스 들었어. 아테나는 언제든지 자기 신전을 더럽히면 못 참지. 아이아스가 트로이의 카산드라를 겁탈했기 때문에 아테나가 그리스인들을 힘들게 한 사건을 잘 알잖아.

포세이돈 그야, 알지. 아테나는 메두사를 괴물로 만들어버린 것만으로는 만족하지 않고, 페르세우스를 도와서 메두사 머리를 베어버리고 퇴치했잖은가.

하데스 어쨌든 그 결과로 두 가지 좋은 일이 생겼으니까.

포세이돈 페르세우스가 메두사의 목을 잘랐을 때 그 피에서 솟아 나온 페가소스와 크리사오르 두 마리 쌍둥이 말을 뜻하는 거야?

하데스 말을 애호하는 신으로서 난 그 경이로운 특별한 말들을 감사히 여기고 있다오. 페가소스는 날개 달린 놀라운 군마고 크리사오르는 엄청난 크기의 종마야. 빨리 보고 싶군.

포세이돈 넌 그 말들을 보면 엄청 기쁘겠구나. 말 얘기가 나왔으니 말인데, 내 아들 벨레로폰이 페가소스를 무척 타보고 싶어 해. 한 번 타 보라고 하면 좋겠어.

하데스 그건 무모한 모험이야.

포세이돈 그래. 벨레로폰은 인간에 지나지 않지. 어떻게 해서든 모험을 말려야겠군.

(포세이돈은 그의 마차를 타고 가고 하데스는 무리 진 아름다운 말들을 바라보고 있다.)

[페이드인: 옥외. 벨레로폰이 페가소스를 끌고 포세이돈과 함께 걸어온다. 포세이돈은 페가소스의 금 고삐를 가리킨다.]

포세이돈 아테나의 선물이라고 했느냐.

벨레로폰 아름답기만 한 게 아니고 페가소스를 탈 수 있게 해주는 고삐입니다.

포세이돈 아테나의 선물을 조심해라. 아테나가 나한테 앙심을 품고 있는 판에 너는 내 아들이라서—

벨레로폰 걱정 마세요. 아테나는 친구여요. 페가소스에 대한 얘기나 들려주세요, 아버지.

포세이돈 벨레로폰, 기억해 둬라. 페가소스는 불멸의 말이고 너는 인간이란 걸 잊지 마라. 인간은 불멸의 신적 존재들과 상대할 때는 항상 불리한 처지에 있단다. 네 한계를 알아야 해. 너도 불멸인 줄로 착각하면 안 된다.

벨레로폰 저는 제 위치를 알아요, 아버지.

포세이돈 그렇기를 바란다, 아들아.

(포세이돈은 작별인사로 손을 흔들고 떠난다. 페이드아웃.)

[페이드인: 옥외. 벨레로폰이 페가소스를 타고 달린다.]

벨레로폰 너를 타고 달리니 내가 인간이 아닌 기분이 드는구나, 페가소스. 하늘 높이 올라가 보자— 더 높이, 더 위로!

(페가소스는 하늘 위로 점점 높이 올라간다. 그러나 페가소스는 한 번 올라가자 더 이상 올라가면 안 되는 경계선이 없어지고 한없이 올라간다.)

벨레로폰   더, 더, 더 올라가라, 페가소스! 올림포스가 눈에 들어온다. 더 높이 올
         라가자!

(*페가소스는 머리를 들어 올리고 등을 구부리고 벨레로폰을 던져버린다. 벨레로
폰은 땅으로 떨어진다. 다리가 부러져서 몸을 둥그렇게 구부리고 엎드려 누워있
다. 그가 떨어지기를 기다리고 있던 아테나가 다가와서 땅에 얼굴을 박고 누워
있는 벨레로폰을 발견한다.*)

아테나   벨레로폰, 넌 주제 파악을 못 하고 너무 잘난 척하는 게 문제야.

(*벨레로폰은 아무 반응이 없다. 아테나는 자리를 뜬다. 얼마 후 벨레로폰은 천천
히 몸을 일으키고 쓸쓸하게 절뚝거리며 걸어간다.*)

8

카산드라와 오레스테스

등장인물		
아폴로	아가멤논	필라데스
카산드라	예언자 1	오레스테스
파리스	예언자 2	엘렉트라
프리아모스	아이기스토스	하인
아이아스	클리템네스트라	아르테미스
아테나		

[페이드인: 옥외. 아폴로의 신탁. 아폴로와 트로이 프리아모스 왕의 딸 카산드라 공주.]

아폴로 카산드라, 넌 재능 있는 생도야. 예언술이 네 오빠 헬레노스를 능가하고 있어.

카산드라 고마워요, 아폴로. 예언의 재능은 제겐 큰 기쁨을 줍니다.

아폴로 기쁘다는 말이 나와서 하는 소린데, 너를 나의 연인으로 만들면 얼마나 기쁠까.

카산드라 미안해요, 아폴로. 처녀성을 지키는 게 저의 길인 걸 아시잖아요.

아폴로 카산드라, 내가 맹세하는데, 넌 내가 만난 여인들 중 가장 고집 센 처녀야.

카산드라 제 마음은 어쩔 수 없어요. 전 당신 애인이 될 수 없습니다.

아폴로　　그렇다면 너에게 허락한 예언 능력의 선물을 취소하겠다.

카산드라　그렇지만 신들이 한 번 허락한 선물은 취소할 수 없잖아요.

아폴로　　취소할 수는 없지만- 다른 방법이 또 있지.

(화가 난 아폴로는 당황한 표정으로 바라보는 카산드라를 등지고 떠난다. 페이드아웃.)

[페이드인: 실내. 트로이. 프리아모스의 궁전. 카산드라의 아버지 트로이 왕 프리아모스, 그녀의 동생 파리스, 멍하니 넋을 놓고 있는 카산드라.]

카산드라　멸망이야! 멸망이야! 피! 잿더미!

(파리스는 그녀에게 다가가 진정시키려 한다. 그리고 아버지에게 말한다.)

파리스　　누나가 이런 행동을 할 때가 가끔 있나요, 아버지?

프리아모스　그렇단다. 가끔 예상치 못한 기행으로 저 혼자 고통스러워할 때가
　　　　　　있어.

카산드라　트로이는 불바다가 될 것이다! 트로이는 라오메돈의 피로 뒤덮일 것
　　　　　　이고, 트로이 여인들은 겁탈당하고 노예가 될 것이다.

파리스　　끔찍한 생각은 그만하고, 진정해, 카산드라, 내 어여쁜 누이!

카산드라　진정할 수가 없어- 아폴로 탓이지만- 내가 하는 말은 아무도 믿지
　　　　　　를 않아. (페이드아웃.)

[페이드인: 옥외. 트로이. 트로이 성문 앞에 있는 목마(木馬). 카산드라는 성문을 지키고 있는 병사들에게 간청하고 있다.]

카산드라   트로이 사람들이여, 내 말을 들어보세요! 여기 서 있는 이 목마는 아테나 여신에게 봉헌한 게 아닙니다. 이건 함정이어요. 이 목마는 트로이를 약탈과 불바다로 몰아넣을 것입니다.

(두 명의 트로이 병사가 그녀를 끌고 가려고 한다.)

카산드라   내 말을 들으세요. 저 안에는 그리스 장수들이 숨어 있어요. 트로이인들이여, 오늘 밤 당신들은 잠자리에서 살해될 것이오. 이 도시는 불타버릴 것입니다!

(그녀는 땅바닥에 주저앉아 광적으로 흐느껴 운다.)

카산드라   오, 나의 사랑하는 도시 트로이, 난 널 구할 힘이 없구나. *(페이드아웃.)*

[페이드인: 옥외. 트로이. 한밤중. 오디세우스가 목마 밖으로 그리스 장수들을 인도한다. 모두 칼을 들고 마음 놓고 깊이 잠들어 있는 트로이 시민들에게 달려간다. 페이드아웃.]

[페이드인: 실내. 아테나의 신전. 카산드라가 아테나의 신상을 붙잡고 서 있다. 그녀는 울고 있다.]

카산드라   아테나 여신이여, 난 당신이 그리스 편에 있는 것을 비난하지 않아요. 조심성 없는 트로이인들이 이런 운명을 자초한 것입니다.

(그리스 장수 아이아스는 신전에 들어와서 아테나의 신상을 붙들고 있는 카산드

라를 본다. 그는 다가가서 그녀를 붙잡는다.)

아이아스 어여쁜 아가씨, 그 형상보다는 나한테 매달리는 편이 좋을 텐데.

(아이아스가 카산드라를 흔들자 신상이 떨어진다. 카산드라는 맹렬히 투쟁한다.)

카산드라 그리스 괴물아! 이 손 놓지 못해!

(아이아스는 카산드라를 바닥에 던지고 옷을 찢는다. 아테나 신상은 신성 모독의 끔찍한 장면을 보지 않으려고 두 눈을 돌린다. 페이드아웃.)

카산드라 *(광적으로)* 나의 처녀성! 나의 처녀성! 처녀성을 잃었어요. 오- 오-
아테나 알고 있다. 애야, 값진 것을 네가 잃은 걸 알고 있다.
카산드라 당했어요. 그것도 고약한 자한테 당했어요.

(아테나는 카산드라에게 겉옷을 입혀준다.)

아테나 이리 오너라. 궁전으로 인도해주마. 겁탈 행위의 모독죄를 반드시 내가 복수할 것이다.

(아테나는 카산드라를 일으켜주고 신전을 걸어 나가면서 그녀를 두 팔로 안으며 도와준다. 카산드라는 "잃었어. 잃어버렸어." 하며 수심에 가득 차서 신음한다.)

[페이드인: 옥외. 트로이. 트로이의 멸망 후. 그리스인들이 배에 오르려고 한참 준비 중이다. 아가멤논과 아이아스.]

아가멤논 아이아스, 내 말 잘 듣게. 이게 끝이 아니야. 아테나는 널 잊지 않는다.

아이아스 아테나는 저를 해치지 못할 겁니다.

아가멤논 나라면 무슨 일이 있어도 너 같이 그런 끔찍한 짓은 하지 않았을 것이다.

아이아스 고국에 가서서 아름다운 카산드라나 즐기세요. 당신의 첩이 되는 걸로 전 알고 있는데요.

아가멤논 그렇다. 네가 저지른 몹쓸 짓으로 주어진 하나의 위로라고 해두자.

아이아스 제 말을 믿으세요. 카산드라는 식욕을 돋우는 매력적인 여자여요.

(아가멤논은 혐오스러운 얼굴로 아이아스에게 등을 돌리고 배에 오른다. 페이드 아웃.)

[페이드인: 옥외. 에우보이아 남쪽의 카페레우스 갑(岬). 아이아스가 뱃머리에 서서 큰소리치고 있다.]

아이아스 이것 봐요, 아테나! 내가 당신의 권위를 허용치 않고 이렇게 재치있게 빠져나와 배에 올라왔습니다.

(아이아스는 의기양양하여 큰소리로 웃는다. 아테나가 손에 번개를 들고 나타난다.)

아테나 비참하고 야비한 놈! 카산드라의 복수를 해주마!

(아테나가 번개를 때리자마자 아이아스와 그의 배는 삽시간에 불길에 휩싸인다. 페이드아웃.)

[페이드인: 옥외. 미케네. 항구. 트로이에서 돌아온 아가멤논이 상륙하고 있다. 군중들이 바닷가에서 소리 지른다. "정복자 만세!" "아가멤논 왕 만세!" 시끌시 끌한 흥분한 군중 속에서 두 명의 예언자가 걱정스러운 표정으로 말한다.]

예언자 1 겉으로 보이는 것과 실제는 거리가 멀다니까.
예언자 2 그래, 사실은 이게 환희에 찬 귀환이 아니지.
예언자 1 저걸 봐. 클리템네스트라가 팔을 벌리고 남편 아가멤논을 맞이하는군.
예언자 2 수년 동안 저 여자의 애인으로 있는 아이기스토스가 지금도 왕궁에
　　　　　 있지 않은가.
예언자 1 그런데 아가멤논 옆에 있는 저 묘하게 아름다운 여자는 누구지?
예언자 2 프리아모스의 딸 카산드라 공주야. 예언자라는데 아무도 그의 예언을
　　　　　 믿어주지 않는다네.
예언자 1 저 여자가 들어오면서 또 다른 천벌의 저주가 아트레우스 가문에 내
　　　　　 리고 있군.

(두 여자는 머리를 절레절레 흔들며 돌아서서 간다. 페이드아웃.)

[페이드인: 실내. 아가멤논의 궁전. 클리템네스트라와 아이기스토스는 주위를 살피면서 이야기를 한다.]

아이기스토스 아가멤논과 카산드라, 두 사람 모두 오늘 밤 내 연회에 참석할 예
　　　　　　　 정이오?
클리템네스트라 그래요, 아이기스토스. 두 사람이 함께 죽게 되어 있어요.

(아이기스토스는 그녀를 끌어안는다.)

아이기스토스 잘 되었소, 내 사랑. 그 두 사람의 피가 내 포도주처럼 아낌없이 흐르겠군. (페이드아웃.)

[페이드인: 실내. 아이기스토스의 연회장. 거대한 테이블에 아가멤논이 클리템네스트라와 카산드라 사이에 앉아있다. 아이기스토스는 클리템네스트라 옆에 앉아있다. 아이기스토스가 일어나서 아가멤논과 카산드라를 위해 건배한다.]

아이기스토스 두 분 사이에 태어난 쌍둥이 아기들의 행복과 장수를 위해 모두 건배합시다.

(모두들 잔을 높이 든다. 아가멤논이 카산드라에게 말을 하려고 돌아선다.)

아가멤논 카산드라, 당신은 내게 큰 행복을 가져다주었소.
카산드라 (낙심하여) 두 아기는 남아의 기상을 시험할 수 있는 성년까지 자라지 못할 것입니다.
아가멤논 카산드라, 당신의 처참한 예언은 이제 그만하고, 우리 함께 행복한 생각만 합시다.
카산드라 아트레우스 가문에 행복은 없습니다. 당신이 들고 있는 잔에는 증오가 우글거리고 있어요!
아가멤논 (신경이 예민하여) 불행한 탄식은 그만하시오.
카산드라 곧 모든 것이 끝납니다. 난 죽는 것은 두렵지 않아요. 사실 난 이미 수년 전에 아테나 신전에서 죽은 거나 다름없으니까요.

(갑자기 아이기스토스의 부하들이 연회장으로 들어와 테이블을 뒤집으니 포도주가 바닥에 흐른다. 아이기스토스는 앞으로 뛰어나와 손에 칼을 들고 아가멤논 앞에 선다.)

아이기스토스 서로 물어뜯고 잡아먹는 아트레우스 가문의 아들아, 이제 너는 영
원히 지하 세계에서 평안을 등지고 살아라.

(*아이기스토스는 아가멤논을 수차례 찌른다. 클리템네스트라가 아이기스토스의
손에서 칼을 취한다.*)

클리템네스트라 그만 찌르고, 이 달콤한 복수를 나도 함께 누리게 해주세요!

(*클리템네스트라는 아이기스토스의 칼을 들고 곧바로 아가멤논의 심장을 찌른
다. 그녀의 관심은 이제 카산드라에게 향한다. 카산드라를 아가멤논 시신 위에
쓰러트린다.*)

클리템네스트라 카산드라, 네 애인과 마지막 포옹을 하시지.
카산드라 나의 슬픈 세월이 드디어 끝나는군요. 그렇지만 클리템네스트라, 당신
의 슬픈 나날은 지금부터 시작입니다.
클리템네스트라 멍청이 예언자! 네 예언 따위는 아무도 듣지 않는 사실을 아직도
모르느냐?

(*클리템네스트라는 아가멤논의 피투성이 시신 위에 누워있는 카산드라를 찌른
다. 페이드아웃.*)

[페이드인: 실내. 아가멤논의 궁전. 클리템네스트라와 아이기스토스.]

클리템네스트라 카산드라의 쌍둥이 아들들을 묻었어요?
아이기스토스 그렇소. 아이들 엄마 옆에 묻어주었소.
클리템네스트라 이제는 모든 것이 다 우리 것이 되었어요.

아이기스토스 유일한 걸림돌이 있다면 당신 아들 오레스테스뿐이오.

클리템네스트라 그 앤 아직 어린애에 불과해요. 지금은 포키스의 스트로피우스 왕 가족과 함께 있어요. 이곳 미케네로 영영 돌아오지 않을지도 몰라요.

(*클리템네스트라와 아이기스토스는 서로 팔짱을 끼고 편안히 걸어 나간다. 페이드아웃.*)

[페이드인: 옥외. 9년 후. 델피의 신탁. 20세의 오레스테스. 스트로피우스 왕의 아들 필라데스.]

필라데스 우리 아버지와 난 네가 이곳에 우리와 함께 있어서 얼마나 기쁜지 몰라. 넌 우리 가족이나 다름없어. 우리에게 아들이고 형제야.

오레스테스 나도 너의 아버지와 너를 좋아해. 그런데 내 아버지의 살인이 내 귀에서 절규한다. 신탁에 가서 의논해봐야겠어.

필라데스 알았어, 친구. 기다리고 있을게, 다녀와.

(*오레스테스는 신탁을 향해 혼자 올라간다. 페이드아웃.*)

[페이드인: 옥외. 미케네 외곽에 있는 아가멤논 무덤 근처. 오레스테스와 필라데스가 관목 숲에 숨어있다.]

오레스테스 내 누이 엘렉트라가 아버지 무덤가에 있을 거야.

필라데스 신탁이 너한테 어머니를 죽여야 한다는 무서운 짐을 지워주었구나.

오레스테스 어머니와 어머니 애인은 죄의 대가를 마땅히 치러야 하지.

필라데스 네가 나타나면 그쪽에서 널 보는 즉시 죽일 텐데— 어떻게 하려고?

오레스테스 신탁은 엘렉트라가 도와줄 것이라는 뜻을 이미 전해 왔어.

(두 사람은 조심스럽게 아가멤논 묘 근처로 걸어간다. 묘 앞에서 무릎을 꿇고 기도하는 젊은 여자를 본다. 오레스테스가 앞으로 다가가자 엘렉트라는 공포심에 놀라서 일어난다.)

오레스테스 엘렉트라! 누나구나! 무서워하지 마. 나야, 오레스테스야.

(엘렉트라는 그의 얼굴을 살핀다.)

엘렉트라 오레스테스? 그래, 그래, 너구나. 네 얼굴은 영락없이 아버지 모습 그
　　　　　대로다. 우리가 드디어 만났구나!

(엘렉트라는 기쁨에 겨워 동생을 얼싸안는다. 오레스테스는 필라데스에게 가까이 오라고 손짓한다.)

오레스테스 누나, 이쪽은 스트로피우스 왕의 아들 필라데스야.

(엘렉트라는 필라데스도 포옹한다.)

엘렉트라 잘 왔다. 사촌 필라데스.

(세 사람은 서로 머리를 맞대고 앞으로 전개할 행동 절차를 의논한다. 페이드아웃.)

[페이드인: 실내. 궁전. 아이기스토스. 하인이 급히 들어온다.]

하인   전하, 스트로피우스 왕이 보낸 사신들이 왔습니다.

아이기스토스   오레스테스가 보호받고 있는 곳 말인가?

하인   예, 전하. 오레스테스가 죽었다는 소식을 가지고 왔습니다.

(이 소식을 들은 아이기스토스는 눈에 띄게 좋아하는 표정이다.)

아이기스토스   들여보내라.

*(하인은 자리를 뜬다. 아이기스토스가 알아보지 못하는 오레스테스와 필라데스
가 들어온다.)*

오레스테스   전하, 포키스의 스트로피우스 왕이 보낸 전갈입니다.

아이기스토소   어떤 전갈이오?

(오레스테스는 아이기스토스 가까이 가고 필라데스는 문에 그대로 서 있다.)

오레스테스   비보입니다.

아이기스토스   비보라고?

오레스테스   전하, 매우 중대한 목적이 하나 있습니다.

*(오레스테스는 점점 가까이 다가와 아이기스토스와 얼굴이 맞닿을 정도이다. 그
는 외투 안에 감추어 둔 칼로 아이기스토스를 찌른다.)*

오레스테스   바로 이것이 그 목적이다. 내 아버지를 살해하고 어머니를 연인으로
          유혹한 악마야.

(필라데스는 오레스테스에게로 온다.)

필라데스 서둘러야 해, 오레스테스. 아직 할 일이 하나 더 남았으니까.

(오레스테스는 아이기스토스의 몸에서 피가 흐르는 칼을 뽑아 들고 필라데스와 함께 급히 나온다. 페이드아웃.)

[페이드인: 옥외. 궁전 밖의 층계. 여전히 피가 흐르는 칼을 든 오레스테스는 어머니 클리템네스트라에게 다가간다. 클리템네스트라는 아들을 알아본다.]

클리템네스트라 오레스테스, 나의 아들아.
오레스테스 내가 당신의 아들인지는 몰라도 당신은 나의 어머니가 아닙니다.

(클리템네스트라는 자신의 운명을 알아차린다.)

클리템네스트라 아트레우스 가문의 불운한 아들아, 네 할 일을 어서 해라. 그러나 여기서 하지 말고 나를 따라 오너라.

(오레스테스는 피가 떨어지는 칼을 손에 들고 클리템네스트라를 따라 궁 안으로 들어간다.)

[페이드인: 옥외. 궁의 안마당. 엘렉트라와 필라데스. 궁 안에서 여인들의 비명이 들린다.]

엘렉트라 임무를 해치웠군!

(창백한 얼굴의 오레스테스는 마비된 자세로 궁전 계단을 내려와 무감각하게 두 사람에게 다가온다.)

필라데스 오레스테스, 네 얼굴이 몰라보게 변했어.

(오레스테스는 자기의 두 손을 넋이 나간 채 본다.)

오레스테스 이 손에 묻은 피는 내 어머니의 피다. 내가 어머니를 내 손으로 죽였어!

(오레스테스는 머릿속이 고통으로 짓이기는 듯 고개를 든다.)

오레스테스 내 머리가− 깨질 것 같아. 두통이 심해− 악한 마귀들이 횃불을 들고 매질을 하고 있어. 머릿속이 온통 난리야.

(엘렉트라와 필라데스는 그를 위로하려고 애쓴다.)

오레스테스 평화가 없어. 난 속죄해야 해. 난 마땅히 고통을 받아야 해. 안 그러면 머릿속 복수의 여신들이 나를 미치게 만들 거야.

(오레스테스는 두 사람을 떠나 멍하니 앞서 걸어 나간다. 필라데스와 엘렉트라는 도와줄 길이 없어 무력하게 그의 뒤를 바라본다. 페이드아웃.)

[페이드인: 옥외. 타우리의 십자로. 9년 후. 아르테미스와 오레스테스.]

아르테미스 오레스테스, 네가 겪는 호된 시련은 머지않아 끝날 것이다.

오레스테스 아르테미스 여신이여, 그게 확실한가요?

아르테미스 그렇다. 네 머릿속에 있는 복수의 여신들이 떠나면 그때는 너에게
평화가 올 것이다. 어머니를 살해한 비행으로 너는 9년 동안 고난의
죗값을 치렀으니 이젠 정화되었어.

오레스테스 저는 당신의 성결한 신상에 의지해서 거칠고 사나운 타우리인들로
부터 구원받기를 원합니다. 타우리인들은 제가 이런 범행을 또 저지르
면 제 목을 자르겠다고 합니다. 솔직히 인정하자면, 저는 타우리인들
이 차라리 제 목을 베어주었으면 하는 유혹을 받습니다. 그러면 혹독
한 복수의 여신들 손에서 해방될 수 있으니까요.

아르테미스 인내심을 가져라, 오레스테스. 내 지시를 따르면 너의 고통은 곧 끝
난다.

오레스테스 제가 무얼 해야 합니까?

아르테미스 내 신전으로 가라. 거기서 기다리고 있어. 짐승을 쫓아가는 사냥개
울음소리가 들리면 내 신상을 들고 이곳 십자로로 달려오너라. 빨리
가라. 아무도 너를 멈추게 못 한다.

오레스테스 타우리인들이 제 목을 자르지 않을까요?

아르테미스 나를 믿어라. (페이드아웃.)

[페이드인: 옥외. 같은 장소 십자로. 밤 12시. 머리 셋 달린 아르테미스가 두 개
의 횃불을 들고 3마리 사냥개를 데리고 십자로에 서 있다. 오레스테스는 신상을
들고 그곳에 뛰어가서 머리 셋 달린 아르테미스 앞에 머뭇거린다.]

아르테미스 오레스테스, 두려워하지 마라. 타우리인들은 머리 셋 있는 여신을 무
서워한다. 한밤에 내가 여기 서 있으면 죽음을 표현하는 것이 되지. 어
서 가거라, 오레스테스. 저자들은 너를 괴롭히지 못해.

(오레스테스는 아르테미스의 신성한 신상을 팔에 끼고 목숨 걸고 달린다. 페이드아웃.)

[페이드인: 실내. 아테나의 신전. 아테네. 아테나와 아폴로. 이들 앞에 오레스테스가 무릎을 꿇고 신성한 아르테미스의 신상을 아테나에게 건넨다.]

오레스테스 마음에 평안을 얻은 제가 신들 앞에 무릎을 꿇습니다.

아테나 너의 어머니 피가 너를 더 이상 괴롭히고 쫓아다니지 않느냐?

오레스테스 네. 저의 죄는 이제 말끔히 씻겨졌습니다.

아폴로 네가 그걸 어찌 아느냐?

오레스테스 복수의 여신들이 저를 떠났습니다.

아테나 9년 동안 네가 겪은 불명예스럽고 괴로웠던 고통은 이제 끝났다, 오레스테스.

아폴로 그건 네가 마땅히 치러야 할 값이었어. 넌 이제 해방이다.

아테나 그렇게 함으로써 너의 아트레우스 가문에 내려진 저주를 네가 제거한 것이 된다.

오레스테스 호의를 감사합니다. 이제 저는 아트레우스 가문의 질서를 다시 바로잡겠습니다.

(오레스테스는 앞으로 나아갈 방향을 확신하고 단호한 걸음으로 떠난다. 페이드아웃.)

9
페넬로페와 디도

등장인물		
오디세우스	페넬로페	안나
부관	텔레마코스	구혼자 1
아프로디테	아카테스	구혼자 2
아이네이아스	디도	시빌
크레우사의 유령		

[페이드인: 옥외. 멸망 중인 트로이. 도시는 화염에 싸여있다. 성벽 밖에서 그리스 장수 오디세우스는 그리스 병사들과 배에 오르고 있다.]

오디세우스   10년이 지난 이제야 비로소 인내심 하나로 버티고 있는 내 사랑하는
　　　　　　아내 페넬로페에게 돌아갈 수 있게 되었구나.
부관　　　장군, 부인께서는 인내심과 미모로 명성 있는 분이지요.
오디세우스   어서 출발하자. (페이드아웃.)

[페이드인: 옥외. 멸망 중인 트로이. 도시는 화염에 싸여있다. 성벽 앞에는 어머니 아프로디테가 인도하는 대로 아이네이아스가 불구가 된 아버지 안키세스를 업고 아들 아스카니우스의 손을 잡고 간다. 그의 아내 크레우사가 그 뒤를 따른다. 이들은 연기가 자욱한 도시를 빠져나오고 있다.]

아프로디테 이리 오너라, 아들아. 넌 네 앞날의 운명을 트로이를 떠나 다른 곳에서 개척하도록 해라.

아이네이아스 아버지를 등에 업고 아들 손을 이끌고 빠져나가기가 쉽지 않군요.

(*아이네이아스는 아내 크레우사를 확인하려고 돌아다보았으나 보이지 않는다.*)

아이네이아스 어머니, 크레우사가 따라오지 못하고 있어요.

(*갑자기 크레우사의 유령이 나타난다.*)

크레우사의 유령 나를 찾으려고 돌아보지 마세요, 남편이여. 당신이 찾아도 소용없어요. 당신 운명만 바라보고 계속 전진하세요.

아프로디테 유령이 하는 말은 진실이다, 아들아.

(*아이네이아스는 슬픔으로 눈물을 흘리며 앞만 보고 걸어간다. 페이드아웃.*)

[페이드인: 실내. 이타카. 트로이 전쟁 후. 오디세우스의 궁전. 아내 페넬로페와 10세의 아들 텔레마코스.]

페넬로페 좋은 소식이 있다, 아들아. 트로이 전쟁이 끝났어. 아가멤논은 이미 미케네로 돌아갔단다. 너의 아버지도 곧 돌아오실 거다.

텔레마코스 그렇지 않아요, 어머니. 좋지 않은 소식이 있어요.

페넬로페 무슨 소리냐? 안 좋은 소식이라니?

텔레마코스 여신 아테나가 제게 방금 나타나서 아버지가 돌아오시려면 앞으로 몇 년 더 걸린다고 했어요.

페넬로페 어째서?

텔레마코스 아테나 여신의 신전에서 그리스인이 카산드라를 겁탈한 신성 모독 죄를 범했기 때문에 그리스인들이 벌을 받고 있대요.

페넬로페 그렇지만 아버지는 아테나 여신의 특별한 가호를 받는 분인데.

텔레마코스 그래서 아버지의 목숨은 구할 수 있었지요. 앞으로 10년은 이곳저곳 을 더 방황하시게 된답니다.

페넬로페 그렇다면 20년을 헤어져 살게 된다는 거구나. 아내로서의 인내심을 얼 마나 더 견디고 살아야 하는지 모르겠다.

텔레마코스 어머니께서 지탱하실 수 있도록 제가 지켜드리겠어요. 아버지는 그 만한 가치가 있는 분이잖아요.

(*페넬로페는 한숨을 쉬고 바느질감을 집어 든다. 페이드아웃.*)

[페이드인: 옥외. 카르타고 바닷가에 아이네이아스, 아카테스, 안키세스, 아스카 니우스와 다른 파선한 뱃사람들이 서 있다.]

아이네이아스 아카테스, 이거야말로 아이러니로군. 트로이에서 그리스인들을 피 해왔는데, 어딘지도 모르는 해안에서 우리가 죽게 되다니.

아카테스 그런데 이상한 안개가 이쪽으로 몰려오고 있어요.

아이네이아스 반가운 안개로군, 저 안개는 우리 어머니 아프로디테를 감싸고 있 는 걸 알 수 있지.

(*안개가 걷히면서 아프로디테가 다가온다.*)

아프로디테 절대 두려워하지 마라, 아들아, 네 운명의 목적지에 닿을 때까지는 내가 너를 지켜줄 것이다.

아이네이아스 제가 앞으로 인간 종족을 새로 건설할 곳이 이곳인가요?

아프로디테 아니다. 그러나 넌 이곳에서 디도 여왕을 만나라. 네가 지금 필요로 하는 것들을 여왕이 도와줄 것이다.

아이네이아스 이곳 여왕이 저를 도와줄 거라고 어머니는 어떻게 확신하세요?

아프로디테 사랑의 여신으로서의 내 영향력이 매우 크다는 점을 잊지 마라. 이 길을 계속 따라가거라. 안개가 너의 보호막이 되어줄 거야. 그러다가 때가 되면 걷힐 것이다.

(*아이네이아스와 아카테스는 다른 일행을 바다에 남겨두고 길을 따라간다. 페이 드아웃.*)

[페이드인: 옥외. 디도의 궁전 안뜰.]

아이네이아스 참 근사한 궁전이군. 저길 보게. 저건 트로이의 조각물들이잖은가.

아카테스 저기 서 있는 분이 여왕임에 틀림없어요. 정말 아름다운 미녀로군요!

(*아이네이아스와 아카테스를 감추고 있던 안개가 점점 걷히면서 두 사람의 존재 가 디도의 눈에 들어온다. 아이네이아스와 아카테스는 그녀 앞에 무릎을 꿇는 다.*)

아이네이아스 아름다운 은총의 여왕이시여, 저희들은 트로이에서 유일하게 생존 한 함대의 난파한 피난민입니다.

디도 용감한 트로이인들이여, 그대들을 동정합니다. 나 자신 튀로스에서 목 숨 걸고 이곳에 온 피난민으로서, 피난민 신세가 어떤 건지 잘 압니다. 그대들을 진심으로 환영합니다.

(*디도 여왕은 돌아서서 궁중으로 들어가고 아이네이아스와 아카테스도 일어나*

그 뒤를 따라 들어간다. 페이드아웃.)

[페이드인: 실내. 디도의 침실. 4개월 후. 디도와 디도의 여동생 안나.]

안나   언니는 과거에 어떤 남자하고도 이런 적이 없었어. 최근에 돌아가신 형부 에이카이우스 하고도 이렇지는 않았거든.

디도   나도 안다. 뭐라고 어떻게 설명할 수가 없구나. 내가 무언가에 완전히 사로잡힌 기분이야.

안나   선물을 주고, 또 주고, 언니는 그저 주기만 하잖아. 아이네이아스는 그저 받기만 하고.

디도   안나, 내 사랑이 극단적인 것은 나도 알고 있어.

안나   아이네이아스는 아프로디테 여신의 아들이야. 언니의 이런 행동에 대해서 그 여신이 무슨 수를 쓸까 봐 난 그게 두려워.

디도   내 마음을 어떻게 할 수 없구나, 얘야. 주면 줄수록 더 주고 싶은 심정을 어떻게 하겠니?

안나   언니가 할 수 있는 일은 없겠지. 언니 생명이 아이네이아스 손에 달린 게 아닌가 싶어서 그게 걱정이야.

(안나는 슬프게 언니를 포옹한다. 페이드아웃.)

[페이드인: 실내. 디도의 궁전. 아이네이아스와 아카테스가 소유물을 마지막으로 챙기고 있다.]

아카테스   우리의 출발을 비밀로 하고 있지만, 디도 여왕에게도 작별인사를 하지 않을 건가요?

아이네이아스   난 여자들 눈물은 질색이거든. 여자들 비난 소리도 듣기 싫고 그냥 아무 말 않고 떠나는 편이 좋겠소.

(*예기치 않게 디도가 들어온다. 이들이 짐을 싸는 것을 본 그녀의 기분이 매우 나쁘다. 아카테스는 방을 나온다.*)

디도 아이네이아스, 떠나는 게 사실이 아니라고 말해줘요. 아주 가는 게 아니지요?

아이네이아스 나의 운명이오, 디도. 난 내 운명을 따라야 합니다.

디도 작별인사도 없이— 결국— 이렇게—

아이네이아스 (*그녀의 말에 끼어들면서*) 일을 더 어렵게 만드느냐고요?

디도 더 어렵게 만들기도 하지만, 더 명예롭게 하려는 거겠지요.

(*아이네이아스는 그녀의 따끔한 말에 화를 낸다.*)

아이네이아스 디도, 잊지 마시오. 난 당신과 약속한 게 하나도 없소.

디도 당신은 아무것도 약속하지 않았고 그런 당신에게 난 모든 것을 주었어요.

아이네이아스 당신은 정말이지 청승맞고 따분합니다. 디도, 난 당신의 그런 점이 싫어요.

디도 나도 그런 나 자신이 싫습니다.

(*디도는 방을 뛰쳐나간다. 페이드아웃.*)

[페이드인: 옥외. 궁전 안뜰. 아이네이아스의 배는 출항한다. 디도는 거대한 화장용(火葬用) 장작더미 앞에 아이네이아스가 준 칼을 들고 서 있다.]

디도   난 당신에게 모든 것을 다 주었어요, 아이네이아스. 나는 나를 위해 아
       무것도 남기지 않았습니다.

(*디도는 칼에 몸을 눕히고 장작더미 위에 쓰러진다. 페이드아웃.*)

[페이드인: 실내. 이타카. 트로이 멸망 이후 10년. 페넬로페가 구혼자들로 가득
차 있는 오디세우스의 궁에 있다.]

페넬로페 여러분, 제가 한 말씀 드리겠습니다. 저는 저의 시아버님 레아르테스
        를 위한 수의(壽衣)를 끝내기 전에는 누구와도 결혼할 수 없습니다.
구혼자 1 당신 남편의 교활한 꾀가 영향을 미친 게로군요.
구혼자 2 오늘이 그 저주의 수의를 끝내는 마지막 밤이오.
구혼자 1 내일은 당신의 새 남편을 반드시 선택해야 합니다.
페넬로페 그래요. 내일. 좋습니다. 그러니 오늘은 이제 그만 돌아가 주세요. 더
        이상 듣고 싶지 않습니다!

(*구혼자들이 떠난다. 텔레마코스가 들어온다.*)

페넬로페 텔레마코스, 저자들을 퇴치할 방도가 없구나. 무슨 수가 없겠니?
텔레마코스 어머니, 이제 신경 쓰실 필요가 없어요. 아버지가 돌아오셨어요.
페넬로페 우리 땅에? 어디? 궁 안에 계시냐?
텔레마코스 이타카에 계셔요. 아버지는 구혼자들을 물리칠 방도를 갖고 계셔요.
페넬로페 내가 도울 일이라도?
텔레마코스 네. 궁 안에 있는 무기를 모두 치워서 광에 갖다 두고 광문을 잠가야
        합니다.

(*텔레마코스와 페넬로페는 부지런히 궁 안에 있는 무기들을 모은다. 페이드아웃.*)

[페이드인: 옥외. 궁전 밖. 구혼자들이 안으로 들어오려고 줄을 서 있다. 텔레마코스와 거지로 변장한 오디세우스는 문 양옆에 서서 이들의 무기를 수집한다. 텔레마코스는 구혼자 1에게 말한다.]

텔레마코스 잠시 기다려 주세요. 각 구혼자들은 무기를 맡기셔야 합니다. 명망 있는 구혼자들께서 무기를 들고 안에 들어오는 것은 때와 장소에 전혀 어울리지 않습니다.

(*구혼자들은 스스로 무기를 벗는다. 페이드아웃.*)

[페이드인: 실내. 오디세우스 궁전의 커다란 홀. 텔레마코스는 거지로 변장한 오디세우스를 옆에 두고 구혼자들 앞에 거대한 에우리토스 활을 들고 서 있다.]

텔레마코스 제 아버지는 이 위대한 활을 에우리토스 아들로부터 받았습니다. 이 활을 당길 수 있는 사람은 세상에 거의 없습니다. 제 아버지 자리를 차지할 분은 아버지의 힘과 동등해야 합니다. 따라서 이 활을 다룰 수 있는 분이 저의 어머니와 결혼하시게 됩니다.

구혼자 1 나의 힘은 널리 알려져 있다. 그 활을 이리 다오.

(*그는 가볍게 활을 구부리지만 활은 그의 손에서 튕겨 나간다.*)

구혼자 2 그 활을 다룰 수 있는 힘 있는 자는 나요. 나에게 활을 넘겨주시오.

(그도 또한 실패한다. 구혼자들마다 시도해 보지만 모두 실패한다.)

텔레마코스 아버지 오디세우스의 힘과 견줄 만한 분이 이 자리에는 분명히 아무
　　　　　 도 없군요.
오디세우스 (*거지 행세로*) 이 비천한 거지가 한번 시도해보아도 될까요?
텔레마코스 그렇게 해보시오, 비천한 친구.

*(오디세우스는 활을 잡고 손쉽게 당긴다. 과녁으로 활이 날아가는 동시에 텔레
마코스는 문 쪽으로 달린다. 그는 칼을 뽑아 들고 문을 막아선다. 오디세우스의
화살은 적소에 꽂힌다.)*

오디세우스 난 화살 하나로 당신들 여섯을 한 번에 관통시킬 수 있다! 즉시 이
　　　　　 자리를 떠나라. 아니면 당신들은 에우리토스의 날카로운 화살 맛을 보
　　　　　 게 될 것이다!

*(구혼자들은 망설이면서 오디세우스가 겨냥한 활을 보고, 또 칼을 들고 문에 서
있는 텔레마코스를 본다. 그들은 무기 생각이 나지만 그곳엔 무기가 없다. 텔레
마코스는 문빗장을 열고, 체념한 구혼자들은 종대 지어 홀 밖으로 나간다. 페이
드아웃.)*

[페이드인: 실내. 페넬로페의 침실. 단정한 차림의 오디세우스가 페넬로페에게
가까이 간다.]

오디세우스 남편이 아내에게 키스해도 되겠소?

(페넬로페는 남편의 포옹을 비껴간다.)

페넬로페 남편 없이 20년 세월을 지내고 보니 새삼 남편이 어떤 건지 모르겠네요.

오디세우스 내 육체는 이곳에 없었지만 내 마음은 20년 동안 한결같이 당신과 함께 있었소.

페넬로페 마음이 함께 있었다고요. 그럼 당신 마음이 키르케, 칼립소 등등의 여인들과는 함께 하지 않았다는 뜻인가요?

오디세우스 자, 페넬로페, 그건 과거지사요. 우리 티격태격하는 말싸움으로 시간 낭비하지 맙시다. 20년이란 세월이 흐른 거요.

페넬로페 네, 20년이 지났지요. 이제부터 당신을 다시 알기 시작해야겠어요.

오디세우스 그렇지만 그건 너무 오래 걸리잖소.

페넬로페 인내심을 가지세요. 오디세우스, 인내를 배우세요.

(*페넬로페는 그에게서 돌아서서 만족스러운 미소를 지으며 걸어 나가고 오디세우스는 그녀를 안아보지도 못한 채 두 팔을 뻗고 서 있다. 페이드아웃.*)

[페이드인: 옥외. 지하 세계. 애도향 광장. 아이네이아스와 무녀 시빌. 아이네이아스는 극락세계에 있는 아버지 안키세스에게 할 말이 있어서 찾아가는 중이다.]

시빌 애도향은 불운의 사랑으로 자살한 불행한 연인들이 묵는 곳이라오.

아이네이아스 슬픈 합창 소리가 들리는군요. 저기 팔짱을 끼고 있는 두 사람은 피라무스와 티스베가 아닌가요?

시빌 이곳에서 애도하지 않는 유일한 한 쌍은 피라무스와 티스베뿐이지요.

아이네이아스 저쪽은 오이노네군요.

시빌 네. 저 여자는 손에 기름을 갖고 있어요.

아이네이아스 살아 있을 때는 쓰고 싶어 하지 않았던 저 치료의 기름을 이제 죽은 다음에야 기꺼이 사용하려고 하는군요.

시빌   그렇다오. 지하 세계는 후회하는 심정으로 가득 찬 사람들이 있는 곳이라오.

아이네이아스   저긴 테세우스의 아내 파이드라군요.

시빌   저 여자는 테세우스의 아들 히폴리투스를 사랑해서 목을 매고 자살했어요.

아이네이아스   오- 저기 디도가 보이네. 가슴을 왜 저렇게 꽉 잡고 있나요?

시빌   저 여자는 당신이 떠나기 전에 준 칼에 엎드려 화장용 장작더미 위에 몸을 던졌어요.

(*아이네이아스 눈에 눈물이 고인다.*)

아이네이아스   디도와 얘기 좀 해야겠어요. 난 저 사람의 용서를 구해야 합니다.

시빌   그렇게 해보세요.

(*아이네이아스는 움직이지 않고 상록나무 아래서 앞만 바라보고 있는 디도에게 다가간다.*)

아이네이아스   디도, 나를 좀 봐요. 내게 말 좀 해보세요.

(*디도는 반응을 보이지 않고 앞만 뚫어지게 응시하며 석상처럼 앉아 있다. 아이네이아스는 그녀 앞에 무릎을 꿇고 흐느끼며 애원한다. 시빌이 그에게로 온다.*)

시빌   아이네이아스, 눈물을 닦아요. 저 여자의 가슴은 저 돌덩이와 같아서 당신의 애원은 소용이 없어요. 어서 갑시다. 아버지 안키세스가 극락 세계에서 기다리고 계셔요.

(아이네이아스는 일어난다. 그는 앞만 바라보며 멍하니 앉아 있는 디도를 계속 돌아다보며 시빌을 따라간다. 페이드아웃.)

10
아리아드네와 파이드라

등장인물		
파이드라	테세우스	히폴리투스
아리아드네	다이달로스	하인
미노스 왕	데우칼리온	구경꾼

[페이드인: 옥외. 크레타. 미노스 왕의 궁전 안뜰. 아리아드네와 그의 어린 여동생 파이드라는 다이달로스의 미궁으로 가기 위해 궁전 안뜰에 모여 있는 아테네에서 온 일곱 처녀와 일곱 청년들을 지켜보고 있다. 이들은 소머리와 사람 몸으로 된 괴물 미노타우로스에게 헌제의 제물로 바쳐질 젊은이들이다.]

파이드라 　아테네의 처녀들과 청년들이 미노타우로스의 희생 제물이 되는 걸 난 처음 봐, 언니.

아리아드네 　지난번에는 네가 너무 어려서 못 봤지. 사냥에서 죽은 안드로게오스 오빠를 보상하기 위해서 9년마다 아이게우스 왕은 아테네의 청년들을 제물로 보내고 있단다.

파이드라 　이번에는 아이게우스 왕이 그 아들을 보냈다면서.

아리아드네 　어디 가까이 가보자. 그 사람 얼굴을 한번 보고 싶어.

(아리아드네와 파이드라는 14명의 남녀 앞에서 연설하고 있는 미노스 왕 가까이

로 간다.)

미노스 왕 여기 대표는 누구인가?

(*테세우스가 앞으로 나온다.*)

테세우스 아이게우스 왕의 아들 테세우스, 제가 대표입니다.
미노스 왕 미노타우로스를 만날 준비는 되었는가?
테세우스 아테네의 영광을 위해서 저희들은 기꺼이 그 괴물의 희생물이 될 것
　　　　　입니다.

(*파이드라와 아리아드네가 지켜보는 가운데 테세우스와 그 일행은 궁정 안으로
인도된다.*)

아리아드네 기막히게 멋진 청년이로구나, 파이드라.
파이드라 그것도 잠시지. 아버지는 오늘 밤 저들을 미노타우로스의 밥이 되게
　　　　　보낼 거잖아, 언니.
아리아드네 저 참신한 청년을 보니 내 마음이 찢어지게 아프다. (페이드아웃.)

[페이드인: 실내. 미노스의 궁전. 아리아드네는 미노타우로스를 둘러싸고 있는
미궁을 만든 다이달로스를 비밀리에 만난다.]

아리아드네 그렇다면 당신이 만든 미궁은 탈출이 가능한가요?
다이달로스 약간의 꾀를 쓰면 뭐든지 가능해요.

(*다이달로스는 작은 실타래를 손에 들고 있다.*)

다이달로스 이건 단순한 실타래어요— 한쪽 끝을 입구에 묶어두고 구부러진 길
  목마다 이걸 풀면서 가면 됩니다. 돌아올 때는 풀어놓은 실을 따라 다
  시 감으면서 나오면 되지요.

아리아드네 아버지를 배반한 범죄에 당신을 절대로 관련시키지 않을게요, 다이
  달로스.

다이달로스 아리아드네, 당신을 이해합니다. 테세우스는 고귀한 청년이어요. 공
  주님이 부모에게조차 이치에 어긋난 몰인정한 행동을 하게 되는 건
  사랑이 그렇게 만들기 때문이지요.

(*아리아드네는 실타래를 들고 떠난다. 페이드아웃.*)

[페이드인: 실내. 아테네인들을 가두어 둔 감옥. 아리아드네는 비밀리에 이들을
방문한다. 그녀는 테세우스에게 실 한 타래와 칼 한 자루를 건넨다.]

아리아드네 꼭 기억하세요. 실타래 끝을 입구에 묶어두고 나올 때는 그대로 실
  을 따라 나오세요.

테세우스 고우신 공주님, 영원히 당신을 우러러볼 것입니다. 우리와 함께 아테
  네로 가서 나의 신부가 되어주십시오.

아리아드네 네, 그렇게 하겠어요. 조심하세요. 배에서 당신을 기다리고 있을게
  요. (페이드아웃.)

[페이드인: 테세우스를 비롯한 아테네인들이 미궁에 들어와 있다. 크레타 병사
들이 그들 위에서 문을 닫는다. 테세우스는 실타래를 꺼내어 한쪽 끝을 입구에
단단히 묶어둔다. 테세우스는 다른 아테네인들에게 문 가까이에 남아 있도록 권
하고는 자신은 미궁의 구불구불한 골목을 따라 전진하여 중앙에 다다른다. 그곳
에서 소머리에 사람 몸을 한 미노타우로스와 마주친다. 테세우스는 칼을 휘두르

지만 미노타우로스가 매번 이를 막아낸다. 괴물을 타파하기 위해 급기야 테세우스는 괴물 등에 뛰어올라 맹렬히 소머리를 때려 부셔서 괴물을 기절시킨다. 테세우스는 칼을 들고 드디어 그를 해치운다. 페이드아웃.]

[페이드인: 옥외. 테세우스의 배. 아리아드네, 테세우스, 다른 아테네인들이 배에 타고 있다. 배는 낙소스섬 근처에 이르러 닻을 내릴 준비를 한다.]

테세우스 식량을 얻기 위해 여기서 잠시 정박할 것입니다. 아리아드네, 육지에 내리면 당신과 나는 각각 산딸기를 찾아 나서야 해요.

아리아드네 네, 좋아요. 배에서 만나요.

(*테세우스와 아리아드네는 다른 사람들과 함께 배에서 내린다. 페이드아웃.*)

[페이드인: 옥외. 낙소스섬. 테세우스의 배가 닿아 있는 바닷가. 아리아드네는 어리둥절하여 둘러보고 있다.]

아리아드네 분명히 이 자리에 배가 있었는데. 여기가 확실한데.

(*그녀는 해변 전체를 훑어본다.*)

아리아드네 배가 안 보이네. 섬 반대편으로 내가 잘못 온 모양이야. 혼동되는군. 다시 반대쪽으로 가보자.

(*아리아드네는 미친 듯이 섬을 가로질러 달린다. 숨이 차고 지친 그녀는 반대편에 도착하자 바닷에 무릎을 꿇고 주저앉는다.*)

아리아드네 (*절망적으로*) 배가 없어졌어. 배가 떠났어. 테세우스가 가버렸어. 오
　　　　－ 테세우스.

(*아리아드네는 처량하게 울며 바다를 향해 팔을 뻗고 그대로 무릎을 꿇은 채 있
다. 페이드아웃.*)

[페이드인: 실내. 크레타. 미노스 왕의 궁전. 수년 후. 데우칼리온과 그의 누이동
생 파이드라.]

파이드라　그렇지만, 데우칼리온, 오빠도 알다시피 테세우스가 언니 아리아드네
　　　　를 저버리고 갔는데 날 보고 그런 사람하고 결혼하라는 거예요?
데우칼리온　아리아드네는 나중에 디오니소스가 구해주었어.
파이드라　난 테세우스가 싫어요.
데우칼리온　테세우스는 갑작스러운 폭풍우가 닥쳐서 아리아드네를 기다릴 수가
　　　　없었다고 한다.
파이드라　아버지가 살아계시면 이 결혼은 절대 찬성하지 않으실 거야.
데우칼리온　그러나 아버지는 돌아가셨고, 너와 테세우스의 결혼은 다음 주에 하
　　　　기로 결정했다.
파이드라　이건 배신으로 빚어진 결혼이야.
데우칼리온　파이드라, 통치자인 내 말을 들어라. 자, 어서 가서 결혼 준비를 서
　　　　둘러. (페이드아웃.)

[페이드인: 실내. 아테네. 테세우스의 궁전. 테세우스와 파이드라. 5년 후.]

테세우스　여보, 우린 얼마 동안 헤어져 있어야 할 것 같소.
파이드라　그렇게 오래 걸리지는 않겠지요.

테세우스 일 년 동안이오. 당신과 우리 두 아들을 위해서 준비는 해놓았소. 트로이젠의 총독으로 있는 내 아들 히폴리투스한테 가 있어요. 그 애가 잘 돌봐줄 거요.

파이드라 당신이 아마존 여왕한테서 낳은 히폴리투스 말인가요? 이젠 성년이 되었겠군요.

테세우스 그렇소. 그 앤 무척 겸손하고 예민해요. 자기를 좋아하는 여자들은 다 마다하고 처녀 여신 아르테미스에게 빠졌소. 그 여신에게만 헌신하고 있다오. 시간 없으니 준비를 서둘러야겠소.

(*테세우스와 파이드라는 여행 준비를 하기 위해 나간다. 페이드아웃.*)

[페이드인: 옥외. 트로이젠. 히폴리투스와 파이드라가 사냥 중이다. 히폴리투스는 그가 쫓던 사냥감을 맞췄다.]

파이드라 너의 활은 정확하구나, 히폴리투스.

(*파이드라는 히폴리투스의 팔을 쓰다듬는다. 그는 그녀의 손길에 움찔 놀라며 뒤로 물러선다.*)

히폴리투스 파이드라, 당신은 나의 계모입니다. 아버지에 대한 존경심에서 난 당신한테 화를 참고 있어요. 궁으로 돌아갑시다. (페이드아웃.)

[페이드인: 실내. 히폴리투스의 침실. 히폴리투스는 침대에서 잠들어 있다. 유혹적인 잠옷을 입은 파이드라가 방에 들어와서 그의 침대 곁으로 간다. 히폴리투스가 깨어난다.]

히폴리투스 파이드라? 여기서 뭐 하고 계셔요?

(*파이드라가 그에게 키스한다.*)

파이드라 히폴리투스, 히폴리투스, 너를 사랑한다!

(*히폴리투스는 그녀를 밀어낸다.*)

히폴리투스 미쳤어요? 침실로 돌아가세요. 부끄러운 줄도 모르세요? 테세우스는
　　　　나의 아버지예요.
파이드라 (*정열적으로*) 사랑해. 너를 사랑해.
히폴리투스 그런 소리는 듣지 않겠어요! 어서 내 방에서 나가주세요!
파이드라 그래, 나갈게. 그렇다고 이게 끝난 건 아니야.

(*파이드라는 부들부들 떨며 울면서 방을 나간다. 히폴리투스는 베개에 머리를
묻고 중얼거린다. "아버지, 아버지." 페이드아웃.*)

[페이드인: 실내. 히폴리투스의 궁전. 파이드라, 히폴리투스. 테세우스는 일 년의
타향살이를 마치고 방금 돌아왔다.]

테세우스 헤라클레스가 아니었으면 난 지금도 하데스의 망각의 의자에 앉아 있
　　　　을 뻔했지.
히폴리투스 아버지 친구 피리토우스는 어떻게 됐어요?
테세우스 그 친구는 아직도 거기 묶여 있단다. 페르세포네에게 질투의 눈길을
　　　　주었으니 하데스가 절대로 풀어주지 않을 거다.
파이드라 여보, 당신은 운이 좋았군요.

테세우스 그래요. 헤라클레스한테 영원한 빚을 진 거요. 파이드라, 나하고 같이
        짐 푸는 일 좀 도와줘요. 당신을 위한 특별한 선물을 가져왔소.

(*테세우스와 파이드라는 팔짱을 끼고 나간다. 페이드아웃.*)

[페이드인: 실내. 침실. 테세우스와 파이드라.]

테세우스 파이드라, 여기 이 다이아몬드 크기 좀 보시오.

(*파이드라는 정신이 딴 곳에 팔려 있다.*)

파이드라 네, 예쁘군요.
테세우스 그저 예쁘다고! 허-허- 이건 이 지상에는 없는 귀한 거요. 하데스에
        는 이런 다이아몬드가 모래 위 돌멩이만큼 깔려 있습디다.

(*파이드라는 여전히 정신이 딴 데 있다.*)

테세우스 파이드라, 무슨 일이 있소?
파이드라 아- 아무것도 아니어요. 염려 마세요.
테세우스 염려가 되는걸. 난 당신 남편이오.
파이드라 이건- 그러니까- 좀 섬세한 문제여요.
테세우스 (*참지를 못하고*) 파이드라, 더 참을 수가 없구려.
파이드라 히폴리투스 때문이어요.
테세우스 히폴리투스가 어쨌다는 거요?
파이드라 그가- 저를- 저에게 접근했어요.
테세우스 무슨 소리요- 접근했다니?

파이드라　며칠 전 밤에 제 침실로 왔어요.

테세우스　당신 침실에? 내 아들이! 믿을 수가 없군! (*파이드라는 운다.*)

파이드라　정말이어요. 결혼서약을 두고 맹세합니다.

테세우스　이 문제는 내가 처리하겠소.

(*테세우스는 폭풍처럼 침실을 나간다. 페이드아웃.*)

[페이드인: 실내. 히폴리투스의 침실. 테세우스가 벼락처럼 들이닥쳐 아들의 목을 움켜잡는다.]

테세우스　내 친아들이 내 아내와 함께 있는 것도 믿지 못할 세상이라니, 어찌
　　　　　된 노릇이냐?

히폴리투스　(*숨막혀 하면서*) 저는 무고합니다. 맹세합니다!

테세우스　내 아내 말이 틀렸다는 거냐?

히폴리투스　제가 여인을 가까이하지 않겠다고 맹세한 것을 아버지도 아시잖아
　　　　　요.

테세우스　그럼 내 아내 말이 거짓이라는 거냐?

히폴리투스　저에게는 죄가 없다는 말씀을 드리는 것뿐입니다. 아버지께서 스스
　　　　　로 판단하십시오.

테세우스　내 눈앞에서 당장 사라져라! 다시는 널 보고 싶지 않다!

(*히폴리투스는 웃옷을 급하게 허겁지겁 걸쳐 입고 나간다. 테세우스는 떨면서 서 있다. 여인들의 비명이 들리고 테세우스가 뛰어나간다. 하인이 그의 앞으로 달려온다.*)

하인　　전하, 왕비께서 사망하셨습니다.

테세우스   어떻게?

하인   실크 줄로 목을 매어 자살하셨습니다. 여기 편지를 써 놓고 가셨습니다.

(하인은 떠난다. 테세우스는 편지를 읽는다.)

테세우스   (편지를 읽는다.) "나 자신 어찌할 바를 모르겠어요, 테세우스. 우리 결혼은 제가 원한 선택이 아니라서 처음부터 문제였는지도 몰라요. 히폴리투스는 저에게 접근하지 않았습니다. 제가 유혹했지만, 그는 저를 거부했습니다. 저의 고통을 이제 끝냅니다."

(테세우스는 넋이 나간 채 서 있다. 들고 있던 편지가 그의 손에서 흘러내려 떨어진다. 페이드아웃.)

[페이드인: 옥외. 테세우스는 마차를 타고 히폴리투스를 찾아 나선다.]

테세우스   히폴리투스! 히폴리투스! 어디 있느냐?

(테세우스는 히폴리투스를 찾아 거리를 달린다. 어느 지점에서 그는 마차를 멈춰야 했다. 그곳에서 좀 전에 사고가 났기 때문이다. 테세우스는 마차를 세우고 사고 난 지점으로 간다.)

테세우스   내가 보게 될 저 사고 장면이 두렵구나.

(사고 현장에는 한 젊은이가 목이 부러져서 죽어 있다. 테세우스는 즉각 그가 히폴리투스임을 알아본다.)

구경꾼   너무 심하게 몰았어요. 미친 사람처럼 말들을 마구 채찍질하더군요!

(*테세우스는 히폴리투스의 시신 쪽으로 가서 양팔로 그를 부드럽게 들어 올린다.*)

테세우스   내가 대신 죽었어야 했어. 슬픈 날이다. 아내와 아들, 같은 날 둘이 다
죽었구나! (페이드아웃.)

11
아킬레스와 파리스

	등장인물	
제우스	오이노네	폴리테스
테티스	파리스	안드로마케
키론	헤르메스	오디세우스
펠레우스	헤카베	아킬레스 유령
에리스	프리아모스	유령
아프로디테	아킬레스	폴리메스토르
아테나	아폴로	첫째 아들
헤라	피루스	둘째 아들

[페이드인: 옥외. 올림포스. 제우스와 테티스.]

제우스 테티스, 이제 당신이 결혼할 때가 되었소.

테티스 잘 아시잖아요. 지금은 결혼할 상황이 아니라는 것을.

제우스 당신 같은 미모를 낭비하는 건 수치요.

테티스 제가 결혼하기를 바라는 유일한 이유가 그 때문인가요?

제우스 예언이 나를 괴롭히는 사실을 인정해야겠군. 내가 닿을 수 없는 곳에 당신을 멀리 두고 싶소.

테티스 당신 말은 당신이 두 번째로 뛰어난 남자가 되는 걸 원치 않는다는 뜻 이겠지요.

제우스 　그렇소. 나보다 더 뛰어난 아들을 갖는 건 싫소.

테티스 　내게서 태어날 아들이 아버지보다 더 위대하다는 예언이군요.

제우스 　맞아요. 내가 얼마나 당신을 더 오래 버틸 수 있는지 모르겠소. 그래서
　　　　당신을 위해 남편을 선택한 거요.

테티스 　그 점에 대해 전 할 말이 없나요?

제우스 　어떤 점에선 할 말이 있겠지. 아무튼 모든 신들로부터 존경받는 그리
　　　　스의 펠레우스를 택했소. 당신과 결혼하려면 그쪽이 먼저 당신을 잡아
　　　　야 해요.

테티스 　모습을 변형시키는 능력이 있는 저를 잡기는 쉽지 않을 텐데요.

제우스 　일을 어렵게 만들 능력이 당신에게 얼마든지 있다는 건 알고 있소.

(*테티스는 미소 지으며 고개를 끄덕인다.* 페이드아웃.)

[페이드인: 옥외. 프티아. 펠레우스와 반인반마(半人半馬)의 신성한 켄타우로스
키론.]

키론 　　들어봐요, 펠레우스. 이건 쉬운 문제가 아니오. 테티스는 자기 모습을
　　　　마음대로 변형시킬 수 있어요-호랑이, 바다괴물, 불-뭐가 되든 마음
　　　　대로 변신할 수 있다니까요.

펠레우스 나도 그 여자를 배필로 삼기 어렵다는 건 알지만- 그렇지만 난 그녀
　　　　를 너무나 사랑해요. 날 좀 도와줘요, 키론.

키론 　　그렇다면 그 여자의 모습이 무엇으로 변하든 당신은 그 여자를 무척
　　　　사랑한다는 것만 명심하시오. 그녀의 모습이 끔찍스럽든지, 미끄럽든
　　　　지, 뜨겁든지, 차갑든지, 그저 그 여자를 꽉 붙들고 놓치지 말고, 매달
　　　　려 있어야 합니다. 잡은 손을 절대로 놓치면 안 됩니다.

펠레우스 너무나 아름다운 여인이어요. 내가 그녀를 얼마나 간절히 원하는지 몰

라요. 거머리처럼 붙어서 절대 안 떨어질 겁니다.

키론 　당신은 무슨 일이 있어도 오직 이 여자만 원한다는 그 생각 하나로 매달려 있어야 합니다.

펠레우스 　알겠어요. 꼭 그렇게 할 것입니다.

(둘은 테티스가 쉬고 있는 동굴 쪽으로 간다. 페이드아웃.)

[페이드인: 옥외. 동굴 밖. 테티스가 동굴 입구에 기대어 쉬고 있다. 펠레우스는 몰래 다가가 그녀를 꽉 붙잡는다. 테티스는 손아귀에서 벗어나려고 몸부림친다.]

테티스 　이 손 놔요. 난 당신도 어떤 남자도 원치 않아요.

펠레우스 　그렇지만 난 당신을 원합니다. 당신을 잡은 이 손은 어떤 것으로도 풀지 못합니다.

테티스 　그거야 두고 보시지요!

(펠레우스는 매우 힘들어하면서도 그녀를 잡은 손을 놓지 않는다.)

펠레우스 　이만하면, 이만하면 이제 되지 않았습니까?

(테티스는 타오르는 불로 변한다.)

테티스 　불붙는 게 당신이 원하는 건가요?

펠레우스 　네, 나를 태우시오. 태워버리십시오.

(테티스는 이제 바람으로 변한다.)

테티스 　어디 그럼 바람으로 편안히 기분전환 해보시지요?

(펠레우스는 그의 손에 피가 나도록 꽉 잡은 주먹을 놓지 않는다.)

펠레우스 　불어요. 계속 불어요. 불어버리십시오.

(테티스는 이제 측은한 생각이 들어 누그러진다.)

테티스 　감히 말하는데, 당신은 열의와 용기를 증명했어요. 난 내가 패배할 때
　　　　를 압니다.

펠레우스 　오- 행복합니다. 신성한 테티스여, 당신의 행복을 위해 내 일생을 헌
　　　　신하겠습니다. (페이드아웃.)

[페이드인: 실내. 프티아. 펠레우스의 궁전. 펠레우스와 테티스의 결혼 잔치. 모
든 신들이 참석하여 거대한 식탁에 앉아 있다. 아폴로는 하객을 즐겁게 해주려
고 수금을 연주한다. 불화(不和)의 여신 에리스가 갑자기 난입한다.]

에리스 　에리스를 못 들어오게 배척하고도 벌 받지 않고 무사할 자는 아무도
　　　　없어!

(제우스가 앞으로 나온다.)

제우스 　에리스, 너는 의도적으로 초청에서 제외되었다. 넌 환영받지 못하는
　　　　존재야. 어서 여기서 나가라!

에리스 　네, 나갑니다. 그렇지만 나가기 전에 내 결혼 선물을 받으시오.

(*에리스는 "가장 아름다운 자에게"라고 새겨진 황금 사과를 내던지고 나간다. 아프로디테, 아테나, 헤라는 황금 사과를 잡으려고 덤비는데 아프로디테가 이를 잡는다.*)

아프로디테　여기 "가장 아름다운 자에게"라는 글이 새겨져 있어요. 그러니 이 사과의 주인은 나인 게 틀림없군요.

(*아테나가 아프로디테에게서 황금 사과를 빼앗는다.*)

아테나　그건 나 아테나를 말하는 거예요.

(*헤라가 사과를 아테나에게서 뺏으려고 시도한다.*)

헤라　올림포스의 가장 아름다운 여신은 바로 나 헤라요.

(*제우스가 끼어들어 아테나의 손에서 사과를 취한다.*)

제우스　잠깐! 잠깐! 불행하게도 에리스는 언제나 자신의 존재감을 알린단 말이야. 그러나 펠레우스와 테티스의 결혼 잔치를 이 일로 망치게 할 수는 없소. 제자리로 모두들 돌아가 앉으시오. 이 문제는 나중에 결정짓도록 합시다.

(*세 여신은 내키지 않아 하면서 자리로 돌아간다. 아폴로는 다시 수금을 든다. 페이드아웃.*)

[페이드인: 실내. 프티아. 펠레우스의 궁전. 10년 후. 테티스는 일곱째 아들 아킬

레스를 팔에 안고 뜨거운 화로 앞에 무릎을 꿇고 앉아서 불 속에 아이를 넣으려고 한다. 이때 펠레우스가 들어와서 그녀의 행동을 저지한다.]

펠레우스 여보, 그런 식으로 우린 아들 여섯을 이미 잃었소. 아킬레스를 일곱 번째 희생물이 되게 하지 맙시다.

테티스 이렇게까지 하지 않고서야 어찌 이 아이의 신격을 시험할 수 있나요?

펠레우스 다른 방법은 없겠소? 아킬레스는 비범한 아이요. 그를 잃을 생각을 하면 견딜 수가 없소.

(*불 속에 던지려던 아기를 안고 테티스는 물러난다.*)

테티스 다른 방법이 있을지도 모르겠네요. (페이드아웃.)

[페이드인: 옥외. 하데스 입구가 있는 스틱스강. 테티스는 아킬레스를 팔에 안고 강에 몸을 구부린다. 그녀는 아기를 싸고 있는 담요를 벗긴다. 아기를 거꾸로 들어 아기의 오른쪽 발꿈치를 잡고 스틱스 강물에 아기를 잠기게 한다.]

[페이드인: 옥외. 20년 후. 트로이 이다산. 목동 파리스와 그의 바다요정 아내 오이노네는 옆에서 양들이 풀을 뜯고 있는 언덕 위에 나란히 누워있다.]

오이노네 파리스, 불행 가운데서도 엄청난 행운이 있으리라고 누가 상상이나 했겠어요?

파리스 오이노네, 당신 말은 내가 여기 죽어 누워 있었더라면 우린 부부가 되지 못했다는 뜻이지요?

오이노네 거기다 또 이제 당신은 아버지 프리아모스 왕과 화해하고 어머니 헤카베 왕비와도 마음을 풀었으니, 우리의 행복은 더 완벽한 셈이지요.

파리스   그렇소. 어머니는 내가 트로이의 멸망을 초래할 것이라는 어리석은 몽
          상에서 이젠 벗어나셨소.

오이노네 당신이 마치 무엇이든, 파괴의 주인공이 된다는 듯이 말이지요. 오, 파
          리스. 내가 세상에서 제일 행복한 아내일 거예요.

(파리스와 오이노네가 포용하고 있을 때 헤르메스, 아테나, 아프로디테, 헤라가
다가온다. 이들의 존재를 알아본 파리스가 급히 일어난다.)

파리스   헤라 왕비시여, 아테나, 아프로디테, 헤르메스— 모두들 여기에 나타
          나신 것은 무슨 뜻이 계신 겁니까?

(헤르메스는 "가장 아름다운 자에게"가 새겨진 황금 사과를 꺼낸다.)

헤르메스 제우스께서 당신이 이 결정을 해줄 것을 명령하셨소.

파리스   무슨 결정을요?

헤르메스 테티스와 펠레우스의 결혼 잔치 때 초대받지 않은 에리스가 이 사과
          를 던지고 갔어요. 에리스라는 그 이름에 걸맞게 여기 세 여신 사이에
          불화가 생겼소. 그러다 보니 올림포스에 평화가 없어졌소.

파리스   그게 저와 무슨 상관이 있는데요?

헤르메스 제우스는 이 세 여신들 가운데 과연 누가 이 황금 사과의 주인인지,
          여기 쓰인 대로 누가 가장 아름다운 여신인지 당신이 결정해 주기를
          원하십니다.

(파리스는 여신들을 하나씩 둘러본다.)

파리스   판단하기가 쉽지 않은데요.

(세 여신은 각각 자기가 제일 아름답다고 호소한다. 헤라가 먼저 나선다.)

헤라　파리스, 누가 보아도 내가 제일 적합하다는 사실을 알겠지만, 그래도 옳은 판단을 하는 당신에게 상급을 주겠소. 내가 가장 아름답다는 평결을 내리면 나는 당신에게 온 땅을 지배할 능력을 주겠소.

(아테나가 다음에 나서서 자기의 주장을 펼친다.)

아테나　나, 전쟁의 여신은 당신을 전쟁터에서 절대로 정복되지 않게 해주겠소. 당신의 고귀한 영웅적인 행동을 역사에 길이 기록되게 해줄 것이오.

(다음엔 아프로디테 차례이다.)

아프로디테　나, 사랑의 여신 아프로디테는 당신에게 가장 좋은 선물을 주겠어요. 이 세상에서 가장 아름다운 여인 메넬라우스의 아내 헬레네를 선사하겠어요.

파리스　세 분이 제공하는 선물은 모두 제 마음을 흔듭니다. 대단한 유혹을 받습니다만. 세 가지를 다 가질 수 없다는 점이 안타깝군요. 아- 으음- 권력, 영광, 사랑- 어느 쪽을 택해야 하나?

헤르메스　마음을 정하시오, 파리스. 어느 쪽이오?

파리스　하나만을 꼭 선택해야 한다면, 전 사랑을 택하겠습니다.

(파리스는 황금 사과를 아프로디테에게 준다. 지금까지 옆에서 소리 없이 지켜보던 오이노네는 슬픔에 젖어 운다.)

오이노네 파리스, 어떻게 그럴 수가 있어요? 다른 사랑을 위해 나를 버리겠다는 말이군요.

헤라 여인이여, 그게 다 남자들 하는 짓이라오.

(오이노네는 광적으로 울면서 가버린다.)

아테나 파리스, 당신은 언젠가 전투장에서 오늘의 선택을 후회하고 탄식할 때가 있을 거요.

아프로디테 현명한 선택이었어요, 파리스. 당신은 헬레네를 차지하게 될 겁니다. *(페이드아웃.)*

[페이드인: 옥외. 테살리. 펠리온산. 테티스와 신성한 켄타우로스 키론.]

키론 아킬레스가 달릴 때 보니까 무척 빨라요. - 그런데 - 날카로운 돌에 부딪히자 발꿈치에서 피가 났어요.

테티스 내 잘못이어요. 바보짓을 한 내 실수를 용서할 수가 없어요. 그 애를 스틱스 강물에 담글 때 손에 잡고 있던 아기 발꿈치를 잊었어요.

키론 그래서 그 자리에 상처를 입게 되었던 거군요. 그래도 발꿈치만 피하면 되니까요.

테티스 그러나 아킬레스가 트로이 전쟁에서 죽을 거라는 예언은 심각한 문제여요.

키론 그 애를 전쟁에서 빼낼 수는 없을까요, 테티스?

테티스 어디 해볼게요. 당신도 나도 알지만 아무래도 신들의 의지를 교묘히 회피하기는 어렵지 않겠어요?

(키론은 슬프게 동의조로 고개를 끄덕인다. 페이드아웃.)

[페이드인: 실내. 트로이. 트로이 왕 프리아모스의 궁전. 왕비 헤카베가 함께 있다.]

헤카베   난 참으로 슬픈 어미입니다. 아들 헥토르가 죽었어요!

프리아모스   더욱 슬픈 건 아들의 시신을 아킬레스가 끌고 다니며 난도질을 한 것이오.

헤카베   죽었어! 죽었어! 내 아들들이 거의 다 죽었어! 이게 끝이 아니라면 앞으로 있을지 모를 슬픈 날들이 더욱 두려워요. (페이드아웃.)

[페이드인: 옥외. 트로이 전쟁 중. 트로이 성벽. 아킬레스와 파리스가 전투를 준비한다. 파리스는 성벽 위에 있다.]

아킬레스   파리스, 이리 내려와라. 난 너와 싸우는 게 두렵지 않다. 남자답지 못한 너 같은 놈하고는 다르다.

파리스   그렇다면 너의 그 남자다움에 내 화살을 받아보아라.

(파리스가 화살을 겨냥할 때 아폴로가 등장하여 화살 방향을 살짝 아킬레스의 발꿈치 쪽으로 돌린다. 그러나 아킬레스가 이미 파리스에게 결정적인 상처를 입힌 후이다.)

아폴로   (파리스에게) 영광스러운 장수의 죽음에 내가 관여하는 게 부끄럽구나. 파리스, 나의 행동은 너를 위해서가 아니라 아킬레스가 죽인 헥토르를 복수하기 위한 것이다.

(아폴로가 사라질 때 테티스가 나타나서 아킬레스 시신 앞에 무릎을 꿇는다.)

테티스　오, 이건 내 탓이야. 아킬레스, 내 잘못이야.

(*테티스는 파리스가 누워있는 쪽을 바라본다.*)

테티스　너의 죽음도 멀지 않다. 겁쟁이, 비열한 놈!

파리스　아니요, 난 죽지 않습니다. 나의 아내 오이노네가 회복시켜 줄 겁니다.

(*테티스가 아킬레스의 죽음을 애통해하는 동안 파리스는 자신의 몸을 질질 끌고 나간다. 페이드아웃.*)

[페이드인: 옥외. 이다산. 트로이. 두 명의 목동이 파리스를 부축하고 와서 오이노네 앞에 눕힌다.]

파리스　당신은 날 치료해줄 수 있어요, 내 사랑. 당신에게 마법의 치료술이 있잖소.

오이노네　19년은 긴 세월입니다. 난 당신을 19년 동안 보지 못하고 살았어요.

파리스　나를 고쳐주시오, 여보. 내가 반드시 보상할 것을 약속하오.

오이노네　지난 19년 동안 내가 배운 게 하나 있어요.

파리스　어서 서둘러줘요. 여보, 내가 피를 너무 많이 흘리고 있소.

오이노네　난 복수를 배웠지요. 그래요. 19년은 그 교훈의 값입니다.

(*오이노네는 돌아서서 파리스를 떠난다.*)

파리스　여보, 오이노네, 오이노네! 당신 남편을 버리지 말아요!

오이노네　남편이오? - 난 남편이 없어요. 옛날엔 있었지만, 19년 전에 떠났지요.

(오이노네는 미친 듯 호소하는 파리스를 한 번도 돌아보지 않고 떠난다. 페이드 아웃.)

[페이드인: 옥외. 안뜰. 제우스의 제단. 프리아모스의 궁전. 프리아모스, 헤카베, 이들의 어린 아들 폴리테스. 아킬레스의 아들 피루스가 갑자기 나타난다.]

피루스 난 나의 아버지 아킬레스의 원수를 갚으러 왔다. 당신들의 개자식 파리스가 그리스의 가장 고귀한 영웅 아킬레스를 죽였어!

(폴리테스가 칼을 뽑아 들고 앞으로 나온다.)

폴리테스 난 너의 개 같은 아버지가 죽인 트로이의 가장 용맹스러운 나의 아버지 헥토르의 원수를 갚기 원한다.

피루스 아주 잘 됐군- 아버지와 아들이라- 아, 그것도 제우스의 제단 앞에서 말이지.

(폴리테스와 피루스는 싸운다. 피루스는 쉽게 폴리테스를 찌른다. 헤카베는 뼈 아프게 울면서 쓰러진 어린 아들을 향해 달려간다. 프리아모스가 칼을 빼 들고 피루스 앞으로 나온다.)

프리아모스 폴리테스는 너무 어리지만 난 아주 늙지는 않았다.

피루스 힘 빠진 늙은이!

(둘은 싸운다. 프리아모스는 피루스가 기대했던 것보다 훨씬 단단한 힘을 보여 준다. 그러나 노년의 힘은 젊은이를 당하지 못하고 슬픔으로 가득 찬 헤카베 앞에서 칼을 맞고 쓰러진다.)

피루스 보시오, 늙은 여인이여, 여기 트로이의 마지막 왕이 누워 있소. 내 칼이 트로이의 피를 더 많이 흘리도록 싸우러 나가보겠소.

(*피루스는 떠난다. 위안을 모르는 슬픈 헤카베를 아폴로가 나타나서 위로한다.*)

아폴로 헤카베, 위안을 찾으세요. 제우스의 제단 앞에서 피루스가 저지른 신성 모독죄는 반드시 대가를 치르게 될 것입니다. (*페이드아웃.*)

[*페이드인: 실내. 프리아모스의 궁전. 헤카베와 헥토르의 미망인 안드로마케가 어린 아들 아스티아낙스와 함께 있다.*]

헤카베 안드로마케, 너나 나나 이제는 남편이 없구나. 너는 헥토르를 잃었고 나는 프리아모스를 잃었어.
안드로마케 어머니, 너무 상심하지 마세요. 슬픔을 오래도록 안고 계시면 안 됩니다.
헤카베 나도 안다, 얘야. 나도 안다. 우린 그래도 운이 좋은 편이야. 너에겐 아들 아스티아낙스가 있고 내게는 마지막 남은 아들이 트라키아 비스토네스 왕 폴리메스토르의 보호 아래 숨어 있으니 말이다.

(*갑자기 피루스와 오디세우스가 방으로 뛰어들어온다.*)

헤카베 (*피루스에게*) 내 집에 흘린 피가 아직도 모자라느냐?
피루스 늙은이여, 입 다무시오. 안 그러면 그 혀를 잘라버릴 테니.

(*피루스는 안드로마케를 쳐다본다.*)

피루스　아, 당신이 헥토르의 그 아름다운 과부 안드로마케로군.

(안드로마케는 움츠러들며 아스티아낙스를 곁에 꼭 붙들고 있다. 피루스는 다가 와서 아스티아낙스를 그녀에게서 끌어내어 궁중 벽에 세운다. 안드로마케와 헤 카베는 아이를 구하려 시도하지만 오디세우스와 피루스는 아이를 다시 벽에 세 운다. 공포 속에 두 여인은 아이가 몸을 구부리고 벽에서 떨어져 죽는 것을 목격 한다. 안드로마케는 피루스의 가슴을 사정없이 두들기고 헤카베는 넋이 나간 채 신음하며 서 있다.)

안드로마케　살인마! 살인마!

(오디세우스는 헤카베의 팔을 부드럽게 잡아준다.)

오디세우스　존엄하신 부인, 제가 저의 배로 모시겠습니다.
피루스　아름다운 안드로마케, 당신은 내 배로 내가 안내하겠소.

(헤카베와 안드로마케는 멍한 상태로 인도되어 나간다. 페이드아웃.)

[페이드인: 옥외. 트로이. 바닷가. 피루스의 배. 피루스가 안드로마케를 인도하여 상선할 때 아킬레스의 유령이 나타나서 피루스에게 말한다.]

아킬레스 유령　아들아, 죽음 속에서 이 아비가 너무 외롭구나. 나는 폴리크세나 를 원하고 있다.
피루스　헥토르의 누이 말인가요 — 헥토르가 아버지한테서 되빼앗아 간 그 전 리품 여자 말인가요?
아킬레스 유령　그렇다. 그 여자를 찾아내어 내 무덤에서 죽여라.

피루스   알겠습니다. 분부대로 하겠습니다, 아버지.

(*아킬레스 유령은 깊은 안도의 숨을 쉬며 사라진다. 피루스는 아버지의 요구를 들어주기 위해서 나간다. 페이드아웃.*)

[페이드인: 옥외. 트라키아 비스토네스 해변. 헤카베와 오디세우스. 그림자 하나가 그들에게 다가온다.]

오디세우스   아-아, 분명히 유령을 본 것 같은데.
헤카베   내 아들 폴리도로스를 닮은 유령입니다.

(*유령이 그들 앞에 다가와서 말한다.*)

유령   폴리메스토르가 신들의 노여움을 샀어요.

(*유령은 그들 앞에 있는 모래사장을 가리키는데 거기에 시체가 하나 보인다. 헤카베는 그곳으로 달려간다. 누구의 시신인지 알 것 같은 그 시신을 확인하기 두려워하며 그녀는 달려간다. 폴리도로스의 시신이다. 그녀는 바닥에 주저앉아 마치 그녀 자신이 죽은 것처럼 구부리고 있다. 오디세우스는 그녀를 위로해주려고 애쓴다.*)

오디세우스   그만 슬픔을 거두시지요. 아드님에게 합당한 무덤을 제가 마련하겠습니다.
헤카베   (*시신에게 말한다.*) 폴리도로스, 내가 네 원수를 꼭 갚겠다. 반드시 갚아줄 거다. (페이드아웃.)

[페이드인: 실내. 트로이. 왕의 텐트. 제우스의 제단 앞에 헤카베가 있다. 트라키아 비스토네스의 왕 폴리메스토르와 그의 세 아들이 들어온다.]

폴리메스토르 (*절을 하며*) 저희를 보고 싶다고 하셨나요, 헤카베 왕비?

헤카베 네 그렇습니다, 폴리메스토르. 내 아들 폴리도로스에게 베풀어주신 따뜻한 호의에 감사드리고, 아들의 건강 상태에 대해서도 직접 듣고 싶어서요.

폴리메스토르 그러시겠지요. 아드님은 건강합니다. 내가 이곳에 오기 전에 보니 아주 평화로운 상태였습니다.

헤카베 내 아들을 보살핀 임무에 대한 보상도 해드리고 싶습니다. 세 분 아드님의 평안과 안전을 위해서 제우스 제단의 불에서 나온 기름을 아드님들께 발라주어도 괜찮겠지요?

폴리메스토르 여부가 있겠습니까.

(*헤카베는 폴리메스토르의 세 아들의 이마에 기름을 문지른다. 소년들은 이마를 비비기 시작한다.*)

첫째 아들 아버지, 이마에 불이 붙은 기분이에요.

둘째 아들 불길이 눈에서 튀어나와요!

(*셋째 아들의 이마에는 불길이 솟아오른다. 아이들 셋은 연기를 뿜으며 세 덩어리가 되어 바닥에 쓰러진다. 폴리메스토르는 뜨거운 불덩어리가 된 세 아들을 집어 들려고 달려들지만 잡을 수가 없다.*)

폴리메스토르 당신이 - 헤카베, 당신도 한 어머니로서 어찌 이런 짓을 할 수가 있소?

헤카베　　눈은 눈으로―

(*그러면서 헤카베는 시뻘건 두 갈래의 부지깽이를 들고 폴리메스토르의 눈을 찌른다.*)

폴리메스토르　　나를 죽이시오! 그 부지깽이로 내 가슴을 찌르시오!
헤카베　　아니지. 살아 있어야지, 폴리메스토르. 당신도 나처럼 슬픔에 찬 괴로운 삶을 이어가시오.

(*헤카베는 뻘건 부지깽이를 제우스 제단의 타오르는 불 속에 다시 넣어 두고 떠난다. 폴리메스토르는 바닥에 넙죽 엎드려 있다. 페이드아웃.*)

제2부 영웅들

12-1
헤라클레스의 출생

등장인물		
암피트리온	케팔로스	알크메나
크레온	헬레이우스	테이레시아스
제우스	코마이토	포세이돈

[페이드인: 실내. 테베. 크레온 왕의 궁전. 크레온 왕과 암피트리온.]

암피트리온 나와 알크메나를 위한 피난처를 제공해주어 감사하오.

크레온 지금 한참 어려운 때가 아니겠소, 친구.

암피트리온 신들이 나의 사랑과 아내에 대한 은혜를 시험하고 있는 게 틀림없어요.

크레온 알크메나는 아직도 남편 된 당신을 용납하지 않는가요?

암피트리온 아직까지는 그렇소. 그러나 내 실수로 그녀의 아버지를 죽게 한 것 때문만은 아니요.

크레온 그건 나도 알고 있소. 그거야 타피아군도의 프테렐라오스 왕이 당신 장인의 여섯 아들을 죽였기 때문에 그 원수를 갚기 위해서 그런 것 아니겠소.

암피트리온 알크메나는 그 여섯 형제들을 위한 복수를 하기 전에는 나와 잠자리를 하지 않겠다는 거요.

크레온   그 점은 내가 도움이 될 수 있을 거요.

암피트리온   그렇게만 된다면 그 은혜를 영원히 잊지 않으리다.

크레온   내가 도와주기 전에 당신은 테베에서 사람 잡아먹는 암여우를 완전히 없애주는 일을 도와주었으면 하오.

암피트리온   내 친구 케팔로스에게 라이라프스라는 개가 있지요. 그 누구도 그 개한테서는 빠져나갈 수가 없다고 하더군요.

크레온   그런데 내가 말하는 이 암여우는 어찌나 교묘한지 무엇이든 잘 빠져 나간다고 하는군요.

암피트리온   라이라프스를 피할 수는 없을걸요. 케팔로스를 만나러 즉시 아테네 로 가겠소. [페이드아웃.]

[페이드인: 옥외. 올림포스산. 제우스와 헤르메스.]

제우스   암피트리온은 문제만 더 키울 뿐이야, 헤르메스.

헤르메스   그건 저도 알아요. 그 여우는 잡히지 않을 것이고 라이라프스는 어쩔 수 없이 달리겠지요.

제우스   결과는 영원한 쳇바퀴일 텐데, 헤르메스, 네가 손 좀 써줘야겠다.

헤르메스   이 문제의 해결을 위해서 저의 지팡이가 필요하겠군요.

제우스   바로 그거야. 크레온의 문제 해결을 위해 암피트리온을 도와야겠다.

헤르메스   그래야만 암피트리온이 타피아군도를 향해 테베를 떠날 것이고, 또 그 렇게 해야 제우스는―

제우스   테베에서 중요한 임무를 수행하게 되지.

헤르메스   중요한 임무라는 게 여인과 관계있는 건가요?

(제우스는 미소만 띠고 대답은 하지 않는다.)

제우스   테베로 가자, 헤르메스. [페이드아웃.]

[페이드인: 옥외. 테베의 시골. 암여우가 번개처럼 빠르게 이곳저곳 젊은이와 소
떼를 덮치고 다녀서, 공포에 질린 주민들이 집으로 달려가 숨는다. 여우와 똑같
은 속도의 라이라프스가 맹렬히 뒤쫓고 있지만 먼지만 일으키고 시골길을 엉망
으로 파헤칠 뿐 여우를 따라잡지 못하고 있다. 제우스와 헤르메스는 이 광경을
지켜보고 서 있다.]

제우스   헤르메스, 내가 튀폰에게 감금되었을 때 어리석은 괴물 여인 델퓌네
          (半人半蛇)가 지키고 있었어. 그때 그 괴물한테 했던 똑같은 해결책을
          이번에도 써야 할 것 같구나.

(헤르메스는 날개 달린 신발을 신고 그의 지팡이를 집어 든다.)

헤르메스   저의 해결책을 쓰게 되어 기쁩니다. 저 정도로 통제가 되지 않는 건
          문제가 있지요. 가엾은 테베 백성을 구해줘야겠어요.

(제우스는 헤르메스가 쾌속으로 질주하는 여우와 개 위에 멈춰 공중에 떠 있다.
거의 동시에 그는 지팡이로 이들을 건드린다. 두 동물은 달리던 그 자리에서 죽
고 영원한 돌로 변한다. 헤르메스는 제우스가 지켜보고 서 있는 곳으로 날아온
다.)

제우스   이게 유일한 해결책이었어. 자, 그만 올림포스로 돌아가자. 테베에서
          행할 내 개인 임무는 암피트리온이 떠날 때까지 기다려야 한다.
헤르메스   제가 아는 제우스로 말하면, 이번 임무는 인간 암여우와 관련이 있을
          것 같은데요.

(이번에도 제우스는 미소만 짓고 대답은 하지 않는다. 페이드아웃.)

[페이드인: 옥외. 타피아군도. 암피트리온, 케팔로스, 헬레이우스가 군도 근처의 배에 타고 있다.]

케팔로스　불가능한 일이오! 불가능해! 프테렐라오스 왕은 그의 할아버지 포세이 돈의 특별한 보호를 받고 있다니까요.

헬레이우스　프테렐라오스 왕은 할아버지 포세이돈이 그에게 준 한 가닥 황금 머 리카락을 가지고 있는 한, 절대 죽지 않아요.

케팔로스　그냥 돌아가는 편이 낫겠소. 난 부하 절반을 잃었는데 아무래도 모두 잃기 전에 떠나는 게 좋겠소.

헬레이우스　암피트리온, 포기하시지요.

암피트리온　기다려 봐요. 한 가지 희망이 있어요. 그에게 딸 코마이토가 있지요.

케팔로스　딸이 우리를 어떻게 도울 수 있다는 거요?

암피트리온　그 딸이 날 사랑하고 있는 것으로 압니다.

헬레이우스　당신을 사랑한다고요? 그 여자는 남녀의 육체적 즐거움을 경멸한다 고 들었는데요.

암피트리온　지난 번 전투 중 내가 아르테미스 신전에 피신하고 있었을 때, 그 여자가 내게 부끄럼 없이 몸을 던졌어요.

헬레이우스　아르테미스 신전에서 말입니까? 아르테미스 여신의 사제인 그녀가 말이오? 믿어지지 않는군요.

암피트리온　믿으시오. 내가 아르테미스 신전으로 돌아가겠소. 나에 대한 코마이 토의 열정이 프테렐라오스 왕을 쓰러트릴 무기가 될지도 모릅니다. *(페이드아웃.)*

[페이드인: 실내. 아르테미스 신전. 코마이토와 암피트리온. 코마이토는 암피트

리온을 정열적으로 애무하고 키스한다.]

암피트리온 코마이토, 진정해요. 우린 지금 아르테미스 신전 안에 있어요. 여신
　　　　　이 신전에서 이런 행동하는 걸 좋아하지 않을 거요.

코마이토 아르테미스에겐 연인 오리온이 있고 나에겐 가장 사랑하는 당신이 있
　　　　　습니다.

암피트리온 아르테미스 여신만큼이나 그대는 사랑스러운 갈망의 대상이오. 그렇
　　　　　지만 우리의 사랑엔 미래가 없어요. 당신 아버지는 날 보는 즉시 죽일
　　　　　것이니, 목숨을 부지하려면 난 떠나야 하오.

코마이토 무슨 방도가 있을 거예요.

(*암피트리온은 실망스러운 척 거짓 표정을 짓는다.*)

암피트리온 방법이 보이질 않소.

코마이토 당신은 내가 사랑한 유일한 남자예요. 당신을 놓칠 수는 없어요 - 그
　　　　　런데 만일 우리 사이를 아버지가 가로막지 않으신다면?

암피트리온 당신 아버지는 우리 사이를 가로막는 걸림돌이 틀림없소. 난 떠나야
　　　　　하오. 누가 오는 발소리가 들리는 것 같소.

코마이토 기다려요. 당신을 이대로 보낼 수는 없어요. 백 명의 아버지보다 한 사
　　　　　람의 당신이 나에겐 더욱 소중합니다.

암피트리온 무슨 뜻이오, 내 사랑?

코마이토 내가 할 일이 무언지 안다는 뜻이지요, 내 사랑.

(*코마이토는 암피트리온을 포옹하고는 혼이 나간 사람처럼 몽롱하게 신전을 걸
어 나간다.*)

[페이드인: 실내. 프테렐라오스 왕의 침실. 프테렐라오스 왕이 침대에 죽어 누워 있다. 코마이토는 그녀의 손에 황금 머리카락 한 오라기를 들고 서 있다. 혼이 빠진 듯한 모습으로 그녀는 아버지의 침실을 나와 아르테미스 신전으로 향한다. 페이드아웃.]

[페이드인: 실내. 아르테미스 신전. 코마이토와 암피트리온.]

코마이토 이걸 보세요, 암피트리온. 생명을 주는 이 황금 머리카락이 이젠 아버지에게 생명을 줄 수 없게 되었습니다. 아버지의 생명을 당신의 사랑과 바꾸었어요. 자 받으세요, 내 사랑.

(*코마이토는 머리카락을 암피트리온에게 준다. 암피트리온은 머리카락을 발로 밟는다.*)

암피트리온 은혜를 모르는 고약한 딸이로군!
코마이토 그렇지만 당신을 너무나 사랑한 나머지 아버지를 죽인 것이어요.
암피트리온 난 내 아내의 사랑을 위해 너를 죽여야겠다.
코마이토 아내? 아니, 당신에게 그럼—
암피트리온 아내 얘기를 내가 꺼낸 적도 없었지만 넌 내게 물어본 적도 없었잖아.

(*암피트리온은 칼을 꺼내 든다. 코마이토는 바닥에 주저앉아 떨면서 운다.*)

코마이토 난 당신을 위해 아버지를 배반했어요. 이제 당신은 그런 나를 배반하는군요. 무언가 배울 게 있다고 생각지 않나요, 암피트리온?
암피트리온 없어. 내 아내 알크메나는 현명하고 아름답고 순결하다. 그녀가 날 배반할 일은 결코 없고말고.

(암피트리온은 코마이토를 찌른다. 그를 바라보는 일그러진 코마이토의 얼굴은 희미하지만 조롱조의 미소를 머금고 중얼거린다.)

코마이토　배신은 배신을 낳지. [페이드아웃.]

[페이드인: 실내. 테베. 크레온 왕의 궁전. 예언자 테이레시아스의 침실. 암피트리온은 테이레시아스와 이야기하는 중이다.]

테이레시아스　암피트리온, 제우스가 당신을 배신한 건 사실이오. 제우스는 그의 마지막 아들을 낳아줄 사람으로 알크메나를 선택했소. 그는 슈퍼영웅이 될 아들을 원했고 가장 현명하고 아름다운 알크메나를 그 어머니감으로 선택한 것이오. 제우스는 그런 아들을 얻기 위해서 그 밤에 보낸 시간을 세 배나 길게 연장하며 그녀와 함께한 것이오.

암피트리온　내가 지난 몇 개월 알크메나를 떠나있던 것이 결국 제우스로 하여금 그런 아들의 어머니로 삼게 했군요.

테이레시아스　그렇소. 제우스는 자기 방식대로 합니다. 그가 당신을 배신했지만 알크메나는 당신을 배신한 것이 아니오. 알크메나는 그 긴 밤을 당신과 함께 보낸 것으로 알고 있으니까요. 제우스는 당신으로 변신하여 그녀와 지냈던 거요. 그래서 그날 밤 일을 기억 못 하는 당신을 아내가 비난한 것이오.

암피트리온　이건 내가 코마이토를 배신한 결과요. 신성한 보복으로 받아들여야겠군요.

테이레시아스　암피트리온, 내 충고를 들으시오. 알크메나와 함께 두 사람의 결혼을 완성시키는 화끈한 밤을 보내시오. 그녀는 좋은 아내요. 그녀와 함께 복된 많은 세월을 보내게 될 것이오.

암피트리온 당신 말이 옳은 줄은 알지만 여전히 내 마음은 아픕니다.

(*암피트리온은 떠난다. 페이드아웃.*)

[페이드인: 옥외. 올림포스산. 9개월 후. 제우스, 포세이돈, 헤르메스.]

제우스 내 마지막 인간 아들이 곧 태어날 것이오. 기막히게 경이로운 아들임이 틀림없소!

포세이돈 내 손자 프테렐라오스와 내 증손녀 코마이토가 그 영웅 아들의 출생을 위해 엄청난 값을 치렀소.

제우스 언젠가는 우리 모두를 구해줄 아이요.

헤르메스 알크메나는 쌍둥이를 가졌어요.

제우스 그중 하나는 내 아들이고 하나는 암피트리온 아들이지.

포세이돈 어느 쪽이 제우스 아들인지 어떻게 안다는 거요?

제우스 제우스의 아들은 틀림없는 방법으로 그 기질을 보일 것이오. 기다려봅시다. [페이드아웃.]

[페이드인: 실내. 테베의 크레온 궁전. 8개월 후. 8개월 된 쌍둥이 아기 헤라클레스와 이피클레스가 아기 요람으로 사용하고 있는 거대한 방패 안에 잠들어 누워 있다. 암피트리온과 테이레시아스가 큰 독사가 각각 들어 있는 두 개의 자루를 들고 들어온다.]

테이레시아스 다시 말하는데, 제우스는 항상 자기 방식대로 한다는 것을 알아야합니다. 그리고 알크메나는 한 번도 당신에게 불충실한 적이 없어요. 제우스가 당신의 형상으로 그녀에게 다가간 것이오.

암피트리온 그래도 난 어쩔 수 없소, 테이레시아스. 제우스가 날 속이고 내 아내
에게 그 짓을 한 게 정말 화가 납니다.

테이레시아스 너무 그 생각에 집착하지 마시오, 암피트리온. 이건 이미 엎질러진
물이오.

암피트리온 내 부성애의 불확실성을 가져온 제우스의 배신을 난 견딜 수가 없어
요.

테이레시아스 이 독사들을 이피클레스와 헤라클레스 아기들에게 풀어놓는 건 너
무 잔인한 짓이라고 생각지 않소?

암피트리온 이 일을 생각할 때마다 내 마음이 불편하니, 어떤 식으로든 문제의
해결을 봐야겠어요.

테이레시아스 알겠어요. 독사들을 풀어놓고 어찌 되는지 지켜보십시다.

(*암피트리온과 테이레시아스는 아기들이 있는 방패 요람으로 가서 자루의 끈을
푼다. 두 사람은 요람에서 약간 거리를 두고 떨어진다. 독사들은 머리를 자루 밖
으로 내밀고 몸을 굽이치며 쌍둥이 아기들 위로 넘실댄다. 이피클레스는 먼저
깨어 뱀을 보고 소리 내어 운다. 그의 울음소리에 헤라클레스도 깬다. 8개월밖
에 안 된 아기지만 헤라클레스는 두 마리 뱀을 각각 손에 붙잡아, 뱀 대가리 바
로 밑의 몸통을 단단히 죄어 죽인 후, 그 뱀들을 마치 바람에 날리는 물결처럼
흔들어댄다.*)

테이레시아스 의심할 여지없이 헤라클레스는 제우스의 아들이오.

암피트리온 이피클레스는 내 아들이고요.

테이레시아스 이제 당신의 운명을 받아들이십시오, 암피트리온. 당신이 아내를
제우스와 나누기는 했지만 제우스 또한 그의 신성한 아들을 당신과
나눈 셈이오. 헤라클레스는 이 땅의 가장 위대한 영웅으로 기억되고
사랑받을 것이오. 제우스의 뜻을 받아들이고 가슴에서 증오심을 몰아

내십시오.

암피트리온 이제는 제우스의 뜻을 받아들이겠소. 오래전에 이미 그랬어야 했는
데. 헤라클레스의 육신의 아버지임을 자랑스럽게 생각합니다.

테이레시아스 헤라클레스도 당신을 자랑스러운 아버지로 여길 것입니다, 암피트
리온.

*(이들은 헤라클레스가 흔들며 놀고 있는 죽은 뱀들을 그의 손에서 취하여 각각
자루 속에 넣는다. 장난감을 빼앗겨 언짢아하는 헤라클레스를 뒤에 두고 두 사
람은 나간다.)*

12-2
헤라클레스의 고뇌

등장인물

헤라클레스	리노스	메가라
이피클레스	목동	이올라우스
암피트리온	미뉘아스 사신	에우리스테우스 왕

[페이드인: 옥외. 테베. 청년 헤라클레스와 그의 쌍둥이 형제 이피클레스가 아버지 암피트리온과 함께 말을 타고 있다. 이들은 세 마리의 튼튼한 군마를 타고 테베의 넓은 초원을 달린다. 헤라클레스는 멀리 앞서 달리고 있으나 그의 말은 지쳐서 입에 거품을 품고 쓰러지고 헤라클레스도 말에서 떨어진다.]

암피트리온 헤라클레스, 네가 괜찮은지는 물어볼 필요도 없구나. 그런데 네 말은 온전치 못한 것 같다.

이피클레스 아버지. 형은 모든 생명체는 무한한 에너지가 있다고 믿나 봐요.

암피트리온 헤라클레스, 말도 사람처럼 그 한계가 있다는 걸 알아야 해.

헤라클레스 아버지도 아시지요. 저에겐 그런 한계가 없잖아요.

암피트리온 그래 맞아. 너한테는 한계를 모르는 초인적인 힘이 있어. 그럴지라도 절제를 모르는 무한정한 힘은 휘몰아치는 폭풍과 같다. 철저한 파괴를 불러오는 분노와 같은 거지.

헤라클레스 그러나 저는 모든 사람을 사랑해요. 누구를 파괴하려고 제 힘을 사용하지는 않아요.

암피트리온 아들아, 기억해둬라. 때론 우리가 의도하지 않았어도 파괴의 도구가

되는 수가 있어.

이피클레스 형, 말이 죽었어. 군마같이 뛰어난 말이었는데.

(*헤라클레스는 슬퍼하며 눈물을 글썽이고 죽은 말 위에 몸을 굽힌다.*)

헤라클레스 이렇게 죽다니. 어린 새끼 때부터 내가 키웠는데. 항상 즐겁게 뛰놀

던 어린 말이 이렇게 튼튼한 군마가 돼서 죽다니. 정말 난 바보야. 내

힘으로 이 말을 다시 살릴 수만 있다면.

이피클레스 형, 너무 상심하지 마. 형이 몰두해서 한계를 깨닫지 못했기 때문에

그렇게 된 거지. 해칠 생각으로 그런 건 아니잖아.

암피트리온 이번 일을 경험 삼아 배우도록 해라, 헤라클레스.

헤라클레스 그럴게요. 꼭 기억하고 배울게요.

(*암피트리온은 헤라클레스에게 용기를 주기 위해 어깨를 토닥거린다.*)

암피트리온 헤라클레스, 너의 그 넘치는 힘을 좋은 목적에 사용하도록 해라. 자,

말을 묻어줘야겠다.

(*헤라클레스는 일어나서 말을 묻어주기 위해 땅을 파러 힘차게 나아간다. 페이
드아웃.*)

[페이드인: 실내. 테베. 크레온 왕의 궁전. 암피트리온, 헤라클레스, 이피클레스.]

암피트리온 애들아, 너희들을 훌륭한 청년으로 교육시켜주실 선생님들을 모신

것은 행운이다.

헤라클레스 전 에우리투스 왕의 수업을 제일 좋아했어요. 활과 화살 다루는 법은 진정 남자다운 기술이지요.

이피클레스 활 다루는 형의 기술은 정말 뛰어나. 맹세컨대, 에우리투스 왕은 형에게 기술을 전수한 걸 후회할지 몰라. 형 솜씨에 질렸다니까.

암피트리온 너에게 활 솜씨를 가르쳐준 걸 언젠가는 후회할 날이 올 거라는 생각을 나도 하게 된다.

헤라클레스 태양 사건 때문에 그러시는 거지요. 그날 햇볕이 유독 뜨거워서 견디기 어려웠던 것을 아버지도 기억하시지요?

이피클레스 계속 뜨겁게 괴롭히면 쏘아버리겠다고 형이 화살을 태양에 겨누고 맹세하던 기억이 나.

헤라클레스 내가 화가 치밀면 어떻게 되는지 넌 알지.

이피클레스 알고말고. 에우리투스 왕도 알고 있어. 왕은 형이 그러다가 운명을 빨리 만나면 어쩌나 그걸 염려하고 있어.

헤라클레스 내가 활을 당기려는 바로 그 순간에 구름이 태양을 가렸지.

암피트리온 제우스가 바로 그 순간에 무한한 지혜의 손길로 너를 위험에서 건져준 모양이다. 헤라클레스, 네가 영 깨닫지 못할까 그게 두렵구나.

헤라클레스 무슨 뜻이어요, 아버지?

암피트리온 감정을 자제할 줄 알아야 한다, 아들아. 태양이 너무 뜨겁다고 해서 그런 도전을 하면 안 되지. 군마를 제 한계 너머로 달리게 하면 안 되는 것처럼 말이다. 그런 것을 깨달을 날이 올 거다.

헤라클레스 제 성격이 충동적인 건 시인해요, 아버지. 그렇지만 전 인정도 많은 사람이어요.

암피트리온 충동과 인정엔 한계가 없느니라. 그 두 가지는 서로 조화를 이루지 못하는 법이다.

헤라클레스 제 성격이 조화를 이룬다고 주장한 적은 없어요. 너무 뜨거운 마음과 넘치는 힘으로 가득 차 있거든요. 제 성격을 아직 모르세요?

이피클레스 아버지는 모르셔도 난 알고 있어.

헤라클레스 이피클레스, 너와 나의 좋은 점을 합쳐서 우리 사냥하러 가자.

이피클레스 형하고 사냥하는 건 언제나 환영이지. 빈손으로 돌아오는 때가 없으니까.

암피트리온 저녁 시간 전에 돌아오너라. 리노스 선생님이 리라 현악기를 가르쳐 주시려고 와 계신다. (페이드아웃.)

[페이드인: 실내. 크레온의 궁전. 저녁 식사 후. 이피클레스, 헤라클레스, 리노스가 음악실에 있다.]

리노스 이피클레스, 넌 소질이 뛰어나구나. 머지않아 궁정악사와 겨룰 만하다.

이피클레스 전 리라를 좋아해요. 아폴로가 연주하는 멋진 리라 소리를 듣는 게 너무 좋아요.

(*리노스는 헤라클레스를 보고 한심스러워한다.*)

리노스 줄을 톡톡 뜯어보렴. 헤라클레스, 그렇게 잡아당기지 말고 톡톡 뜯어보란 말이야. 아이고, 줄을 몽땅 끊어 놓았구나. 이걸로 넌 끝이다, 헤라클레스! 너 같은 멍청이에게는 리라를 가르칠 수 없겠어. 너의 아버지께 말씀드려야겠다!

(*리노스는 문 쪽으로 간다.*)

헤라클레스 아버지한테 이르세요. 나도 멍청한 악기는 강제로 배우고 싶지 않아

요. 가서 아버지한테 그렇게 이르세요. 이 너절한 악기도 같이 가지고
가시지요.

(*헤라클레스가 리라를 리노스를 향해 던지자 그의 머리에 맞는다. 이에 리노스
는 그 자리에서 죽는다. 이피클레스는 리노스에게 달려간다.*)

이피클레스 헤라클레스! 선생님이 숨을 쉬지 않으셔! 돌아가셨어!

(*헤라클레스는 믿을 수 없다는 듯 놀란다.*)

헤라클레스 가볍게 던졌는데. 난 리라를 싫어한다는 표시를 했을 뿐인데.
이피클레스 형은 가볍다고 하지만 스무 명의 힘을 합친 것보다도 강해. 이번에
　　　　도 형의 힘을 과소평가한 게 실수였어.
헤라클레스 죽일 의도는 없었어.
이피클레스 아버지께 알려야 해.

(*둘은 죽은 리노스를 놓아두고 암피트리온을 찾아 나간다. 페이드아웃.*)

[페이드인: 실내. 크레온 왕의 궁전. 며칠 후. 암피트리온과 헤라클레스.]

암피트리온 너를 키타이론산으로 보내서 그곳에서 양 떼를 치게 할 생각이다.
헤라클레스 저도 무언가 할 일이 필요해요. 리노스의 죽음이 저를 괴롭히고 머
　　　　리에서 떠나지를 않아요. 의도적은 아니었다 해도 괴로움이 줄어들지
　　　　않아요.
암피트리온 리노스를 살릴 수는 없지만 테스피우스 왕의 가축들과 우리 가축 떼
　　　　를 잡아먹고 있는 키타이론산의 그놈의 사자를 없애주는 것으로 속죄

하면 된다.

헤라클레스 기꺼이 그렇게 하겠습니다. (페이드아웃.)

[페이드인: 옥외. 키타이론의 숲. 헤라클레스는 양 떼를 지키고 있다. 테스피아 출신의 동료 목동이 그와 함께 있다.]

헤라클레스 여기가 바로 당신네 양 여섯 마리를 그 사자 놈이 잡아먹은 곳이군. 먹다 남긴 찌꺼기가 저기 있네.

목동 저런 식으로 무리를 모조리 잡아먹을 때까지 지속적으로 공격합니다.

헤라클레스 당신이 들고 있는 창과 화살로는 저놈을 막지 못한다는 거요?

목동 막지 못해요. 저놈 가죽이 얼마나 두꺼운지 창과 화살이 몸에 박히지를 않고 마치 못이 튕겨 나오듯 한다니까요.

헤라클레스 당신과 함께 여기서 기다리다가 그놈이 나타나면 지켜볼 거요.

(몇 시간이 흘렀다. 숲이 흔들리는 소리가 들린다. 나무들을 양옆으로 쓰러트리면서 사자가 초원에 나타난다. 사자는 풀을 뜯고 있는 양 떼의 눈에 띄지 않게 다가가서 여섯 마리를 잡아먹는다. 한 번의 식사를 끝낸 사자는 계곡에서 마음 놓고 뒹군다. 사자는 거칠 것이 없는 그곳에서 편안히 졸고 있다. 몇 시간이 지난 후 사자는 자기의 처소로 돌아간다. 헤라클레스는 사자가 떠나는 것을 지켜본다.)

헤라클레스 아우톨뤼쿠스가 가르쳐준 기술을 사용해야겠다. 저놈에겐 최후의 양고기 만찬이 되겠군. [페이드아웃.]

[페이드인: 옥외. 키타이론 숲. 다음 날. 헤라클레스와 목동은 사자가 나타나기를 기다린다. 그전처럼 사자는 나무들을 쓰러트리는 소리를 내고 나타난다. 여느

때와 마찬가지로 식사를 하려고 양 떼에게 다가가서 배를 채우고 식사를 끝낸 후 느긋이 잠을 청한다. 네 발을 모두 접고 누웠을 때 헤라클레스는 그의 등에 올라탄다. 모가지 쪽에 앉아서 짐승의 머리를 뒤로 젖혀서 뒤튼다. 짐승의 갈비뼈가 으드득 으스러지고 척추가 부러진다. 헤라클레스는 사자의 목을 틀어잡고 이번에는 훌렁거리는 사자 껍질 안의 몸을 둘로 쪼갠다.]

헤라클레스 아우톨뤼쿠스가 가르쳐준 레슬링 방법인데 쓸모가 꽤 있군.

(*헤라클레스는 죽은 사자의 등에서 내려와 사자의 가죽을 벗긴다.*)

헤라클레스 네 놈의 두꺼운 가죽과 머리는 이제 나의 케이프와 모자로 사용하겠다. 나처럼 단단한 피부와 머리에 어울리겠어. (페이드아웃.)

[페이드인: 실내. 크레온의 궁전. 암피트리온과 헤라클레스.]

암피트리온 장한 일을 했다, 헤라클레스.
헤라클레스 이번 일로 리노스에게 저지른 고통이 좀 풀렸어요.
암피트리온 넌 리노스를 죽일 의도는 없었어. 그 점이 중요한 거다, 헤라클레스.
헤라클레스 저도 알아요. 알고 있어요. 그런데도 제 마음은 전갈이 물어뜯는 것 같았어요. 이제 저에게 맡기실 일은 더 없나요?
암피트리온 네가 크레온 왕을 도와줄 수 있을 게다.
헤라클레스 어떤 일로요?
암피트리온 에르기노스 왕의 사신들이 양 머리 일 백 개를 징수하려고 이곳에 오는 중이야. 크레온은 해마다 양 떼를 공물로 몰수당하고 있는데, 꽤나 큰 수모지. 네가 어떻게 해줄 수 있을 것 같다.
헤라클레스 못 주겠다고 간단히 거절하면 되는 것 아닌가요?

암피트리온 테베를 공격할 때 에르기노스 왕이 테베에 있는 무기들을 전부 가져 갔기 때문에 크레온과 테베 백성들은 속수무책이란다.

헤라클레스 변화가 있어야겠군요. 에르기노스 왕의 사신들은 지금 어디 있는데 요?

암피트리온 방금 도시로 들어왔어.

헤라클레스 이번에는 제가 그자들을 맞이하지요. [페이드아웃.]

[페이드인: 옥외. 테베의 외곽. 여섯 명의 미뉘아스 사신들이 백 마리의 양 머리 를 징수할 준비를 갖추고 테베 성을 향해 걸어온다. 헤라클레스가 이들을 가로 막는다.]

헤라클레스 어이, 미뉘아스 사람들이여, 공물을 징수하기 전에 에르기노스 왕에 게 전달할 추가의 공물이 있소이다.

미뉘아스 사신 우리의 임무는 몇 년간 행한 대로, 왕에게 양 머리 일 백 개를 가져가는 것입니다.

헤라클레스 그러나 이 특별한 추가의 공물은 일 백 개의 양 머리 전에 에르기노 스 왕이 받아야 하는 것이오.

미뉘아스 사신 저리 비켜요. 우리는 오직 위임받은 공물만 받게 되어 있소.

(여섯 명의 미뉘아스 사신들은 헤라클레스 앞에 한 줄로 서서 그에게 대항할 준 비로 칼을 뽑는다. 헤라클레스가 첫 번째 서 있는 사신을 향해 옆으로 주먹을 날리자 나란히 서 있던 다섯 명이 모두 도미노 현상으로 치명타를 입고 쓰러진 다. 헤라클레스는 여섯 사신들의 귀와 코를 베어내고, 잘라낸 코와 귀를 나무껍 질을 벗겨 만든 끈으로 꿰어서 그들 목에 묶는다.)

헤라클레스 우리도 똑같이 공물을 요구하러 오르코메노스로 갈 것이니, 이를 에르기노스 왕에게 전하시오.

(*함께 묶인 미뉘아스인들은 고향으로 돌아간다. 페이드아웃.*)

[페이드인: 옥외. 보이오티아. 오르코메노스의 성벽. 헤라클레스, 암피트리온, 이 피클레스가 테베 군대와 함께 있다.]

헤라클레스 저의 불멸의 누님 아테나는 저를 열심히 돕고, 무장을 잘 시켜주었 습니다.

암피트리온 아테나 여신이 전쟁을 얼마나 좋아하는지 너도 잘 알고 있지. 테베 조상들이 무기를 모두 신전에 모아둔 것도 우리에겐 다행한 일이야.

이피클레스 그래요. 그들이 우리에게 싸울 무기를 제공했지만 전 여전히 두려워 요. 20피트나 되는 높은 성벽에 싸인 에르기노스 왕의 궁전을 정복하 기는 어렵겠어요. 마음만 먹으면 왕은 궁 안에 틀어박혀 있으면 그만 이지요.

암피트리온 헤라클레스, 실질적으로 우린 요행을 기대하기가 어렵구나.

(*헤라클레스는 깊은 생각에 잠겨 20피트 높이의 성벽을 올려다본다.*)

헤라클레스 방법이 있을 겁니다. 어두운 밤이 올 때까지 기다려 보지요. (페이드 아웃.)

[페이드인: 옥외. 한밤중. 궁은 불이 환하게 켜져 있다. 암피트리온과 이피클레스 는 오르코메노스 성벽 밖에 서 있다. 헤라클레스는 성벽 안쪽에서 밖으로 넘어 와 이들과 합류한다.]

헤라클레스 성벽을 재어 보고 궁에 횃불을 밝히는 건 문제도 아니라고 제가 말
했지요.

암피트리온 어서 성안으로 서둘러 들어가자. 미뉘아스 사람들은 의심의 여지 없
이 벌써 도망가기 시작했을 거다. 어서 가서 대기하고 있는 테베 군대
와 합류하자. (페이드아웃.)

[페이드인: 옥외. 오르코메노스 성문. 화염 속에서 기침하는 미뉘아스인들이 대
기하고 있는 테베 군대를 향해 달려 나온다. 어떤 미뉘아스인들은 무기를 들고
전투를 벌인다. 헤라클레스는 성벽 안쪽에 구부리고 숨어서 저항하는 미뉘아스
인들을 성 밖으로 이리저리 몰아낸다. 기분이 한참 고무된 헤라클레스는 아버지
와 동생을 찾는다. 전투장 한쪽 끝에 앉아 있는 이피클레스를 보고 그 앞으로
온다.]

헤라클레스 아, 너 여기 있었구나, 이피클레스. 이렇게 혼자 떨어져 있으니, 지금
벌어지는 신나는 구경거리를 넌 놓치고 있어.

(*헤라클레스는 우울한 이피클레스를 보고 의아해하며 흥분을 가라앉힌다.*)

헤라클레스 왜 그래, 이피클레스?

이피클레스 아버지가 돌아가셨어.

(*이피클레스는 머리를 숙이고 흐느낀다.*)

헤라클레스 아니, 어떻게?

이피클레스 힘 센 미뉘아스 사람이 아버지 가슴을 내려쳤어.

헤라클레스 내가 또 죽음을 불러왔구나. 미뉘아스인과의 싸움은 모두 나 때문에

시작된 것인데. 내가 원인이야.

이피클레스 그건 아니야, 형. 아버지가 형에게 미뉘아스인과 싸워서 크레온 왕을 도와주라고 하셨잖아.

헤라클레스 그렇지만 그건 내가 리노스를 죽인 데 대한 속죄의 방법으로 암시해 주신 것뿐이었어. 오, 난 불행을 가져오는 비참한 놈이다. 난 사람들이 피해야 할 존재야. 어떤 벌도 내겐 부족해.

(*헤라클레스는 눈물을 줄줄 흘리면서 자신의 몸을 쥐어뜯는다.*)

이피클레스 자신을 너무 심하게 탓하지 마, 형.

헤라클레스 아버지 계신 곳이 어디냐?

(*이피클레스는 멍하니 울고 있는 헤라클레스를 암퍼트리온의 시신이 있는 곳으로 안내한다. 헤라클레스는 무릎을 꿇고 그의 팔에 아버지를 안아 올린다.*)

헤라클레스 테베로 아버지를 모시고 가서 엄숙히 장례를 치르겠습니다.

(*슬픔이 가득 한 헤라클레스는 암퍼트리온의 시신을 부드럽게 팔에 안고 나간 다. 이피클레스가 그 뒤를 따르고 테베인들과 포로로 잡힌 미뉘아스인들이 뒤를 따른다. 페이드아웃.*)

[페이드인: 실내. 크레온의 궁전. 몇 개월 후. 헤라클레스와 크레온의 딸 메가라 공주의 결혼식. 크레온, 이피클레스, 아우토메두사, 그 외 하객들이 잔치 테이블 에 앉아있다.]

크레온 슬픈 생각을 모두 잊어버리게, 헤라클레스. 이 결혼은 자네 부친이 준비하신 거니, 기뻐하게.

헤라클레스 노력하겠습니다. 리노스 선생님의 죽음 이후 제 마음 안에 전갈이 들어있는 기분입니다.

이피클레스 메가라 공주의 아름다운 자태가 형의 마음에서 그 전갈을 모두 없애 줄 거야.

크레온 이피클레스의 아들 같은 훌륭한 아들들이 자네한테서도 많이 나올 걸세.

이피클레스 그래요. 내 아들 이올라우스는 내 삶의 기쁨이야, 형.

크레온 헤라클레스, 자네에게도 그런 기쁨이 있기를 기원하네.

이피클레스 저도 동감입니다.

헤라클레스 제 마음도 그렇습니다.

(*세 사람은 자리에서 일어나 축배를 든다. 페이드아웃.*)

[페이드인: 실내. 크레온의 궁전. 18년 후. 메가라, 헤라클레스, 이들의 세 아들 테르시마쿠스(17세), 크레온티두스(16세), 데이쿤(15세). 화가 몹시 난 헤라클레스가 방금 방으로 급히 들어왔다.]

헤라클레스 내 사자 케이프를 누가 치웠어? 메가라, 당신이 치웠지? 어디 있어?

메가라 난 손대지 않았는데요. 헤라클레스, 찾는 걸 도와드릴게요.

헤라클레스 찾는 걸 돕겠다는 게 무슨 소리야? 당신이 가져갔군. 어서 내놔.

(*헤라클레스는 주먹으로 불이 나게 상을 내리친다. 그 힘으로 도자기가 공중으로 요란하게 튀어 오른다. 놀란 아이들이 일어나서 분노한 아버지를 떨어져서 멀리 피한다. 메가라는 위치가 옮겨진 케이프를 찾으려고 방안을 둘러본다.*)

메가라   활쏘기 연습 때 혹시 밖에 갖다 놓은 건 아닌가요? 나가서 내가 찾아
　　　　　볼게요.

(*헤라클레스는 거칠게 그녀를 밀어낸다.*)

헤라클레스   내 물건에 당신이 손대는 건 싫소. 내가 직접 찾을 것이오.

(*헤라클레스는 폭풍처럼 방을 나간다.*)

테르시마쿠스   요즘 아버지가 제정신이 아니어요, 어머니.
메가라   전보다 더 악화된 것 같아 걱정이구나.
테르시마쿠스   지금까지 본 중 제일 과격한 모습이어요. 우리들이 가족으로 보이
　　　　　지도 않는 모양이어요.
메가라   테르시마쿠스, 너는 이 집의 큰아들로서 가족을 돌보아야 한다. 지금
　　　　　은 아버지가 책임질 수 없는 행동을 하고 계시니 걱정이다.
테르시마쿠스   제가 할 수 있는 최선을 다할게요, 어머니. (페이드아웃.)

[페이드인: 옥외. 궁정 안뜰. 헤라클레스와 이피클레스.]

이피클레스   형의 사자 모자가 저기 나무에 걸려 있는데.

(*헤라클레스는 가서 모자를 집어 든다.*)

헤라클레스   내게 이런 짓을 하는 게 누군지 모르겠어, 이피클레스. 물건을 제자
　　　　　리에 둘 수가 없어. 이내 사라져버리는 거야.
이피클레스   헤라클레스, 지난번 찬탈자 리쿠스와의 싸움이 형에게 너무 힘들었

던 모양이야. 내 아들 이올라우스를 대동하고 잠시 어디든 다녀오는
게 어때.

헤라클레스 이올라우스는 내 전차를 모는 전사로서 최근 들어 나의 가장 큰 위
안이 되고 있어.

이피클레스 그 앤 형을 숭배해요. 맹세하건대, 헤라클레스, 그 앤 아비인 나보다
형을 더 사랑한다니까.

헤라클레스 나도 이올라우스를 아들처럼 아낀다. 그런데 이놈의 전갈들이 내 머
릿속을 좀먹고 있어. 리노스의 유령과 암피트리온의 유령이 날 떠나지
를 않는구나.

이피클레스 그건 환상에 불과한 거요, 형. 머릿속에서 몰아내세요.

헤라클레스 그럴 수만 있다면 얼마나 좋겠니. 그런데 이것들이 내가 가는 곳마
다 붙어 다닌단 말이다. 내 옆에서 같이 걷고 내 침대에까지 기어 올
라온단 말이야.

(*이피클레스는 그 말을 듣자 놀란다.*)

이피클레스 형, 그런 건 다 잊어버려. 정말이지 신경 쓰지 말아요. 다 과거지사
야. 현재만을 생각하라고요. 크레온의 조카 라오다마스가 테베 왕위에
복귀했는데, 그건 형 덕분이지. 형이 테베를 안전하게 세워주었으니,
이제 이올라우스하고 같이 사냥을 즐기면서 심신을 쉬어주세요. 사냥
감 추격할 때의 형 모습을 보면 완전히 몰두해서 다른 건 다 잊어버리
던데.

헤라클레스 생각해볼게, 이피클레스.

이피클레스 형의 건강을 생각하고 곧 그렇게 하세요. (페이드아웃.)

[페이드인: 옥외. 궁전의 안뜰. 헤라클레스는 활을 열심히 문지르고 있다. 머리를

들자 리쿠스의 유령이 나타나서 놀란다.]

헤라클레스 너도 나를 찾아 무덤에서 나왔느냐. 리노스와 암피트리온이 나를 따
라다니는 것만으로 부족해서 너까지 내게 영원한 고통을 더하려느냐?
영원히 날 쫓아다닐 테냐? 하나씩, 하나씩 평화를 깨트리고 계속 나타
날 것이냐? 이제는 나도 끝을 내겠다.

(*헤라클레스가 활을 잡고 리쿠스의 환영을 쫓아간다.* 페이드아웃.)

[페이드인: 옥외. 크레온의 정원. 메가라와 세 아들. 테르시마쿠스는 그의 활을
닦고 있다. 크레온티두스는 잔디 위에 느긋하게 누워있고 데이쿤은 어머니와 함
께 앉아있다. 헤라클레스가 여전히 리쿠스의 환영을 쫓아 손에 활을 들고 들어
온다. 그는 테르시마쿠스를 리쿠스의 환영으로 오인하고 그에게 말을 건다.]

헤라클레스 네 놈이 여기 있었구나. 악한 찬탈자! 이번엔 네 무덤을 아예 벗어날
수 없게 해주마. 리쿠스, 이놈!

(*헤라클레스는 테르시마쿠스의 심장에 화살을 관통시킨다. 크레온티두스는 일어
나서 도망간다. 헤라클레스는 또 다른 화살을 꺼낸다.*)

헤라클레스 리노스, 너도 도망가지 못한다. 이 화살이 너의 영원한 방황을 끝내
줄 것이다.

(*크레온티두스가 그 자리에 쓰러진다. 메가라는 이제 남은 아들 데이쿤 앞을 가
로 막아선다.*)

메가라   헤라클레스! 애들은 당신 아들들이오! 우리의 테르시마쿠스와 우리의
크레온티두스가 당신이 쏜 화살에 맞아 죽었어요. 데이쿤은 살려주세
요. 제발 빕니다. 이 애를 살려주세요.

(*메가라의 애원은 미친 헤라클레스에게 통하지 않는다.*)

헤라클레스   여인이여, 당신이 무슨 소리를 하는지 모르겠군. 암피트리온의 유령
에서 비켜서거라. 암피트리온의 유령은 그가 있어야 할 하데스로 돌려
보내겠다.

(*헤라클레스의 화살이 메가라와 데이쿤을 동시에 관통한다.*)

헤라클레스   이제 세 놈의 유령이 내 화살을 맞고 쓰러졌어. 유령들아, 너희는 모
두 내 머릿속에 있는 전갈들과 함께 하데스로 꺼져라. 이제 내 정신이
다시 온전해질 것이다.

(*헤라클레스는 활을 떨어트리고 쑤셔대는 머리를 부둥켜안는다.*)

헤라클레스   수천 개의 번갯불이 내 머릿속에서 폭발하는구나. 이 머리를 비틀어
뽑아버릴 수만 있다면.

(*헤라클레스는 무작정 가까이 있는 연못에 들어가 차가운 물에 몸을 던진다. 페
이드아웃.*)

[페이드인: 옥외. 일주일 후. 헤라클레스와 이올라우스는 숲속에 있다.]

이올라우스 아저씨, 테베를 떠나실 때 제가 아저씨의 전차 전사가 되게 해주세요.

(헤라클레스는 이제 이성을 찾았지만 너무도 상심하여 심기가 불편하고 몹시 우울하다.)

헤라클레스 너 좋을 대로 하렴. 난 상관없어. 이젠 더 살고 싶은 마음도 없다. 내가 불멸의 제우스의 아들만 아니었더라도 이 처참한 인생을 끝낼 수 있을 텐데.

이올라우스 너무 상심하지 마세요. 아저씨께서는 다 모르고 하신 일이잖아요.

헤라클레스 견딜 수가 없어. 고통이 너무 심해.

(헤라클레스는 한 줄로 서 있는 나무들 쪽으로 가서 마치 막대기로 담을 긁어내려 가듯 자신의 머리를 나무에 대고 나무마다 들이박는다.)

헤라클레스 불멸. 불멸. 불멸의 저주. 메가라, 테르시마쿠스, 크레온티두스, 데이쿤, 얘들아, 돌아와다오.

(또다시 그는 머리를 나무에 대고 두들긴다.)

헤라클레스 내 몸의 상처가 내 머릿속의 상처를 대신할 수 있다면 좋겠구나.

이올라우스 아저씨, 델피의 신탁한테 가서 의논하면 어떨까요?

헤라클레스 어떤 신탁도 나를 위해서 할 수 있는 건 없어. 신탁이 내 가족을 되돌려줄 수 있겠느냐?

이올라우스 그렇게는 안 되겠지요. 그렇지만 이례적인 공포로 인해 저지른 행위를 어떻게 보상할지, 신탁이 가르쳐줄지도 모르잖아요.

(*이올라우스는 위안이 없는 헤라클레스를 마차로 안내한다.* 페이드아웃.)

[페이드인: 옥외. 델피의 신탁. 신탁을 방문하는 동안 밖에서 기다리고 있는 이올라우스에게 헤라클레스가 다가온다.]

이올라우스 아저씨, 신탁이 뭐라고 해요?

헤라클레스 마음의 평안을 회복하려면 내가 에우리스테우스 왕의 노예가 되어야 한다는구나.

이올라우스 그건 말도 안 돼요. 그럴 수는 없어요! 아저씨를 그렇게 질투하고 증오하는 그런 비겁자의 노예가 될 수는 없지요!

헤라클레스 난 아무래도 괜찮다.

이올라우스 그렇지만 에우리스테우스 왕의 증오심으로 말하면 아저씨가 태어나기 전부터 시작된 거잖아요. 그의 아버지 스테넬루스 왕은 페르세우스의 아들이었잖아요.

헤라클레스 제우스의 아들들이 모두 저주를 받은 건지도 몰라. 페르세우스도 제우스의 아들이고, 자기 할아버지를 죽인 자야.

이올라우스 그런데 스테넬루스 왕은 그 아들이 아저씨 헤라클레스보다 훨씬 위대해야 하는데, 그렇지를 못하니까—

헤라클레스 애야, 내가 뛰어난 건 나의 위대성이 아니라 나의 비참함이다. 가문의 저주받은 살인자가 되었으니.

이올라우스 그렇게 말씀하시면 안 돼요. 그건 헤라클레스가 한 행동이 아니고 헤라클레스를 흉내 낸 가짜가 한 짓입니다.

헤라클레스 헤라클레스가 없었더라면 가짜 헤라클레스도 없었을 것 아니냐.

이올라우스 너무 절망하지 마세요, 아저씨.

헤라클레스 이제 절망은 나와 동행하는 영원한 벗이 되었다.

이올라우스 에우리스테우스 왕을 위해 노예 생활을 한다는 건 아저씨 상태를 더 악화시킬 뿐이어요.

헤라클레스 이런 현실에 익숙해지다 보면 절망은 일상이 된단다.

이올라우스 마차로 가시지요. 에우리스테우스 왕한테 가야만 하겠군요.

(*헤라클레스는 마차에 오르고 헤라클레스가 쩌렁하게 소리 지른다.*)

헤라클레스 에우리스테우스 왕에게로 가자. 불행하기 짝없는 이 거대한 몸에 더
    큰 불행을 얹어 줄 에우리스테우스 왕에게로 어서 가자.

이올라우스 비참과 절망 가운데서도 희망을 찾을 수 있는 에우리스테우스 왕에
    게로 갑시다.

(*이올라우스는 에우리스테우스 왕의 궁전이 있는 미케네 길을 향해 나선다. 페
이드아웃.*)

[페이드인: 미케네. 에우리스테우스 왕의 궁전. 헤라클레스와 이올라우스가 왕
앞에 있다. 에우리스테우스 왕이 빈정대며 말한다.]

에우리스테우스 왕 아니, 천하의 헤라클레스가 순화될 필요의 도구로 날 사용하
    겠다, 그 말인가?

이올라우스 델피의 여사제가 그렇게 참회하도록 권한 것입니다. 헤라클레스에
    대한 증오심이 강한 왕이 그를 감독한다는 게 쉽지 않음을 여사제도
    알고 있습니다.

헤라클레스 더 비인간적으로 내 품위를 더 떨어트려도 좋습니다.

에우리스테우스 왕 당신이 원하는 대로 될 것이오, 헤라클레스. 당신이 할 임무는
    모두 열두 개이고 그 안에 증오가 모두 담겨 있으니까.

헤라클레스 왕께는 증오의 의무가 될지 모르지만 내게는 애정의 노동이 될 것이

오. 노동이 애정으로 가득 찰수록 나 자신에 대한 증오는 줄어들 테니.

에우리스테우스 왕 당신이 말하는 그 애정의 노동이 시작되기 전에 약간의 공개
　　　쇼가 필요하오.

이올라우스 "공개 쇼"라니 대체 그건 무엇입니까?

에우리스테우스 왕 광장으로 갑시다. 곧 알게 될 것이오. (페이드아웃.)

[페이드인: 옥외. 미케네 광장. 많은 군중이 야외무대에 서 있는 헤라클레스를
구경한다. 에우리스테우스 왕은 여인의 의상을 그에게 건넨다.]

에우리스테우스 왕 자, 이 스커트를 입으시오. 오, 강한 헤라클레스여, 이 옷을
　　　입고 유혹적인 춤을 추면서 무릎을 드러내 보여주시오.

(*헤라클레스는 스커트를 입고 춤을 추기 시작하는데 발놀림이 어색하여 스커트
를 밟고 넘어지자 스커트가 훌렁 그의 얼굴을 덮는다. 이 광경을 지켜보는 군중
의 웃음소리가 요란하다.*)

에우리스테우스 왕 우습게 춤추라고 하지 않았어. 유혹적으로 추라고 했지. 다시
　　　춰 봐요. 이번엔 무릎 위를 좀 드러내 보란 말이오.

(*에우리스테우스 왕은 찬란한 빛깔의 새털로 된 숄을 헤라클레스에게 던져준
다.*)

에우리스테우스 왕 자, 깃털 달린 이 숄이 어색한 춤동작에 우아한 맛을 보태줄
　　　것이오.

(*숄을 집어 든 헤라클레스는 이리 뛰고 저리 뛰며 다리를 뒤로 껑충거리면서 우*

스꽝스러운 춤을 다시 추기 시작한다.)

에우리스테우스 왕 몸놀림을 우아하게 하라니까. 어색한 건 줄이고, 무릎을 더 내
보여주시오. 좀 더 위로 치마를 올려요. 소리도 내보라고. 춤에 맞추어
어디 노래 솜씨도 들어 보자고.

(군중은 헤라클레스의 우스꽝스러운 모습에 신바람이 나서 떠들어댄다.)

이올라우스 가장 위대한 우리의 영웅에게 어떻게 이런 짓을 시킬 수 있는 것입
니까?
에우리스테우스 왕 가장 위대한 바보라는 말이겠지. 저 꼬락서니 좀 봐라.
이올라우스 더 이상 눈 뜨고 볼 수 없군.

(이올라우스는 돌아서서 관객 무리를 벗어나 빠져나간다.)

에우리스테우스 왕 헤라클레스, 어디 그 숄을 좀 더 여성스럽게 사용해 보라니까.
스커트가 내려왔어. 당신도 보다시피 참으로 여자답지 못한 꼴이군.

*(헤라클레스가 숄을 흔드는 모습과 스커트를 계속 올리면서 무릎을 내놓고 춤추
는 동시에 노래하는 모습은 측은하기 짝이 없다.)*

12-3
헤라클레스의 열두 가지 임무

	등장인물	
이올라우스	테세우스	네레우스
헤라클레스	히폴리타	아틀라스
에우리스테우스 왕	이피클레스	유몰포스
코프레우스	오케아노스	필리오스
아르테미스	에우리티온	하데스
키론	스키티아	헤르메스
폴루스	네레이스 1	카론
아드메투스	네레이스 2	밀레아그로스의 혼령
디오메데스	네레이스 3	

첫째 임무: 네메아 사자

[페이드인: 옥외. 이올라우스와 헤라클레스는 마차를 타고 아르골리스의 네메아로 가고 있다.]

이올라우스 광장에서 아저씨가 시련을 당하는 동안 내 심장엔 정말 피가 흘렀어요.

헤라클레스 그 반대로 오히려 난 호의로 받아들였다. 난 모욕과 시련을 모두 포용했어. 매 순간 당할 때마다 고통을 조금씩 둔화시키면서 내가 살아

있는 기분을 더 느끼게 해주었어.

이올라우스 그렇지만 열두 가지 임무는 다 불가능한 것들이어요.

헤라클레스 힘들수록 더 좋다. 내가 저지른 짓을 생각하면 그만한 벌을 받아 마땅하지. 그 열두 가지가 어떤 것들인지 빨리 치르고 싶구나. 그렇게 함으로써 지금까지 내가 한 행동처럼 나 자신으로부터 피하지 않고 정면으로 나를 마주 볼 테다.

이올라우스 좋아요. 그럼 첫 번째 임무부터 수행해야지요. 네메아 사자는 에키드나와 오르투스 사이에 태어났어요. 이것들은 세상에서 가장 끔찍한 괴물을 생산했지요.

헤라클레스 내겐 아폴로의 활과 화살이 있고 또 올리브 나무로 된 곤봉이 있으니, 네메아 사자와 당당하게 맞설 수 있어.

이올라우스 아직까지는 네메아 사자와 맞선 자가 없었어요.

헤라클레스 아직까진 헤라클레스가 시도하지 않았으니까.

이올라우스 아저씨 본래의 모습을 찾으신 것 같아요. 그렇게 말씀하시는 걸 들으니 기분이 좋군요.

헤라클레스 내가 지은 죄를 사함받기 위해 무언가 한다는 건 기분 좋은 일이지.
(페이드아웃.)

[페이드인: 옥외. 아르골리스의 네메아. 이올라우스와 헤라클레스.]

헤라클레스 인내는 내 장기가 아니야.

이올라우스 알고 있어요. 여기서 야영한 지 벌써 한 달이 되었어요. 사자는 꼭 나타날 거여요.

헤라클레스 이상한 일이다. 태양은 빛나는데 어째서 구름이 우리 쪽으로 움직이고 있지?.

이올라우스 아저씨, 저건 구름이 아닌데요. 네메아 사자여요!

헤라클레스 사자의 도착을 아폴로의 화살로 맞이해야겠다.

(*헤라클레스는 세 발의 화살을 연속으로 쏜다. 그러나 화살은 사자를 맞추고도 그냥 튕겨 나온다.*)

이올라우스 아폴로의 화살이 저놈에겐 효력이 없나 봐요.
헤라클레스 내 곤봉이 해치울 거다.

(*헤라클레스는 나무 크기만 한 곤봉으로 사자를 계속 때리면서 몰아세운다. 그 정도 맞으면 보통의 사자라면 쓰러져야 하는데 네메아 사자는 꼬덕도 없다.*)

이올라우스 그 곤봉으로도 버틸 수 없겠어요. 우리 어서 달아나요!
헤라클레스 헤라클레스는 달아나지 않는다. 무기가 모두 실패하면 헤라클레스는
　　　　　　헤라클레스의 몸을 의지하지.

(*헤라클레스는 맨손으로 사자의 목을 잡는다. 그는 목을 잡아서 단단히 죄고 비틀고 또 비틀면서 쥐어짠다.*)

이올라우스 아저씨가 이겼어요, 헤라클레스. 아저씨가 해냈어요.

(*헤라클레스는 사자를 젖은 타월처럼 점점 빠르게 빙빙 돌리고 조여서 몸통의 뒷부분이 마치 포탄 알처럼 보인다. 네메아 사자가 완전히 죽은 후 헤라클레스는 이를 바닥에 던진다.*)

이올라우스 맨손으로 해치우셨어요, 헤라클레스!
헤라클레스 맨손으로 이놈을 에우리스테우스 왕에게 전달할 것이다. [페이드아

웃.]

[페이드인: 실내. 미케네. 에우리스테우스 왕의 궁전. 전령 코프레우스가 급히 들어온다.]

코프레우스 전하, 헤라클레스가 거대한 사자를 등에 지고 도시로 오고 있습니다.
에우리스테우스 왕 나를 그 사자 밑에 깔아버리려는 게 틀림없어. 그를 도시 경
　　　계선 안으로 들어오지 못하도록 병사들이 지키게 하라.

(에우리스테우스 왕은 그의 안전을 위해 만들어 놓은 청동 항아리 속에 숨을 의
도로 급히 자리를 피한다.)

코프레우스 그러나 전하, 헤라클레스가 수행할 두 번째 임무를 지시해 주셔야
　　　합니다.
에우리스테우스 왕 어서 가서 병사들이 그를 도시 안으로 들어오지 못하게 해.
　　　두 번째 임무는 레르나의 히드라를 죽이는 것이라고 알려주어라.

(코프레우스는 병사들을 호출하기 위해 급히 나간다. 페이드아웃.)

둘째 임무: 레르나의 히드라

[페이드인: 옥외. 아르골리스의 레르나 늪지에 있는 아미모네 샘. 이곳은 음침하
고 안개가 짙고 수양버들이 늘어져 있고 무덤처럼 애도의 울음소리가 음산하게
들린다. 이올라우스와 헤라클레스는 둑 위에 있다.]

이올라우스　여긴 기분이 오싹하네요.

헤라클레스　49명의 살해된 신랑들 머리가 있는 곳이 여기야.

이올라우스　신혼 첫날 밤에 신부들 손에 모두 죽었다지요.

(*비탄의 합창 소리가 들린다.*)

헤라클레스　비통한 소리가 굉장하구나. 히드라는 그 할아버지가 만들어 준 샘
　　　　　　　속에서 신랑 머리들하고 같이 살고 있어.

이올라우스　기괴한 곳임이 틀림없군요.

(*갑자기 안개가 벗겨진다. 레르나의 히드라가 나타나면서 수양버들이 양쪽으로
갈라진다. 수양버들 한쪽 끝에는 50개의 머리가 달린 거대한 뱀이 있고 다른 끝
에는 거대한 게가 한 마리 있다. 이 게의 크기는 20피트쯤 되고 게의 발들이 열
었다 닫았다 하기를 계속한다.*)

이올라우스　저 게 한 마리만 해도 만만치 않겠는데, 저것이 히드라와 같이 힘을
　　　　　　　합치면- 헤라클레스, 포기해야겠어요.

헤라클레스　그렇게 말하면 안 되지, 이올라우스.

이올라우스　알아요. 제 도움이 필요하면 같이 있을게요.

헤라클레스　히드라를 잡기 위해서는 내가 믿는 칼이 있고, 저 게를 잡는 데는
　　　　　　　내가 믿는 내 힘이 있지. 이올라우스, 두려워할 것 없어. 둘 다 속전속
　　　　　　　결로 해치울 테다.

(*헤라클레스는 두 괴물에게 다가간다. 히드라의 50개의 머리가 빙빙 돌고 게는
끔찍한 다리를 잽싸게 움츠렸다 풀었다 하기를 반복한다. 헤라클레스는 칼을 들
어 단번에 게의 몸을 두 동강 내고 발로 짓밟아 죽인다. 그는 재빠르게 히드라의*

머리를 잘라내지만 하나를 자르면 그 자리에서 두 개의 머리가 돋아난다. 불가능하다는 것을 안 헤라클레스는 이올라우스에게 되돌아 뛰어온다.)

이올라우스 제가 포기하는 게 낫다고 그랬지요, 헤라클레스.

헤라클레스 너는 가서 횃불을 가져오너라, 이올라우스. 대가리를 잘라 낸 자리를 불로 지져서 다시는 머리가 생기지 못하게 해야겠다.

이올라우스 그렇지만 그중엔 불멸의 머리가 하나 있잖아요.

헤라클레스 그것도 내가 처리할 거야. 자, 너는 어서 가서 횃불을 가져오고 내 뒤를 따라라.

(이올라우스는 불이 붙은 나무토막을 가지고 와서 헤라클레스 뒤를 조심스럽게 따른다. 헤라클레스는 한 번 더 히드라에게 접근한다.)

이올라우스 이놈의 대가리들이 나무에서 떨어지는 낙엽처럼 내 주위를 어지럽히고 소용돌이치는군요. 서두르세요, 헤라클레스! 솔직히, 전 무서워서 쓰러질 것 같아요. 어지러워요.

(헤라클레스가 머리 하나를 자른다.)

헤라클레스 자, 그 횃불을 어서 이리 줘! 빨리!

(헤라클레스는 머리를 하나하나 절단하고 절단한 대가리가 늪으로 떨어질 때마다 토막 난 그 자리를 이올라우스가 불로 지진다. 마지막 불멸의 머리는 늪으로 떨어지지 않고 표면에서 미끄러진다.)

이올라우스 빨리 빨리요, 헤라클레스! 저놈이 미끄러져 도망가기 전에요. 놓치면

대가리들을 더 만들어낼 거예요.

(헤라클레스의 큰 몸이 넘어지고 미끄러지고 물을 튀기며 도망가는 불멸의 머리를 놓치는 모습은 자못 우스꽝스럽다. 드디어 몸을 앞으로 던져 쫓아가서 꿈틀대는 히드라 머리를 두 손으로 잡고 늪 위로 다시 떠 오른다. 헤라클레스는 큰 바위가 있는 곳으로 간다. 요동치는 대가리를 두 팔로 꽉 잡고 그의 거대한 어깨를 사용하여 큰 바위를 움직인다. 그는 히드라의 머리를 바위 밑에 넣고 머리 전체가 바위 밑에 깔릴 때까지 발로 조금씩 조금씩 바위를 굴린다.)

헤라클레스 이제 됐다. 네 놈은 영원히 그 밑에 깔려 죽어 있어라.

(헤라클레스는 히드라의 50개 머리를 잘라내고 히드라의 죽은 몸통이 있는 늪으로 온다. 그는 칼을 꺼내어 히드라의 비장을 자르고 독물을 짜서 용기에 담는다.)

헤라클레스 이 독을 내 화살에 묻혀야겠어. 히드라의 독을 바른 화살에 맞으면 살아날 자가 없지.

이올라우스 두 번째 임무를 끝냈어요, 헤라클레스! 아저씨에겐 불가능이 통하지 않는군요.

헤라클레스 나의 충직한 조카의 도움으로 할 수 있었지.

이올라우스 그거야, 아저씨한테는 50개의 머릿수에 해당하는 50개의 손이 없으니까 그렇지요.

헤라클레스 미케네로 돌아가자.

이올라우스 에우리스테우스 왕이 이번에는 뭐라고 하는지 두고 볼 일이네요.
[페이드아웃.]

셋째 임무: 케리네이아 암사슴

[페이드인: 옥외. 아르골리스의 오이노에 숲. 헤라클레스와 이올라우스.]

헤라클레스 이번 임무는 어려운 걸 나도 인정해.

이올라우스 정말 힘들군요. 벌써 추적한 지 일 년째 되었어요.

헤라클레스 힘으로 누르는 건 내가 얼마든지 하겠는데 지략이나 인내를 필요로
　　　　　하는 건 내 몫이 아니야. 그런 게 내게 어려운 점인 건 너도 알지.

이올라우스 저도 아저씨가 목격한 것처럼 케리네이아 암사슴이 스치는 걸 얼결
　　　　　에 보았는데-

헤라클레스 눈 깜짝할 사이에 사라져 버리거든.

이올라우스 이번 임무는 아르테미스 여신의 특별한 관심거리라서 훨씬 더 복잡
　　　　　하군요. 우리가 쫓는 암사슴은 아르테미스 마차를 끄는 네 마리 중 하
　　　　　나지요.

헤라클레스 그건 나도 알고 있어. 여신은 자기 사슴이 미케네로 가는 걸 원치
　　　　　않아. 자신의 마차를 끌기 원하니까. 그런데 내 임무는 그 사슴을 미케
　　　　　네로 데리고 가는 거란 말이다.

이올라우스 너무 잽싸게 달아나니 잡기 어려워요.

헤라클레스 내게 생각이 있다, 이올라우스. 헤파에스투스가 사용한 방법을 빌려
　　　　　야겠어. 그에게 통했으니 내게도 통하겠지. 넌 여기서 기다리고 있어
　　　　　라. [페이드아웃.]

[페이드인: 옥외. 라돈강. 오이노에 숲. 이올라우스와 헤라클레스. 몇 시간이 지
난 후.]

이올라우스 사슴 사냥을 저도 좋아하지만 이건 너무 순식간에 나타났다 사라지

니 정말 어렵군요.

헤라클레스 나타나기만 하면 이번에는 사라지지 못할 거다.

이올라우스 글쎄요.

헤라클레스 곧 알게 될 거야.

(*강에서 심하게 몸부림치는 소리가 들린다. 이올라우스는 깜짝 놀란다.*)

이올라우스 무슨 소리여요?

헤라클레스 내가 맞는다면, 저건 케리네이아 암사슴이 내가 쳐놓은 그물에 걸린 거야.

이올라우스 아, 헤파에스투스가 한 일을 이제 알겠네요. 아프로디테와 연인 아레스를 그물에 걸리게 했었지요.

헤라클레스 케리네이아 사슴을 내가 그물로 잡았어. 미케네로 끌고 갈 준비를 하자. (페이드아웃.)

[페이드인: 옥외. 미케네로 가는 길. 헤라클레스와 이올라우스가 탄 마차를 아르테미스가 손을 흔들어 세운다.]

아르테미스 멈춰요, 헤라클레스.

(*헤라클레스는 마차에서 내려와 아르테미스를 만난다.*)

헤라클레스 여신이여, 무슨 일입니까?

아르테미스 당신이 잡은 그 케리네이아 암사슴 말인데요. 그건 내 소유입니다.

헤라클레스 송구스럽지만 이걸 넘겨드릴 수가 없습니다. 저는 지금 에우리스테우스 왕의 세 번째 임무 수행으로 이 사슴을 다치지 않게 미케네로 데리고 가야 합니다.

아르테미스 그 암사슴으로 말하면, 실은 아틀라스와 플레이오네 사이에 낳은 일곱 딸 중 하나이고, 전에는 나의 헌신 요정이었어요.

헤라클레스 그렇다 해도—

아르테미스 그 아이를 내가 암사슴으로 변신시켜서 제우스의 탐욕을 피하게 했던 겁니다 그러니 그 암사슴을 내게 돌려줘야 해요.

헤라클레스 이 사슴을 여신께 돌려드리면 제가 세 번째 임무를 어찌 완성할 수 있겠습니까?

아르테미스 사슴을 미케네로 데리고 가기만 하면 임무는 끝나는 건가요?

헤라클레스 그렇습니다.

아르테미스 좋아요. 그럼 미케네에서 봅시다.

(*아르테미스는 헤라클레스를 세워두고 마차로 간다. 페이드아웃.*)

[페이드인: 옥외. 미케네 외곽. 헤라클레스는 케리네이아 암사슴을 두 팔에 안고 간다. 이올라우스와 코프레우스.]

헤라클레스 케리네이아 암사슴이 당신 발아래 있소. 에우리스테우스 왕에게 나의 세 번째 임무 완성을 증명해주시오.

코프레우스 예, 증명하겠습니다.

(*아르테미스는 마차를 타고 다가와 마차에서 내린다. 그녀가 케리네이아 암사슴에게 가서 그녀의 화살로 건드리자 그물이 벗겨진다. 그리고 그의 자매 암사슴들이 있는 아르테미스 마차에 합류시킨다.*)

아르테미스 잘 가요, 헤라클레스. 타유게테를 돌려주어 고마워요.

(*아르테미스는 네 마리의 암사슴이 이끄는 마차를 타고 떠난다.*)

코프레우스 네 번째 임무는 에리만토스 멧돼지를 잡는 것입니다.
헤라클레스 잡으러 가리다. (페이드아웃.)

넷째 임무: 에리만토스 멧돼지

[페이드인: 옥외. 말레아 케이프. 펠로폰네소스반도. 헤라클레스와 이올라우스.]

헤라클레스 여기서 기다리고 있어라, 이올라우스. 에리만토스 멧돼지를 잡으러
　　　　가기 전에 켄타우로스들을 방문해야 해. 내 방문을 디오니소스가 공고
　　　　해 놨어.
이올라우스 위험할 텐데요. 켄타우로스들은 사나워요.
헤라클레스 그건 나도 알고 있어. 감히 제우스를 속이고 그 아내 헤라를 유혹하
　　　　려던 교활한 익시온의 후손들이지.
이올라우스 그런데 거길 왜 가려고 하세요?
헤라클레스 위험하다고 해서 피할 내가 아니지. 두려워할 것 없어. 꼭 돌아온다.
　　　　(페이드아웃.)

[페이드인: 실내. 말레아 케이프에 있는 동굴. 헤라클레스는 켄타우로스들과 폴
루스와 키론과 함께 있다.]

폴루스 헤라클레스, 어서 오시오. 기다리고 있었소. 보다시피 동지 켄타우로
　　　　스들이 열심히 만찬을 준비 중이오.
키론 환영하오, 헤라클레스.

헤라클레스 크로노스 아들의 중요한 선생인 키론이여, 반갑습니다.

키론 불멸의 존재인 내가 또 다른 불멸의 존재 헤라클레스, 당신을 보니 기쁘고도 슬프다는 말을 해야겠소.

헤라클레스 그건 왜 그렇습니까?

키론 당신을 보니 반가운데 당신이 여기 있는 이유 때문에 슬픕니다.

헤라클레스 그러나, 키론, 당신의 슬픔은 나의 슬픔과 견줄 바가 아닐 텐데요.

키론 비록 우리 둘이 피차 불멸의 존재들이라 해도 말이오, 헤라클레스, 인간이 경험하는 슬픔의 화살과 절망의 멍에를 벗어나지는 못하오.

헤라클레스 나의 광기에 관한 말을 이제는 말할 수 있게 되었습니다.

키론 그 얘기는 그만하고 어서 만찬을 즐깁시다. 준비가 다 됐군요.

(그들은 거대한 테이블에 헤라클레스를 폴루스와 키론 사이에 앉히고 다른 켄타우로스들은 한 줄로 앉는다. 헤라클레스는 구운 고기 한쪽을 집는다.)

헤라클레스 초대해주신 분들께 불평하려는 뜻은 아닙니다만 이런 훌륭한 식탁에는 어울리는 포도주가 있어야 하지 않을까요?

폴루스 디오니소스가 여기 있을 때 두고 간 포도주 병이 있지요.

헤라클레스 그렇다면—

키론 헤라클레스, 폴루스는 켄타우로스들이 이들의 짐승 같은 성질을 통제하지 못할까 봐 걱정하고 있어요.

헤라클레스 허튼 소리요. 약간의 포도주로 거칠어질 자는 없어요. 자, 폴루스, 그 포도주 병을 따시지요. 포도주 열매로 빚은 디오니소스 술맛 좀 봅시다.

(내키지 않지만 폴루스는 큰 포도주 통 마개를 열고 잔에 따라서 모두에게 돌린다. 켄타우로스들은 처음에는 기분 좋게 조금씩 맛을 보다가 점점 가득히 부어

마시고 또 마시고 계속 마신다. 이내 폴루스와 키론을 제외한 켄타우로스들은
모두 술에 취한다. 이들은 헤라클레스 주변에 모여들어 점점 이야기가 늘어나면
서 헤라클레스를 밀고 난폭하게 떠민다.)

헤라클레스 저리 비켜, 비키라니까! 날 화내게 하지 말고 저리 비켜라!

(켄타우로스들은 말굽 발로 헤라클레스를 밟기 시작한다. 헤라클레스는 히드라
독이 묻어있는 화살을 잡는다. 화살을 맞은 켄타우로스는 발 구르기를 멈추고
그 자리에서 죽는다. 더 많은 화살이 날아가고 곧 15명이나 20명이 쓰러져 죽는
다. 나머지는 물러서서 동굴 밖으로 나간다.)

헤라클레스 미안하오, 폴루스. 이런 일을 일으킬 의도는 전혀 없었소. 불행하게
이런 일이 일어난 건 정말 뜻밖이오.

(폴루스는 독 묻은 화살들을 점검한다.)

폴루스 이 작은 도구가 이렇게 많은 켄타우로스들을 죽게 할 수 있다니.

(폴루스는 뜻하지 않게 독 묻은 화살을 그의 발에 떨어트린다. 헤라클레스가 그
를 도우려고 급히 달려간다.)

헤라클레스 오 슬프도다! 나를 접대해주신 폴루스여, 그 화살에 독이 묻었어요.
독의 효력을 돌이킬 순 없습니다!

폴루스 헤라클레스, 당신을 탓하지 마시오. 이건 신들의 뜻이오. 디오니소스
는 당신을 위해 포도주 통을 열기 바랐소. 활을 떨어트린 건 당신이
아니고 나요.

키론   헤라클레스, 폴루스의 말이 맞아요. 어서 가서 당신의 네 번째 임무를
수행하시오. 폴루스는 나의 치료 방법으로 손을 써 보겠소.

(*헤라클레스는 슬프게 활을 집어서 자리를 뜬다. 페이드아웃.*)

[페이드인: 옥외. 말레아 케이프. 펠로폰네소스반도. 이올라우스가 바위에 앉아
헤라클레스가 돌아오기를 기다리고 있다. 소리가 나자 그는 무기를 손에 쥐고
급히 몸을 돌린다.]

헤라클레스   나다, 이올라우스.
이올라우스   왜 그렇게 오래 걸렸어요, 헤라클레스?
헤라클레스   목적지에 가는 길에 얘기해줄게. (페이드아웃.)

[페이드인: 옥외. 에리만토스 산꼭대기. 에리만토스 멧돼지 우리 밖. 헤라클레스
와 이올라우스.]

이올라우스   케리네이아 암사슴을 붙잡을 때처럼 그물을 사용하시려는 거군요.
그런데 우리 밖으로는 어떻게 끌어내실 건가요?
헤라클레스   내 방법이 있어, 이올라우스. 밖으로 끌어내기 전에 이 눈덩이를 우
리 문 입구에 옮겨다 놓는 걸 도와다오.

(*헤라클레스와 이올라우스는 눈덩이를 들고 멧돼지 우리로 간다. 기대어 쉬고
있는 멧돼지를 헤라클레스는 내려다본다. 길이가 150피트이고 넓이가 50피트로
300피트 되는 구덩이에 누워있다. 헤라클레스는 손으로 입을 막고 소리 지른다.*)

헤라클레스   수이이 − 멧돼지야. 수이이 − 멧돼지야. 헤라클레스에게로 오너라.

넌 나를 잡을 수 없어.

(멧돼지는 귀를 쫑긋하고 몇 번 으르렁댄다.)

헤라클레스 수이이- 수이이- 난 너보다 더 크게 으르렁댈 수 있어. 너보다 뭐
든지 더 잘할 수 있다. 어서 이리 나오너라. 수이이- 에리만토스 멧돼
지야- 와서 날 잡아봐라.

(멧돼지는 움직이고 우리 밖으로 나와서 헤라클레스를 쫓아간다. 헤라클레스는
그를 이끌어내어 빙글빙글 돌게 만들어 이올라우스와 그가 교묘하게 계획한 대
로 그를 거대한 눈밭이 되게 한다. 헤라클레스는 멧돼지가 그에게 덤비려고 하
는 순간 재치 있게 눈밭 옆으로 발길을 옮긴다. 멧돼지는 눈밭에 몸을 던져 잡힌
다. 헤라클레스는 거대한 그물로 눈 더미 전체를 싸고 산에서 눈사태를 일으켜
그물에 끌어들인다. 이올라우스가 나무에 끈을 묶는 동안 헤라클레스는 눈사태
로 떠내려가지 못하게 그물을 꽉 붙잡고 있다. 멧돼지는 안전하게 그물에 걸린
다.)

헤라클레스 에리만토스 멧돼지를 내가 직접 에우리스테우스 왕의 궁전으로 가
지고 가겠다.

(이올라우스는 큰 소리로 웃는다.)

이올라우스 왕이 아저씨를 맞이하기 전에 청동 항아리가 아저씨를 먼저 맞이할
게 틀림없어요.

(별로 잘 웃지 않는 헤라클레스도 이올라우스와 함께 웃고 멧돼지를 목걸이 걸

듯 어깨에 둘러멘다. 페이드아웃.)

다섯째 임무: 아우게우스 왕의 외양간 청소

[페이드인: 옥외. 펠로폰네소스반도의 엘리스시. 이올라우스와 헤라클레스가 마차를 타고 온다.]

이올라우스　아이고— 구린내— 똥냄새가 진동을 하네요.

헤라클레스　아우게우스 외양간 소제를 우습게 볼 일이 아니군.

이올라우스　똥이 무릎까지 차네요. 토할 것 같아요.

헤라클레스　이걸 하루에 다 치워야 한단 말이지. 그렇단 거지, 이올라우스?

이올라우스　에우리스테우스 왕이 다섯째 임무 수행에서 그렇게 말했어요. 그런 조건을 달았어요.

헤라클레스　외양간을 한번 둘러보자.

이올라우스　좋아요. 저처럼 코를 꼭 막으세요. (페이드아웃.)

[페이드인: 옥외. 알페이오스강 근처. 헤라클레스는 아우게우스 외양간과 알페이오스강 사이에 바쁘게 도랑을 판다. 도랑은 넓이가 50피트이다. 헤라클레스는 빠른 속도로 흙을 판다. 도랑이 강에 연결되었을 때 급물살이 외양간까지 밀려 들어 오자 물살의 힘으로 헤라클레스는 쓰러진다. 힘찬 물줄기는 외양간 반대쪽 강으로 밀려간다. 외양간이 깨끗하게 청소된 후 헤라클레스는 강과 외양간 사이의 도랑을 다시 메꾸고 구멍들을 막는다. 외양간과 알페이오스강 사이의 도랑은 원래 모습을 찾는다. 헤라클레스는 이올라우스와 다시 합류한다.]

이올라우스　휴— 이제야 숨이 제대로 쉬어지네요.

헤라클레스 똥냄새가 사라졌어.

이올라우스 우리도 사라져야지요.

헤라클레스 여섯째 임무를 향해서. (페이드아웃.)

여섯째 임무: 스팀팔로스의 새

[페이드인: 옥외. 스팀팔로스 호수. 아르카디아. 이올라우스와 헤라클레스.]

이올라우스 소똥 치우는 일이 끝나니 이제는 새똥과 뻣뻣한 새털 치우는 일이군
요.

(*헤라클레스는 그의 팔에서 강철 같은 털을 뽑아낸다.*)

헤라클레스 요것이 꽤나 아프네.

이올라우스 냄새도 아주 고약하구요.

헤라클레스 아테나 여신이 날 도와주기로 했어.

이올라우스 정말이지 도움이 많이 필요하겠어요. (페이드아웃.)

[페이드인: 옥외. 스팀팔로스의 새 떼가 있는 골짜기. 헤라클레스는 아테나가 그
에게 준 청동으로 된 거대한 딸랑이를 휘두른다. 한번 흔들 때마다 수천 마리의
새 떼가 날아간다. 새똥, 새털, 새들이 한 덩어리가 되어 마치 바람에 흙먼지를
일으키는 것처럼 보인다. 여러 차례 딸랑이를 흔든 후 드디어 새들이 모두 없어
졌다.]

헤라클레스 됐다. 이제는 스팀팔로스 호수가 사람들이 평화롭게 밭 갈고 수확할

수 있게 되었어. 새똥도 철사 같은 털도 없고, 자, 여섯째 임무가 끝났다. (페이드아웃.)

일곱째 임무: 미노타우로스

[페이드인: 크레타섬. 이올라우스와 헤라클레스.]

이올라우스 에우리스테우스 왕은 이제 아저씨를 더 먼 곳으로 보내는군요. 우린 이곳 크레타섬까지 왔어요.

헤라클레스 이곳은 미노타우로스의 고향이지.

이올라우스 몸은 인간이고 머리는 황소로 된 그 유명한 괴물 말이지요.

헤라클레스 그래. 포세이돈이 제물용으로 보낸 잘생긴 황소를 본 미노스 왕의 아내 파시파에는 그 황소에 반해서 열정을 느꼈단다.

이올라우스 미노스 왕은 그렇다면 황소를 제물로 삼을 기회를 영 놓친 셈이군요.

헤라클레스 아니지. 그렇지 않고 오쟁이 잡힌 신세가 된 거지.

이올라우스 매우 특이한 경우네요. 어찌 그런 일이 있을 수 있나요?

헤라클레스 아테네에서 온 비범한 명장(明匠) 다이달로스가 이 문제에 손을 써서, 나무로 된 거대한 암소를 만들었거든. 그래서 파시파에가 그 안에 들어가서 황소와 교접을 할 수 있었던 거야.

이올라우스 다이달로스가 아니고서야 누가 그런 생각을 해냈겠어요.

헤라클레스 파시파에가 아니고서야 누가 그런 주문을 하겠느냐. 너도 알겠지만 그 여자 집안은 키르케와 메데이아 같은 마녀 계통이거든.

이올라우스 이제 알겠군요. 왜 미노스가 그 괴물을 없애고 싶어 하는지.

헤라클레스 누구나 미노타우로스 같은 사생아를 갖는 건 아니다.

이올라우스 아저씨가 그 괴물을 잡아서 미케네의 에우리스테우스 왕에게 데리고 갈 예정이지요?

헤라클레스 그렇지만 미노스 왕은 그 괴물을 죽이지 않을 거라고 생각한다.

이올라우스 아내가 낳은 자식을 어떻게 죽이겠어요. 다른 자식들과는 배 다른 형제잖아요? 친족에게 폭력을 휘두르는 건 제우스의 법에 어긋나는 일이고요.

헤라클레스 문제가 되는 건 틀림없지. 그러나 지금은 내 문제가 더 크다. 어떻게 미노타우로스를 산 채로 에우리스테우스 왕에게 가져갈 수 있느냐. 그게 내 문제야. (페이드아웃.)

[페이드인: 옥외. 이끼가 끼어있는 크레타 계곡에 위치한 수정처럼 맑은 호수에 아름다운 흰 황소 한 마리가 네 발을 꿇고 물을 끼얹고 있다. 황소라기보다는 머리는 황소이나 몸은 인체를 가진 미노타우로스이다. 헤라클레스는 몰래 다가가서 개구리처럼 팔딱 뛰어 그의 등에 올라탄다. 헤라클레스는 미노타우로스 등에 업혔다. 헤라클레스의 두 팔이 미노타우로스의 머리를 부둥켜안아서 황소는 뿔을 사용할 수 없게 되었다. 헤라클레스가 그의 사자 케이프로 황소 머리와 어깨를 두르니, 미노타우로스에게 구속복(拘束服)을 입힌 셈이 된다. 헤라클레스는 재빨리 케이프를 끈으로 묶는다. 미노타우로스는 벗어나려고 애쓰나 실패한다. 껑충껑충 뛰어보지만 머리에 케이프가 있어서 앞이 보이지 않고 줄에 묶여서 이내 쓰러진다. 헤라클레스는 느슨한 줄 끝으로 미노타우로스의 발을 묶고 미케네로 데리고 가기 위해 이올라우스가 기다리고 있는 곳으로 간다.]

이올라우스 그게 뭐예요, 헤라클레스?

헤라클레스 내 일곱째 임무야. 잘 묶였으니 데리고 가기만 하면 된다. (페이드아웃.)

여덟째 임무: 디오메데스 왕의 식인 암말들

[페이드인: 옥외. 북부 그리스 테살리아 지역. 이올라우스와 헤라클레스.]

헤라클레스 내 친구 아드메투스의 궁전에 들렀다 가자.

이올라우스 아드메투스 왕은 공정하고 자혜롭기로 이름난 왕이지요.

헤라클레스 그래서 여덟째 임무를 수행하러 트라키아로 가기 전에 그곳에서 하룻밤 쉬어 가려는 거야. [페이드아웃.]

[페이드인: 실내. 아드메투스 왕의 궁전. 테살리아의 페라이 마을. 아드메투스 왕, 헤라클레스, 이올라우스.]

아드메투스 왕 어서 오게, 나의 좋은 친구 헤라클레스여. 이올라우스, 자네도 환영하네.

이올라우스 제가 좀 씻을 수 있게 허락해주시겠습니까?

(*아드메투스 왕은 신하를 부른다.*)

아드메투스 왕 손님을 목욕탕으로 안내해드려라.

이올라우스 감사합니다, 전하.

(*이올라우스는 신하를 따라 나간다.*)

헤라클레스 아드메투스, 자네도 알다시피 날 괴롭히는 건 바깥의 먼지가 아니라 내 안에 있는 먼지라네.

(아드메투스 왕은 포도주를 잔에 따른다.)

아드메투스 왕 자 이걸 받아, 헤라클레스. 자네 몸 안에 있는 먼지를 씻어줄 걸세.

헤라클레스 자네 얼굴이 어두워 보이는데 무슨 일이라도 있나?

아드메투스 왕 내 아내 알케스티스가 많이 아프다네. 나 때문이야.

헤라클레스 자기 탓으로 돌리는 게 마치 나처럼 들리는군. 내 경우엔 모두 내 탓이라 할 수 있지만, 자네야 어디ㅡ

아드메투스 왕 그게 그렇지 않네. 내 탓이야. 운명의 세 여신과 내가 거래를 했는데 내 수명이 끝날 때가 되었어. 운명의 세 여신은 죽음이 나를 부르러 올 때 누군가 나를 대신해주면 내가 살 수 있다는 거요.

헤라클레스 그런데 알케스티스가 자네 대신 간다고 했단 말이지.

아드메투스 왕 내가 그걸 허용했으니 나야말로 경멸스러운 존재야. 늙으신 내 부모님께 요청했더니 거절하시더군.

헤라클레스 그런데 젊고 아름다운 자네 아내가 그걸 동의했단 말인가. 이보다 더 큰 사랑의 여인이 세상에 또 있을까.

아드메투스 왕 나보다 더 이기적인 사람이 세상에 또 있을까. 오, 헤라클레스 난 어찌해야 좋겠나?

헤라클레스 아내가 가는 걸 막으면 되지.

아드메투스 왕 그런데 죽음의 사자가 지금 이곳에 다 왔단 말일세. 그를 거절할 길은 없잖은가.

헤라클레스 내가 거절하지. 그자는 지금 어디 있나?

아드메투스 왕 아내가 숨을 거두기만 기다리고 아내 옆에 있어. 헤라클레스, 누구도 죽음의 사자를 거부할 수 없지 않은가!

헤라클레스 헤라클레스가 두려워하는 자는 아무도 없다는 걸 자네도 알고 있겠지. (페이드아웃.)

[페이드인: 실내. 알케스티스의 침실. 가족들이 흐느끼며 그녀의 침상 주위에 있다. 검은 옷을 입은 으스스한 모습의 죽음의 사자는 모래가 얼마 남지 않은 모래시계를 손에 들고 발코니에 서 있다. 헤라클레스와 아드메투스 왕이 들어온다.]

아드메투스 왕 마지막 모래알이 떨어지기만을 기다리고 저기 발코니에 저자가 서 있네.

헤라클레스 절대로 저자의 뜻대로 되지 않을 것이다!

(*헤라클레스는 발코니로 달려가서 죽음의 사자와 씨름을 벌인다. 바닥에 떨어진 모래시계를 헤라클레스는 발로 밟아 깨트린다. 그리고는 죽음의 사자와 맞붙어서 극렬하게 싸운다. 죽음의 사자는 결코 항복하지 않는다. 양쪽 모두 서로를 꽉 붙잡고 있다. 이쪽저쪽 서로 쓰러트리면서 바닥에 뒹군다. 둘은 서로를 놓지 않은 채 발코니를 넘는다. 헤라클레스는 무겁게 숨을 몰아쉬며 엄청난 힘을 쏟고 있다.*)

헤라클레스 분명히 알아둬. 넌 알케스티스를 절대 데리고 못 간다.

(*죽음의 사자는 말은 하지 않지만 여전히 헤라클레스를 꽉 붙잡고 있다.*)

헤라클레스 어서 꺼져버려! 내 인내심에도 한계가 있다!

(*엄청난 힘을 발휘하면서 헤라클레스는 죽음의 사자를 공중에 내던지고 발길로 차서 그는 축구공처럼 튄다. 이건 죽음의 사자조차 견디기 어려운 대단한 공격으로 헤라클레스는 그를 다시 집어던지고 또 정확하게 차면서 지하 세계로 향하게 한다. 헤라클레스는 죽음의 사자가 사라지는 모습을 집게손가락으로 가리킨다.*)

헤라클레스　다시는 돌아오지 마라!

(*자신이 한 일을 만족해하면서 헤라클레스는 궁전으로 돌아온다. 페이드아웃.*)

[페이드인: 옥외. 트라키아. 에게해의 북쪽 지역. 이올라우스와 헤라클레스는 모닥불 앞에 앉아있다.]

이올라우스　여기 날씨는 이곳 사람만큼이나 맹렬하게 춥군요.

(*헤라클레스는 모닥불 앞으로 더 가까이 다가간다.*)

헤라클레스　북풍의 신 보레아스와 아레스의 후손들이니까 그렇지.

이올라우스　북풍의 맹렬함과 아레스의 폭력이 합쳤으니 대단한 조합이군요.

헤라클레스　디오메데스 왕은 아레스의 직손이거든.

이올라우스　말한테 인육을 먹이는 게 정말 사실인가요?

헤라클레스　오로지 사람 고기만 먹이고 있다니까.

이올라우스　그런 야만성이 존재한다는 생각을 하니 끔찍해요.

헤라클레스　내 식대로 하자면 - 보통은 난 내 식대로 하지만 - 디오메데스는 그가 한 똑같은 방식으로 보복당할 거야.

이올라우스　아저씨 계획은 이미 서 있는 것처럼 들리네요.

헤라클레스　너도 알지만 난 계획 같은 건 미리 세우지 않는다. 내 본능에 반응할 뿐이야. 이번에도 내 본능을 확실히 따를 것이다. 내가 아는 건 그게 전부야.

이올라우스　그게 바로 아저씨의 지식 전부지요. (페이드아웃.)

[페이드인: 옥외. 디오메데스 왕의 궁정 뜰에 있는 축사. 이올라우스와 헤라클레

스.]

이올라우스　최소한 간수들을 피할 일은 없네요.
헤라클레스　디오메데스의 말들은 지킬 필요가 없지. 이것들은 인육을 먹고 게다
　　　　　가 항상 배가 고파있으니까.
이올라우스　그런데 아저씨는 어떻게 그것들 가까이 가시려고요?
헤라클레스　아드메투스가 배를 준비해놓겠다고 했어. 바닷가에 배가 대기 중이
　　　　　야.
이올라우스　그런데 아저씨가 어떻게 잡아먹히지 않고 말들을 배까지 끌고 갈 수
　　　　　있는지 궁금해요.
헤라클레스　넌 배에 가서 기다리고 있어라. 어떻게든 내가 해결할 터이니. 넌 내
　　　　　가 할 수 있다는 걸 믿지?
이올라우스　네. 그래도 조심하세요, 아저씨.

(*이올라우스는 떠난다. 그가 떠난 후 헤라클레스는 수많은 나무들을 열심히 잘
라낸다. 잘라낸 통나무들을 엮어서 첫 우리와 마지막 우리를 제외하고는 모든
우리들을 열어놓아 마치 연결된 여러 대의 화물차와 같다. 첫 우리의 문은 열려
있고 마지막 우리의 문은 닫혀있다. 연결된 가운데 우리들은 통로가 된다. 헤라
클레스는 연결된 우리들을 축사 뒤의 울타리 옆에 놓아둔다. 헤라클레스는 축사
울타리에 서서 말들을 가차 없이 회초리로 때린다. 이들은 휘두르는 분노의 회
초리 바람에 동서남북 사방에서 모두들 우리 안으로 몰려 들어간다. 마지막 말
이 들어가자 헤라클레스는 첫 우리 칸의 문을 닫아 막고 안전하게 묶는다. 이제
갇힌 암말들을 모두 데리고 배에 갈 준비가 되었다. 다른 사람의 도움 없이 헤라
클레스는 혼자서 일련의 우리들을 끌고 간다. 페이드아웃.*)

[페이드인: 옥외. 바닷가. 방금 헤라클레스는 암말들을 실은 우리를 모두 배에

실었다. 이올라우스는 배를 타고 있다.]

이올라우스 헤라클레스, 저길 보세요! 디오메데스와 부하들이 우리를 공격하러
오고 있어요. 어서 빨리 도망가요!

헤라클레스 아니지. 내가 디오메데스에게 그의 방식으로 갚아주겠다고 했으니
그렇게 해줘야지. 히드라 독이 묻은 화살 몇 개면 디오메데스 부하들
은 단념할 거다.

이올라우스 디오메데스에게는 사용하지 않으실 건가요, 어- 아저씨?

헤라클레스 그자에게는 더 좋은 계획이 있어.

(헤라클레스가 몇 개의 화살을 달려오는 부하들에게 쏘자 화살 맞은 자들이 그
자리에서 죽는다. 이를 목격한 부하들은 목숨을 부지하기 위해 도망간다.)

디오메데스 왕 겁쟁이 몹쓸 놈들, 돌아와! 저자가 우리를 전부 죽이지는 못한다.
우리 쪽 수가 훨씬 더 많다.

(부하들은 유념치 않고 계속 도망간다.)

디오메데스 왕 비겁한 놈들! 비겁한 겁쟁이들!

(디오메데스 왕은 그의 부하들이 모두 그를 버리고 달아나는 것을 보고 또 헤라
클레스가 그를 덮칠 만한 거리에 있을 때 그 역시 도망가려 하지만 헤라클레스
는 단숨에 쉽게 그를 잡는다. 헤라클레스는 마치 요리사가 고기 접시라도 들듯
왕을 그의 머리 위로 번쩍 들어 올려, 식인 암말들이 있는 우리 문을 열고 그
안으로 던진다. 공포에 사로잡힌 디오메데스 왕은 소리 지른다.)

헤라클레스 말들아, 이 자를 먹어라, 수많은 그의 희생자들을 먹어 치운 것처럼 뜯어먹어라.

이올라우스 디오메데스 왕을 단숨에 먹어 버린 저 말들이 어떻게 저렇게 조용하고 얌전해졌어요?

헤라클레스 미케네의 에우리스테우스 왕에게 말들을 전달할 때쯤에는 가둬둘 필요도 없을 것 같구나.

이올라우스 그러겠는데요. 양처럼 온순해졌어요.

헤라클레스 나의 여덟째 임무를 완성했다. 전체 임무의 2/3는 해냈어. 내가 저지른 흉악한 죄의 값을 2/3는 치른 셈이지.

이올라우스 자신을 탓하지 마세요. 그 끔찍한 짓들은 헤라클레스가 한 게 아니잖아요. 그건 가짜 헤라클레스의 소행이었어요. 헤라클레스의 미친 모조품이 한 짓이었어요.

(*이들은 미케네로 항해할 준비를 한다. 페이드아웃.*)

아홉째 임무: 히폴리타의 허리띠

[페이드인: 옥외. 소아시아. 테미스크리야. 헤라클레스와 테세우스.]

헤라클레스 집안 일로 나와 함께 못 가는 이올라우스 대신 자네가 나와 동행해 준다니 고맙네, 테세우스. 이번 내 임무는 히폴리타의 허리띠를 가져오는 것이오. 그 허리띠는 히폴리타의 아버지 아레스가 그녀에게 준 선물이라네.

테세우스 헤라클레스, 난 자네와 기꺼이 동행하겠네. 영웅 중 영웅인 자네와 함께하는 것은 나의 큰 꿈을 이루는 것이라오.

헤라클레스 테세우스, 자네 도움이 필요하고말고. 남자나 동물은 내가 다룰 수 있는데 거친 여자들 경우라면 얘기가 다르지.

테세우스 그 여인들이 그렇게 거칠지는 않을 거요. 능숙한 전사들일 뿐이지. 게다가 여왕은 목적이 투철해요. 그 여인들이 모두 아름답지만 그중에서도 여왕은 빼어나게 아름답다고 들었소.

헤라클레스 여자의 마음을 끄는 자네 솜씨는 뛰어나니까 문제없겠어. 아마 히폴리타 여왕도 많은 여인들처럼 자네를 거부하기 어려울 걸세.

테세우스 아마존 여인들은 전쟁이나 번식을 위한 것 말고는 남자들과 접촉할 기회가 없어요. 여왕은 일종의 여왕벌 같단 말이오. 여왕벌의 상대자에게는 어떤 일이 일어나는지 자네도 알잖소.

헤라클레스 확신하는데, 아마존 여인이라도 자네는 이길 거네. 우리 내기할까, 테세우스?

테세우스 접근하는 데 문제가 있어요, 여보게. 여왕은 자기 근처에 누구도 접근하지 못하게 한단 말이오.

헤라클레스 어디 두고 보자고. (페이드아웃.)

[페이드인: 히폴리타 여왕의 궁전. 창병(槍兵)들이 네모꼴로 방진(方陣)하고 궁 앞을 지키고 서 있다. 헤라클레스와 테세우스는 조심스럽게 다가간다.]

테세우스 겁내지 마세요. 우린 당신들을 해치려고 온 게 아닙니다. 우리한텐 무기가 없어요. 조사해보세요. 위대한 여왕님을 알현코자 왔을 뿐입니다.

(*아마존 여전사들은 흔들림 없이 그대로 서 있다.*)

헤라클레스 아레스의 딸들이시여, 난 헤라클레스라고 합니다. 내가 잘못해서 살인죄를 범하게 된 얘기는 들으셨겠지요. 그 죄과를 씻기 위한 아홉째 임무 수행차 이곳에 온 것입니다. 이 임무를 완성하는 데는 당신들 여왕의 도움이 필요합니다. 부디 우리가 여왕님을 뵐 수 있도록 허락해 주십시오.

(*아마존 여전사들은 여전히 꼼짝 않고 서 있다.*)

테세우스   그냥 돌아가야겠소, 헤라클레스. 저 사람들은 꿈쩍도 하지 않네. 우릴 결코 허용할 것 같지 않구려.
헤라클레스   돌아갑시다.

(*헤라클레스와 테세우스는 그들의 야영지로 돌아간다. 페이드아웃.*)

[페이드인: 옥외. 그 후. 야영지. 헤라클레스와 테세우스. 아마존 메신저가 가까이 온다.]

메신저   여왕께서 당신들을 즉시 보자고 하십니다. 무기 없이 오십시오.
테세우스   지체 없이 따르겠소.

(*두 사람은 메신저를 따라나선다. 페이드아웃.*)

[페이드인: 실내. 왕좌가 있는 공식 알현실. 히폴리타 여왕이 멧돼지 가죽을 두른 왕좌에 앉아있다. 활을 빼 든 전사들이 네모꼴 방진으로 왕좌 양옆에 서 있다. 테세우스는 앞으로 나와서 히폴리타 여왕 앞에 무릎을 꿇는다. 헤라클레스는 뒤에 서 있다.]

히폴리타 당신이 테세우스 왕이지요. 아테네의 민주주의를 위해 당신이 펼친 용감하고 고귀한 노력은 이곳에도 널리 알려졌어요. 난 당신을 높이 평가합니다.

테세우스 저 역시 전투장에서의 여왕의 고귀한 모험을 높이 칭송하는 바입니다.

히폴리타 저의 아버님 아레스가 딸들에게 전투의 정열을 주입시키셨지요.

테세우스 그 외에 다른 정열을 심어주지는 않으셨나요?

(*이 말을 들은 히폴리타 여왕은 화를 낸다.*)

히폴리타 가당치 않은 상상이 심하시군요!

테세우스 용서하십시오, 전하. 어쩔 수가 없어서요. 여왕을 직접 뵈니 전쟁이니 전투장이니 하는 것들이 상상이 되지 않는군요.

히폴리타 우리 아마존 전사들은 당신이 상상하는 그런 정열과는 거리가 멉니다. 그 점에서 우린 아버지를 닮지 않았지요.

테세우스 그거 안 됐군요. 전하, 참 안 됐습니다.

히폴리타 우린 지금 당신의 방문 목적과 관계없는 얘기를 하고 있군요.

(*헤라클레스가 가까이 온다.*)

헤라클레스 예, 우리는 저의 아홉째 임무를 완성하기 위해 왔습니다. 여왕의 허리에 두르고 계신 띠를 제가 에우리스테우스 왕에게 가져가야 하는 일입니다.

히폴리타 있을 수 없는 일이오! 이 벨트는 나의 아마존 지배력을 상징하는 표시로 아버지로부터 받은 것이오.

테세우스 지당하신 말씀입니다, 전하. 딴 마음은 없습니다. 다만 한 가지 청을 들어주시겠습니까?

히폴리타 그게 무업니까?

테세우스 저희들이 이 왕국에 좀 더 머물러 있어도 될까요?

히폴리타 무기만 없다면 얼마든지 머물러도 좋소.

테세우스 황공합니다, 전하. (페이드아웃.)

[페이드인: 옥외. 야영장. 헤라클레스와 테세우스.]

헤라클레스 히폴리타의 허리띠도 얻지 못하면서 여기 더 머물러 있을 필요가 뭐가 있소?

테세우스 희망이 있다니까요, 헤라클레스.

헤라클레스 히폴리타가 불가능하다고 말했잖소.

테세우스 이봐요, 자넨 여자를 정말 모르는군. 여자의 변화를 이끌어내려면 다양한 단계를 거쳐야 해요. 절대 불가, 생각해볼 것도 없다, 그건 안 된다, 이런 식의 불가능한 생각을 차츰 바꾸어 놓아야 할 필요가 있단 말이오. 점점 설득의 기미를 파악하면서, 그러다 보면 상대방이 어떤 이상한 이유로 다른 결과를 가져오는, 깨달음을 통한 변화가 생긴다오. 차차 가능성으로 옮겨간단 말이오. 궁극적으로는 유연한 확신을 갖게 되고 확신을 얻은 후에는 안 된다고 했던 문제의 원리에 반대되는 긍정적 협정이 이루어진단 말이오. 이런 과정을 거치려면 부드럽게 설득할 시간적 여유가 필요한 것이오. 히폴리타 여왕은 우리에게 시간을 허락했고 나에겐 유연한 설득력이 있지 않소.

헤라클레스 자네가 말하는 건 내겐 모두 상상 밖일세. 이런 세심한 기술은 자네 같은 전문가에게 맡겨야 되겠지.

테세우스 날 믿어보시오. 히폴리타의 허리띠는 자네 손에 들어간 것이나 다름없으니까. (페이드아웃.)

[페이드인: 옥외. 6개월 후. 궁중 안뜰. 헤라클레스와 테세우스.]

헤라클레스 벌써 여러 개월이 지났네, 테세우스. 얼마나 더 있어야 하나?

테세우스 히폴리타가 내 아기를 가졌다네. 보통 여자가 아니지. 내가 요구하는 것은 이제 뭔지 들어줄 거요. 그렇지만 난 그녀를 두고 떠날 수가 없소. 그녀를 사랑하고 있다오. 헤라클레스, 내 사슬에 내가 묶인 꼴이 되었소.

헤라클레스 알겠네, 테세우스.

테세우스 나하고 같이 아테네로 가서 내 아내가 되어 달라고 설득할 참이요. 이곳 여전사들을 그냥 두고 떠나기를 주저하고 있는데, 나 역시 그녀를 그냥 두고 갈 수가 없소. 어찌 되든 자네는 히폴리타의 허리띠를 갖게 되었소. 나에 대한 사랑 때문에 기꺼이 허리띠를 내놓은 것이지.

(*테세우스는 헤라클레스에게 히폴리타의 허리띠를 건네준다.*)

헤라클레스 내가 이걸 잘 이용할 터이니 두고 보시오. 히폴리타의 허리띠는 영원히 신성하게 보관될 것이니까. 잘 있게. 자네의 설득력은 정말 탁월하네. 언젠가 아테네로 자네와 히폴리타를 방문하러 가리다.

테세우스 잘 가시오, 헤라클레스.

(*두 친구는 포옹한 후 헤라클레스는 떠나고 테세우스는 궁전으로 돌아간다. 페이드아웃.*)

열째 임무: 게리온의 소 떼

[페이드인: 옥외. 미케네. 헤라클레스와 이올라우스.]

헤라클레스 　이올라우스, 이번 임무에서는 너의 마차가 필요 없겠어.

이올라우스 　그래도 아저씨를 따라가고 싶어요. 히드라를 잡을 때처럼 제 도움이
　　　　　　필요할지 누가 알아요.

헤라클레스 　아니야. 고맙지만, 이올라우스, 이번 임무는 아주 어려운 관문이다.
　　　　　　완성하는 데 몇 년이 걸릴 거야, 넌 가족과 함께 집에 있는 게 좋겠어.

이올라우스 　그렇지만―

헤라클레스 　난 결심했다. 티탄 오케아노스와 의논하기 위해서 지금 떠나야 해.
　　　　　　게리온의 소 떼가 있는 에리테아섬에 가는 방법을 그가 일러줄지도
　　　　　　몰라.

이올라우스 　아저씨의 열 번째 임무는 머리 셋 달린 괴물 게리온의 소 떼를 미케
　　　　　　네로 훔쳐오는 일인가요?

헤라클레스 　그렇다. 소를 훔친 후에는 이베리아에서 펠로폰네소스반도로 몰고
　　　　　　가야 해. 바로 이 부분이 대단히 어려운 관건이야. 몇 년이 걸릴지도
　　　　　　모른다.

이올라우스 　저는 몇 년이 걸린다 해도 위험을 무릅쓰고 아저씨와 기꺼이 함께
　　　　　　있고 싶어요.

헤라클레스 　네 마음과 뜻은 고맙지만 내가 임무를 마친 후에 돌아와서 다시 만
　　　　　　나자. 얼마나 오래 걸릴지는 모르지만, 난 반드시 돌아온다.

이올라우스 　알겠어요. 아저씨를 기다리고 있을게요.

(*두 사람은 포옹하고, 헤라클레스는 마차를 타고 떠난다. 페이드아웃.*)

[페이드인: 옥외. 지구 한가운데에 거대한 수많은 다리들과 서로 엉켜 흐르는 미궁 같은 강 지류들이 있다. 헤라클레스는 가장 중심에 있는 중요한 다리로 내려가서 소 떼가 있는 입구로 들어간다. 헤라클레스, 오케아노스, 오케아노스의 아내 테튀스.]

헤라클레스 오케아노스 어르신, 그리고 테튀스 어르신, 두 분 앞에 탄원자인 제가 섰습니다.

오케아노스 우리도 너를 알고 있다, 헤라클레스. 신들은, 특히나 나이든 신들은 뭐든지 다 알고 있느니라.

테튀스 네 아내와 아이들에 대해 조의를 표한다.

헤라클레스 그렇다면 제가 지금 이베리아로 가야 하는 것도 알고 계시겠군요.

오케아노스 아폴로의 도움을 이미 청해 놓았다, 애야. 네 문제를 위해 아폴로가 그의 황금 선을 바닷가에 갖다 놓았어. 그걸 타고 에리테아섬에 갈 수 있도록 말이다.

테튀스 수천 명의 오케아노스 딸들과 우리의 아들들, 그리고 강신들이 모두 너를 도와주려고 준비하고 있어.

오케아노스 아폴로의 황금 선이 너를 바르게 조종해서 인도할 것이다. 걱정하지 마라.

헤라클레스 걱정이란 말은 제게 어울리지 않습니다.

오케아노스 수사적인 표현이야. 네가 걱정하지 않는 건 다 안다. 우린 뭐든지 다 알고 있다고 했지.

(*헤라클레스는 인사를 하고 황금 선이 있는 곳으로 간다. 페이드아웃.*)

[페이드인: 옥외. 지브롤터해협. 이 해협은 이베리아(스페인)와 아프리카 사이의 통로로 지중해와 대서양을 이어준다. 황금 선을 타고 헤라클레스는 해협을 지나

지브롤터로 간다. 이후에 헤라클레스는 두 개의 거대한 기둥을 가지고 돌아온다. 기둥 하나는 해협 한쪽에 박고, 32마일을 헤엄쳐서 해협 건너편에 또 하나의 기둥을 박는다. 페이드아웃.]

[페이드인: 옥외. 에리테아섬. 손에 곤봉을 든 헤라클레스는 산 위의 계곡 입구에 서서 풀을 뜯고 있는 소 떼와 세 개의 머리가 달린 괴물 개를 내려다본다. 헤라클레스가 관찰하는 동안 등 뒤에서 갑자기 소리가 난다. 게리온의 소 떼를 모는 소몰이꾼 에우리티온이다. 헤라클레스는 곤봉을 들어 올린다.]

헤라클레스 누구요?
에우리티온 난 게리온의 소몰이꾼 에우리티온이다. 너는 누구냐?
헤라클레스 난 너를 소몰이 일에서 해방시킬 헤라클레스다.
에우리티온 그러려면 당신은 괴물 에키드나의 형제인 게리온뿐만 아니라 게리
　　　　　온의 조카인 머리 셋 달린 맹견 오르투스를 통과해야 하는데, 그걸 할
　　　　　수 있겠는가.
헤라클레스 그렇다. 난 이미 에키드나 가족을 만났다. 네메아 사자와 레르나의
　　　　　히드라를 정복했으니까. 네가 날 겁주려고 한다면, 이봐, 넌 내가 누군
　　　　　지 모르는 모양인데, 에키드나 괴물 가족이 모두 힘을 합쳐도 내 목적
　　　　　을 돌려놓을 순 없을 것이다.
에우리티온 그럼 어서 가서 당신 운명의 파멸이나 만나보시지.

(에우리티온은 "게리온! 게리온!"을 외치면서 산 아래로 달려 내려간다.)

헤라클레스 먼저 할 것부터 하자. 에우리티온, 너부터 처치하고 그리고 오르투
　　　　　스, 그리고 게리온 순서로 처치하는 거다.

(헤라클레스는 에우리티온의 뒤를 쫓아간다. 도망하는 데 실패한 에우리티온은 미끄러져서 넝쿨을 붙잡고 그네 타듯 갈라진 벽 틈새를 건너뛴다. 헤라클레스는 그의 거대한 발놀림으로 단번에 훌쩍 뛰어 헐떡거리는 에우리티온을 잡아서 계곡 입구로 간다. 머리 셋 달린 오르투스가 무섭게 짖어댄다. 기다렸다는 듯 그의 커다란 혀들이 헤라클레스를 철썩 치며 덤빈다. 헤라클레스는 재빨리 곤봉으로 그 머리들을 후려쳤으나 효과가 없다. 엄청난 힘으로 머리 하나를 때려 기절시키자 오르투스의 다른 머리들과 발톱들이 계속 공격한다. 그러자 헤라클레스는 그의 타고난 무자비한 괴력으로 오르투스를 들어 올려 큰 바위에 머리들을 내동댕이치며 짓이긴다. 괴물이 기절한 사이 헤라클레스는 곤봉으로 머리들을 마구 후려쳐서 깨부순다. 헤라클레스는 소 떼를 몰고 황금 선을 정박시킨 지브롤터해협으로 간다. 마지막 소 떼를 황금 선에 몰아넣었을 때 귀가 깨져나갈 것 같은 으르렁 소리가 들린다. 머리 셋 달린 괴물 게리온의 고함 소리다. 헤라클레스는 다시 곤봉을 휘둘러보았지만 오르투스를 칠 때보다 효력이 없다. 괴물 게리온은 소 떼 한 무리를 집어서 계곡으로 돌려보낸다. 곤봉보다 훨씬 더 센 무기가 필요함을 깨달은 헤라클레스는 지브롤터해협에 박아 놓은 기둥을 뽑아서 곤봉처럼 휘두른다. 헤라클레스는 그의 불같은 힘으로 세 차례 연속으로 게리온을 때린다. 게리온은 의식을 잃고 결국 기둥으로 두들겨 맞아 죽는다. 그런 후에 게리온이 퍼 올린 소 떼를 헤라클레스는 다시 황금 선에 싣는다. 피범벅이 되어 깨진 기둥을 살펴본 헤라클레스는 다른 기둥으로 이를 대치한 후 황금 선을 타고 남쪽 이베리아로 향한다. 페이드아웃.)

[페이드인: 옥외. 남서쪽 이베리아. 헤라클레스는 게리온의 소 떼를 황금 선에서 내려놓는다. 오케아노스가 그를 맞이한다.]

오케아노스 어서 오너라. 네가 성공할 줄 알았다, 헤라클레스. 자 이제 소 떼를 미케네로 몰고 가는 어려운 일이 남았구나. 나의 말 몇 필이 도움이 될 것이다.

헤라클레스 어르신이 준비해주신 황금 선이 긴요하게 쓰였어요. 아폴로는 황금
선을 돌려받기 원하겠지요.

오케아노스 그렇지. 아폴로는 황금 선을 이용해서 지구를 일주하거든. 그리고 너
도 알다시피 아폴로가 배를 다루는 솜씨는 아주 민첩하니까.

헤라클레스 오는 길에 몇 번 위험한 파도가 있었지만 저와 소 떼는 물에 빠지지
않았어요. 그 사실이 중요하지요.

오케아노스 네가 미케네로 가는 길에는 어떤 어려운 충돌이 있어도 포세이돈의
가장 뛰어난 군마들이 너를 구해줄 것이다.

헤라클레스 어르신 신들께서 제게 베풀어주신 은혜에 진심으로 감사합니다.

오케아노스 가장 힘든 귀환이 지금부터 네 앞에 놓여있다. 심약해지면 안 된다.
너는 꼭 미케네에 도착해야 한다.

헤라클레스 심약이란 제게 어울리는 단어가 아닙니다.

(*오케아노스는 동의의 표시로 고개를 끄덕인다. 헤라클레스는 말들과 소 떼를
그의 앞에 세우고 몰고 간다. 페이드아웃.*)

[*페이드인: 옥외. 수개월 후. 고대 페르시아. 흑해 북쪽 스키티아. 헤라클레스는
야영장에서 잠을 깬다. 잠결에 무심히 소 떼 있는 곳을 바라보고 깜짝 놀라서
벌떡 일어난다.*]

헤라클레스 말들이! 아니, 내 말들이 사라졌어!

(*그는 급히 소 떼를 안전하게 해놓고 사라진 말들을 찾아 숲으로 달려간다. 동굴
에 가까이 가자 말들이 킹킹대는 소리가 들린다. 굽은 길을 따라 안으로 들어가
니 말들 소리가 더 가까이 들린다. 갑자기 누군가 그의 앞에 우뚝 선다. 숲이 많*)

은 검은 긴 머리의 기묘하게 아름다운 여인이다. 피부는 카메오 보석 같고 물고기 꼬리만 제외하면 어느 모로 보나 균형 잡힌 몸매다. 헤라클레스는 그녀의 미모에 넋을 잃었으나 어울리지 않는 물고기 꼬리에 의아해한다.)

스키티아 스키티아에 온 것을 환영합니다.

헤라클레스 여기가 스키티아라고요? 당신은 누구시오?

스키티아 난 스키티아에요. 내 나라는 내 이름을 땄어요.

헤라클레스 이곳에는 당신 혼자 사는가 봅니다.

스키티아 그래요. 지금까지는 나 혼자 사는 곳이라고 해도 되지만 이제는 당신
이 왔어요.

헤라클레스 당신의 조용한 삶을 방해하지 않고 곧 떠날 것입니다. 실종된 내 말
들을 찾는 즉시 떠나겠습니다.

스키티아 그 말들은 내가 데리고 있어요.

헤라클레스 당신이? 왜요? 왜 가져갔습니까?

스키티아 당신을 만나고 싶어서요.

헤라클레스 이런 경우는 처음이네요. 그동안 어여쁜 여인들을 사귀어 보았지만
그때마다 내가 먼저 접근했는데요.

스키티아 난 자연스러운 여인입니다. 교활한 간계도 부릴 줄 모르고 애교도 없
어요. 그러나 제 문제의 해결을 위해서는 당신의 도움이 필요합니다.
당신을 뭐라고 부르나요?

헤라클레스 헤라클레스요.

스키티아 네, 헤라클레스, 내가 말했듯이 난 여기 혼자 살고 있어요. 여왕이지만
이 나라에 인구를 번식시킬 내 배필이 필요합니다. 당신을 본 순간 내
배우자가 될 만하다고 판단하고 당신을 붙잡아 둘 목적으로 말들을
볼모로 잡아둔 것입니다.

헤라클레스 난 여자를 부끄러워하는 사람은 아니지만─ 그러나 당신 경우는─

당신은—

스키티아 내 꼬리가 거슬린다는 거지요. 이 꼬리 때문에 내가 덜 여성스러워 보이나요?

헤라클레스 그런 것은 아닙니다만— 그러나— 어— 다르지요.

스키티아 다른 건 사실이에요. 그래도 난 철저한 여자거든요.

헤라클레스 내가 이해하는 바로는, 당신과 관계를 맺기 전에는 내 소유의 말들을 돌려주지 않겠다는 건가요?

스키티아 내 아이들의 아버지가 될 때까지만 그렇습니다.

헤라클레스 당신이 동의하든 않든, 난 힘이 장사라서 내 말들을 데리고 갈 수 있습니다.

스키티아 힘이 장사인 건 인정해요. 그런데 아량도 대단한 분이 아니신가요?

헤라클레스 참으로 당황스러운 상황이군요. 한 가지 물어볼 게 있어요. 어리석은 질문인지는 몰라도 궁금해서요—

스키티아 네, 물어보세요.

헤라클레스 우리 사이에 태어나는 애들도 당신처럼 꼬리가 달릴까요?

스키티아 그건 두고 보십시다.

헤라클레스 결과를 빨리 보고 싶군요.

(*헤라클레스는 스키티아의 동굴로 따라 들어간다. 이후 5년이 지나고 세 아들이 태어났다. 근처에서 스키테스와 겔로노스가 놀고 있고 아가티르소스는 스키티아의 팔에 안겨 헤라클레스와 함께 있다.*)

헤라클레스 스키티아, 난 열 번째 임무를 완성해야 하오. 게리온 소 떼를 미케네로 끌고 가야 해요. 떠나기 싫지만 어쩔 수 없구려.

스키티아 날 버리고 간다고는 생각지 마세요. 작별의 날이 올 것을 알고 있었으니까요. 그동안 작은 헤라클레스를 셋이나 만들어 주고 가는 당신이 고마워요.

헤라클레스 확실히 꼬리 없는 아이들이오.

스키티아 그래요. 꼬리는 없고 당신의 큰 심장과 남자다움을 지닌 애들이어요.

헤라클레스 아들들을 위해서 내 활을 두고 가리다. 활을 잡아당길 힘이 있는 아이가 당신의 왕위를 계승할 것이오. 그의 지도력 아래 스키티아는 흑해에서 가장 강력한 나라가 될 것으로 믿소.

스키티아 틀림없이 그렇게 될 겁니다. 자 이제 아이들과 작별인사를 하세요. 기운이 더 강해진 말들은 앞으로의 긴 여정에 잘 적응할 겁니다.

(*헤라클레스는 세 아이들과 키스한다.*)

헤라클레스 사랑하는 스키티아, 내가 아는 가장 완벽한 여인, 잘 있어요.

스키티아 꼬리가 있어도 말인가요?

헤라클레스 꼬리라니? 내 눈엔 꼬리 같은 건 안 보이고 오직 여인 스키티아만 보입니다.

(*헤라클레스는 다시 스키티아와 아이들과 포옹하고 급히 말에 오른다. 그는 눈물을 얼굴에 줄줄 흘리며 떠난다. 페이드아웃.*)

[페이드인: 실내. 미케네. 궁전. 몇 년 후. 코프레우스가 에우리스테우스 왕 앞으로 달려온다.]

코프레우스 전하! 전하! 헤라클레스가 왔어요!

에우리스테우스 왕 떠난 지 수년이 지났어. 낯선 어디선가 길을 잃고 헤매리라 생각했는데.

코프레우스 전혀 그렇지 않습니다. 게리온 소 떼를 몰고 미케네에 도착했어요.

에우리스테우스 왕 내 항아리! 내 청동 항아리가 어디 있느냐? 항아리가 이젠 필
요 없을 줄 알았는데, 그게 아니구나.

코프레우스 전하, 청동 항아리는 필요치 않습니다. 헤라클레스는 도시 밖에서 다
음 임무를 기다리고 있습니다. 열한 번째 임무는 무엇인가요?

에우리스테우스 왕 헤스페리데스의 황금 사과를 가져오라 해라.

코프레우스 그리 전하겠습니다.

에우리스테우스 왕 그래도 청동 항아리를 찾아야겠다. 만일을 위해서, 혹시 모르
니까. (페이드아웃.)

열한째 임무: 헤스페리데스의 황금 사과

[페이드인: 옥외. 에리다노스강. 강 요정들이 둑 위에서 쉬고 있다. 헤라클레스가
이들에게 접근한다.]

헤라클레스 안녕하세요, 요정들. 헤스페리데스의 황금 사과를 찾고 있습니다. 이
땅 가장자리에 있는 정원의 위치를 알려줄 수 있겠습니까?

제1요정 헤라클레스, 우린 알려줄 수 없지만 우리 아버지 네레우스는 할 수 있
어요.

헤라클레스 포세이돈보다 더 나이 많은 바다의 신 말입니까?

제2요정 네. 우리 아버지는 잘 아셔요. 그렇지만 자기 의사로는 가르쳐주지 않
아요. 답을 피하려고 다양한 형태로 변신하실 겁니다.

헤라클레스 그러나 나는 아주 끈질긴 사람입니다.

제1요정 쉽지 않을 거예요.

헤라클레스 세상에 쉬운 일은 없어요. (페이드아웃.)

[페이드인: 옥외. 바닷가. 헤라클레스.]

헤라클레스　여기가 네레우스가 즐겨 왕래하는 곳이렷다. 이곳에서 기다려야지.

(*헤라클레스는 누워서 쉬고 있다. 이내 쇠파리 한 마리가 그의 주변을 윙윙댄다.*)

헤라클레스　아, 네레우스가 왔구나.

(*헤라클레스는 쇠파리를 때리지만 잡지 못한다. 계속해서 그의 온몸을 쏘아대는 통에 때려봤자 소용없다.*)

헤라클레스　좋습니다. 1회전은 당신이 이겼어요, 네레우스. 그렇지만 2회전이 기다리고 있어요.

(*네레우스는 덥석 물어대는 거대한 거북이로 변신한다. 헤라클레스는 훌쩍 뛰어서 거북이 등에 올라타지만 붙잡지를 못하고 미끄러져 내리면서 그를 물려고 덤비는 거북이의 입을 피한다.*)

헤라클레스　2회전도 제가 항복합니다.

(*네레우스는 이제 1마일이나 높이 뛰어오를 수 있는 거대한 도마뱀으로 변한다. 헤라클레스는 도마뱀을 붙잡아 등에 오르려고 시도하지만 높이 뛰어오르는 바람에 균형을 잃고 떨어진다. 헤라클레스는 도마뱀을 붙잡고 있는 시간보다 떨어지는 시간이 더 많다.*)

헤라클레스 뛰어오르는 도마뱀이 어떤 건지 이제 알겠네요. 네레우스, 당신은 정
말 어렵군요.

(*네레우스는 이제 거대한 고래로 변신한다.*)

헤라클레스 네레우스, 드디어 제 전공 영역으로 들어오셨습니다. 큰 것이라면 저
는 뭐든지 다룰 수 있으니까요.

(*헤라클레스는 고래의 왼쪽 지느러미를 붙잡고 매달린 채 고래가 움직이는 온갖
종류의 회전을 경험한다. 헤라클레스가 잡는 손힘은 유명해서 한번 붙들면 놓치
는 법이 없다.*)

헤라클레스 자, 네레우스, 그만하면 저하고 장난을 실컷 하셨어요. 전 그저 헤스
페리데스 정원의 위치를 알고 싶을 뿐입니다.

(*네레우스는 그의 지느러미를 꽉 잡고 놓지 않는 헤라클레스를 떨어트리려고 계
속 애쓴다.*)

헤라클레스 이제 그만 포기하시지요, 네레우스. 절 떨어트리지는 못할 텐데요.

(*네레우스는 원래의 자기 모습으로 변한다.*)

네레우스 좋다, 헤라클레스. 이번 싸움은 네가 이겼어. 그래도 3회에 걸쳐 네가
치르는 수고를 보면서 아주 재미있었다.
헤라클레스 즐거우셨겠지요. 그러나 네레우스에게 유감은 없습니다. 저는 헤스
페리데스의 사과만 찾으면 되니까요. 열한째 임무의 대가로 저는 에우

리스테우스 왕에게 그 사과들을 가지고 가야 합니다.

네레우스 자넨 성품이 흔쾌한 친구구먼. 헤라클레스, 네가 마음에 든다. 헤스페
리데스의 황금 사과들을 어떻게 얻을 수 있는지 내 가르쳐주마.

헤라클레스 좋습니다. 따져보면 제가 네레우스의 증손자가 아닙니까.

네레우스 그렇다. 그 사과들을 얻으려면 너의 또 다른 친족 아틀라스의 도움이
필요하다.

헤라클레스 하늘을 들고 있는 분 말이지요.

네레우스 바로 그 친구 맞다. 내 재주들을 네가 지켜보았지만, 난 그 외에 예언
능력도 있지.

헤라클레스 알고 있어요. 예언 능력으로 유명하시잖아요.

네레우스 그래. 헤스페리데스 사과를 얻으려면 아틀라스한테 도움을 청해야 한
다.

헤라클레스 어떻게 하면 되나요? 아틀라스는 항상 하늘을 등에 업고 있는데요.

네레우스 방법은 네가 생각해내렴. 난 그 방법도 알고 있지만.

(네레우스는 바다로 뛰어들어가서 돌고래로 변하여 기분 좋게 몸을 뒤집는다.
페이드아웃.)

[페이드인: 옥외. 서쪽 끝. 하늘을 들고 서 있는 아틀라스와 헤라클레스.]

헤라클레스 아틀라스, 당신의 양어깨에 온 세계의 무게가 얹어있군요.

아틀라스 자네의 어깨만큼 강한 어깨지, 헤라클레스.

헤라클레스 내 어깨도 강하지만 당신만큼은 못해요.

아틀라스 내가 보증하는데 자네 어깨도 나만큼 강하다네.

헤라클레스 한번 시험해 봐야겠군요. 그런데 난 먼저 할 일이 있어요. 에우리스
테우스 왕에게 헤스페리데스의 황금 사과들을 찾아서 전해줘야 합니

다.

아틀라스 내 딸들이 그 정원에 살고 있는데 그 애들을 조심해야 해. 나라면 쉽게 찾아다 줄 수 있는데, 그러려면 누군가 나 대신 이 짐을 지고 있어야 하거든.

헤라클레스 당신이 사과를 얻어다 준다면 내가 그동안 그 짐을 지고 있을게요.

아틀라스 이리 가까이 와요, 헤라클레스. 이 짐을 자네 어깨에 옮겨놓을 테니. 나하고 등을 서로 맞대고 서 봐. 한 번에 한쪽 어깨씩 옮기자고 준비됐지? 내가 "옮겨" 하고 말하면 오른쪽 어깨를 먼저 하고 그다음 말할 때는 왼쪽 어깨를 바꾸는 거야.

(*헤라클레스는 아틀라스와 등을 맞댄다.*)

아틀라스 준비됐나, 헤라클레스?

헤라클레스 됐어요.

아틀라스 자, 옮겨!

(*헤라클레스는 왼쪽 어깨에 짐을 받아들고 균형을 맞추려고 휘청한다. 그리고 하늘 전체 무게를 양어깨에 지고 몸을 바로 세운다.*)

아틀라스 어깨의 짐을 내려놓으니 시원하구나!

헤라클레스 어깨에 짐을 얹으니 엄청 힘들군요. 어서 다녀오세요. 아이고, 정말 무겁기 짝이 없구나. (페이드아웃.)

[페이드인: 옥외. 그 후. 아틀라스는 헤스페리데스의 황금 사과들을 가지고 돌아온다.]

헤라클레스 아, 사과를 갖고 오셨군요.

아틀라스 그래, 내 딸들이 날 위해서 정중하게 내주었어.

헤라클레스 고맙습니다. 사과를 갖고 떠나야 하니, 이 하늘을 다시 어깨에 메셔
야지요.

아틀라스 천만에. 헤라클레스, 어깨에 짐이 없으니 살 것 같다. 그러나 약속은
지켜줄게. 자네 대신 내가 사과들을 에우리스테우스 왕에게 가져다주
면 되는 거지.

헤라클레스 좋은 일에는 대가가 따른다는 그 말이군요.

아틀라스 그 비슷한 거야. 그럼 난 떠나네.

헤라클레스 잠깐만요, 아틀라스. 이 짐을 영원히 지고 있어야 하는 사실은 내가
예상치 못한 일이에요. 떠나기 전에 내 어깨에 맞게끔 균형 맞추는 걸
좀 도와주고 가시지요.

아틀라스 그거야 뭐 내가 도와줄 수 있는 최소한의 일이지.

(*헤라클레스와 아틀라스는 다시 등과 등을 맞대고 무게의 균형을 조절한다. 이
과정에서 헤라클레스의 어깨에 있는 짐이 아틀라스에게 옮겨 가고 양어깨의 이
동이 끝나면서 아틀라스는 다시 하늘을 짊어진다.*)

아틀라스 자, 헤라클레스. 내가 다시 받았어. 이제 자네에게 넘길 테니 준비하라
고.

(*헤라클레스는 사과들을 집어 들고 슬며시 빠져나간다.*)

헤라클레스 미안해요. 아틀라스. 저는 자유를 무척 사랑합니다. 당신도 당신의
운명과 화합하고 잘 지내시기 바라요. 하늘을 받드는 일은 당신이 적
격인 듯싶어요.

아틀라스 잠깐의 짧은 휴식이었지만 좋았어. 꾀와 속임수란 보통 그런 짓 하는
　　　　　자가 당하게 되어있지. 자네한테 유감은 없네.

헤라클레스 안녕히 계세요, 아틀라스. (페이드아웃.)

[페이드인: 실내. 미케네. 에우리스테우스 왕의 궁전. 에우리스테우스 왕과 헤라
클레스.]

헤라클레스 어째서 청동 항아리 속에 들어가 있지 않습니까, 에우리스테우스?

에우리스테우스 왕 황금 사과는 네메아 사자나 다른 짐승들처럼 위험하지 않으
　　　　　니까. 헤라클레스, 열한째 임무에 곁들여 자네가 할 일이 또 하나 있
　　　　　다.

헤라클레스 그게 뭡니까?

에우리스테우스 왕 알다시피 황금 사과는 가이아가 헤라 왕비에게 결혼선물로
　　　　　준 거요. 자네가 그걸 헤라 왕비께 전해줘야겠네.

헤라클레스 아테나에게 전하겠습니다. 아테나는 사과가 주인을 찾아가게 할 것
　　　　　입니다. 에우리스테우스, 난 이제 나의 마지막 열두째 임무를 수행할
　　　　　준비가 돼 있습니다.

에우리스테우스 왕 가장 힘든 임무가 될 것이네. 머리 셋 달린 하데스의 집을 지
　　　　　키는 맹견 케르베로스를 데리고 오는 일이오.

헤라클레스 에우리스테우스, 그 임무는 이미 완성한 것이나 다름없소이다.

에우리스테우스 왕 제일 어려운 임무라고 내가 말했는데.

헤라클레스 어려운 건 사실이지만 내겐 불가능한 건 없거든요.

에우리스테우스 왕 두고 보면 알겠지. 지금은 사과들을 가져온 것으로 만족한다.

헤라클레스 사과들이 헤라 왕비 손에 반드시 들어가도록 하겠소. (페이드아웃.)

열두째 임무: 하데스의 맹견 케르베로스 데려오기

[페이드인: 옥외. 아테네에서 서쪽으로 14마일 떨어진 도시 엘레우시스. 유몰포스와 헤라클레스.]

유몰포스 헤라클레스, 하데스에 내려가기 전에 몸을 정화해야 합니다.

헤라클레스 알고 있소. 내가 죽인 켄타우로스 때문이지요. 그건 의도적인 건 아니었어요. 내 죄는 의도적으로 지은 죄는 하나도 없어요.

유몰포스 포도주 기운이 켄타우로스에게 지나치게 작용했어요. 그런 상황에 적응을 못 했던 거지요.

헤라클레스 그 발단은 내 어리석음 탓이었소. 폴루스에게 포도주 통을 열라고 주장한 내 잘못이 컸어요.

유몰포스 엘레우시스 의식에 참여하면 깨끗이 씻음 받을 것입니다.

헤라클레스 거기에 대해 들어본 적이 있어요. 데메테르와 페르세포네에게 바치는 특별한 의식이 아니던가요?

유몰포스 맞습니다. 그 의식은 미래 세계에 대한 지식을 알려주지요. 은밀한 의식과 정화를 통해서 미래 세계에 대해 준비시키는 겁니다. 미리 경고해두는데, 쉽지는 않을 것이오.

헤라클레스 유몰포스, 난 쉽지 않은 일에 이력이 났어요. 어떤 것도 내겐 쉬운게 없습니다.

유몰포스 좋아요. 그렇다면, 첫째, 당신이 그 특별 의식에 초대받기 위해서는 이곳 시민 한 사람의 양자가 되어야 하는데, 나의 메신저가 당신을 필리오스의 집으로 안내할 것이오. (페이드아웃.)

[페이드인: 실내. 수주 후. 엘레우시스 의식의 신도들이 사는 지역. 헤라클레스와 필리오스가 수도원의 텅 빈 작은 독방에 있다.]

헤라클레스 이렇게 금식하며 헌신하는 것은 내 스타일이 아니라는 건 알고 있지요, 필리오스?

필리오스 그건 당신의 장점이기도 합니다, 헤라클레스. 지금까지 당신이 보여준 기원과 속죄의 기도는 매우 헌신적이었어요. 켄타우로스의 죽음에 대한 죗값은 그만하면 치러졌고, 이제는 저승사자의 땅으로 내려가도 됩니다.

헤라클레스 헤르메스와 타에나룸에서 만나기로 했어요. 그곳은 유럽의 가장 최남단이고 하데스에게 가는 초입이지요.

필리오스 포세이돈의 신전이 거기 있어요. 그곳에서 뿜어 나오는 냄새가 어찌나 고약한지 새들조차 그 위로는 날아가지 않는다고 하더군요.

헤라클레스 하데스로 가는 뒷구멍에서 무얼 기대하겠습니까?

필리오스 난 당신이 딱해요, 헤라클레스. 그래도 집 지키는 맹견 케르베로스를 데려오는 열두째 임무는 무사히 마칠 것을 확신합니다.

헤라클레스 필리오스, 난 꼭 성공할 것이오. 그럼 안녕히 계세요. (페이드아웃.)

[페이드인: 옥외. 타에나룸. 헤르메스는 헤라클레스가 다가오는 것을 지켜본다.]

헤르메스 헤라클레스, 드디어 의식을 끝내고 나타나셨군.

헤라클레스 엘레우시스 주민은 엄격한 감독자들입니다. 일찍 시작해도 안 되고 기도를 불완전하게 끝내도 안 되고.

헤르메스 엘레우시니아 의식은 공개되지 않아요.

헤라클레스 그래요. 비밀의 이 의식을 누설하지 않겠다는 맹세를 했어요.

헤르메스 앞으로 하는 일에는 비밀스러울 건 하나도 없어요.

헤라클레스 에우리스테우스 왕은 그 점을 분명히 했어요. 하데스에서 돌아올 때는 반드시 하계를 지키는 개를 데리고 와야 한다고 했어요.

헤르메스 머리는 셋이고 용의 꼬리가 달린 케르베로스는 당신이 지금까지 수행한 임무 중 가장 힘든 도전이 될 것이오.

헤라클레스 마지막 가장 큰 임무로군요. 휴- 이 냄새! 코를 꽤나 찌르는군. 새들조차 이곳을 날지 않는다는 말은 당연하군요.

헤르메스 헤라클레스, 코를 꽉 잡고 있어요. 일단 동굴에 들어간 후엔 그렇게 고약하지는 않을 거요. (페이드아웃.)

[페이드인: 옥외. 지하 세계로 가는 문. 하데스가 단호하게 길을 막고 서 있다.]

하데스 거기 서시오! 헤르메스, 저자는 망자가 아닌데 여기 하데스에서 뭐 하는 거요?

헤르메스 하데스, 이분은 헤라클레스입니다. 그의 열두째인 마지막 임무를 수행하러 온 것입니다. 에우리스테우스 왕의 친족을 살해한 죄의 값을 치르기 위해서 에우리스테우스 왕이 내린 벌입니다.

하데스 아, 그렇군. 그건 광기로 인해 빚어진 잔학한 행위였지.

헤라클레스 그렇다면 제가 열두째 임무를 반드시 이행해야 한다는 사실을 이해하시겠군요.

하데스 그게 뭐요?

헤라클레스 당신의 개 케르베로스를 에우리스테우스 왕에게 데리고 가는 것입니다.

하데스 절대 있을 수 없지.

(*하데스는 칼을 뽑아 든다. 헤라클레스도 그의 칼을 뺀다. 하데스는 계산적이고 칼 놀림이 잽싸다. 헤라클레스는 동작이 둔하지만 강력하다. 칼싸움은 쉽게 승패가 갈리지 않는다. 살짝살짝 피하는 하데스의 재주에 짜증이 난 헤라클레스가 하데스의 오른쪽 팔을 붙잡아 비틀자 하데스의 칼이 땅에 떨어진다. 헤라클레스는 그의 옆구리에 상처를 입힌다.*)

하데스   좋아, 헤라클레스. 당신의 탁월한 힘을 인정하오. 그렇다고 내가 형편
         없는 패자는 아니오.

헤라클레스 잠깐 동안이면 됩니다, 하데스. 열두째 임무의 조건을 채운 다음에는
         곧바로 케르베로스를 돌려드리겠습니다.

하데스   조건이 하나 있소.

헤라클레스 뭡니까?

하데스   케르베로스를 붙잡을 때 오직 당신의 힘만 사용하고 무기는 쓰지 마
         시오. 케르베로스는 워낙 가치 있는 동물이라서 그에게 어떤 상처도
         입히면 안 되오.

헤라클레스 좋습니다. 그렇게 하지요. 저도 부탁할 게 있는데요 —

하데스   무슨 부탁이요?

헤라클레스 내 친구 테세우스가 지금 당신의 망각의 의자에 앉아있지요. 내가
         이곳을 떠날 때 그 친구도 함께 이승으로 갈 수 있게 해주십시오.

하데스   그거야, 나의 페르세포네에게 음탕한 눈을 보낸 건 테세우스가 아니었
         으니까 풀어줄 수도 있겠군. 그러나 호색한 피리토우스는 망각의 의자
         에 계속 앉아있어야 하오.

(*헤르메스와 헤라클레스는 그들의 갈 길로 나서고, 하데스는 상처 입은 옆구리
를 붙잡고 떠난다.*)

헤라클레스 케르베로스는 멀리 있어요?

헤르메스 스틱스강 건너편에 있어요.

헤라클레스 지금 주머니에서 꺼낸 게 뭐요, 헤르메스?

헤르메스 꿀떡이오. 이걸 사용해서 케르베로스를 달래주려고요.

헤라클레스 그 개를 달래줄 생각은 없는데. 생포할 겁니다.

헤르메스 생포할 거요. 밀레아그로스의 혼령하고 얘기를 나눈 후에 그리될 것이

오. 날 믿으세요, 헤라클레스.

헤라클레스 믿지요. (페이드아웃.)

[페이드인: 옥외. 스틱스 강둑. 나룻배 사공 카론, 헤라클레스, 헤르메스.]

헤라클레스 저기 있는 저 흉측한 인물은 추정컨대 하데스의 뱃사공 카론인 것 같소.

헤르메스 당신 추측이 맞아요. 카론도 이미 당신이 헤라클레스인 걸 알아본 게 틀림없네요. 무서움에 질려 뒤틀린 저 얼굴을 보세요.

(*헤라클레스는 공포심으로 얼어붙어 손에서 노를 떨어트린 카론에게 다가간다.*)

헤라클레스 우린 강을 건너고 싶소. 그런데 당신한테 내야 하는 뱃삯은 없소이다.

카론 헤라클레스, 당신에 대한 봉사는 무료지요. 어서 타십시오.

[페이드인: 옥외. 하데스. 스틱스강 건너편에 있는 케르베로스에게 꿀떡을 건네준 후 헤르메스와 헤라클레스는 밀레아그로스의 혼령을 찾아 하데스의 애도향으로 향한다.]

헤라클레스 저렇게 슬피 울고 한숨짓는 건 처음 보는군요.

헤르메스 네, 애도향이라는 이름에 어울리는 곳이지요. 자살한 자들, 사랑을 이루지 못한 연인들, 전투에서 패한 영웅들, 등등 갖가지 슬픈 사연의 주인공들이 모두 여기 모여 살고 있어요.

헤라클레스 밀레아그로스의 어머니 알타이아도 이곳에 있습니까?

헤르메스 그렇소. 아들의 수명을 끝내는 타오르는 나무가 다 타고 난 후 어머니 알타이아는 목을 매어 자살했어요.

헤라클레스 밀레아그로스의 혼령이 저기 있네요. 직접 이야기를 들어보지요.

(왕자다운 모습의 청년 밀레아그로스는 자신의 수명을 끝낸 잿더미를 퍼내면서 앉아있다.)

헤르메스 밀레아그로스, 이분은 헤라클레스요. 자네가 이분께 드릴 메시지를 갖고 있다고 들었네.

밀레아그로스의 혼령 예, 헤라클레스. 보아하니 틀림없는 헤라클레스로군요.

헤라클레스 자네의 비참한 운명이 참 안됐군.

밀레아그로스의 혼령 진정 슬픕니다. 그러나 이 영원한 슬픔 가운데도 약간은 위로받는 경우가 있지요.

헤라클레스 그건 어떤 경우요?

밀레아그로스의 혼령 저의 아름다운 누이 데이아니라와 헤라클레스 당신께서 결혼해주신다면 좋겠어요. 누이의 그런 우아한 결혼을 제가 안다면 저의 우울함이 덜어질 것입니다.

헤라클레스 자네 누이의 선한 품성과 미모에 대해서는 익히 들은 바 있네. 그런데 나와 결혼해줄지, 그건—

밀레아그로스의 혼령 당신 같은 고매한 구혼자를 거절하지는 못할 겁니다.

헤르메스 좋아요, 헤라클레스. 우리 사명은 여기까지이고, 이제 당신의 열두째 임무를 완성하러 갑시다.

(헤라클레스와 헤르메스는 밀레아그로스에게 작별인사를 하고 케르베로스가 앞으로 뒤로 왔다 갔다 서성거리는 스틱스 강가로 돌아온다. 케르베로스의 등에는 머리를 곤두세운 뱀들이 올라타고 있다. 케르베로스의 머리 셋은 빙빙 돌려 원 모양이 되고 그의 용 꼬리를 탁탁 치면서 먼지 같은 짙은 안개를 만들어내고

있다.)

헤르메스 헤라클레스, 과연 이제 당신의 순수한 힘을 시험할 마지막 때가 왔군
요.

헤라클레스 이런 시험을 이기는 데는 나의 강한 등짝이 최고요.

(*헤라클레스는 케르베로스가 만들어내는 먼지 같은 짙은 안개를 뚫고 케르베로
스의 꼬리를 붙잡는다. 씰룩거리는 괴물과 싸우면서 잡은 꼬리를 놓치지 않는
다. 괴물의 꼬리를 잡고 이를 마치 회초리처럼 사용하여 케르베로스의 거대한
몸통을 때린다. 머리 셋은 무시무시하게 짖어댄다. 헤라클레스는 괴물을 계속
때리고는 머리 위로 던져 올린 후 케르베로스가 공중에 떴을 때 밑에서 그를 잡
아 머리 위로 들어 올릴 수 있었다.*)

헤라클레스 자, 헤르메스. 나의 열두째 임무를 마쳤으니 이제 미케네로 돌아갑시
다. 망각의 의자에 묶인 테세우스도 잊지 말고 함께 가야지요.

헤르메스 기억하고 있어요. (페이드아웃.)

[페이드인: 실내. 궁전. 미케네. 에우리스테우스 왕이 청동 항아리 안에 들어가
있다. 케르베로스를 머리 위에 들고 헤라클레스가 그 앞에 서 있다.]

헤라클레스 그 항아리에서 나오시오, 에우리스테우스. 나의 열두째 임무가 완료
된 것을 직접 확인해주기 바라오.

(*케르베로스는 무시무시한 울음소리를 세 번 터뜨린다.*)

에우리스테우스 왕 저승의 문지기 개 울음소리가 들린다. 당신이 열두째 임무를

모두 마친 것에 난 만족하오. 내 눈으로 직접 볼 필요까지는 없어요.

헤라클레스 뜻대로 하시오. 다만 열두 가지 내 임무를 마친 것을 확인해주면 좋겠소.

(*에우리스테우스 왕은 여전히 항아리 속에서 대답한다.*)

에우리스테우스 왕 열두째를 끝으로 당신 임무는 모두 완료되었소. 이제 떠나도 되니까, 저 악마 같은 개를 데리고 어서 떠나시오!

헤라클레스 분부대로 하겠소, 에우리스테우스 왕.

에우리스테우스 왕 그 개가 흘리는 독성 있는 침이 내 영역 어디에도 떨어져서 더럽히는 일이 없도록 조심하시오.

헤라클레스 안녕히 계시오, 에우리스테우스. 열두 번 안녕히 계시오. 난 다시 자유인이오.

(*기쁨이 넘치는 헤라클레스는 그의 머리 위에서 쉬지 않고 들썩거리는 케르베로스를 다시 번쩍 들어 균형을 잡고, 약속대로 그를 돌려주기 위해 하데스를 향해 떠난다.*)

12-4
헤라클레스의 말년

	등장인물	
헤라클레스	네소스	리카스
오이네우스 왕	힐로스	이올레
아켈로스	케윅스 왕	필로크테테스
데이아니라		

[페이드인: 실내. 칼뤼돈. 오이네우스 왕의 궁전. 오이네우스 왕과 헤라클레스.]

헤라클레스   지하 세계에서 밀레아그로스를 만났을 때 난 데이아니라와 결혼하
겠다는 약속을 했어요.

오이네우스 왕   헤라클레스, 데이아니라는 내 눈의 보배요. 내가 무척 사랑하는
딸이오.

헤라클레스   그런 애정을 족히 받을 만한 따님입니다. 아름답고 매우 조신하다고
들었어요.

오이네우스 왕   내 딸을 탐내는 자가 많소. 실은 당신이 그 애와 결혼해 주기를
나도 바라는 바지만, 그런데 이미 짝이 정해져 있어요. 그 애를 얻으려
면 경쟁자인 강신 아켈로스를 물리쳐야 할 텐데, 그가 포기하려들지
않을 거요.

헤라클레스   난 그를 설득할 수 있어요.

오이네우스 왕   그래도 당신의 설득력을 슬쩍 피할지도 몰라요. 형체를 변형시키

는 재주가 비상하니까요.

헤라클레스 지난 세월 동안 수행한 열두 가지 임무는 어떤 일을 만나도 감당할
수 있는 능력을 내게 심어주었어요. 염려하지 마세요. 데이아니라는
내 아내가 될 것입니다. [페이드아웃.]

[페이드인: 옥외. 그리스 북서쪽. 헤라클레스가 아켈로스강 가까이 서 있다.]

헤라클레스 아켈로스, 난 당신한테 데이아니라를 내 아내로 삼고 싶다는 말을
하러 왔소이다.

(아켈로스는 물 밖으로 나온다.)

아켈로스 당신이 끊임없이 변하는 내 형체를 이겨낼 수만 있다면 가능한 일이
지. 데이아니라와 난 약혼한 사이요.

헤라클레스 하데스에 있는 그녀의 오빠가 내게 데이아니라와 결혼해줄 것을 요
청했습니다.

아켈로스 그렇다면 먼저 나하고 당신이 힘겨루기를 해야 하오.

헤라클레스 그럴 준비가 돼 있습니다.

(아켈로스는 황소로 변하여 헤라클레스의 오른쪽 넓적다리를 두 뿔로 공격한
다.)

헤라클레스 이번엔 당신이 이겼소.

(아켈로스는 다시 공격해 오지만 이번에는 헤라클레스가 재치 있게 옆으로 물러
선다. 아켈로스는 곧바로 되돌아서서 헤라클레스를 공격한다. 헤라클레스는 그

의 엄청난 힘으로 아켈로스의 두 뿔을 붙잡고 돌려서 그의 등을 내리칠 때 한쪽 뿔이 부러져나간다.)

아켈로스 헤라클레스, 이번엔 당신이 이겼소. 나의 패배를 인정하오. 부러진 내 뿔이나 돌려주시오.

(*헤라클레스는 손을 뻗어 부러진 뿔을 집어 든다.*)

헤라클레스 데이아니라는 이제 더 이상 방해받지 않고 나의 아내가 되는 거지요?

아켈로스 내가 졌다 했잖소. 내 뿔이나 어서 이리 내놔요.

헤라클레스 자, 당신은 당신 뿔을 받고 난 내 데이아니라를 받겠소. (페이드아웃.)

[페이드인: 실내. 10년 후. 칼뤼돈. 헤라클레스와 데이아니라 그리고 그들의 두 아들 힐로스와 마카리아가 테스프로티아를 물리친 칼뤼돈의 승리를 축하하기 위해 오이네우스 왕이 베푸는 잔칫상 앞에 앉아있다.]

오이네우스 왕 헤라클레스, 자네 도움 없이는 이 전쟁을 이길 수 없었지.

헤라클레스 하루면 끝나는 일이었는데요, 아버님. 데이아니라, 이리 와서 당신 아버님이 좋아하는 술을 함께 나눕시다. 유노모스, 우리에게 포도주를 따르게.

(*유노모스는 포도주를 따를 때 실수로 헤라클레스에게 술을 엎지른다. 성질 급한 헤라클레스는 유노모스를 가죽끈으로 한 대 때린다. 유노모스가 꼼짝 않고 쓰러져 있고 오이네우스 왕이 급히 시체 옆으로 달려온다.*)

오이네우스 왕 죽었군, 헤라클레스.

(*우울하게 조용해진 헤라클레스는 유노모스 옆에 무릎을 꿇는다.*)

헤라클레스 유노모스, 용서해다오. 널 죽일 의도는 전혀 없었는데.

(*데이아니라는 헤라클레스를 위로하며 그를 안아준다.*)

데이아니라 당신의 괴력은 과연 축복인 동시에 저주도 되는군요.

오이네우스 왕 자네를 탓하지는 않겠지만 이런 경우 내가 어떻게 처신해야 하는
　　　지 잘 알고 있겠지.

헤라클레스 네, 일 년 동안 추방당하는 벌을 잘 알고 있습니다. 예전에도 경험한
　　　적이 있습니다.

데이아니라 아이들을 준비시킬게요. 우리도 모두 당신과 함께 갑니다.

(*헤라클레스가 넋이 나간 채 무릎 꿇고 조용히 유노모스 옆에 있는 동안 데이아
니라는 자리에서 일어선다.*)

[페이드인: 옥외. 에베누스강. 트라키스로 가는 길에 데이아니라, 힐로스, 마카리
아, 그리고 켄타우로스 네소스가 함께한다.]

헤라클레스 강물이 많이 불었네, 네소스. 자네가 데이아니라를 업어서 옮겨주게.
　　　난 힐로스와 마카리아를 데리고 갈 테니.

네소스 저를 믿으세요, 헤라클레스. 이 켄타우로스의 몸은 물이 아무리 불어
　　　나도 데이아니라를 무사히 옮겨 놓을 것입니다.

(데이아니라는 네소스의 등에 오른다.)

데이아니라 조심하세요, 헤라클레스. 마카리아는 특히 물을 무서워해요.
헤라클레스 걱정 말아요, 여보. 무사히 건널 테니까.
네소스   우린 출발합니다, 헤라클레스.

(네소스는 데이아니라를 등에 태우고 강을 건넌다. 헤라클레스는 아이들을 양어깨에 각각 매고 강을 건넌다.)

헤라클레스 내 목을 꽉 잡아라, 힐로스. 마카리아, 너는 아버지 목을 더 꽉 붙들어야 한다.
힐로스   아버지, 아주 재밌어요.

(네소스와 데이아니라는 벌써 멀리 앞서 나가고 아이들을 데리고 헤라클레스가 뒤를 따라 수영하고 간다. 네소스는 점점 헤라클레스와 멀어지고 시야를 거의 벗어나서 이미 건너편 강가에 가 있다. 그러나 헤라클레스는 네소스가 데이아니라에게 접근하려 들고 그를 피하려고 몸부림치는 데이아니라를 목격한다.)

헤라클레스 저놈 봐라! 불량한 켄타우로스 자식, 너 같은 종자를 내가 이미 경험한 바 있지!

(헤라클레스는 활을 꺼내어 히드라의 독 피로 적신 화살 하나를 네소스의 엉덩이에 맞춘다. 페이드아웃.)

[페이드인: 옥외. 강둑. 죽어가는 네소스와 데이아니라. 네소스는 회개하는 시늉을 한다.]

네소스　　용서해주시오, 데이아니라. 내가 무언가에 홀린 모양입니다. 죽기 전
　　　　　에 내 잘못을 보상하고 싶습니다. 내 피를 이 유리병에 담아두세요. 헤
　　　　　라클레스의 사랑이 불확실하다는 생각이 들거나 또는 그에게 연인이
　　　　　생겼다고 의심될 때는 나의 이 피를 그의 옷에 바르세요. 그러면 당신
　　　　　에 대한 사랑이 지속될 것입니다.

(*데이아니라는 유리병에 네소스의 피를 채운다.*)

데이아니라　　이걸 사용할 일은 없을 것 같지만 갖고 있을게요.

(*네소스는 승리의 미소를 짓는다.*)

네소스　　당신은 나 같은 못된 놈에게도 인정을 보이고 정중하십니다.

(*데이아니라는 유리병을 가슴에 넣어둔다. 헤라클레스와 아이들이 강둑에 도착
했을 때에 네소스는 만족한 미소를 띠고 죽는다. 페이드아웃.*)

[페이드인: 실내. 트라키스. 궁전. 케윅스 왕, 알키오네 왕비 그리고 헤라클레스
와 데이아니라와 그들의 아이들이 왕의 손님으로 와 있다.]

헤라클레스　　전하, 전하의 후의에 감사드립니다.
데이아니라　　아이들이 많이 지쳤는데 친절하게 대해주셔서 진심으로 감사합니다.
케윅스 왕　저희가 기쁩니다. 환영해 마지않으니 당신들 집인 것처럼 편안히 지내
　　　　　시기 바랍니다.
데이아니라　　이곳은 정말 복된 집이로군요.
알키오네 왕비　저희들은 너무 행복한 나머지 때로는 이곳을 올림포스에 비교해

서 우리 자신을 제우스와 헤라라고 부른답니다.

헤라클레스 제우스에 대한 언급은 조심하시는 게 좋겠습니다. 질투심 많은 제우스는 지나칠 만큼 자신과 헤라에 대해 경계하거든요.

케윅스 왕 제우스를 폄하하는 뜻이 아니고 오히려 그에 대한 존경을 나타내는 표시로 한 말이었어요.

데이아니라 저도 헤라클레스와 같은 생각인데요. 제우스는 자신의 권력에 대한 비교나 도전에는 대단히 민감합니다.

케윅스 왕 자, 이제 그 얘기는 그만 잊어버리고 우릴 기다리고 있는 호화로운 연회장으로 가십시다.

(*네 사람은 서로 팔짱을 끼고 연회장으로 향한다. 페이드아웃.*)

[페이드인: 실내. 케윅스 왕의 궁전. 헤라클레스와 데이아니라.]

헤라클레스 데이아니라, 케윅스의 두 아들과 함께 난 테살리의 오이칼리아로 가려 하오.

데이아니라 꼭 가야만 하나요, 헤라클레스?

헤라클레스 그렇소. 이건 자존심 문제요. 난 에우리토스와 그의 아들 이피토스와 겨룬 활궁 시합에서 이겼소. 공정한 경쟁이었소. 내가 마땅히 받아야 할 상급을 주장합니다.

데이아니라 그 상급은 이올레 공주가 아닌가요? 이올레 공주는 아버지와 오빠하고 같이 오이칼리아에서 살기를 원하지 않습니까? 싫다는 공주를 강요해서 데려오는 건 옳지 않아요.

헤라클레스 시합은 시합이고 상급은 상급이요.

데이아니라 당신의 맹목적인 고집 때문에 지금까지 지켜온 우리 부부의 행복이 깨지지 않을까 두렵군요. 아름다운 공주가 당신과 나 사이에 끼어들어야 하니까요.

헤라클레스 그동안 다른 첩들이 있었지만 우리 사이에 끼어든 여인은 없었소.

데이아니라 이올레는 다르지요.

헤라클레스 첩은 첩이요. 이올레라고 해서 다를 바 없소. 에우리토스 왕은 공약
    을 지켜야 하고, 그리고 이건 내 명예가 달린 문제요.

데이아니라 헤라클레스, 당신은 이 일을 틀림없이 후회하게 될 날이 올 거예요.

헤라클레스 그렇게 극적일 필요는 없소, 데이아니라. 난 이제 출발하겠소.

(*헤라클레스는 떠나고 데이아니라는 멍하니 양쪽 볼에 눈물을 흘리며 서 있다.
페이드아웃.*)

[페이드인: 실내. 케윅스 왕의 궁전. 수개월 후. 헤라클레스의 전령 리카스가 들
어와 데이아니라 앞에 무릎을 꿇는다.]

리카스 마님, 헤라클레스님이 계신 오이칼리아에서 이올레 공주와 포로들을
    데리고 왔습니다.

데이아니라 내 남편은 무탈한가요?

리카스 예. 에우리토스 왕을 한 손에 꺾어버리셨습니다.

데이아니라 케윅스 왕의 아들들은요?

리카스 불행하게도 그들은 저의 주인이 구해주기 전에 에우리토스 왕의 손에
    쓰러졌습니다.

데이아니라 아, 한때는 그렇게 행복한 궁전이었는데 그런 슬픔이 찾아왔군요.

리카스 죄송합니다. 마님, 주인께서 깨끗한 옷을 가져오라고 하셨습니다. 그
    리고 이올레 공주는 바깥방에서 기다리고 있습니다.

데이아니라 곧 깨끗한 옷을 준비할게요.

(데이아니라는 그녀의 침실로 가서 서랍에 넣어둔 네소스의 피가 담긴 유리병을 꺼내어 헤라클레스의 옷 솔기에 그 피를 바른다.)

데이아니라 자, 됐다. 이제 네소스의 마술의 피는 나에 대한 남편의 사랑을 회복 시켜줄 것이고, 이올레의 매력에 빠지지 않게 막아줄 것이다.

(데이아니라는 헤라클레스의 옷을 들고 방 밖으로 나간다. 페이드아웃.)

[페이드인: 실내. 바깥방. 이올레 공주가 머리를 푹 숙인 채 침대에 앉아있고 데 이아니라가 들어온다.]

데이아니라 이올레, 이번의 어려운 시합에서 당신은 정말 상급으로 받을 만큼 값진 분이군요.

이올레 제가 상급이라고요? 아닙니다. 저는 포로입니다.

데이아니라 위대한 헤라클레스가 추구한 상급이면 명예롭게 생각해야지요.

이올레 이런 명예는 내가 피하고 싶은 명예여요. "명예"를 피하려고 성곽에서 뛰어내렸을 때 내가 죽었어야 했는데.

데이아니라 성곽에서 뛰어내렸다고요? 그런데 어떻게 살아났습니까?

이올레 내 치마가 부풀어 오르는 바람에 떨어져 죽으려는 계획이 수포로 돌 아갔어요. 저주스러운 운명! 저주스러운 치마!

(이올레에 대한 데이아니라의 마음이 누그러진다.)

데이아니라 당신 같은 미모의 여인이 세상에서 사라지는 건 애석한 일이지요.

이올레 내 미모가 내 저주입니다!

(데이아니라가 침실을 나갈 때 이올레는 그녀를 이해할 수 없어 하면서 바라본다. 페이드아웃.)

[페이드인: 옥외. 케나이움 케이프. 리카스는 헤라클레스에게 옷을 건네준다.]

헤라클레스 마침내 왔군, 리카스. 옷 가지러 하데스까지 갔나 했네.
리카스 마님께서는 주인이 제우스에게 드리는 감사 제물로 이 옷이 완전히
신선한지 확인하고 싶어 하셨습니다.
헤라클레스 이리 주게. 제우스를 더 기다리게 하면 안 되지.

(헤라클레스는 옷을 입고 제우스에게 감사 표시의 행동을 보인다. 네소스의 독이 든 피는 이내 그에게 고통을 유발한다. 헤라클레스는 고통의 비명을 지른다. 리카스는 영문을 몰라 두려워한다.)

리카스 무슨 일입니까, 주인님?
헤라클레스 이 옷이! 이렇게 아플 수가!

(헤라클레스는 극도의 고통 속에 고통을 벗어보려고 무엇이든 가까이 있는 것을 잡으려고 한다. 불행히도 가까이 있는 리카스를 붙잡아 바다에 던지자 그가 돌로 변한다. 헤라클레스의 다른 부하들이 그를 도와주려고 오지만 가까이 가기를 두려워한다. 헤라클레스가 그의 상처를 쥐어뜯자 살점들이 뚝뚝 떨어져 나간다.)

헤라클레스 배를 타자. 어서 날 트라키스로 데리고 가라.

(헤라클레스는 손으로 더듬고 비틀거리고 쥐어뜯으면서 부하들을 따라 배 있는 곳으로 향한다. 페이드아웃.)

[페이드인: 옥외. 트라키스. 궁정 안뜰. 데이아니라가 헤라클레스에게 달려온다.]

데이아니라 여보, 어떻게 된 거예요? 당신께 내가 무슨 일을 한 건가요?

헤라클레스 당신 잘못이 아니요, 데이아니라.

데이아니라 네, 내 잘못이 맞아요! 그 악한 네소스가 무덤 속에서 날 배신했어
요.

헤라클레스 어떻게?

데이아니라 당신의 사랑이 불확실하다고 여겨질 때 당신 옷에 그의 피를 바르면
된다고 했어요.

헤라클레스 그래서 예언이 맞았군. 나의 파멸은 산 자로부터가 아니라 죽은 자
에게서 온다고 했소.

데이아니라 헤라클레스, 날 용서해줄 수 있겠어요?

헤라클레스 당신 탓이라고 하지 마오, 데이아니라. 신의 징벌이 날 따라온 것이
라 생각하시오. 나 때문에 불행을 당한 내 희생자들과 함께 나도 내
몫을 나누어야 하지 않겠소.

데이아니라 내가 저지른 짓을 되돌릴 수만 있다면.

헤라클레스 당신 잘못이 아니요. 내 파멸은 나 스스로 자초한 것이오. 어쨌든 난
내 마지막 시간에 제우스의 안내를 받아야 하오. 우리 아들을 어서 델
피의 신탁으로 보내주시오.

(*데이아니라는 힐로스를 찾아 달려나간다. 페이드아웃.*)

[페이드인: 옥외. 오이타산. 테살리. 힐로스는 거대한 화장용 장작더미를 세웠다.
헤라클레스가 장작더미에 올라갈 때 데이아니라는 눈물을 흘리며 힐로스와 한
무리의 헤라클레스 추종자들과 함께 서 있다.]

헤라클레스 힐로스, 불을 붙여라. 고통을 참을 수가 없다. 어서 불을 붙여 아버
　　　　지의 고통을 줄여 주기 바란다.

(힐로스는 횃불을 들고 허리를 굽히지만 차마 불을 지피지 못하고 물러선다.)

힐로스 죄송합니다. 아버지, 전 못 하겠어요. 다른 방법이 있을 거예요.
헤라클레스 이 길 이외는 없다. 델피의 신탁이 그렇게 말했어. 너도 알고 있지.
데이아니라 내가 당신과 함께 올라가겠어요. 내가 이 일을 자초한 장본인입니다,
　　　　헤라클레스. 난 죽어 마땅한 사람이어요.
헤라클레스 아니오, 데이아니라. 이건 나의 정당한 응보요. 내 복수심이 이올레
　　　　의 아버지와 오빠를 죽게 했고, 이올레의 뜻도 무시한 채 잡아 왔소.
　　　　죗값은 내 몫이지 당신 몫이 아니요. 어서 제발 장작더미에 불을 붙이
　　　　고 날 이 고통에서 벗어나게 해주시오.
데이아니라 내 잘못의 대가를 치르기 위해서라도 난 당신께 불을 지를 수가 없
　　　　습니다.
헤라클레스 거기 내 부하 누구라도 좋으니 제발 이 장작더미에 불을 붙여 주기
　　　　바란다.

*(모두들 슬픈 얼굴로 고개를 설레설레 젓는다. 헤라클레스는 수심에 차서 머리
를 떨군다. 말리스의 왕 필로크테테스가 그의 잃어버린 양들을 찾아 그 자리에
갑자기 나타난다.)*

필로크테테스 내 잃어버린 양들을- 아니, 이게 어찌 된 일이오?
헤라클레스 제발 이 헤라클레스가 간청합니다. 화장 장작에 불 좀 붙여 주시오.
필로크테테스 헤라클레스! 난 못 해요, 헤라클레스. 영웅 중의 영웅 헤라클레스
　　　　에게 불을 붙이는 그런 저주받을 자는 되지 않겠습니다.

헤라클레스 그리하면 그대는 내게 가장 큰 봉사를 하는 것이 되오.

필로크테테스 난 못 합니다.

헤라클레스 그대에게 내가 영원히 감사할 것이오. 감사의 표시로 나의 활과 항상 효과를 잃지 않는 독 묻은 화살들을 그대에게 증여하리다.

필로크테테스 내 마음은 해선 안 된다고 하지만― 그렇지만―

헤라클레스 그래요. 불을 붙여 주시오! 어서요! 활과 화살들은 모두 당신 소유요.

(필로크테테스는 횃불을 집어 들고 장작더미에 불을 붙인다. 타오르는 불길이 헤라클레스의 몸을 덮치자 헤라클레스는 열렬히 소리 내며 불길을 받아들인다. 그의 몸이 모두 탔을 때 거대한 번갯불이 일어나더니 불길이 즉시 꺼진다. 그 자리에는 아무것도 남아 있지 않다. 헤라클레스의 시신도, 타다 남은 깜부기불도 없고 재도 없고 남아 있는 흔적이라고는 아무것도 없다.)

필로크테테스 어찌 이렇게 고요할 수 있나.

데이아니라 떠났어요. 내 남편이 아주 갔어요.

힐로스 아버지 제우스에게 가셨어요.

데이아니라 그렇다. 그의 인간 부분은 이제 불멸의 부분으로 돌아가셨다.

필로크테테스 이렇게 범상치 않은 고요는 지금 그 말씀을 증명해주는 셈입니다. 올림포스로 올라가신 겁니다.

힐로스 올림포스에는 제우스가 감당키 어려운 자식들이 많아지겠군요.

데이아니라 네가 장작더미 앞에 있을 때 아버지가 너에게 무슨 말을 속삭이시더냐?

힐로스 이올레와 결혼하라고 하셨어요.

데이아니라 아버지 살아생전에 맛보지 못한 기쁨과 행복이 너에게서 열매를 맺게 되는 모양이다, 아들아.

힐로스   앞으로는 좋은 날만 기다리고 있을 겁니다, 어머니.

필로크테테스 그 어떤 것과도 비교할 수 없는 이 활과 화살들이 나의 좋은 날들을 기다리고 있습니다.

(*힐로스와 데이아니라는 팔짱을 끼고 걸어간다. 주위는 낙관적인 분위기가 감돌고 필로크테테스는 흥분해서 그의 활과 화살들을 감싸 안는다.*)

13
테세우스

등장인물		
아이게우스 왕	헤카테	피리토우스 왕
퓌티아	미노스 왕	파이드라
피티우스	아리아드네	헤라클레스
아이트라	디오니소스의 환영	하데스
테세우스	예언자	귀족 수장
페리페테스	유네오스	농민 수장
히폴리타	토아스	공예 수장
시니스	솔룬	매복자 1
페리구네	전령	매복자 2
케르키온 왕	펜테실레이아	히포툰
프로크루스테스	여행자	미티아데스
메데이아	아이스퀼로스	테세우스의 유령

[페이드인: 실내. 델피의 신전. 아폴로의 여사제 퓌티아가 신탁을 받는 청동 제단 앞에 앉아있다.]

아이게우스 왕 모든 것을 인지하고 계신 아폴로의 여사제여, 어째서 아내가 둘이나 있는 저에게 아이가 없는지 그 이유를 영예로운 신께 여쭤주시기 바랍니다.

(여사제는 월계수 잎 몇 개를 입속에 넣고 열심히 씹으면서 깊은 몽환에 빠진다. 한참 후 그녀는 대답한다.)

퓌티아 아이게우스 왕이여, 내 말을 들으세요. 아테네로 돌아가기 전까지는 포도주 병뚜껑을 절대로 열지 마세요.

아이게우스 왕 그렇지만— 난 여사제의 말을 이해하지 못하겠군요. 부디 설명 좀 해주세요.

퓌티아 그 이상은 알려고 하지 마세요.

(퓌티아는 깊은 몽환에 빠진다. 아이게우스 왕은 더 알려고 하는 것이 무의미함을 알고 자리를 뜬다. 페이드아웃.)

[페이드인: 실내. 트로이젠. 피티우스 왕의 궁전. 아이게우스 왕이 피티우스 왕을 방문 중이다.]

아이게우스 왕 여보게 친구, 이런 상황을 어떻게 생각하오?

피티우스 왕 "아테네로 돌아가기 전에는 포도주 병뚜껑을 열지 말라" 그거 참— 내 딸 아이트라에게 했던 여사제의 예언과 일치하는 것 같군. 그 여사제 말로는 아이트라가 세상의 눈으로는 멋진 결혼을 못 하지만 그럼에도 유명한 영웅을 낳을 거라고 예언했거든. 나로선 이게 무슨 소린지 이해가 안 되지만, 여기 이 두 예언에는 일치하는 점이 있는 것 같소. 당신이 그토록 고대하는 아들을 아이트라가 낳아줄 것이라는 뜻이 아닌지 모르겠소.

아이게우스 왕 그렇다면 자네가 암시하는 건—? 그러나 이미 난 두 번째 아내를 맞고 있지 않소.

피티우스 왕 비밀 결혼식을 올려야지. 내가 확신하는데 아이트라는 아이를 가질

것이고 그 아이의 아버지는 우리 도시의 수호신 포세이돈이라고 선언
할 셈이오. 백성들은 그들의 공주가 포세이돈의 아이를 갖도록 선택받
은 것을 영예롭게 생각할 것이오.

아이게우스 왕 자네가 말한 것처럼 난 아들을 간절히 원하고 있소. 이건 남자로
서 내세우는 말만은 아니오. 내 동생 팔라스는 50명의 아들을 데리고
아이 없는 나를 끊임없이 위협하고 있단 말이오. 자네의 지혜를 신뢰
하지만, 아이트라를 존중하는 내 입장에서 이런 비밀 결혼을 하려면
먼저 그녀의 동의가 필요하지 않겠소.

피티우스 왕 우리 딸은 자네에게 늘 호감을 갖고 있으니, 자네 아이의 어머니가
된다는 걸 알고, 거기다 또 그 아이가 대단한 영웅이 된다는 사실을
알면 영광으로 여길 게 틀림없소.

아이게우스 왕 그럼 좋소, 친구. 어서 준비를 서둘러 주오. 내가 여기 묵을 기한
이 며칠 안 남았소. (페이드아웃.)

[페이드인: 옥외. 트로이젠. 바닷가. 며칠 후. 아이게우스 왕은 아이트라와 작별
인사를 나눈다.]

아이게우스 왕 아이트라, 헤어지기 전에 내 칼과 신발을 이 바위 밑에 묻고 가겠
소.

(*아이트라는 그가 칼과 신발을 바위 밑에 넣어두는 것을 지켜본다.*)

아이게우스 왕 그리고 이 점도 알아주기 바라오. 내게 아내가 있기는 하지만 당
신과의 혼인을 가볍게 여기지 않소.

아이트라 알고 있어요, 아이게우스. 남자의 마음에 진정한 애정이 있는지 없는
지는 여자가 잘 압니다.

아이게우스 왕 당신이 알고 있어야 할 게 또 하나 있소. 아폴로가 당신에게 아들
을 허락할 경우, 아들이 성인이 되기 전에는 아버지의 정체를 절대로
밝히지 말아 주오.

아이트라 네, 그렇게 하겠어요. 나의 난처한 상황을 고려해서 아이의 아버지는
명망 있는 포세이돈으로 해 두는 것도 알고 있어요.

아이게우스 왕 우리 사이에 아들이 태어날 경우, 그 애가 성년이 되면, 이곳 여기
이 바위로 데리고 오시오. 아이에게 바위를 굴려 칼과 신발을 찾게 해
서 내가 있는 아테네로 보내시오.

아이트라 아들이 생길 경우라는 말은 없어요. 우리의 아들은 장성하면 당신의
칼과 신발을 가지고 아테네로 아버지를 찾아갈 것입니다.

(*아이게우스 왕은 그녀와 포용한 후 배에 오른다. 페이드아웃.*)

[페이드인: 옥외. 트로이젠. 18년 후. 바닷가. 아이트라와 17세 된 그녀의 아들
테세우스가 바위 앞에 서 있다.]

아이트라 테세우스, 넌 비범한 청년이 되었다. 이제 너의 기개를 시험할 때가 왔
어. 이 바위를 움직일 수 있겠니?

테세우스 어디 해보지요, 어머니.

(*테세우스는 어렵지 않게 바위를 움직이고 그 밑에 있는 칼과 신발을 본다. 놀라
면서 그는 칼을 집어 든다.*)

테세우스 멋진 칼이네요. 이 신발은 또 누구 것인가요?

아이트라 너의 아버지 것이다.

테세우스 포세이돈 것입니까?

아이트라 아니다. 포세이돈이 아니고, 이건 아테네의 아이게우스 왕의 소유물이다.

테세우스 어머니, 무슨 말씀인지 헷갈려요.

아이트라 너의 할아버지께서 너의 출생이 적출임을 알리고 내 이름도 보호해주려고 네 아버지가 포세이돈이라고 공표하신 거란다. 그러나 실제로는 비록 당시에 이미 아내가 있는 처지였지만 아테네 왕 아이게우스와 내가 비밀리에 결혼했어.

테세우스 왜 그렇게 하신 거지요?

아이트라 너의 할아버지께서 보시기에 내가 세상의 눈으로는 인정받을 결혼은 못 하지만 명성이 뛰어난 아들을 낳을 거라고 하셨기 때문이야.

테세우스 그럼 저는 정말 아테네의 아이게우스 왕 소생인가요?

아이트라 그렇다. 네가 성인이 되면 이곳에 널 데리고 와서 칼과 신발을 찾도록 너의 아버지가 내게 일러두신 거다. 이 물건들을 가지고 너를 아테네로 보내라고 하셨다.

(*테세우스는 아버지의 신발을 신고 칼을 옆구리 칼집에 꽂는다.*)

테세우스 아테네로 가겠습니다.

아이트라 아들이 이렇게 고귀한 성인이 된 걸 보시면 아버지 마음이 얼마나 자랑스럽겠느냐. 그런데, 아테네로 갈 때는 뱃길을 택해라, 아들아. 육지에는 산적과 살인자들이 여행자들을 해치려고 기다리고 숨어있다.

테세우스 어머니, 제가 위대한 헤라클레스의 친족이라는 사실을 잊지 마세요. 불행히도 지금은 헤라클레스가 리뒤아의 옴팔레 여왕에게 붙들려있어서 시골 범죄자들을 없앨 수가 없지만, 그 역할을 제가 맡아서 기강을 바로잡겠습니다. 저의 천성을 거역하고 비겁하게 뱃길로 가지는 않겠습니다. 육로를 택하겠어요. 악한들은 저들이 저지른 같은 방법으로 보복의 맛을 보아야 합니다.

아이트라 테세우스, 네가 모든 어려움을 극복할 것이라는 믿음이 내 마음속 깊
이 있다. 어미의 마음은 그런 걸 알 수 있지.

테세우스 저는 이겨낼 것입니다, 어머니.

*(테세우스는 어머니에게 키스하고 옆구리에 차고 있는 칼을 토닥거리며 아테네
를 향해 출발한다. 페이드아웃.)*

[페이드인: 옥외. 에피다우로스. 쇠 곤봉을 휘두르는 절름발이 도둑 페리페테스
가 방금 한 사람을 강압적으로 위협하고 죽였다. 끔찍한 희생자를 낸 그가 가까
이 다가오는 테세우스를 본다.]

페리페테스 아하! 내 쇠 곤봉의 표적이 될 또 다른 여행자가 걸려드는구나.

테세우스 너는 날 잘못 보았어. 절름발이 헤파에스투스의 서자 놈아. 이번에 네
상대자는 헤라클레스의 친족이다. 드디어 오늘은 길에서 네가 죽인 희
생자들처럼 너도 당해봐라.

페리페테스 지껄여대는 녀석이로군. 그래 네가 떠벌리는 말과 행동이 일치하는
지 어디 보자.

*(페리페테스는 테세우스의 머리를 향해 쇠 곤봉을 내려치려 하지만 테세우스는
한 손으로 그의 팔을 붙잡고 다른 손으로는 그의 곤봉을 빼앗아 힘을 겨룬다.
페리페테스에게는 운이 나쁘게도 테세우스의 힘이 더 세다. 테세우스는 그를 바
닥에 눕히고 수많은 희생자를 낸 페리페테스의 방법대로 쇠 곤봉으로 그의 운명
을 맞게 한다. 테세우스는 쇠 곤봉을 쳐다보며 말한다.)*

테세우스 이제부터 페리페테스의 무기는 나의 무기다.

(*테세우스는 쇠 곤봉을 들고 가던 길을 계속 걷는다. 페이드아웃.*)

[페이드인: 옥외. 코린트 이스트보스. 소나무를 휘어 땅에 닿게 한 후 여행자를 나무에 묶어놓는 강도 시니스. 그리고는 갑자기 나무를 잡고 있던 손을 놓아, 여행자를 공중으로 날려 보내어 죽인다. 테세우스는 숨어서 이를 지켜본다. 그는 아름다운 소녀가 덤불 속에 숨어있는 것을 본다. 시니스는 그 소녀를 불러낸다.]

시니스   됐다. 페리구네. 이제 나와도 된다.

(*페리구네가 아스파라가스 덤불에서 나온다.*)

페리구네   아버지, 그렇게 잔악한 아버지를 보는 게 전 너무 괴로워요.
시니스   정말이지, 너 같이 유순한 아이가 어떻게 나한테서 나왔는지 믿어지질 않는구나. 아스파라가스 숲으로 돌아가 있어라. 내가 살아온 방식을 절대 바꿀 수 없지. 너무나 재밌거든.

(*숨어 있던 테세우스가 나타난다. 그를 본 페리구네는 급히 아스파라가스 숲으로 도망간다.*)

테세우스   재미있다고 했냐? 무방비의 여행자들을 죽이는 게 네 재미냐? 네가 그 재미의 대상이 되어보는 건 어떨까?

(*시니스는 테세우스와 맞서려고 나선다. 테세우스는 새로 생긴 그의 쇠 곤봉을 휘둘러 시니스를 기절시킨다. 테세우스는 소나무를 땅에 구부려놓고 기절한 시니스를 그 위에 얹어놓는다. 그리고 잡고 있던 나무를 놓아 시니스는 공중으로 날아간다. 시니스는 그가 많은 사람을 죽게 한 똑같은 방법으로 죽는다. 그리고*

는 테세우스는 아스파라가스 숲으로 가서 페리구네를 찾는다.)

테세우스 아스파라가스 숲에서 나오시오, 착한 아가씨. 당신을 해치지 않을 거요.

(공포에 질린 페리구네는 아스파라가스 숲속으로 더 깊이 파고든다.)

페리구네 (부드러운 소리로) 아스파라가스 덤불아, 제발 나를 숨겨다오. 그렇게 해주면 너를 절대 해치지 않고 태우지도 않을게.

테세우스 (여전히 숲을 바라보면서) 어서 나오시오. 난 절대로 당신을 다치지 않게 할 것이오. 당신의 악한 아버지가 죽은 지금 난 당신을 보호받지 못한 상태로 놓아두고 떠날 수가 없어요.

(이 말에 페리구네의 두려움이 누그러지고 부끄러운 얼굴로 숲에서 나온다.)

페리구네 날 보호해준다고 약속하시는 건가요?

테세우스 믿어도 좋아요. 오이칼리아에 도착할 때까지는 당신을 보호해주겠소.

페리구네 왜 오이칼리아까지만 보호하신다는 겁니까?

테세우스 거기 가면 당신을 보호해줄 남편을 만나게 되니까요. 에우리토스 왕의 아들인 고매한 데이오네우스가 신부를 찾는 중인데 당신이야말로 그의 완벽한 신붓감이요.

(테세우스는 페리구네에게 손을 내민다. 그녀는 처음에는 미심쩍어했으나 이내 신뢰하면서 내민 손을 기쁘게 잡는다. 페이드아웃.)

[페이드인: 옥외. 크로미온. 테세우스는 길에서 사람이나 짐승이나 닥치는 대로

죽여서 흔적을 남기는 거대한 암퇘지 파이아를 관찰한다.]

테세우스 좋다. 에키드나와 튀폰의 못된 종자야, 너의 그 살생 행위도 오늘로 끝 이다.

(*테세우스는 거대한 암퇘지를 향하여 쇠 곤봉을 들고 돌진한다. 있는 힘을 다해 암퇘지 등에 올라탄 그는 돼지가 쓰러져 죽을 때까지 그 머리를 곤봉으로 무자 비하게 반복해서 두들긴다. 페이드아웃.*)

[페이드인: 옥외. 메가라. 만이 내려다보이는 높은 절벽. 상스러운 강도 스키론이 방금 한 여행자를 쓰러트린다. 스키론은 그에게 자기 발을 씻기라고 강요한다. 여행자가 무릎을 꿇고 그의 발을 씻기는 동안 스키론은 그를 발로 걸어차서 절 벽 아래로 밀어버린다. 그렇게 해서 절벽 아래 있는 거대한 거북이의 밥이 되게 한다. 테세우스가 다가오자 스키론은 그 역시 또 쓰러트린다. 그러나 테세우스 는 그 앞에 무릎을 꿇자마자 그의 두 무릎을 거머쥐고 절벽 아래로 던진다.]

테세우스 스키론, 이건 네가 받아 마땅한 응분의 벌이다. 거북이의 맛좋은 후식 감이 되어라.

(*테세우스는 스키론이 절벽 아래로 급히 굴러떨어지는 것을 내려다보면서 이 말 을 한다. 페이드아웃.*)

[페이드인: 옥외. 엘레우시스. 엘레우시스의 불패의 씨름꾼인 케르키온 왕이 또 다른 도전자를 맞이하고 있다.]

케르키온 왕 내 상대자들에게 스포츠의 기회를 주지 않았다고는 하지 마라. 이

번 시합에서 당신이 이기면 날 죽여도 좋다. 그렇지 않고-

(도전자는 왕을 붙잡으나 헛수고로 왕의 상대가 되지 않는다. 케르키온 왕이 그를 바닥에 눕히고 목을 꺾자 상대는 죽는다. 테세우스가 다가온다.)

테세우스   케르키온 왕이여, 그대의 자만심이 너무 지나쳐서 이제 쓰러질 때가
    된 것 같소.

케르키온 왕   나에게 그런 패배를 안겨줄 자로 자신을 생각하는 모양인데.

테세우스   난 헤라클레스의 친족이요. 그런 자라면 당신을 상대할 만하지 않겠
    소?

케르키온 왕   헤라클레스의 친족이면 친족이지, 당신이 헤라클레스는 아니잖은
    가.

테세우스   내가 헤라클레스는 아니지만 우리 가문의 피가 내 안에 흐르는 것을
    알게 될 것이오.

(테세우스는 도시의 많은 관중이 지켜보는 가운데 생사의 싸움을 벌인다. 테세우스는 케르키온 왕의 팔을 꺾지만 케르키온 왕은 테세우스를 힘 있게 바닥에 내동댕이치며 반격한다. 테세우스는 한순간 멍한 상태에 빠졌으나, 케르키온이 그의 목을 졸라 죽이기 직전에 일어난다. 다시 그를 한 팔로 붙잡아 그의 허리를 조이고 다른 팔로 그의 등을 꺾는다. 척추가 부러진 케르키온 왕은 앞으로 꼬꾸라지면서 바닥에 삼각형 모양으로 쓰러진다. 테세우스는 케르키온 왕의 두 다리를 그의 몸통 아래로 밀어 넣고 그를 바닥에 내던진다. 엘레우시스 사람들은 테세우스에게 "당신이 우리의 왕이 되어주소서!" 하며 즐거운 비명을 지른다.)

테세우스   케르키온 왕의 가장 가까운 친족이 누구요?

(*한 청년이 앞으로 나온다.*)

히포툰 나 히포툰이 그의 가장 가까운 친족입니다. 케르키온 왕은 내가 증오
하는 나의 조부입니다.

테세우스 당신을 엘레우시스의 지사로 임명하오. 내 아버지의 임무를 끝낸 후에
다시 돌아오겠소. 그때는 이곳이 내가 살아있는 동안 자유와 정의를
누리는 곳이 될 거요.

(*기쁨의 우렁찬 소리가 울려 퍼지고 테세우스는 그의 갈 길을 간다. 페이드아
웃.*)

[*페이드인: 실내. 아이갈레오우스산 근처. 에리네우스 여관. 주인이 여행자에게
침대를 보여준다.*]

프로크루스테스 여기 누워보시오. 당신 키에 이 침대가 맞는지 봅시다. 맞지 않
으면 얼마든지 조정할 수 있으니까.

(*여행자는 자기보다 훨씬 긴 침대에 눕는다.*)

여행자 침대 길이가 길구나. 그렇지만 괜찮소. 원하는 대로 몸을 길게 뻗을 수
있어요.

프로크루스테스 당신이 몸을 뻗을 수 있다고 말했소? 그야, 늘려서 뻗게 할 수
있지.

(*그가 여행자의 두 손과 두 발을 침대 양옆에 강제로 묶으니 여행자의 몸이 두
갈래로 찢어진다.*)

프로크루스테스 침대보다 당신이 더 컸더라면 내가 이 충실한 도끼로 찍어서 크
    기를 줄여줄 수도 있었어.

(*프로크루스테스는 꿈틀거리는 여행자를 비정하게 지켜보면서 도끼날이 얼마나*
날카로운가를 시험하려고 손가락을 도끼에 대본다. 페이드아웃.)

[페이드인: 실내. 같은 여관. 테세우스가 들어온다.]

테세우스 지칠 대로 지친 몸이오. 하룻밤 묵을 방을 좀 보여주시오.
프로크루스테스 피곤한 여행객들에게 편안한 잠자리를 제공해주는 것으로 우리
    여관은 명성이 있지요.
테세우스 난 지금 몹시 피곤합니다.

(*프로크루스테스는 테세우스를 길이가 짧은 침대가 있는 방으로 안내한다.*)

프로크루스테스 여기 귀하에게 어울리는 좋은 침대가 있소이다.
테세우스 침대 크기가 내 키에는 맞지 않을 것 같은데요. 당신처럼 작은 키에나
    맞겠소.
프로크루스테스 겉으로 보이는 것과 실제는 다르지요. 한번 누워 보시지요. 귀하
    크기에 딱 맞는다는 사실을 아시게 될 겁니다.
테세우스 주인이 한번 누워보는 게 어떻겠소.
프로크루스테스 그렇지만―
테세우스 그렇지만, 별일은 아니니깐.

(*테세우스는 프로크루스테스를 억지로 침대에 눕힌다.*)

테세우스 그렇군. 침대가 작군. 그렇지만 당신 말마따나 나도 이걸 조정해줄 수 있지.

(테세우스는 프로크루스테스의 도끼로 그의 몸의 겹치는 부분을 찍어서 잘라낸다.)

테세우스 자 이제 당신 크기에 딱 맞는 침대가 되었소. 당신이 만든 침대에 꼭 맞게 누워있게 됐군. (페이드아웃.)

[페이드인: 옥외. 아테네의 외곽. 테세우스가 걷고 있을 때 매복하고 있던 여러 명의 남자들이 갑자기 나타나서 그를 포로로 붙잡는다.]

매복자 1 이봐요, 나그네, 당신은 누구요?

매복자 2 우린 낯선 자를 친절하게 대하지 않지.

테세우스 난 아르골로이드에서 온 여행자요. 제우스의 법에 따르면 당신들은 나를 이보다는 더 잘 대해줘야 하는 것 아니오?

매복자 1 제우스의 법을 어기고 싶지는 않지만 요즘 아테네는 소란에 시달리고 있단 말이요.

테세우스 그건 무슨 일로 그런 거요?

매복자 2 아이게우스 왕의 이복동생 팔라스가 그의 아들 50명과 합세하여 후계자 없는 아이게우스 왕의 권좌를 위협하고 있답니다.

매복자 1 아이게우스 왕은 그에게 아들을 낳아줄 마녀 메데이아를 신부로 삼으면서 부하들과의 관계가 더 멀어졌소. 그러나 소문에 의하면 그 아들은 아이게우스 왕의 아들이 아니고 주술로 낳은 아이라고 합니다.

테세우스 여러분, 난 아테네가 다시 평화와 화합의 도시로 회복되는 소식을 가지고 온 사람이요.

매복자 2 그게 무슨 소식인데요?

테세우스 그 소식은 오직 왕 홀로 들어야 합니다. 나를 왕에게 안내하면 아테네는 즉시 과거처럼 평화롭고 행복한 도시로 변할 것을 약속합니다. 내 말이 거짓이라면 내 목숨을 왕에게 내놓겠소.

매복자 1 당신 말이 사실인 것 같군.

(*그들은 테세우스의 팔을 잡고 궁정으로 향한다. 페이드아웃.*)

[페이드인: 옥외. 아테네 숲의 황폐해진 갈림길. 메데이아가 3개의 횃불을 들고 갈림길에서 무릎을 꿇고 있다.]

메데이아 망자의 여신 헤카테여, 내가 키르케의 조카 된 권리로 당신을 불러냅니다.

(*메데이아는 3개의 횃불을 땅에 심는다. 곧 개들 짖는 소리가 들리고 검은 옷을 입은 얼굴이 셋 달린 헤카테가 나타나고 3마리의 개들이 그녀 뒤를 따라온다.*)

메데이아 위대한 헤카테여, 다시 한번 당신께 도움을 청합니다.

헤카테 네 소원은 이미 알고 있다, 메데이아.

메데이아 그렇다면 테세우스가 지금 궁정으로 가고 있는 사실도 아시겠군요.

헤카테 그런데 너는 테세우스가 아이게우스의 적법한 아들이라는 사실을 왕이 모르기를 바라는 거지.

메데이아 바로 그 점입니다. 저는 제 아들 메도스가 아테네의 통치자가 되기를 원합니다.

헤카테 그러려면 너는 아이게우스 왕에게 전하려는 테세우스의 선언을 막아야 한다. 그러기 위해서 너는 우리 마녀들의 묘술을 사용해야만 한다.

메데이아 무슨 뜻인지 잘 알겠습니다, 헤카테.

(*메데이아는 3개의 횃불을 끈다. 헤카테와 3마리의 개들은 사라진다. 페이드아웃.*)

[페이드인: 실내. 아이게우스 궁전. 아이게우스와 메데이아가 그들에게 좋은 소식을 가져올 이방인의 도착을 기다리고 앉아있다.]

메데이아 남편이시여, 내게 초인적 투시력과 예언력이 있는 걸 아시지요.
아이게우스 왕 당신의 초능력을 존경하고 있소.
메데이아 지금 나타날 이방인은 제 예감으로는 위험한 정탐꾼입니다.
아이게우스 왕 그렇지만 그 사람이 전해줄 소식은 이 땅에 평화와 행복을 회복시켜줄 것이라고 했소.
메데이아 그건 책략에 불과해요. 내 남편이여, 날 믿으세요. 내게 계획이 있어요. 그의 위험한 의도를 모른 척하세요. 그의 식탁 앞에 마련한 독배를 그가 의심 없이 마실 수 있게 예의를 갖춰 대하세요.
아이게우스 왕 알았소, 메데이아. 내가 말했듯이 난 당신의 그 초인적 능력을 존경하는 바요.

(*테세우스가 안내를 받으며 들어온다. 아이게우스와 메데이아는 그를 따뜻하게 맞이한다.*)

아이게우스 왕 어서 자리에 앉으시오. 음식과 마실 것은 충분히 마련되어 있소

(*테세우스는 그의 생부를 직접 볼 수 있게 되어 기쁜 마음에 음식에는 손을 대지 않은 채 왕에게서 눈을 떼지 못한다. 메데이아는 테세우스가 독배를 어서 들*

기만을 초조하게 기다리며 바라본다.)

아이게우스 왕 음식과 술을 들면서 당신이 전하고 싶어 하는 그 소식을 말해 주
시오.

*(자신의 정체를 드러내기를 더 이상 늦출 수 없다고 생각한 테세우스는 그의 칼
로 접시에 담긴 고기를 자른다. 아이게우스 왕은 그가 바위 밑에 숨겨 두었던
그 칼을 즉각 알아보고 이 청년이 자신의 아들임을 깨닫는다. 테세우스가 독이
든 잔을 입에 대려 하자 아이게우스 왕은 그 잔을 **빼앗아** 바닥에 던진다. 왕은
아들을 가슴에 끌어안고 아들은 두 팔로 아버지를 껴안는다. 아버지와 아들이
포옹하고 있을 때 메데이아는 자신의 술수가 과했음을 알고 물러나서 방 밖으로
슬그머니 나간다. 페이드아웃.)*

[페이드인: 실내. 그 후. 아이게우스 왕의 궁전. 아이게우스 왕과 테세우스.]

테세우스 그래서 메데이아는 아들 메도스를 데리고 그녀의 아버지 왕국인 콜키
스로 도망갔군요.

아이게우스 왕 그렇다. 지금은 그녀의 아저씨 페르세스가 왕위에 있는데, 메데이
아는 그를 배신할 궁리를 하고 있을 게 틀림없어.

테세우스 아버지가 제 칼을 알아보지 못하셨더라면 저도 독살당할 **뻔했군요.**

아이게우스 왕 메데이아가 사라져서 난 기쁘다. 한번 마녀는 영원한 마녀야. 메
도스도 데리고 가줘서 시원해. 그 아이가 내 아들이라는 확신을 가진
적은 한 번도 없었어. 그러나 너는—

테세우스 전 아버지의 아들임이 분명해요. 아버지의 칼과 신발을 되찾기 위해서
바위를 옮겼어요.

아이게우스 왕 넌 때를 맞춰서 이곳에 온 것이다. 너는 내 뒤를 이을 적법한 후

계자야. 그런데 네가 왕위에 오르자면 팔라스와 50명의 그의 아들이 일으킨 반란을 먼저 진압해야만 한다.

테세우스 그 점에 대해서는 생각지 못했던 정보를 얻게 되었어요.

아이게우스 왕 어떤 정보인데?

테세우스 적들의 전령이 알려준 것인데요. 그 전령은 팔라스와 아들들에 대한 충성심이 없어졌어요. 이곳에 오는 중에 적들이 숨어 있는 장소를 저에게 알려주었어요.

아이게우스 왕 그거 잘됐군. 그자들이 숨어있는 곳을 아는 이상 어렵지 않게 습격할 수 있겠구나.

테세우스 맞습니다.

(*테세우스는 팔라스와 그 일당을 습격하러 간다. 페이드아웃.*)

[페이드인: 실내. 그 후. 아이게우스 왕의 궁전. 아이게우스 왕과 테세우스.]

테세우스 팔라스는 그의 전령이 배신한 소문을 들은 게 틀림없어요. 우리가 그곳에 갔을 때는 이미 사라지고 없었어요.

아이게우스 왕 테세우스, 네가 이곳에 있으니 만사가 잘 풀리는구나.

테세우스 그래도 제대로 풀리자면 아직 두 가지 해결할 일이 남았어요.

아이게우스 왕 마라톤의 황소와 미노타우로스를 뜻하는구나.

테세우스 우선 황소부터 해결하고 미노타우로스를 처치해야겠지요.

아이게우스 왕 전에는 이런 것들을 해결할 수 있을지 의문이 많았는데 이젠 네가 있으니 잘 풀릴 줄로 믿는다.

테세우스 믿으십시오, 아버지. 아버지는 분명히 해결하실 겁니다. (페이드아웃.)

[페이드인: 옥외. 아테네의 거리. 테세우스는 그를 환호하는 관중 앞으로 마라톤

의 황소를 몰고 간다. 아폴로의 제단 앞으로 간 그는 아버지가 그에게 준 칼로 황소의 목을 갈라 아폴로에게 희생 제물로 바친다. 페이드아웃.]

[페이드인: 옥외. 아이게우스 왕이 미노스 왕의 미노타우로스에게 희생 제물로 바치는 6명의 소년과 7명의 소녀와 함께 테세우스는 크레타섬으로 가기 위해 검은 돛을 단 배의 출범 준비를 마쳤다.]

아이게우스 왕 테세우스, 걱정스럽다, 아들아. 그래서 검은 돛을 달았어. 다시는 널 보지 못할 것 같아 두렵구나.

테세우스 저에 대한 믿음은 다 어디로 갔습니까, 아버지?

아이게우스 왕 그동안 불가능해 보이던 것들을 네가 해결한 것을 나도 알지만, 이번의 이 미노타우로스 건은 다르다.

테세우스 저를 믿으세요, 아버지. 미노타우로스의 먹이가 되는 것이 제 운명은 아닐 것입니다. 미래의 큰 영광이 저를 기다리고 있을 것입니다.

아이게우스 왕 너의 위대한 운명을 나도 확신한다, 아들아. 그러나 아버지로서 아들에 대한 걱정은 어쩔 수 없나 보구나. 그래도 너에 대한 신뢰가 있기 때문에 너의 임무가 성공했을 때를 대비해서 흰 돛도 타수에게 맡겨두었다.

테세우스 올 때는 흰 돛을 달고 올 겁니다. 기다려주세요, 아버지.

(*아버지와 아들이 포옹한 후 테세우스는 다른 남녀 젊은이들과 함께 배에 오른다. 페이드아웃.*)

[페이드인: 실내. 크레타. 미노스 왕의 왕실. 미노스 왕이 왕비 파시파에와 나란히 왕좌에 앉아있고 다른 편에는 공주 아리아드네가 앉아있다. 테세우스와 13명의 청소년들이 그들 앞에 서 있다.]

미노스 왕 그래, 아이게우스 왕이 이번에는 그의 친아들을 미노타우로스의 제물로 보냈군.

테세우스 제 아버지의 후계자로서 저는 조국의 시련에 동참해야 한다고 생각합니다.

미노스 왕 그게 자네의 뜻이라면 그렇게 되기를 바라네. 그리되면 자네 부친은 또다시 후계자 없는 신세가 되겠지만.

테세우스 저는 제 운명을 신들의 손에 맡깁니다. 신들의 뜻이 제 뜻입니다.

미노스 왕 존경스럽구나. 그렇다 해도 내 신하들이 자네를 미노타우로스의 제물의 길로 안내할 것이네. 그에 앞서 자네들을 위해 궁중 잔치가 제공될 것이고 잔치 후에 미궁으로 가게 된다.

(*테세우스와 다른 청소년들은 안내를 받으며 왕실 밖으로 나간다. 페이드아웃.*)

[페이드인: 실내. 미궁 입구. 테세우스 일행은 미궁에 들어갈 준비를 하고 서 있다. 아리아드네 공주가 테세우스를 한쪽으로 데리고 가서 몰래 그에게 실타래를 들려준다.]

아리아드네 이 실타래를 받으세요. 실 한쪽 끝을 미궁 입구에 묶고 미노타우로스를 마주할 때까지 이 실을 풀면서 미궁 안으로 들어가세요.

테세우스 알겠어요. 그렇게 해서 돌아 나오는 길을 알 수 있겠군요. 그렇지만―

아리아드네 당신이 무슨 말을 하려는지 알아요.

(*그녀는 긴 소맷자락에서 칼을 빼어 테세우스에게 준다.*)

아리아드네 이건 마술의 칼이어요. 이 칼을 사용하면 미노타우로스를 확실하게 죽일 것입니다.

테세우스 정말 친절하시군요. 그런데 왜―

(*아리아드네는 애정 어린 눈빛으로 테세우스의 눈을 깊이 들여다본다.*)

테세우스 당신의 헌신은 내게 큰 영광입니다. 값을 받아야 할 헌신입니다. 아테
네로 가면 나의 아내가 되어주십시오.

아리아드네 내가 기다리던 듣고 싶은 말이어요. 당신을 처음 본 순간부터 난 영
원히 당신의 것이 될 줄 알았어요.

테세우스 당신은 영원히 나의 것이 될 겁니다.

아리아드네 미노타우로스를 죽인 후 안전하게 미궁 밖으로 나오면 당신과 당신
동료들이 아테네로 돌아갈 수 있도록 돕겠어요. 이곳에서 기다리고 있
을게요.

테세우스 우린 떠납니다. 미노타우로스의 목숨은 이제 시간문제여요.

(*테세우스는 미궁 입구에 실타래를 묶고 실을 풀면서 계속 안으로 들어간다. 페
이드아웃.*)

[페이드인: 옥외. 미궁 밖. 아리아드네, 테세우스, 다른 아테네 청소년들이 바닷
가로 도망간다. 아리아드네의 지시에 따라 그들은 미노스 왕의 배에 구멍을 뚫
어 그들 뒤를 따라오지 못하게 한다. 그리고는 테세우스의 배를 타고 출항한다.
페이드아웃.]

[페이드인: 옥외. 낙소스섬. 테세우스, 아리아드네, 다른 청소년들이 모두 배에서
내린다.]

테세우스 아리아드네, 우리가 이 섬에서 식량을 찾는 동안 당신은 여기서 쉬고

있는 게 좋겠어요.

아리아드네 그럴게요. 그럼 내 마음도 좀 편해질 거예요. 당신에 대한 사랑의 기쁨이 넘치지만 아버지에 대한 나의 배신이 편치 않은 점도 인정해야겠어요.

테세우스 낙소스의 상쾌한 공기가 당신의 우울한 생각을 없애주고 따듯한 마음을 지켜주기 바랍니다.

(*테세우스는 그의 일행과 함께 가기 전에 그녀에게 키스한다. 아리아드네는 바닷가를 벗어나 섬 안쪽으로 걸어간다. 테세우스가 얼마를 걸은 후에 다른 일행에게는 보이지 않는 디오니소스의 환영이 그의 눈에 들어온다.*)

테세우스 (*일행에게*) 이따 선상에서 만납시다. 난 이쪽 길로 가서 식량을 구해 볼게요.

(*일행은 걸어가고 테세우스는 디오니소스의 환영과 마주한다.*)

디오니소스의 환영 테세우스, 너는 여기서 아리아드네와 헤어져야 한다. 그녀는 나의 아내가 될 것이다.

테세우스 그렇지만 아리아드네는 저에게 정말 잘해주었어요. 내가 그녀를 버렸다고 생각하면 불행할 텐데요.

디오니소스의 환영 아리아드네가 내 아내가 되는 건 내 뜻이다. 신의 뜻을 어길 수 없다는 건 너도 알겠지. 그 여자의 불행에 대해서 네가 염려할 건 없어. 오늘 밤 내가 감쪽같이 그녀를 드리오스산으로 데리고 갈 것이다.

테세우스 그게 당신 뜻이라면 저는 대항하지 않겠어요.

(*디오니소스는 고개를 끄덕이고 테세우스는 선상으로 돌아간다. 페이드아웃.*)

[페이드인: 옥외. 낙소스. 바닷가. 아리아드네는 배가 정착한 곳으로 돌아오지만 그녀가 타고 온 배가 멀리 떠나는 것을 본다. 그녀는 두 팔을 벌리고 눈물을 흘리며 바닷가 가장자리로 달려간다.]

아리아드네 내 운명의 대가를 치르는구나. 아버지를 배신한 난 배신을 당하게 되어 있어.

(*아리아드네는 사라져가는 배를 향해 계속 두 팔을 뻗고 바라본다. 뺨에 흐르는 뜨거운 눈물이 그녀의 시야를 가린다. 페이드아웃.*)

[페이드인: 옥외. 아테네 항구. 테세우스와 그의 일행은 해변 근처에 가까이 왔다. 그들은 절벽 위에서 귀향하는 그들을 바라보고 서 있는 아이게우스 왕의 모습을 알아본다. 테세우스는 타수에게 그의 아버지가 서 있는 위치를 가리켜 보여준다. 테세우스는 검은 돛이 그대로 달려 있는 것을 발견하고 급히 돛을 향해 간다.]

테세우스 오- 아리아드네 때문에 슬픈 나머지 검은 돛을 떼어내는 걸 잊었구나. 타수, 아버지가 알아보시기 전에 어서 빨리 흰 돛으로 바꾸어 달아주시오.

(*타수는 검은 돛을 급히 흰 돛으로 바꾼다. 테세우스가 절벽을 다시 올려다보았을 때는 아버지의 모습이 보이지 않는다.*)

테세우스 오, 아버지가 바닷가로 저희를 마중 나오셨는데- 최악의 일이 생긴 건 아닌지 두렵구나. (페이드아웃.)

[페이드인: 옥외. 아테네 항구. 테세우스가 급하게 배에서 내려온다. 미어지는 가슴을 안고 그는 군중에 둘러싸여 몸을 구부리고 있는 사람에게 달려온다. 테세우스는 그가 아버지인 것을 안다. 그는 사람들을 뚫고 들어가서 아버지를 안아 올린다.]

테세우스 제 잘못입니다. 아버지 제 실수입니다.

예언자 당신을 탓하지 마시오. 신들의 뜻이오. 아이게우스 왕의 역할은 여기까지요. 이제 당신이 진정한 아티카의 황금시대를 열어 갈 차례요.

테세우스 약속드립니다. 이 땅에 영광과 명예를 나의 아버지를 위해서 아버지의 이름으로 빛내겠습니다. 아버지의 죽음을 가져온 이 바다를 앞으로는 아버지 이름을 딴 에게해로 명합니다. 아이게우스 왕에 대한 명예와 슬픔의 표시로 애도의 기간을 선포합니다.

(*테세우스는 슬픔에 젖어 흐느끼는 군중 사이로 왕의 시신을 안고 걸어간다. 페이드아웃.*)

[페이드인: 옥외. 아테네. 4년 후. 파나테나이아 축제. 테세우스와 아테네 공화국의 세 분야 지도급 인사들이 궁정 안뜰에서 열리는 회의에 참석 중이다.]

테세우스 존경하는 시민 여러분, 비록 내가 왕이기는 하지만 여러분의 뜻에 어긋나지 않으려고 노력하는 점을 잘 알고 계실 줄 압니다. 내가 아티카 전역을 여행하면서 공익을 위해 함께 나아가자고 설득하며 두루두루 다니는 가운데 여기 계신 여러분이 나서주셨습니다. 사소한 전쟁을 멈추고 현재의 시민 형태의 제도를 이루는 데 합류해주셨습니다. 우리 모두는 힘을 합쳐서 이성에 귀 기울이지 않는 호전적인 자들을 가라 앉혔습니다. 그리고 공화국 헌법을 함께 만들었습니다. 내가 왕이지만 내 권한은 여러분 평의와 민의에 달려있습니다. 여러분, 우리는 이만 큼 나라를 세웠지만 이 거대한 도시국가 아테네는 늘 깨어있는 의식 교육이 필요합니다. 이 나라가 더 발전하도록 노력을 기울여야 합니다. 내 얘기는 이 정도로 하고, 이제 여러분의 의견을 듣고자 합니다. 먼저 귀족 수장께서 말씀해 주시지요.

귀족 수장 아테네의 종교, 법률, 교육의 총 감독자로서 나는 모든 시민의 권리를 방심하지 않고 지키고 있습니다. 그럼에도 문제를 지적할 수밖에 없음을 안타깝게 생각합니다.

테세우스 문제가 없으리라고 말한 적은 없어요. 그러나 우리가 함께 노력하면 해결책을 찾을 수 있겠지요.

귀족 수장 이 문제들은 쉽게 풀릴 것 같지 않습니다. 문제의 뿌리가 욕심과 사악함에 있기 때문이지요. 어떤 행정 장관들은 개인 소득에만 눈을 돌리고 업무를 소홀히 합니다. 또 어떤 성직자들은 임무를 불명예스럽게 수행하고 있어요.

테세우스 내가 앞서 말씀드린 대로 우린 우리의 공화국을 지켜야 합니다. 정의와 명예에 근거를 둔 의식을 가져야 하지요. 따라서 원칙을 어기는 자들을 찾아내고 그 자리를 명예로운 자들로 대치하여야 합니다. 어려우시겠지만 감독관께서는 감시를 계속해 주시고 민중의 신뢰를 지켜주십시오.

(*농민 수장이 자리에서 일어난다.*)

농민 수장 테세우스 왕이여, 전하께서는 백성이 땅을 잘 경작하도록 용기를 주셨습니다. 우리 아테네 동전에는 농업 경작의 영예를 표현하기 위해서 황소 모양을 새겨 넣고 있지요. 불행하게도 이와 같은 농민 노고의 영예는 개인에게까지는 미치지 못하고 있습니다. 농민들은 햇볕 아래서 장시간 힘들게 일합니다. 대부분의 농민 태생은 비천합지요. 때로는 저희의 비천한 천성이 태도에 나타나지만 선한 마음을 드러내 주지 못하고 있습니다. 때때로 귀족들과 기술자들은 우리 농민들 노고의 열매를 공정하게 같은 테이블에서 나누지 않고, 함께 나눌 만큼 우리의 가치를 인정해주지 않고 있습니다.

테세우스 친애하는 농민 수장, 내가 본보기를 보여 선례를 세우려고 애썼던 것을 아시지요. 난 많은 농부들과 간단한 식사를 나눌 기회가 여러 차례 있었습니다. 내가 계속 강조한 것은 모든 사람이 나와 똑같은 동등한 권리를 갖는다는 점입니다. 어떤 시민도 다른 누구보다 더 우월한 자 없고, 계급이나 신분을 막론하고 아테네 시민의 권리는 누구나 동등합니다. 굴종을 강요할 수는 없으나, 나는 모든 시민이 우리 공화국의 기본 철학을 실천해줄 것을 요망합니다.

(공예 수장이 자리에서 일어선다.)

공예 수장 테세우스 왕이여, 우리 공예가들은 각기 공예술을 드러내는 데 긍지를 갖고 있습니다. 귀족들과 농민들이 사회에 끼치는 공로도 존중합니다. 명예심을 갖는 데 귀족이 더 뛰어나고 농민은 이윤에 더 밝은 반면 우리는 숫자상으로 농민보다 우위에 있고 우리의 그런 위치에 만족하고 있습니다. 그러나 일부 공예인들을 전문인으로 인정하지 않음으로써 합법적인 권한이 축소되고 있습니다.

테세우스 공예인 여러분, 그런 침해 행위에 대해서는 구체적으로 기술하여 저의 전체자문위원회에 보내주십시오. 우리는 하나도 빠트림 없이 차근차근 모두의 권리를 지켜서 정부에 동등한 권리로 참여토록 하겠습니다.

우리의 공화국이 세워졌을 때 나는 모든 아테네 시민의 권리 보호를
약속했습니다. 여러분은 나의 이런 약속을 믿어주시기 바랍니다.

(*전체위원들은 테세우스의 발언에 환호를 보낸다.*)

테세우스 자 이제 파나테나이아 축제를 즐기러 갑시다. 나의 친족 헤라클레스의
영웅담을 흠모하고, 시민들의 노래를 즐기고 감상하면서 신들의 영광
을 경축합시다.

(*위원회가 끝난 후 모두들 파나테나이아 축제에 참석하기 위해 나간다. 페이드
아웃.*)

[페이드인: 옥외. 몇 년 후. 테세우스와 그의 신하들이 흑해 스키티아 항구에 내
린다. 신하들 가운데는 삼 형제 유네소스, 토아스, 솔룬이 있다.]

유네소스 전하, 전하는 신이 저버린 이곳에 신들에 대한 두려움을 분명히 깨우
쳐줄 목적으로 오셨군요.
테세우스 그게 내가 할 임무가 아니겠느냐. 아테네 도시를 수호하는 아테나와
포세이돈을 숭배하도록 널리 알리는 것도 나의 의무지.
토아스 최소한 이 땅에는 사람이 살고 있으니까요.
솔룬 그것도 미녀가 말이지요. 선물을 들고 우리 쪽으로 오는 저 미녀는 여
왕 같은데요.

(*테세우스와 세 형제들은 사냥 옷을 입고 말을 탄 군단을 마주한다. 선물을 손에
든 여왕은 말에서 내려와 테세우스를 처음 만난다.*)

히폴리타　나는 아마존 여왕 히폴리타요. 스키티아에 온 것을 환영합니다.

(*그녀는 테세우스에게 선물을 전한다.*)

테세우스　여왕께서 이렇게 환영해 주시니 황공합니다. 난 아테네 왕 테세우스
　　　　　요. 우린 해칠 생각으로 이곳에 온 것이 전혀 아니니 안심하십시오.
히폴리타　여기는 여자들만 있지만 스스로를 방어할 능력이 있어요. 우린 전쟁
　　　　　신 아레스의 후손들로 전투에 능합니다.
테세우스　알지요. 당신들의 명성은 아테네에도 널리 알려져 있어요. 그러나 다
　　　　　시 말씀드리는데, 저희는 성스러운 임무를 띠고 평화롭게 찾아온 것입
　　　　　니다. 아테나 여신과 포세이돈 신을 숭배해줄 것을 전도하러 왔습니
　　　　　다.
히폴리타　우리가 특별히 모시는 신은 아레스와 아르테미스지만 다른 신들을 반
　　　　　대하지는 않아요.
테세우스　각기 선호하는 신이 있기는 마찬가지겠지요. 당신의 백성들 마음속에
　　　　　우리의 신도 한 자리 차지할 수 있기를 바랍니다.

(*히폴리타 여왕은 테세우스를 존경스럽게 쳐다본다.*)

히폴리타　말씀드린 대로 우리 마음은 다른 신에게도 열려 있어요.
테세우스　그런데 남성 동지들에게는 열려 있지 않다고 들었습니다.
히폴리타　우리는 남자를 증오하도록 만들어진 것은 아니어요. 전쟁할 때나 사랑
　　　　　할 때나 남자와 동등한 자격으로 관계를 가집니다.
테세우스　당신 같은 여자를 나는 처음 만나봅니다. 우리 함께 배에 올라가서 음
　　　　　료수를 들며 남녀의 역할 문제에 대해 좀 더 심도 있게 의견을 나누면
　　　　　어떨까요?

히폴리타 네, 좋습니다.

(*그녀는 신하들에게 기다리라고 지시하고 테세우스와 함께 배에 오른다. 유네오스 토아스 솔룬 삼 형제도 뒤따라 배에 오른다. 페이드아웃.*)

[페이드인: 옥외. 한 시간 후. 테세우스와 히폴리타 여왕이 갑판 위에 앉아서 즐겁게 담소하며 시간을 보내고 있다.]

테세우스 여왕은 진실로 사람의 기분을 상쾌하게 해주는 분이군요. 마음을 털어
놓고 얘기하는 것을 보니, 부끄러운 체하며 안팎이 다른 보통의 여인
들과는 달리 솔직하십니다.

히폴리타 당신은 고귀한 태생의 왕일 뿐만 아니라 마음과 정신 또한 고상하십
니다.

테세우스 나를 좋게 보아주시니 아주 기쁘군요. 왜냐하면 —

(*그때 갑자기 배가 동요하며 움직이기 시작한다.*)

히폴리타 뭡니까? 배가 움직여요!

테세우스 왜냐하면 — 아마존 전사들이 절대로 그들의 여왕을 놓치지 않을 것을
내가 알기 때문이지요. 그러나 당신의 자유의사로 내 왕비가 되어 주
실 것을 내가 설득하지 못한다면 당신을 그대로 고국으로 보내드리겠
습니다. 당신을 얻고 싶은 간절한 마음에서 반반의 가능성이라도 기대
해보는 거지요.

히폴리타 충분히 알겠어요. 이 항해의 결과가 어떻게 될지 두고 봅시다.

테세우스 나의 왕비가 되어주시는 데 동의하는 결과를 부디 기대합니다.

(*테세우스와 히폴리타는 서로 선망의 눈빛을 주고받는다. 페이드아웃.*)

[페이드인: 실내. 테세우스의 궁전. 1년 후. 테세우스의 아내가 된 히폴리타는 아들 히폴리투스를 안고 있다.]

테세우스 여보, 난 너무도 행복하오. 옆에 당신이 있고 우리 아들이 있으니.

히폴리타 히폴리투스는 성실한 사랑스러운 아들이 될 거예요. 당신 왕국의 값진 후계자가 될 것입니다.

테세우스 그야 당신이 낳은 아들이니 당연하지요.

(*전령이 들어온다.*)

전령 전하, 방해를 용서하십시오. 허나 지금 아마존 여전사들이 전투를 벌이려고 크리사 근처에 와 있습니다.

히폴리타 나의 행복에 흠이 되는 유일한 공포는 바로 오늘 같은 날이어요. 나를 되찾기 위해 공격해 올 것이 두려웠어요.

테세우스 그러나 당신 의지로 자진해서 이곳에 왔다는 전갈을 보내지 않았소.

히폴리타 이건 국가 간의 자존심 문제여요. 저들은 누그러지지 않을 겁니다. 아마 내가 당신 옆에서 싸우는 걸 보면 내가 이곳에 머물겠다는 나의 의도를 확실히 알게 되겠지요.

테세우스 난 당신을 내 곁에서 싸우게 하지 않을 것이오.

히폴리타 나의 안전에 대해서는 염려 마세요. 첫째, 난 전술에 능하고, 둘째, 아마존 전사들이 그들의 여왕인 나를 공격하지는 않을 것입니다.

테세우스 알겠소. 그래도 걱정이 되는구려.

히폴리타 날 믿으세요. 이럴 때 무엇이 최선인지 난 알아요.

테세우스 당신 눈빛을 보니 마음이 확정된 것 같소, 히폴리타.

(히폴리타는 미소를 짓고 히폴리투스를 보모의 손에 맡기고 전쟁 준비를 하기 위해 나간다. 페이드아웃.)

[페이드인: 실내. 유메니데스 신전. 테세우스, 히폴리타, 아테네 군대가 있다.]

테세우스 아마존 여전사들은 쉽게 넘어가지 않는군.

히폴리타 전투술을 타고 났어요.

테세우스 도시 한복판까지 진격해서 시민들을 아크로폴리스 언덕으로 몰아붙였으니 저들의 위업이 저 정도에 달할 줄은 난 상상도 못 했소.

히폴리타 내 동생 펜테실레이아가 군대를 통솔하고 있어요. 나 다음으로 뛰어난 명장이지요.

테세우스 친동생과 싸우는 처지에 놓이게 해서 정말 미안하오.

히폴리타 우린 서로 싸우지는 않을 겁니다. 난 다른 아마존 전사들과 싸우고 동생은 나 아닌 다른 아테네 군사들과 싸울 것입니다. 우리 두 자매는 결코 서로 겨누지 않아요. 같은 뱃속에서 태어난 둘이 싸우는 건 신성 모독죄로 벌 받는 짓이지요.

테세우스 당신을 이런 곤경에 처하게 만든 것을 후회하지만 우리의 사랑을 후회하지는 않소.

히폴리타 나도 동감이에요.

테세우스 피차 피를 많이 흘리지 않은 상태에서 이 갈등을 해결할 수 있기를 바랄 뿐이요.

히폴리타 그렇게 할 계획을 내가 갖고 있어요. 아마존 전사들은 지금 도시 중심에 야영하고 있어요. 그들은 우리가 왼쪽에서 공격할 것으로 알고 있는데, 우리가 오른쪽에서 불시에 기습하여 포로를 많이 붙들어 놓고 평화협정을 강요하는 방법이 있어요.

테세우스 좋아요. 왼쪽으로는 일부 군단만 보내고 모두 오른쪽으로 기습합시다.

히폴리타　그들은 빠져나갈 길이 없으니 항복할 겁니다.

테세우스　우리의 계획을 병사들에게 알려야겠소. (페이드아웃.)

[페이드인: 옥외. 아마존 야영 장소. 밤. 테세우스, 히폴리타, 아테네 병사들이 기습했을 때 대부분의 아마존 전사들은 텐트 안에서 잠이 깊이 들어 있었다. 펜테실레이아는 포로로 잡히느니 나가서 싸울 것을 결심한다. 초승달 모양의 방패를 들고 몸에 도끼를 걸고 화살집을 묶는다. 손에 활을 잡은 그녀는 달려오는 아테네 병사들을 향해 마구 화살을 연발한다. 화살 하나가 히폴리타 가슴에 꽂힌다. 테세우스가 그녀에게로 간다. 그의 부하들이 펜테실레이아를 붙잡는다. 다른 아마존 전사들은 싸움을 멈춘다.]

테세우스　그 여자를 이리 끌고 오너라. 무슨 짓을 했는지 똑똑히 보여주겠다.

(*펜테실레이아는 자기가 행한 일을 보고 공포에 질려 언니 옆에 무릎을 꿇는다.*)

펜테실레이아　언니가- 히폴리타- 언니가 내 화살에 맞으리라고는, 전혀 뜻밖
　　　이어요.

히폴리타　(*힘없는 목소리로*) 펜테실레이아, 나도 안다, 얘야. 너한테 조금도 유
　　　감없어. 널 사랑한다, 내 동생.

(*펜테실레이아는 언니 말을 들으면서 울고 있다.*)

히폴리타　나의 죽음이 헛되지 않게 해다오, 펜테실레이아. 내 남편과 평화협정
　　　을 맺고, 그리고 난 후 고향으로 가서 우리 아마존 여왕이 되어다오.

펜테실레이아　언니의 자리를 대신할 사람은 아무도 없어요. 그렇기 때문에 언니
　　　를 찾기 위해 온 것입니다.

히폴리타   누구든지 자리는 변경될 수 있다. 우리가 여왕이라 해도 결국 죽게 되
　　　　　어 있는 인간에 불과한 거야. 이 땅에 사는 우리 시간은 한정되어 있
　　　　　어. 내 죽음을 네 탓으로 비난하지 마라. 이건 신들의 뜻이다. 어서 스
　　　　　키티아로 돌아가거라. 좋은 여왕이 되어다오. 그렇게 되면 내 죽음도
　　　　　헛된 게 아니야.
펜테실레이아   내 머리 위 왕관은 언제나 내겐 부담이 될 것입니다.
히폴리타   우리는 모두 죽게 되어 있는 인생이다. 여전사들이여, 슬픔과 고통은
　　　　　우리가 짊어진 운명이요. 자, 테세우스, 날 궁에 데려다주세요. 내 아
　　　　　들 히폴리투스를 마지막으로 안아보고 싶어요.

(테세우스는 부드럽게 그녀를 안고 걸어간다. 슬픔에 젖은 펜테실레이아가 울면
서 테세우스와 나란히 걷고 있다. 페이드아웃.)

[페이드인: 실내. 트로이젠. 궁전. 18년 후. 테세우스는 미남 청년으로 성장한 그
의 아들 히폴리투스를 방문한다. 테세우스의 어머니 아이트라도 함께 있다.]

테세우스   너의 빼어난 외모에 젊은 여인들 가슴이 많이 설레겠구나.
히폴리투스   그런 일이 없기를 바라요, 아버지. 전 여자 문제를 일으킨 적이 없어
　　　　　요. 아르테미스 여신에게 헌신한 몸으로 순결한 삶을 결심했으니까요.
테세우스   네 마음에 드는 여자를 만나면 생각도 바뀔 수 있지.
히폴리투스   제 마음은 진심입니다, 아버지. 전 이대로 너무나 행복해요. 이 땅에
　　　　　서 사랑의 대상을 굳이 찾는다면 그건 아버지와 할머니뿐입니다.
아이트라   히폴리투스, 할머니로서 자랑스럽구나. 네 인생길이 어떻든 너처럼 훌
　　　　　륭한 아들을 낳아준 네 어머니가 살아있으면 얼마나 좋겠니.
히폴리투스   저도 어머니를 잊은 적이 없어요.
테세우스   나는 네 인생길의 선택을 존중한다. 선택의 자유에 대한 내 신념을 너

도 알지. 그렇지만 애야, 너의 인생 스타일이 트로이젠 승리의 자리마저 거부하는 건 아니겠지?

히폴리투스 그건 아니지요, 아버지. 저를 믿고 책임 있는 위치를 허락하시니 영광입니다.

테세우스 난 네 어머니의 죽음으로 상심이 크지만 그래도 네가 있어서 많은 위안을 얻는다.

아이트라 그 얘기가 나와서 말인데, 테세우스, 새 아내를 맞이할 때가 되지 않았느냐.

테세우스 생각해 볼게요, 어머니. 그러나 지금은 우리 소 떼를 훔쳐간 익시온의 아들 피리토우스를 만나러 마라톤에 가야 합니다.

(*테세우스는 어머니와 아들에게 키스하고 떠난다. 페이드아웃.*)

[페이드인: 옥외. 마라톤 들판. 훔친 소 떼를 몰고 가는 피리토우스와 그의 군대를 테세우스와 그의 군대가 열렬히 추격한다. 도망가던 피리토우스 왕이 갑자기 멈추고 쫓아오는 테세우스를 만나러 간다. 두 사람은 서로 눈이 마주치는 거리에서 멈춘다. 양쪽은 서로에게 존경심을 갖고 있다. 피리토우스는 무기를 내려놓고 테세우스에게 손을 내민다.]

피리토우스 좋을 대로 하시오. 내가 죄인이오.

테세우스 당신이 내 친구가 되어준다면 그걸로 족하오.

피리토우스 기꺼이 친구가 되겠소.

(*둘은 동지애를 느끼고 포옹한다.*)

테세우스 적으로 간주했던 자에게서 형제를 발견했구려.

피리토우스　우린 적이었는데 이제는 동지가 되었소.

(*테세우스와 피리토우스는 다시 한번 따뜻하게 포옹한다.* 페이드아웃.)

[페이드인: 실내. 테살리의 피리토우스 궁전. 라피스 종족의 히포다미아 공주와 피리토우스의 결혼식. 테세우스는 피리토우스 옆자리에 앉아있다. 결혼식 참석자는 테살리의 왕자들 가족과 반인반마인 켄타우로스들이 있다. 켄타우로스들은 피리토우스의 친족이다.]

테세우스　피리토우스, 당신은 운이 좋은 사람이오. 히포다미아의 미모와 그녀의 고운 마음씨는 짝을 이루는구려.

피리토우스　테세우스, 당신도 신붓감을 찾아야지요. 히폴리타 여왕이 비범한 사람인 줄은 알지만 나처럼 히포다미아 공주 같은 여인을 만나야 할 때가 된 것 같소.

테세우스　피리토우스, 우리 어머니도 당신과 같은 생각이오. 신중하게 생각해보리다. 난 당신의 신부 선택을 감탄하지만 당신의 저 친족들은 존경하지 않소.

피리토우스　켄타우로스들을 가리키는군요. 켄타우로스는 내 선택이 아니라 우리 아버지 탓이지요.

테세우스　예, 당신 아버지 익시온이 헤라에게 음탕한 마음을 품은 얘기는 들은 바 있소. 그런 일은 절대 해서는 안 되는 줄 알았어야 했지요.

피리토우스　맞아요. 아버지는 어리석었어요. 제우스가 오쟁이 잡힐 리가 없지요. 제우스가 헤라의 모습으로 변장한 구름을 만들어 아버지를 함정에 빠트렸소.

테세우스　정말 빠졌어요. 제우스 아내를 뺏는 것으로 생각하고 네펠레 구름과 사랑에 빠졌으니 말이요.

피리토우스 그래요. 그런데 역습을 당한 건 아버지 쪽이었소. 영원히 지옥 밑바
　　　　　닥 구렁에 묶여 있으니까.

테세우스 저 켄타우로스들은 익시온과 네펠레 사이에서 태어난 종자들이군요.

피리토우스 반인반마의 야생종이지만 그래도 내 이복형제들이니 어쩌겠소.

(몇몇 켄타우로스들이 지나친 과음 효과를 보이는 것에 테세우스는 주목한다.)

테세우스 당신 친족들이 좀 과음한 게 아닌가 걱정되오. 특히 에우리티온 말인
　　　　　데, 신부에게 너무 대담하게 접근하는 것 같소.

*(이 말을 할 때 에우리티온은 히포다미아를 붙들어 비명을 지르는 그녀를 끌고
방안을 가로질러 다닌다. 다른 켄타우로스들이 에우리티온을 따라다니면서 그
들도 각각 여자를 하나씩 붙잡는다. 테세우스가 자리에서 벌떡 일어나 에우리티
온을 막아선다.)*

테세우스 그만해! 술주정뱅이 바보야!

*(테세우스는 축하연 자리에 칼을 갖고 있지는 않았지만 동 주전자를 집어 들고
에우리티온의 머리를 때린다. 모두들 난투를 벌이고 남자 손님들은 자리에서 일
어나 그들의 여자들을 붙잡고 있는 켄타우로스들을 공격한다. 비명과 아우성치
는 가운데 잔, 주전자, 접시들이 공중에 날아다닌다. 켄타우로스들은 어쩔 수 없
이 자신을 방어하기 위해 잡고 있던 여자들을 놓아준다. 소동 속에서 테세우스
와 피리토우스는 많은 켄타우로스들을 죽이지만 또 한편 많은 테살리 사람들도
살해된다. 싸움은 밤늦도록 계속되었으나, 결국 숫자에 밀린 켄타우로스들은 도
주한다. 페이드아웃.)*

[페이드인: 다음 날 아침. 피리토우스와 테세우스는 작별인사를 나눈다.]

피리토우스 당신의 우정을 증명할 필요는 없지만, 그래도 내 아내와 다른 여인들을 보호해준 도움은 우리 우정의 큰 표시요. 은혜를 단단히 입고 있소.

테세우스 별소리를 다 하오, 피리토우스. 아무튼 친구란 게 뭐겠소?

피리토우스 맞아요. 정말이지 우리 사이에 유대가 맺어졌소. 참으로 난 무척 행복하오. 세상에서 가장 멋진 친구와 가장 멋진 아내를 얻었으니 말이오. 내가 히포다미아를 구한 것처럼 당신도 나 같은 행운을 얻기 바라겠소.

테세우스 그렇게 행복해하는 모습을 보니 나도 그럴 가망을 기대해 보겠소.

피리토우스 마음에 둔 여인이 이미 있는 것처럼 들리는데요..

테세우스 마음에 둔 사람이 있기는 있어요. 지금은 거기까지만 얘기합시다.

피리토우스 그 여자와 당신이 서로에게 어울리는 값진 상대이기를 바라오. 잘 가시오, 친구.

(*테세우스는 말에 올라타고 떠나면서 손을 흔든다.* 페이드아웃.)

[페이드인: 실내. 아테네. 테세우스의 궁전. 4년 후. 한 살짜리 아들 아카미스를 안고 테세우스는 아내 파이드라의 침대 옆에 서 있다. 파이드라는 둘째 아들 데모푼을 낳았다. 테세우스의 어머니 아이트라는 새로 태어난 손자를 흡족한 표정으로 내려다본다.]

테세우스 아카미스, 귀여운 네 동생이 생겼어. 머지않아 너하고 놀 수 있는 친구가 될 거다.

(*아카미스는 응얼응얼 소리를 내며 손바닥을 짝짝거린다.*)

아이트라 애기들이 아주 예쁘고 출중하게 생겼구나, 파이드라. 너의 두 왕자들
이 자랑스럽다.

파이드라 (*아무 감정도 없이*) 왕비의 역할을 한 것이라 저도 기뻐요.

테세우스 사랑의 결과가 아니고 임무의 결과라는 뜻으로 들리는구려.

(*파이드라는 자기가 한 말을 덮으려고 한다.*)

파이드라 그런 뜻은 아니었어요. 내가 좀 약해진 모양이네요.

테세우스 그럴 거요, 여보, 쉬도록 해요. 자리를 비켜주겠소.

(*아이트라는 갓난아기를 들어 올린다.*)

아이트라 어미가 쉴 수 있게 데모푼을 유모에게 맡기마.

(*그들은 방을 나선다. 페이드아웃.*)

[페이드인: 실내. 파이드라의 침실 밖. 아이트라가 아기 데모푼을 유모에게 넘겨
주고 테세우스 팔에 안긴 아카미스를 받아 든다.]

아이트라 테세우스, 어디 내 큰 손자 좀 안아보자.

테세우스 어머니, 제게는 두 아들이 있고 아름다운 참된 아내가 있어서 행복합
니다.

아이트라 파이드라가 아름다운 건 인정한다. 언니 아리아드네만큼이나 아름답
구나.

테세우스   디오니소스의 간청 때문이기는 했지만 전 아리아드네를 버리고 온 것
         이 못내 마음에 걸려요. 그래도 그 동생과 결혼해서 미안한 마음을 좀
         갚은 셈이지요.

아이트라   네가 파이드라와 결혼한 이유를 따지지는 않겠다. 그러나 너도 알다시
         피 난 한 번도 파이드라가 아리아드네보다 낫다고 생각한 적은 없어.

테세우스   (*화를 내며*) 어머니, 파이드라를 좋지 않게 말씀하시는 건 듣기 거북
         합니다.

아이트라   난 네 어미다, 테세우스. 내 속마음을 너에게 털어놓는 게 좋지 않겠
         니.

테세우스   그렇다면 어머니께서 제 아내를 잘못 보신 겁니다. 파이드라는 지금까
         지 훌륭한 왕비임을 증명했어요.

아이트라   이렇게 좋은 때에 너를 화나게 하고 싶지 않구나. 네가 파이드라와 행
         복하기를 진심으로 바란다.

테세우스   그렇게 말씀하셔야지요. 전 얼마간 이곳을 떠나 있을 겁니다. 팔라스
         아저씨와 아들들이 저를 왕좌에서 밀어내려고 최후의 발악을 하고 있
         어요. 그 사람들 처리 문제로 신경을 써야겠어요.

아이트라   그래, 그 임무에 집중해라. 마음을 편하게 가져라. 이곳 일은 내가 돌
         보마. (페이드아웃.)

[페이드인: 실내. 테세우스의 궁전. 며칠 후. 테세우스, 파이드라, 아이트라.]

아이트라   반란을 잘 막아낼 줄 알았다, 아들아.

테세우스   그렇지만 그 과정에 팔라스 아저씨와 그 아들들을 죽일 수밖에 없었
         어요.

아이트라   오, 테세우스, 네 친족들을 살해한 것으로 제우스의 심기를 건드렸겠
         구나.

테세우스 그래요. 그래서 저는 아테네에서 일 년간 추방당합니다. 제가 추방당한 동안 우리 가족은 트로이젠에 가서 지내야 합니다. 그곳 총독으로 있는 히폴리투스가 잘 돌보아줄 것입니다.

파이드라 출발 준비를 서두를게요. 빨리 출발할수록 당신 돌아오는 날이 빨라지겠지요.

(*파이드라는 방을 나간다.*)

아이트라 저 애가 저렇게 의욕적인 건 너희들 결혼 후 처음 보는 모습이다.

테세우스 급히 서두르는 이유를 아내가 설명했잖아요.

(*아이트라는 테세우스를 회의적인 눈으로 바라본다.*)

아이트라 그래, 아들아, 나도 가능한 한 네가 하루속히 돌아오기를 바란다. (페이드아웃.)

[페이드인: 옥외. 트로이젠. 약 1년 후. 히폴리투스는 안뜰에 세운 아르테미스 제단 앞에 무릎을 꿇고 있다. 그가 기도를 끝냈을 때 파이드라가 가까이 다가온다.]

파이드라 아르테미스에게 매우 헌신적이군, 히폴리투스.

히폴리투스 예, 저의 생을 이 처녀 여신에게 바쳤습니다.

파이드라 혈기왕성한 한참 때의 미남 청년이 인생을 그렇게 허비하다니, 안됐구나.

히폴리투스 인생을 허비한다고는 생각지 않습니다. 오히려 순결을 지키므로 더 숭고해지는 저 자신을 느낍니다.

(파이드라는 정열적인 눈으로 그를 바라보며 끌어안고 싶은 충동을 참는다. 히폴리투스는 그녀의 욕정을 눈치채지 못하고 걸어 나가지만, 안뜰로 방금 들어온 아이트라는 그녀의 본심을 알아본다.)

히폴리투스 오, 할머니, 오늘은 기분이 어떠세요?
아이트라 손자 얼굴을 보는 날은 더욱 기쁘고 뿌듯하단다.

(히폴리투스는 할머니에게 키스하고 그대로 걸어간다.)

아이트라 파이드라, 히폴리투스가 서약을 지키듯이 너도 부부 서약을 지키는 게 좋겠구나.
파이드라 전 테세우스와의 부부 서약을 어긴 적이 없는데요.
아이트라 너 자신의 잘못은 아니지. 네 나이가 테세우스보다는 히폴리투스에게 더 가깝고, 테세우스가 너하고 결혼하지 않았을 수도 있었다는 사실을 알고 있다. 더욱이 너의 결혼이 사랑을 바탕으로 한 게 아니라, 너의 오빠에 대한 충성 때문에 어쩔 수 없이 맺어진 것도 알고 있다.
파이드라 테세우스도 제 기분을 알고 있어요. 제가 히폴리투스에게 갖고 있는 감정을 어머니께 숨기지 않겠어요. 이건 저의 인생을 송두리째 좀먹는 광기와도 같아요. 달리 제가 느끼는 기쁨도 쾌락도 이제는 없어요. 자식들도 인생 자체도 아무 흥미가 없고, 제 안에 끓어오르는 피가 저를 저주하고 있습니다.
아이트라 그건 아프로디테가 널 저주한 것이다. 히폴리투스에 대한 네 욕정은 네 심장에서 나오는 게 아니고 너의 핏속에 들어있는 것이야. 너는 메데이아가 이아손에게 품었던 욕정이나 코마이토가 암피트리온에게 품었던 똑같은 그런 욕정으로 고통받고 있어.
파이드라 두 여자들은 모두 욕정 때문에 친아버지를 배신했지요. 더구나 메데이아는 마녀였기에 견딜 수 있었겠지만, 인간인 제가 어찌 이런 고통을 당해낼 수 있겠어요?

아이트라 파이드라, 네가 불쌍하구나. 그러나 누구보다도 테세우스가 가엾다. 내일이면 돌아올 터인데 슬픈 귀향이 될까 두렵다.

(*아이트라는 울고 있는 파이드라를 놓아두고 머리를 절레절레 흔들며 나간다. 페이드아웃.*)

[페이드인: 실내. 히폴리투스의 침실. 파이드라가 노크한다. 히폴리투스는 문을 연다.]

파이드라 히폴리투스, 너하고 할 얘기가 있어.
히폴리투스 예, 들어오세요.
파이드라 내일이면 아버지가 돌아오시는 날이야. 그전에 너와 의논할 일이 있다.
히폴리투스 아버지를 위한 일이라면 뭐든지 하지요. 아시잖아요.
파이드라 너의 아버지는 선량하고 친절하셔 - 그런데 -
히폴리투스 우리 아버지는 세상에서 최고여요.
파이드라 사실이다. 그러나 - 그러나 - 훌륭한 점은 인정하지만 난 그만큼 아버지를 사랑하지 않아. 한 번도 사랑한 적이 없어.

(*히폴리투스는 충격을 받고 뒷걸음질을 한다. 파이드라는 히폴리투스 앞에 몸을 던진다.*)

파이드라 내가 사랑하는 건 아버지가 아니라 바로 너다. 나를 피하지 마라. 견딜 수가 없어.

(*히폴리투스는 두 손으로 귀를 막는다.*)

히폴리투스 그런 신성 모독의 말씀을 저에게 하시면 안 됩니다. 듣는 것만으로
도 저 자신이 추하게 느껴집니다.

(*파이드라는 히폴리투스의 두 다리를 붙잡는다.*)

파이드라 여지껏 난 아무 말 안 했지만 끓어오르는 심장의 피를 더 이상 견딜
수가 없구나. 내 안에서 활활 불타고 있어.

히폴리투스 오, 추잡한 소리 그만하세요! 저주스러운 여자들! 구역질 나는 그런
말을 어찌 입에 담을 수 있단 말입니까? 당신과는 이제 한시도 한 지
붕 밑에 있을 수 없어요. 전 모든 게 열려있는 정직하고 순수한 숲속
으로 가겠습니다.

(*히폴리투스는 그녀의 손을 벗어나 달려나간다. 파이드라는 그녀의 눈물로 범벅
이 된 바닥에 넙죽 엎드려있다. 페이드아웃.*)

[페이드인: 실내. 다음 날. 파이드라의 침실. 테세우스는 급히 들어오면서 그녀의
침대로 간다.]

테세우스 파이드라, 파이드라, 당신을 다시 팔에 안으니 얼마나 좋은지 모르겠
소.

파이드라 뜻밖이네요, 테세우스. 이렇게 일찍 오실 줄은 몰랐어요.

테세우스 서둘렀지. 당신이 보고 싶어서 참을 수가 없었소. 그런데 안색이 왜 그
렇소? 무슨 일이라도 있는 거요?

파이드라 오, 아무것도 아니어요. 당신의 귀향을 망치고 싶지 않아요.

테세우스　무슨 일이오, 여보. 당신의 걱정은 내 걱정이오.

파이드라　그건- 그건 히폴리투스 때문이어요.

테세우스　히폴리투스 때문이라니? 그 애한테 무슨 일이 생겼소?

파이드라　아니, 그런 게 아니어요. 그 앤 잘 있어요. 문제는 그 아이가- 그 아이가-

테세우스　어서 말해요, 파이드라. 그 아이가 어쨌다는 거요?

파이드라　그 애가- 그 애가- 글쎄 제 명예를 손상시키려고 했어요.

테세우스　당신 명예를 손상시킨다는 게 무슨 소리요? 당신에게 부도덕한 행동이라도 했다는 뜻이오?

파이드라　그게 그러니까, 말하자면 저한테 아들 된 도리로써 접근하지 않았어요.

테세우스　친아버지의 명예를 더럽히다니!

파이드라　순간적인 충동으로 도취해서 그랬을 거예요.

테세우스　(*경악하며*) 그런데- 어떤 처녀에게도 눈길 한 번 주지 않던 아이가- 신성한 아르테미스에게 헌신을 맹세한 그런 고결한 아이가 아니었소!

파이드라　테세우스, 난 설명할 수가 없어요.

테세우스　그 앤 지금 어디 있소? 내 가만두지 않을 거요!

파이드라　숲으로 나간다고 했어요. 그렇지만-

테세우스　아무 소리 말아요!

(*테세우스는 달려나간다. 페이드아웃.*)

[페이드인: 옥외. 트로이젠의 숲. 테세우스가 히폴리투스를 찾았을 때 그는 사냥 중이었다. 아버지를 포옹하려는 아들을 테세우스는 밀어낸다.]

테세우스　그런 짓을 저지르고도 나를 포옹하려 하다니 뻔뻔하기 짝없구나.

히폴리투스 저는 아무 짓도 하지 않았는데요. 어떤 경우에도 결코 아버지를 배
　　　　　신한 적이 없습니다. 그러느니 차라리 죽는 편이 낫지요. 저는 아버지
　　　　　를 세상에서 제일 사랑합니다.

테세우스 애비에 대한 사랑을 넌 이상한 방법으로 나타내는구나. 내 아내의 뒤
　　　　　를 쫓는 방법으로 말이다.

히폴리투스 아버지, 아버지는 제가 처녀 아르테미스에게 헌신한 몸이라는 걸 잘
　　　　　아시잖아요. 어느 여자 뒤도 쫓아다녀 본 적이 없습니다. 더군다나 아
　　　　　버지의 부인을- 절대 그런 일은 있을 수 없습니다.

테세우스 그럼 파이드라 말이 거짓말이냐?

히폴리투스 저는 어느 쪽을 믿으라는 말씀은 드리지 않겠어요. 오직 제가 할 수
　　　　　있는 말은, 양심에 걸고 저는 진정 깨끗하다는 것뿐입니다. 이 말씀을
　　　　　드렸으니 이제 제가 좋아하는 트로이젠을 떠나겠어요. 아버지께 슬픔
　　　　　을 드리느니 차라리 제가 죽는 편이 낫습니다.

테세우스 오냐, 이런 말을 하는 내 마음도 아프지만, 난 널 두 번 다시 보고 싶
　　　　　지 않다.

(히폴리투스는 한숨을 크게 쉬고 눈물을 쏟으면서 간다.)

테세우스 *(포세이돈에게 호소하며)* 저의 아버지께서 포세이돈 당신에게 도움을
　　　　　청해도 된다고 하셨습니다. 제 청을 들어주십시오. 히폴리투스에게 다
　　　　　시는 새날을 볼 수 없게 해주소서.

(테세우스는 궁으로 돌아와서 탄식하며 운다. 페이드아웃.)

[페이드인: 실내. 궁전. 테세우스와 마주한 아이트라는 심히 흥분해있다.]

아이트라　테세우스. 어디 있었느냐? 너를 찾아 사방을 다녔다.

테세우스　배신자 아들을 만나고 오는 길입니다.

아이트라　히폴리투스를? 그가 배신자라고?

테세우스　제 앞에서 다시는 그 이름을 입에 올리지도 마세요.

아이트라　오, 테세우스, 이런 일이 일어날까 봐 두려웠다.

테세우스　무슨 얘긴지 설명해 보세요, 어머니.

아이트라　파이드라가 나한테 고백했어. 히폴리투스를 향한 열정이 이성을 초월해서 불타고 있다고. 삭히려고 아무리 노력해도 안 된다는 거다. 그 열정은 아프로디테가 꾸민 일이라서 어쩔 수 없었던 거다. 물론 아프로디테는 자기 하고 싶은 대로 하니까.

테세우스　뭐라고요? 히폴리투스의 말이 그럼 진실이었나요?

아이트라　네 마음이 아프겠지만 히폴리투스의 말은 사실이다. 테세우스, 그보다 더 나쁜 소식이 있구나.

테세우스　더 나쁜 소식이라니요? 이보다 더 나쁜 소식이 어디 있겠어요?

아이트라　파이드라가 죽었어. 아프로디테가 안겨준 고통을 벗어나려고 목을 매어 자살했어.

테세우스　오! 아내와 아들을 하루에 다 잃다니!

(*아이트라는 아들을 위로한다.*)

아이트라　나 역시 슬픈 어미가 되었구나.

테세우스　기다리세요! 히폴리투스를 살릴 수 있을지 몰라요. 아직은 늦지 않았을지 몰라요!

아이트라　제발 그러기를 기도한다.

(*테세우스는 뛰어나간다. 페이드아웃.*)

[페이드인: 옥외. 아르고와 에피다우로스로 가는 해변 도로에서 테세우스는 그가 탄 마수에게 최대한의 빠른 속력으로 마차를 몰도록 재촉한다. 오른쪽에 바다가 있고 왼쪽에는 바위들이 불뚝불뚝 튀어 나온 언덕이 자리 잡고 있다. 갑자기 말들이 멈춘다. 바다에서 굉음이 들리고 산 높이 크기의 파도가 솟아오르면서 파도는 귀청이 떨어질 것 같은 울음소리를 발하는 거대한 괴물이 되어 도로 위로 몰아쳐서 길을 막아선다. 그러나 테세우스는 바다 괴물이 있는 바로 그 앞에서 달리는 또 다른 마차가 눈에 들어온다. 괴물은 그 마차와 마차에 탄 사람을 돌출한 바위들과 함께 언덕 아래로 밀어낸다. 말들과 마차와 마차에 탄 자가 모두 떨어지면서 돌출한 바위 더미를 넘어 끌려가더니 멈춘다. 테세우스가 사고현장에 도달했을 때 괴물은 바닷속으로 사라진다. 테세우스는 마차에서 뛰어내려 언덕으로 내려간다. 그는 구부리고 쓰려져 있는 자가 누구인지 알아본다.]

테세우스 히폴리투스, 날 용서해다오. 내가 너에게 죄를 지었다.

히폴리투스 (*천천히, 신중하게 말하면서*) 아버지, 제가 아버지와 화해를 하니 너무 기뻐요.

테세우스 아니다, 히폴리투스, 화해를 바라는 건 나다. 너를 절대 의심하지 말았어야 했어. 파이드라는 목을 매어 자살했고 너의 죽음은 전적으로 내 잘못이다. 내가 포세이돈에게 복수해 달라고 간구했기 때문이다.

히폴리투스 아버지, 자신을 탓하지 마세요. 신들은 누구에게나 마찬가지지만 저에게도 제 죽음을 미리 정해놓은 것입니다. 우린 모두가 신들의 노리갯감이지요.

테세우스 (*히폴리투스를 붙잡고 울면서*) 네 말이 맞다, 내 아들아. 신들은 우리에게 시련과 고통의 유산을 남겨준 거다.

히폴리투스 사랑의 유산도 주었어요. 그 점을 놓치면 안 돼요, 아버지. 저는 인간 중에서 아버지를 제일 사랑합니다.

테세우스 나도 너를 가장 사랑한다. 내가 좀 더 지혜로운 가치 있는 아버지였더라면 좋았을 것을.

(*히폴리투스는 미소를 지으며 아버지를 애정 어린 표정으로 바라보고 숨을 거둔다. 페이드아웃.*)

[페이드인: 옥외. 1년 후. 스파르타 근처의 숲. 테세우스와 친구 피리토우스가 사냥 원정에 나선다.]

피리토우스 우린 또 홀아비 신세가 되었소, 테세우스.

테세우스 히포다미아의 때 이른 사망 소식에 마음이 아팠소.

피리토우스 파이드라의 불행한 사망 소식을 듣고 나도 슬펐소.

테세우스 우린 이제 중년이 되었으니 젊은 처녀들 가슴을 흔들 나이는 지났구려.

피리토우스 그렇지만 우리에겐 유명세가 있고 존경받는 군주인 데다, 나로 말하면 제우스의 아들이 아니오. 이쯤에서 우린 제우스의 딸들과 결혼해도 된다는 생각이 드는데, 어떻소?

테세우스 내가 만약 제우스의 딸에게 눈독을 들인다면 제우스와 레다 사이에서 태어난 아름답고 화려한 헬레네를 택할 것이오. 아직 어려서 결혼할 나이는 아니지만 성인이 될 때까지 충분히 기다려줄 가치 있는 여자지.

피리토우스 난 제우스와 데메테르 사이의 딸 페르세포네를 택하겠소.

테세우스 페르세포네라니, 그건 안 돼요! 피리토우스, 당신 미쳤소? 페르세포네는 하데스의 왕비요. 하데스는 그녀를 과잉보호하는 어머니와 그녀를 방심하지 않고 지키는 수호자들로부터 빼앗았어요. 그런 여자를 원한다니, 절대 불가능한 소리요, 피리토우스.

피리토우스 가능합니다, 테세우스. 하데스는 규칙적으로 지하 세계를 떠나거든요. 그의 말들을 점검하기 위해서 자기 형제 포세이돈을 만나러 갑니다.

테세우스 그건 그래요. 최고의 말들을 소유하고 있는 사실은 나도 알지요. 그렇지만 거기를 어떻게 가려는 거요? 또 설사 간다 하더라도—

피리토우스 다 생각해 두었어요. 라코니아의 타에나룸에 통로가 있어요. 카론을 매수하고 케르베로스를 꿀떡으로 유인해서 그의 관심을 돌려놓으면 됩니다.

테세우스 정신 나간 짓이오. 그러나 일을 성사시키려면 여태 우리가 해온 모험에서처럼 함께 힘을 모아야겠군요.

피리토우스 좋습니다. 우선 당신의 헬레네를 먼저 찾읍시다. 그 애는 매일 춤추기 위해서 아르테미스 신전으로 간답니다.

테세우스 아르테미스 신전으로 갑시다.

(*두 동지는 말 위에 오른다. 페이드아웃.*)

[페이드인: 옥외. 하데스의 궁으로 가는 관문. 피리토우스와 테세우스가 관문에 있는 마술 바위 의자에 앉아있다. 헤라클레스는 지하 문에서 케르베로스를 이송하는 그의 열두 번째 임무를 마치는 중이다. 헤라클레스는 방금 하데스와 공정한 싸움을 끝내고 케르베로스를 일시적으로 지상 세계로 데리고 가는 권리를 얻었다.]

헤라클레스 하데스, 한 가지 청이 있는데— 테세우스와 피리토우스를 풀어주었으면 합니다.

하데스 난 테세우스에게는 원한이 없소. 친구 따라 이곳에 온 것이지 페르세포네를 탐낸 건 아니니까요. 테세우스는 풀어주겠소만 피리토우스는 안 되오.

(*헤라클레스는 테세우스에게로 간다. 그를 잡아당기고 또 잡아당기고 또 잡아당겨서 마침내 마술의 바위 의자에서 떨어지게 한다.*)

테세우스 (*깨어나면서*) 헤라클레스, 당신이군요! 그런데 피리토우스는―
하데스 자, 할 수 있을 때 어서 이곳을 떠나시오.
헤라클레스 얘기는 나중에 하고 어서 나갑시다, 테세우스.

(*헤라클레스는 케르베로스를 머리 위에 들고 테세우스는 돌이 된 형체의 피리토우스를 돌아다 본다. 헤라클레스는 떠날 것을 재촉한다. 페이드아웃.*)

[페이드인: 옥외. 아티카에 있는 아이트라. 테세우스는 파괴된 도시를 통과하여 어머니의 궁전으로 간다.]

테세우스 어머니! 헬레네! 어디들 있습니까?

(*아이트라가 그의 목소리를 듣는다.*)

아이트라 테세우스, 너냐? 그동안 어디 있었느냐?
테세우스 하데스에서 오는 길입니다. 그건 나중에 얘기하고요. 우선 이곳에 무슨 일이 있었습니까? 헬레네는 어디 있나요?
아이트라 테세우스, 넌 여자를 선택하는 문제에 저주를 받았다.
테세우스 요점을 말씀해주세요, 어머니.
아이트라 헬레네의 두 오빠 카스토르와 폴리듀케스가 한 짓이야.
테세우스 헬레네는요?
아이트라 오빠들이 스파르타로 데리고 갔어. 그뿐 아니다.
테세우스 더 나쁜 소식이 있나요.

아이트라 그렇다. 아테네에서 메네스테우스가 네가 이룩한 민주주의를 다 무너
뜨렸어. 폭도들이 폭동을 일으켰고 귀족들도 드러내놓고 반항하고 있
다.

테세우스 아카미스와 데모푼은 어찌 되었습니까?

아이트라 내가 마지막 들은 건 두 아이들은 모두 안전하다고 들었다.

테세우스 아이들을 유보이아의 엘레페노르 왕에게 보내야겠어요. 어머니도 그
리로 가 계세요. 저는 아테네로 가겠습니다. (페이드아웃.)

[페이드인: 실내. 아테네. 궁전. 테세우스와 예언자.]

테세우스 예언자여, 민주주의조차 힘써 보호를 받아야만 하니! 내가 없는 동안
메네스테우스가 일을 저질렀군요.

예언자 그렇소. 메네스테우스가 당신이 독재자로 변했다는 말로 귀족들을 선
동했고, 폭도들 누구도 통제할 수 없게 만들었소.

테세우스 난 강제성을 띠고라도 모든 것을 시도했지만 반란 세력을 진압할 수
는 없었군요.

예언자 유감스럽게도 예감이 좋지 않습니다. 아테네 시민들은 당신을 멀리할
것입니다.

테세우스 백성들이 나를 거부한다는 사실이 제일 마음 아픕니다.

예언자 전하, 달콤한 맛이 쓴맛으로 변하는 그게 통치의 운명이오.

테세우스 이런 일이 올 줄은 전혀 예측 못 했지만 나를 실망시키고 내 꿈을 이
렇게 부숴버린 아테네 시민들을 저주하오. 그러나 무엇보다도 이런 일
이 일어나게 한 나 자신을 저주합니다.

예언자 전하, 너무 자책하지 마십시오. 전하께서 민주주의의 씨를 심었으니
언젠가는 그 열매를 맺는 때가 반드시 올 것입니다.

테세우스 그게 무슨 소용 있겠소? 난 그런 날을 보지도 못하고 세상을 뜰 터인

데.

예언자   아니지요. 전하께서 그 길을 보여주셨어요. 길을 보여준다는 게 얼마나 큰일인가요.

테세우스   그럴지도 모르겠소. 아무도 원치 않는 비참한 신세로 내가 사랑하는 아테네를 떠나는 이 처지에 당신 말이 조금은 위로가 되는구려.

예언자   위대한 건 대가를 치르게 되어 있습니다, 전하.

테세우스   과연 엄청난 대가를 확실하게 치르는군요.

(*테세우스는 낙담하여 떠난다. 페이드아웃.*)

[페이드인: 실내. 스키로스섬. 리코메데스 왕의 궁전. 테세우스는 왕의 환영을 받는다.]

테세우스   리코메데스 왕이여. 어려운 처지에 있는 나를 환대해주시니 고맙소.

리코메데스 왕   고향을 떠났으니 이제 이곳을 고향으로 생각해주십시오. 아테네 사람들이 언젠가는 지각을 찾고 정신이 들면 본국으로 귀향하시는 날이 꼭 올 것입니다.

테세우스   그랬으면 좋겠습니다. 그때까지는 내 선친의 비옥한 사유지가 있는 이곳에 머물도록 하겠습니다.

리코메데스 왕   좀 쉬시고 원기를 회복하시면 그곳 선친의 소유지 전경이 한눈에 내려다보이는 곳으로 안내해 드리겠습니다.

(*리코메데스 왕은 하인을 불러 테세우스의 필요대로 정성껏 모실 것을 명한다. 테세우스는 하인과 동행한다. 테세우스가 자리를 뜬 후 리코메데스 왕은 그의 예언자를 불러들인다. 페이드아웃.*)

[페이드인: 실내. 리코메데스 왕의 궁전. 왕과 그의 예언자.]

리코메데스 왕 테세우스가 이곳에 나타난 일이 당신의 전조로는 나쁜 운수가 아
　　　　　　니란 거지요.

예언자　　예. 테세우스의 출현으로 인한 불행한 운수는 없습니다. 실은 하늘의
　　　　　　긴밀한 협력이 조화롭게 이루어진 결과로 보입니다.

리코메데스 왕 그런데 난 그의 고상하고 강력한 지도자 성품이 두렵소. 그가 여
　　　　　　기 머무는 동안 내 마음이 편치 않을 것 같단 말이오.

예언자　　제가 보는 전조에 따르면 왕께서 테세우스를 두려워할 근거는 전혀
　　　　　　없습니다.

리코메데스 왕 좋소. 좋은 소식을 들려주는군요, 예언자 양반.

(*예언자는 절을 하고 나간다. 페이드아웃.*)

[페이드인: 옥외. 테세우스의 거대한 사유지가 내려다보이는 절벽. 리코메데스
왕과 테세우스.]

리코메데스 왕 저길 보십시오. 여기 서서 보면 광활하고 비옥한 당신의 사유지
　　　　　　전경이 한눈에 들어옵니다.

(*테세우스는 더 잘 보기 위해서 절벽 가장자리 가까이 간다. 그때 리코메데스 왕
이 테세우스를 절벽 아래로 등을 밀어서 떨어트려 죽게 한다.*)

리코메데스 왕 (*혼잣말로*) 당신이 발을 잘못 디딘 거요, 테세우스. 이건 사고였
　　　　　　소. 달리 생각할 사람이 누가 있겠는가. (페이드아웃.)

[페이드인: 옥외. 몇 세기 후. 490 BC. 마라톤 들판. 아테네의 독재자 히피아스와 페르시아 왕 다리우스를 대항하여 싸우기 위해 아테네 지휘관 미티아데스가 그의 군대를 인솔하고 있다. 아이스퀼로스가 미티아데스 옆에 있다.]

미티아데스 아이스퀼로스, 우리가 이 전투를 이기면 당신은 시인으로서 아테네인의 용감성을 높이 칭송하는 찬양의 글을 써야 합니다. 비록 같은 아테네인인 히피아스와 저 유명한 페르시아 왕 다리우스의 눈에는 우리의 용맹성이 실패할 게 뻔해 보일지라도 말이오.

아이스퀼로스 네, 쓰겠어요. 상황은 불리해 보이네요. 다리우스 왕이 히피아스와 합류만 하지 않았더라도 우리가 이길 수 있는 건데.

(*갑자기 한 장수의 유령이 창과 동 칼을 들고 그들 앞에 나타난다.*)

테세우스의 유령 아테네 동지들이여, 나를 따르라. 내 육신은 스키로스 땅에 묻혀있지만 내 마음은 언제나 아테네에 있다.

미티아데스 이 현상이 가능합니까?

아이스퀼로스 가능하지요. 우리의 필요가 절실할 때에 테세우스가 온 것입니다.

(*미티아데스는 새롭게 힘을 얻어 테세우스의 유령을 따라가는 그의 부하들을 열렬히 부추긴다. 페르시아인들은 당황해한다. 페이드아웃.*)

[페이드인: 옥외. 아테네. 도시의 중심부. 스키로스의 땅에서 옮겨온 테세우스의 매장식에 참여하기 위해 수천 명이 행렬을 이루고 있다. 신성한 유골을 신하로서의 예를 갖춰 신전에 안치한다. 아이스퀼로스가 군중을 향해 연설한다.]

아이스퀼로스 동료 아테네 시민 여러분, 테세우스의 명성과 그의 영광은 대대로 기억되고 칭송받아야 함을 나는 시인으로서 선언합니다. 이제 그의 묘소는 성소가 되었습니다. 누구든 박해받거나 인간의 권리가 거부된 자의 피난처로 이 성소를 봉헌합니다. 인간 누구에게나 동등한 정의를 추구했던 한 사람의 묘소는 이제 고통받는 인간의 은신처가 되었습니다. 나는 동료 아테네 시민 여러분의 진정한 후손의 이름으로 이를 선포합니다.

(아이스퀼로스의 감성에 공감한 군중들은 기쁨에 넘쳐 큰소리로 열광한다.)

14
페르세우스

등장인물

다나에	여사제	아가니페 왕비
아크리시우스	헤르메스	테우타미데스 왕
구름 형체의 제우스	에니요	예언자
페르세우스	데이노	프로이토스
딕티스	펨프레도	관중
딕티스의 아내	아테나	메신저
폴뤼덱테스 왕	안드로메다	부관
시종	케페우스 왕	

[페이드인: 실내. 아르고스. 아크리시우스 왕 궁전의 황금 탑. 아크리시우스 왕과
딸 다나에.]

아크리시우스 왕　애야, 너를 이렇게 가두어 두니 내 마음이 심히 괴롭구나. 그렇
　　　　지만—

다나에　(*아버지의 말을 가로막으며*) 저도 알아요, 아버지. 제게서 태어날 아들
　　　　이 아버지를 죽이는 도구가 된다는 신탁의 예언 때문이지요.

아크리시우스 왕　그래서 누구도 네게 접근 못 하도록 너를 탑 속에 이렇게 가두
　　　　어 둔 것이다.

다나에　저를 탑에 가둘 필요까지는 없어요, 아버지. 저는 원래 처녀로 살기 원

했으니까요.

아크리시우스 왕 애야, 내가 걱정하는 건 너의 성품이 아니란다. 넌 가장 아름다
운 여인이고 또 어떤 아버지라도 너 같이 예쁜 딸을 부러워하지. 그렇
지만 난 남자들의 마음을 안다.

다나에 아버지 좋으실 대로 하세요.

아크리시우스 왕 여기서 네가 필요한 건 다 해주겠다. 그리고 너의 엄마와 내가
자주 방문하마.

(*왕은 딸에게 키스하고 그의 몸에 항상 지니고 다니는 자물쇠로 거대한 문을 잠
근다. 페이드아웃.*)

[페이드인: 실내. 황금 탑. 다나에는 창가에 앉아 구름이 돌고 있는 것을 지켜본
다.]

다나에 (*혼잣말로*) 아, 저 구름을 타고 바람결에 훨훨 날아다닐 수 있다면 얼
마나 좋을까.

구름 형체의 제우스 이리 오세요, 아름다운 아가씨. 내가 바람 타고 자유롭게 해
줄게요.

다나에 (*무서워하며*) 누구세요- 내게 말을 거는 당신은 누구세요?

제우스 당신을 자유롭게 해주고 싶은 구름입니다.

다나에 멋있게 들리네요. 난 그냥 내가 원하는 생각을 말해 보았을 뿐이어요.
난 이 탑을 절대로 떠나면 안 돼요. 아버지와의 약속이어요.

제우스 그럼 떠나지 마세요. 내가 탑 위를 날아다니겠소. 그런 식으로 탑을 떠
나지 않은 상태에서 자유를 즐겨 보십시오.

다나에 떠나지 않고 또 약속도 깨트리지 않으면서 어떻게 그럴 수 있나요?

제우스 내가 항상 이 탑을 애무하겠다고 약속하리다.

(*다나에는 구름 쪽으로 와서 구름 속에 휩싸여 안긴다. 페이드아웃.*)

[페이드인: 실내. 황금 탑. 9개월 후. 아무도 모르게 다나에는 사내아이를 출산하여 팔에 안고 있다.]

다나에 난 너를 구름 속에서 태어났지만 사랑으로 태어난 페르세우스라고 부르겠다. 넌 나의 비밀이고 나의 구원자야. 난 이제 이 탑 속에 홀로 있는 신세를 면했구나. (페이드아웃.)

[페이드인: 실내. 황금 탑. 7년 후. 페르세우스는 어머니 무릎에 앉아있다.]

페르세우스 내 족보에 대해 얘기해주세요, 어머니. 내가 제우스의 아들인 건 알지만 어머니 쪽의 족보는 모르고 있어요.

다나에 너의 어머니 쪽 가계는 아주 재미있단다. 고조할아버지와 고조할머니는 흥미로운 혼인 관계를 맺었어.

페르세우스 그 얘기를 들려주세요, 어머니.

다나에 나한테 가까이 안기렴. 흥미로운 얘기를 들려주마.

(*페르세우스는 열중해서 듣는다.*)

다나에 너의 고조할아버지인 아르고스의 다나우스 왕은 딸이 50명이고 작은 고조할아버지인 이집트의 아이기프투스 왕은 아들이 50명 있었어. 고조할아버지와 작은 고조할아버지는 자주 말다툼을 했지만 아이들을 서로 혼인시키는 데는 동의했단다.

페르세우스 그건 왜지요?

다나에 자식들의 결혼을 통해서 아이기프투스 왕은 권력을 아르고에까지 확장하고 싶었던 거지.

페르세우스　다나우스 왕은요?

다나에　그 역시 나름대로 계획이 있었어. 딸들에게 각각 단도를 하나씩 주고 결혼 첫날 밤에 신랑을 죽이라고 한 거야.

페르세우스　그래서 남편들을 모두 죽였나요, 어머니?

다나에　히페름네스트라 딸 하나만 제외하고 나머지 딸들은 남편을 모두 죽였어. 히페름네스트라는 남편 린케우스를 정말 사랑했는데 그를 죽이는 대신 도망가도록 도왔지.

페르세우스　그 딸은 벌 받았나요?

다나에　투옥되었지만 아르기브 재판정에서 무죄 판결을 받고 석방되었단다. 아프로디테가 그녀를 위해 청원했기 때문이야. 나중에 다시 남편과 결합했어.

(다나에는 이야기에 심취하여 그녀의 아버지가 그곳에 들어와 서 있는 것을 보지 못한다. 아버지를 보았을 때 그녀는 본능적으로 아이를 보호하기 위해 몸 뒤에 숨긴다.)

아크리시우스 왕　이 애는 웬 아이냐?

다나에　제우스의 아들이어요. 제우스가 구름 형체로 왔어요.

아크리시우스 왕　제우스의 뜻을 피할 수 없다는 사실을 내가 미처 몰랐구나.

다나에　아버지도 아시지만 아이를 갖는 것은 제 뜻이 아니었어요. 그러나 이제는 이 아이를 포기하느니 차라리 제가 죽겠습니다.

아크리시우스 왕　너의 아들이 나의 죽음의 도구가 된다는 걸 기억하고 있겠지?

다나에　그러나 아버지도 저도 다 아는 사실은 제우스의 친족을 죽이는 자는 파멸당하게 되어 있잖아요.

아크리시우스 왕　방법이 있을 것이다.

(*아크리시우스 왕은 자리를 떠나고 다나에는 아들 페르세우스를 보호하고 서 있다. 페이드아웃.*)

[페이드인: 옥외. 아르고스. 바닷가. 다나에와 페르세우스를 담은 거대한 목함이 있고 그 옆에 아크리시우스 왕이 서 있다.]

다나에　아버지께 원한은 없어요. 저는 제우스의 손에 달렸고 그런 제 운명을 받아들입니다.
아크리시우스 왕　딸아, 제우스가 너와 함께 하기를 빈다.

(*아크리시우스 왕은 딸과 페르세우스에게 키스한다. 그리고는 상자 뚜껑을 덮고 단단히 못질한 후 바다로 띄워 보낸다. 페이드아웃.*)

[페이드인: 옥외. 세리포스섬. 바닷가. 다나에와 페르세우스가 들어있는 거대한 목함이 밀려온 그곳에 어부 딕티스와 그의 아내가 다가온다.]

딕티스　여보, 이게 대체 뭘까?
딕티스의 아내　이렇게 으리으리하게 조각된 상자가 바다에 떠다니다니요?

(*상자 안에서 소리가 들린다.*)

딕티스　이 안에 뭔가 사람이 들어 있는 모양이오. 어디 열어봅시다.

(*딕티스가 뚜껑을 열기 위해 상자에 다가간다.*)

[페이드인: 옥외. 세리포스섬. 10년 후. 딕티스와 페르세우스가 낚시 그물을 힘

껏 끌어당기고 있다.]

딕티스 페르세우스, 넌 이제 당당한 어부가 되었구나.

페르세우스 전 바다가 좋아요. 거기다 제가 좋아하는 아저씨하고 고기잡이를 하
니 더 좋아요.

딕티스 바다는 너그럽단다. 너와 네 어머니를 우리한테 실어다 주었으니 말이
야.

페르세우스 아저씨의 형 폴뤼덱테스 왕이 저희를 발견하지 않고 아저씨가 발견
했으니 얼마나 다행이어요.

딕티스 내 형이지만 잔인한 폭군이야. 그건 나도 인정해.

페르세우스 아저씨의 권한까지 빼앗은 파렴치한 악한이지요.

딕티스 그래도 난 상관없어. 내 형보다 내가 훨씬 더 행복한걸.

페르세우스 그건 그래요. 아저씨는 행복한 분이어요. 덕분에 저희 모자도 행복하
고요.

(*딕티스는 물고기가 가득 차 있는 용기들을 정리하고 페르세우스는 그물을 정리
한다. 페이드아웃.*)

[페이드인: 옥외. 시장 광장. 세리포스섬. 폴뤼덱테스 왕, 시종과 수행원들. 폴뤼
덱테스 왕은 다나에와 페르세우스가 근처의 생선 판매대에 있는 것을 본다.]

폴뤼덱테스 왕 저 잘생긴 여인은 누군가?

시종 전하의 동생 딕티스가 실제로 바다에서 건진 여자입니다. 저 미남 청
년은 그녀와 함께 상자 속에 있던 아들이고요.

폴뤼덱테스 왕 진정 보기 드문 미녀로군.

시종 제우스도 그렇게 생각했어요. 저 청년의 아버지가 제우스니까요. 사람

들이 저 청년을 페르세우스라고 부르더군요.

폴뤼덱테스 왕 저 여자는 뭐라고 부르는가?

시종 다나에라고 합니다.

폴뤼덱테스 왕 다나에. 다나에. 내 여자로 만들어야겠다.

시종 그렇게 하시려면 아들이 가까이 없을 때 하셔야 합니다.

폴뤼덱테스 왕 그렇다면 가까이 없게 해야지. 페르세우스에게 내가 궁에서 보잔
다고 전해라.

(*시종은 시장의 판매대로 천천히 걸어가고 폴뤼덱테스 왕과 그의 수행원들은 궁
으로 돌아간다. 페이드아웃.*)

[페이드인: 실내. 궁전. 폴뤼덱테스와 페르세우스.]

폴뤼덱테스 왕 젊은이, 자네는 세금 징수 기한을 넘겼어.

페르세우스 우린 세금으로 낼 말들이 없습니다. 물고기로 대신 낼 수 있게 해주
시면 좋겠습니다.

폴뤼덱테스 왕 요구된 건 물고기가 아니라 달리는 말이네.

페르세우스 말 대신에 전하를 위해서 어떤 봉사라도 기꺼이 하겠습니다.

폴뤼덱테스 왕 내가 자네에게 유일한 다른 봉사를 요구한다면, 그건 메두사의 머
리를 가져오는 것인데, 그런 봉사를 자네가 할 수 있겠나?

페르세우스 (*거만한 자세로*) 이미 실행한 것으로 간주해주십시오.

(*페르세우스가 자신 있는 태도로 걸어 나갈 때 폴뤼덱테스 왕은 그를 보면서 교
활하게 미소 짓는다. 페이드아웃.*)

[페이드인: 실내. 델피의 신탁. 여사제와 페르세우스.]

페르세우스 저는 세 명의 고르곤을 죽이려고 그리스에 왔습니다. 한없는 지혜의 사제님께서 그 고르곤들을 어디서 찾을 수 있는지 부디 가르쳐 주십시오.

여사제 모든 신탁들을 능가하는 신탁이 알려줄 것이오.

페르세우스 그건 어떤 신탁입니까?

여사제 당신의 아버지 제우스의 영광을 위해 대홍수 이후 데우칼리온이 지은 도도나에 있는 신탁입니다.

페르세우스 도도나는 어디에 있습니까?

여사제 참나무 땅의 북쪽이오. 제우스의 뜻을 알아내기 위해 셀리가 잎새들 소리를 해석한 곳이지요.

페르세우스 고맙습니다. 아버지의 신탁으로 가보겠습니다. (페이드아웃.)

[페이드인: 옥외. 도도나의 신탁, 에피루스. 그리스 북쪽 참나무가 가득한 숲속에 페르세우스와 여사제가 있다. 여사제는 혼신을 다해 집중하여 잎새들의 흔들림을 몰두해서 듣고, 얼마 후 몽환 상태에서 깨어난다.]

여사제 제우스는 자기 아들을 잊지 않고 있어요. 아테나와 헤르메스가 당신을 도와줄 것이어요. 메두사의 머리를 자르려면 초자연적인 도움이 필요합니다.

페르세우스 (*절하면서*) 진심으로 감사합니다.

여사제 이 길을 그대로 따라가면 당신의 운명을 만나게 될 것입니다.

(*페르세우스는 작별의 손을 흔들어 보이고 제시해준 길을 따라간다. 페이드아웃.*)

[페이드인: 옥외. 같은 길. 며칠 후. 페르세우스는 배냇머리 한 가닥이 한쪽 뺨에

흐르고 손에는 황금 지팡이를 들고 날개 달린 모자에, 날개 달린 신발을 신고 앉아있는 아름다운 젊은이를 만난다. 그는 보통 때 위장한 모습을 하고 있는 헤르메스이다.]

헤르메스 어이, 거기 여행자 양반, 지쳐 보이는데, 혹시 길을 잃었소?

페르세우스 예, 지치기도 했고 길도 잃었어요. 메두사의 머리 찾는 일을 내가 과소평가한 것 같습니다.

헤르메스 제우스는 언제나 자기 방식대로 준비하니까. 우선 쉬고 나서 기운을 차리시오. 그런 후에 어떻게 이 여행을 마칠지 가르쳐 주겠소.

(*헤르메스는 페르세우스를 시원한 연못 근처로 안내한다.* 페이드아웃.)

[페이드인: 옥외. 영원한 황혼 땅 그라이아에 지방. 헤르메스와 페르세우스가 거대한 동굴 입구에 있다.]

헤르메스 회색빛은 그라이아에 지방의 영원한 색깔이지. 주름투성이로 늙게 태어나서, 결코 젊음이 없고 언제나 황혼만 있는 땅이오.

페르세우스 이빨도 없고 눈도 없는 그런 곳이지요.

헤르메스 꼭 그렇지만은 않아요. 이들에겐 이빨도 하나 있고, 눈도 하나 있는데, 서로가 돌아가면서 사용하지요. 이제 차분히 동굴 안으로 들어가 볼까요? (페이드아웃.)

[페이드인: 실내. 동굴 속. 주름이 자글자글 흉측한 모습의 3명의 그라이아에 노인, 에니요, 펨프레도, 데이노가 불 옆에 서로 웅크리고 붙어있다.]

에니요 펨프레도, 너 지금 눈을 너무 오래 갖고 있어.

펨프레도 아니야, 눈은 내가 갖고 있지 않고 데이노가 갖고 있어.

(*에니요는 펨프레도를 건너서 데이노를 때린다.*)

에니요 그래서 너를 끔찍한 데이노라고 부르는 거다.

(*데이노도 주먹으로 에니요를 되받아친다.*)

데이노 그래서 너를 호전적인 여자라고 부르는 거다.

펨프레도 날보고는 까다롭다고들 하지. 너희 두 주먹 사이에 끼어 있다가 점점 오그라들고 성질을 부리게 되잖아.

(*에니요는 끝쪽에 앉아 있는 데이노에게서 눈을 받으려고 손을 뻗는다. 데이노 는 펨프레도에게 눈을 주고 펨프레도는 이를 에니요에게 건넨다.*)

에니요 데이노, 이빨을 이리 내놔. 공유해야 하는데 너 너무 오래갖고 있어. 알고 있나?

데이노 아니지, 그건 아니지. 너야말로 식탐이 게걸스러워서 먹은 음식이 소 화되기까지도 기다리지 못하고 또 이빨을 내놓으라고 하지 않냐.

펨프레도 이봐 자매들, 좀 조용히 평화롭게 지낼 수 없을까? 걸핏하면 다투는 게 일이니, 다치는 건 너희가 아니라 가운데 낀 나란 말이다.

에니요 그럼 내가 가운데 앉을게.

펨프레도 아니지. 최소한 난 완충 역할을 하니까. 네가 가운데 있으면 우린 난장 판에서 헤어나지 못해. 완전히 혼란 속에 빠지게 돼. 그렇게 되면 아무 도 눈도 이빨도 제때에 사용할 수 없게 된단 말이야.

(페르세우스는 동굴의 어두운 그늘에 숨어서 그라이아에들을 관찰한다.)

페르세우스 *(혼잣말로)* 에니요가 펨프레도에게 눈을 받으려고 손을 뻗을 때, 그때가 내가 눈을 가로챌 절호의 기회다.

(페르세우스는 그라이아에가 눈을 이마에서 빼 친구에게 전하면 그 친구는 이를 받아 자기 이마에 꽂는 똑같은 동작을 각각 똑같은 순서로 진행하는 것을 지켜본다. 에니요가 눈을 뽑아 데이노에게 넘겨주려 할 때 페르세우스는 그 눈을 가로챈다.)

에니요 야, 그렇게까지 사납게 낚아챌 필요는 없잖아, 데이노!
데이노 내가 언제 낚아챘다는 거야. 볼 수 있는 눈도 없는데.

(페르세우스가 끼어든다.)

페르세우스 내가 잡아당겼소.

(세 명의 그라이아에는 놀라고 무서워서 서로 몸을 바짝 붙이고 움츠린다.)

페르세우스 무서워하지 마시오. 당신들의 자매 고르곤이 어디 있는지 알려주면 이 눈을 돌려주겠소.
에니요 고르곤들이 어디 사는지 알아도 소용없을 텐데요. 스테노와 에우리알레는 죽지 않는 신이고 죽을 수 있는 메두사는 그녀를 쳐다보면 즉시 돌이 되고 맙니다.
페르세우스 그들이 어디 있는지만 가르쳐주시오. 그다음 일은 내가 알아서 할 터이니.

데이노   당신이 돌로 변한 다음에 무얼 알아서 한다는 거요?

펨프레도   가르쳐주면 우리 눈을 돌려준다고 약속하시오.

페르세우스 약속합니다.

펨프레도   내가 있어서 다행인 줄이나 아시오. 나 없이는 아무것도 해결 못 해요.

페르세우스 고르곤들은 어디 있소?

펨프레도   오세안 바닷가 서쪽 멀리에 있어요.

(페르세우스는 펨프레도가 뻗친 손에 눈을 던져주고 떠난다. 페이드아웃.)

[페이드인: 옥외. 돌 이미지 계곡. 다양한 행태를 보여주는 수많은 사람과 동물이 돌 모습으로 변해있다. 이들은 메두사의 희생물들이다. 페르세우스와 헤르메스는 아테나와 합류한다.]

헤르메스   내 도움이 더 필요하다면 여기 있겠소. 당신은 내 칼은 갖고 있지만
          날개 달린 내 신을 신어야 할 거요. 메두사의 머리를 담을 이 자루도
          지녀야 하고. 그리고 다른 사람 눈에는 보이지 않게 투명인간으로 만
          들어 줄 이 모자는 필수품이오.

아테나   그 외에 내 방패를 지니는 것도 잊지 마세요. 메두사의 얼굴을 바로
          쳐다보면 절대로 안 되고 이 방패에 비친 모습을 통해서만 보아야 합
          니다. 이 방패에 비친 당신을 메두사가 돌로 변화시킬 수는 없으니까.
          메두사와 직접 대면할 때만 돌로 변해요. 조심하지 않으면 당신도 저
          들처럼 돌이 되어 이 계곡의 거주자가 될 수 있어요.

페르세우스 조심하겠어요. 두 분께 진심으로 감사합니다.

아테나   난 이곳에 개인적 이해관계가 있어요.

헤르메스   당신의 신성한 신전에서 포세이돈과 메두사가 음란한 짓을 한 것을
          말하는 거지요.

아테나   그래요. 난 메두사에게 복수를 다짐했어요.

헤르메스   고르곤들이 살고 있는 대양의 섬으로 이동합시다. (페이드아웃.)

[페이드인: 옥외. 무서운 자매들이 사는 섬. 세 명의 고르곤들이 누워 잠자고 있다. 이들은 거대한 날개가 있고 머리카락은 뱀들이고 멧돼지의 코 뿔과 수염과 갈래갈래 늘어진 혀가 있는 끔찍한 모습이다. 페르세우스, 헤르메스, 아테나는 잠들어 있는 고르곤들을 바라본다.]

아테나   (속삭이며) 메두사는 가운데 있어요. 불사신인 두 자매가 메두사를 저런 식으로 보호하는 거지요. 메두사는 불사신이 아니라서 죽임을 당할 수 있거든요.

헤르메스   (페르세우스에게 그의 칼을 건네면서) 이 칼을 사용하시오. 믿을 수 있는 칼이니까.

아테나   메두사의 얼굴을 직접 쳐다보면 절대로 안 된다는 사실을 기억해야 해요.

페르세우스   염려 마십시오. 지시대로 따르겠습니다.

(페르세우스는 헤르메스의 신발과 자루와 남의 눈에는 보이지 않게 투명인간으로 만드는 모자를 주머니에 넣는다. 한 손에는 아테나의 방패를 들고 또 한 손에는 헤르메스의 칼을 들고 세 명의 끔찍스러운 자매들 위로 날아간다. 그는 그들 위 공중에 멈춰서 아테나의 방패를 거울삼아 급히 내려앉아 단번에 메두사의 머리를 내려친다. 자른 머리를 재빠르게 자루에 넣고 그 머리에 눈을 돌리지 않은 채 들고 날아간다. 다른 두 고르곤 자매들은 깨어나서 페르세우스 뒤를 쫓는다. 페르세우스는 투명인간이 되는 모자를 쓰고 두 자매를 따돌린다. 페이드아웃.)

[페이드인: 옥외. 에티오피아. 페르세우스는 여전히 헤르메스의 날개 달린 신을

신고 돌아오는 중, 바닷가 절벽 바위에 묶여 있는 젊은 여인을 발견한다. 그는 힘차게 내려가서 여인에게 말을 건다. 여인은 에티오피아 왕 케페우스의 딸인 안드로메다이다.]

페르세우스 아름다운 여인이여, 어찌하여 바위에 이렇게 묶여있습니까?

안드로메다 (*흥분해서 울고 있다.*) 난 이제 끔찍한 바다괴물에게 잡혀 먹힐 운명이어요.

페르세우스 어쩌다 그렇게 되었나요?

안드로메다 말할 수 없어요. 이 나라 왕인 내 아버지께 알아보세요.

페르세우스 그러지요. 두려워 마세요. 어떤 괴물도 당신을 삼킬 수 없게 내가 지켜드리겠습니다.

(*페르세우스는 급히 궁으로 간다. 페이드아웃.*)

[페이드인: 실내. 케페우스 왕의 궁전. 페르세우스와 케페우스 왕.]

케페우스 왕 나의 왕비 카시오페는 어리석은 여자였소. 신들을 화나게 했지요.

페르세우스 어떻게 말인가요?

케페우스 왕 우리 딸 안드로메다가 바다의 요정들보다 더 아름답다고 뽐냈지요.

페르세우스 저도 따님을 보았는데 왕비의 생각과 동감입니다.

케페우스 왕 당신은 동감인지 모르지만 신들은 그런 비교를 좋아하지 않는다오. 그래서 그 때문에 안드로메다가 목숨을 잃게 된 것이오.

페르세우스 안드로메다를 제가 구하겠습니다. 첫눈에 그녀를 사랑하게 되었어요. 정중히 청혼합니다.

케페우스 왕 달리 선택이 없어 보이는군.

페르세우스 전 따님의 남편 될 자격이 있는 사람입니다. 믿어주세요. 저는 제우스의 아들입니다.

케페우스 왕 좋소. 나의 축복을 받고 어서 서둘러 주시오.

(*페르세우스는 궁을 떠난다. 밖에 나온 그는 헤르메스의 신을 신고 바닷가 절벽으로 날아간다. 바로 그 순간 바다괴물이 나타난다. 페르세우스는 안드로메다를 등지고 자기 얼굴도 돌린 채 자루에서 메두사의 머리를 꺼낸다. 페르세우스를 덮치려던 괴물은 메두사의 머리를 보는 순간 그 자리에서 돌로 변한다. 페이드아웃.*)

[페이드인: 실내. 케페우스의 궁전. 일 년 후. 페르세우스와 안드로메다. 안드로메다는 그들의 아들 페르세스를 안고 있다.]

페르세우스 우린 아들을 당신 아버지께 맡기고 떠나야 하오. 메두사의 머리를 갖고 세리포스로 돌아가야 해요. 어머니가 어떻게 하고 계신지 가 보아야 합니다.

안드로메다 당신 어머니를 만나고 싶어요. 아들 페르세스를 여기 두고 가는 게 아쉽군요.

페르세우스 걱정 말아요. 우리가 없어도 페르세스는 잘 지낼 것이오. 우린 곧 돌아올 거요. (*페이드아웃.*)

[페이드인: 실내. 세리포스. 딕티스의 오두막. 딕티스의 아내, 거창한 제왕 의상을 입은 페르세우스와 역시 왕비 의상을 입은 안드로메다.]

페르세우스 접니다. 페르세우스입니다, 어머니.

딕티스의 아내 (*그를 자세히 훑어보고*) 페르세우스, 그래, 그래, 정말 페르세우스 너로구나.

(*그녀는 페르세우스를 껴안는다.*)

페르세우스 여긴 제 아내 안드로메다 공주입니다.

안드로메다 두 분이 페르세우스와 어머니께 얼마나 따듯하게 잘해주셨는지 남
편한테 얘기 많이 들었어요.

(*안드로메다와 딕티스 아내가 포옹한다.*)

페르세우스 그런데 우리 어머니는 지금 어디 계셔요?

딕티스의 아내 어머니와 딕티스는 폴뤼덱테스를 피해서 지금 아테나 신전에 가
계셔. 왕은 너의 어머니와 결혼하고 싶어 하는데, 어머니는 거절하셨
어. 거절의 책임을 딕티스에게 묻고 있구나.

페르세우스 여기서 기다리고 있어요, 안드로메다. 폴뤼덱테스 왕을 만나고 오겠
소. (페이드아웃.)

[페이드인: 실내. 폴뤼덱테스 왕이 있는 궁으로 페르세우스는 안내를 받는다.]

폴뤼덱테스 왕 (*힐책하면서*) 고르곤 머리를 가져오는 시간을 너무 오래 끌었군.
가지고 왔다면 말이지.

페르세우스 가지고 왔어요.

폴뤼덱테스 왕 그럼 그 머리는 어디 있나?

페르세우스 때가 되면 보여드리겠소. 우선 나의 어머니와 딕티스를 괴롭히지 말
기 바랍니다.

폴뤼덱테스 왕 괴롭힌다고? 그들은 광신자들이라서 아테나 신전에 숨어 있기를
원하는 걸세.

페르세우스 그렇지 않아요. 당신은 악한이오!

폴뤼덱테스 왕 (*화가 나서*) 감히 내게 덤비다니! 호위병들!

(*폴뤼덱테스 왕이 페르세우스를 체포하라고 명령하려는 찰나에 페르세우스는 자루에서 메두사 머리를 꺼내어 왕 얼굴에 들이민다. 왕은 체포 명령을 내리는 모습으로 영원히 돌이 되어 얼어붙었다. 명령을 따르려던 순간의 호위병도 돌이 되었다. 다른 호위병들은 페르세우스에게 등을 지고 있다. 메두사의 머리를 들고 페르세우스는 그에게 등을 보이고 늘어서 있는 호위병들 사이를 통해 걸어가면서 궁을 벗어난다. 호기심에 찬 병졸들은 호기심에 찬 모습으로 돌이 되었다. 페르세우스는 메두사 머리를 자루에 넣고 아테나 신전으로 향한다. 페이드아웃.*)

[페이드인: 실내. 아테나의 신전. 페르세우스, 다나에, 딕티스 그리고 여신 아테나.]

다나에 (*아들에게 키스하며*) 페르세우스, 너를 다시 보니 너무나 기쁘구나.
페르세우스 어머니, 저도 기뻐요.
다나에 다시는 너를 못 보는 줄 알고 절망했단다.
페르세우스 아테나 여신과 헤르메스가 저를 도와주었어요. 그렇지 않았더라면 전 여기 돌아오지 못했을 겁니다.
아테나 당신이 메두사 머리를 자른 게 날 도와준 것이오. 이젠 그 도구들이 필요치 않겠군.
페르세우스 네, 여기 방패를 돌려드립니다. 헤르메스의 칼과 신발과 투명 모자도 돌려드립니다.

(*페르세우스는 정중하게 물건들을 아테나에게 돌려준다. 페이드아웃.*)

[페이드인: 실내. 딕티스의 오두막. 페르세우스, 다나에, 안드로메다, 딕티스의

아내.]

다나에   안드로메다, 넌 정말 아름답고 좋은 아내로구나.

안드로메다   행복한 아내이지요.

페르세우스   딕티스, 이제 당신의 권리를 찾아 세리포스의 왕에 오르셔야 합니다. 폴뤼덱테스가 돌이 되었으니 당신을 더 이상 간섭하지 못할 겁니다.

딕티스   자네와 자네 어머니가 담긴 그 목함을 열던 날이 내겐 가장 복된 날이었네.

페르세우스와 다나에   저희에게도 그날이 복된 날이었지요.

페르세우스   이제 우리가 원래 떠났던 곳으로 돌아갈 때가 되었어요. 아르고스로 돌아가서 할아버지 아크리시우스와 화해해야 합니다.

딕티스   여기서처럼 그곳에서도 행복하기를 바라네.

다나에   우린 다시 합쳤으니 행복해질 겁니다.

(*기쁨과 슬픔이 교차하는 가운데 페르세우스 안드로메다, 다나에가 떠난다. 페이드아웃.*)

[페이드인: 실내. 궁전. 아르고스. 아크리시우스 왕과 왕비 아가니페.]

아가니페 왕비   우리 딸 다나에와 손자 페르세우스, 손자비 안드로메다 공주가 우릴 만나러 온다니 너무 기뻐요.

아크리시우스 왕   여보, 당신은 애들을 만나겠지만 난 만나는 걸 피해야겠소.

아가니페 왕비   아직도 그 어리석은 신탁 생각을 버리지 못하셨어요?

아크리시우스 왕   이건 어리석은 일이 아니요. 신들의 예언을 거역할 자가 누가 있겠소.

아가니페 왕비   그때로부터 세월이 많이 흘렀어요. 더구나 페르세우스는 전혀 악

의도 없습니다.

아크리시우스 왕 그건 그럴 테지. 그래도 요행을 바랄 수는 없소. 난 눈에 띄지
않게 사라져 있으리다.

아가니페 왕비 어디 가 계시렵니까?

아크리시우스 왕 그건 말할 수 없소─ 당신에게조차 말 못 해요. 애들이 이곳을
떠난 후에 다시 돌아오겠소.

(*아크리시우스 왕은 아내에게 키스하고 떠난다.* 페이드아웃.)

[페이드인: 실내. 궁전. 라리사. 테살리. 테우타미데스 왕, 페르세우스, 안드로메
다, 다나에.]

페르세우스 친애하는 당신 부친의 매장을 보지 못하고 떠나게 되어 죄송합니다.
저의 할아버지 아크리시우스의 귀가를 기다리고 지금까지 머물렀는데
오실 기미가 없으니 이젠 떠나야겠어요.

테우타미데스 왕 이해합니다. 당신의 위로에 감사하오. 그러나 장례 행사 중 하
나인 원반던지기 게임이 있어요. 그걸 보고 가시면 어떻겠습니까. 게
임에 참여해주시면 더 고맙겠고요. 널리 알려진 당신의 힘에 대한 찬
사는 대단하니까요.

페르세우스 과찬입니다. 아테나 여신과 헤르메스 신의 도움으로 메두사 머리를
자를 수 있었던 거지요.

테우타미데스 왕 그럴지라도 원반던지기에 참여해주시면 영광이겠습니다.

페르세우스 참여할 수 있게 해주시니 제가 영광이지요. (페이드아웃.)

[페이드인: 옥외. 거대한 원형극장에서는 원반던지기 게임이 준비 중에 있다. 포
환던지기 시합이 끝나면 다음 차례는 원반던지기이다. 페르세우스는 원반던지

기 선수들과 함께 나란히 서 있다. 선수들은 각각 차례를 기다리며 점수를 기록
한다. 이제 페르세우스 차례이다. 그는 온 힘을 다해서 원반을 던진다. 원반은
원형운동장 한계를 벗어나서 관중석으로 날아가 관객의 한 사람 머리 위에 떨어
진다. 페르세우스는 떨어진 자리로 달려간다.]

관객 (*원반을 맞은 자의 머리를 흔들면서*) 이 분이 정통으로 머리를 맞았어
요. 어떻게 손 쓸 수가 없네요.

페르세우스 (*그의 할아버지를 알아보지 못하고*) 이 노인은 누구신가요?

아크리시우스 왕의 시종 아르고스의 왕 아크리시우스입니다.

페르세우스 (*할아버지를 부드럽게 안으면서*) 할아버지, 할아버지를 해칠 생각은
전혀 없었어요.

아크리시우스 왕 (*아직은 숨이 끊어지지 않은 상태에서*) 아니다, 내 손자야, 이건
내 잘못이다.

페르세우스 할아버지 잘못이라니요? 할아버지 잘못이 아니지요. 원반을 던진 건
이 저주받은 제 팔이에요.

아크리시우스 왕 신들의 의도를 꺾으려고 시도한 것은 나였다.

페르세우스 (*흐느끼면서*) 신들의 뜻이지, 그건 할아버지 뜻이 아니어요. 제 뜻도
아니고요. 신들의 뜻이어요. 그렇지만 제가 할아버지를 사랑하는 것만
은 알아주시기 바라요, 할아버지.

아크리시우스 왕 (*맥없이*) 그래ー 나도ー

(*아크리시우스 왕은 페르세우스 팔에 안겨 숨을 거둔다. 페이드아웃.*)

[페이드인: 옥외. 악티움. 페르세우스, 안드로메다, 그리고 이탈리아로 가는 배를
타려는 다나에.]

다나에   아들아, 너에게는 네 인생이 있고 내게는 내 인생이 있어. 난 내 길을 찾아가련다.

안드로메다   그렇지만 우리는 어머니를 사랑하고 또 필요로 합니다.

다나에   나도 안다, 애야. 그러나 서쪽 땅이 나를 더 필요로 하는구나.

페르세우스   한 가지 내가 깨달은 게 있다면, 여보, 어머니는 일단 무엇이든 결심하시면—

다나에   (두 사람을 껴안으면서) 난 너희들을 사랑한다. 그러나 내 미래는 서쪽에 있어— 제우스가 내게 내려준 복에 대한 보답을 해야 할 것 같다.

(다나에는 배를 타고 이들에게 손짓으로 배웅 인사를 보낸다. 페이드아웃.)

[페이드인: 아르고스 외곽. 페르세우스, 안드로메다, 아테나.]

아테나   (이들 앞으로 나오면서) 메두사의 머리가 한 번 더 필요할 것 같군요.

페르세우스   그건 왜지요?

아테나   당신 조부의 쌍둥이 형제인 프로이토스가 아르고스를 지배하고 있어요.

페르세우스   할머니 아가니페 왕비는 어찌 되었는데요?

아테나   포로로 잡혀있어요.

페르세우스   안드로메다, 여기서 기다리고 있어요.

(페르세우스는 메두사의 머리가 담긴 자루를 갖고 한밤에 몰래 궁을 향해 출발한다. 페이드아웃.)

[페이드인: 실내. 궁중 홀. 홀에서 흥청거리는 요란한 소리가 들린다. 프로이토스

와 그의 신하들이 승리를 축하하는 자리에 페르세우스가 갑자기 쳐들어온다.]

페르세우스 프로이토스, 당신의 종손자인 내가 내 할아버지의 왕권을 주장하러
　　　　왔습니다.

(*프로이토스는 페르세우스의 빛나는 모습에 순간 한 대 얻어맞기라도 한 듯 놀
란다.*)

프로이토스 평생 너의 할아버지와 싸웠는데 이제는 내가 너와 싸울 준비를 해야
　　　　겠구나.
페르세우스 저와 싸우게 될 것입니다.

(*프로이토스는 창을 들어 급히 페르세우스를 향해 던진다. 그러나 표적을 맞히
지 못하고 옆에 있는 벤치에 창이 꽂힌다. 페르세우스가 그 창을 뽑아 프로이토
스에게 던지자 프로이토스는 몸을 숙여 이를 피하고 창은 그 대신 젊은 청년에
게 맞는다. 더 안전한 방패를 취한 프로이토스는 방패 뒤에 숨어서 그의 군사에
게 페르세우스를 잡으라고 명령한다.*)

페르세우스 프로이토스, 난 이 끔찍한 무기를 사용하고 싶지 않지만, 당신이 이
　　　　를 사용하도록 나를 몰고 가는군요.

(*페르세우스는 무거운 기둥 뒤에 몸을 가리고 메두사의 머리가 담긴 자루를 풀
고 큰소리로 외친다.*)

페르세우스 당신들이 내 친구가 될 것이면 뒤로 돌아서시오. 그렇지 않고 나의
　　　　적이 될 것이라면 당신들은 이제 피할 길이 없다.

(프로이토스의 신하 한 사람은 창을 던지는 자세로 돌이 되었고 또 다른 신하는 몸을 앞으로 기운 자세로, 또 하나는 놀란 모습으로 돌이 되었다. 이런 식으로 200명의 부하들이 모두 공격하는 자세로 돌이 되었다. 소란스럽던 홀이 갑자기 돌같이 조용해졌다. 프로이토스는 숨어 있던 곳에서 기어 나와, 아직 메두사 머리를 높이 들고 있는 페르세우스를 보지 못한 채 돌이 된 그의 부하들을 쓰다듬는다.)

프로이토스   내가 항복한다, 페르세우스. 난 아무것도 주장하지 않겠다. 아르고스는 네 것이다. 오직 내 목숨만 살려다오.

페르세우스   욕심과 음모의 기념으로 영원히 살아있게 해 드리지요.

(프로이토스는 그의 고개를 비키지만 페르세우스는 비킨 얼굴을 향해 메두사의 머리를 들이댄다. 뺨에 눈물을 흘리며 무릎을 꿇고 목숨을 애걸하는 그의 모습이 영원히 돌로 굳어있다. 페르세우스는 메두사의 머리를 자루에 넣고 이제는 돌들이 서 있는 홀로 변한 궁을 벗어난다. 페이드아웃.)

[페이드인: 실내. 궁전. 아르고스 몇 년 후. 페르세우스와 안드로메다. 두 사람 사이에 다섯 아이들이 더 출생했다. 최근 페르세우스가 경멸하는 이교집단이 아르고스에 침투했다. 페르세우스는 이 문제를 의논하기 위해 그의 예언자를 부른다.]

페르세우스   광적인 여인들이 평화로운 이 나라를 어지럽히고 있소.

예언자   광적으로 보이기는 합니다만, 전하, 이들은 나름대로 헌신의 표현을 극렬하게 하는 것입니다. 이들의 의식은 디오니소스 신을 위한 행위입니다.

페르세우스   나로선 이해할 수 없는, 받아들일 수 없는 신이요. 재생과 구원을 얘기하는 신이요. 마에나드라고 불리는 이 광란의 여인들은 내 눈에는 그저 미치광이들로 보입니다. 잔뜩 술에 취해서 광란의 춤에 몸을 맡기고 동물들 사지를 찢어발기고 있지 않소.

예언자 그러할지라도 신에게 헌신하는 자들이니 관대하게 보아주시지요.

페르세우스 그런 관대를 난 허용하지 않고 이들의 신도 난 거부하오.

예언자 그렇게 말씀하시면 신성 모독이 됩니다, 전하. 그 말씀을 취소해주시기를 간청합니다. 이들의 의식 행위를 간섭하시면 아니 됩니다.

페르세우스 난 이 나라 왕이오. 이 나라에 디오니소스가 설 자리는 없소.

예언자 전하, 전하의 의견은 지당하십니다마는, 하신 말씀을 후회하시게 될지 모릅니다.

페르세우스 후회 따위는 없소. 난 그런 신을 원치 않소. (페이드아웃.)

[페이드인: 옥외. 언덕 위. 페르세우스와 파견군단은 디오니소스 상을 둘러싸고 소용돌이 모양으로 돌면서 환각 상태에 빠져 축하행사를 하는 마에나드들을 지켜보고 있다. 이들 광녀들은 사슴 가죽을 둘러쓰고 더러는 횃불을 들고 더러는 포도주를 짜서 입속에 넣는다. 또 더러는 뱀을 들고 다닌다. 모두들 노래와 음악에 맞춰 춤을 춘다. 더러의 여인들은 여전히 엄청난 힘으로 짐승들 뒤를 쫓아 잡아서 여느 짐승들이 하는 짓 그대로 동물을 찢어 게걸스럽게 먹는다. 페르세우스와 그의 부관은 이들의 행위를 언덕에서 바라보고 있다.]

페르세우스 무슨 일이 벌어지는지 똑똑히 보이지 않는가. 저걸 저들은 종교의식이라고 한단 말이야. 이건 고삐 풀린 야만 행위야.

부관 저도 동의합니다, 전하. 제가 알고 있는 어떤 종교의식과도 다르군요.

페르세우스 더 이상 알 필요도 없어. 우린 충분히 보았으니 이제 갑시다.

(페르세우스가 그의 부하들에게 신호를 보내자 파견군단은 마에나드들을 향해 진격한다. 마에나드들은 오직 자신들의 괴력으로 군인들의 무기를 찌그러트린

다. 광녀들의 괴력 앞에서 병사들은 희생자가 될 뿐이다. 마에나드들이 잡아서 찢어버린 동물처럼 이들은 병사들의 사지를 찢는다. 이 싸움에서 제우스의 아들 페르세우스는 불굴의 용사임을 증명한다. 위력을 발휘하는 그의 칼로 광녀들을 쫓아내어 승리를 가져온다. 남아있는 마에나드들은 페르세우스와 남은 병사들을 이겨낼 수 없음을 인식하고 물러나 도망간다.)

페르세우스 하! 너희 미치광이들이 제우스의 아들을 당할 재간이 없지. 너희들 이 자리에 남겨놓고 가는 이건 뭐냐?

(*디오니소스 이미지상이 전쟁터 아수라장 한가운데 남아있다. 페르세우스는 이를 집어 든다. 페이드아웃.*)

[페이드인: 옥외. 아르고스. 레르나의 늪. 페르세우스는 디오니소스상을 들고 있다. 늪 가장자리에 서서 늪의 한가운데로 그는 디오니소스상을 던진다.]

페르세우스 나의 명령이다. 레르나의 늪 속으로 꺼져버려라.

(*디오니소스 이미지상이 물속으로 떨어질 때 그 지점에서 안개가 솟아오르며 깊은 한숨 소리가 뒤따른다. 안개는 피에 젖은 여인의 머리로 변한다. 또 다른 안개가 솟아나고 뒤이어 애통의 한숨이 들리면서 피 묻은 또 다른 여인의 머리로 변한다. 이런 식으로 애통의 한숨 소리를 동반한 피 묻은 머리가 모두 49개이다. 이 광경을 지켜본 페르세우스는 놀라며 공포에 질린다.*)

페르세우스 이게 대체 무슨 의미일까? 예언자에게 알아봐야겠다.

(*페르세우스는 급히 그곳을 떠난다. 페이드아웃.*)

[페이드인: 실내. 궁전. 페르세우스와 예언자.]

페르세우스 이게 대체 무슨 뜻이라고 생각하시오?

예언자 전하께 상기시키고 싶지 않지만, 전에 말씀드린 바 있지요. 전하께서 지난번에 디오니소스 신의 심기를 건드려 성나게 하셨어요.

페르세우스 디오니소스는 분명 나의 아버지 제우스만큼 위대한 신이 아니오. 그가 나를 다치게 할 수는 없소. 난 제우스의 아들이오.

예언자 제우스조차 포함해서 모든 신들은 다른 신이 하는 일에 끼어들어 방해할 수 없다는 사실을 아시지 않습니까, 전하. 디오니소스도 제우스의 아들임을 기억하십시오. 제우스가 어찌 어느 한쪽 편만 들 수 있겠습니까?

페르세우스 난 디오니소스 방법의 의식을 받아들일 수가 없소.

예언자 갈등이 있으시지요. 그러나 제가 확실히 알고 있는 것 하나는 이 일은 해결을 보아야만 합니다. 어떤 형식으로든 전하께서 하신 행동에 대한 대가를 치르셔야 합니다.

페르세우스 그것이 앞으로 다가올 미래의 파급이라면 난 거기에 휩쓸리고 싶지 않소. 난 단지 디오니소스를 받아들일 수 없다는 말이오.

예언자 이 문제를 해결해 줄 분은 딱 한 분뿐입니다.

페르세우스 알고 있소. 오직 나의 아버지 제우스만이 할 수 있는 일이지. (페이드아웃.)

[페이드인: 실내. 아테나 신전. 페르세우스와 아테나.]

아테나 제우스는 그의 모든 세속의 아들 가운데서 당신에게 가장 큰 초자연적 도움을 주었다고 느끼고 있어요.

페르세우스 그건 사실이어요. 제가 지금까지 이룬 일들은 모두 초자연적 도움으로 된 것입니다.

아테나   그래서 제우스는 당신이 디오니소스를 받아들여야 한다고 해요. 디오
니소스의 의식이 다른 것은 당신 방법보다는 제우스의 방법이 반영된
것이오.

페르세우스   그렇지만 그런 야만적인 주신제를- 그런 폭력성을 어떻게-

아테나   마에나드들은 디오니소스를 사랑해요. 이들의 광란에도 좋은 씨는 있
어요. 그 씨를 잘 가꾸고 통제하면 좋은 결과가 나올 거요.

페르세우스   그건 광기에 찬 사랑입니다.

아테나   당신은 그걸 광기라고 부를지 모르지만, 그건 지나친 방임에서 오는
통제되지 않은 감정의 폭발이거든요. 마에나드들이 감정을 통제할 수
만 있다면, 포도주의 과음을 억제할 수만 있다면, 그렇게 할 수만 있다
면, 이들이 지금까지 결여하고 있는 종교심을 그 감정에 불어넣을 수
있겠지요. 페르세우스, 난 당신을 이해해요. 나도 당신처럼 감상적이
기보다는 이성적인 성향이 강하니깐.

페르세우스   그렇지만 내가 느끼는 감정을 어떻게 변화시킬 수 있겠어요?

아테나   다른 사람들의 방식을 관대하게 보면 되지요. 나와 다른 사람들에게
당신의 마음을 열어야 해요.

페르세우스   마음 열기가 어디 쉬운가요. 그러기까지는 시간이 걸리겠어요.

아테나   모든 일이 다 그렇지요. 그러나 제우스와 나는 이번 일은 당신이 혼자
해낼 수 있다고 확신하고 있어요.

페르세우스   저 스스로 말인가요? 이 일은 제가 혼자 하는 첫 번째 도전이란 뜻
이군요. 오로지 저 홀로 해야 하는 그런 거군요.

아테나   고독한 책임을 받아들이는 자세를 보니 승리로 가는 첫발을 당신은
이미 밟고 있군요.

(이 말을 깊이 숙고하는 페르세우스를 놓아두고 아테나는 미소 지으며 떠난다.)

15
아킬레스

등장인물

테티스	키론	파트로클로스
아킬레스	데이다미아 공주	퓌라(아킬레스)
오디세우스	아가멤논	칼카스
클리템네스트라 왕비	이피게니아 공주	텔레포스 왕
폴리크세나 공주	트로일로스 왕자	브리세이스 왕비(브리세이스)
아테나	네스토르	아이아스
안티로쿠스	헥토르	프리아모스 왕
펜테실레이아 여왕	테르시테스	멤논 왕
아폴로	파리스	아킬레스의 유령
네오프톨레무스		

[페이드인: 옥외. 하데스의 스틱스강. 테티스는 아들 아킬레스를 뿌연 물속에 담근다. 그녀는 아기의 뒤꿈치를 잡고 있어서 뒤꿈치 부분을 물에 담그는 것을 무심코 잊었다. 그녀는 웅얼거리는 아기를 들어 올려 물기를 말린다.]

테티스   자, 됐다, 나의 사랑하는 아킬레스, 너의 아버지가 인간이라 비록 네가 죽을 운명으로 태어났지만 이제는 나처럼 불멸의 인간이 되었다.

(테티스는 아들을 말린 후 담요에 싸서 그곳을 떠난다. 페이드아웃.)

[페이드인: 테살리의 펠리온산. 17년 후. 테티스와 켄타우로스 키론.]

테티스   당신의 증손자요 내 아들인 아킬레스는 잘 있나요?
키론   그 애는 나의 가장 자랑스러운 제자요. 발이 빠르고 용감하고 강심장
         이랍니다.
테티스   당연하지요. 아무려나 그 아이는 불멸의 자손이잖아요.

(*키론의 표정이 심각해진다.*)

테티스   그렇게 밝은 얘기를 하면서 표정은 왜 어둡습니까?
키론   아이의 불멸 문제 때문이오.
테티스   불멸이 어째서요?
키론   그 애는 불멸을 타고난 아이가 아니오.
테티스   무슨 말씀이에요. 불멸이 아니라니요?
키론   그 애가 뛸 때 날카로운 돌에 부딪혔는데 발에 피가 흘렀어요.
테티스   (*풀이 죽어서*) 오 내가 멍청했어요. 스틱스강에 아기를 넣었을 때 아
         기의 발꿈치를 담그는 걸 잊었어요. 오, 내가 무슨 짓을 한 거야!

(*키론은 그녀를 위로한다.*)

키론   자신을 탓하지 마세요, 테티스. 무심결에 그렇게 된 것이지요.
테티스   무심결! 이건 비극이어요. 내가 내 손으로 아들을 망쳤어요!
키론   당신이 망친 게 아니라, 신들의 뜻이오. 당신이 신들을 앞지르려 했지
         만 신들은 그런 걸 모른 척하고 넘어가지 않아요. 잘 아시잖소.
테티스   내 아들의 불멸성을 의논하려 했는데 이젠 나의 저주가 되었군요. 불
         멸의 저주가 되었어요. 내가 영원히 사랑하는 아들 아킬레스의 죽음을

생각하며 살아야겠군요.

키론　이렇게 생각해 보세요, 테티스. 신들은 그 아들을 잊지 않고, 아이의 앞날에 영광스러운 인생이 펼쳐질 것을 미리 정해놓았다고 생각하세요. 아킬레스는 뛰어난 영웅으로 존경받는 인물이 될 것이오. 역사상 최고의 영웅으로 기록될 인물이오. 그보다 더 영예로운 불멸의 영웅은 없을 것입니다.

테티스　어머니로서 어느 정도 위로는 되네요, 키론. 그보다는 난 내 아들 아킬레스와 함께 영원히 살기를 원했는데. 아들을 지나치게 사랑한 대가가 아닌가 생각합니다.

키론　사랑에 대한 대가는 불멸의 신들도 치르니까요.

테티스　내가 할 수 있는 동안만이라도 아들과 함께 즐기렵니다. 애가 올 시간이지요. 그 애가 받아야 할 교육은 이제 다 마친 건가요?

키론　네, 아킬레스에게 더 가르쳐줄 게 없어요. 지금부터는 그의 인생이 그의 스승입니다.

테티스　이 어미가 아킬레스 인생의 충고자가 되고 인도자가 되겠습니다.

키론　자, 그럼 아들 있는 곳으로 안내해 드리지요. (페이드아웃.)

[페이드인: 옥외. 아킬레스의 아버지 펠레우스의 왕국. 아킬레스와 그의 절친 파트로클로스가 멧돼지 사냥을 하고 있다.]

파트로클로스　조심해, 아킬레스. 자네가 성급한 성격인 줄은 알지만 모든 일은 다 때가 있는 법이야. 멧돼지는 물가로 갈 때 잡기가 더 쉬워.

아킬레스　충고 고맙네, 파트로클로스. 키론한테서 배우는 건 의무적이지만 자네한테서는 존경과 사랑으로 배운다니까.

파트로클로스　나도 클리토니무스의 비극을 경험한 후, 나 자신에 대한 존중심을 자네를 통해 배우게 되었어.

아킬레스 그건 우연한 사고였어, 파트로클로스. 자네가 그를 죽일 의도는 전혀
　　　없었잖아.

파트로클로스 나도 알아, 아킬레스. 나의 충동적인 행동 때문이었으니까. 그래서
　　　자네한테도 성질을 누그러트리라고 충고하는 거야.

아킬레스 아무튼 비극이었지만 그래도 선한 뜻은 있었다고 본다. 자네의 수양을
　　　위해서 부모님과 함께 이곳에 오지 않았더라면 자네하고 나, 우리 두
　　　사람은 친구가 될 기회가 없었을 것 아닌가.

파트로클로스 너의 아버지와 우리 아버지도 옛 우정을 새롭게 되새기고 테베 원
　　　정의 아르고선 시절을 회상하는 기회가 되었으니 좋은 일이지.

아킬레스 우리 모두에게 지금이 행복한 시절이다.

(*둘은 마음 놓고 강가로 내려온 멧돼지를 향해 다가간다. 페이드아웃.*)

[페이드인: 실내. 펠레우스의 궁전. 아킬레스와 파트로클로스.]

파트로클로스 난 자네가 그리워질 거야. 자네 어머니는 자네 안전만을 생각하고
　　　계셔.

아킬레스 우리 어머니는 지나치게 이 아들을 맹목적으로 사랑하시는 게 문제야.
　　　파트로클로스, 지금쯤은 어머니도 신들의 뜻을 피해갈 수 없다는 걸
　　　아시겠지.

파트로클로스 그렇지만 자네가 트로이에만 가지 않는다면 자네가 거기서 죽는다
　　　고 한 신들의 예언은 이루어지지 않을 것 아닌가.

아킬레스 죽는다 해도 불명예스러운 죽음은 아닐 것이네.

파트로클로스 그런 식으로 말하지 마, 아킬레스. 자네가 죽는다는 생각을 하면
　　　내가 괴로워서 못 견디지.

아킬레스 내가 스키로스의 리코메데스 왕에게 가서 피신하는 일은 사랑하는 사

람들이 받을지 모를 고통을 차단하기 위해서야. 내가 최선을 다하지

않았다는 비난은 면해야지.

파트로클로스 스키로스로 피신하는 일이 자네로선 정말 하기 싫은 일인 줄은 나

도 알아. 우리 집에 피해를 주지 않으려는 거지. 자네의 고상한 성품을

보여주는 행동이네, 아킬레스.

아킬레스 잘 있어, 친구.

(*서로 포옹한 후 아킬레스는 떠난다*. 페이드아웃.)

[페이드인: 실내. 스키로스섬. 리코메데스 왕의 궁전. 여자 옷을 입고 있는 아킬
레스는 퓌라로 불린다. 그는 여자들이 사는 처소에 있다. 그러나 왕 이외의 다른
사람들은 그의 정체를 모른다. 왕의 딸인 데이다미아 공주는 처소에 새로 들어
온 퓌라를 매우 좋아한다.]

데이다미아 공주 퓌라, 넌 우리 처소에 생기를 불어 넣어주는구나. 영웅 이야기

들을 많이 알고 또 어쩌면 그렇게 얘기를 재미있게 하니.

퓌라(아킬레스) 공주님을 즐겁게 해드린다니 보람이 있군요.

데이다미아 공주 단순히 이야기뿐이 아니고, 퓌라, 네 인품과 태도가 중요해. 달

리 뭐라고 설명하기는 어려운데 너에게는 무언가 남다른 점이 있어.

퓌라(아킬레스) 제가 보통 여자들보다 체구가 크지요. 말씀드렸듯이, 보통의 여

자들이 익히는 그런 섬세한 교육을 저는 받지 못했어요. 육체적인 훈

련을 받고 자랐어요. 그래서 힘이 좋고― 달리기도 잘하고―

데이다미아 공주 달리기, 그건― 내가 공주지만, 다른 여자들보다 내 발이 더 **빠**

르거든.

퓌라(아킬레스) 혹시 저하고 누가 더 빠른지 내기해보시겠어요?

데이다미아 공주 그거 재밌겠다.

퓌라(아킬레스) 그럼 내일 경주하시지요. (페이드아웃.)

[페이드인: 옥외. 숲속. 다음 날. 데이다미아 공주와 퓌라(아킬레스).]

데이다미아 공주 옷을 벗고 달리면 더 잘 뛰지 않겠니?
퓌라(아킬레스) 괜찮아요, 공주님. 전 이렇게 입고 뛰는 게 익숙해서요.
데이다미아 공주 좋아. 그럼 우리 여기서부터 저기 바닷가까지 뛰는 거다.
퓌라(아킬레스) 에게해가 공주님보다 저를 먼저 맞이할 게 틀림없어요.
데이다미아 공주 그래, 누가 이기나 보자, 퓌라. 준비됐지. 출발!

(둘은 숲을 가로질러 달린다. 데이다미아 공주가 앞서 달린다. 퓌라(아킬레스)는
아주 쳐지지는 않았지만 차츰 그의 여자 옷이 나무 덤불에 걸리고 뜯겨서 달리
는 중에 벗겨진다. 데이다미아 공주는 이기려는 열망에 뒤도 보지 않고 열심히
앞서간다. 퓌라(아킬레스)는 이제 여자 옷을 입은 퓌라가 아니고 남성 근육질이
드러난 아킬레스다. 데이다미아 공주는 여전히 앞서 달리고 두 사람 모두 에게
해에 거의 도달했다. 그때야 그녀는 뒤를 돌아다보고 아킬레스의 본래 모습을
본다. 그녀는 아연실색하여 놀란 눈으로 말을 잃은 채 그 자리에 멈춰 서서 그를
바라본다.)

아킬레스 공주님이 제게 무언가 남다르다고 하셨지요? 다른 점이 있어요. 저는
          여자가 아니고 남자입니다.
데이다미아 공주 (정신을 차리면서) 그것도 유달리 건장한 남자군요.
아킬레스 속이게 되어 죄송합니다, 공주님. 그러나 이건 제 어머니 테티스에 대
          한 복종과 저의 변장을 족히 이해해주신 당신 아버지에 의한 것이었
          습니다.
데이다미아 공주 당신 어머니의 뜻이 지켜지기를 바라요. 당신의 비밀을 지켜드

릴게요.

아킬레스 아, 이제 여성과 남성 두 세계를 즐길 수 있게 되었군요. 공주님, 우리 바다에 들어가서 새로운 제 정체를 축하하면 어떨까요?

데이다미아 공주 (*짓궂은 표정으로*) 좋아요, 아킬레스.

(*둘은 바다로 뛰어들어간다. 페이드아웃.*)

[페이드인: 실내. 일 년 후. 데이다미아 공주의 침실. 아킬레스는 여자 옷을 입고 변장하고 있다. 그녀는 두 사람 사이에서 태어난 아기 네오프톨레무스를 안고 있다.]

데이다미아 공주 당신이 이 아기를 네오프톨레무스라고 부르든 피루스라고 부르든, 이 아기는 내 생명의 빛입니다.

아킬레스 내가 지금까지 불리고 있는 여성형 퓌라란 이름의 남성형이 피루스니까, 이 이름이 우리 아이에게 어울리는 것 같소. 난 여자 노릇 하는 게 싫고 무엇보다도 번잡스러운 여성 장신구를 줄레줄레 걸치는 게 딱 질색이오.

데이다미아 공주 알고 있어요, 여보. 그렇지만 특히 지금이 당신 변장이 더욱 필요한 때지요. 영악한 오디세우스가 당신을 찾아내려고 이곳에 왔답니다. 그리스인들이 트로이를 상대할 최적의 인물로 당신이 필요하다는 걸 알고 온 것이지요.

아킬레스 그가 영악한 사람인 건 알지만, 내 어머니를 위해서 나 자신을 지키는 게 우선입니다.

데이다미아 공주 내 마음 깊은 곳에는 당신과 언제까지나 영원히 함께할 수 없다는 느낌이 들어요. 당신의 마음이 진정 내게 속하지 않는다 해도 우리의 아들 피루스가 있어서 나는 만족합니다.

아킬레스 데이다미아, 당신과는 개인적으로 관계없는 일인데, 나는 남자의 기상
으로 훈련받고 자란 사람으로, 여자의 위치는 언제나 남자보다 덜 중
요한 것으로 여겨왔소.

데이다미아 공주 이기적인 소리지만 난 오디세우스가 당신을 찾지 못했으면 좋
겠어요.

아킬레스 난 어머니의 명예를 지킬 것이고, 내 변장을 배반하지 않을 거요. (페
이드아웃.)

[페이드인: 옥외. 리코메데스 왕의 궁전 현관. 오디세우스는 보석들을 늘어놓는
다. 그 가운데는 무기도 있다. 여인들이 보석을 황홀하게 만져보는데 그중에는
아킬레스도 끼어있다. 갑자기 위험을 알리는 경고 나팔이 울린다. 아킬레스는
본능적으로 거기 놓인 무기를 잡고 싸울 태세를 갖춘다.]

오디세우스 아하! 자네 아킬레스 맞지?

아킬레스 (*치마를 벗어버리면서*) 네, 맞아요. 이 성가신 치마에서 해방시켜주어
고맙다고 인사해야겠군요.

오디세우스 사내다운 자네에겐 그 옷이 어울리지 않는군.

아킬레스 오디세우스, 당신이 여기 온 이유를 압니다. 아가멤논 왕과 동맹하는
것은 아니지만 당신을 따라가겠어요.

오디세우스 자넨 헬레네의 뒤를 쫓아다니는 그런 부류의 남자는 아니지. 자네가
필요한 이유는 용맹스러운 그 기품 때문일세.

아킬레스 몇 개월 동안 여자 행세를 하고 나니 남자 노릇을 하고 싶은 열망이
생깁니다.

오디세우스 우리 그리스인들은 자네 같이 가장 남자답고 가장 고귀한 용사가 우
리를 승리로 이끌어주기를 열렬히 고대하고 있네. (페이드아웃.)

[페이드인: 옥외. 보이오티아의 아울리스. 아가멤논의 함대가 트로이와 싸우러 가기 위해 떠날 준비를 하고 정박해 있다. 거센 바람이 몰아친다. 배에서 아가멤논이 예언자 칼카스와 이야기를 한다.]

아가멤논 왕 칼카스, 당신의 예언을 내가 굳게 믿는 것을 알고 있지요? 그런데 우리 항해를 방해하는 세찬 바람이 부는 이유는 무엇이오? 우리를 돕기 위해 아킬레스도 함께 와 있는데 뭐가 잘못된 것이오?

칼카스 아르테미스가 하는 일입니다. 왕이 예전에 약속한 것을 이행토록 붙잡고 있는 겁니다.

아가멤논 왕 아르테미스 여신에게 약속한 것은 모두 이행했는데 무슨 소리요?

칼카스 약속 중에는 아르테미스가 정말 받아들일 것이라고는 전하께서 생각지 않은 게 있어요.

아가멤논 왕 그게 무슨 약속이었소?

칼카스 그걸 상기시켜드리려니 마음이 괴롭습니다. 이피게니아 공주가 출생하던 해에 아르테미스에게 한 약속이지요. 그해에 태어난 가장 아름다운 출생자를 여신께 바치겠노라고 약속하셨지요.

아가멤논 왕 난 그때 내 딸이 거기 포함된다고는 전혀 상상치도 않았는데.

칼카스 그러나 아르테미스의 해석은 달랐어요. 그 약속이 지켜질 때까지 배를 가지 못하게 붙잡고 있는 것입니다.

아가멤논 왕 그렇지만- 내 딸은- 가장 아름답고- 순진하고 사랑스러운 내 딸은-

칼카스 그래서 더욱 이피게니아가 값진 희생 제물이라고 여신이 간주하고 있습니다.

(*아가멤논 왕은 불안한 마음에 서성거리며 두 손을 쥐어짠다.*)

아가멤논 왕   딸을 희생 제물로 내가 동의한다 해도 왕비 클리템네스트라는 결코 —

칼카스   그렇기 때문에 따님을 부르려면 거짓 이유를 꾸며서 미케네로 오게 해야 합니다.

아가멤논 왕   어떤 거짓을 꾸미라는 거요?

칼카스   딸을 위대한 아킬레스와 결혼시키겠다고 하십시오. 그런 사윗감을 거 절할 어머니는 세상에 없을 테니까요.

아가멤논 왕   아킬레스는 절대 그런 책략을 허용할 사람이 아니요.

칼카스   아킬레스에겐 알릴 필요도 없어요. 계획대로만 진행되면 그 두 사람이 만나기 전에 희생 번제 의식은 이미 치른 후가 될 터이니.

아가멤논 왕   이번 전쟁은 내가 생각했던 것보다 훨씬 더 큰 대가를 치르는군.

칼카스   그렇습니다, 전하. 대가가 훨씬 더 크지만 되돌릴 방법이 없습니다.

(*절망적으로 멍하니 앞을 보고 있는 아가멤논 왕을 두고 칼카스는 떠난다.*)

[페이드인: 실내. 미케네. 아가멤논 왕의 궁. 클리템네스트라 왕비와 공주 이피게 니아는 아울리스로 떠날 준비를 하고 있다.]

클리템네스트라 왕비   처음으로 너의 아버지가 마음에 드는 일을 하시는구나. 아 킬레스는 아주 출중한 신랑감이다.

이피게니아 공주   그 사람의 용맹성과 빼어난 외모에 대한 얘기는 들었어요. 이 결혼이 아버지와 어머니를 기쁘게 하는 일이라면 기꺼이 응하겠어요.

클리템네스트라 왕비   이피게니아, 내가 너를 위해 바라던 그런 결혼이야. 이건 정 말 하늘이 내리는 결혼이다.

(*그녀는 딸을 껴안는다. 페이드아웃.*)

[페이드인: 옥외. 아울리스. 아가멤논 왕의 배. 아가멤논 왕과 클리템네스트라 왕비.]

클리템네스트라 왕비 (*화가 나서*) 당신은 내가 아는 가장 비열한 인간이오! 친딸을 제물로 쓰려고 속여서 이곳에 불러들이다니!

아가멤논 왕 (*달래면서*) 클리템네스트라, 날 이해해주시오. 내 심장도 찢어진다오.

클리템네스트라 왕비 심장? 무슨 심장! 당신은 심장이 없는 사람이오.

아가멤논 왕 주사위는 이미 던져졌소. 내 손을 떠났어요. 난 아르테미스 여신을 지배할 수 없소. 우리 함대는 트로이에 가기까지 순풍을 만나야 하오.

클리템네스트라 왕비 난 절대 당신을 용서 못 해요. 나도 꼭 같이 당신한테 갚아주고 말 테니까.

(*클리템네스트라 왕비는 참을 수 없이 통곡하며 떠난다. 페이드아웃.*)

[페이드인: 옥외. 아울리스. 바닷가 제단. 신부 차림의 이피게니아 공주는 두 여사제에 의해 제단으로 인도된다. 풀이 죽어 고개를 푹 숙인 클리템네스트라 왕비가 두 시녀에 의해 부축을 받고 있다. 아가멤논 왕은 강한 자제심을 갖고 지켜보고 있다. 아킬레스가 클리템네스트라 왕비 옆으로 달려온다.]

아킬레스 왕비님, 믿어주세요. 이피게니아 공주가 책략에 의해 이곳에 온 사실을 방금 알았습니다. 두려워하지 마십시오. 공주가 절대 희생 제물이 되지 않도록 제가 막겠습니다.

(*아킬레스는 달려가서 칼을 뽑아 들고 이피게니아 공주를 끌어내어 자기 몸 뒤에 숨긴다.*)

아킬레스 누구든지 이피게니아 공주를 건드리는 자는 나를 먼저 통과해야 할 것이다.

(*아가멤논 왕과 그의 부하들이 뒷걸음질한다.*)

이피게니아 공주 용감한 아킬레스여, 부디 이 일에 끼어들지 마세요. 난 신들의 뜻을 따르겠어요. 내 운명을 기꺼이 받아들입니다.

(*그렇게 말한 후 이피게니아 공주는 제단으로 달려가서 그녀를 제물로 처형하려는 두 여사제 앞에 무릎을 꿇는다. 아킬레스와 아가멤논 왕과 그의 부하들은 그 자리에 얼어붙었다. 두 여사제가 칼을 들어 공주를 처형하려는 순간 아르테미스 여신이 암사슴을 데리고 나타난다. 암사슴은 이피게니아 공주의 대용 제물로 쓰이고 공주는 아르테미스에게 이끌려 나간다. 페이드아웃.*)

[페이드인: 옥외. 트로이의 남쪽 미시아. 아가멤논 왕과 그의 배는 목적지를 놓치고 이곳에 닿았다. 아가멤논 왕과 아킬레스 그리고 그의 파견대는 이곳을 정찰할 목적으로 배에서 내린다.]

아가멤논 왕 여기는 분명 트로이가 아니다.

아킬레스 대체 여긴 어딘가요?

(*이들이 서 있는 동안 한 무리의 남자들이 가까이 온다. 이들의 지도자는 텔레포스 왕이다. 그가 말한다.*)

텔레포스 왕 어이, 여보시오, 여기서 무슨 볼일이 있는 거요?

아가멤논 왕 볼일이 있는 건 아니요. 우린 트로이로 가는 중인데, 아무래도 길을 잘못 들어선 것 같소.

텔레포스 왕 이곳은 트로이가 아니고 미시아요. 난 이곳의 왕 텔레포스요. 우린 이방인에게 호의를 베풀지 않으니 그냥 배로 돌아들 가시오.

아킬레스 텔레포스 왕은 제우스의 법칙을 들어본 적이 없는 모양이군- 제우스의 길손 환대법 말이오.

텔레포스 왕 난 헤라클레스와 아우게의 아들 텔레포스라고 했겠다. 무례한 인간을 난 참지 못하지.

아가멤논 왕 우린 무례하게 행한 적이 없소. 길 잃은 자에게 베푸는 예의를 요구했을 뿐이오.

텔레포스 왕 할 말 다 했으면, 자, 싸울 준비나 하시오.

(*텔레포스 왕과 그의 부하들이 공격해온다. 이들은 아가멤논의 부하들보다 힘이 더 우세하여 배 있는 곳까지 밀어붙인다. 그러나 아킬레스는 쉽게 물러서지 않고 텔레포스의 허벅지에 치명상을 입힌 후에 물러난다. 페이드아웃.*)

[페이드인: 옥외. 아르고스. 몇 개월 후. 아가멤논 왕과 아킬레스.]

아가멤논 왕 우린 트로이로 가는 길을 아직도 못 찾고 있소.

아킬레스 때가 되면 닿을 것입니다. 저의 어머니가 도착했을 때 주의할 점 두 가지 경고를 이미 보내셨어요.

아가멤논 왕 경고는 어떤 것이었소?

아킬레스 트로이에서 좀 떨어진 테네도스 땅에 먼저 닿을 것인데, 거긴 아폴로의 아들 테네스 왕이 지배하는 곳이랍니다. 그 사람과는 언쟁을 피하라고 하셨습니다.

아가멤논 왕 또 하나의 경고는 무엇이오?

아킬레스 트로이 땅에 상륙했을 때 맨 처음으로 내리는 자가 되지 말라는 것이었소.

(이들이 말하는 동안 남루한 거지 차림의 남자가 한쪽 다리를 질질 끌며 천천히 다가온다. 이자는 매우 겸손해진 텔레포스 왕의 변한 모습이다.)

텔레포스 왕 나요. 나 텔레포스 왕이오.

(아가멤논 왕과 아킬레스가 놀라서 그를 자세히 응시한다.)

아가멤논 왕 내 눈을 믿을 수가 없군.
텔레포스 왕 내가 겸허히 낮아졌음을 인정합니다. 제우스의 법을 따르지 않아서
　　　　　　　받은 벌이오.
아킬레스 그건 그런데, 당신이 어떻게 이곳에 있는 거요?
텔레포스 왕 당신이 나한테 입힌 상처가 썩었어요. 신탁이 말하기를 이 상처는
　　　　　　　오직 당신 창에 묻은 녹으로만 고칠 수 있다고 합니다.
아킬레스 교훈을 깨달았다니, 그 정도 치료는 내가 해 드리지요.
텔레포스 왕 그 보상으로 트로이로 가는 길을 안내해 드리겠소.
아킬레스 공정한 거래로군, 같이 가십시다. (페이드아웃.)

[페이드인: 옥외. 트로이. 시모이스강 입구. 배에서 첫 번째로 뛰어내린 프로테실라오스는 트로이군의 창에 맞아 쓰러진다. 그리스인들은 의식에 따라 그의 시신을 배에 옮긴다. 페이드아웃.]

[페이드인: 옥외. 아가멤논 왕의 배. 프로테실라오스의 시신이 장중한 화장용 장작더미 위에 눕혀있다. 아가멤논 왕과 아킬레스는 장례식을 집전한다.]

아가멤논 왕 우리의 첫 번째 영웅이오. 신탁의 경고에도 죽음을 무릅쓰고 트로
이 땅에 내린 첫 그리스인이오.

아킬레스 나보다 더 용감한 자요. 나는 어머니의 경고에 따라 첫 상륙자가 되는
것을 피했소.

아가멤논 왕 앞으로 있을 더 큰 영광을 기대하며 당신을 아끼는 것이오, 아킬레
스. 그뿐 아니라 누구나 다 아는 당신의 용기를 증명할 필요가 어디
있겠소.

아킬레스 이건 이율 배반입니다, 아가멤논. 남아의 솜씨를 보여주는 데는 두려
울 게 없는 나지만, 내 어머니 마음에 상처 주는 일만은 두렵소.

아가멤논 왕 당신 어머니께서는 항상 옳은 말씀만 하신 걸 인정해야지요.

아킬레스 아폴로의 아들 테네스 왕과 언쟁을 벌인 것에 대해서는 내가 우리 어
머니 경고를 들었어야 했어요.

아가멤논 왕 언쟁은 그의 죽음으로 끝났잖소.

아킬레스 불행히도 그렇게 되었지요. 그래서 아폴로는 내게도 똑같은 보복을 하
겠다고 합니다. 그러나 아폴로가 복수하기 전에 트로이 사람들이 내가
여기 온 것을 먼저 알겠지요.

아가멤논 왕 우선은 용감한 프로테실라오스에게 합당한 예를 갖추는 일이오. (페
이드아웃.)

[페이드인: 옥외. 트로이 근처 마을 팀브라. 밤. 프리아모스 왕의 딸 폴리크세나
공주는 트로일로스 왕자가 그녀를 지키고 서 있는 동안 우물가에서 물을 기르고
있다.]

폴리크세나 공주 정말이지 트로일로스, 내가 궁 밖으로 나올 때마다 옆에서 지킬
필요는 없다는데 그러네.

트로일로스 왕자 조심해야 해, 폴리크세나. 아킬레스와 그 일행이 지금 트로이

주변에서 파괴 행위를 일삼고 있어.

폴리크세나 공주 여기 팀브라까지 오지는 않을 거야.

트로일로스 왕자 그래도 어여쁜 누이를 혼자 두고 안심할 수 없지. 아름다운 누이야말로 그자들에게는 가장 탐나는 대상일 텐데. 내가 목숨 걸고 지켜줘야 하지 않겠어?

폴리크세나 공주 자, 이제 끝났어.

트로일로스 왕자 잘 됐군. 어서 마차를 타, 누나. 빨리 떠납시다.

(*트로일로스 왕자가 말들에게 채찍을 가할 때 숨어있던 아킬레스가 공격한다. 말들은 놀라서 뛰고 그 바람에 트로일로스는 마차에서 떨어진다.*)

폴리크세나 공주 오, 트로일로스! 트로일로스!

트로일로스 왕자 빨리 도망가! 어서 도망가! 폴리크세나!

(*말들이 달리고 폴리크세나 공주는 도망간다.*)

아킬레스 내가 붙잡은 이자가 트로일로스 왕자란 말이지.

트로일로스 왕자 나한테 하고 싶은 대로 하시오. 내 누이만 도피했으면 되니까.

아킬레스 고귀한 왕자처럼 말씀하시네. 그런데 불행히도 당신 운명이 얼마 남지 않은 것 같군.

트로일로스 왕자 내 나이 스무 살이 되기 전에 죽게 되어있다는 신탁의 예언을 말하는 모양이군.

아킬레스 내가 트로이를 쓰러트리면, 그렇게 되는 거지. 사적인 감정은 아니지만, 상냥한 젊은이, 신탁의 예언에 따르면 그대는 아폴로 제단의 희생 제물이 될 것이네.

(*아킬레스는 트로일로스를 아폴로의 신전으로 인도한다.*)

트로일로스 왕자 난 이제 두려울 게 없어. 내 누이도 안전하니까.
아킬레스 아주 아름다운 누이더군. 두려워 말게. 자네 누이를 해치지 않을 테니.
그 아름다운 누이를 난 다시 만날 운명이니까. (페이드아웃.)

[페이드인: 실내. 트로이 근처의 리르네수스 궁전. 아킬레스와 그의 부하들이 마을을 침략하고 궁을 빼앗았다. 미네스 왕을 죽이고 아킬레스는 왕비 브리세이스의 침실로 간다. 왕비는 아킬레스에게 단호히 맞선다.]

브리세이스 왕비 어서 날 죽이고 살육을 끝내시지? 무얼 기다리는 거요!
아킬레스 당신처럼 아름다운 여인의 입에서 그렇게 험악한 말이 나오다니.

(*아킬레스는 앞으로 다가가서 그녀 입술에 부드럽게 손을 댄다. 브리세이스 왕비는 그의 손을 문다.*)

아킬레스 아름다운 입은 위협적일 수 있다, 그 말인가. 알겠소.

(*아킬레스는 그녀의 팔을 잡고 앞으로 밀고 간다.*)

아킬레스 불같은 여인이여, 당신은 좀 얌전해질 필요가 있어요.
브리세이스 왕비 거만한 괴물, 네가 말하는 얌전이란 게 무언지 잘 알지.
아킬레스 안다고? 정말로 안다는 소리요?
브리세이스 왕비 넌 나를 첩으로 만들 수 있겠지만, 난 너를 결코 마음으로 받아들이지 않는다.
아킬레스 그건 두고 봅시다. 아킬레스는 군인이지만 연인이기도 하니까.

(*아킬레스는 고집스러운 그녀를 앞으로 밀고 간다. 페이드아웃.*)

[페이드인: 실내. 9년 후. 아가멤논이 이끄는 수천 척의 배들이 아직도 트로이로 들어가는 시모이스강 입구에 정박하고 있다. 그리스 쪽도 트로이 쪽도 어느 편이 승리할 것이지 가늠할 길이 없다. 아킬레스는 그의 막사에서 브리세이스의 손을 부드럽게 만지면서 앉아있다.]

아킬레스 내가 과거에 알았던 모든 여인들 중, 브리세이스, 내가 사랑한 유일한 여자는 당신뿐이오. 그리스 남자들은 이런 식의 표현을 잘 하지 않지. 그러나 당신을 진정 사랑하고 있음을 고백하오.

브리세이스 나도 진심으로 당신을 사랑해요, 내 남편은 나의 의무였지만 당신은 내 사랑입니다.

아킬레스 (*놀리면서*) 리르네수스에 있을 때는 나에 대한 감정이 그렇지 않았잖소.

브리세이스 그때는 물론 당신을 사랑하지 않았지요. 아킬레스, 지금은 나 자신보다 당신을 더 사랑합니다.

(*아킬레스는 그녀를 팔에 안고 부드럽게 키스한다.*)

아킬레스 우리 관계의 종말이 기다리는 것 이외에는 모든 것이 완벽하오. 나의 어머니는 내가 트로이에서 최후를 맞는다고 하셨는데, 어머니 말씀은 틀린 적이 없어요.

브리세이스 그러나 당신은 비범한 용장이잖아요. 그런 당신을 누가 쓰러트릴 수 있는지 믿어지질 않아요.

아킬레스 신들이 정한 운명은 언제나 이행되었소 — 그렇지만 우린 지금 함께 있고, 아무도 우리 사이에 끼어들 순 없소.

(밖에서 아킬레스의 보초에게 말하는 메신저 소리가 들린다.)

아킬레스 메신저, 들어와요.

메신저 급한 일로 아가멤논 왕이 장군을 뵙자고 합니다.

아킬레스 왕께 곧 간다고 전하시오.

브리세이스 불길한 예감이 들어요.

아킬레스 그래선 안 되오, 내 사랑. 이번 일은 당신과는 상관없는 일이오. 아마
아가멤논이 아폴로 사제의 딸 크리세이스를 첩으로 삼은 이후 줄곧
우리를 괴롭힌 폐해 때문일 것이오.

브리세이스 크리세이스가 폐해의 원인이라고요?

아킬레스 그렇소. 난 두령들을 소집해서 예언자 칼카스와 의논했소.

브리세이스 그런데요?

아킬레스 크리세이스를 그녀 아버지의 신전으로 돌려보내기 전에는 아폴로의
분노가 절대로 사그라지지 않을 것임을 칼카스가 선언했소.

브리세이스 아가멤논 왕은 좋아하지 않겠군요.

아킬레스 그래선 안 되지. 두령들은 하나 같이 크리세이스를 아버지한테 돌려보
내라고 하고 있소. 우리에겐 아폴로의 분노와 싸우면서 또 트로이와
동시에 싸워야 하는 이중의 힘은 없어요. 그러니 브리세이스, 불길한
예감이니 원인이니 하고 따질 게 아니오.

브리세이스 당신 말대로라면 좋겠어요.

(아킬레스는 그녀에게 키스하고 떠난다. 페이드아웃.)

[페이드인: 실내. 아가멤논의 막사. 아가멤논과 아킬레스.]

아킬레스 그래서 아가멤논, 이제야 크리세이스를 돌려보낼 지각이 생겼군요.

아가멤논 왕 그렇소. 난 신들과 싸울 상대가 못 되오. 아폴로는 자기 식대로 하고, 그리고 당신 말대로 우린 아폴로 신과 트로이를 동시에 감당할 수는 없으니 말이오.

아킬레스 이제야 분별력이 생기셨군요.

아가멤논 왕 그런데―

아킬레스 그런데, 또 뭐가 있습니까?

아가멤논 왕 내게 상급이 없는 것은 이치에 맞질 않소. 나의 상급인 크리세이스를 빼앗겼으니, 다른 상급을 요구해야겠소.

아킬레스 우리가 노략질한 지역의 상급은 다 분배되지 않았습니까?

아가멤논 왕 당신의 지도자인 내가 상급이 없다는 건 말이 안 되지. 아폴로가 나의 크리세이스를 요구하니, 난 당신의 브리세이스를 요구하오.

(아킬레스의 심장은 분노로 부글거린다. 그가 칼을 뽑으려 하자, 하늘에서 아가멤논의 눈에는 보이지 않게, 아테나가 내려와서 아킬레스의 손을 말린다.)

아테나 *(아가멤논의 귀에는 들리지 않게)* 참아요, 아킬레스. 당신이 당하는 이 모욕을 신들이 갚아줄 때가 올 것이오.

(아킬레스는 칼을 칼집에 다시 넣는다.)

아킬레스 이런 가증스러운 모욕을 내가 앞질러 막을 권한은 없지만, 잘 들어두시오, 술주정뱅이 겁쟁이 아가멤논. 한 번도 부하들 앞에 나서서 싸우지 못하는 용기 없는 비겁자! 내 엄숙한 맹세를 잘 들으시오. 당신 부하들이 피에 굶주린 헥토르 앞에서 모두 쓰러질 때가 올 것이오. 그때 당신이 아무리 애걸복걸해도 이 아킬레스의 칼은 그곳에 없을 것이오.

(이렇게 말한 아킬레스는 분노에 차서 나간다. 페이드아웃.)

[페이드인: 아킬레스의 막사. 아킬레스, 브리세이스, 친구 파트로클로스.]

파트로클로스 아킬레스, 난 자네를 위해서 내 목숨을 기꺼이 내놓을 수 있는 거 알지. 그렇지만 아가멤논 왕의 명령을 거스를 자는 없네.

아킬레스 나도 알아, 파트로클로스. 그리고 내가 절대로 그리스인들을 위해 나서서 싸우지 않을 것도 알지.

브리세이스 아킬레스, 내 심장도 당신처럼 찢어져요. 아가멤논 왕이 나를 그의 상급으로 만들지라도 난 당신 이외에는 결코 누구에게도 속하지 않을 겁니다.

(아킬레스는 분노와 침통함으로 굳어있다.)

아킬레스 *(울면서)* 이렇게 우는 건 남자답지 않아. 그러나 패배자 된 비겁한 이유로 당신을 잃을 생각을 하니—

(아킬레스는 분노와 슬픔으로 말을 잇지 못한다. 브리세이스가 그에게 다가간다.)

브리세이스 당신의 사랑이 힘이 되어 날 지탱할 수 있어요. 틀림없이 우리의 사랑이 우리 두 사람을 지탱해줄 것입니다.

아킬레스 브리세이스, 파트로클로스, 당신들은 내가 세상에서 제일 귀하게 여기는 두 사람이오.

(아킬레스는 두 사람을 양쪽 팔에 껴안는다. 페이드아웃.)

[페이드인: 바닷가. 아킬레스는 그의 충실한 부하들인 뮈르미돈의 배들이 있는 바닷가에 있다. 뺨에 눈물을 흘리며 두 팔을 벌리고 그의 어머니가 있는 바다를 향해 부르짖는다.]

아킬레스 어머니, 한 여자 때문에 우는 아들이 남자답지 못한 줄 압니다. 남자들이 여자를 대수롭지 않게 여기는 걸 알지만, 저는 도저히 어찌해야 좋을지 모르겠어요. 제가 어머니를 어머니 방식대로 사랑하는 것처럼 브리세이스를 그녀의 방식으로 사랑합니다.

(바다에서 안개가 올라오고 테티스가 나타난다. 그녀는 아들을 두 팔에 안고 앉아서 우는 아들을 위로한다.)

테티스 신들의 법에 따른 네 운명을 구해보려고 애썼는데 이제는 브리세이스에 대한 너의 깊은 인간적 슬픔까지 겹쳤구나.

아킬레스 제 슬픔의 근원은 브리세이스가 아니에요. 저 촌놈 아가멤논 때문입니다. 그자가 내 상급을 강탈함으로써 골수에 사무치는 모욕을 내게 안겨주었기 때문입니다. 비록 그 촌놈을 내가 지배할 처지는 아니지만 저는 트로이와의 싸움을 거부할 것입니다. 무엇보다 저는 트로이와 원한을 가진 적이 없어요. 그리스인들에 대한 충성심으로 싸울 생각이었으나 아가멤논이 저의 충성심을 앗아가서 수포로 돌렸어요. 저는 그리스 공세에 합류하지 않겠어요. 저 거지 같은 뻔뻔한 아가멤논이나 나가서 싸우라지요.

테티스 아들아, 난 너의 슬픔을 달래줄 힘이 없구나.

(테티스는 비참한 상태의 아들을 바라보고 슬퍼하며 바다로 돌아간다. 페이드아웃.)

[페이드인: 실내. 아가멤논의 막사. 아가멤논과 네스토르.]

네스토르 전하, 모두가 공포에 떨고 있어요. 많은 그리스 용장들의 기상이 무너
　　　　졌습니다.

아가멤논 왕 (*눈물을 줄줄 흘리면서*) 장군, 모든 게 다 내 탓이오. 운명의 약속대
　　　　로 트로이 성벽을 공격하는 게 아니라 맹목적인 나의 광중 때문에 불
　　　　명예를 안고 아르고스로 돌아가게 생겼소.

네스토르 전하, 솔직히 말씀드려도 될까요?

아가멤논 왕 당신의 충고를 내가 가장 가치 있게 듣는다는 걸 알지 않소.

네스토르 우리의 사기가 왜 이렇게 땅에 떨어졌는지 아시지요. 수천 명의 몫을
　　　　하는 아킬레스에게서 왕이 브리세이스 상급을 빼앗았기 때문에 그가
　　　　골이 나서 막사에 박혀 있소.

아가멤논 왕 네스토르, 당신 말이 맞소. 우리의 처참한 운명의 책임이 내게 있음
　　　　을 인정하오.

네스토르 아킬레스에게 변상할 의사가 있으십니까?

아가멤논 왕 그렇소. 브리세이스를 돌려주겠소. 난 그 여자에게 전혀 손대지 않
　　　　았음을 맹세하오. 그 여자만 돌려주는 게 아니라 내 말들도 줄 것이고
　　　　황금이고 무엇이고 그가 원하는 모든 것을 답례로 주겠소.

네스토르 아킬레스가 받아주기를 간절히 바랄 뿐입니다. 외교에 능한 오디세우
　　　　스와 용감한 아이아스를 대표로 보내서 전하의 뜻을 전하시지요.

(*네스토르는 오디세우스와 아이아스를 데리러 간다. 페이드아웃.*)

[페이드인: 실내. 아킬레스의 막사. 아킬레스는 앉아서 하프를 켜고 있다. 파트로
클로스는 그의 맞은편에 앉아 있다가 오디세우스와 아이아스가 들어오는 것을
보자 자리에서 일어난다.]

아킬레스   어서들 오시오, 친구들. 내가 아가멤논과는 불화하지만 당신들과는 그렇지 않소.

오디세우스   리코메데스 궁전에서 당신께 속임수 장난을 했음에도 불구하고 나를 친구로 맞아주니 기쁘오.

아킬레스   여자 옷을 입고 노는 건 결코 내 스타일이 아니지요, 오디세우스.

아이아스   그뿐 아니라 그리스인들과의 관계를 고려해서도 이 전쟁을 회피해선 안 되오.

아킬레스   내가 자주 말했듯이 신들의 뜻은 그들 방식대로 진행됩니다.

오디세우스   그 얘기는 우리가 방문한 목적을 상기시켜주는군요. 그리스 함대 전체의 운명은 아킬레스와 함께합니다. 분노를 자제해줄 것을 간청합니다. 원한을 털어내고, 마음을 누그러트리고 용서하세요. 아가멤논 왕이 잘못을 인정하니, 그를 받아주세요. 브리세이스도 돌려줄 겁니다. 왕은 그녀에게 손도 대지 않았음을 엄숙하게 맹세했어요. 그뿐 아니라 —

아킬레스   손도 대지 않았다! 그 음탕한 거짓말을 날 보고 믿으라는 거요? 난 절대 그를 용서하지 못하오. 나의 정당한 상급을 탈취해 간 자요. 전적으로 나를 속였지만 다시는 그자에게 속지 않을 것이오. 내게 무엇을 주던 난 관심 없소. 나의 찢어진 심장의 고통을 없애줄 수 있는 건 아무것도 없소. 내게 행한 그 더러운 개새끼의 모욕을 절대 잊지 않을 것이오.

오디세우스   그런데 트로이 군대가 우리 배를 모조리 불태우려 합니다. 그리스인들이 트로이 땅에서 죽는 치욕을 막아주지 않겠소?

아킬레스   그 용맹한 잘나 빠진 아가멤논 왕에게나 도움을 청하시구려. 난 내 배들을 끌고 나의 뮈르미돈 부하들과 함께 곧 프티아로 출항할 겁니다.

아이아스   아킬레스, 당신의 결심을 받아들이겠어요. 당신과 함께 전투해 본 나로선 이해가 갑니다. 일단 마음을 굳히면 어떤 것도 그 마음을 돌릴 수 없다는 걸 잘 알지요.

아킬레스 나의 그리스 친구들이여, 당신들한테 개인적 감정은 없어요. 악당 아
가멤논한테 받은 치욕적인 대우를 내가 잊을 수도, 용서할 수도 없을
뿐이오. 내 마음은 굳혔소.

(*오디세우스와 아이아스는 떠난다.* 페이드아웃.)

[페이드인: 옥외. 며칠 후. 전투는 그리스에게 불리하게 돌아가고 이제 트로이는
그리스 배들을 향해 쳐들어오고 있다. 아킬레스는 전투에 가담하지 않은 채 배
안에 있다. 파트로클로스가 눈물을 흘리며 그 앞에 나타난다.]

아킬레스 파트로클로스, 무슨 일이야, 왜 그래? 나쁜 소식은 자네에 관한 것인
가 나에 대한 것인가?

파트로클로스 우리 둘에게 다 나쁜 소식이지만 자넨 그렇게 생각하지 않을 테지.

아킬레스 털어놓고 말해 봐. 왜 그러는 거야? 왜 여자처럼 우느냐고?

파트로클로스 그리스의 영광이 사라져서 우는 걸세. 디오메데스, 오디세우스, 아
가멤논, 모두 부상당했어. 가장 뛰어나다는 장군들이 전투에서 부상당
하고 배 안에 누워있단 말이네. 자네가 우리 그리스를 구하러 나서지
않겠다면 내가 자네의 갑옷을 입고 싸울 수 있게 허락해주게. 내가 아
킬레스인 줄 알고, 트로이인들이 아킬레스가 전쟁터에 되돌아온 줄 알
고, 그래서 그들에게 제우스의 공포를 알려주게 말이야.

아킬레스 파트로클로스, 친구인 자네에 대한 내 사랑이 얼마나 큰지 알지 않는
가. 그리고 브리세이스를 빼앗겨서 고통받는 내 마음도 알 것이고, 또
우리 배들이 불에 타는 것을 보며 괴로워하는 내 심정도 알겠지. 그럼
에도 난 아가멤논의 모욕을 용서할 수 없네.

파트로클로스 자네의 갑옷을 내가 입고 나가서 트로이인들이 나를 아킬레스로

착각하도록 허락해주려는가?

아킬레스 자네의 요구를 거절하지 못한다는 걸 알지. 그래, 내 갑옷을 입고 내 부하들을 인솔하고 가서 싸우게.

(*파트로클로스는 급히 아킬레스의 갑옷을 입고 아킬레스는 그의 장수들을 부르러 나간다. 페이드아웃.*)

[페이드인: 옥외. 아킬레스는 그의 배 안에서 안절부절못하며 서성거린다. 안티로쿠스와 그의 뮈르미돈 부하들이 그에게 달려오는 것을 본다.]

아킬레스 (*혼잣말로*) 어째 불길한 예감이 드는구나.

(*안티로쿠스가 가까이 오자 그의 눈에 눈물이 흐르는 것을 본다.*)

아킬레스 안티로쿠스, 무슨 일인가? 왜 여자처럼 우느냐?

안티로쿠스 최악의 소식입니다, 각하. 파트로클로스가 죽었어요. 아이아스와 미리오네스와 메넬라오스가 그의 시신을 트로이의 개자식들에게 뺏기지 않으려고 싸우고 있습니다. 각하의 갑옷은 뺏겼어요. 헥토르가 가져갔어요.

아킬레스 걱정하지 마라, 안티로쿠스. 내가 날 해치진 않을 것이니. 살아서 헥토르에게 원수를 갚아야지. 나의 슬픈 분노를 알려줘야지. 비통한 심정을 가라앉힐 터이니, 잠시 혼자 있게 해다오. (페이드아웃.)

[페이드인: 옥외. 신음하며 아킬레스는 바닥에 누워있다. 테티스가 그의 옆에 무릎을 꿇고 있다.]

테티스   아들아, 바다 저 깊은 속에서 너의 신음이 들렸어. 무슨 일이냐?

아킬레스   어머니의 예언 하나가 또 맞았어요.

테티스   파트로클로스냐? 너의 가장 뛰어난 뮈르미돈 부하가 죽었고 너는 아
        직 살아있구나.

아킬레스   헥토르와 맞서지 말라고 내가 경고했는데.

테티스   (흐느끼면서) 또 다른 예언이 곧 이루어질 것을 넌 알고 있지.

아킬레스   제 목숨은 조금도 개의치 않아요. 제가 살아있어야 할 유일한 이유는
        헥토르에게 파트로클로스의 원수를 갚기 위한 것입니다.

테티스   네가 헥토르를 죽인 후에는 너의 운명이 너를 기다린다.

아킬레스   주어진 제 운명이 어떻든 당당히 맞서겠습니다.

테티스   네 운명을 막아 보려 했지만, 너의 아킬레스건이 유일한 약점이구나.
        네가 해야 할 일을 마땅히 해야 한다는 것을 나도 안다. 그러나 기다
        려다오. 헥토르가 가져간 네 갑옷 대신, 헤파에스투스에게 새 갑옷을
        만들어 달라고 부탁할 터이니 그때까지만 기다려다오. 내일 동틀 때
        새로 지은 갑옷을 가지고 오마. 기다려주겠지?

아킬레스   저를 위한 새 갑옷을 가지고 오실 때까지 헥토르와 싸우지 않겠다고
        약속합니다.

(테티스는 올림포스로 떠난다. 페이드아웃.)

[페이드인: 옥외. 아킬레스의 진영. 파트로클로스의 시신이 화장용 장작더미 위
에 눕혀있다. 파트로클로스의 가슴에 머리를 대고 아킬레스는 신음한다. 그와
함께 다른 뮈르미돈들도 애통해한다.]

아킬레스   파트로클로스, 내가 자네 원수를 꼭 갚겠네. 헥토르의 시체를 끌고 오
        겠네.

(*아킬레스와 뮈르미돈 부하들은 밤새도록 애도한다. 페이드아웃.*)

[페이드인: 옥외. 아킬레스의 진영. 새벽. 테티스가 아킬레스를 위해 헤파에스투스가 만든 훌륭한 갑옷을 갖고 도착한다. 그녀는 파트로클로스를 팔에 안고 쓰라린 눈물을 흘리는 아들을 본다.]

테티스   아킬레스, 파트로클로스는 죽었어. 네 슬픔이 아무리 커도 죽은 애를 소생시킬 수는 없다. 이제 슬픔을 거두어라. 여기 내가 약속한 빛나는 갑옷을 가지고 왔다. 불사신 헤파에스투스가 너를 위해 만든 것이다.

(*갑옷을 보자 아킬레스의 눈이 새로운 결단을 보이며 빛을 발한다.*)

아킬레스   어머니, 과연 신이 만든 갑옷이로군요. 그리스 왕자들을 호출해서 아가멤논과의 관계 개선을 알리겠습니다. 제 운명을 맞을 준비가 되었어요. 그 이전에 파트로클로스의 시신이 구더기 밥이 되게 그냥 둘 수는 없어요.

테티스   그런 염려는 네가 할 게 아니다, 아들아. 그의 콧구멍에 붉은 신주(神酒) 몇 방울 넣고 신의 음식을 시신에 놓아두면 된다.

아킬레스   알겠어요. 그럼 그리스 왕자들을 집합시키겠습니다. (*페이드아웃.*)

[페이드인: 옥외. 부상당한 아가멤논 왕을 선두로 그리스 왕자들이 모였다. 아킬레스는 이들 앞에서 아가멤논 왕에게 말한다.]

아킬레스   브리세이스 문제로 극단의 대가를 지불하게 되었소. 내가 사랑하는 파트로클로스가 화장용 장작더미 위에 누워 있소. 지난 일은 지난 일이고, 이제 저주스러운 헥토르와 맞서고 싶소. 그의 목에 내 창을 꽂기 전에는 내게 평안은 없소.

아가멤논 왕 고귀한 아킬레스, 브리세이스에 대해 먼저 말하겠소. 그대에게 모욕을 준 건 이 아가멤논 왕이 아니라, 아테 여신의 어리석음이 나를 맹목적으로 지배했던 탓이오. 아테가 나의 이성을 빼앗았던 것이오. 아름다운 그대의 브리세이스를 돌려주겠소. 맹세컨대 난 그녀에게 손끝 하나 대지 않았소. 결코 잠자리를 같이한 적 없고 남자가 여자에게 갖는 어떤 식의 욕망도 갖지 않았소. 한 지붕 아래 내 거처에 있었으나 조금도 건드리지 않았음을 맹세하오.

(아킬레스는 브리세이스란 이름이 나오자 신경이 격하여 곤두서지만 그의 자세엔 전혀 요동이 없다.)

아킬레스 이미 말했거니와, 지난 일은 지난 일이오.

(어색한 정적이 잠시 흐르지만 곧 그리스 왕자들이 두 사람의 화해를 환호한다. 페이드아웃.)

[페이드인: 옥외. 파트로클로스 화장용 장작더미 옆에 아킬레스가 있다. 브리세이스가 다가온다. 화장용 장작더미 위에 누운 파트로클로스를 보고 그녀는 흐느껴 운다.]

브리세이스 파트로클로스, 내가 당신과 헤어질 때는 살아있었는데—

(그녀는 울면서 화장용 장작더미에 몸을 던진다. 아킬레스가 그녀에게 가서 손을 잡는다.)

아킬레스 브리세이스, 너무 애통해하지 마오.

(*브리세이스는 아킬레스의 부드러운 손길에 감격하여 가슴이 찢어지게 운다.*)

아킬레스 브리세이스, 당신에게도 내게도 모두 힘든 일이었소.
브리세이스 진정 힘들었어요.
아킬레스 난 개자식 아가멤논을 한순간도 믿은 적이 없소. 내 마음이 이래선 안
　　　　　되는 줄 알지만, 당신에 대한 내 심정은 남자가 여자에게 품어서는 안
　　　　　되는 약한 감정이오.

(*두 사람은 포옹한다.*)

브리세이스 이해해요. 마음 아픈 일은 우리 관계를 되찾는 데 파트로클로스의
　　　　　목숨이 값을 치른 것입니다.
아킬레스 우리의 재회 기간도 짧을 것이오.
브리세이스 당신의 운명이 기다리고 있는 것도 알고 있어요. 아킬레스, 우리가
　　　　　화해할 수 있어서 기뻐요.
아킬레스 내 마음의 평화가 깨진 건 결코 당신 때문이 아니오, 브리세이스. 이것
　　　　　만은 알아주오. 비록 내가 곧 전투에 임하게 되지만, 당신은 어느 여자
　　　　　에게서도 느끼지 못했던 사랑을 내게 일깨워 주었소.
브리세이스 우리의 사랑이 나를 영원히 지탱해줄 것입니다.
아킬레스 여보, 이제 내가 무장하는 일을 도와주시오. (페이드아웃.)

[페이드인: 옥외. 전쟁터. 빛나는 갑옷을 입고 아버지 펠레우스의 창을 든 아킬
레스는 그의 전차 마부 아우토메돈 옆에 눈부시게 서 있다. 그의 전차 바퀴는
죽은 트로이인들의 핏덩이를 발랐다.]

아킬레스 내가 곧 죽을 운명인 줄 알지만, 내 목숨이 붙어있는 동안은 계속 너희 트로이인들을 하데스 지하 세계로 보내주겠다. 그 전에 너희 중 한사람은 반드시 내 손으로 죽이겠다. 헥토르, 어디 있느냐? 펠레우스의 창이 너를 기다린다. (페이드아웃.)

[페이드인: 옥외. 전쟁터의 다른 곳. 헥토르가 그의 전차 위에서 부하들에게 연설하고 있다.]

헥토르 용감한 트로이 전사들이여, 아킬레스를 두려워할 것 없다. 입으로 말하기는 쉽다. 아킬레스의 손이 불같고 기백이 번갯불 같다 할지라도 나는 그가 한 말들이 거짓임을 정면으로 증명해 보이겠다. (페이드아웃.)

[페이드인: 옥외. 스카만데르강. 그리스 전사들을 이끄는 아킬레스는 트로이의 군대를 둘로 갈라놓았다. 한쪽은 트로이를 향해 몰았고 또 다른 한쪽은 스카만데르강으로 밀어붙였다. 말과 군사들이 뒤엉겨 물속에서 허우적댄다. 아킬레스는 그의 전차에서 뛰어내려 창을 나무에 박아두고 칼을 빼어 물속으로 뛰어든다. 강물은 트로이 전사들의 피로 시뻘겋게 물든다.]

아킬레스 피는 피로 갚는다. 이 피는 내가 전투장에 없을 때 파트로클로스와 용감한 그리스 군사들이 흘린 핏값이다.

(*아킬레스는 맹렬히 칼을 휘둘러서 팔이 아프지만 피비린내 나는 복수는 계속된다. 페이드아웃.*)

[페이드인: 옥외, 트로이 성벽 문 앞. 헥토르는 피할 수 없는 아킬레스와의 최후

의 대결을 기다리고 서 있다. 기다리면서 그는 혼잣말로 중얼거린다.]

헥토르　아킬레스와 맞서지 말고 담판으로 해결을 볼까? 헬레네를 돌려주고
트로이 보물의 절반을 넘겨줄까? 그러나 일단 결정한 일에서는 절대
돌아서지 않는 게 아킬레스 아닌가. 만약 내가 무기를 내려놓고 싸움
을 거부한다면? 내 손에 무기가 없어도 그는 상관 않고 그대로 나를
죽일 것이다. 아니야. 이건 동화 속 이야기가 아니지. 이건 지금, 현실
이야기이고 아킬레스는 현실만 다루는 자니까.

*(헥토르가 혼잣말을 하고 있을 때 아킬레스의 번쩍이는 갑옷이 눈에 들어온다.
그는 떠오르는 태양같이 눈부시게 빛난다. 불붙듯 빛나는 갑옷을 입은 아킬레스
의 모습에 기가 질린 헥토르는 겁먹고 도망치려 한다. 그는 성벽 밑으로 달려간
다. 이를 본 아킬레스는 피를 부르는 울부짖음으로 그의 뒤를 추격한다. 이들은
성벽 주위를 돌고 돈다. 헥토르는 쫓기고 아킬레스는 쫓으면서 세 번 성벽을 돈
다. 그러고 나서 헥토르는 멈추어 아킬레스에게 말한다.)*

헥토르　더 이상은 너에게서 도망가지 않겠다, 아킬레스. 너와 사나이 대 사나
이로 맞서겠다. 그러나 그 전에 한 가지 맹세를 하자. 내가 너를 죽이
면 너의 시신에 대고 끔찍한 분노를 토하지 않고, 시신을 그리스인들
에게 넘겨주겠다. 네가 나를 죽이면 너 또한 내 시신에 대해 그렇게
해주겠다는 맹세를 요청한다.

아킬레스　헥토르, 그런 맹세를 내게 요청하는 건 쓸데없는 짓인 줄 잘 알 텐데.
넌 내가 어떤 인물인지 알지 않느냐. 네가 파트로클로스에게 한 짓을
난 잊을 수 없다. 맹세 따위는 입에 올리지도 마라. 난 너를 증오하고,
하데스에 가서까지도 증오할 것이다. 말은 집어치우고 이제 행동에 나
서자!

(*이 말을 하고 아킬레스는 그의 긴 창을 던지지만 헥토르는 몸을 숙여 이를 피한다.*)

헥토르   아킬레스, 맞추지 못했어. 넌 불멸의 테티스의 아들이 아닌 모양이다. 자, 내 창을 받아라.

(*헥토르는 그의 창을 던진다. 창은 아킬레스의 방패 한가운데를 맞추지만 뚫지 못하고 튕겨 나온다. 아킬레스는 자신의 창을 되받아 헥토르에게 겨누면서 더 가까이 온다. 헥토르는 칼을 뽑아 든다.*)

헥토르   이제 네가 유리해졌구나, 아킬레스. 그래도 난 불명예스럽게 죽지는 않을 것이다. 끝까지 싸울 것이다.

(*헥토르는 칼을 들고 아킬레스 앞에 나선다. 그러나 아킬레스는 방패를 들어 그의 칼을 막아낸다. 아킬레스는 헥토르가 파트로클로스의 갑옷을 입고 있는 것을 살핀다. 그리고 파트로클로스가 치명적으로 찔려서 구멍이 난 자리를 눈여겨본다. 아킬레스는 창을 그 구멍 자리에 겨누고 맞춘다. 헥토르는 치명상을 입고 땅에 쓰러지지만 아직 죽지는 않았다.*)

아킬레스 네가 파트로클로스를 죽이고 그 갑옷을 벗겼을 때 그게 내 갑옷이라는 생각은 못 했겠지.

헥토르   간청하네, 아킬레스 내 몸을 개들에게 뜯기지 않게 해주게. 시신을 내 집에 보내어 망자에 대한 마땅한 예우를 갖출 수 있도록 배려해주게.

아킬레스 천만에. 그런 일은 절대 없어. 너에 대한 내 복수심은 할 수만 있다면 너를 갈기갈기 찢어버리고 싶은 심정이니까.

헥토르   아킬레스, 너도 곧 죽을 운명이 아니냐. 내 몸을 찢어서 신들의 노여움

사는 일을 넌 원치 않겠지.

아킬레스 난 항상 신들의 뜻을 존중했거든. 신들이 날 벌주고 싶다면 흔쾌히 받아들이겠다.

(*헥토르의 혼이 떠나고 죽자 아킬레스는 헥토르의 갑옷을 벗긴다. 페이드아웃.*)

[페이드인: 옥외. 아킬레스 진영. 파트로클로스는 화장용 장작더미 위에 있다. 뮈르미돈 기마대가 울면서 애도하며 화장용 장작더미 주위를 세 번 돈다. 아킬레스는 헥토르의 시신을 전차에서 끌어내어 화장용 장작더미 옆 땅에 엎드려 놓는다. 그의 부하들이 갑옷을 벗고 군마의 무장을 해제하고 장례식을 준비한다. 아킬레스는 화장용 장작더미로 간다.]

아킬레스 파트로클로스, 자네 죽음의 복수를 내가 했네. 헥토르가 땅에 얼굴을 박고 있어. 내일 장례식 때 자네의 화장용 장작더미 앞에서 개들이 헥토르를 뜯어먹을 것이다.

(*이 말을 하면서 아킬레스는 그의 손을 파트로클로스 가슴에 대고 굵은 눈물을 흘린다. 페이드아웃.*)

[페이드인: 옥외. 다음 날 새벽. 파트로클로스의 장례식 화장용 장작더미에 불을 붙인다. 검은 연기가 솟아오른다. 그 앞에 헥토르의 시신이 땅에 엎어져 있다. 아킬레스는 장작더미 앞에 브리세이스와 나란히 서 있다.]

아킬레스 잘 가라, 파트로클로스. 약속대로 헥토르가 여기 누워있다. 그의 시체에 개들을 곧 풀어놓겠다.

(*아킬레스는 개들을 풀어놓는다. 그러나 무슨 까닭인지 개들은 헥토르 시신에 가까이 가서는 다시 뒤로 물러선다. 헥토르의 시신은 마치 보이지 않는 방패가 보호하듯 공격을 받지 않는다.*)

브리세이스 아킬레스, 이건 신들의 뜻임이 틀림없어요. 당신과 내가 파트로클로스를 사랑했지만 신들은 그만하면 됐다고 알려주는 것 같아요.

아킬레스 그럴지도 모르지. 그러나 정말 신들의 뜻인지 확인하고 싶소.

(*아킬레스는 그의 전차 말들을 무장시키고 헥토르의 시신을 전차에 묶어 장작더미 주변을 돌며 시신을 끌고 다닌다. 잠시 후 멈추고 헥토르의 시신을 살핀다. 놀랍게도 시신은 아무런 상처도 입지 않았다.*)

아킬레스 이해할 수 없군. 진흙탕 속으로 끌고 다녔는데도 전혀 상처가 없으니.

브리세이스 내 말이 맞아요. 이제 그만하면 됐다는 신들의 표시예요.

아킬레스 어쨌든 난 헥토르의 시신을 절대 돌려주지 않을 거요. 조만간 벌레 밥이 될 것이오.

(*브리세이스는 절망감에 힘없이 아킬레스를 바라본다. 페이드아웃.*)

[페이드인: 실내. 아킬레스의 막사. 12일 후. 아킬레스는 고개를 숙이고 혼자 앉아있다. 트로이의 프리아모스 왕이 들어와서 그 앞에 무릎을 꿇고 아킬레스의 두 무릎을 끌어안으며 그의 손에 키스한다. 놀란 아킬레스가 고개를 쳐든다.]

프리아모스 왕 아킬레스, 신들을 두려워해야 하오. 당신 아버지를 생각하고 그가 내 입장에 처해있다면 어떤 느낌일지 상상해 보시오. 무엇보다 나를 측은히 여겨주시오. 내가 지금 무슨 행동을 하는지 보시오. 난 내 아들을 죽인 그 손에 입 맞추고 있소.

(그의 행동에 감동한 아킬레스는 왕의 두 손을 잡고 함께 운다. 왕은 아들을 위해 울고 아킬레스는 친구와 아버지를 생각하고 운다.)

아킬레스 예언에 따라 고통을 겪고 있는 왕은 나의 친아버지를 연상시킵니다.
프리아모스 왕 그렇다면 간청하오. 당신 아버지에 대한 존경심으로 헥토르의 시신을 내게 넘겨주시오.
아킬레스 신들은 왕의 처지를 안타까워하는 모양입니다. 그러지 않고서야 어찌 헥토르의 시신이 벌레 밥이 되지 않는 겁니까? 어찌 왕께서 아무 탈 없이 이곳 나의 막사까지 들어올 수 있었겠습니까? 다른 답은 없습니다. 신들의 뜻이지요. 난 신들을 거역한 적 없고 앞으로도 거역하지 않을 것입니다. 헥토르의 시신을 왕께 돌려드리겠습니다.

(아킬레스는 밖으로 나간다. 그는 여인들에게 헥토르의 시신을 씻고 기름을 바르도록 명한다. 여인들은 헥토르에게 겉옷을 입히고 흰 천에 싼다. 아킬레스는 손수 헥토르를 화장용 장작더미에 올리고 그의 시종들이 헥토르의 시신이 누인 화장용 장작더미를 전차에 싣는다. 페이드아웃.)

[페이드인: 옥외. 몇 주 후. 빛나는 갑옷을 입은 아킬레스가 전쟁터에 나갈 준비를 한다. 브리세이스가 잘 가라는 인사를 한다.]

브리세이스 헥토르의 시신을 프리아모스 왕께 돌려보낸 것은 잘한 일이어요.
아킬레스 내가 자만심이 크고 고집이 세지만 신들의 뜻을 거역하지는 않소.
브리세이스 고귀한 행동은 언제나 값을 치르지요.
아킬레스 그래요. 다 지나간 일이오. 난 이제 내 미래를 맞이하러 가오. 트로이 전사들은 에티오피아의 멤논 왕자가 이끄는 거대한 군대와 합세했소. 난 그들에게 도전할 것이오.

브리세이스 아킬레스, 이제 다시는 당신을 보지 못하겠군요.

아킬레스 언제나 틀림이 없는 나의 어머니 말씀에 따르면 내 죽음이 임박했소.

브리세이스 당신 없이 난 어째야 하나요? 파트로클로스도 떠났고.

아킬레스 파트로클로스를 애도한 것처럼 나를 애도해주시오. 그런 후 당신의 인생행로를 따라가시오. 당신이 산 자들과 함께 있는 동안 난 죽은 자들과 있을 거요.

브리세이스 당신 없는 세상에 산 자들과 있는 게 무슨 의미가 있겠어요?

(*아킬레스는 그녀의 얼굴을 감싸 안고 눈물을 닦아준다.*)

아킬레스 살아있다는 사실이 전부요, 내 사랑. 난 평생을 죽음과 함께 살았기 때문에 잘 알고 있소.

(*아킬레스는 그녀의 흐르는 눈물을 키스로 사라지게 하고 떠난다. 페이드아웃.*)

[페이드인: 옥외. 트로이. 헥토르의 시신이 거대한 장례식 화장용 장작더미 위에 올려져 있다. 그의 시신이 타는 동안 애도는 계속된다. 애도하는 자들 가운데는 아름다운 아마존 여왕 펜테실레이아와 그녀의 열두 명의 여전사들이 함께 있다. 펜테실레이아는 프리아모스 왕과 대화를 한다.]

펜테실레이아 여왕 선한 프리아모스 왕이시여, 애도를 표합니다. 아시다시피 저도 슬픔의 맛을 잘 알지요.

프리아모스 왕 불의의 사고로 죽은 그대의 언니 히폴리타를 아직도 못 잊고 괴로워합니까? 내가 당신을 깨끗이 씻어주었지요.

펜테실레이아 여왕 잊을 수만 있다면 얼마나 좋겠어요. 복수의 여신들이 저를 계속 쫓아다니며 괴롭힙니다. 내가 언니 가슴에 꽂은 창이 -

(*펜테실레이아 여왕은 울음을 터트린다.*)

프리아모스 왕 (*그녀를 위로하며*) 그건 언니를 겨냥할 의도가 전혀 아니었잖소. 예기치 않게 언니가 그 자리에 나타났으니 단순한 사고였소.

펜테실레이아 여왕 이번 이 원정이 신들의 마음을 기쁘게 해서 복수의 여신들이 주는 고통으로부터 제가 해방되었으면 좋겠어요.

프리아모스 왕 우린 그대의 도움이 필요하오. 아시다시피 저 용맹스러운 아킬레스가 앞장서서 군사를 이끌고 공격하고 있소.

펜테실레이아 여왕 그자야말로 내 창을 맞아야 할 상대입니다.

프리아모스 왕 여왕의 생각은 대단한 모험이오. 아킬레스는 쉽게 무너지지 않을 것이오.

펜테실레이아 여왕 제가 반드시 정복하고 말 겁니다, 전하.

(*프리아모스 왕은 고개를 끄덕이지만 슬픈 표정으로 여왕을 궁 안으로 안내하여 엄숙한 장례식에 참석게 한다. 페이드아웃.*)

[페이드인: 옥외. 트로이의 성문. 다음 날 아침. 눈부신 갑옷을 입은 펜테실레이아 여왕은 그녀의 군마를 타고 있다. 그녀 뒤를 열두 명의 여전사들이 따른다. 이들의 등장은 의기소침한 트로이 군사들을 집결시킨다.]

펜테실레이아 여왕 싸움에 응하시오, 트로이 군사들이여. 나가서 싸우시오! 나 아레스의 딸 펜테실레이아가 그대들을 인도하겠소.

(*펜테실레이아 여왕은 열심히 싸우고 있는 그리스인들 사이로 돌진하여 도끼와 창과 화살을 계속 돌려대며 공격한다.*)

펜테실레이아 여왕 더러운 개자식들아! 오늘 너희 몸은 썩은 고기가 될 것이다. 너희 누구에게도 영예로운 매장은 없다. 너희 가운데 가장 뛰어난 자도 아마존 여전사와는 경쟁이 안 된다. 가장 뛰어난 자가 어디 있느냐? 펠레우스의 아들 아킬레스는 어디 있느냐?

(*갑자기 아킬레스가 옆에 아작스를 대동하고 나타난다. 아작스는 트로이 군사를 덮치고 아킬레스는 아마존 여전사들을 향해 덮친다. 그 결과 한순간에 트로이 군사들과 아마존 여전사들이 쓰러져 죽으면서 양쪽 군사들은 혼란과 무질서의 소용돌이에 빠진다. 펜테실레이아와 아킬레스가 마주 본다.*)

펜테실레이아 여왕 아킬레스! 마침내 우리가 만나는구나. 내 창이 너를 기다리고 있다.

(*이 말과 동시에 그녀는 창을 아킬레스를 향해 던졌으나 방패를 빗맞고 튕겨 나간다.*)

아킬레스 여인이여, 당신은 지금 헥토르를 쓰러트린 장수와 맞서고 있다는 사실을 모르는가? 나하고 감히 싸우려 들다니! 미친 여자로군!

(*아킬레스는 그의 긴 창을 펜테실레이아 여왕에게 던진다. 그녀의 오른쪽 가슴을 맞춘 창에서 시뻘건 피가 쏟아진다. 그녀 손에 있던 도끼가 스르르 미끄러져 내리고 혼미한 그녀는 말 위에서 기울어진다. 손에 투창을 든 아킬레스는 그 앞으로 달려나간다. 단번에 그는 펜테실레이아 여왕의 말을 꿰 찔러 죽인다.*)

아킬레스 이젠 개밥이 되었구나.

(*그녀의 헬멧을 벗긴 아킬레스는 드러난 미모에 감탄한다.*)

아킬레스 아니, 내가 무슨 짓을 한 거냐? 이리도 아름답고 고귀한 여인을 내가
파괴했단 말인가!

(*아킬레스 눈에 눈물이 고인다. 다른 그리스인들도 죽은 여왕을 보려고 모여든
다. 그 가운데는 천한 태생의 추한 밭장다리 테르시테스도 있다. 그는 눈물을 흘
리는 아킬레스를 비난한다.*)

테르시테스 뭐 하는 짓이오? 위대한 아킬레스가 여자를 보고 여자처럼 울다니!
당신의 진짜 모습이 드러나는군─ 약해 빠진 연애박사!

아킬레스 악한 이 병신 놈아! 너는 마음도 육체도 뒤틀린 놈이로구나. 그야, 너
같은 놈이 어찌 아름다운 것을 알겠느냐. 네 놈은 아름답다는 게 질색
이겠지.

(*아킬레스가 테르시테스의 얼굴을 어찌나 힘껏 갈겼던지 그의 입에서 이빨들이
튀어나갔고 땅에 쓰러지면서 목구멍에서는 피가 뿜어 나온다.*)

아킬레스 천하고 야박한 놈, 너보다 뛰어난 자들을 조롱한 당연한 대가다. 죄인
놈을 처벌 않고 그냥 내버려 두면 펠레우스의 아들이 웃음거리가 되지.
그건 참을 수 없지. 넌 하데스로 내려가서 혼령들이나 놀려 대거라.

(*지켜보던 그리스인들은 아킬레스의 행동을 좋게 인정하고 땅에 쓰러져 죽어있
는 테르시테스를 경멸스럽게 내려다본다. 페이드아웃.*)

[페이드인: 옥외. 트로이의 성벽. 다음 날 아침. 에티오피아 군대는 멤논 왕이 돕고 있는 트로이 군대와 합세하여, 그리스 군대와 격렬하게 싸운다. 격돌의 전투 속에서 네스토르의 아들 안티로쿠스는 아버지를 겨냥한 멤논 왕의 긴 창을 보고 아버지를 구하려고 달려들다 이에 찔려죽는다. 멤논 왕은 안티로쿠스의 갑옷을 벗겨서 네스토르와 다른 그리스인들이 그의 시신을 구하려는 것을 막는다. 네스토르는 트로이 전사들에 대항하여 싸움에 열중하고 있는 아킬레스에게 달려온다.]

네스토르 용감한 아킬레스여, 멤논 왕이 안티로쿠스를 죽이고 그의 시신을 개밥으로 던졌소. 이 아비의 호소를 들어주오. 내 아들, 자네 친구 안티로쿠스의 시신을 건져주게.

아킬레스 두려워 마시오, 네스토르 장군.

(*아킬레스는 전차에서 내려와 멤논 왕에게 달려간다.*)

아킬레스 멤논, 에오스의 시커먼 자식아, 늙어서 매미처럼 울어대는 시들어 빠진 티토스와 에오스한테서 태어난 시커먼 아들아, 이리 와서 네 운명을 만나라.

멤논 왕 이봐, 아킬레스, 자네 혈통보다야 내 혈통이 우수하지. 나의 새벽 여신 어머니는 자네 어머니처럼 물고기들하고 바닷속에서 놀지 않고 하늘 위에 사시거든.

아킬레스 그거야, 어느 쪽 어머니가 더 뛰어난 아들을 낳았는지 두고 보면 알지.

(*아킬레스와 멤논 왕은 각기 자기 창을 잡는다. 서로가 서로를 향해 달려가지만 어느 쪽도 다른 한쪽을 상처 입히지 못한다. 이들의 포효하는 괴성이 울려 퍼진 다. 갑옷이 서로 부딪히는 소리가 나고, 이들 몸에서는 피와 땀을 토해내지만 어*)

느 쪽도 만만치 않다. 끝내는 아킬레스의 힘이 승리한다. 멤논의 가슴을 찌른 아킬레스의 창은 그의 가슴을 뚫고 등으로 나왔다. 멤논 왕은 몸에서 피를 쏟으며 쓰러져서 흥건하게 흘린 핏물에 누워있다. 아킬레스는 승리의 함성을 지르고 네스토르와 몇몇 그리스인들은 안티로쿠스의 시신을 찾아온다. 페이드아웃.)

[페이드인: 옥외. 트로이 성벽. 파리스는 성벽 위에서 가까이 보이는 아무 그리스인에게나 생각 없이 활을 겨냥한다. 아폴로가 자신을 소개한다.]

아폴로　어째서 자네는 별 볼 일 없는 그리스인을 향해 화살을 소비하는가? 저 주스러운 아킬레스를 보여주마. 세상에서 가장 위대한 영웅을 죽인 영광을 자네가 얻도록 내가 도와주지.

파리스　어디를 쏘아야 하는지 가르쳐주십시오.

(파리스는 화살을 활줄에 댄다. 아폴로는 화살을 안개 속으로 나아가게 한다. 그렇게 하여 화살은 아킬레스의 치명적인 부분인 발뒤꿈치를 맞춘다. 날카롭게 찌르는 통증은 아킬레스의 발뒤꿈치에서 그의 심장으로 옮겨 가 곧 꼬꾸라진다.)

아킬레스　내게 화살을 쏜 자는 비겁한 놈이다. 정면으로 대결하기를 두려워하는 놈, 그런 비겁자들은 항상 등 뒤에서 치지. 네 놈이 쏜 화살은 아폴로의 도움이었어. 내가 안다.

(발뒤꿈치에서 화살을 뽑아낸 아킬레스는 분노에 차서 시꺼먼 피를 뿜어내듯 화살을 던진다. 치명상을 입었으나 땅에서 벌떡 일어나 창을 잡고 트로이인들을 향해 달려간다. 공포에 질린 트로이인들은 도망간다. 아킬레스는 미처 도망가지 못한 트로이인들을 여러 명 찔러 죽인다. 갑자기 그의 온몸에 냉기가 덮친다. 아킬레스는 그의 창에 기대어 버티어보지만 사지가 굳어버린 그의 몸은 더 이상

서 있을 수가 없다. 그가 쓰러지면서 덜컹거리는 그의 갑옷 소리에 땅이 흔들린다. 안전하게 성벽 뒤에 숨어있는 겁쟁이 파리스는 아킬레스가 쓰러지는 것을 본 첫 목격자다. 그는 도망가는 트로이 인들을 향해 돌아가서 아킬레스의 시신을 취하라고 소리 지른다. 그러나 아작스와 오디세우스를 비롯한 그리스 용사들이 아킬레스의 시신을 보호하기 위해 시신 주위를 빙 둘러 서 있다. 트로이인들은 계속 도시 안쪽으로 도망가고 그리스인들은 아킬레스의 시신을 그들의 배로 옮긴다. 페이드아웃.)

[페이드인: 실내. 아킬레스의 막사. 트로이의 멸망 후. 아킬레스의 아들 네오프톨레무스가 긴 의자에서 졸고 있을 때 아킬레스의 유령이 나타난다.]

아킬레스의 유령　내 아들아, 트로이가 멸망해서 기쁘구나. 나를 위해서 더 이상 애도하지 마라. 난 신들과 함께 지내고 있다. 한 가지 원하는 게 있는데, 폴리크세나 공주가 내게 와서 함께 죽음을 위로해주면 좋겠구나. 이 소원을 꼭 이루게 해다오. 그렇지 않으면 그리스인들의 안전한 항해가 허락되지 않을 것이다. 그리고 충고를 하나 하겠다. 이런 충고를 하지 않으면 아버지로서의 내 임무를 태만히 하는 꼴이 되지. 아들아, 영예를 위해 분투해야 한다. 이 땅에서 광명을 즐기고, 네 영혼을 무겁게 하는 일은 피해라.

(아킬레스의 유령은 사라지고 네오프톨레무스는 잠결에서 깨어난다. 페이드아웃.)

[페이드인: 옥외. 트로이의 해변. 파도가 높이 치며 강한 폭풍이 분다. 울부짖는 바람은 그리스 배들의 출항을 막고 있다. 네오프톨레무스는 아가멤논 왕과 오디세우스와 또 다른 그리스인들과 함께 이야기를 나눈다.]

네오프톨레무스 아버지께서 우리가 안전히 출항하려면 아버지의 소원이 이루어
　　　져야 한다고 경고하셨습니다.

아가멤논 왕 저렇게 솟구치는 파도와 울부짖는 바람 소리를 들으니 자네 주장이
　　　맞는 모양이네. 폴리크세나 공주는 트로이 포로로 여자들과 함께 잡혀
　　　있지. 네오프톨레무스, 자네 원대로 하게. (페이드아웃.)

[페이드인: 옥외. 아킬레스가 매장된 무덤의 제단. 네오프톨레무스는 폴리크세나
공주와 함께 제단 앞에 서 있다. 제단 위에는 네오프톨레무스가 폴리크세나를
희생 제물로 죽이기 위해 사용할 단도가 놓여있다. 폴리크세나는 갑자기 단도를
집어서 스스로 가슴을 깊이 찌른다.]

폴리크세나 공주 아킬레스, 난 기꺼이 당신 앞으로 갑니다. 당신을 우물가에서
　　　처음 본 순간부터 지금까지 난 당신을 사랑해왔습니다.

(폴리크세나 공주는 땅에 주저앉고, 그녀의 가슴에서 흐르는 피는 땅을 흥건하
게 적신다. 바다가 고요해지고 바람이 사그라진다. 그리스인들은 조용해진 바다
를 바라보고 아킬레스와 폴리크세나 공주, 두 유령이 서로 손잡고 물 위를 걷는
모습을 본다.)

16
오디세우스

등장인물		
아가멤논	라오쿤	칼립소
오디세우스	트로이 병사 1	레우코테아
메넬라우스	트로이 병사 2	나우시카아 공주
튄다레오스 왕	선장	알키노우스 왕
이카리오스 왕	폴뤼페모스	아레테 왕비
페넬로페	에우리로코스	아테나
팔라메데스	키르케	텔레마코스
프리기아 노예	청년(헤르메스)	에우마에우스
트로이인 1	테이레시아스 혼령	안티노오스
트로이인 2	사냥꾼	암피노모스
프리아모스 왕	어부	시논
카산드라		

[페이드인: 실내. 스파르타. 튄다레오스 왕이 궁궐 대합실에 딸과 함께 있다. 공주의 구혼자들이 모여 있다. 그 가운데 오디세우스, 아가멤논, 메넬라우스가 있다.]

아가멤논 오디세우스, 당신 여기서 무얼 하는 거요? 당신 마음은 이미 이카리오스의 딸 페넬로페에게 있는 줄로 알고 있는데.

오디세우스 아가멤논, 당신도 마찬가지 아니요? 헬레네의 이복동생 클리템네스트라와 이미 결혼한 사이이면서 말이오.

아가멤논 그건 맞아요. 난 내 동생 메넬라우스를 도와주려고 왔소. 튄다레오스 왕의 사위로서 내 영향력을 행사하여 헬레네와 내 동생이 결혼할 수 있도록 요청하러 온 것이오.

오디세우스 (*모여든 수많은 구혼자들을 보면서*) 그런 희망을 갖고 있는 구혼자들이 적잖은 것 같은데.

아가멤논 그래 보이는군요. 그렇다 해도 저 가운데 튄다레오스 왕의 사위는 없잖소. 그런데 - 꾀쟁이 당신이 여기 온 이유는 대체 무엇이오?

오디세우스 나 역시 튄다레오스 왕의 힘을 좀 빌리고 싶어서요.

아가멤논 무슨 힘을? 헬레네를 위해서는 아닐 테지요?

오디세우스 그건 아니오. 헬레네를 위해서는 아니지만, 예측할 수 있는 건, 왕이 어느 한 사람을 선택하면 선택받지 못한 자들이 떼를 지어 문제를 일으킬 수 있지 않겠소.

아가멤논 그럴지라도 당신한테 유리할 건 없잖소.

오디세우스 튄다레오스 왕이 그의 동생 이카리오스를 설득해서 내가 페넬로페와 결혼할 수 있게 도와주면, 그 무리들을 진압할 방법을 가르쳐주겠다, 그 말이지요.

아가멤논 이카리오스 왕은 어째서 당신을 사윗감으로 반대하는 거요?

오디세우스 멀리 떨어진 이타카 출신이라서 그런 것 같소. 왕은 페넬로페를 끔찍이 사랑하다 보니 딸을 멀리 보내는 걸 생각만 해도 견딜 수 없어 합니다.

아가멤논 페넬로페의 생각은 어떻소?

오디세우스 당신도 지조 있는 아가씨들의 마음을 잘 알겠지만, 그럼에도 -

아가멤논 그럼에도 불구하고 그 아가씨는 아버지 곁을 떠날 것이다, 그렇게 당신은 믿는다는 말이지요.

오디세우스 나처럼 기개 있는 남자를 그녀가 인정한 까닭이라고 하는 편이 낫지 않을까요?

메넬라우스 헬레네를 위해서 나도 그 정도로 말할 처지라면 얼마나 좋겠소. 난 어째야 좋을지 난감해요.

아가멤논 걱정 마라. 내가 튄다레오스 왕의 마음을 흔들 수 있다고 말하지 않았느냐.

메넬라우스 형님이 도와준다 해도 다른 구혼자들 마음이 흉흉합니다. 과연 헬레네를 내 여인으로 만들 수 있는지 의심스러워요.

오디세우스 메넬라우스, 당신은 말귀가 좀 어두운 편이로군. 그래서 내가 끼어드는 거요. 내 지략과 술수를 고마워하시오. 당신은 헬레네를 얻고 난 나의 페넬로페를 얻게 될 것이오. (페이드아웃.)

[페이드인: 실내. 튄다레오스 왕의 개인 응접실. 튄다레오스와 오디세우스.]

튄다레오스 왕 난 헬레네의 배필로 메넬라우스를 선택할 생각이오. 그런데 다른 구혼자들이 단도를 만지작거리는 위협적인 태도를 보았지요?

오디세우스 그 점에 대해서는 제 나름의 계획이 있습니다. 그러나 이카리오스 왕에게 저를 위해 영향력을 행사해주시겠다는 약속을 먼저 해주시지요.

튄다레오스 왕 그러지요. 약속합니다. 그런데 내가 메넬라우스를 사위로 택한다고 선언할 때 발생할 폭풍을 어떻게 막아낼 수 있다는 거요?

오디세우스 전하께서 선택의 결과를 선언하시기 전에 구혼자들로부터 맹세를 먼저 받으십시오.

튄다레오스 왕 어떤 맹세요?

오디세우스 누가 선택되든 헬레네와 결혼하는 상대자를 절대 해치지 않는다는 맹세입니다.

튄다레오스 왕 이 맹세는 헬레네의 결혼 이후에도 현재의 구혼자들이 앞으로 계속 지켜야 한다는 말인가요?

오디세우스　현재뿐 아니라 미래에도 문제가 될 수 있는 폐해를 막으려면 그렇게 해야 합니다.

튄다레오스 왕　당신도 맹세해야 한다는 사실을 생각해 보았소?

오디세우스　달리 방법이 없잖습니까.

튄다레오스 왕　좋아요. 당신 제안을 따르겠소.

(*오디세우스는 튄다레오스 왕을 따라서 대합실로 들어간다. 페이드아웃.*)

[페이드인: 옥외. 몇 개월 후. 페넬로페와 결혼한 오디세우스는 그의 배에 탈 준비를 하고 있다. 이카리오스 왕은 내키지 않는 마음으로 딸과 작별인사를 나눈다.]

이카리오스 왕　애야, 너를 떠나보내는 내 마음이 심히 무겁구나.

오디세우스　이타카는 여기서 멀지 않습니다. 언제든지 마음 내키실 때 방문해 주세요.

페넬로페　아버지, 아버지의 사랑을 평생 가슴에 담아두겠어요.

이카리오스 왕　네 마음이 그런 줄 알지만 네가 옆에 없다는 게 참기 어렵구나.

(*페넬로페가 부드럽게 아버지를 포용하자 이카리오스는 눈물을 닦는다.*)

오디세우스　안심하세요. 제가 페넬로페를 사랑하고 아끼고 평생 지켜줄 것입니다.

(*페넬로페는 겸손하게 눈을 아래로 내리뜬다. 두 사람은 팔짱을 끼고 배에 오른다. 페이드아웃.*)

[페이드인: 옥외. 이타카. 일 년 후. 페넬로페는 아들 텔레마코스를 무릎에 얹고 흔들며 오디세우스에게 말한다.]

페넬로페 그래요. 그건 사실이어요, 오디세우스. 파리스가 헬레네를 트로이로 데리고 갔어요. 팔라메데스와 메넬라우스는 과거의 모든 구혼자들에게 그 일을 상기시키러 가는군요. 메넬라우스의 가문의 명예와 그리스 명예를 상기시키려는 거지요.

오디세우스 그게 전부 내 아이디어였는데— 내 손으로 놓은 덫에 내가 걸린 꼴이 되어버렸소.

페넬로페 당신이 트로이에 가지 않고 어떻게 피할 방법은 없을까요?

오디세우스 내 지략이 성공하면 난 가지 않을 거요.

페넬로페 당신 지략이 실패하지 않기를 바라겠어요. (페이드아웃.)

[페이드인: 옥외. 들판. 페넬로페는 아기 텔레마코스를 안고 메넬라우스와 팔라메데스와 함께 서서, 멍에 맨 말과 소를 몰며 밭이랑에 소금을 심고 있는 오디세우스를 바라본다.]

페넬로페 난 정말 불행한 여자여요. 남편이 머리가 돌았어요. 불쌍하게도 저 사람이 미쳤어요.

메넬라우스 모래밭에 오디세우스가 심고 있는 게 뭡니까?

페넬로페 아이고, 저게 소금이랍니다.

메넬라우스 참, 아이러니가 따로 없군요. 지략가의 머리가 저렇게 돌아버리다니.

팔라메데스 (*반사적으로*) 그러게요. 잔꾀가 능한 사람인데 말입니다.

(*팔라메데스는 느닷없이 페넬로페의 팔에서 텔레마코스를 빼어 밭이랑에 내려놓는다. 오디세우스는 아들이 다치기 바로 직전에 몰고 가던 소와 말을 갑자기*

멈춘다. 페넬로페는 달려가서 아기를 들어 올린다.)

팔라메데스 잔꾀를 부리지만 정신은 멀쩡하시군, 오디세우스.

오디세우스 이번 일을 꼭 기억해 두었다가 갚아주겠소, 팔라메데스.

메넬라우스 그건 그렇고, 팔라메데스는 그리스인들에게 트로이를 쓰러트릴 수
　　　　　　 있는 유일한 지략가는 오디세우스밖에 없다고 확신시켰소.

팔라메데스 감히 말하는데, 오디세우스의 지모야말로 우리에겐 결정적인 무기가
　　　　　　 아니겠습니까?

(오디세우스는 팔라메데스를 위협적으로 찡그리며 쩨려본다. 페이드아웃.)

[페이드인: 옥외. 트로이에 일천 척의 호송선이 정박해있다. 트로이는 거대한 성
벽으로 단단하게 둘러싸여 있다. 아가멤논 왕의 배가 앞장 서 있다. 배 위에서
아가멤논 왕, 메넬라우스, 오디세우스가 도시를 살피고 있다.]

아가멤논 왕 너의 헬레네를 찾아오는 일이 쉽지 않을 것 같다, 메넬라우스.

메넬라우스 알아요, 형님. 우린 그래도 영웅 아킬레스와 지모가 탁월한 오디세우
　　　　　　 스가 있지 않습니까.

아가멤논 왕 두 사람 모두 꼭 필요한 존재지.

오디세우스 아킬레스가 우릴 실망시키지 않기를 바라오. 나도 확실하게 무언가
　　　　　　 계략을 짜야겠지요. (페이드아웃.)

[페이드인: 옥외. 바닷가. 그리스 진영의 외곽. 오디세우스는 한 통의 편지를 프
리기아 노예에게 준다.]

오디세우스 이 편지를 아가멤논 왕께 전하라. 그리고 넌 왕께 드릴 말씀을 알고

있겠지.

프리기아 노예 (*절하며*) 예, 전하. 프리아모스 왕의 밀사로부터 이 편지를 팔라메데스에게 전달하라는 명을 받았다고 아가멤논 왕께 전언하는 것입니다.

오디세우스 그러하오나―

프리기아 노예 그러하오나, 충실한 노예로서 이 밀서를 아가멤논 왕께 먼저 가지고 온 것입니다.

오디세우스 됐다. 이 오디세우스가 너에게 심부름의 대가로 상을 줄 것을 알고 있지?

프리기아 노예 예, 전하. 제게 은혜 베푸시는 분의 호의를 받고 살기를 원합니다.

(*프리기아 노예는 절을 하고 아가멤논 왕의 막사를 향해 나간다. 페이드아웃.*)

[페이드인: 옥외. 팔라메데스는 아가멤논 왕, 메넬라우스, 오디세우스가 지켜보는 가운데 그리스 병사들에 의해 말뚝에 묶여있다.]

팔라메데스 나는 프리아모스 왕과 접촉한 적이 없소. 아가멤논 왕이여, 왕을 배신할 마음은 추호도 가져본 적이 없습니다.

아가멤논 왕 이 편지에 언급된 황금의 분량이 당신 막사에서 발견되었소.

팔라메데스 제우스 신께 맹세코, 나는 황금에 대해 아는 바가 전혀 없습니다. 어떻게 그 황금이 내 막사에 들어왔는지 모르는 일입니다. 오디세우스, 당신이―

오디세우스 (*순진한 표정으로*) 나 말이오?

메넬라우스 자, 팔라메데스, 사나이답게 벌을 받으시오. 호위병, 저자의 눈을 가려라.

(호위병은 눈가리개로 팔라메데스의 눈을 덮는다. 돌무더기 앞에서 한 줄로 서 있는 병사들이 팔라메데스에게 돌을 던질 자세를 취하고 있다. 오디세우스는 첫째 병사에게 다가간다.)

오디세우스 잠깐. 첫 번째 돌은 내가 던지지.

(첫 번째 돌을 던지면서 오디세우스는 혼자 속삭인다 – "팔라메데스 너에게 이제 앙갚음을 했다." 병사들은 팔라메데스를 향해 돌멩이 공세를 계속한다. 페이드아웃.)

[페이드인: 옥외. 10년 후. 트로이의 성문. 거대한 목마(木馬)가 입구에 다리를 벌리고 서 있다. 한 무리의 트로이 병사들이 의아한 표정으로 목마 주위를 돌며 둘러본다.]

트로이 병사 1 이건 무슨 의미지?
트로이 병사 2 글쎄, 그리스 군사가 진영을 버리고 모두 떠났잖아.
트로이 병사 1 모두 떠나진 않았어. 저기 봐. 우리 병사들이 한 놈을 붙들고 프리아모스 왕의 궁전으로 끌고 가고 있어. (페이드아웃.)

[페이드인: 실내. 프리아모스 왕의 궁전. 두 병사에게 이끌려 온 그리스인이 왕 앞에 서 있다.]

프리아모스 왕 너는 누구냐? 왜 다른 그리스인들과 함께 도망가지 않았느냐?
시논 저는 시논이라고 합니다.

(그는 겁에 질려 말을 더듬는다.)

프리아모스 왕 말해 보거라. 왜 다른 그리스인들은 다 떠났는데 혼자 남았느냐?

시논 저는 탈주병입니다.

프리아모스 왕 탈주했다고? 그럼 그리스인이 아니냐?

시논 예, 그리스인 맞습니다. 아테나를 달래기 위해서 저를 희생 제물로 삼으려는 것입니다.

프리아모스 왕 아테나를 달래기 위해서?

시논 예. 팔라디움(아테나 여신의 조각상)을 도적질했기 때문입니다. 그뿐 아니라 거대한 목마도 건설했습니다.

프리아모스 왕 성문 앞에 있는 거대한 목마 말이군. 아테나 여신을 위한 봉헌으로 만들었단 말인가?

시논 예. 그렇게 엄청난 크기로 제작한 것은 우리 그리스 도시로 가져오지 못하게 하는 억제책으로 그리한 것입니다.

프리아모스 왕 그건 무슨 뜻이냐?

시논 왜냐하면 트로이 성안에 있으면 아테나의 총애가 그리스 쪽에서 트로이로 옮겨가는 의미이기 때문입니다.

프리아모스 왕 그런 이유였군. 신하들, 우리 성문으로 가 봅시다.

(*프리아모스 왕과 그의 신하들이 시논과 함께 궁을 떠난다. 페이드아웃.*)

[페이드인: 목마가 있는 트로이의 성문. 시논, 프리아모스 왕, 왕의 병사들, 왕의 딸 카산드라가 있고, 사제 라오콘과 그의 두 아들도 함께 있다.]

카산드라 아버지, 제 말씀을 들으세요. 파멸이 우릴 기다리고 있어요. 저는 알아요.

(*프리아모스 왕은 부드럽게 그녀를 옆으로 밀어낸다.*)

프리아모스 왕 나도 안다, 카산드라. 네가 하는 예언들은 맞지를 않아요.

카산드라 제 예언들은 맞아요, 아버지. 아폴로가 맞지 않는 것처럼 보이게 해서 그런 것이지, 제 예언은 틀림없어요. 이 목마는 그리스인들이 걸어놓은 덫입니다. 그리스 사람 시논을 믿지 마세요.

라오콘 저도 카산드라 공주의 생각과 같습니다. 특히 선물을 준다고 할 때는 염려됩니다.

(라오콘이 이 말을 하자 두 마리의 거대한 뱀이 바다에서 올라와 라오콘과 그의 두 아들의 몸을 미끄러지듯 타고 올라간다. 뱀들은 세 사람을 둘둘 말아서 숨통을 막아버린다. 그리고는 아테나의 신전으로 미끄러지듯 올라간다.)

트로이 병사 저것 좀 보세요. 라오콘이 팔라스의 뜻을 반대해서 벌 받는 거네요.

프리아모스 왕 목마를 성안으로 가져와라. 아테나의 신전으로 옮겨라.

트로이 병사 1 감사합니다, 전하. 오늘 밤엔 10년 만에 처음으로 편안하게 침대에서 잘 수 있게 되었습니다.

트로이 병사 2 전쟁은 끝났어요. 아테나는 우리 편이 될 것입니다.

(기쁨의 환호 속에서 목마는 트로이의 성문 안으로 들어와 아테나 신전으로 옮겨진다. 페이드아웃.)

[페이드인: 옥외. 자정. 트로이인들은 평화롭게 침대에 잠들어 있다. 보초도 없다. 트로이의 목마 옆구리가 열리고 오디세우스, 아가멤논 왕, 메넬라우스와 20명의 그리스 지휘관들이 목마에서 나온다.]

아가멤논 왕 오디세우스, 당신의 승리를 인정하오. 당신의 발명품 속에서 우린 모두 숨 막혀 죽는 줄 알았소.

오디세우스 마술 같은 효과군요. 트로이인들이 시논의 말을 완전히 믿었어요.

메넬라우스 난 당신이 하는 일을 의심한 적이 한 번도 없었소, 오디세우스. 우리
　　　　　　가 이길 줄 알았어요. 그 기상천외한 꾀가 고맙소.

아가멤논 왕 우리 병사들이 지금 다 이쪽으로 오고 있군요.

오디세우스 적시에 나타나는군. 숨어있던 섬에서 자정 전에 출발하라고 일러두
　　　　　　었거든요.

아가멤논 왕 자, 병사들, 어서 오시오. 쳐들어갑시다.

(*그리스 병사들은 의심 없이 깊은 잠에 빠져 있는 트로이를 단번에 덤벼들어 도
시는 삽시에 들끓는다. 비명소리가 밤공기를 울리고 트로이의 하늘은 벌겋게 불
타오르고 그리스 점령군이 도시를 약탈하고 있다. 페이드아웃.*)

[페이드인: 옥외. 트로이의 멸망 후. 그리스 배들이 출항할 준비를 한다. 오디세
우스, 아가멤논 왕, 메넬라우스는 각기 자기들 배에 오르기 전에 서 있다.]

오디세우스 그래요, 메넬라우스, 당신은 이제 헬레네를 되찾았고 우리는 10년이
　　　　　　지나서야 비로소 고향에 돌아갈 수 있게 되었소.

메넬라우스 네, 정말 길고 긴 싸움이었소. 그러나 그만한 가치는 있었지요.

아가멤논 왕 그리스 명예를 생각하면 가치 있는 전쟁이었다고 봅니다.

오디세우스 아내 페넬로페와 아들 텔레마코스를 10년 동안 보지 못한 것 말고는
　　　　　　모든 점에서 난 만족하오.

메넬라우스 텔레마코스는 이제 많이 컸겠습니다.

오디세우스 그렇지요. 자 모두들 잘 가시오. 포세이돈이 고국에 닿을 때까지 순
　　　　　　적한 항해를 허락해 주기만 빕니다.

아가멤논 왕 당신에게도 순항을 빌겠소. 팔라메데스가 포세이돈의 손자인 것을
　　　　　　기억하면, 그를 돌로 쳐 죽인 것을 포세이돈이 좋게 여기지는 않을 것

이오.

오디세우스 그럴지 모르지요. 그러나 아테나 여신이 내 편이니까요.

메넬라우스 아테나의 축복을 너무 기대하지는 마시오.

아가멤논 왕 그래요. 전쟁에서는 우리 편이었지만, 아테나는 아이아스가 카산드라를 아테나 신전에서 범한 이후로 우리 그리스인들을 좋게 보지 않습니다.

오디세우스 비난받아 마땅한 괘씸한 짓을 했어요. 아테나가 그에게 어떤 복수를 꾀하든 아이아스는 당연한 벌로 받아야 합니다. 우리도 아이아스를 야비하고 악한 자로 간주한다는 사실을 아테나가 확실히 알아야 해요.

메넬라우스 우리를 위해서 아테나가 그리 알아주기를 간구합시다. 자 그럼 안녕히 가시오. 항해가 무사하기를 빕니다, 오디세우스.

아가멤논 왕 우리 모두 무사히 고국에 도착해야지요.

(*세 사람은 작별인사를 하고 각각 배에 오른다. 페이드아웃.*)

[페이드인: 옥외. 오디세우스의 배는 심한 폭풍을 만난다. 배가 뒤집히지 않고 떠 있게 하려고 오디세우스와 그의 선장이 최선을 다하고 있다.]

선장 전하, 저의 배가 행선지를 이탈했습니다. 여기가 어딘지 솔직히 모르겠습니다.

오디세우스 난 알고 있네. 아테나의 폭풍으로 우리가 이렇게 9일 밤과 낮을 힘들게 보내는 걸세.

선장 우리의 운명이 여신의 손에 달려있군요.

오디세우스 (*무릎을 꿇고*) 간구하오니, 아테나 여신이여, 우리 둘이 얼마나 공통점이 많은가를, 저의 지략과 꾀를 여신께서 얼마나 즐거워하셨는지, 부디 기억해주소서. 인내심 많은 제 아내와 10년 동안 아버지 얼굴을 보지 못한 제 아들을 가엾게 생각해주소서.

(*폭풍은 계속 세차게 분다. 오디세우스의 배는 느닷없이 어느 해변에 부딪히고 오디세우스와 선장은 해변에 내동댕이쳐진다. 페이드아웃.*)

[페이드인: 시실리 해안 밖의 섬. 오디세우스의 배는 해변에 계류되어있다. 폭풍은 잔잔해졌다. 오디세우스와 그의 부하들은 배에서 내리고 섬을 둘러본다. 부하들을 배 곁에 두고, 염소 가죽 통에 가득한 포도주를 든 오디세우스는 선장과 함께 섬을 정찰하기 위해 나선다.]

오디세우스　포도주는 있는데 다른 음식 사정은 어떤가?
선장　　　바닥이 났습니다, 전하.
오디세우스　뭔가 먹을 게 있는지 이 섬을 살펴보자.

(*두 사람은 이내 어느 동굴에 닿아 안으로 들어간다.*)

오디세우스　이 안에 있는 이게 다 뭐냐? 선반에는 치즈가 가득하고 저 많은 우
　　　　　유 통 좀 보게.
선장　　　저쪽에 양과 염소 우리도 있네요.
오디세우스　제우스는 방랑자에게 손길을 베푸는 자를 기억하네. 여기 주인 목동
　　　　　이 누군지는 모르지만 이렇게 많은 음식을 나그네와 나누어 먹기를
　　　　　거절하지 않을 걸세. 거절하면 제우스가 손님 대접법을 어긴 죄로 성
　　　　　을 낼 터이니 말이야. 선장, 자네 가서 부하들을 데리고 오게. (페이드
　　　　　아웃.)

[페이드인: 실내. 동굴 속. 오디세우스, 선장, 부하 병사들이 배불리 음식을 먹고

있는데 천둥 같은 발소리가 들리고 거대한 바위로 동굴 입구를 막는 큰소리에 이들의 식사는 중단된다. 거대한 키클롭스가 앞에 우뚝 서자 이들은 공포심에 오그라든다.]

선장 오, 이럴 수가. 폭풍에 시달리고 나니 이젠 키클롭스한테 당한단 말인 가!

폴뤼페모스 (*사람 목소리를 듣고*) 폴뤼페모스의 동굴에 침입한 너는 누구냐?

오디세우스 (*그의 부하들에게*) 폴뤼페모스? 아이고, 여긴 포세이돈의 아들 키클 롭스의 동굴이로구나. 문제가 크다. 그러나 이자에게 한번 호소해 볼 일이야.

오디세우스 (*폴뤼페모스에게*) 우린 폭풍에 몰려 당신 동굴에 탄원하러 온 객이 요. 제우스의 손님 대접법에 따라 보호받을 수 있는 피난처를 간청합 니다.

폴뤼페모스 난 제우스 법 같은 건 관심 없다. 내겐 폴뤼페모스가 법이야.

(*이 말을 하며 그는 오디세우스의 부하 둘을 한 손에 하나씩 잡아 조각조각 찢 어 삼킨다. 잠시 후 그는 누워 잠든다.*)

오디세우스 저자가 잠든 사이 도망가야 하는데 저 돌을 움직일 힘이 없구나. 방 법을 강구해야겠다.

(*오디세우스는 턱을 괴고 깊은 생각에 빠졌다. 페이드아웃.*)

[페이드인: 실내. 동굴 속. 다음 날 아침, 폴뤼페모스는 입구를 막은 돌을 밀어내 고 양과 염소들을 밖으로 내보낸다. 오디세우스와 그의 부하들은 폴뤼페모스가 다시 돌로 입구를 막아버리자 나가지 못하고 그대로 안에 있다. 페이드아웃.]

[페이드인: 실내. 동굴 속. 저녁. 폴뤼페모스가 돌아온다. 돌을 밀어 열고 그의 양과 염소들이 들어오자 다시 돌로 입구를 막는다. 폴뤼페모스는 동굴의 우묵한 곳으로 가서 오디세우스의 부하 둘을 전날처럼 잡아먹고 잠을 잔다.]

선장 이러다간 오래지 않아 우리 모두 잡아먹히겠어요.

오디세우스 알고 있네. 고심 끝에 내 계획이 섰어. 내일 아침 폴뤼페모스가 나가면 그때 계획을 실행하자. (페이드아웃.)

[페이드인: 실내. 동굴 속. 다음 날 아침. 폴뤼페모스는 예전처럼 동굴을 나선다.]

오디세우스 자 일합시다! 모두들, 저 입구에 있는 큰 나무통을 이리 가져오게. 한쪽을 잘라내고 끝을 뾰족하게 깎아서 갈도록 해. 나머지 병사들은 나무껍질을 벗겨서 길게 끈을 만들게. 양 세 마리를 한 데 묶을 수 있는 정도의 길이로 만들어야 하네. 서둘러야 해. 폴뤼페모스가 돌아오기 전에 다 끝내야 하니까. (페이드아웃.)

[페이드인: 실내. 동굴 속. 저녁. 폴뤼페모스가 돌아와서 또 불행하게 잡힌 두 명의 희생자를 저녁밥으로 먹는다. 오디세우스는 포도주가 담긴 염소 가죽 통을 들고 용감하게 그 앞으로 간다.]

오디세우스 폴뤼페모스, 이 포도주로 저녁 식사를 소화시켜 보시오. 이건 신들의 술과 같은 것이오.

(오디세우스는 염소 가죽 술통을 폴뤼페모스에게 던져준다. 그는 입에 대고 한 방울도 남기지 않고 술통을 짜서 다 마신다. 곧 쓰러져서 혼수상태의 깊은 잠에 빠진다. 오디세우스는 뾰족하게 간 나무 끝을 빨갛게 될 때까지 불에 달군다. 그

막대기로 잠에 빠진 폴뤼페모스의 외눈을 찔러 박는다. 폴뤼페모스는 미친 듯 소리 지르고 극심한 고통 속에 몸부림친다. 그는 이마에서 피투성이의 눈알이 꽂혀있는 막대기를 뽑아낸다.)

폴뤼페모스　네 놈이 나를 장님으로 만들었어 — 넌 절대 이 동굴을 살아서 못 나간다.

(한참을 신음하던 폴뤼페모스는 잠이 든다. 오디세우스의 신호에 따라 부하들이 나무껍질 줄기로 양을 세 마리씩 묶는다. 페이드아웃.)

[페이드인: 실내. 동굴 속. 다음 날 아침. 폴뤼페모스가 돌을 굴려서 양과 염소들을 내보낸다. 짐승들이 나갈 때 그는 짐승의 등을 일일이 만져본다.]

폴뤼페모스　짐승 등을 타고 내뺄 생각은 꿈도 꾸지 마라. 내가 너희들을 모조리 잡아먹고야 말 테니까.

(폴뤼페모스는 그러나 오디세우스의 꾀를 생각지 못한다. 오디세우스와 그 부하들은 동물의 등을 타고 나가는 것이 아니라, 세 마리씩 묶어 놓은 그 가운데 양 밑에 숨어서 나간다. 일단 동굴 밖으로 나온 그들은 배를 타고 사라진다. 페이드아웃.)

[페이드인: 옥외. 아에아이아. 오디세우스와 그의 부하들은 마녀 키르케의 고향인 이 섬에 계류한다. 부하들을 배에 남겨두고 오디세우스와 에우리로코스는 섬을 살펴보려고 언덕 위로 올라간다.]

오디세우스　저길 좀 보게, 에우리로코스.

(오디세우스는 섬의 한중간에 있는 어느 지점을 가리킨다.)

에우리로코스 궁전 같은데요. 누구의 궁전인지 궁금하네요.

오디세우스 알아볼 수 있는 길은 오직 하나야. 부하들 절반만 데리고 가서 저기
사람들이 우리에게 제우스의 법령인 손님 대접을 할 것인지 알아보고
오게.

에우리로코스 말씀대로 하겠습니다, 전하.

오디세우스 조심하게, 에우리로코스.

[페이드인: 옥외. 에우리로코스와 그 일행이 궁에 도착한다. 그곳에는 여러 모습
의 짐승이 있었으나 놀랍게도 모두 순하게 길들여있다. 궁 안에서 달콤한 음악
소리가 흘러나온다.]

에우리로코스 (궁 안쪽에 대고 큰소리로) 안에 누구 계십니까? 여보세요, 계세
요? 제우스의 손님 접대를 신원하는 방랑객들입니다.

(음악 소리가 들리는 분위기에서 키르케가 앞으로 나온다.)

키르케 어서들 오세요, 신원자들이여. 나의 궁전은 전적으로 여러분 손님들
뜻에 맡긴 곳입니다. 들어와서 편히 쉬십시오.

(에우리로코스는 그의 부하들을 들여보내지만 그 자신은 뒤에 남아서 그들이 들
어가는 것을 지켜본다. 그리고는 바깥 창문으로 가서 키르케가 그들에게 음식과
마실 것으로 접대하는 모습을 지켜본다. 부하들이 배불리 먹은 후 키르케는 그
들을 일일이 마술 막대기로 건드린다. 그러자 부하들은 이내 돼지로 변한다. 돼
지로 변한 그들을 그녀는 도토리를 비롯한 다른 맛있는 돼지 밥이 있는 돼지우

리로 몰고 간다. 에우리로코스는 급히 달아난다. 페이드아웃.)

[페이드인: 옥외. 그 후. 에우리로코스와 오디세우스.]

에우리로코스 최악의 힘든 상황은 그들이 동물로 변했으면서 인간의 지능을 그
　　　　대로 유지한다는 것입니다. 겉모습은 돼지이지만 인간의 속성을 갖고
　　　　있단 말이어요.
오디세우스 어서 가서 부하들을 구해야겠다.
에우리로코스 쉽지 않겠어요. 키르케는 마녀라서 그 점은 전하가 불리합니다.
오디세우스 그럴지라도 가 봐야 하지 않겠나. 자넨 다른 부하들과 여기 있게, 에
　　　　우리로코스. (페이드아웃.)

[페이드인: 옥외. 키르케의 궁으로 가는 길에 오디세우스는 배냇머리를 양쪽 뺨
에 내려트린 아름다운 청년과 마주친다. 그 청년은 오디세우스에게 말을 건다.]

청년(헤르메스) 오디세우스, 난 헤르메스요. 당신의 그 지모를 좋아하오. 그러나
　　　　당신의 지모가 뛰어나도 키르케를 당할 재간은 없소.
오디세우스 헤르메스가 직접 나타나서 충고하니 영광입니다. 그래도 난 내 부하
　　　　들을 구해야 합니다.
헤르메스 당신은 고집이 세군요. 그 정도는 나도 예측했지만. 그래서 키르케의
　　　　마술을 좌절시킬 마법의 풀을 내가 가져왔소. 우선 이걸 먹어요. 그러
　　　　고 나서 어떻게 부하들을 구할 것인지 내가 가르쳐 줄게요.

*(헤르메스는 마법의 풀을 씹어 먹으면서 걷는 오디세우스의 뒤를 따른다. 페이
드아웃.)*

[페이드인: 옥외. 키르케의 궁전. 오디세우스는 문을 두드린다. 키르케가 문을 연다.]

오디세우스　나의 부하들을 찾으러 왔습니다.

키르케　어서 오세요. 부하들은 여기 있어요. 먼저 좀 쉬시고, 그런 후에 안내할게요.

오디세우스　네, 그러시지요.

(오디세우스는 부하들이 받은 똑같이 풍성한 음식과 음료가 있는 식탁으로 안내된다. 오디세우스는 충분히 먹는다. 키르케는 마술 지팡이로 그를 친다.)

키르케　자 당신 돼지 친구들과 합류하도록 그곳으로 안내하지요.

(그러나 돼지 털 모습이 나타나지 않자 키르케는 놀란다. 그 대신 오디세우스가 그녀의 머리채를 잡아 목에 칼을 들이댄다.)

오디세우스　내 부하들을 풀어주고 우리에게 다시는 이런 마술 행위를 하지 않겠다고 맹세하시오. 안 그러면 당신이 마술 짓을 못 하게 이 칼로 영원히 끝내주겠소.

키르케　맹세합니다. 헤카테의 제의에 두고 맹세합니다.

(오디세우스는 그녀를 놓아준다. 놀랍게도 그녀는 오디세우스를 보고 감탄한다.)

키르케　당신은 대단한 남자로군요.

오디세우스　(우쭐해서) 많은 여인들이 내 모습에 강한 인상을 받고 마음에 깊이 새기더군요.

키르케　약속을 지키겠어요. 당신 부하들을 인간 형태로 되돌리겠습니다. 그런 후에 당신의 남은 부하들을 이곳으로 초대해서 여왕답게 베풀겠습니다. 그리고 오디세우스, 당신은 이 궁전의 지배자요 주인이 될 것입니다.

오디세우스　지배자와 주인이 된다? 내가 생각하는 그런 의미를 뜻하는 겁니까?

키르케　당신이 생각하는 바로 그런 의미요.

(오디세우스는 그의 턱을 매만지며 상황을 인식하고 이를 인정하는 표정으로 키르케를 본다. 페이드아웃.)

[페이드인: 옥외. 몇 개월 후. 에우리로코스와 오디세우스.]

에우리로코스　전하, 제가 분별없이 말한다고 생각지 마시고— 이제 우리가 돌아갈 때가 되지 않았는지요.

오디세우스　나도 알고 있네, 에우리로코스. 매일 빈둥빈둥 일없이 그저 즐기고 놀기만 하는 건 인생 소모야. 인간이 하는 일이 때로는 극단에 치우칠 때도 있구나.

에우리로코스　키르케가 전하를 즐겁게 해드리기는 합니다만—

오디세우스　이제 우리가 움직일 때가 됐어. 자네 말이 맞아. 오늘 밤 키르케에게 이야기하겠네. 자 우리의 마지막 사냥을 즐기세. (페이드아웃.)

[페이드인: 실내. 키르케의 침실. 오디세우스와 키르케.]

키르케　시작이 있으니 끝이 있기 마련이겠지요, 오디세우스.

오디세우스　비록 내가 딴 길로 들어섰지만 페넬로페는 내 아내이고 내가 진정 사랑하는 여인이오.

키르케   (*화*를 *내며*) 비록 내가 도덕과 정절의 신봉자는 아니라 해도, 어떻게
당신은 갑자기 진정 사랑하는 여인이 당신 아내임을 깨닫게 되었는지
궁금하네요. 당신의 표현대로 그 "딴 길"로 들어서기 전에는 부인을
사랑하지 않았던가요?

오디세우스   당신은 마녀지만 생각은 보통 여인처럼 하는구려. 남자는 여자와 다
르다는 점을 당신은 이해하지 못하고 있소.

키르케   그건 당신이 틀렸어요, 오디세우스. 보통 인간보다 더 잘 이해하고 있
어요. 남자와 다르지 않아요. 여자가 다르다고 하는 소리는 남자들끼
리 하는 소리지요.

오디세우스   남자는 그래도 여자의 영역 밖이라고 난 말하겠소.

키르케   그렇다고 쳐요. 난 헤카테의 제자이고 제우스의 뜻에 달려있는 몸이어
요. 당신이 갈 길을 가야 한다는 건 나도 알고 있어요.

오디세우스   그렇소. 헤르메스는 내가 하데스로 내려가서 예언자 테이레시아스와
의논해야 한다고 했소. 내가 어떻게 확실히 이타카로 돌아갈 수 있는
지 테이레시아스가 가르쳐 줄 것이오.

키르케   죽은 자들의 세계로 가는 길은 내가 가르쳐 줄게요.

오디세우스   고맙소. 경청하리다.

키르케   부하들과 오케안강을 건너 페르세포네의 강변에 내려야 합니다.

오디세우스   그다음에는?

키르케   도랑을 파서 양의 피로 도랑을 채우세요. 혼령들은 피 마시기를 갈망
해서 그리로 모두 모여들 것이고, 그중에는 테이레시아스도 있을 겁니
다. 그러나 당신은 테이레시아스와 이야기를 마칠 때까지 칼을 뽑아
다른 혼령들이 가까이 못 오도록 막아야 합니다.

오디세우스   당신이 내게 베풀어준 모든 혜택에 감사하오, 키르케.

키르케   감사할 필요는 없어요. 난 뼛속까지 타고난 마녀여요. 당신을 돕는 것
은 내가 제우스에게 복종하기 때문이지요.

오디세우스 최소한 당신은 거짓 가면이 없소. 마녀일지는 모르나 정직한 마녀요.

(*오디세우스는 출발 준비를 한다. 페이드아웃.*)

[페이드인: 옥외. 하데스. 오디세우스는 피가 가득한 도랑에서 칼을 들고 혼령들을 물리쳐서 접근하지 못하게 한다.]

오디세우스 얼씬거리지 말아요. 내가 테이레시아스 혼령과 이야기할 때까지 떨어져서 기다려요.

(*혼령 하나가 앞으로 나온다.*)

테이레시아스 혼령 날 때리지 마시오. 내가 한때 테이레시아스였던 자요. 나한테 원하는 게 뭐요?
오디세우스 난 이타카 출신의 오디세우스요. 어떻게 해야 안전히 고향에 돌아갈 수 있는지 가르쳐주시기를 바랍니다.
테이레시아스 혼령 위험한 일들이 가로막혀 있소. 세 가지가 있는데, 그 첫째는 사이렌들이오. 둘째는 괴물 스킬라와 카리브디스이고, 셋째는 히페리온의 소 떼요. 사이렌을 막으려면 밀랍으로 귀를 꼭 막으시오. 괴물 스킬라와 카리브디스는 잽싸게 피해야 합니다. 끝으로 히페리온의 소고기를 절대 먹지 마시오.
오디세우스 충고를 엄수하겠습니다.
테이레시아스 혼령 당신은 철저히 지킬 것으로 믿어요. 때가 되면 언젠가 고국에 돌아갈 날이 있을 것이오.
오디세우스 (*칼을 집어넣으며*) 자 이제 모두들 와서 실컷 피를 마십시오.

(*혼령들이 도랑으로 모여든다. 오디세우스는 부리나케 나간다. 페이드아웃.*)

[페이드인: 옥외. 사이렌들이 사는 섬 근처. 배 위에서 오디세우스는 그의 부하들의 귀를 밀랍으로 막을 준비를 하고 있다. 그러기 전에 그는 한 번 더 그들에게 주의를 강조한다.]

오디세우스 나를 닻에 꽉 묶어 둘 것을 잊지 마시오. 내가 애걸복걸 사정해도
　　　　　　　절대 풀어주면 안 되오.

(*부하들은 그의 말에 동의하고 오디세우스는 그들의 귀를 밀초로 막는다. 페이드아웃.*)

[페이드인: 옥외. 사이렌들의 섬 가까이로 오디세우스의 배가 지나간다. 조용한 바다 한가운데서 사이렌들이 부르는 아름답고 유혹적인 노래가 들린다. 부하들은 귀를 밀랍으로 막아서 듣지 못하지만 귀를 막지 않고 닻에 묶여 있는 오디세우스는 묶인 몸을 풀려고 기를 쓴다. 부하들을 향해 풀어달라고 애원한다. 그러나 이미 경고를 알고 있는 부하들은 그를 못 본 체한다. 배가 섬에서 멀어지면서 사이렌들의 노래는 점점 희미해지며 들리지 않는다. 페이드아웃.]

[페이드인: 옥외. 시실리의 메시나해협. 한쪽 해변에 머리 여섯 달린 뱀 같은 괴물이 먹잇감을 찾아 바다를 두리번거리고 있다. 이건 괴물 스킬라이다. 반대편 해변에는 물을 빨아올리며 소용돌이를 일으키는 괴물이 있다. 이 괴물은 소용돌이에 걸려드는 배에 달려들어 바위투성이의 바닷가에서 산산조각을 낸다. 이 괴물은 카리브디스이다. 오디세우스는 그의 선장에게 운명에 맡기고 스킬라가 있는 쪽으로 방향을 잡도록 명한다. 스킬라와 싸우는 일은 큰 대가를 요구한다. 왜냐하면 스킬라 괴물이 여섯 개의 입으로 그의 부하 여섯 명을 한입에 하나씩 붙

잡아 가지만 그저 보고만 있을 수밖에 없기 때문이다. 페이드아웃.]

[페이드인: 옥외. 시실리 해안에서 떨어진 섬. 이곳에 히페리온의 소 떼가 방목되어있다. 히페리온의 두 딸 림페티아와 파에투사가 소 떼를 거느리고 있다. 오디세우스와 부하들은 이곳에 내려서 아름답고 성스러운 소 떼를 목격한다.]

오디세우스 여러분들은 절대로 맹세를 기억해야 하오. 맹세를 깨트리는 일이 없도록 명심하시오. 여기 있는 소들은 신성한 소이기 때문에 절대로 건드려서는 안 된다는 점을 잊지 마시오.

(*부하들은 확실한 답으로 고개를 끄덕인다. 페이드아웃.*)

[페이드인: 옥외. 트리나키아. 한 달 후. 한 무리의 부하들은 오랫동안 굶주려서 먹을 것을 찾아 물고기를 잡아보려고 시도하지만 실패한다. 또 한 무리의 부하들은 사냥을 목적으로 멀리까지 갔으나 하나도 잡지 못하고 빈손으로 돌아온다.]

어부 당신들도 우리만큼 운이 없군.
사냥꾼 남아있는 음식은 오래 못 갈 텐데.
어부 반갑지 않은 바람이 이렇게 오래가리라고 누가 상상했겠나.

(*그는 풀을 뜯고 있는 소 떼를 간절한 눈으로 바라본다.*)

사냥꾼 당신이 지금 무슨 생각하는지 난 알아. 그러나 우린 오디세우스와 맹세를 하지 않았는가.
어부 오디세우스는 지금 양식을 구하러 내륙 깊숙이 들어가 있지. 우리가 여기서 무슨 일을 하는지 그가 알 리가 없어. 그뿐 아니라 히페리온에게 제물을 바치면 될 게 아닌가.

사냥꾼   정말 배고파 죽겠다. 여러분들 생각은 어떻소?

(*모두들 소 떼가 있는 곳을 향하여 머리를 돌린다. 페이드아웃.*)

[페이드인: 오디세우스가 돌아온다. 창자를 빼낸 히페리온 소의 몸통이 고기 굽는 쇠꼬챙이에 놓인 것을 오디세우스가 목격한다. 부하들은 구운 또 다른 소의 몸통을 먹고 있다.]

오디세우스   (*공포에 질려*) 무슨 짓들을 한 것이냐?

(*부하들은 반응을 보일 여유가 없다. 쇠꼬챙이에 있는 고깃덩어리에서 소의 울음소리가 들리고 땅에 버려진 소의 가죽 껍질은 우물우물 기어가기 시작한다.*)

오디세우스   이 일은 신성 모독죄의 대가를 치러야 할 것이다. 자연법칙에 어긋나는 이 기괴한 죽은 소의 움직임은 무서운 전조를 예고하고 있다.
(페이드아웃.)

[페이드인: 옥외. 배 안. 오디세우스와 그 일행은 트리나키아 해안에서 그리 멀리 떨어져 있지 않다. 갑자기 폭풍이 분다. 오디세우스 일행은 안전방책을 취하려고 흔들거리며 서두른다. 그러나 헛수고다. 히페리온이 불쑥 배 위로 나타나고 동시에 번개가 배를 때린다. 사람들은 모두 솟아오른 파도에 휩싸여 흩어지고, 오디세우스는 간신히 용골을 붙잡고 폭풍 밖으로 살아 나온다. 며칠 동안 떠다니던 그는 오기기아에 있는 칼립소의 섬 해변에 던져진다. 페이드아웃.]

[페이드인: 옥외. 오기기아. 오디세우스는 두 팔로 용골을 꽉 붙잡은 채 바닷가에 쓸려 와 누워있다. 며칠간 바다에 떠 있던 그의 목숨은 간신히 붙어있다. 바닷가를 거닐던 칼립소 요정이 그가 누워있는 쪽으로 온다.]

칼립소   어머나! 웬 사람이야!

(*그녀는 오디세우스를 흔들어보지만 의식이 깨어나지 않는다. 도움을 청하러 급하게 간다. 페이드아웃.*)

[페이드인: 실내. 칼립소의 궁전. 7년 후. 칼립소는 오디세우스에게 그녀가 직접 만든 화려한 의상을 건넨다.]

칼립소   입어보세요, 여보.
오디세우스   칼립소, 당신의 수고에 감사하오. 그러나 새 옷을 입는다 해도 여기
　　　　　　내 가슴의 통증을 완화시켜주지는 못하오.

(*오디세우스는 자신의 가슴에 손을 댄다.*)

칼립소   페넬로페와 텔레마코스가 또 그곳을 흔들고 있나요?
오디세우스   페넬로페는 참을성이 강한 여자지만 그녀의 참을성도 한계에 달했
　　　　　　을 거요.
칼립소   그러나 내가 당신을 구하지 않았더라면 당신 아내는 기다릴 남편도
　　　　　　없는 것 아니겠어요. 거기다 내가 당신께 아들 텔레고누스도 낳아드리
　　　　　　지 않았나요.
오디세우스   두 가지 모두 진심으로 감사하오, 칼립소. 그러나 페넬로페는 내 아
　　　　　　내요, 그리고—

칼립소　그리고 나는 당신 아내가 아니란 말이지요.

오디세우스　내가 페넬로페를 버리고 싶은 건 절대 아니오. 트로이 전쟁에 개입
　　　　하지 않고 이를 피해 보려고 얼마나 애썼는지 당신도 알잖소.

칼립소　그건 20년 전 이야기입니다. 오디세우스, 나하고 이곳에서 살아요. 티
　　　　탄족 아틀라스의 딸로서 난 당신에게 불멸성을 베풀어줄 수 있어요.
　　　　이 낙원에서 우리 영원히 함께 살아요.

오디세우스　내가 페넬로페를 모르고 아들도 본 적이 없다면 모르지만- 그렇지
　　　　만- 그건-

칼립소　언제나 "그렇지만"이 따르는군요. 그렇지요? 지금은 그 얘긴 그만합시
　　　　다. 어서 가서 새 옷이나 입어보세요.

오디세우스　좋아요. 당신이 만든 옷을 입는 거야 최소한 내가 할 수 있는 일 아
　　　　니겠소, 칼립소.

(*오디세우스는 새 옷을 들고 나간다. 그가 나간 뒤 헤르메스가 들어온다. 그를
본 칼립소는 놀란다.*)

칼립소　헤르메스, 당신이 여기 있는 건 제우스의 메시지를 갖고 왔다는 뜻이
　　　　군요.

헤르메스　바로 맞아요. 어떤 메시지인지도 짐작하리라 믿어요.

칼립소　오디세우스에 관한 것이군요. 이타카 고향으로 돌아가야 한다는 거겠
　　　　지요.

(*헤르메스는 고개를 끄덕인다.*)

칼립소　그렇지만 난 그에게 불멸성을 베풀 수 있어요. 오디세우스 같은 사람
　　　　은 죽지 않고 영원히 살아야 해요.

헤르메스 영원히 살아있게 할 수도 있지요. 영원히 페넬로페를 그리워하면서 말이오. 그러기를 바라는 거요, 칼립소?

(칼립소는 고개를 숙이고 눈에는 눈물이 고인다.)

칼립소 아니요. 마음이 자유롭지 않다면 영원한들 무슨 소용 있겠어요.
헤르메스 칼립소, 제우스의 뜻을 따르는 것이니 마음을 편히 가지세요.

(칼립소는 필연적인 운명에 슬픈 얼굴로 고개를 떨어트린다. 페이드아웃.)

[페이드인: 옥외. 오디세우스가 바닷가에 앉아서 먼 바다를 그리운 눈으로 바라본다. 칼립소가 그에게 다가온다.]

칼립소 오디세우스, 그만 슬퍼하세요. 사랑하는 페넬로페와 텔레마코스에게 타고 갈 수 있는 뗏목을 어떻게 만드는지 보여줄게요.
오디세우스 진심 없는 말로 날 놀리지 마시오.
칼립소 매우 슬프지만 진심이에요. 헤르메스가 내 태도가 틀렸다고 알려주고 좀 전에 떠났어요.
오디세우스 그렇다면 날 비웃으려고 한 게 아니었소? 진심이오?
칼립소 나의 슬픈 눈을 보면 진심인지 아닌지 알 것입니다.

(오디세우스는 그녀의 눈을 깊이 들여다보고 진심을 읽는다.)

칼립소 내 마음속 깊은 곳에서는 이날이 오리라는 걸 알았어요, 오디세우스. 그러니 헤어질 준비를 해야지요.

(*오디세우스는 감사한 마음으로 그녀의 뒤를 따른다. 페이드아웃.*)

[페이드인: 옥외. 오디세우스는 이제 그의 뗏목에 오를 준비를 한다. 칼립소와 이들의 아들 텔레고누스가 그의 옆에 서 있다. 오디세우스는 두 사람에게 다정히 키스한다.]

오디세우스 잘 있어요, 칼립소. 잘 있어라, 텔레고누스. 두 사람을 절대 잊지 않을 것이오.

칼립소 몸조심하세요, 오디세우스. 포세이돈은 당신에 대한 원한을 아직도 품고 있으니까요.

오디세우스 다행히 아테나가 나를 지켜주고 있소.

(*오디세우스는 이들에게 다시 부드럽게 키스하고 뗏목을 밀어내며 그 위에 오른다. 페이드아웃.*)

[페이드인: 옥외. 오디세우스는 17일 동안 뗏목을 타고 있다. 갑자기 맹렬한 폭풍이 불어 닥친다. 오디세우스는 물살에 떠밀리며 미친 듯이 뗏목에 매달린다. 태풍 속에서 갈매기가 부리에 덮개를 물고 나타나, 오디세우스의 어깨에 내려앉는다.]

갈매기(레우코테아) 이 덮개를 몸에 두르세요, 오디세우스. 난 레우코테아 여신이어요.

오디세우스 어려움에 처한 항해자들을 돕는 하얀 여신 말이군요!

레우코테아 네, 맞아요. 포세이돈이 에티오피아에서 돌아왔어요. 주의하세요.

오디세우스 무자비한 나의 영원한 원수!

레우코테아 이 덮개가 당신을 물에 빠지지 않게 해줄 겁니다. 헤엄을 치세요, 오

디세우스. 헤엄쳐서 바닷가에 닿으면 이 덮개는 바다에 다시 던져버리
세요.

(*레우코테아는 날아간다. 오디세우스는 그를 사방에서 시달리게 하는 거친 파도
와 싸우면서 열심히 수영한다. 페이드아웃.*)

[페이드인: 옥외. 스케리아 해안. 2일 후. 오디세우스는 바닷가에 누워있다. 여전
히 덮개를 몸에 감고 있다. 그는 녹초가 되어 지쳐있지만 간신히 덮개를 벗어서
이를 바다에 던진다. 덤불 속으로 가서 벌거벗은 몸을 숨기고 쉰다. 페이드아
웃.]

[페이드인: 옥외. 같은 스케리아 해안. 오디세우스가 덤불 아래 누워 잠들어있다.
파에키아의 알키노우스 왕의 딸 나우시카아가 시녀들과 함께 궁중 빨래를 하러
흥겹게 떠들면서 강 입구로 온다. 이들은 빨랫감을 하나씩 벌려 놓는다. 시녀들
은 깔깔대고 즐겁게 웃으며 펼쳐놓은 자기 빨래를 밟는다. 그리고 밟은 빨래를
말린다. 빨래가 마르기를 기다리는 동안 이들을 위해 아레테 왕비가 마련해준
피크닉 점심을 먹는다. 점심 후 이들은 캐치볼 공놀이를 한다. 나우시카아 공주
가 공을 놓친다. 공은 오디세우스가 누워있는 쪽으로 굴러간다. 공을 따라간 그
녀는 그곳에 누워있는 오디세우스를 발견하고 놀란다. 오디세우스는 관목을 꺾
어 몸을 가린다. 뒤쫓아 온 다른 시녀들은 이 광경을 보고 뒤로 물러서지만 나우
시카아 공주는 대담하게 자리를 지키고 그 앞에 꼿꼿이 서 있다.]

오디세우스 이게 꿈이오? 당신은 진짜 사람이오, 아름다운 아가씨? 아니면 포세
이돈의 고문에 시달리고 너무 오래 굶주린 탓에 내가 정신이 돌아 헛
것을 보는 건가?
나우시카아 공주 난 사람이에요. 파에키아의 나우시카아 공주입니다. 당신은 누

구세요?

오디세우스 나는 오디세우스라고 합니다. 20년 만에 고향 이타카로 가는 중이지요.

나우시카아 공주 그럼 당신이 그 유명한 트로이 목마의 주인공입니까? 지모가 뛰어나다고 알려진 그리스인?

오디세우스 공과는 어떻든 간에, 공주님, 내가 바로 그 사람입니다.

나우시카아 공주 지금은 형편이 궁색하군요. 기다리세요. 옷을 가져다 드릴게요. 그리고 우리와 함께 점심을 드시지요. 그런 후에 아버지가 계신 궁으로 안내하겠습니다.

오디세우스 호의에 감사하오, 공주님. 제 형편이 나아지겠네요.

(*나우시카아 공주는 옷과 음식을 가지러 떠난다. 페이드아웃.*)

[페이드인: 실내. 파에키아의 알키노우스 왕의 궁전. 왕, 왕비 아레테, 나우시카아 공주가 둘러앉아 오디세우스가 들려주는 트로이 이야기에 심취해있다.]

나우시카아 공주 아테나 여신이 당신을 우리 섬에 닿게 해서 기뻐요. 이런 경이로운 이야기를 어디서 들을 수 있겠어요.

오디세우스 저 역시 융숭한 대접에 감사합니다. 그러나―

알키노우스 왕 그러나 빨리 이타카로 돌아가고 싶다, 그 말이지요.

아레테 왕비 그토록 인내심 깊은 아내 페넬로페를 하루라도 빨리 보고 싶겠지요.

오디세우스 20년이면 대부분의 아내들은 한계를 느끼겠으나, 페넬로페는 보통 여인과는 달라서요.

알키노우스 왕 안전하게 귀향할 수 있도록 배를 마련해 드리겠소.

오디세우스 여러분의 친절에 진심으로 감사드립니다. (페이드아웃.)

[페이드인: 옥외. 이타카. 밤 중. 오디세우스는 파에키아 배에서 내린다. 그를 보호하기 위해 아테나는 재빨리 짙은 안개로 그를 감싼다. 아테나는 오디세우스 옆에 나타난다.]

아테나　안개는 당신을 위한 겁니다, 오디세우스. 당신 왕궁에는 100명이 넘는 구혼자들이 식량을 축내고 당신 아내를 취하려고 앞다퉈 겨루고 있어요. 완전히 계엄 상태에 놓여 있어요.

오디세우스　내 아들 텔레마코스는요?

아테나　아버지를 찾아서 지금 스파르타에 갔어요. 이 남루한 옷을 걸치세요. 그리고 당신의 충실한 유마이오스의 오두막으로 가세요.

오디세우스　아, 유마이오스 – 하인들 중 내가 가장 믿고 의지하는 자입니다.

아테나　그러나 그에게 아직 당신 정체를 밝히지 마세요. 그 사람은 속임수가 뭔지 모르니까요. 그저 트로이에서 오디세우스와 함께 싸우던 크레타 사람이라고만 하세요. 내가 텔레마코스를 스파르타에서 데리고 올 때까지는 유마이오스 집에 머물고 계세요.

오디세우스　여신이여, 내 생명의 은인이십니다.

아테나　내가 좋아서 하는 건데요, 오디세우스. 당신은 나를 매혹시키는 유일한 지략가여요.

오디세우스　강력한 제우스의 딸 아테나 여신이 그렇게 칭찬해주시니 영광으로 알겠습니다.

(*아테나는 떠나고 오디세우스는 유마이오스의 오두막으로 간다. 페이드아웃.*)

[페이드인: 실내. 유마이오스의 오두막. 일주일 후. 오디세우스의 정체를 모른 채 유마이오스는 그를 친절하게 유숙시키고 접대한다. 텔레마코스도 아직 이 거지의 정체를 모르고 이 집에 들어온다.]

텔레마코스 아 마음씨 착한 유마이오스, 이 불쌍한 뜨내기 거지를 따뜻이 대우
하고 있구려. 나그네여, 당신이 우리 아버지 소식을 갖고 왔다지요.

*(오디세우스는 아들을 보자 감정이 복받쳐 떤다. 그는 대답하기 전에 자신의 격
한 마음을 단단히 붙잡고 진정시키며 잠시 머뭇거린다.)*

오디세우스 당신은 나의 주인 오디세우스의 훌륭한 아들 텔레마코스임에 틀림
없지요.

텔레마코스 내가 바로 그 아들이오. 나의 아버지에 대한 소식을 듣고 싶소.

오디세우스 좋은 소식입니다. 머지않아 오디세우스는 당신과 어머니와 재회할
것입니다.

텔레마코스 서둘러 오셔야 할 텐데— 어머니가 구혼자들을 더 이상 물리칠 수가
없어서요. *(유마이오스에게)* 유마이오스, 어머니께 아들이 돌아왔다는
메시지를 전해주세요.

*(유마이오스는 자리를 뜬다. 오디세우스는 텔레마코스를 정면으로 마주 본다.
그의 눈에 눈물이 고인다.)*

오디세우스 텔레마코스, 내 아들아!

*(텔레마코스는 그의 말에 깜짝 놀란다. 아버지의 눈을 깊이 뚫어지게 보고, 힘살
과 근육이 늠름한 그의 팔을 만져본다.)*

텔레마코스 네, 정말 아버지군요. 광채 나는 눈빛과 이런 근육은 거지의 몸에 생
길 수 없지요— 아버지!

(텔레마코스는 두 팔로 오디세우스를 얼싸안는다. 두 사람은 서로 포옹하고 행복한 눈물을 흘린다.)

오디세우스 지나간 잃어버린 20년 세월을 너의 어머니에게 보상하겠다. 내 아들아, 내가 고향을 떠나기 싫어서 이리저리 피하려고 애썼던 사실을 너도 들어서 알겠지.

텔레마코스 알고 있어요, 아버지. 어머니 말씀으로는 아버지가 미친 척했는데 제 목숨이 위험에 처하자 거짓 행위가 탄로 났다고 하셨어요.

오디세우스 이젠 다 끝났어. 전쟁은 끝났어.

텔레마코스 트로이 전쟁은 끝났지만, 아버지, 저의 집에는 문자 그대로 한참 전쟁 중입니다.

오디세우스 알고 있다. 구혼자들 수가 우리 수보다 훨씬 많지만, 아들아, 숫자가 아무리 많아도 내 꾀를 당하지는 못한다.

텔레마코스 아버지를 당할 자는 없지요. 전 아버지 꾀에 내기를 걸겠습니다.

오디세우스 우린 틀림없이 이긴다. 줄곧 생각해둔 계획이 있으니까.

(오디세우스는 팔로 텔레마코스의 어깨를 두르고 그의 계획을 들려준다. 페이드 아웃.)

[페이드인: 실내. 오디세우스의 궁전. 텔레마코스, 거지 차림의 오디세우스, 유마이오스가 구혼자들 앞의 문 안쪽에 서 있다.]

텔레마코스 여러분들이 다 알고 계시듯이 오늘은 우리 어머께서 여러분 중 한 분을 남편으로 선택하기로 약속한 그날입니다. 이런 신성한 날에 여러분이 무기를 들고 들어온다는 것은 보기에도 좋지 않습니다. 그래서 홀에 들어서기 전에 무기를 모두 이곳에 내려놓기 바랍니다.

(*구혼자들은 그런 요구를 못마땅히 여기고 투덜거리면서도 문에서 무기를 놓고 줄지어 안으로 들어간다. 홀에는 거창한 연회상이 놓여있다. 그들이 자리에 앉을 때 페넬로페는 그들 앞에 여왕처럼 서 있다. 모두 착석한 후 그녀는 말을 한다.*)

페넬로페 저는 무거운 마음으로 결심했습니다. 20년 동안 남편이 돌아오기를 기다렸으나 이제는 희망이 보이지 않아 새로운 남편을 맞아야 하는 때가 된 것 같습니다. 이 자리에는 오디세우스와 비슷한 분이 한 분도 안 계신 듯싶어 선뜻 내키지 않습니다마는, 그렇다 할지라도 한 분을 선택하기 위한 시합을 열겠습니다.

(*구혼자들이 식사를 시작하자 페넬로페는 텔레마코스에게 다가가 옆에 있는 아직 정체를 모르는 오디세우스에게 말을 건넨다.*)

페넬로페 당신이 내 남편을 본 게 틀림없나요?
거지(오디세우스) 틀림없습니다, 마님. 오늘이 지나기 전에 남편께서 이곳으로 꼭 돌아오십니다.
텔레마코스 어머니, 믿음을 가지세요. 그리고 아버지가 에우리토스에게 받은 그 활을 가지고 오세요. (페이드아웃.)

[페이드인: 실내. 구혼자들은 식사를 마친다. 그동안 거지 차림의 오디세우스는 자신의 정체를 유마이오스와 다른 몇 명의 소 치는 사람들에게 밝힌다. 소 치는 사람들은 홀의 문들을 모두 잠그고 유마이오스는 오디세우스와 함께 중앙 문 앞에 서 있다. 페넬로페는 가지고 온 활을 텔레마코스에게 전하고 그녀의 방으로 돌아간다. 텔레마코스는 손에 활을 들고 구혼자들 앞에 선다.]

텔레마코스 여러분, 여기 제가 들고 있는 활이 보이지요. 에우리토스가 저의 아버지께 드린 그 유명한 활입니다. 여러분 중 이 활을 당겨서 열두 개의 손도끼 자루를 한꺼번에 맞춰 꿰뚫는 분이 저의 어머니를 아내로 맞이할 권리를 주장할 수 있습니다.

안티노오스 난 힘센 자로 명성이 높지. 자 활을 이리 주시오.

(안티노오스는 활을 잡고 자신 있게 당당히 나선다. 그는 활을 구부리는 데 애를 먹으며 스스로 놀란다. 다시 구부리려고 시도하지만 실패한다.)

암피노모스 이보게, 안티노오스, 당신 차례는 지났어. 활을 이리 넘기시오.

(암피노모스의 결과도 마찬가지다. 구혼자들 한 사람씩 나와서 활의 시위를 팽팽히 당겨보지만 모두들 실패한다.)

거지(오디세우스) 비천한 이 거지가 한번 해봐도 되겠습니까?

(구혼자들이 그를 보고 조롱하며 웃어댄다.)

텔레마코스 누구나 해보는 게 공평하지요.

(오디세우스는 활시위를 당기고 화살 하나로 열두 개의 손도끼 자루를 한꺼번에 맞추어 구혼자들을 경악시킨다. 그리고는 걸치고 있는 거지 옷을 벗어 던진다. 구혼자들은 본능적으로 무기를 잡으려 하나 입장할 때 거둬들였기 때문에 그들 몸에는 무기가 없다.)

오디세우스 문을 모두 열어라. 이 무례한 멍청이들을 전부 내보내라. *(구혼자들*

을 *향하여*) 어서 빨리 나가라. 내 손이 열두 명의 멍청이들 머리를 한 번에 쏘고 싶어 근질근질하다.

(*구혼자들은 혼비백산하여 황급히 나간다. 페이드아웃.*)

[페이드인: 실내. 페넬로페의 침실. 오디세우스는 그의 거지 옷을 다시 걸치고 페넬로페의 침실 문을 노크한다.]

오디세우스 용서하십시오, 마님. 남편에 대한 이야기를 전해드리겠다고 제가 약속했지요.

페넬로페 네, 진정 듣고 싶어요.

오디세우스 우선, 보고를 드리는데, 구혼자들은 모두 물러갔습니다.

페넬로페 좋은 소식이군요.

오디세우스 그리고 남편께서는— (*오디세우스는 그의 거지 옷을 벗는다.*) 바로 마님 옆에 여기 있습니다.

(*페넬로페는 놀라서 숨이 막혀 한다. 믿기지 않아 뒤로 물러선다.*)

페넬로페 아, 정말 살아있었군요, 오디세우스. 이렇게 당신 얼굴을 만져보고 싶은 꿈을 얼마나 꾸었는지 몰라요.

오디세우스 (*부드럽게 안아주며*) 그런 꿈은 이제 꾸지 않아도 되오. 여보, 난 이곳에 있고 이곳에 계속 있을 것이오.

(*페넬로페는 그의 팔에서 벗어난다.*)

오디세우스 왜 그러시오, 페넬로페?

페넬로페 느낌이 이상해서요. 지난 20년 동안 남자의 품에 안겨보지 못했거든
요.

(*오디세우스는 다시 그녀를 껴안는다.*)

오디세우스 20년간 안아 보지 못했던 빈칸을 우리 두고두고 메꿉시다. 내가 약
속하오.

(*페넬로페는 다시 포옹에서 벗어난다.*)

페넬로페 난 옛날의 페넬로페가 아닙니다, 오디세우스.
오디세우스 지난 20년간 남자 품에 안겨보지 못했다고 했잖소.
페넬로페 네, 그래요. 오디세우스, 난 부부의 맹세는 온전히 지켜왔어요. 당신이
그런 뜻으로 말한 거라면 말이에요.
오디세우스 무슨 말인지- 당신 걱정했었군.
페넬로페 걱정되었나요? 당신의 부부 맹세도 그대로 온전한가요?
오디세우스 그거야- 난 남자요.
페넬로페 난 여자예요. 내 감정도 당신 감정과 똑같다고 생각지 않으세요?
오디세우스 여자는 다르다고 생각하오. 어쨌든 지금 무슨 생각을 하는 거요, 페
넬로페? 이런 식으로 대화한 적이 전에는 없었잖소.
페넬로페 말했잖아요- 난 예전의 페넬로페가 아니라고. 전에는 남자 없는 여자
는 돛 없는 배와 같은 거라는 말을 믿고 자랐어요. 행로를 가르쳐줄
남자가 없는 그런 여자는 바람에 방향을 잃고 허우적거리는 배와 같
다고요.
오디세우스 그건 맞는 얘기요.
페넬로페 처음엔 나도 그렇게 알았어요. 그러다가 점차 누군가 다른 사람에게

의존할 수 있다는 걸 발견했지요.

오디세우스 아, 나의 아버지 라에르테스 말이군.

페넬로페 아니요, 당신 아버지가 아니어요. 다른 남자에게 의존한다는 건 과연
당신다운 생각이군요. 그건 아니어요, 오디세우스. 난 나 자신을 발견
했어요. 당신에게 의존하지 않는, 당신에게서 분리된 나 자신 말이어
요.

오디세우스 당신은 자신을 의지했다고 여기지만 마음속으로는 텔레마코스와 아
버님이 항상 가까이 있다는 믿음이 있지 않았겠소.

페넬로페 아닙니다. 아버님도 텔레마코스도 구혼자 떼거지를 막아내지 못했어
요. 막아낸 것은 내가 한 일입니다.

오디세우스 당신이 어떻게 그들을 저지할 수 있었다는 거요?

페넬로페 내 지혜가 무기였지요. 내가 새 남편을 맞으려면 나의 시아버지 라에
르테스의 수의 짜는 작업을 마친 후에야 된다고 했거든요.

오디세우스 그 작업이 어떻게 그들을 막았다는 거요?

페넬로페 낮에는 수의를 짜고 밤이면 짠 것을 다시 풀었어요. 이렇게 3년을 버
텼어요.

오디세우스 평소의 내 지략이 당신에게도 영향을 준 모양이구려.

페넬로페 당신이 이걸 당신 공으로 삼을 줄은 미처 몰랐네요.

오디세우스 자, 자, 페넬로페, 우리 싸우지 맙시다. 내가 당신을 아내로 삼은 것
은 아름답기만 해서가 아니었소. 지혜로운 여인인 줄 알았기 때문이었
소.

페넬로페 난 당신을 진심으로 사랑했어요. 아버지를 스파르타에 두고 이타카로
오는 일이 나로선 너무나 힘든 일이었어요.

오디세우스 그러니- 자, 우리 이제 그때로 돌아가서 다시 시작합시다.

페넬로페 아직도 당신은 내 말을 못 알아듣는군요. 내가 어려울 때는 아버지가
나를 보호해주셨지요.

오디세우스　나와 결혼한 후는 내가 당신을 보호했소.

페넬로페　네, 여기 있을 때는 그랬지요. 그러나 20년 동안은 아버지도 남편도 없이 나 혼자였어요.

오디세우스　내가 전쟁에 나가게 된 건 불행한 일이었소. 내가 전쟁에 나가는 걸 원치 않았던 그때의 상황을 당신도 잘 알지 않소.

페넬로페　알지요. 당신이 떠난 후 오랫동안 황량했어요. 그러나 점차 당신에게서 분리된 나 자신을 인정하게 되었어요.

오디세우스　그건 아내 된 자로서 할 소리가 아니요.

페넬로페　아내 된 한 사람의 인간으로서 할 소리지요.

오디세우스　20년이라는 세월이 홀로 있는 당신을 무척 힘들게 했구려.

페넬로페　(화를 내며) 여자를 무력하게 만드는 전형적인 남자의 어투로군요. 그럼 내가 20년 동안 남편도 연인도 없이 살다 보니 정신이 나갔단 말입니까?

오디세우스　페넬로페, 난 그렇게 말하지 않았소.

페넬로페　그런 뜻이잖아요. 여자가 정신적 균형을 유지하려면 남자가 있어야 한다는 그 뜻이잖아요.

오디세우스　당신 하는 행동을 보니 내 말이 맞는 모양이군.

페넬로페　당신이 떠난 후 키르케와 칼립소가 정신적 균형을 더 이루었기를 바라야겠군요! 내가 여러 명의 구혼자들과 관계를 가졌다면 내 정신에 균형 감각이 더 생겼을까요?

오디세우스　당신 지금 웬 헛소리요, 페넬로페. 당신한테 무슨 일이- 도대체 어떻게 된 노릇인지 모르겠소.

페넬로페　내가 어떻게 된 건, 오디세우스, 나 자신이 누구인지 알게 되었다는 겁니다. 전에는 오디세우스의 아내였으나 지금은 페넬로페입니다.

오디세우스　당신이 말하는 것처럼 페넬로페인지는 모르지만 지금 내 앞에 있는 당신은 내가 아는 페넬로페가 아니요. 난 충실하고 인내심 깊은 아내

를 두고 떠났는데, 돌아와 보니 –

페넬로페 온전한 여인이 되었지요. 한 어머니도 한 아내도 아니고, 한 왕비도 아닌, 한 인간으로서의 나를 발견했어요. 나 자신이 독립적이고, 개성 있는 한 온전한 여인임을 깨닫게 되었어요.

오디세우스 좋소, 좋아요. 그래서 당신은 세상에 하나밖에 없는 개성 있는 여인이오. 한 인간이오. 그래서 우린 이제 어떻게 되는 거요?

페넬로페 나도 몰라요, 오디세우스. 그러나 과거와는 다르다는 것, 그것만은 확실해요. 마치 지난 20년 세월이 가로막히지 않았던 것처럼 그대로 계속 지낼 수는 없어요.

오디세우스 페넬로페, 난 당신을 진정 사랑하오. 키르케나 칼립소와 있을 때에도 난 항상 당신을 그리워했소.

페넬로페 그랬을지 모르지요. 그렇지만 이해하려고 노력해보세요. 당신은 언제나 정체성을 갖고 있었어요. 남자들은 다 개인적 정체성을 갖고 있어요. 우리 여자들에게는 우리의 역할이 있고요.

오디세우스 알고 있소. 페넬로페, 당신은 이제 내 아내인 거요, 아닌 거요?

페넬로페 당신 아내 맞아요. 그러나 한편 페넬로페여요. 당신도 나도 20년 전에는 알지 못했던 그런 인간이 되었어요.

오디세우스 그래서 – 그게 무슨 뜻이오?

페넬로페 평상시 언제나처럼 하던 그런 아내를 기대하지 말라는 뜻입니다. 당신은 이제 20년 전에는 몰랐던 페넬로페를 상대해야 하는 것이지요.

오디세우스 시간이 걸리겠구려.

페넬로페 바로 그겁니다.

오디세우스 내가 아내를 잃어버린 건 아닌지 모르겠소.

페넬로페 네, 오디세우스. 당신은 아내 페넬로페를 잃었어요. 그러나 시간이 가고 이해가 되면, 그때는 아내 대신에 온전한 여인 페넬로페를 당신은 찾게 될 것입니다.

(*오디세우스는 페넬로페를 감탄의 눈으로 바라보며 그녀의 손을 잡고 부드럽게 끌어안는다.*)

오디세우스 자, 이제부터는 페넬로페라 불리는 새로운 온전한 여인이 오디세우
　　　　　스라 불리는 옛 남편의 키스를 허락하겠소?
페넬로페 당신은 배우는 게 빨라서 좋아요, 오디세우스.

(*두 사람이 포옹하며 장면은 끝난다.*)

17
아이네이아스

[페이드인: 실내. 제우스의 궁전. 제우스와 아프로디테]

아프로디테 (*빈정거리는 투로*) 정말이지, 알면서도 모른 척하는 저 헤르메스 말
인데요, 바보가 따로 없다니까. 자기가 속이는 대상들보다 훨씬 더 바
보라니까요.

제우스 아프로디테, 그건 헤르메스가 너한테 푹 빠져서 그런 거다. 너를 다루
기 어려울 거라고 내가 경고했는데도 물러서지 않으니 어쩔 수 없지.

아프로디테 헤파에스투스, 아레스, 헤르메스, 누구 하나 아프로디테를 다룰 만한
위인이 없어요.

제우스 아프로디테, 내 생각에 너는 그림의 떡이 필요한 것 같다.

아프로디테 현실을 직시하세요, 제우스. 그림의 떡이 될 만큼 됨됨이 있는 남자

가 어디 있어야 말이죠.

제우스   자만하면 쓰러진다, 아프로디테.

(*아프로디테는 어깨를 으쓱해 보이고 걸어 나간다.*)

[페이드인: 옥외. 이다산. 트로이 근처의 다르다니아. 안키세스 왕이 그의 양 떼를 지켜보고 있다. 아름다운 아가씨로 비친 아프로디테가 안키세스에게 다가온다.]

안키세스 왕   아름다운 아가씨, 아프로디테 여신을 내가 직접 본 적은 없으나 아가씨야말로 여신의 미모와 견줄 만큼 아름답구려.

아프로디테   전하, 저를 가장 아름다운 여신과 비교해주시니 이렇게 영광스러운 찬사를 받는 인간은 또 없겠지요.

안키세스 왕   당신을 인간 중 가장 빼어난 미모의 여인으로 선언하겠소. 그리고 이제부터 당신은 나의 여인이오.

아프로디테   전하의 말씀대로 따르겠습니다.

(*안키세스 왕은 아프로디테를 그의 팔에 안고 정열적으로 키스한다. 페이드아웃.*)

[페이드인: 옥외. 이다산. 5개월 후. 아프로디테와 안키세스 왕은 나란히 누워있다.]

안키세스 왕   당신은 참 신비한 존재요. 당신에 대한 호기심이 점점 커지는 것을 고백해야겠소. 나의 아기를 잉태하고 있는 연인으로서 지금은 당신의 정체를 밝혀도 되지 않겠소?

아프로디테 그러지요. 그러나 누구에게도 제 정체를 말하지 않겠다고 먼저 약속
  해주세요.

안키세스 왕 약속하리다. 그런데 뭐 그리 비밀스러울 게 있겠소.

아프로디테 엄청난 비밀이지요. 비밀이 알려지면 그 파장은 감당키 어려울 만큼
  큽니다.

안키세스 왕 알겠소. 약속하오.

아프로디테 좋아요. 당신이 날 보고 비슷하게 생겼다고 비교한 바로 그 여신이
  어요.

안키세스 왕 (*놀라고 당황해하며*) 아프로디테! 여신 아프로디테 말이오?

아프로디테 네, 바로 그렇습니다.

안키세스 왕 (*두려워하며*) 난 인간이오. 당신과 사귀는 나를 제우스가 벌할 것이
  오─

아프로디테 비밀을 지키고 누구에게도 발설하지 않으면 벌 받지 않아요.

안키세스 왕 내 입을 이제 봉해야겠군.

아프로디테 됐어요. (페이드아웃.)

[페이드인: 옥외. 이다산. 4개월 후. 아프로디테는 안키세스 왕 사이에서 난 아들
을 안고 있다.]

아프로디테 우리 아기는 이름을 아이네이아스로 부르겠어요. 새로운 종족을 건
  설할 대단한 운명의 소유자입니다.

안키세스 왕 그렇지만 트로스의 후손으로 트로이 종족이 이미 건설되지 않았소.

아프로디테 (*단호하게*) 불멸의 신들이 정하고 선포하는 과제에 문제 제기를 하
  면 안 되지요.

안키세스 왕 미안하오, 여보.

아프로디테 우리 아들은 다섯 살 때까지 이다산의 요정들 손에 자랄 것이고 그

후로는 당신이 키우세요.

안키세스 왕 기막히게 놀라운 아기로군. 난 너무나 행복하오. 당신도 우리 아기
도 너무나 아름답소. 너무 기뻐서 내 정신이 아니요.

*(안키세스 왕은 행복에 겨워 아프로디테와 아이네이아스의 주변을 돌며 춤을 춘
다. 페이드아웃.)*

[페이드인: 실내. 트로이. 프리아모스 왕의 궁전. 안키세스 왕은 프리아모스 왕을
방문하고 있다.]

안키세스 왕 내가 비밀을 말해주리다, 사촌. 아프로디테가 나의 정부라오.
프리아모스 왕 그건 좀 믿기 어렵군. 전에는 왜 그 말을 하지 않았던 거요?
안키세스 왕 발설하지 않기로 약속했거든요.
프리아모스 왕 그런데 지금은 왜 하는 거요?
안키세스 왕 우리 아들 아이네이아스가 나하고 살고 있으니 어차피 비밀이 새어
나갈 것 아니겠소.
프리아모스 왕 사촌의 얘기가 사실이라면, 난 아직도 믿기지 않지만, 여신과 한
약속은 영원히 지켜야 하는 것이오.
안키세스 왕 그렇게 출중한 아들 아이네이아스의 아버지를 아프로디테가 해치리
라고는 믿지 않아요.
프리아모스 왕 아이네이아스는 아이네이아스이고 당신은 또 다른 문제요.
안키세스 왕 그거야 두고 볼 일이지. 프리아모스 사촌, 난 가봐야겠어요. 아이네
이아스 같은 아들이 있고 아프로디테를 정부로 둔 나 같은 행운아가
또 어디 있겠소.

(안키세스 왕은 행복감에 취해 자리를 뜬다. 페이드아웃.)

[페이드인: 옥외. 이다산. 제우스는 안키세스가 가까이 오는 것을 기다리고 있다. 제우스가 그의 천둥 번개를 하나 풀어서 안키세스를 치자 그는 절뚝거린다.]

제우스   당신은 이제 더 이상 아프로디테를 찾지 마시오. 아프로디테가 당신에게 접근한 것은 그녀의 오만함을 벌주기 위한 나의 계획이었소.

(*제우스는 비틀거리며 일어서려고 애쓰는 안키세스 왕을 버려두고 떠난다.* 페이드아웃.)

[페이드인: 옥외. 다르다니아. 약 15년 후. 트로이 전쟁이 발발할 때 아이네이아스는 건장한 청년이 되었다. 그는 아킬레스와 아킬레스의 뮈르미돈 군사들의 공격으로부터 도시를 방어하기 위하여 다르다니아 군사를 이끌고 있다. 그의 절친 동료 아카테스가 그의 옆에 있다.]

아이네이아스   아킬레스와 그의 뮈르미돈 군사들은 우리가 감당하기 어려운 상대로군, 아카테스.
아카테스   그러게 말이야, 아이네이아스. 정말 무서운 기세야.
아이네이아스   저들을 조금만 저지하고 기다리면 우리 부대 일원이 합류하러 올걸세. 그때 우린 트로이로 피난하면 돼.
아카테스   트로이는 요새가 가장 튼튼한 곳이지. 거기선 안전할 거네.
아이네이아스   어서 서두르게. 준비해야겠어.

(*아카테스는 아이네이아스의 명령을 수행키 위해서 급히 서두른다.* 페이드아웃.)

[페이드인: 실내. 트로이. 궁전. 몇 년 후. 아이네이아스와 지금은 그의 아내가 된 프리아모스의 딸 크레우사.]

아이네이아스 여보, 이곳에 피신한 내 처지가 고마운 것 같기도 하고 그렇지 않은 것 같기도 하오.

크레우사 네, 알아요. 다르다니아를 떠나게 되어 상심이 크지요.

아이네이아스 그래도 이곳에서 당신을 만나 사랑을 얻었으니 고마워해야겠지요.

크레우사 나도 슬픔 가운데 큰 행복을 찾은 셈이어요.

아이네이아스 당신 아버님이 나를 탐탁히 여기지 않으신 걸 나도 알아요. 크레우사, 당신이나 아버님이 나 때문에 불명예를 입는 일은 절대 없을 것임을 보장하오.

크레우사 몇 년 후에는 당신이 트로이의 통치자가 된다고 포세이돈이 예언했어요.

아이네이아스 당신 아버님에게 아들들이 여럿 있는데 그런 일이 어떻게 가능하겠소.

크레우사 어찌 되든 당신은 내 마음을 완전히 사로잡고 있어요. 또 내 몸 안에는 우리 사랑의 씨앗이 있고요.

아이네이아스 (*놀라워하며*) 아, 나의 아내여, 기쁜 소식이구려.

(둘은 *포옹한다*. 페이드아웃.)

[페이드인: 옥외. 트로이 멸망 후. 아이네이아스는 연기 자욱한 도시에서 절뚝거리는 아버지 안키세스를 등에 업고 아들 아스카니우스의 손을 잡고 걷는다. 그들 뒤를 크레우사가 따른다.]

아이네이아스 아스카니우스, 넌 이 아버지 손을 꼭 붙들어야 한다. 크레우사, 내 뒤를 바짝 따라와요. 두려워하지 말아요. 우리 어머니 아프로디테가 지켜주고 있어요.

안키세스 난 집안 신의 상징인 천장 신들을 꼭 붙들고 있다. 네가 건설하려는 새로운 도시의 신전에 모실 상징이지.

아이네이아스 잘 지키세요, 아버지. 그건 트로이와 새로 탄생하는 일리움 사이를 연결시켜줄 유대가 되니까요.

안키세스 너하고 함께 있어서 기쁘지만 저렇게 강한 트로이가 망하는 걸 보니 슬프구나.

아이네이아스 거의 다 왔어요. 아카테스와 트로이 동지들이 기다리고 있는 선박이 가까이 있어요. 크레우사, 조금만 참아요. 거의 다 왔어요.

(*이 말을 하고 그가 뒤를 돌아다보니 크레우사가 보이지 않는다.*)

아이네이아스 크레우사! 크레우사! 어디 있어요?

(*그는 업고 있던 안키세스를 내려놓는다.*)

아이네이아스 아버지, 아스카니우스를 꼭 붙들고 여기 좀 계세요. 크레우사를 찾아올게요.

(*아이네이아스는 연기 자욱한 트로이의 잔재 속으로 들어가서 처절하게 아내 이름을 부르며 찾는다. 연기 속에서 데메테르 신전에 혼령이 나타나는데 그것은 크레우사의 혼령이다.*)

크레우사의 혼령 어서 가세요, 아이네이아스. 날 찾지 말고 어서 가서 배를 타세요. 난 대지의 여신 퀴벨레와 함께 있어요.

(*아이네이아스는 울면서 내키지 않는 발걸음을 옮긴다. 페이드아웃.*)

[페이드인: 옥외. 크레타. 아이네이아스와 그의 일행은 심한 기근으로 굶주린 상태에서 힘없이 잠들어있다. 아이네이아스는 목소리를 듣고 잠에서 깬다. 목소리의 주인은 안키세스가 들고 온 천장 신의 상징인 페나테이다.]

페나테 1 크레타를 떠나라. 여기는 너의 새 고향이 아니다.

아이네이아스 그러나 신탁에 따르면 우리 종족의 조상 어머니를 찾으라고 했습니다. 크레타가 조상 테우크로스의 고향입니다.

페나테 2 신탁이 말한 곳은 헤스페리아 출신인 그의 사위 일루스의 아버지 다르다니우스를 가리킨다.

페나테 1 헤스페리아는 훗날 이탈리아로 불릴 것이다. 그곳 중심 도시의 신선한 신전에 우리가 안치될 것이다.

아이네이아스 곧 이곳을 떠나겠습니다.

(아이네이아스는 그의 부하들 중 튼튼한 자들을 깨우고 서둘러 야영을 해산하고 몸이 약한 자들을 이끌어 배에 태운다.)

[페이드인: 옥외. 메시나해협. 시실리. 이 해협에는 머리 여섯 달리고 입속에는 이가 세 줄로 난 괴물 스킬라가 있다. 이 괴물의 길이는 12피트이고 허리는 개의 머리로 된 고리가 둘러 있다. 해협에는 스킬라와 서로 마주 보고 있는 카리브디스가 공존하고 있다. 카리브디스는 하루에 세 번 물을 빨아들여 소용돌이를 일으키고 물을 내뿜는다. 그러면서 지나가는 배를 침몰시켜서 스킬라가 있는 쪽 바위에 내던져 산산조각을 낸다. 아이네이아스와 그의 일행은 카리브디스가 물을 빨아들이지 않을 때를 틈타 파선의 위험을 피한다. 페이드아웃.]

[페이드인: 실내. 드레파눔은 시실리의 북서쪽이다. 아이네이아스는 안키세스의 임종을 지키고 있다.]

안키세스 내 아들아, 난 너의 새로운 트로이의 건설을 못 보고 간다.

아이네이아스 (*슬퍼하며*) 그런 말씀 마시고, 힘내세요, 아버지.

안키세스 아니다, 얘야. 네게 들려줄 말이 있다. 넌 네 운명을 바꾸려하지 마라. 어떤 세력도 너의 운명의 방향을 틀지 못하게 해야 한다.

아이네이아스 알겠습니다, 아버지.

안키세스 그래. 그리고 넌 나를 너의 어머니 신전 가까이 묻어다오.

(*아이네이아스는 고개를 끄덕이고 슬픔을 아버지에게 보이지 않으려고 얼굴을 돌린다. 페이드아웃.*)

[페이드인: 옥외. 거센 폭풍. 아이네이아스의 배가 무서운 바람과 거센 파도를 만나 고투를 벌인다. 바다의 신 포세이돈이 나타난다.]

포세이돈 이 폭풍이 난 싫다. 여긴 내 영역인데, 아이올로스의 바람이 내 영역에서 놀고 있으면 안 되지. 내가 두고 볼 것이다. (페이드아웃.)

[페이드아웃: 옥외. 카르타고. 폭풍은 잔잔해졌다. 아이네이아스와 그의 배들은 시실리에서부터 아프리카 북쪽 해안까지 밀려 내려왔다. 트로이인들은 닻을 올리고 상륙한다. 이들은 아이네이아스의 다음 지침을 기다리며 그를 바라본다. 아이네이아스는 난감한 표정이다. 갑자기 구름이 그 앞에 나타난다.]

아이네이아스 여기서 기다리세요, 여러분. 저 구름은 나의 어머니가 가까이 계신다는 표시요. 가서 의논하고 오겠소.

(*아이네이아스는 구름을 따라 안쪽으로 들어간다. 페이드아웃.*)

[페이드인: 옥외. 내륙. 아이네이아스와 아프로디테.]

아프로디테 아들아, 네가 닿은 이곳은 북아프리카의 카르타고 외곽이다.

아이네이아스 그 폭풍이 과연 우리를 행선지 밖으로 밀어냈군요.

아프로디테 지금은 임시로 후퇴한 셈이지. 이 기회에 힘을 길러라. 그동안 견딘 노고와 약해진 몸들을 회복하고 계획을 다시 재구성해서 힘을 비축해 둬야 한다.

아이네이아스 아, 이곳이 카르타고로군요. 카르타고는 디도 여왕이 건설하고 통치하는 곳인데 여왕이 우리를 반겨줄지 모르겠네요.

아프로디테 이 근처의 왕들이 경험한 바로는 여왕이 아주 냉정하기 짝 없다고 한다. 내가 큐피드의 적극적인 협력을 빌릴게. 아무리 디도 여왕이라 해도 큐피드의 화살 한 방이면 피할 도리가 없지.

아이네이아스 내가 여왕의 매혹에 빠지는 희생자가 되지 않을 거라는 보장이 있으세요?

아프로디테 너는 신들에 대한 경건성과 의무감이 강한 아들이다. 디도의 매혹이 아무리 강하다 한들, 너를 이길 수는 없다. 너는 지구상 가장 큰 제국의 후예가 될 로마 인종을 건설하라는 신들의 소명을 받았다. 그런 너에게 한 여인이 힘을 뻗칠 수 있겠느냐?

아이네이아스 어머니, 모든 일을 어머니 손에 맡기겠습니다.

아프로디테 아들아, 너는 올바른 인도를 받고 있으니 염려 마라. (페이드아웃.)

[페이드인: 실내. 궁전. 디도 여왕과 아이네이아스.]

디도 당신이 들려주는 트로이 모험 얘기는 너무 흥미로워서 한없이 들어도 질리지 않네요.

아이네이아스 당신도 이 아름다운 도시를 건설하면서 그 나름의 모험을 많이 하셨더군요.

디도 당신이 한 모험과는 비교할 수 없지요.

아이네이아스 우리 둘 다 서로 장점을 증명하고 칭찬한 셈이군요. 디도, 당신은 정말 비범한 여인이오.

디도 어째 피차 치켜세우는 모임 같네요. 그러나 내가 당신한테 갖는 감정은 최근에 작고한 내 남편에게도, 다른 누구에게도 느껴보지 못한 그런 감정이어요.

아이네이아스 나 역시 내 아들 아스카니우스를 낳아준 어미조차 잊고 있었소.

디도 새로운 종족을 창조해야 하는 당신의 임무도 잊고 있는 듯 보입니다.

아이네이아스 전엔 그렇게 매력적이던 임무가 이젠 좀 시들해졌어요.

디도 당신의 임무에 대한 제우스의 관심도 식었으면 좋겠어요.

아이네이아스 (*디도를 팔에 안으면서*) 지금은 우리 두 사람 이외에 다른 생각은 하지 맙시다. (페이드아웃.)

[페이드인: 옥외. 아이네이아스는 디도가 직접 손으로 만들어 준 황금 실로 짠 화려한 자줏빛 옷을 입고 산책 중이다. 걷는 중에 그는 헤르메스와 마주친다.]

헤르메스 아이네이아스, 제우스가 명한 그 임무를 수행할 때가 되었소.

아이네이아스 (*절을 하며*) 언제나 제가 제우스의 요청을 잘 따른 것을 아시지요.

헤르메스 그러니, 자신을 잊는 일이 없도록 명심하시오.

(*헤르메스는 날개 달린 신발을 신고 날아간다. 아이네이아스는 수심에 잠긴다. 그리고 디도를 떠날 결심을 한다. 페이드아웃.*)

[페이드인: 실내. 궁전. 아이네이아스는 비밀리에 부하들에게 떠날 준비를 하도록 명한다. 이 일을 알게 된 디도는 아이네이아스를 불러오도록 한다.]

디도　아이네이아스, 이게 사실인가요? 날 두고 떠난다는 겁니까? 떠난다는 한마디 말도 없이?

아이네이아스　당신을 위해서 일부러 말하지 않았소

디도　이보다는 더 나은 대접을 내가 받아야 되는 것 아닌가요? 아이네이아스, 난 당신에게 나의 모든 것을 주었어요. 당신에게 거절한 게 하나도 없었어요.

아이네이아스　난 융숭한 대접을 받았소. 절대로 당신을 잊지 않을 거요.

디도　절대 잊지 않는다고! 이게 내게 주는 위로인가요?

(*디도는 쓰라리게 흐느껴 운다.*)

아이네이아스　디도, 나한테 신경질적으로 과민하게 대하지 말아요. 내가 당신과 결혼한 것도 아니고, 나에 대한 지배력을 당신이 실제 갖고 있는 것도 아니잖소.

디도　너무 많은 것을 너무 빨리 주어버린 이 어리석은 여인의 지배였을 뿐이군요. 오, 당신을 처음 본 그날을 후회합니다.

아이네이아스　디도, 내 말 좀 들어봐요. 당신이 이럴까 봐서 알리지 않고 떠나려 했던 거요. 지금 보여주는 당신 행동은 여인의 병적인 히스테리요.

디도　지금까지 우리 사이가 어떠했는데, 이제 와서 그렇게 무정할 수 있는 겁니까? 당신을 보고 있는 내가 참을 수 없군요.

(*디도는 방에서 급히 나가버린다. 페이드아웃.*)

[페이드인: 옥외. 배 위에서. 아이네이아스와 아카테스는 떠나면서 카르타고를 향해 바라본다.]

아이네이아스 아카테스, 우리가 떠날 준비를 서둘러서 다행이야.

아카테스 디도의 심리 상태를 듣고 보니 그 여인이 무슨 일을 저지를지 염려되네.

(*아이네이아스는 카르타고 성벽을 마지막으로 돌아다본다. 그곳에서 큰 불길이 타오르는 것이 보인다.*)

아이네이아스 저길 보게, 아카테스. 카르타고 성벽에 불길이 일고 있어.

아카테스 디도가 무슨 짓을 했는지 누가 알겠는가? (페이드아웃.)

[페이드인: 옥외. 카르타고의 성벽. 디도는 거대한 장례 장작더미 앞에 서 있고 두 명의 호위병이 각각 손에 햇불을 들고 양쪽에 서 있다. 디도의 손에는 단도가 쥐어져 있다.]

디도 난 자존심도 잃어버린 어리석은 여자가 되었으니 이젠 더 이상 살고 싶지 않다.

(*디도는 스스로를 찌르고 장작더미에 몸을 던진다. 페이드아웃.*)

[페이드인: 옥외. 이탈리아의 서해안. 아이네이아스와 그의 일행이 상륙한다. 아이네이아스는 아카테스에게 말한다.]

아이네이아스 아카테스, 이곳에 캠프를 세우세. 쿠마에의 무녀(시빌)가 있는 동굴을 찾아야 해. 그 여자가 나의 할 일을 가르쳐줄 거야.

아카테스 자네 말대로 따르겠네, 친구. (페이드아웃.)

[페이드인: 옥외. 아이네이아스는 캠프로 돌아와서 아카테스를 찾는다.]

아이네이아스 아카테스! 아카테스!

(*아카테스가 한 막사에서 나온다.*)

아카테스 여기 있네, 아이네이아스. 무녀를 찾았어?

아이네이아스 응, 찾았어. 나한테 지하 세계로 내려가서 우리 아버지와 의논하라고 하는군.

아카테스 그렇지만 지하 세계는 아무나 들어가는 곳이 아니잖아. 필경 들어간다해도 살아나온다는 보장도 없잖은가.

아이네이아스 나도 알아. 그런데 무녀가 내가 무사히 돌아올 수 있게 인도해주겠다고 했어. 하데스에 들어가려면 먼저 황금가지를 찾아야 한다고 가르쳐 주었어. 숲에 가서 우리 같이 찾아보세.

아카테스 자네 청이라면 난 뭐든지 하는데, 이번 이 일은 어째 불가능해 보인단말이야.

아이네이아스 나도 그래. 그래도 시도는 해 봐야 하지 않겠나, 아카테스 (페이드아웃.)

[페이드인: 옥외. 몇 시간 후. 아이네이아스와 아카테스는 숲속 깊은 곳 나무 아래 앉아 쉬고 있다.]

아이네이아스 아카테스, 우리가 헛수고하는 게 아닌지 모르겠어. 자네 말이 맞는것 같아.

아카테스 어쨌든 시도는 해봤으니까.

(*갑자기 두 마리의 비둘기가 나타나서 그들 머리 위를 빙빙 돈다.*)

아이네이아스 저것 좀 봐, 아카테스. 두 마리의 비둘기, 저건 우리 어머니 새들이
야.

(*두 마리의 비둘기는 천천히 날아간다.*)

아이네이아스 아카테스, 저 새를 따라가 보세.

(*두 사람은 아베르누스 호수 가까이까지 새들을 따라가는데 그곳에서 견딜 수
없는 악취가 난다. 두 마리의 새는 나무 위로 나른다. 나무 잎새 사이로 번쩍이
는 황금빛이 보인다.*)

아카테스 내 코를 찌르는 호수에서 나는 이 냄새를 자네도 맡고 있겠지?
아이네이아스 어휴— 이 냄새, 정말 지독하군. 그런데 내가 지금 보고 있는 게
자네 눈에도 보이나, 아카테스?
아카테스 두 마리 비둘기가 앉아있는 나무 꼭대기 말이지. 황금빛이 보이네.
아이네이아스 저게 우리가 찾는 황금가지야. 내가 올라가서 꺾어 올게.

(*아이네이아스는 나무를 타고 오르기 시작한다. 페이드아웃.*)

[페이드인: 옥외. 자정. 아베르누스 호수 옆에 있는 동굴. 무녀는 황금가지를 들
고 있는 아이네이아스를 동반한다.]

무녀 앞서 경고했듯이, 아이네이아스, 황금가지를 갖고 있으면 들어가기는
어렵지 않으나 나올 때가 문제여요.

아이네이아스 내 운명에 걸맞은 믿음이 내게 있어요. 그러려면 먼저 내 아버지를
만나서 의논해야 합니다. 계속 진전합시다.

무녀 좋아요. 동굴에 들어가기 전에 희생 제물을 바쳐야 해요.

(무녀는 거세한 검은 소 네 마리를 죽여서 제단에 놓고 번제를 드린다. 제사를
드리는 동안 땅이 흔들리고 발밑이 진동한다. 그리고 진동에 맞춰 음울하게 개
짖는 소리가 들린다.)

무녀 자, 동굴 안으로 나를 따라와요. 도중에 무슨 소리를 듣든지 무얼 보든
지 개의치 말고 계속 내 뒤만 따라와야 합니다.

(아이네이아스는 황금가지를 꼭 잡고 무녀를 따라 동굴 안으로 들어간다. 그들
은 계속 한없이 구불구불한 길을 따라 아래로 내려가서 그늘진 곳으로 간다. 그
들 앞으로 뼈만 앙상한 으스스한 해골들이 불쑥 나타난다.)

아이네이아스 저건 뭔가요?

무녀 창백한 질병이오.

(또 다른 끔찍한 모습이 피를 뚝뚝 흘리며 그들 앞에 나타난다.)

아이네이아스 저건 또 뭔가요?

무녀 복수심에 찬 근심이오.

(또 다른 공포의 모습이 피범벅의 뱀 같은 머리로 나타난다.)

아이네이아스 점점 더 끔찍한 모습들이 나타나는군요.

무녀   그래요. 저건 광란의 불화요. 겁내지 말고 용기 있게 꿋꿋이 따라오세요.

아이네이아스 그러려고 애쓰고 있어요.

(노인이 있는 곳에 닿을 때까지 끔찍한 수많은 형태들이 그들 앞에 느닷없이 나타난다. 노인이 하는 일은 수많은 탄원하는 망자들 가운데 배를 탈 수 있는 자를 선택하는 것이다. 선택된 자들은 배에 오를 수 있고 그렇지 못한 자들은 옆으로 밀려난다.)

무녀   저 노인은 하데스의 뱃사공 카론이에요. 그가 거부하는 망자들은 매장을 제대로 받지 못한 자들로 100년 동안 쉴 곳 없이 떠돌아다녀야 하는 운명의 소유자들이지요.

(둘은 카론 앞으로 다가가서 배를 탈 준비를 한다.)

카론   어이, 이봐요. 거기! 산 자는 내 배를 탈 수 없어요.

무녀   아이네이아스는 황금가지를 들고 있어요.

(카론은 황금가지를 본다.)

카론   좋아요. 그런 부적을 가진 자는 배를 타도 좋소.

(무녀와 아이네이아스는 발 디딜 틈 없이 만원을 이룬 배에 카론이 택한 망자들과 함께 끼어 있다.)

[페이드인: 옥외. 아이네이아스와 무녀는 다른 망자들과 함께 배에서 내린다. 하

데스의 문지기 개인 괴물 케르베로스는 망자들을 통과시키지만 아이네이아스와 무녀를 보고는 덤벼들 기세다.]

무녀   케르베로스의 관심을 돌릴 케이크를 내가 가지고 왔지.

(*무녀는 케이크를 케르베로스 앞에 던져준다. 그녀와 아이네이아스는 무사히 통과한다. 이들은 다른 망자들과 함께 지하 세계의 재판정으로 들어간다. 그곳에는 지옥 재판관 미노스가 각 망자들이 궁극적으로 하데스의 어느 곳에 묵을 것인지 장소를 지정해준다. 어떤 자는 오른쪽으로 지시받고 어떤 자는 왼쪽으로 가라는 지시를 받는다.*)

아이네이아스   오른쪽 왼쪽 방향의 의미는 무슨 뜻인가요?

무녀   곧 알게 돼요. 저 앞에 십자로가 있어요. 오른쪽은 당신 아버지가 계시는 영원한 평화와 따뜻함이 있는 극락세계로 가는 길이에요.

아이네이아스   왼쪽은요?

무녀   거기는 완고한 라다만토스가 악한 짓을 한 죄인에게 영원한 형벌을 내리는 곳입니다.

(*무녀와 아이네이아스는 재판정을 떠나 상목 관목인 머틀 나무로 그늘진 아름다운 곳에 닿는다. 이곳에는 꽃은 없지만 오로지 머틀 나무로만 장식된 차분하고 부드러운 아름다움이 가득한 곳이다.*)

아이네이아스   여기는 어딘가요?

무녀   탄식의 세계, 애도향이어요. 불행한 연인들이 묵는 곳인데, 이루지 못한 사랑이란 이름 아래 목숨을 끊은 자들이 머무는 곳입니다.

아이네이아스   디도 여왕도 이곳에 있나요?

무녀   네.

아이네이아스 그 여자에게 할 말이 있어요.

무녀   반응이 없을 텐데요. 그래도 말을 건네고 싶으면- 저기 머틀 나무 아래 디도가 앉아 있네요.

(아이네이아스는 디도가 있는 곳으로 급히 간다.)

아이네이아스 디도! 우리 관계가 이렇게 끝나리라고는 전혀 몰랐소.

(디도는 나무 밑에 앉아 꼼짝 않고 앞만 응시하고 있다.)

아이네이아스 디도, 난 진심으로 당신을 사랑했소. 미안하오. 당신을 버려두고 떠난 건 정말 몰인정한 짓이었소.

(디도는 미동 않고 앞만 보고 앉아있을 뿐이다.)

아이네이아스 *(눈물을 글썽거리며)* 디도, 이렇게 비참하게, 이런 처량한 모습으로 날 떠나야 했소? 날 용서한다는 한마디만 들려주오.

(디도는 움직이지 않는 석상처럼 눈길도 주지 않고 반응도 보이지 않는다. 그의 호소가 부질없음을 깨달은 아이네이아스는 슬피 울며 무녀가 있는 곳으로 돌아온다. 페이드아웃.)

[페이드인: 옥외. 십자로. 왼쪽은 라다만토스가 조정하는 영역으로 통하는 길이고 오른쪽은 극락세계로 통한다. 십자로는 거대한 벽을 마주하고 있다. 벽 너머 왼쪽에서 비명소리, 으스스한 괴성, 신음소리들이 들린다. 아이네이아스와 무녀

는 십자로에 서 있다.]

아이네이아스 아버지가 왼쪽에 계시지 않아서 정말 다행이어요.
무녀 그 황금가지를 벽에 꽉 꽂아둬요. 그리고 극락세계로 갑시다.

(아이네이아스는 황금가지를 벽에 붙여놓고 둘은 나아간다. 이들은 곧 지하 세계의 낙원에 이른다. 극락세계 안에 있는 이 낙원 구역은 푸른 들판, 무성한 나무들, 섬세하고 신선한 공기를 통해 나오는 보라색 빛이 있다.)

무녀 낙원은 축복받은 자들이 머무는 곳이어요 - 영웅들, 시인들, 선행으로 타인을 풍성케 도와준 자들이 거하는 곳이지요. 아이네이아스, 저기 아버지 안키세스가 보입니다.

(아이네이아스와 안키세스는 거의 동시에 서로 눈이 마주친다. 그들은 기쁨의 눈물을 흘리며 포옹한다. 그러나 아이네이아스가 포옹한 아버지는 육신의 형체 없는 공기 같은 영혼을 안고 있다.)

안키세스 넌 지금 내 형체를 느끼지 못할 것이다. 그러나 너를 만지고 느낄 수 있는 내 기분이 너무 좋구나. 우리가 이곳에서 영원히 함께 살 수 있는 그 날을 난 기다리고 있다 - 그러나 너무 빨리 오지는 마라. 여기 극락세계에서 살기 전에 너는 세상에서 해야 할 일이 많다.
아이네이아스 그래서 그 문제를 아버지와 상의하러 온 것입니다.
안키세스 이탈리아 건설에 대해 충고하기 전에 넌 나하고 같이 레테로 가서 망각의 강물을 마셔야 한다.

(그들은 강으로 간다. 그곳에는 지상 세계에서 살려는 혼령들이 지하 세계의 인

생 기억을 없애기 위해서 강물을 마시려고 줄지어 서 있다.)

안키세스 아들아, 여기를 보아라. 저들은 미래의 로마인들이다. 네가 탄생시킬 너의 새로운 종족이고 미래 세계의 주인공들이다.

(*아이네이아스도 서 있는 줄에 합류하여 강물을 마신다.*)

안키세스 자, 가자, 아이네이아스. 지금부터 우리가 나눌 이야기가 많다. (페이 드아웃.)

[페이드인: 십자로. 무녀. 아이네이아스, 안키세스.]

무녀 아이네이아스, 벽에서 황금가지를 떼세요. 그건 지상 세계로 나갈 때 쓸 우리의 부적이어요.
안키세스 이제 헤어져야겠구나, 아이네이아스. 너의 방문이 내게 큰 기쁨이었 다. 넌 네 임무를 앞으로 잘 수행해 낼 것으로 믿는다.
아이네이아스 임무를 끝낸 후에는 아버지와 영원한 재결합을 할 것입니다.

(*아이네이아스는 다시 한번 실체 없는 형태와 포옹한다. 그리고 무녀와 함께 스 틱스강을 향해 부지런히 나아간다. 페이드아웃.*)

[페이드인: 옥외. 이탈리아의 서해안. 아카테스와 아스카니우스가 아이네이아스 를 마중한다. 아버지의 손을 잡고 트로이를 탈출하던 어린 소년 아스카니우스는 수년이 흐른 지금, 출중한 청년으로 성장했다.]

아카테스 자네가 돌아오니 정말 기쁘네.

(*아이네이아스는 친구와 아들을 포옹한다.*)

아이네이아스 나도 돌아오니 기쁘다. 그곳에서 아버지를 만나 이야기를 나누고
          오니 더욱 기쁘네.
아스카니우스 아버지, 아버지 모습이 좀 달라진 것 같아요.
아이네이아스 내가 달라 보이는 건 맞는 말일 거다.
아카테스 하계를 방문한 진지한 경험 때문이겠지.
아이네이아스 맞아. 그 때문에 사물이 달라 보이는 느낌이야. 디도도 만났는데
          내게 말을 하지 않더군.
아카테스 자네 말대로 자넨 그 여자와 결혼하겠다고 약속한 적이 없잖은가.
아이네이아스 전에는 나도 그런 생각이었지. 그러나 지금 생각하면 디도에 대한
          내 태도는 너무 냉정하고 야박했어.
아스카니우스 아버지가 어떻게 달라졌는지 전 알겠어요. 전에는 보이지 않던 위
          엄과 고결함이 지금 아버지 모습에서 풍기고 있어요.
아이네이아스 디도를 만나고 온 경험도 그렇지만, 지하 세계의 방문은 내 인생의
          크기를 넓혀주고 내 안에 새로운 지평을 열어주었단다. 하데스에 가기
          위해 숱한 위험을 무릅쓰고 온갖 시험을 통과했지. 난관에 부딪힐 때
          마다 무녀와 함께 계속 굴복하지 않고 꿋꿋하게 나아갔어.
아스카니우스 앞으로 이룩하실 임무도 아버지는 추진력 있게 밀고 나가실 게 틀
          림없어요.
아카테스 그 일을 위해 우린 자네를 힘껏 도와줄 것이네.

(*아카테스는 아이네이아스의 등을 토닥거리며 세 사람은 걸어 나간다. 페이드아
웃.*)

[페이드인: 옥외. 티베르 강둑. 에반드로스 왕국. 아이네이아스, 아카테스, 아스

카니우스 및 그 외의 트로이인들이 에반드로스 왕과 그의 아들 팔라스 왕자의 환영을 받는다.]

에반드로스 왕 어서 오시오, 아이네이아스. 그리고 용감한 트로이인 여러분들 모두를 환영합니다. 여러분의 도착은 예고되어 있어서 이미 알고 있었소.

팔라스 왕자 저 역시 아버님과 마찬가지로 여러분들을 환영합니다. 우리는 여러분의 노력이 이곳 척박한 고장을 앞으로 전례 없는 가장 유명한 도시로 건설하게 된다는 예언이 이루어질 그때를 열렬히 고대하고 있습니다.

아이네이아스 귀하를 찾으라는 창시자 티베르의 명을 받고 왔습니다. 고매하신 에반드로스 왕과 팔라스 왕자님, 이쪽은 제 아들 아스카니우스이고 여기는 제 친구 아카테스이고, 이분들은 정예 부대로 선발된 동료 트로이인들입니다.

에반드로스 왕 여러분 모두를 진심으로 환영합니다. 제 궁전으로 함께 걸어가시지요. 현재 이곳은 대단치 않아 보이는 미미한 곳이지만, 미래에는 당신이 건설할 위대한 제국의 통치자들이 거처할 곳입니다.

(*그들은 걸어서 거대한 타르페이아 바위에 도달한다.*)

팔라스 왕자 이 바위는 미래의 위대한 신전 자리가 될 것입니다.

에반드로스 왕 들장미 가득한 저 넓은 풀밭은 세계에서 가장 큰 컨벤션 센터인 공회당이 들어설 자리요.

(*그들은 에반드로스 왕의 소박한 궁전에 도착한다.*)

에반드로스 왕　소박한 궁전입니다만 여기서 편히들 쉬십시오.

(*일행은 모두 에반드로스 왕의 궁으로 들어간다. 페이드아웃.*)

[페이드인: 실내. 라티움의 라이렌툼에 있는 라티누스의 궁전. 라티누스 왕, 그의 아내 아마타 왕비, 이들의 딸 라비니아 공주, 아르데이아의 루트리안의 왕자 튀르누스.]

튀르누스 왕자　(*라티누스 왕에게*) 제가 라비니아 공주를 얼마나 사랑하고 있으며 공주와 결혼하기를 얼마나 오랫동안 소망하고 있는지 아시지요.

라티누스 왕　내 딸을 다른 섬에서 온 외국인에게 결혼시켜야 한다는 신탁의 예언을 난 들었소.

아마타 왕비　당신은 이제 늙어서 바보가 되었어요. 당신이 신탁이라고 부르는 건 노쇠해진 당신 상상력에서 나온 것에 불과해요.

라티누스 왕　아녀자여, 말조심하시오. 난 들은 게 있소.

아마타 왕비　난 내 눈으로 직접 보고 압니다. 튀르누스 왕자는 하나밖에 없는 우리 딸을 아주 행복하게 해줄 건장한 귀한 왕자입니다.

(*라비니아 공주는 부모가 그녀를 위해 결정한 사안에 대해 끼어들기를 원치 않아 하며 눈을 아래로 뜨고 가만히 앉아있다.*)

튀르누스 왕자　실은 지금 언급된 그 외국인은 에반드로스 왕과 에트루리아인들과 동맹을 맺었습니다.

라티누스 왕　그걸 어떻게 아시오?

튀르누스 왕자　메젠티우스 왕은, 아시다시피 그의 백성으로부터 도망쳤는데, 제가 그 왕을 숨겨주고 있습니다.

라티누스 왕 전율을 일으킬 잔혹한 참사를 일삼으며 신하들을 괴롭히는 그런 독
　　　재자에게 은신처를 제공하는 건 잘하는 일이 아니지요.

튀르누스 왕자 그거야 어떻든지, 하여간 에트루리아인들은 아이네이아스를 돕기
　　　로 결정하고 메젠티우스 왕에 대항하여 잘못된 일을 바로잡겠다고 합
　　　니다.

아마타 왕비 그것 보세요. 당신이 딸을 결혼시키고 싶어 하는 그 사람 아이네이
　　　아스하고는 우리가 싸워서 방어해야 하는 그런 처지의 선택이잖아요.

튀르누스 왕자 지금이 그들의 캠프를 공격해야 할 적시입니다. 현재 제대로 요새
　　　를 갖추고 있지 못하고 아이네이아스와 그 정예 부하들은 지금 멀리
　　　떨어져 있어서 캠프를 비운 상태거든요. 아이네이아스가 에트루리아
　　　사람들을 데리고 돌아오기 전에 공격해야 합니다.

라티누스 왕 (*내키지 않아 하면서*) 달리 선택이 없어 보이는군.

튀르누스 왕자 저의 군사를 집합시키겠습니다. 메젠티우스 왕도 우리를 도울 것
　　　입니다.

아마타 왕비 (*남편을 도전적으로 바라보며*) 라틴 민족도 동원할 것입니다.

(*라티누스 왕은 반응을 보이지 않으나 그의 태도는 왕비의 선언을 인정하지 않
는 기색이다.*)

[페이드인: 옥외. 티베르 강둑. 아이네이아스의 캠프. 요새가 갖추어지지 않고 싸
울 인원이 부족한 진영은 튀르누스 왕자와 루투리아와 라티니아 병사들을 거느
린 메젠티우스 왕으로부터 사방에서 공격을 당한다. 긴 창과 양 날개 도끼를 자
유자재로 사용하는, 활과 화살을 들고 황야로 떨어져 나갔던 아르테미스의 날쌘
제자 카밀라는 청소년과 소녀들로 구성된 용사들을 이끌고 합세한다. 이처럼 엄
청나게 유리한 조건을 갖춘 군사들과 맞붙어 싸워야 하는 작은 무리의 사람들은
용맹스럽게 버티지만 죽음을 맞는다. 갑자기 나팔 소리가 요란하게 울려 퍼지면

서 아이네이아스, 아카테스, 아스카니우스 그리고 그 외 다른 트로이인들과 팔라스 왕자가 이끄는 에반드로스 왕의 에트루리아인들은 전투에 합류한다. 피비린내 나는 긴 싸움이 계속된다. 몇 날 동안 계속된 전투로 시체들은 즐비하게 쌓이고 화살은 비 오듯 날아들고, 강물은 벌건 핏물로 변한 후, 끝내 카밀라, 메젠티우스 왕, 팔라스 왕자는 죽어서 누워있다. 아이네이아스는 전혀 다치지 않은 채 전투를 치렀다. 그는 군인으로 보이지는 않으나, 불멸의 거상(巨像)으로 보인다. 그가 튀르누스 왕자를 최후의 전투에서 마주했을 때는 이미 전쟁의 결판은 난 후다. 페이드아웃.]

[페이드인: 실내. 라티누스 왕의 궁전. 라티누스 왕, 아마타 왕비, 라비니아 공주, 아이네이아스.]

라티누스 왕   과연, 신탁은 진실을 말했소.
아이네이아스   제가 지금까지 신들의 뜻을 따라 산 것이 기쁩니다. 선하신 왕과
         왕비께서 —

(*아마타 왕비는 눈을 들지 않은 채 아이네이아스와 화해하지 못하고 그를 여전히 못마땅히 여기고 있다.*)

라티누스 왕   알아요. 알고 있어요. 우리 딸 라비니아를 신부로 맞고 싶다는 거지요.

(*라비니아 공주도 눈을 들지 않고 아래를 보고 있으나, 이는 그녀의 겸손을 보여주는 태도이다.*)

아이네이아스   그렇게 된다면 무척 행복할 것입니다. 그러나 따님이 원치 않는다

면 저로선 제 주장을 강요하지 않겠습니다.

(그의 이런 발언을 들은 아마타 왕비는 깜짝 놀란다. 그러나 라비니아 공주는 여전히 아래만 보고 있다.)

라티누스 왕 그렇다면 당신이 공주에게 직접 청혼해야 하겠소. 여보, 우린 나가 있는 게 좋겠소. 자리를 비켜줍시다.

아마타 왕비 그렇지만— 어떻게 딸을 혼자 두고 나가요. 이건 온전한 일이 아니어요.

라티누스 왕 아이네이아스는 신들이 보내준 가장 온전한 자요. 자, 어서 나갑시다.

(라티누스 왕은 재촉하여 아마타 왕비를 데리고 나간다.)

아이네이아스 *(부드럽게)* 라비니아, 제 청혼을 어떻게 생각하십니까?

라비니아 공주 제가 무슨 할 말이 있겠어요. 아버님이 모두 말씀하셨는데요.

아이네이아스 아버님께서 당신의 생각을 말씀하신 건가요?

라비니아 공주 항상 그렇게 하셨어요.

아이네이아스 당신 마음을 아버님이 말씀하셨다는 뜻입니까? 아버님이 그렇게 말씀하셨으니까 저의 신부가 되겠다는 겁니까? 아니면 당신 마음이 움직여서 기꺼이 받아들이겠다는 뜻인가요?

(라비니아 공주는 혼란스러워하며 처음에는 반응을 보이지 않는다.)

라비니아 공주 솔직히 말해서 잘 모르겠어요. 저는 항상 아버지가 원하시는 대로 그걸 당연하게 받아들이고 살았어요.

(아이네이아스는 그녀의 손을 부드럽게 잡는다.)

아이네이아스 라비니아, 난 내 첫 부인 크레우사와 서로 사랑했어요. 트로이 패
망 후 피난길에서 아내를 잃고 무척 상심했어요.

라비니아 공주 크레우사 공주는 고상하고 정숙한 미인이었다는 소문을 저도 들
었어요.

아이네이아스 네, 그런 고상한 여인의 사랑을 받았던 이 사람이 또 다른 여인의
사랑도 받았어요.

라비니아 공주 디도 여왕을 말씀하는군요.

아이네이아스 난 디도 여왕을 대수롭지 않게 대했기 때문에 그녀에게 상처를 주
었어요. 그래서 그녀로부터 용서받지 못한 아픔을 늘 안고 있습니다.
그러나 디도 여왕과의 관계에서 내가 깨달은 게 있어요 –

(라비니아 공주는 아이네이아스를 유심히 살피며 쳐다본다.)

아이네이아스 그것은 다른 사람의 감정을 절대로 가볍게 다루면 안 된다는 교훈
이었습니다. 아마도 내가 망자들을 방문한 경험 때문에 산 자들에 대
해서도 시각이 변한 것 같습니다.

라비니아 공주 저보다 훨씬 더 많은 경험을 하였으니 자기 자신의 감정을 더 인
식할 수 있는 능력이 생긴 거겠지요.

아이네이아스 맞아요, 공주님. 그래서 난 공주님 뜻에 의해서 결정되는 결혼을
하고 싶습니다. 아버지로부터 미리 정해진 그런 운명의 결정이 아니
라, 당신 마음에서 우러나오는 결정 말입니다.

라비니아 공주 그건 시간이 걸릴 거예요.

아이네이아스 그래요. 당신과 내가 함께 로마 민족을 새롭게 건설해야 하는데,
친절과 사랑과 정의가 있는 가장 강력한 제국을 통치할 우리 두 사람

의 생각이 서로 같아야 하겠지요.

라비니아 공주 당신 같은 분이 새로운 로마 민족의 창시자가 된다면 그 민족은
실패할 리 없겠어요.

(*라비니아 공주는 아이네이아스를 사랑의 첫 씨앗으로 마음에 품고 부드럽게 그*
를 응시한다.)

제3부 **연인들**

18

메데이아와 이아손: 마녀 연인

등장인물		
아타마스 왕	메데이아	첫째 딸
자문의원	이아손	둘째 딸
이노 왕비	키론	헤카테
아타마스 왕의 메신저	예언자	글라우케
프리쿠스	펠리아스 왕	글라우케의 메신저
헬레	아르고스	들보의 소리
황금 양	헤라클레스	페르세스 왕
아이에테스 왕	키지쿠스 왕	페르세스 왕의 예언자
키르케	병사	메도스

[페이드인: 실내. 보이오티아의 오르코메누스. 궁전. 아타마스 왕과 자문의원.]

자문의원 전하, 사망자가 매일 늘어나고 있습니다.
아타마스 왕 어찌 해야 될지 알아보려고 델피의 신탁으로 메신저를 보냈소.
자문의원 곧 회복될 방법이 있기를 바랍니다. (페이드아웃.)

[페이드인: 실내. 궁전 밖의 안뜰. 이노 왕비와 델피에서 방금 돌아온 메신저.]

이노 왕비 신탁이 뭐라고 하던가요?

메신저 신탁에 따르면 가뭄의 원인은 왕비께서 옥수수 씨를 쓸모없다며 여인들에게 볶으라고 하셨기 때문입니다.

(*이노 왕비는 은화 주머니를 메신저에게 준다.*)

이노 왕비 내 남편에게 이렇게 전하시오. 신탁에 따르면 비옥한 땅으로 회복되기 위해서는 첫 부인 네펠레에게 난 두 아이들을 제물로 바쳐야 한다고 전하시오.

메신저 (*은화 주머니의 무게를 느끼며*) 왕비의 분부대로 따르겠습니다.

(*그는 절을 하고 궁 안으로 들어간다. 페이드아웃.*)

[페이드인: 옥외. 산꼭대기. 아타마스 왕의 첫 부인 네펠레에게서 난 두 아이들인 프리쿠스와 헬레가 묶여있다. 손에 칼을 든 아타마스 왕이 그들 옆에 서 있다.]

아타마스 왕 프리쿠스, 헬레, 너희 둘에게 이렇게 해야만 하는 아버지 마음이 괴롭지만 그러나 신탁의 지시를 따를 수밖에 없다.

프리쿠스 난 괜찮아요, 아버지. 그렇지만 동생 헬레를 살려주세요.

아타마스 왕 너희 둘 다 살려주고 싶어도 달리 방법이 없구나.

(*아타마스 왕이 프리쿠스를 향해 몸을 구부릴 때 황금 털을 지닌 불가사의한 숫양이 나타난다. 양은 프리쿠스와 헬레 옆으로 뛰어들어 그들을 묶은 줄을 이빨로 끊는다.*)

황금 양 내 등에 올라타라, 프리쿠스, 헬레. 너희 어머니가 나를 보내셨다.

(*프리쿠스와 헬레는 급히 양의 등 위에 오르고 놀란 왕은 그대로 서 있다. 황금 양은 공중으로 올라가 날아간다. 페이드아웃.*)

프리쿠스 저 아래 보이는 해협은 무언가요?

황금 양 저건 서쪽과 동쪽을 가르는 해협이야.

헬레 (*황홀해서 머리를 숙이고 내려다본다.*) 굉장한 광경이어요!

(*흥분해서 내려다보던 그녀는 황금 양 등에서 미끄러진다.*)

프리쿠스 (*미친 듯이*) 헬레! 헬레!

황금 양 헬레를 구할 방법은 없어. 앞으로 저 해협은 헬레스폰트로 불릴 것이다.

(*프리쿠스는 절망하여 반응을 보이지 않고 슬픈 울음만 터트린다. 페이드아웃.*)

[페이드인: 옥외. 그 후. 황금 양과 프리쿠스는 육지에 내린다.]

프리쿠스 여긴 어딘가요?

황금 양 아이에테스 왕국의 수도 콜키스야. 이곳이 이제 너의 안식처다.

프리쿠스 당신은요?

황금 양 네가 나의 황금 털을 깎아서 아레스 숲에 가져다 놓아야 해. 그곳에서 내 황금 양털은 불을 뿜는 뱀이 지켜줄 것이다. 이리 와서 어서 일을 시작하자, 프리쿠스.

(*프리쿠스는 황금 양털을 깎기 위해 뾰족한 가지들을 찾아 나선다.*)

[페이드인: 실내. 아이에테스의 궁전. 몇 개월 후. 아이에테스 왕의 딸이며 메데이아의 자매인 칼키오페와 프리쿠스의 혼인 잔치가 열린다. 메데이아도 그곳에 있다.]

프리쿠스 황금 양에 따르면 이곳이 저의 안식처가 될 것이라고 했는데 아름다운 공주 칼키오페와 결혼까지 하게 될 줄은 몰랐습니다.

아이에테스 왕 자네의 부친 아타마스 왕은 참석할 수 없지만 이 결혼이 나만큼이나 기쁘고 행복하다는 전갈을 보내왔네. 나의 또 다른 딸 메데이아에게도 이런 축복 된 날이 있기를 바라야지.

프리쿠스 메데이아에게는 구혼자들이 많이 있지 않습니까.

아이에테스 왕 그렇다네. 그런데 그녀의 마음을 끄는 자는 아직 없는 모양이야.

프리쿠스 저의 칼키오페처럼 외국인에게 사로잡힐지 누가 압니까?

아이에테스 왕 (*어느 젊은 구혼자의 관심을 경멸하고 있는 메데이아를 보면서*) 아마 그럴지도 모르지. 이곳 콜키스 젊은이들의 구혼은 다 실패한 것 같군.

[페이드인: 옥외. 이탈리아 서해안의 아이아이아섬. 깊은 숲속의 빈터 한가운데에 돌집이 있다. 마녀 키르케가 사는 집이다. 집 주변에는 사자들과 늑대들이 거닌다. 이 짐승들은 키르케의 마술에 걸린 희생자들이다. 이들은 메데이아가 들어오는 것을 허용한다. 키르케는 가구 설비가 잘 갖추어진 집안에서 거대한 베틀 앞에 앉아있다. 그녀는 메데이아가 방에 들어오는 것을 본다.]

키르케 아, 메데이아, 결혼식은 어땠어?

(*메데이아는 그녀에게 다가가 **뺨에** 키스한다.*)

메데이아   좋았어요. 결혼식이란 게 뭐 다 그게 그거지요, 아주머니.

키르케   너도 알지만, 난 결혼을 굳이 장려하지는 않아. 그러나—

메데이아   키르케 아주머니가 그런 식으로 말하는 건 좀 놀라운데요.

키르케   난 말이다. 내 인생을 걸 만한 그런 사랑을 아직 발견하지 못했지만, 마녀도 사랑에 빠질 수 있단다.

메데이아   온갖 마력을 동원해서 하는 사랑이 어디 진정한 사랑이라 할 수 있겠어요?

키르케   그건 네 말이 맞아. 그러나 나름대로 보상이 있지.

메데이아   그래요. 마력은 그 자체가 일종의 사랑의 묘약이니까요.

키르케   그렇다고 사랑의 힘을 과소평가하면 안 된다. 넌 사랑 따위를 무시하지만 언젠가는 너도 사랑의 경험을 하게 될지 몰라.

메데이아   그런 일은 있을 것 같지 않은데요.

키르케   (뭔가 알고 있는 듯) 두고 보자, 얘야. 두고 보자고. (페이드아웃.)

[페이드인: 옥외. 테살리의 펠리온산. 켄타우로스 키론의 동굴. 키론과 이아손.]

이아손   그게 그렇게 된 거군요, 키론. 저의 이복 아저씨 펠리아스가 두려워서 우리 부모님이 저를 당신에게 데리고 온 것이었군요.

키론   그래, 이아손. 펠리아스가 이올코스에서 너의 아버지의 권좌를 찬탈하고 목숨은 살려두었지만, 아들인 너를 죽이려 한 건 확실했어.

이아손   그래서 부모님이 저를 죽은 것으로 가장했군요.

키론   그리고는 너를 내 손에 맡겼던 거지.

이아손   저를 잘 키워주셔서 감사합니다, 키론.

키론   너의 부친의 왕국을 지금은 펠리아스가 통치하고 있지만, 그러나 그는 네가 살아있다는 걸 알고 있어. 그래서 이올코스의 종교 축제에 너를 초대한 것이야. 내가 너라면 난 그 초대를 경계할 거다.

이아손   전 이제 성인이 되었어요. 고마워요, 키론. 이제는 제가 자신을 보호하는 호신술 이외에 다른 기술들도 많이 습득했잖아요.

(*이아손은 키론과 포옹하고 동굴을 떠난다. 페이드아웃.*)

[페이드인: 옥외. 이올코스. 대종교축제. 펠리아스 왕과 그의 예언자가 광장에 있다. 다양한 공연과 극이 진행 중이다.]

펠리아스 왕   조만간 이 문제는 해결을 봐야 하오. 아직도 많은 부하들이 이아손을 존경하고 따르고 있단 말이오.

예언자   그렇지만, 아시지 않습니까. 신탁은 전하의 죽음에 그가 도구로 쓰일 것을 경고했습니다.

펠리아스 왕   거기에 대해 할 말을 하자면, 그건 그렇지 않소.

예언자   전하께서 하시는 일이니 잘 행하시기를 바랍니다.

펠리아스 왕   내가 알아서 할 것이오.

예언자   이아손 얘기가 나오니, 저기 그가 이쪽으로 오고 있군요.

(*이아손은 용감히 그들 앞에 나선다. 왕에게 지켜야 할 예의를 전혀 갖추지 않은 그는 도전적으로 무례하게 말한다.*)

이아손   겉치레로 시간 낭비는 하지 않겠습니다. 난 아버지 아에손의 정당한 왕위를 요구하러 왔소이다.

펠리아스 왕   (*친절한 척하며*) 아, 젊은 혈기라서 성급하군. 진정하게, 이아손. 왕위란 그렇게 쉽게 내주는 게 아니네. 난 이 자리에 오르기 위해서 노력을 기울였지. 그러니 너도 그런 노력을 보여줘야 하지 않겠나.

이아손   무슨 노력을 제안하는 겁니까?

펠리아스 왕 질문을 너에게 돌릴 터이니 네가 말해봐라. 네가 이 자리에 있다면 너는 무슨 제안을 하겠느냐?

이아손 나라면 콜키스의 황금 양털을 가져오라고 할 것이오.

펠리아스 왕 그렇게 해라. 황금 양털을 찾아오면 이올코스의 왕위는 너의 것이 된다.

(*이아손이 자리를 뜨려고 돌아선다.*)

이아손 난 실패하지 않을 겁니다. 이올코스의 왕좌를 황금 양털과 바꿀 것입니다.

펠리아스 왕 그건 거의 불가능해. 불가능한 일이지. (페이드아웃.)

[페이드인: 옥외. 이올코스의 항구. 이아손과 그의 아르고 탐험대원들은 아르고 선에 오르려는 참이다. 그들 중에는 헤라클레스, 아르고스, 오르페우스가 있다.]

아르고스 아르고선은 정말 대단한 배요.

이아손 아르고스, 자네 솜씨로 말하면 최고가 아닌가. 이렇게 훌륭한 배를 난 본 적이 없어.

아르고스 당연하지요. 나 혼자 힘으로 한 건 아니어요. 솜씨 뒤에는 신제품의 혁신자 아테나 여신의 은혜로운 뒷받침이 있어서 가능했습니다.

헤라클레스 자 출발합시다. 우리의 원정에 거는 기대가 큽니다.

(*다른 대원들도 모두 한목소리로 "우리들도 그렇습니다!" 하고 소리친다. 모두들 배에 오른다. 페이드아웃.*)

[페이드인: 옥외. 아르고선. 오르페우스의 부드러운 목소리와 그가 타는 수금 악기는 54인의 노 젓는 사람들의 규칙적인 리듬에 맞추어 반주 역할을 한다.]

이아손 이곳이 헬레가 황금 양 등에서 떨어진 바로 그 헬레스폰트로군.

아르고스 그래요. 곧 곰섬에 도착합니다. 우리에게 유리하게도 키지쿠스의 전 왕이 폐위되었어요.

이아손 그러나 한 가지 문제가 있소. 거긴 게게네이스들이 있소.

아르고스 팔이 여섯 달린 거인 말이지요? 걱정 마세요. 우리에겐 헤라클레스가 있잖습니까.

이아손 (*크게 웃으며*) 그건 확실하지. 팔이 여섯 개가 아니라 육십 개가 달렸다 해도 헤라클레스와는 상대가 안 되지. (페이드아웃.)

[페이드인: 옥외. 곰섬 바닷가. 헤라클레스가 팔 여섯 개가 달린 두 거인과 마주한다. 이아손과 아르고스가 배 위에서 바라본다.]

아르고스 헤라클레스가 게게네이스를 쓰러트릴 것이오.

이아손 글쎄요, 저것들이 만만치 않단 말이오. 얕잡아 볼 게 아닌데.

(*첫 번째 육팔 거인은 헤라클레스의 특기인 우직스러운 힘에 의해 쓰러지고 머리가 땅에 곤두박인다. 아르고스와 이아손은 이를 지켜본다. 헤라클레스는 두 번째 거인을 뒤에서 낚아채 거인의 여섯 개 팔은 아무 쓸모 없이 된다. 헤라클레스는 그를 머리 위로 들어 올려, 먼저 쓰러트린 거인이 일어서려는 찰나에 그의 몸 위에 내동댕이친다. 의식을 잃고 있는 두 거인을 헤라클레스는 그의 곤봉으로 때려죽인다. 페이드아웃.*)

[페이드인: 실내. 키지쿠스 반도. 키지쿠스 왕의 왕실. 왕, 이아손, 아르고스.]

키지쿠스 왕 친구들이여, 콜키스에 가면 당신들은 위험할 것이오. 아이에테스 왕
　　　　　은 황금 양털을 포기하지 않을 것이고 당신들이 눈에 띄는 즉시 죽이
　　　　　려 할 거요.

이아손 아이에테스 왕을 좋아하지 않는 헤라에게 제사를 드렸어요. 우리의 노
　　　　력에 도움을 줄 것입니다.

키지쿠스 왕 당신들은 누구의 도움이든 가릴 것 없이 모든 도움이 필요할 것이
　　　　　오. 아이에테스 왕뿐 아니라 마술에 숙련된 그의 딸 메데이아도 상대
　　　　　해야 될 것이오.

이아손 사랑의 여신 아프로디테가 도와줄 거라고 헤라가 약속했어요.

키지쿠스 왕 여러분의 임무가 성공하기를 빌겠소, 친구들.

(*이아손과 아르고스는 키지쿠스 왕을 떠난다. 페이드아웃.*)

[페이드인: 옥외. 콜키스의 수도 아이아. 이아손과 아르고스는 배에서 내린다. 천
천히 안개가 이들을 감싼다.]

이아손 우리가 아이에테스 궁에 안전하게 도달하도록 헤라가 친절하게 안개
　　　　를 보내주었소.

아르고스 아이에테스 궁전에 도착한 후에도 헤라가 우리를 도와주기를 바라오.

이아손 믿음을 가지시오, 친구.

아르고스 당신의 믿음도 확고하기를 바라오.

(*두 사람은 안개 속에서 궁을 향해 걸어간다. 페이드아웃.*)

[페이드인: 실내. 아이에테스 왕의 왕실. 아이에테스 왕과 메데이아. 이아손과 아
르고스는 병사의 안내를 받고 들어온다.]

병사　전하, 이 두 명의 외국인이 궁 밖에 있었습니다.

(메데이아는 그녀를 쳐다보는 이아손의 눈빛에서 이상하게 감동을 받는다. 그런 첫인상을 그녀에게 준 남자는 아직까지 없었다. 그녀는 자신에게 일어난 동요를 감추기 위해 눈을 아래로 뜬다. 이아손은 그러나 그에게 관심을 갖는 그녀의 표정을 놓치지 않는다.)

아이에테스 왕　당신들은 누구요? 무슨 일로 이곳에 온 거요?

이아손　가치 있는 공의로운 이유로 찾아왔습니다. 저는 아에손의 아들 이아손이라고 합니다. 저의 아버지께 이올코스의 합법적인 왕위를 복원시켜 드리기 위해 황금 양털을 찾으러 온 것입니다.

아이에테스 왕　황금 양털은 나의 사위 프리쿠스가 이곳에 가지고 와서 아레스의 숲에 안치해 놓았소.

이아손　제가 델피의 아폴로 신탁과 상의한 바로는 그 양털은 제가 가지고 가도 된다고 했습니다.

아이에테스 왕　당신 말이 사실인지, 당신이 그만한 가치가 있는 사람인지 증명해 보이시오.

이아손　저의 장점을 증명해 보이겠습니다.

(이아손은 다시 눈을 내리뜨고 있는 메데이아를 뚫어지게 쳐다본다. 페이드아웃.)

[페이드인: 실내. 아이아이아섬. 키르케의 돌집. 키르케와 메데이아.]

키르케　그래서, 메데이아, 네 가슴에 큐피드의 화살이 꽂혔단 거냐?

메데이아　네, 말 그대로. 아프로디테 소행이 틀림없어요. 나 자신을 믿을 수가 없어요. 이아손을 보는 순간 첫눈에 반했거든요.

키르케　그렇다면 아프로디테의 손길이 확실하다.

메데이아　난 어째야 하나요?

키르케　네가 할 일이 뭐 있겠니. 애야, 우린 마녀일 뿐이야. 우리가 신들의 힘
　　　　을 능가할 수는 없지.

메데이아　참 기막힌 아이러니로군요. 그 많은 구혼자들을 다 무시한 내가 신통
　　　　치 않아 보이는 저 남자에게 빠지다니.

키르케　그런 거다. 남자란 혼자서는 대단치 않아. 여인의 힘이 뒷받침되어야
　　　　뭐든지 완성할 수 있어.

메데이아　입심 좋고 외모는 잘생겼지만 내면은 별 볼 일 없는 사람이어요.

키르케　유창한 언변과 잘난 외모는 여자들을 끌게 되어 있다. 그걸 알면서도
　　　　너는 그를 도와 황금 양털을 얻게 해주겠다는 거니?

메데이아　큐피드의 화살은 진심이어요. 내 운명은 결정되었어요.

키르케　애야, 너에게 위로될 말이 하나 있어. 넌 언제든 너의 마지막 말로 상
　　　　대방을 쓰러트릴 수 있지 않니.

메데이아　맞아요. 한번 마녀는 영원한 마녀지요.

(*메데이아는 키르케에게 키스하고 떠난다.* 페이드아웃.)

[페이드인: 옥외. 이아손과 메데이아가 숲속에서 비밀리에 만나 열정적으로 애
무하고 있다.]

메데이아　이렇게 행복해 본 적이 없어요!

이아손　나도 그렇소, 나의 메데이아. 우리의 사랑은 우리 둘을 영원히 하나로
　　　　묶어 줄 것이오. 누구도 우릴 갈라놓을 수 없소.

메데이아　나의 아버지에 대한 배신조차도 사랑의 기쁨을 감소시키지 못하는군

요.

이아손 이번 임무가 끝나는 대로 그리스로 가서 우리 결혼하고 영원히 함께 행복하게 삽시다.

메데이아 이제 그만 가보세요. 우리가 영원히 행복하게 사는 길을 확보하기 위해서 난 헤카테를 달래고 그녀의 비위를 맞춰줘야 합니다.

(*이아손은 그녀에게 한 번 더 키스하고 떠난다. 페이드아웃.*)

[페이드인: 옥외. 입으로 불을 내뿜는 황소들이 있는 들판. 아이에테스와 그의 신하들이 먼 곳에 서 있다. 이아손, 아르고스 그리고 몇몇 대원들이 그들을 마주하고 반대편에 있다.]

아르고스 이아손, 난 저 괴물들 가운데로 나가지 않을 거요.

이아손 (*고약이 든 항아리를 내보이며*) 메데이아가 내게 준 이 마술 고약을 바르고 내가 나가겠소.

(*이아손이 고약을 몸에 바르자 그는 무적의 강력한 인간으로 변한다. 그는 황소들을 향해 달려간다. 황소들이 일제히 입에서 뿜어내는 화염 사격은 이아손에게 아무런 영향을 주지 못한다. 이아손이 황소를 한 마리씩, 한 마리씩 모두 무릎을 꿇리고 굴복시키자 이들은 짐 나르는 길들인 짐승으로 순하게 변한다. 이아손의 다음 임무는 용의 이빨을 땅에 심는 일이다. 이빨을 하나씩 심을 때마다 병사가 이아손을 공격하려고 튀어나온다. 이아손은 메데이아가 가르쳐준 지시대로 가운데 있는 커다란 돌을 던져서 병사들로 하여금 서로 싸움을 벌이게 한다. 이아손과 대원들은 급히 떠나고 이를 본 아이에테스 왕과 신하들은 놀란다. 페이드아웃.*)

[페이드인: 옥외. 황금 양털이 있는 숲은 이아손과 메데이아가 마음대로 할 수 있도록 그들의 발아래 있다.]

메데이아   이아손, 황금 양털을 어서 손에 넣으세요. 아버지는 어떤 일이 있어도 이 양털을 당신에게 넘겨줄 의사가 전혀 없어요.

이아손   당신 도움 없이 내가 무슨 일을 할 수 있었겠소?

메데이아   그 점을 언제나 잊지 마세요, 이아손.

이아손   당신에 관한 것이라면 내가 무엇인들 잊을 수 있겠소.

메데이아   우린 지금 그런 얘기할 시간이 없어요. 아버지가 곧 우리 뒤를 쫓아올 겁니다. 서둘러야 해요.

(*두 사람은 서둘러서 숲을 빠져나간다.* 페이드아웃.)

[페이드인: 실내. 이올코스. 이아손의 아버지 아에손의 집. 아에손, 이아손, 메데이아.]

아에손   그런데 너한테 들려줄 말이 있다, 이아손. 넌 펠리아스를 믿으면 안 된다. 네가 황금 양털을 가지고 가도 그는 왕좌를 나에게 넘겨주지 않을 것이다.

메데이아   아버님께 꼭 넘겨줄 수밖에 없는 방법을 제가 압니다.

이아손   네, 아버지, 메데이아는 마술에 익숙합니다.

메데이아   그걸 증명해 드리겠어요. 그리고 이렇게 훌륭한 남편을 맞게 된 감사의 표시로 아버님을 제가 젊은이로 다시 만들어 드리겠습니다.

아에손   나를 젊게 해준다고? 그런 제안이라면 누가 거절하겠는가?

메데이아   저를 따라오세요. 다시 젊어지실 게 확실합니다.

(*아에손은 기꺼이 메데이아를 따라나선다. 페이드아웃.*)

[페이드인: 실내. 메데이아와 아에손. 메데이아는 마술의 약초를 커다란 가마솥에 가득 채우고 끓인다. 메데이아는 끓은 국물을 뜰 국자를 들고 있다. 그녀는 국물을 떠서 컵에 담아 아에손에게 건넨다.]

메데이아 자, 아버님, 이걸 드세요. 그리고 끓은 물에 몸을 담그세요.
아에손 국물은 마시겠지만 솥에 몸을 담그지는 않겠다.
메데이아 두려워 마세요. 국물이 아버님을 보호할 것입니다. 아무런 해도 끼치지 않고 아버님은 새롭게 청년이 되어 나오실 겁니다.

(*청년이 된다는 약속에 아에손의 마음이 흔들리어 이에 응한다. 메데이아의 약속대로 약물은 아에손에게 해롭지 않고, 그의 몸은 천천히 점점 젊어지면서 인생의 절정기 청춘으로 돌아간다. 페이드아웃.*)

[페이드인: 실내. 펠리아스의 딸들과 메데이아가 아에손의 집에 있다.]

첫째 딸 아에손, 어떻게 그렇게 변할 수 있는지 믿기지 않는군요.
둘째 딸 내 눈으로 보지 않았다면 절대로 믿지 않았을 거예요.
메데이아 놀랄 일은 아니지요. 난 키르케의 조카이고 헤카테의 제자가 아닙니까.
첫째 딸 우리는- 저- 우리 아버지 펠리아스 왕도 그렇게 젊어지게 할 수 있는지 궁금해요.
메데이아 그거야 내 마술에 달렸지요.
둘째 딸 그럼 우리 아버지한테도 그 마술을 사용해줄 수 있어요?
메데이아 왜 내가 그래야 하는데요?

둘째 딸 아버지는 왕위를 아에손에게 돌려준다고 약속했어요.

메데이아 으음- 그렇다면- 좋아요. 그러기를 바란다면 내가 지시하는 대로 따르겠다고 약속하세요.

두 딸들 약속해요. 약속합니다.

메데이아 좋아요. 그럼 오늘 저녁에 다시 만나요. 당신 아버지가 젊어지도록 준비시키고 기다리세요.

(두 딸은 메데이아에게 고맙다는 인사를 하고 떠난다. 페이드아웃.)

[페이드인: 실내. 이아손과 메데이아가 아에손의 집에 있다.]

이아손 메데이아, 펠리아스의 죽음으로 인해 우리한테 백성의 원성이 들끓고 있소.

메데이아 자업자득이지요.

이아손 그건 그렇지만, 당신 지시대로 딸들 손으로 아버지를 토막 내어 끓는 솥에 넣는 것은 이올코스 백성의 눈에는 야만스러운 짓이오.

메데이아 딸들이 요청한 일이어요.

이아손 그렇다 해도, 여보, 지금은 우리 아버지가 젊은 몸으로 왕위에 올랐지만, 당신과 나는 이곳을 떠나야 할 것 같소.

메데이아 당신 말이 옳은지도 몰라요. 코린트로 가지요. 몇 년 전에 우리 아버지가 그곳에서 왕을 지낸 적이 있어요. 지금의 크레온 왕은 우리를 반겨줄 겁니다.

이아손 그럼 우리 코린트로 떠납시다. (페이드아웃.)

[페이드인: 실내. 코린트. 2년 후. 크레온 왕의 궁전. 이아손과 메데이아가 그들의 방에 있다.]

메데이아	크레온 왕이 친절한 건 맞지만 당신이 그의 딸 글라우케에게 보이는 애정 표시는 합당치 않아요.
이아손	미안하오, 메데이아. 이건 그냥 일어난 일이오.
메데이아	그냥 일어나는 일은 없어요. 오랫동안 그녀가 당신을 사모한 것입니다.
이아손	그녀는 나와 함께 있는 것을 좋아하오. 내게 매력을 느끼는 것 같소. 내가 여자들한테 인기 있다는 건 당신도 인정하지 않소.
메데이아	너무도 잘 알지요.
이아손	실은, 그 얘기가 나왔으니 말인데, 당신한테 할 얘기가 있어요. 크레온 왕은 내가 글라우케와 결혼하기를 바라고 있소.
메데이아	글라우케와 결혼이라니! 당신은 이미 결혼한 몸이잖아요!
이아손	그래서 지금 이혼 수속을 하려는 것이오.
메데이아	그러니 지금까지 당신을 위해 헌신한 나를 버리겠다는 건가요?
이아손	당신이 나에게 해준 일은 모두 과거지사고, 글라우케는 나의 미래요.
메데이아	내가 당신과 결혼할 때 당신이 별 볼 일 없는 사람인 줄은 알고 있었어요. 무슨 일을 해도 당신은 남의 도움 없이는 아무것도 못 하는 남자여요. 도움, 그래요. 굳이 표현하자면 여자들의 도움말입니다. 그럼에도 당신은 여자에 대한 존중심이 전혀 없어요. 글라우케와도 마찬가지여요. 오직 크레온의 딸이기 때문이지요. 당신에게 여자는 그저 당신의 목적을 이루는 수단에 불과하지요.
이아손	말했잖소. 글라우케는 나의 미래라고.
메데이아	네― 난 당신의 과거고요. 조심하세요, 이아손. 당신의 과거가 당신 뒤를 늘 따라다니면서 괴롭힐지 모릅니다.
이아손	그것도 협박이라면, 메데이아, 난 조금도 두렵지 않소. 지금까지는 당신의 기대에 부응해서 살았소. 당신과 결혼도 했잖소. 안 그렇소?
메데이아	그래요. 한동안 그랬지요. 이제는 다른 여자를 위해 나를 밀어내고 있

지요.

이아손   그 얘기는 끝났소, 메데이아. 끝난 건 끝난 거요.

메데이아   네, 끝났어요. 불행히도 아프로디테의 간섭 때문에 나로선 시작도 하
기 전에 끝이 났군요.

이아손   나에게 끌린 것을 아프로디테의 탓으로 돌리지 마시오. 말했잖소. 난
여자 다루는 법을 안다고.

메데이아   글라우케같이 마음 약한 여자들하고는 그런 게 통할지 모르지요. 그러
나 내게는 당신보다 월등히 뛰어난 구혼자들이 있었어도 끌리지 않았
어요. 나도 알아요. 내 뜻대로 했다면 당신처럼 얄팍한 남자를 선택하
지는 않았을 겁니다.

이아손   자, 자, 메데이아, 날 비난해 봐야 당신한테 좋을 것 하나도 없소.

메데이아   당신을 비난하는 건 아무렇지도 않아요. 그러나 당신이 이대로 빠져나
가지 못한다는 걸 확실히 알아두세요.

이아손   스포츠맨답게 떳떳하게 행동하시오, 메데이아. 당신을 아테네로 보내
기로 아이게우스 왕과 크레온 왕이 이미 합의를 보았소. 그곳에서 당
신에게 필요한 모든 것을 공급해줄 것이오.

메데이아   난 누구의 공급도 필요치 않습니다. 나 스스로 얼마든지 헤쳐나갈 수
있어요.

*(메데이아는 화가 나서 떠난다. 이아손은 할 수 없다는 듯 어깨를 으쓱해 보일
뿐이다. 페이드아웃.)*

[페이드인: 옥외. 코린트. 십자로. 자정. 메데이아와 헤카테.]

메데이아   헤카테, 도움이 필요해요.

헤카테   이아손이 타고난 근성을 보여준 것이다.

메데이아　크레온의 딸 글라우케와 결혼하기 위해서 저를 버리겠다고 합니다.

헤카테　키르케도 나도 이아손을 인정한 적이 없어.

메데이아　저도 마음속 깊이 그를 인정한 적은 없어요.

헤카테　이건 모두 헤라의 요청에 의한 아프로디테의 소행이야. 아프로디테에게 책임이 있지.

메데이아　불행하게도 우리는 여신들의 지배를 받는군요.

헤카테　우리에겐 그래도 마술이란 게 있지 않으냐. 메데이아, 이번 경우에도 마술을 잘 이용하면 될 것으로 안다.

메데이아　그래서 제가 헤카테를 찾아온 것입니다.

헤카테　잘 들어라, 애야. 결국에는 네가 이긴다.

(*헤카테와 메데이아는 머리를 맞대고 긴밀하게 속삭인다. 페이드아웃.*)

[페이드인: 실내. 이아손과 글라우케가 크레온의 궁에 있다. 이아손은 글라우케에게 키스한다.]

글라우케　메데이아가 아테네로 간다니 반가운 일이어요. 이곳에 같이 있으면 서로 불편할 거예요.

이아손　근래에 메데이아가 좀 유순해졌소. 오늘 아침에는 내게 밝고 즐거운 표정까지 지었다오. 당신과의 결혼 이야기가 나온 후로 처음 있는 일이오.

글라우케　듣던 중 반가운 얘기네요. 우리 결혼에 흠이 될 걱정거리나 괴로운 요소들을 난 원치 않거든요.

이아손　어쩔 수 없는 상황이니 메데이아도 이젠 단념한 것 같소. 어쨌든 모든 일이 잘 풀리기 위한 변화임에는 틀림없어요.

글라우케　이제 우리의 행복은 다 갖춰진 셈이네요.

(*이아손과 글라우케는 서로 행복하게 껴안는다. 페이드아웃.*)

[페이드인: 옥외. 글라우케는 만족스러운 얼굴로 궁정 안뜰에 앉아있다. 메신저가 소포꾸러미를 들고 온다.]

메신저　(*절하면서*) 공주님, 메데이아가 보낸 결혼 선물입니다.

글라우케　아, 이아손의 말이 맞구나. 메데이아가 우리의 결혼을 인정하고 만족
　　　　　히 수긍하는구나.

(*메신저는 글라우케에게 소포를 건넨다. 그녀는 소포꾸러미를 풀고 안에 담긴 마술 실로 짠 듯 아름다운 겉옷을 꺼내 든다.*)

글라우케　이렇게 근사한 옷은 처음 보네.

(*그녀는 겉옷을 입어보려고 걸친다. 옷을 입자 옷은 그녀의 몸에 꽉 들러붙는다. 처음에는 그녀가 입고 있던 옷을 관통하고 그리고는 그녀의 살을 뚫는다. 참기 어려운 고통에 그녀는 비명을 지른다. 몸에서 겉옷을 떼어내려고 필사적으로 애쓴다. 그러나 옷을 잡아당길 때마다 그녀의 살점도 함께 떨어진다. 메신저는 왕을 부르러 달려가지만, 글라우케의 비명소리를 들은 왕은 이미 그곳에 와 있다. 왕은 딸에게 달려가 옷을 벗기려고 시도한다. 그러나 겉옷의 내부는 크레온의 살도 꿰뚫는다. 두 사람의 몸은 한 덩어리가 되어 연기를 내며 하나로 붙어있다. 페이드아웃.*)

[페이드인: 옥외. 아르고선. 이아손이 배 위에서 두 팔로 배의 돛대머리를 감싸 안고 울고 있다.]

이아손 제우스의 신탁을 들려주는 도도나의 말하는 들보여, 나의 고통스러운 영혼에 힘을 주소서.

들보의 소리 이아손, 이아손, 이아손.

이아손 당신이 내 이름을 알고 있는 줄은 압니다. 그러나 말해주세요. 내 미래가 지금처럼 황폐합니까?

들보의 소리 너의 과거가 너의 미래를 가져온 것이다.

이아손 나의 과거라니요! 수수께끼 같이 들립니다. 내 과거의 영광이 주변을 맴돌고 메아리칩니다. 올페우스의 신성한 음악 소리, 용감한 아르고 대원들의 목소리—

들보의 소리 나에게 더 이상 묻지 마라, 이아손.

이아손 그렇지만 난 알아야겠습니다.

들보의 소리 더 이상 알려고 하지 마라. 이제부터는 난 아무 말 않겠다.

이아손 안 돼요! 안 돼요! 대답해주세요! 메데이아, 글라우케, 아프로디테, 헤라, 이들은 모두 내 인생에서 떠났습니다. 이제 여인들의 도움 없이 나 혼자 가야 합니까? 그래야만 합니까?

(*이아손은 돛대 머리 기둥을 부여안고 히스테리컬하게 운다. 상심한 그는 돛대 머리 기둥을 부둥켜안은 채 스르르 미끄러지며 계속 슬퍼 울고 있다. 처음에는 깨지는 소리가 가볍게 나더니, 점점 우지직하는 소리가 커지고 돛대 머리는 이 아손 몸 위에 와지끈 큰소리를 내고 쓰러진다.*)

들보의 소리 이아손, 아르고 원정의 영광은 네가 붙들고 있어야 할 영광이고, 그 영광은 너의 유산이다.

(*아르고선의 이곳저곳이 부서지면서 무너져 내리는 소리만 들릴 뿐 주변은 고요하고 적막하다. 페이드아웃.*)

[페이드인: 옥외. 아이아이아섬. 약 15년이 지난 후. 메데이아와 키르케가 키르케의 돌집 밖에 서 있다.]

키르케 그래서 네가 아테네에 있는 동안 아이게우스가 두 번이나 아버지가 되었단 말이지- 하나는 너한테서 나온 메도스이고- 또 하나는-

메데이아 또 하나는 아이트라에서 낳은 아들- 테세우스여요.

키르케 테세우스가 너의 독약을 피하고 미노타우로스를 죽인 거구나. 그렇지?

메데이아 둘 다 맞아요. 그러나 미노타우로스를 죽이러 크레타섬에 간 모험은 아이게우스에게는 치명적이었어요.

키르케 그건 어째서?

메데이아 아이게우스는 모험이 성공하면 돌아올 때 배에 달린 검은 깃발 대신 흰 깃발로 바꾸어 달라고 테세우스에게 일렀지요.

키르케 그런데 바꾸어 다는 걸 잊었단 말이로구나.

메데이아 그래요. 그래서 아이게우스는 바다에 투신했어요. 그때부터 그 바다는 그의 이름을 따서 에게해로 부르게 되었고요.

키르케 넌 남자 복이 없구나. 네가 관계한 남자들은 너를 배신하든지, 죽든지. 그 대신 넌 아들 메도스를 얻었으니까.

메데이아 네. 그래서 이 문제를 아주머니와 의논하려고요. 나의 아저씨 페르세스가 어떻게 우리 아버지를 죽이고 왕좌를 찬탈했는지 아시잖아요.

키르케 그 때문에 콜키스에 끔찍한 기근이 온 거야.

메데이아 기근을 없애기 위해서 메도스를 콜키스로 보냈어요.

키르케 그런데 메도스가 지금 위험에 처해있다. 신탁이 페르세스에게 아이에테스의 후손이 그의 죽음의 도구가 될 것이라고 예언했거든.

메데이아 메도스에게 변고가 없도록 지금 콜키스로 가겠어요. 계획을 갖고 있어요.

키르케 아, 헤카테가 너에게 내려준 그 마술을 쓰려는 거구나- 페르세스 왕은 강한 상대라는 걸 나도 알고 있어.

메데이아 페르세스에겐 기회가 없지요. (페이드아웃.)

[페이드인: 실내. 페르세스 왕의 궁전. 콜키스. 페르세스와 예언자.]

페르세스 왕 이보게, 당신 얘기는 그 여자가 아르테미스의 여사제란 거요?

예언자 그렇습니다. 그 여자는 이 땅에서 가뭄을 없애주고 풍성한 수확을 회복시켜줄 의식을 행할 수 있다고 주장합니다.

페르세스 왕 그 여자를 들여보내시오.

(*예언자는 문 쪽으로 간다.*)

예언자 호위병, 여인을 들여보내시오.

(*아르테미스의 여사제로 변장한 메데이아가 들어와서 페르세스 왕 앞에 절을 한다.*)

페르세스 왕 이 끔찍한 가뭄을 콜키스에서 없애줄 수 있겠소?

메데이아 네.

페르세스 왕 그리고 풍성한 수확을 약속한다고 했소?

메데이아 네. 그러나 조건이 있어요. 이 의식에는 아이에테스 왕의 후손이 참여해야만 합니다.

페르세스 왕 그건 가능하오. 그의 손자 메도스가 죄수로 갇혀 있으니까.

메데이아 그가 이 의식에 참여할까요?

페르세스 왕 그야 여부가 있나. 제의에 필요한 준비를 하시오. 메도스를 참석도록 하겠소. (페이드아웃.)

[페이드인: 실내. 왕실. 페르세스 왕, 예언자. 메데이아는 왕좌 가까이에 세워둔 제단 앞에 무릎을 꿇고 있다. 제단에는 얼굴이 셋 달린 아르테미스 조각상이 있다. 메도스는 메데이아 앞의 제단 아래 누워있다. 메데이아가 주술을 외우자 아르테미스 조각상에서 연기가 나며 향이 나온다.]

메데이아 일어나라, 메도스. 곡물이 자라지 못하게 하는 너의 할아버지의 영을
    쫓아버려라.

(갑자기 개들 짖는 소리가 난다. 그 소리에 페르세스 왕과 예언자는 놀란다.)

메데이아 아르테미스의 개들아, 너희들의 울음소리를 바람에 보내어 풍작이 있
    게 하라.

(개들은 울음의 합창으로 반응을 보인다.)

메데이아 자, 메도스, 너는 가뭄, 기근, 굶주림의 영들을 모두 쫓아버려라. 이 채
    찍을 사용하여라.

(메데이아는 메도스에게 여러 갈래가 한 대로 묶인 채찍을 건네준다. 채찍 손잡이 밑에는 단도가 있다. 단도가 숨겨진 채찍을 메도스에게 넘겨주면서 그녀는 아들에게 뚫어지는 눈총을 보낸다. 메도스는 그녀를 알아보고 단도가 있는 채찍을 잡고, 상상의 영들을 몰아내는 시늉을 하며 방안을 돌아다닌다. 왕 앞에 왔을 때 그는 왕의 가슴에 단도를 찌른다.)

예언자 이게 - 이게 대체 무슨 짓이오?
메데이아 정의입니다. 왕위를 적법하게 아이에테스 손자에게 복권하는 것입니

다.

예언자 그렇지만, 왕이 살해당했소!

메데이아 정당한 왕은 아니지요. 나의 아들이 정당한 왕이오.

(*메데이아가 면사포를 벗자 예언자는 그녀를 알아본다.*)

예언자 메데이아, 당신이었군요.

메데이아 네. 메데이아입니다.

예언자 그렇지만 콜키스 백성들이 뭐라고 하겠습니까?

메데이아 메도스가 왕권을 갖게 되면 백성들의 수확이 회복될 것이고, 그리되면 누구도 아무 소리 하지 않을 거요.

예언자 그건 맞는 말이오. 풍작이 확보되면 조화가 따르니까.

메데이아 백성들 배가 따뜻해지고 굶주림의 공포는 사라질 거요.

예언자 가서 좋은 소식을 선포하겠소.

(*예언자는 자리를 뜨고 메데이아는 메도스를 포용한다. 페이드아웃.*)

[페이드인: 실내. 키르케의 집. 키르케와 메데이아.]

키르케 메데이아, 네가 해냈구나. 너나 나나 남자의 도움 없이 해냈어.

메데이아 아주머니의 경우에는 글라우코스와 오디세우스가 잃어버린 두 남자지요.

키르케 넌 이아손과 아이게우스를 잃었고.

메데이아 키르케 아주머니, 마술과 사랑은 서로 불화하는 게 확실한가 봐요.

키르케 아마 네 말이 맞는 것 같다. 대부분의 남자들은 약간씩 속이는 경향이 있으니까, 속임수를 보복하지 않고 넘어가기란 마녀의 속성으로는 받아들이기 어렵지.

메데이아 그래서 관계를 빨리 끝내게 되지요. 아주머니는 그래도 오디세우스를 복수하지 않았잖아요.

키르케 그건 제우스가 페넬로페에게 돌아가라고 명령했기 때문이야. 애야, 너도 알다시피 우리는 신들 위에 있지 않으니까.

메데이아 알다마다요. 이아손과 내가 저지른 어리석은 짓의 책임은 아프로디테에게 있어요.

키르케 어쨌든 넌 이아손에게 앙갚음을 해주었잖아.

메데이아 네, 아주머니 말대로 우리 마녀들은 마지막 말로 상대를 눌러놓지요.

키르케 이제 넌 어떻게 할 셈이냐, 메데이아?

메데이아 이제부터는 내 본연의 소명을 따라야지요. 인간들 사이에 마술이 필요한 소지가 많다고 믿어요.

키르케 그래라. 넌 마술에 아주 능하니까. 인간들은 우리 마술에 약하거든.

메데이아 알아요. 나도 인간들과 할 일을 고대하고 있어요.

키르케 네가 이길 것을 난 장담한다, 메데이아.

(*메데이아는 미소 짓고 키르케는 떠나는 그녀에게 손을 흔든다.*)

19
프로크리스와 케팔로스: 의심의 연인

<table>
<tr><td colspan="3" align="center">등장인물</td></tr>
<tr><td>오레튜이아</td><td>케팔로스</td><td>아르테미스의 여사제</td></tr>
<tr><td>프로크리스</td><td>에오스</td><td></td></tr>
</table>

[페이드인: 실내. 아테네. 에레크테우스 왕의 궁전. 프로크리스 공주와 포키스의 케팔로스 왕자의 결혼식. 결혼식이 있기 전 프로크리스의 언니 오레튜이아 공주가 프로크리스 공주의 침실에서 결혼 준비를 돕고 있다.]

오레튜이아 난 네가 부러워, 프로크리스. 넌 케팔로스와 완벽한 사랑을 이루고 있잖아.

프로크리스 케팔로스야말로 내가 처음으로 사랑한 사람이고 영원히 사랑할 사람이지. 언니도 보레아스와 행복하잖아, 안 그래?

오레튜이아 행복하기는 한데 너처럼 기쁘지는 않구나. 내 사랑은 자유스럽게 주어진 게 아니라서 그런가 봐.

프로크리스 나도 알아. 북풍 보레아스가 언니를 단번에 바람처럼 납치해 갔으니까.

오레튜이아 그래. 난 구름에 싸여서 실려 갔어. 그러니 내 경우는 네가 케팔로스와 사랑하는 것과는 달리 일방적으로 당한 거지. 그래도 그를 사랑하게 되었단다.

프로크리스 언니, 난 정말 기쁘고 좋아 죽겠어. 사람들이 모두 나처럼 행복했으
　　　　　면 얼마나 좋을까.

오레튜이아 너희들에게 언제나 기쁜 날만 있기를 바란다.

(*오레튜이아는 동생과 포옹한다. 페이드아웃.*)

[페이드인: 옥외. 아티카. 히메투스산. 케팔로스는 이른 아침 사냥에서 돌아온다.
열심히 아침 식사 준비하느라고 그가 들어오는 것을 보지 못한 프로크리스를 케
팔로스가 놀라게 한다. 그는 그녀의 뒤로 가서 부드럽게 그녀의 목에 키스한다.
그녀는 돌아서서 두 팔로 그의 목을 감고 사랑스럽게 키스한다.]

프로크리스 케팔로스, 나한테 벌써 애정의 경쟁자가 생긴 게 아닌지 염려돼요.

케팔로스 경쟁자?

프로크리스 네. 당신은 사냥을 위해 아침 일찍부터 잠자리를 빠져나가잖아요.

케팔로스 (*크게 웃으며*) 인정해요. 사냥은 당신 다음으로 내가 좋아하는 거지.
　　　　　난 사냥을 정말 좋아하오. 그렇지만 당신보다 더 좋아하지는 않아요.

(*프로크리스도 그와 함께 웃는다.*)

프로크리스 당신을 그냥 놀려본 거예요. 당신이 사냥하는 게 난 좋아요. 당신이
　　　　　사냥에 열중한다고 질투하지는 않아요.

케팔로스 그래서 나도 당신을 사랑하는 거요, 내 사랑. 당신의 사랑이 낭비되는
　　　　　게 아니라 사랑의 완성을 이루는 거요.

프로크리스 당신에 대한 내 사랑과 신뢰의 비중은 똑같아요.

케팔로스 당신에 대한 내 사랑과 신뢰도 마찬가지요. 사실, 우리의 사랑은, 말하
　　　　　자면, 이상적인 거지.

프로크리스 난 너무 행복해서 때로는 두려운 생각이 들어요.

케팔로스 뭐가 두렵소?

프로크리스 너무 좋아서 길게 가지 않으면 어떡하나 하는 걱정이오.

케팔로스 걱정할 것 없어요. 우리의 사랑은 오래, 오래 갈 것이고 지금처럼 우린 항상 행복할 테니까.

(*두 사람은 황홀감에 취해 포옹한다. 페이드아웃.*)

[페이드인: 옥외. 히메투스산. 몇 개월 후. 새벽의 여신 에오스는 그녀의 화려한 말 하이톤과 람파스가 모는 마차를 타고 나와 있다. 그녀는 새벽에 사슴을 쫓는 케팔로스를 몰래 지켜보고 있다.]

에오스 (*혼잣말로*) 어머나, 저렇게 잘생긴 남자가 있다니. 프로크리스가 사랑하는 케팔로스구나. 내가 긁어 부스럼을 만들면 안 되는데─ 그렇지만 매미 같은 티토누스와 잠자리를 같이해본 게 옛날 옛적 얘기다. 그의 피는 늙어빠져서 돌처럼 차갑지만 난 아직 뜨겁고 싱싱해.

(*그녀는 케팔로스가 사냥하는 장소를 단숨에 급습하여 그를 휙 낚아채서 마차에 태워 가버린다. 페이드아웃.*)

[페이드인: 실내. 에티오피아의 오케아 강가 극동에 있는 궁전. 에오스는 케팔로스를 이곳에 데리고 와서 거대한 청동 문을 열고 어느 방으로 데리고 간다. 방에 있는 침대에는 매우 늙은 할아버지가 누워있다. 그의 머리는 허옇고 피부는 늘어지고 쭈그러져서, 그의 오그라든 모습은 사람이라기보다는 무슨 버러지 같아 보인다.]

케팔로스　이분이 당신 남편 티토누스로군요.

에오스　그렇다. 제우스에게 내가 그의 불멸을 요구했을 때 영원한 청춘으로 있게 해달라는 요청을 잊었어.

케팔로스　남편은 당신처럼 영원히 살지만 당신처럼 영원히 젊게 살 수는 없단 말이군요.

에오스　바로 그 말이야. 내 문제가 뭔지 알겠지, 케팔로스. 난 삶에 대한 열정이 있는데 티토누스는 나의 열정을 채워주지 못해.

케팔로스　당신의 처지는 딱하지만 내가 해결책이 되어 줄 수는 없어요. 난 오로지, 오직 내 아내만을 사랑합니다.

에오스　나하고 몇 개월만 같이 지내면 넌 너의 인간 아내를 잊어버리게 된다.

케팔로스　아닙니다, 에오스. 제발 나 말고 다른 사람을 선택하세요. 나처럼 사랑에 빠져 있지 않은 남자를 구하세요.

에오스　내가 말한 것처럼 몇 개월이면 네 마음도 변한다니까.

(에오스는 케팔로스를 다른 청동 문이 있는 방으로 데리고 가서 잠겨있는 문을 연다. 페이드아웃.)

[페이드인: 실내. 프로크리스는 슬픔에 젖어 집에 있다. 오레튜이아가 그녀를 위로하려고 애쓴다.]

오레튜이아　프로크리스, 이건 에오스 소행임이 틀림없어. 남자를 쫓아다니는 저 데데한 에오스가 케팔로스를 납치한 거야. 보레아스가 내게 말해주었어.

프로크리스　오, 그렇다면, 다행이야.

오레튜이아　다행이라니, 프로크리스, 무슨 소리 하는 거니?

프로크리스　에오스와 함께 있다는 건, 케팔로스가 안전하게 살아있다는 말이잖

아. 난 야생 멧돼지한테라도 희생당한 건 아닌가 걱정했거든.

오레튜이아 네 남편의 의지를 무시하고 강제로 데려갔다 해도 너에겐 위안이 되는 모양이구나.

프로크리스 오, 오레튜이아, 그가 살아있다니! 중요한 건 그가 살아있다는 사실이야, 언니.

오레튜이아 에오스와 바람이 나서 함께 달아나지 않았다는 사실도 너에겐 중요하단 말이지. 그런 거 아니니?

프로크리스 케팔로스와 나는 서로 충성을 맹세한 사이야. 케팔로스를 의심한 적이 한 번도 없어. 케팔로스도 날 의심한 적이 없을 거야. 난 확신해.

오레튜이아 전에도 말했지만 난 너의 사랑이 정말 부럽구나.

(*그녀는 동생을 포옹하고 떠난다. 페이드아웃.*)

[페이드인: 실내. 에오스의 궁전. 몇 개월 후. 에오스는 케팔로스 옆에 누워있다. 케팔로스가 잠꼬대를 한다.]

케팔로스 프로크리스, 여보, 나의 사랑하는 아내! 내 생명의 빛, 당신은 나의 것 – 나는 당신의 것 –

(*에오스는 벌떡 일어나 케팔로스를 화가 나서 깨운다.*)

에오스 배은망덕한 자식! 여신과 함께 잘 수 있는 명예를 안겨주었는데도, 이런 식으로 은혜를 갚는 것이냐? 사랑 병에 걸려 주절대다니, 꼴불견이다! 그래, 너의 그 소중한 프로크리스에게 돌아가거라. 네가 생각하는 것만큼 그 여자가 널 생각하는지 어디 두고 보렴.

(*에오스는 폭풍처럼 방을 나간다. 케팔로스는 에오스가 그를 놓아주는 것이 너무 기쁘다. 그러나 떠나려는 순간 에오스의 말이 그의 가슴에 의심을 불러일으킨다. 전에는 한 번도 가져보지 않은 의심이다.*)

케팔로스 (*혼잣말로*) 프로크리스에 대해 에오스가 한 말은 무슨 뜻인가? 에오스가 프로크리스에 대해 뭔가 알고 하는 소린가? 내가 없는 동안에도 프로크리스는 내게 정절을 지켰을까? 과거처럼 우리 두 사람이 함께하기를 나는 원하는데 – 알아야겠다. 확실하게 알아야 해.

(*케팔로스는 이 문제에 대해 좀 더 알아보려고 에오스를 찾아간다.*)

[페이드인: 실내. 에오스의 궁전. 또 다른 방. 케팔로스와 에오스.]

케팔로스 에오스, 프로크리스에 대해 한 그 말은 무슨 뜻이어요? 이른 새벽에 나왔을 때 뭔가 에오스가 본 게 있었나요?

에오스 보았다고도 하지 않고, 보지 않았다고도 하지 않겠다. 내가 어느 쪽을 말하든 넌 지금 날 믿지 않을 테니까.

케팔로스 그건 사실이어요. 그렇지만 의심의 씨앗이 내 가슴에 생겼어요.

에오스 확실하게 네가 알 수 있는 방법을 가르쳐주지.

케팔로스 이 고통에서 내가 벗어날 수 있게 어서 말해주세요.

에오스 프로크리스를 시험해보렴.

케팔로스 어떻게요?

에오스 난 너의 모습을 변형시켜서 프로크리스가 너를 못 알아보게 할 수 있어. 아주 잘생긴 낯선 이방인으로 만들어줄 테니, 집에 돌아가서 네 아내가 과연 너를 잊었는지 시험해보렴.

케팔로스 우린 서로 속인 적이 없어요.

에오스　너도 의심해 본 적이 없었잖아.

케팔로스　네, 없었어요. 이런 고통을 느껴본 적이 없어요. 좋아요, 에오스. 프로크리스가 정조를 지켰으면 이건 속임수가 아니지요. 우리의 사랑을 더 강화시켜 줄 것입니다.

에오스　너를 프로크리스가 알아보지 못하는 미남으로 만들어주마. 그리고 프로크리스에게 네 정체를 드러낼 때 너는 너의 원모습으로 돌아갈 것이다.

케팔로스　네, 준비되었어요. 저를 변신시켜주세요. (페이드아웃.)

[페이드인: 옥외. 히메투스산. 프로크리스는 항상 하던 습관대로 케팔로스를 찾아 풍경을 자세히 살피면서 집 밖에 서 있다. 그녀는 어떤 남자가 길에 걸어오고 있는 것을 본다. 그녀의 심장이 뛴다.]

프로크리스　이게 정말인가? 케팔로스가 드디어 돌아왔나?

(그녀는 길에 있는 그 사람에게 달려간다. 남자의 모습을 알아볼 수 있을 만큼 가까이 갔을 때 그녀는 멈춘다. 케팔로스의 변장이 성공한 것이다. 그녀는 말끔히 옷을 입은 잘생긴 남자를 보고 조금은 겁을 낸다.)

케팔로스　부인, 겁내지 마십시오. 전 당신을 해치지 않습니다. 저를 소개하지요. 저는 아르카디의 아르카스 왕자입니다. 이곳의 멋진 산과 사냥에 대한 얘기를 듣고 직접 보고 싶어서 왔습니다.

프로크리스　제 남편이 여기 지금 없는 게 아쉽네요. 남편도 사냥을 매우 좋아했었는데.

케팔로스　좋아했었다고요? 과거에 그랬다고요?

프로크리스　새벽의 여신이 남편을 납치해 갔어요. 일시적이기를 바라요.

케팔로스 그런데 질투를 하지 않으세요?

프로크리스 싫지만, 남편이 기꺼이 따라간 것도 아니고, 또 그의 마음속에서 제가 떠난 것도 아닌 줄 알고 있으니까요.

(이 시점에서 케팔로스는 프로크리스를 팔에 안고 싶은 충동을 참느라고 애쓴다.)

케팔로스 싫어도 참아야 할 수밖에 없겠군요.

프로크리스 정말 어려운 일이어요. 그러나 저의 케팔로스가 돌아오면 얼마나 달콤할까 그 생각만 하고 지내요. 제가 지금 여행자를 소홀히 대하고 있군요. 시원한 음료수라도 대접할게요.

(케팔로스는 프로크리스를 따라 집 안으로 들어간다.)

케팔로스 아니, 저 식탁은 마치 저를 기다리고 있는 것처럼 차려있네요.

프로크리스 저는 이 집을 케팔로스가 떠난 그 날 아침 모습 그대로 놓아두었어요.

케팔로스 이 의자에 걸려있는 상의는 남편 것인가요?

프로크리스 네, 남편이 떠난 후부터 흘린 제 눈물로 옷이 축축하게 젖어 있어요. 앉으세요. 시장하실 텐데.

(케팔로스는 자리에 앉는다. 그는 감정을 억제하느라고 힘들어 하면서도 계속 자세를 가다듬는다.)

케팔로스 당신 남편 자리에 앉으려니 뭔가 제가 잘못하는 그런 느낌이 듭니다.

프로크리스 제우스의 법이 모든 것을 덮어주지요. 여행자의 필요를 도와주는 게

법칙이니까요. 케팔로스도 이 점을 인정하고 이해해줄 게 틀림없어요.

케팔로스 부인 같은 아내를 둔 남편은 정말 행운아입니다.

프로크리스 우리 둘 다 행운아지요. 비록 남편이 에오스와 같이 있기는 하지만 그의 마음은 저와 함께 이곳에 있을 테니까요.

케팔로스 따듯한 대접을 제가 염치불구하고 받아들이지만, 간청하건대, 어떤 식으로든 친절에 대한 감사 표시를 저도 하고 싶습니다.

프로크리스 제우스의 법을 따르면 그 자체에 보답이 담겨있지요.

케팔로스 그렇기는 하지만, 나뭇가지 치기 같은 허드렛일을 돕고 싶습니다. 장작 땔감 상자가 비어있던데요. 이 집에서 이런저런 남자의 손길이 필요한 것들이 제 눈에 들어옵니다. 제가 도울 수 있게 허락해주시지요.

프로크리스 기분을 상하게 할 생각은 아닙니다만, 제 남편이 저를 위해 하던 일을 다른 남자가 하는 것을 저는 바라지 않아요.

케팔로스 남편에 대한 충성심을 존중합니다. 그러나 남편께서도 부인이 필요로 하는 것들을 채우지 못하고 사는 걸 바라지 않을 텐데요.

프로크리스 그럴지도 모르지요. 좋아요. 그렇다면 손님이 하는 일은 일꾼이 하는 그런 것과 같은 겁니다. 손님의 노동을 폄하해서 하는 말은 아니어요.

케팔로스 걱정 마세요, 부인. 전 전혀 개의치 않습니다. 부인의 친절에 보답할 수 있게 허락해주시니 감사합니다.

프로크리스 네, 어서 식사하시지요.

(*프로크리스는 케팔로스 앞에 음식을 내놓는다.*)

[페이드인: 옥외. 케팔로스는 가시나무 관목을 열심히 정리하고 있다. 프로크리스는 집안일을 마친 후 나와서 그를 지켜본다. 케팔로스는 잠시 쉬려고 그녀 옆으로 온다.]

프로크리스 집 주변에서 남자가 하는 일을 다시 보고 있으니 기분이 좋네요.

(*케팔로스의 얼굴에 질투의 표정이 스친다.*)

케팔로스 부인께서 이제는 남편을 덜 그리워하시는가 보지요?

프로크리스 아니요. 남편을 그리워하면서도 다른 남자의 존재를 감상할 수 있지
않겠어요? 사실, 손님은 제가 케팔로스를 더 그리워하게 만듭니다. 비
록 남편을 조금도 닮지 않았지만, 어딘가 남편 생각이 나게 하는군요.

케팔로스 제 눈이 그렇습니까? 제 눈 속을 들여다보세요. 눈 안에 뭐가 보이는
지요, 부인?

(*케팔로스의 눈에서 번쩍이는 정열을 감지한 프로크리스는 뒤로 물러선다.*)

프로크리스 무언가 충실한 아내 된 사람이 다른 남자의 눈에서 보면 안 되는 그
런 것이 보여요. 손님, 손님께서는 넘어서는 안 되는 선을 지금 넘고
있어요. 이건 아마 남편이 할 일을 손님께 허락한 제 잘못에 있는 것
같습니다.

케팔로스 시인하십시오. 부인은 아름다운 여인이오. 아름다운 여인에게는 남자
가 필요합니다.

프로크리스 지금 무슨 말씀을 하셔요? 평생 저는 한 남자만 알고 살았어요. 다른
남자는 알고 싶지 않습니다.

케팔로스 추억만 끌어안고 사는 걸로 만족합니까? 만약 남편이 결코 돌아오지
않는다면? 부인의 그 미모를 썩히고 사는 게 옳은 일일까요?

프로크리스 남편이 돌아오든 않든 저는 오직 케팔로스에게만 속한 사람이어요.

케팔로스 그렇다면 여기 없는 케팔로스가 부인을 이렇게 만질 수 있나요? 부인
의 피를 끓게 할 수 있나요? 부인의 심장을 뛰게 할 수 있나요?

(*프로크리스는 순간 그가 건드리는 손끝에서 전율을 느끼고 몸을 떤다.*)

케팔로스 제가 만지니까 무슨 느낌이 드는 모양이군요.

(*프로크리스는 그에게서 돌아서서 울음을 터트린다. 케팔로스는 이때에 그의 정체를 드러내고 그녀와 마주한다.*)

케팔로스 그래서, 지금 당신이 보여주는 이 행동이 남편한테 충실하다는 표시요? 낯선 남자가 한번 만졌다고 이렇게 무너지는 거요?

프로크리스 케팔로스, 이게 당신이 나를 대우하는 방식인가요? 당신이 그런 속임수 따위에 굴복할 줄은 몰랐군요. 난 변함없이 당신한테 충실했어요. 당신이 손끝으로 날 건드렸을 때 그건 내가 내 남편 케팔로스의 손길을 생각하고 떨었던 거예요― 지금 내 눈앞에 있는 사기꾼이 아닌, 내 남편 말입니다. 난 한 번도 당신이 에오스와 함께 지낸 것을 비난할 의도는 없었어요. 그런데 나한테 이런 천박한 시험을 하다니! 오, 보기 싫어요, 케팔로스! 남자들의 불신과 속임수를 증오합니다. 이제부터 나는 처녀 아르테미스를 따르고 남자들을 멀리하겠어요.

(*프로크리스는 케팔로스에게서 떨어져 숲속으로 달려간다. 페이드아웃.*)

[페이드인: 옥외. 몇 개월 후. 케팔로스는 상심하여 땅바닥에 누워 비탄에 빠져 울부짖는다. 오레튀이아가 그에게 다가온다.]

오레튀이아 케팔로스, 일어나요. 정신 차려요.

케팔로스 프로크리스, 프로크리스, 돌아와요. 돌아와 줘요. 당신 없이 난 못 살아.

오레튜이아 케팔로스, 내 말 들려요? 이러면 안 돼요. 어서 일어나요. 이런다고
　　　　　해서 프로크리스가 돌아오지 않아요.

케팔로스 프로크리스를 돌아오게 할 수 있는 건 아무것도 없어요. 아무것도. 오
　　　　　불쌍한 내 신세.

오레튜이아 케팔로스, 노력을 해야지요. 날 믿어요. 난 프로크리스의 언니여요.
　　　　　당신이 노력하면 그 애가 돌아오도록 설득할 수 있어요.

(이 말에 힘을 얻은 케팔로스는 일어나 앉는다.)

케팔로스 오레튜이아, 정말로 프로크리스가 나한테 돌아올까요?

오레튜이아 네, 돌아와요. 자, 어서 일어나요.

(케팔로스는 일어선다. 페이드아웃.)

[페이드인: 실내. 아르테미스의 신전. 케팔로스와 아르테미스의 여사제.]

케팔로스 아르테미스 여신께 요청하오니, 저의 아내 프로크리스가 제게 돌아오
　　　　　도록 허락해주소서.

아르테미스의 여사제 프로크리스가 여기 왔을 때는 처녀의 몸으로 온 헌신자가
　　　　　아니었기 때문에 다시 집으로 돌아가는 것은 가능해요. 그러니 어떤
　　　　　맹세에도 구애받을 필요는 없어요. 단지 돌아가는 일은 그녀가 선택할
　　　　　일입니다.

케팔로스 저의 처참한 상태를, 죄를 뉘우치고 있는 저의 처지를 아내에게 전해
　　　　　주세요. 남은 일생을 저의 혐오스러운 속임수의 행동을 뉘우치며 그
　　　　　대가를 보상하며 살겠다는 뜻을 전해주십시오.

아르테미스의 여사제 좋습니다. 십자로로 가서 기다리세요. 프로크리스와 상의할

게요. 그녀가 동의하면 3시간 이내에 십자로에서 당신과 합류할 것입니다. 그러나 그 안에 그녀가 나타나지 않으면 그때는 영원히 잊으세요.

케팔로스 프로크리스가 저를 용서해주기를 간절히 기도합니다.

(*케팔로스는 신전을 떠나 십자로를 향해 간다. 페이드아웃.*)

[페이드인: 옥외. 십자로. 약 3시간이 지난 후 한 마리의 개 짖는 소리가 들리고 긴 창을 든 프로크리스가 나타난다. 케팔로스는 그녀에게 달려가지만 가까이 갔을 때는 그녀의 반응이 두려워 멈춘다. 프로크리스는 긴 창을 케팔로스에게 선물한다.]

프로크리스 사냥의 여신이 이 귀한 창을 나에게 주었는데, 내 온 마음을 다해서 당신에게 선사합니다.

(*케팔로스는 프로크리스를 팔에 안고 여러 차례 키스한다.*)

프로크리스 (*행복해하며*) 숨 막혀 죽겠어요, 케팔로스.
케팔로스 미안하오. 여보, 얼마나 당신이 그리웠는지 − 이렇게 당신을 안고 있으니 너무나 행복하오.
프로크리스 나도 그래요. 이제 우리의 남은 생은 우리 둘이 전적으로 함께 보내는 시간이어요.

(*키스하느라고 허비한 시간을 메꾸려는 듯 황홀경에 빠진 두 사람은 집을 향한다. 함께 가는 개도 그들 앞에서 뛰어오른다.*)

[페이드인: 실내. 프로크리스와 케팔로스가 집에 온 그다음 날.]

프로크리스 케팔로스, 당신은 날 보니까 기쁘지요. 항상 가던 이른 아침 사냥을
　　　　　　그동안 못 갔군요.

케팔로스 내가 깨달은 것이 있다면, 당신 없이는 무얼 해도 아무 즐거움이 없다
　　　　　　는 것, 사냥조차도 아무 의미 없다는 것을 알았소.

프로크리스 그래도 때가 되면 당신은 사냥하러 갈 거예요. 이제 가장 빨리 달리
　　　　　　는 개도 생겼고, 가장 멋진 창도 생겼으니 사냥감 추적하는 일이 더
　　　　　　즐거울 겁니다.

케팔로스 나야말로 세상에서 가장 행복한 사람이오. 그렇지만 우리의 사랑을 당
　　　　　　연한 것으로 여기지도 않을 것이고 다시는 당신을 의심하는 일도 없
　　　　　　을 것이오.

프로크리스 의심이란 건 틈을 엿보는 아주 교활한 거예요. 우리 사이에 의심의
　　　　　　후유증이 남아 있지 않도록 기도합니다.

케팔로스 의심의 후유증 같은 건 없소. 오히려 서로에 대한 신념을 더 강화시켜
　　　　　　주었지.

(*둘은 부드럽게 포옹한다.* 페이드아웃.)

[페이드인: 실내. 프로크리스의 집. 오레튜이아와 프로크리스.]

오레튜이아 너에게 상처 주고 싶지 않아서 알려주지 않으려고 했는데—프로크
　　　　　　리스, 그런데 보레아스가 전해주는 얘기를 들어보니, 이건 부당하고
　　　　　　부정하다 싶어서 너에게 일러주지 않을 수가 없었어.

프로크리스 믿어지지 않아. 보레아스 말은 확실한 거야?

오레튜이아 보지는 못했지만 케팔로스가 그 여자 이름을 부른 것을 들었대. 케

팔로스가 "내게 와줘요, 아우라. 그대의 입술로 이 뜨거운 가슴을 문질러서 식혀주세요" 했다는 거야.

(*프로크리스는 슬픔으로 거의 기절할 것 같다.*)

프로크리스 오, 난 저주받은 여자야. 이런 배신은 상상도 못 했어.

오레튜이아 나쁜 소식을 전하게 돼서 미안하다. 보레아스가 잘못 들었을 수도 있어. 보레아스가 다른 바람 소리를 잘못 들었는지도 몰라.

프로크리스 아무튼 알려줘서 고마워, 언니. 케팔로스가 정말로 날 배신했는지 내가 확인해야겠어.

오레튜이아 어떻게 하려고?

프로크리스 이른 아침마다 케팔로스가 산책 나가서 사냥을 하는 건지, 연애를 하는 건지, 내가 직접 확인할 거야.

오레튜이아 정말이지, 보레아스가 다른 사람 소리를 잘못 들었기를 바란다.

프로크리스 일이야 어떻든 우리 운명은 신들의 손에 달렸으니까. (페이드아웃.)

[페이드인: 옥외. 히메투스산. 피곤에 지친 케팔로스가 긴 창을 옆에 두고 푸른 잔디 깔린 둑 위에 뻗고 누워있다. 그는 힘든 사냥을 마치고 부드러운 바람이 그의 몸을 식혀 주기를 바라고 있다. 케팔로스의 눈에 띄지 않게 프로크리스가 둑 가까이로 몰래 다가간다. 케팔로스는 미풍이 불어오기를 계속 갈구하고 있다.]

케팔로스 어서 와요, 아우라. 내게 와줘요. 내 몸이 뜨거워요. 달콤한 숨결로 내 몸을 식혀주오. 이렇게 뜨거운 나를 붙잡아주어요.

(*케팔로스의 말을 들은 프로크리스는 흐느껴 운다. 그녀의 울음소리를 어느 야*

생 동물의 소리로 착각한 케팔로스는 옆에 놓인 창을 들고 소리 나는 쪽을 향해 던진다. 창은 프로크리스의 가슴에 꽂힌다. 케팔로스는 그곳으로 달려가서 끔찍하게도 피를 흘리고 있는 프로크리스를 발견한다. 그녀는 창을 가슴에서 뽑으려고 애쓰고 있다. 케팔로스는 슬피 울면서 그녀를 팔에 안는다.)

케팔로스 프로크리스, 용서해주오. 당신 가슴에 꽂힌 이 창이 차라리 내 가슴에 꽂히기를 바라오. 무슨 말 좀 해봐요, 여보.

프로크리스 (*힘없이 말한다.*) 케팔로스, 난 당신에게 항상 순결한 아내였어요. 그런데 왜 나 대신 아우라에게 마음을 빼앗겼나요?

케팔로스 아우라? 당신 그러면− 오, 여보, 나의 프로크리스. 아우라는 내 땀을 식혀주는 미풍 바람이오. 난 미풍을 부른 것이오. 내가 사랑한 사람은 당신 이외는 아무도 없어요.

프로크리스 우리 부부의 침상을 다른 여자와 나누지 않을 거지요?

케팔로스 절대 그런 일은 없소.

(*프로크리스는 힘이 빠지면서 급속하게 가라앉는다. 케팔로스는 미친 듯 필사적이다.*)

케팔로스 프로크리스, 나를 비참하게, 처참하게 이 세상에 혼자 내버려 두고 떠나지 마오, 여보!

프로크리스 (*아주 힘없이*) 절망하지 말아요. 당신이 내게 진실했다는 사실을 알았으니 난 행복해요. 당신을 나무라지 않겠어요.

(*프로크리스는 케팔로스를 사랑과 용서의 눈으로 바라보며 그의 팔에 안겨 숨을 거둔다. 케팔로스는 피 묻은 창을 프로크리스의 가슴에서 조심스럽게 뽑는다.*)

케팔로스 프로크리스의 피 묻은 저주받은 창아! 아니, 그보다는 내가 심어놓은 악독한 의심의 씨앗이 박힌 저주받은 창아, 넌 나의 응징의 도구로구나. 신들이여, 당신들의 보복이 이루어졌습니다. 당신들의 도구는 치명적인 일을 했습니다. 난 이제 이 창을 당신들에게 돌려줍니다. 창과 함께 내 인생의 기쁨도 돌려줍니다.

(*케팔로스는 창을 여러 개로 꺾어서 슬픈 심정으로 프로크리스의 몸에 얹어놓는다.*)

20

오르페우스와 에우리디케: 간절한 사랑

등장인물		
에우리디케	에우테르페	하데스
오르페우스	아리스타이오스	페르세포네
히멘	퀴레네	마에나드 1
칼리오페	카론	마에나드 2

[페이드인: 옥외. 트라키아의 삼림지대. 숲의 요정 에우리디케가 나무에 앉아 졸고 있다. 그녀는 수금에 맞춰 부르는 기막히게 아름다운 노랫소리에 깨어난다. 갑자기 그녀는 몸을 떨면서 나뭇가지에 꽉 매달린다. 그녀의 몸이 떨린 이유는 노래가 들리는 방향으로 나무가 뿌리째 흔들리고 있기 때문이다. 에우리디케는 다른 나무들과 돌들도 모두 노래가 들리는 방향으로 움직이고 있는 것을 본다. 그들은 푸른 초장으로 모이는데 그곳에서 에우리디케는 오르페우스를 본다. 수금에 맞추어 넋을 빼는 노래가 퍼져나가고 에우리디케는 천상의 음악을 더 잘 듣기 위해 나무에서 내려와 가까이 간다. 오르페우스는 그녀를 보자 노래를 멈춘다.]

에우리디케 어서 계속하세요. 방해할 생각은 없었어요.

오르페우스 아름다운 요정이여, 정확히 말해서 음악을 멈춘 것은- 당신의 미모가 제 음악을 능가하기 때문입니다.

에우리디케 친절한 말씀이네요. 그렇지만 어느 누구의 미모도 당신의 노래를 능가할 순 없어요.

오르페우스 당신을 뭐라고 부릅니까?

에우리디케 에우리디케요. 숲의 요정이어요.

오르페우스 당신 집 나무의 뿌리를 뽑히게 해서 미안합니다. 저의 음악 때문에 그렇게 되었군요.

에우리디케 미안해 하지 마세요. 그런 천상의 소리를 놓칠 순 없지요.

오르페우스 나의 수금과 노래는 불멸의 신 아폴로와 나의 어머니 뮤즈인 칼리오페에게서 받은 재능이어요. 그러니 나 혼자 칭찬을 다 받을 수는 없지요.

에우리디케 칼리오페- 그분은 아름다운 목소리를 지닌 분이어요.

오르페우스 에우리디케, 당신은 아름다운 얼굴을 지닌 분이오.

(에우리디케는 부끄러워 얼굴을 붉히고 눈을 아래로 내리뜬다.)

오르페우스 순진하게 얼굴을 붉히니 더욱 아름답네요. 에우리디케, 난 지금 가봐야 해요. 그러나 꼭 다시 돌아올 겁니다.

(에우리디케는 묵묵히 아래를 내려다보고 있던 눈을 올린다. 페이드아웃.)

[페이드인: 옥외. 트라키아의 삼림지대. 오르페우스와 에우리디케가 서로 손을 잡고 걷는다.]

오르페우스 히멘이 직접 우리 결혼을 축복해줄 것입니다, 에우리디케.

에우리디케 난 너무 행복해요, 오르페우스. 우리 두 사람의 인생은 끊어질 줄 모르는 행복의 노래가 될 거예요.

오르페우스 난 음악과 노래를 선사하고, 당신은 행복한 삶을 이루어줄 것이고,

(두 사람은 행복하게 걸으면서 키스한다. 페이드아웃.)

[페이드인: 옥외. 트라키아의 같은 삼림지대. 오르페우스와 에우리디케의 결혼식
전에, 오르페우스의 어머니 칼리오페를 포함한 아홉 명의 뮤즈들은 아폴로의 지
휘 아래 노래를 부르고, 은총의 여신 세 자매와 때의 여신 세 자매는 춤을 춘다.
숲의 요정들의 시중을 받으며 에우리디케가 한쪽에 서 있고 오르페우스는 그의
아버지 오이아그로스와 그의 형 리노스의 시중을 받고 서 있다. 음악과 춤의 공
연이 끝난 후 히멘이 중앙에 나온다. 신랑과 그 일행, 그리고 신부와 그 일행이
모두 히멘 앞에 함께 선다.]

히멘   오르페우스와 에우리디케는 서로 손을 잡으세요. 제우스가 내게 부여
           한 권한으로 두 사람의 결혼식을 집례하러 왔어요. 나의 임무를 수행
           하기 전에 두 사람에게 묻겠습니다. 두 사람은 서로 영원히 사랑할 것
           을 맹세하고 다른 습관 등은 모두 버리고, 오직 지속적으로 조화를 이
           루고 살겠다는 한 가지 약속을 맹세하겠습니까?
오르페우스와 에우리디케 맹세합니다.
히멘   이 횃불의 불처럼 두 사람의 사랑이 영구한 빛을 발하리라.

(히멘은 그의 횃불을 흔든다. 그런데 횃불은 연기를 내어 오르페우스와 에우리
디케의 눈에 눈물이 나게 만든다. 마음이 산란한 칼리오페는 그의 동료 뮤즈인
에우테르페에게 속삭인다.)

칼리오페   에우테르페, 신랑 어머니 된 입장에서 내 심장이 떨리네. 이건 혼례의
           나쁜 징조야.
에우테르페   횃불이 잘못된 거겠지. 단순히 뭔가 잘못돼서 그럴 거야.
칼리오페   그랬으면 좋겠는데, 어째 내 마음이 무거워.

에우테르페 저 두 사람 좀 봐. 둘이 얼마나 행복한가.

칼리오페 언제나 그러기만을 기도해야지. (페이드아웃.)

[페이드인: 옥외. 트라키아의 삼림지대. 다음 날 아침. 에우리디케는 아직 잠자고 있는 오르페우스를 두고 아침 산보를 나간다. 윙윙대는 소리를 들은 그녀는 나무에서 벌들을 돌보고 있는 아리스타이오스를 본다. 에우리디케는 호기심으로 그를 바라본다. 아리스타이오스는 그녀를 올려다보며 말한다.]

아리스타이오스 아, 아름다운 에우리디케, 오르페우스의 신부로군요.

에우리디케 행복한 신부여요.

아리스타이오스 에우리디케, 우린 서로 관계가 있어요. 혈연관계는 아니지만 그래도 우리 두 사람은 뮤즈들과 가깝고, 난 당신의 시어머니 칼리오페를 비롯한 뮤즈들 손에 자랐어요. 당신의 친구인 물 요정 퀴레네가 우리 어머니니까요.

에우리디케 네, 퀴레네는 사랑스러운 요정이어요. 우린 즐거운 시간을 함께 많이 보냈어요.

(*에우리디케는 조금은 염려스러운 눈으로 벌들을 쳐다본다.*)

아리스타이오스 두려워 마세요, 사랑스러운 에우리디케. 당신의 아름다운 살을 쏘지는 않을 테니까요. 당신을 쏘면, 그거야말로 정말 익살스러운 얘기겠어요.

(*아리스타이오스는 에우리디케에게 좀 더 가까이 다가가서 그녀의 팔을 만지려고 손을 뻗지만 에우리디케는 뒤로 물러선다.*)

아리스타이오스 오르페우스는 운 좋은 사나이어요.

(*아리스타이오스는 한 번 더 가까이 다가와서 에우리디케를 만지려고 손을 뻗는다.*)

에우리디케 내 남편 외에는 누구도 날 만진 사람이 없었고 앞으로도 없을 거예요.

(*에우리디케는 돌아서서 아리스타이오스로부터 벗어나 달려간다. 그녀는 발이 빠르다. 아리스타이오스 역시 발이 빠르다. 쫓아오는 그를 피하려는 중에 그녀는 뱀을 밟아 물린다. 그녀는 그 자리에 넘어지고 아리스타이오스는 무슨 일이 일어났는지 본다.*)

아리스타이오스 에우리디케, 이런 일이 생기게 할 의도는 없었어요. 제발, 제발 날 용서해주세요.

(*에우리디케는 반응이 없다. 뱀의 독은 치명적이어서 그녀는 그 자리에 죽어있다.*)

아리스타이오스 (*혼잣말로*) 우리 어머니가 손을 써서 에우리디케를 소생시킬 수 있는지도 몰라. 어머니한테 가봐야겠다. (*페이드아웃.*)

[페이드인: 삼림지대. 잠에서 깨어 밖으로 나온 오르페우스는 에우리디케를 찾는다.]

오르페우스 (*짓궂게 놀리는 투로*) 에우리디케, 어디 있어요? 남편과의 잠자리를 그렇게 빨리 빠져나가다니.

(오르페우스는 걸으면서 그녀를 찾는다. 계속 에우리디케 이름을 부른다. 곧 에우리디케가 쓰러져 있는 장소에 닿았을 때 그는 그녀가 그곳에서 잠이 든 것으로 착각한다.)

오르페우스 여기 있었군. 나 없이 이런 데서 잠을 자다니.

(오르페우스는 그녀에게 키스하려고 몸을 숙인다. 그의 입술이 그녀의 입술에 닿자 차갑고 생명이 없음을 느낀다. 그는 그녀를 붙들고 흔든다. 그리고는 부풀어 오른 다리와 뱀에게 물린 자국을 발견한다. 오르페우스는 망연자실한 슬픔에 빠진다. 그녀를 안고 슬피 우는 그의 애도가는 어찌나 슬픈지 주변의 모든 자연이 움직이지 않고 아무 소리도 내지 않는다. 바스락대는 나무 잎새들도 소리를 죽이고 꽃들은 피우던 꽃을, 잔디는 자라던 동작을 멈추고 새들도 노래를 멈춘다. 숲속의 동물들이 모두 죽은 듯이 그 자리에 멈춰있다. 모든 생물들이, 모든 것들이 숨죽이고 가만히 있다. 온 자연이 애도하는 가운데 오르페우스는 울면서 죽은 신부를 팔에 안고 있다. 페이드아웃.)

[페이드인: 옥외. 강둑. 아리스타이오스는 강둑 위에 서서 어머니 퀴레네를 부른다.]

아리스타이오스 어머니, 어머니의 위로와 충고가 필요해요. 제발, 제발, 저의 애
　　　　　　　원을 들어주세요. (페이드아웃.)

[페이드인: 실내. 강물 밑바닥. 퀴레네는 그녀의 시녀 물 요정과 함께 베틀 앞에 앉아있다. 아리스타이오스의 소리가 이들을 멈추게 한다.]

퀴레네 저건 아리스타이오스 목소린데. 아들이 나를 필요로 하는 모양이다.

(퀴레네는 강에게 문이 열리도록 명하고 강은 아리스타이오스가 서 있는 강둑으로 향하는 길을 연다. 아리스타이오스는 열린 길을 따라 내려온다. 그는 곧 강의 분수대들이 있는 장소에 도착한다. 거대한 이 분수대들은 육지에 물을 공급한다. 그 길은 아직 열려있고 그는 곧 어머니가 사는 곳에 도달한다. 퀴레네는 그를 따듯이 맞이한다.)

퀴레네 무슨 일이냐, 아들아? 절망적인 얼굴이구나.

아리스타이오스 네, 절망적이어요, 어머니. 아름다운 나무 요정 에우리디케를 아시지요?

퀴레네 그래, 좋은 시간을 함께 많이 보냈어. 그 애는 지금 오르페우스와 결혼했지.

아리스타이오스 결혼을 했었지요.

퀴레네 그게 무슨 소리냐? 결혼을 했었다니?

아리스타이오스 어머니는 잘 아시지요. 그 아름다운 요정을 제가 항상 좋아했던 걸.

퀴레네 그래선 안 된다는 걸 고쳐주지 못한 내 잘못도 있지.

아리스타이오스 그런데, 어머니, 에우리디케가 얼마나 아름다웠었는지 잘 아시지요.

퀴레네 아름다웠었다니? 왜 과거형으로 자꾸 말하는 거냐?

아리스타이오스 어머니, 내가 숲에서 그 여자를 보고 만져 보려고 했는데 - 그 여자가 도망가다가 그만 뱀에게 물렸어요.

퀴레네 치명적이냐?

아리스타이오스 네, 네. 치명적이어요! 나 때문이어요. 내 잘못이어요!

(*아리스타이오스는 흐느끼며 운다. 퀴레네는 두 팔로 아들을 감싸 안아준다.*)

퀴레네　넌 뭐든지 제멋대로 행동하긴 했지만, 아리스타이오스, 네가 잔인한 적은 없었어. 자신을 탓하지 마라. 그 애를 해칠 의도는 없지 않았느냐.

아리스타이오스　해칠 생각은 추호도 없었어요. 그저 한번 만져보고 싶었어요. 너무 아름다워서요.

퀴레네　내가 너에게 벌 치는 법을 가르쳐 주었을 때 나는 그 기술이 너의 생활 태도를 절도있게 고쳐줄 것으로 알았다.

아리스타이오스　이건 다른 얘긴데요. 강으로 오는 길에 내 벌들을 보았어요. 전부 죽어서 한 덩어리로 쌓여있었어요.

퀴레네　숲의 요정들이 동료의 죽음을 초래한 너에게 복수를 한 거다.

아리스타이오스　어머니, 내가 속죄하려면 어떻게 해야 되나요? 무슨 일이든 기꺼이 하겠어요.

퀴레네　숲의 요정들이 무얼 요구하는지 내가 알아보마. 그동안은 네 몸에 신들의 넥타르를 뿌려주마. 넥타르는 너에게 시련을 극복할 수 있게 해주고 용기와 인내심을 북돋아 줄 거야.

(*그렇게 말하면서 퀴레네는 아리스타이오스에게 넥타르를 뿌려준다. 그는 즉시 정신이 새로워지는 것을 느낀다.*)

아리스타이오스　기분이 훨씬 나아졌어요, 어머니.

퀴레네　넌 이제 가 있어라. 숲의 요정들을 만난 후에 널 찾아가마. (페이드아웃.)

[페이드인: 옥외. 아리스타이오스는 죽어있는 그의 벌들 옆에 수심에 차서 앉아

있다. 퀴레네가 그에게 온다.]

아리스타이오스 어머니, 무얼 알아 오셨어요?

퀴레네 내가 생각했던 대로야. 에우리디케의 죽음 때문에 요정들이 너한테 몹시 화가 났어. 벌들을 파괴한 건 그들 소행이야.

아리스타이오스 에우리디케를 해칠 뜻은 전혀 없었어요. 그녀를 다시 살려낼 수만 있다면 전 무슨 일이든 하겠어요.

퀴레네 죗값을 치르기 위해서 무슨 일이든 하겠다는 너의 뜻을 전했다.

아리스타이오스 무슨 일이든 꼭 하겠어요.

퀴레네 요정들이 말한 게 이거야. 너는 형태, 크기, 외모가 모두 완벽하고 보기 좋은 네 마리의 암소를 선택하고, 잎이 우거진 숲에서 요정들을 위해 네 개의 제단을 만드는 거다. 그리고 또 암소의 경우처럼 똑같이 완벽한 황소 네 마리를 선택해서 잎이 무성한 같은 숲에 요정들을 위한 네 개의 제단을 더 만들어야 한다. 그런 후에 암소 네 마리와 황소 네 마리를 희생 제물로 바쳐야 한다. 그리고 그 시체들을 숲속 제단 앞에 두어라. 그런 후 9일 동안 낮과 밤을 너는 금식하고 에우리디케의 영을 위한 장례를 치를 헌주를 올려야 한다.

아리스타이오스 요정들이 요구한 그대로 정확하게 따르겠어요. 요정들은 저를 용서해주겠지요.

퀴레네 아들아, 에우리디케가 그런 일을 당하리라고 알고 저지른 짓은 아닐지라도, 그래도 너에게 책임이 있다는 점을 명심해라. 오늘은 네가 받는 벌이 가벼워 보일지 모르지만, 네가 사랑하는 한 생명을 어느 날 배상으로 요구받을 수도 있다. 그러나 지금은 어서 가서 속죄하는 일에만 신경 쓰도록 해라.

아리스타이오스 그러겠어요, 어머니. 나의 미래의 일로 오늘의 고마움을 약화시키지는 않겠습니다.

(*퀴레네는 강의 바닥으로 돌아가고 아리스타이오스는 요정들이 지시한 교의를 수행하러 떠난다. 페이드아웃.*)

[페이드인: 옥외. 잎이 우거진 숲. 9일 후. 아리스타이오스는 암소와 황소의 시체가 각각 놓인 8개의 제단 앞에 엎드려있다. 그는 지난 9일간 했던 것처럼 각 시체 위에 헌주를 다시 부으려고 일어난다. 그런데 오늘은 첫 번째 시체에 다가갔을 때 그의 귀에 벌처럼 윙윙대는 소리가 들린다. 시체 위를 날아다니는 벌은 하나도 없다. 그러나 시체 속을 들여다보니 그 안에 한 무리의 벌 떼가 보인다. 다른 일곱 개의 시체에서도 같은 현상을 발견한다. 각각의 시체 안에 벌 떼가 들어있다.]

아리스타이오스 오 멋진 요정들이여, 고맙습니다. 나의 귀한 벌들을 소생시켜주시니 고맙습니다.

(*아리스타이오스는 다시 한번 엎드려 요정들을 향해 감사의 절을 한다. 페이드아웃.*)

[페이드인: 옥외. 삼림지대. 에우리디케의 사망 후 나흘째. 오르페우스는 그의 수금을 들고 있으나 현을 켜지 않고 노래도 부르지 않는다. 그 대신 이 나무 저 나무로 옮겨 다니며 구슬피 운다.]

오르페우스 에우리디케, 나뭇가지 사이에 숨어있어요? 숨바꼭질 놀이를 하는 건가요? 당신이 나의 세상으로 오지 않는다면 내가 당신 세상으로 가겠어요. (페이드아웃.)

[페이드인: 옥외. 펠로폰네소스 남동쪽에 있는 라코니아. 오르페우스는 지하 세

계로 가는 통로가 있는 타에나룸곳 아래로 내려간다. 그는 유황빛 불꽃을 내뿜으며 이상한 소리가 나고 증기가 가득한 통로로 들어간다. 오르페우스는 계속 걸어서 스틱스강에 닿는다. 이곳에서 그는 강을 건너게 해줄 뱃사공 카론에게 아우성치고 매달리는 여러 혼령(魂靈)들과 마주친다. 오르페우스는 에우리디케의 죽음 이후 처음으로 수금을 켜고 노래를 부른다. 노랫소리가 어찌나 아름답던지 시끄럽던 혼령들이 조용해지고 카론도 이들을 밀어내는 일을 멈춘다. 오르페우스가 노래를 끝내자 카론이 그에게 말을 건넨다.]

카론 음악을 멈추지 마시오. 당신의 음악엔 이 지하 영역에서는 드물게 듣는 천상의 기운이 있어요. 생각지도 못한 특별한 경험이오.

(혼령들도 오르페우스에게 음악을 계속 들려달라고 간청한다.)

오르페우스 네, 그러겠습니다. 그런데 한 가지 조건이 있어요.

카론 무슨 조건이오?

오르페우스 저를 스틱스강 건너편으로 태워다 주세요.

카론 그렇지만 당신은 망자가 아닌데 어째서 하데스에 가기를 자원하시오?

오르페우스 사랑하는 아내 에우리디케가 지금 그곳에 있기 때문입니다.

카론 에우리디케? 며칠 전 내가 그 여자의 혼령을 태우고 건넌 기억이 나오.

오르페우스 부디 저를 그곳에 데려다주세요. 내 아내를 놓아주도록 하데스를 설득해서 데려올 생각이어요.

카론 하데스는 결코 그런 일은 하지 않을 것이오. 그러나 또 누가 알겠소? 흔히 말하기를 음악은 미개한 동물도 홀려서 진정시키는 마력이 있다고들 하니까. 지하 세계의 주인도 그 마력에 매혹될지 누가 알겠소. 어서 배에 오르시오.

(오르페우스는 혼령들로 만원인 배를 타고 어두운 강을 가로질러 간다. 반대편 강가에 내릴 때 오르페우스는 머리가 셋 달린 개 케르베로스가 짖는 소리를 듣는다. 세 개의 머리가 모두 오르페우스를 보고 짖어 댄다. 개 짖는 소리와 함께 세 마리의 뱀이 머리를 각각 오르페우스에 대고 쉬 소리를 낸다. 이에 겁내지 않고 오르페우스는 수금을 타며 아름답게 노래를 부른다. 그의 음악에는 지옥의 개조차 매혹시키는 힘이 있다. 오르페우스는 하데스의 궁으로 가는 문을 통과한다. 페이드아웃.)

[페이드인: 실내. 하데스의 궁전. 오르페우스는 하데스와 페르세포네 앞에 서 있다.]

오르페우스 하데스 전하, 저의 에우리디케를 돌려주시기를 간청하려고 이곳에 왔습니다.

하데스 나의 정책은 그 반대다. 난 누구든 다시 저 세상으로 돌려보낸 적이 없어. 자네 심정이 애절하고 비통하겠지만, 그런 일은 없다.

오르페우스 사랑하는 여인과 떨어져 있는 심정이 어떤 것이지 잘 아실 텐데요.

(페르세포네는 남편의 팔을 건드린다.)

페르세포네 여보, 그렇지만, 예외의 경우가 있지 않겠어요? 너무나 짧은 결혼 생활이었는데요.

하데스 사랑하는 페르세포네, 당신의 간청에 동요는 되지만 이건 내 근본 통치법에 어긋나는 일이오.

오르페우스 저는 언변은 좋지 않습니다만, 제 음악으로 저의 처지를 더 잘 전달할 수 있을 것 같습니다.

(오르페우스는 그의 수금을 켜고 노래를 부르는데 어찌나 매혹적인지 하데스조차 감격한다.)

페르세포네   여보, 부탁해요. 이번 한 번만. 나를 위해서 오르페우스의 청을 들어주시면 안 될까요?

하데스   자넨 나의 아내와 단단한 동맹을 맺었군그래. 에우리디케가 저 세상으로 돌아가는 데 동의하겠네. 그러나 한 가지 지켜야 할 중요한 약정이 있어.

오르페우스   어떤 약정도 꼭 지키겠습니다.

하데스   하데스를 빠져나가는 길을 자네가 에우리디케 앞에서 인도해야 하는데, 타에나룸의 통로를 거쳐서 저 세상 공기를 마시기 전까지는 절대로 에우리디케를 돌아다보면 안 되네.

오르페우스   알겠습니다. 말씀대로 지키겠습니다.

(하데스는 에우리디케를 불러오게 한다. 에우리디케는 아직도 독사에 물린 상처로 절뚝거리며 들어온다. 오르페우스가 행복해서 그녀를 껴안는다.)

오르페우스   아직도 독사의 상처로 고통받고 있구려. 이제부터는 내가 지켜줄 테니 걱정하지 말아요, 여보.

하데스   조건을 잊지 말게나. 저쪽 세상 밖으로 나가기 전에는 절대로 에우리디케를 돌아다보면 안 된다는 걸 명심하게.

(오르페우스는 에우리디케를 껴안고 키스하고 길을 인도하며 앞으로 나간다. 페이드아웃.)

[페이드인: 실내. 타에나룸의 통로 입구. 오르페우스는 앞서서 여전히 에우리디

케를 인도하고 간다. 그는 통로 입구에서 대낮 같은 빛이 들어오는 것을 보자 본능적으로 뒤에 있는 에우리디케를 확인하기 위해 돌아다본다. 그 순간 에우리디케는 뒤로 떠내려간다. 오르페우스는 그녀를 붙잡으려고 애쓰지만 닿을 수 없이 멀어진다. 에우리디케는 웅얼거린다. "잘 가요." 그녀의 작별인사는 땅 밑 깊은 속에서 메아리친다. 오르페우스는 에우리디케를 쫓아 스틱스 강둑까지 다시 간다. 이번에는 카론이 그를 밀어낸다.]

오르페우스 제발 빕니다, 하데스의 뱃사공이여, 나를 강 건너로 데려다주세요.
카론 저리 비켜. 잃어버린 기회를 다시 주장할 수는 없지. 어서 꺼지라니까.

(*카론은 오르페우스를 강둑 진흙 바닥으로 밀어낸다. 오르페우스는 진흙 속에 누워서 자신의 머리카락을 쥐어뜯으며 계속 운다. 페이드아웃.*)

[페이드인: 옥외. 트라키아. 헵브루스 강가. 3년 후. 오르페우스는 새들과 짐승들에게 먹을 것을 주면서 금욕적인 고행자의 생활을 하고 살아간다. 그는 여전히 수금을 켜고 노래를 부르지만 그의 노래는 이제 우울한 음악뿐이다. 이날 표범 가죽옷을 걸친 광란의 마에나드들이 새, 짐승, 돌들이 흘려서 오르페우스의 노래를 듣고 있는 앞에 나타난다. 마에나드들은 포도를 잔뜩 갖고 광기에 젖어있다. 그들은 오르페우스를 방해한다.]

마에나드 1 어여쁜 젊은이, 너의 음악은 비상하기는 한데 너무 슬프구나. 내가 네 옆에 앉아 네 음악의 박동을 빠르게 해주마.

(*그녀는 오르페우스 옆에 앉아 그를 음탕하고 거칠게 만지작거린다. 다른 마에나드들은 광적으로 춤을 춘다. 맨살의 가슴을 두들기다가 번갈아 넓적다리를 치고 그뿐 아니라 그들이 지닌 뱀들을 이리저리 돌려대고 포도를 입속에 마구 처*)

넣는다.)

마에나드 2 야, 이 아름다운 청년을 네가 독점할 거냐? 넌 충분히 만졌어. 이제 내 차례야.

(마에나드 1은 오르페우스의 두 다리를 움켜쥐고 놓지 않는다.)

마에나드 2 저리 비켜. 인제 내 차례다. 내가 만질 거야.

(다른 마에나드들도 오르페우스를 이리저리 끌어당기고 잡아당기며 모두 그에게 덤벼든다. 이들은 일상적으로는 동물을 찢어발겨 놓는데 이제 오르페우스를 조각조각 찢고 있다. 이들은 토막 낸 그의 몸을 버리고 다른 희생물을 찾아서 간다. 오르페우스의 머리와 수금은 물에 빠져있고 그의 조각 난 몸의 부분들은 강둑에 널려있다. 오르페우스의 머리와 수금은 물살을 타고 계속해서 "에우리디케"를 부르며 흘러간다. 아폴로가 올림포스산에서 훌쩍 내려와 그의 수금을 집어 올려 하늘 위에 거문고 별자리를 만든다. 그의 머리는 레스보스까지 흘러 내려 가서 그곳의 신전에 안치된다. 한편 그의 어머니 칼리오페와 뮤즈들이 오르페우스의 해체된 몸을 에우리디케 나무 아래 묻어준다. 오르페우스의 혼령은 이제 행복하게 하데스의 극락세계를 찾아간다. 그곳에서 그와 에우리디케는 행복하게 손잡고 걷고 있다. 그러나 극락세계에서조차도 오늘날까지 오르페우스는 에우리디케 앞에서 걸을 때는 여전히 그녀를 뒤돌아보아서는 안 된다.)

21
알케스티스와 아드메투스: 이기적인 사랑

등장인물

아폴로	클로토, 실 잣는 자
아스클레피우스	라케시스, 운명의 제도사
제우스	아트로포스, 실을 자르는 자
병사	페레스
아드메투스	페리클리메네
노예 아폴로	하데스
펠리아스 왕	페르세포네
알케스티스	

[페이드인: 옥외. 에피다우로스. 약초를 캐고 있는 아스클레피우스 앞에 그의 아버지 아폴로가 나타난다.]

아폴로　아스클레피우스, 넌 제우스에게 심각한 문제를 일으켰구나.

아스클레피우스　아버지, 전 그 이유를 알고 있어요. 죽은 자에게 생명을 돌려주었기 때문이어요. 제우스는 저를 이해해야 해요. 저는 치료의 아버지가 아닙니까. 치료에는 한도가 없어요.

아폴로　한도는 있어야 하는 거야— 아스클레피우스, 제우스는 죽은 사람을 다시 살려내는 것을 허락지 않는다.

아스클레피우스　그렇지만 그 사람은 이미 살아났어요.

아폴로   일은 저질러졌는데 제우스는 답을 주지 않고 있어.

(아스클레피우스는 더 많은 약초를 캐려고 허리를 구부린다. 그때에 하늘에서 천둥 번개가 치며 아스클레피우스를 때려 그는 그 자리에서 죽는다. 아폴로는 죽은 아들을 팔에 안는다.)

아폴로   내가 약속한다. 너의 죽음에 대한 원수를 갚아주마. 제우스에게 직접 원수를 갚지는 못하지만, 죽음을 가져온 도구들에게 갚아줄 것이다. (페이드아웃.)

[페이드인: 실내. 시실리의 동굴. 외눈박이 키클롭스 세 명인, 아르케스, 브론테스, 스테로페스는 제우스를 위한 천둥번개를 만드는 일에 바삐 열중하고 있다. 아폴로는 키클롭스들의 눈에 띄지 않게 동굴 안으로 몰래 들어온다. 그리고 재빠르게 이들의 가슴을 향해 화살을 쏘아 이들이 하는 일은 그 자리에서 멈춘다. 페이드아웃.]

[페이드인: 실내. 올림포스. 제우스의 홀. 아폴로가 제우스 앞에 서 있다.]

제우스   아폴로, 네 오만한 머리가 너무 커져서 이제 월계관을 쓸 수 없게 된 것 아니냐? 법은 누구나 지켜야 하는 거야. 너라고 예외는 아니야.

아폴로   그렇지만 아스클레피우스는 제 아들이어요.

제우스   그 앤 내 손자이기도 하다. 그러나 누구도 법을 어기면 안 돼. 나 제우스 역시 법을 어기면 안 되지.

아폴로   저에게 내리는 벌을 기꺼이 받겠어요.

제우스   테살리 페라에의 아드메투스 왕에게 가서 일 년간 그의 노예로 봉사하여라. 너의 정체를 그에게 알리지 말고 이방인 행세를 해라.

아폴로　일 년 동안 노예 노릇을 하겠습니다.

(*아폴로는 떠난다. 페이드아웃.*)

[페이드인: 실내. 페라에의 아드메투스 왕실. 소 치는 사람 옷을 입은 아폴로가 왕 앞에 불려 온다. 병사가 그를 거칠게 다루며 왕 앞으로 밀고 간다.]

병사　전하, 이자가 암소들 사이에서 어슬렁거리고 있는 것을 발견했습니다.
아드메투스　잠깐, 병사. 제우스의 친절 법을 기억하게. 그 법은 노예들에게도 똑같이 적용되는 걸세.

(*왕으로부터 꾸중 들은 병사는 옆으로 비켜선다.*)

아드메투스　이방인이여, 당신은 지금 아드메투스 왕의 궁전에 있소. 난 제우스의 법을 존중하는 걸 자랑스럽게 여기오. 당신이 내 지붕 아래서 불손한 대우를 받는다면 무례히 행하는 자는 처벌받을 것이오.
노예 아폴로　전하, 황공합니다. 제우스는 분명 저에 대한 전하의 친절을 좋게 여길 것입니다.
아드메투스　암소들 근처에서 발견되었단 말이지. 나를 위해 암소 치기를 하고 싶은 거요?
노예 아폴로　전하를 위해 그렇게 할 수 있게 해주신다면 영광입니다.
아드메투스　그렇게 하시오. 당신은 이제부터 소 치는 사람이오. 우선 몸을 씻고 식사부터 하시오.

(*노예 아폴로는 절을 하고 하인들의 인도를 받으며 나간다. 페이드아웃.*)

[페이드인: 옥외. 외양간. 일 년 후. 아폴로의 신분은 아직도 노출되지 않았다. 그를 노예로만 알고 있는 아드메투스는 아폴로를 진실된 그의 친구로 여긴다.]

아폴로 전하, 전하의 우정에 진심으로 감사합니다. 그러나 전하께서 이렇게 외양간에서 많은 시간을 보내시는 건 어울리지 않습니다.

아드메투스 다른 사람들이 뭐라고 하던 난 신경 쓰지 않겠네. 내가 친구를 택할 때는 그 사람의 마음과 정신을 본다오. 그 사람이 무얼 입었는지 외모를 보고 친구 삼지 않아요.

아폴로 진심으로 고맙습니다. 그런데 오늘은 전하의 표정이 매우 슬퍼 보이십니다.

아드메투스 알케스티스 때문이오.

아폴로 알케스티스?

아드메투스 이올코스의 펠리아스 왕의 딸이오. 알케스티스와 결혼하고 싶은 구혼자는 사자 한 마리와 멧돼지 한 마리를 그의 전차에 묶어야 한다는 조건을 내걸고 있소.

아폴로 듣자니 불가능해 보이는 조건이군요.

아드메투스 그렇소. 그래도 난 알케스티스만을 아내로 삼고 싶으니 이 일을 어찌하면 좋겠소?

아폴로 흠— 음— 내일이면 제가 이곳에 온 지 꼭 일 년째 되는 날이어요.

아드메투스 그게 무슨 관계가 있소?

아폴로 큰 관계가 있습니다. 내일이면 아시게 됩니다. 자, 우울한 기색을 벗고. 밝아질 내일을 기대하세요.

아드메투스 말은 쉽지. 알케스티스를 빼앗길 사람은 자네가 아니니까.

아폴로 내일을 기다려보시지요, 친구여.

(*아드메투스는 우울하게 궁으로 돌아간다.* 페이드아웃.)

[페이드인: 옥외. 외양간. 이튿날. 아드메투스가 아폴로를 찾아온다. 소 치는 사람 대신 화려한 의상의 아폴로를 본 왕은 눈이 휘둥그레 의아해한다. 아폴로가 눈부시게 찬란한 모습으로 왕 앞에 나타난다.]

아드메투스 아폴로 신이여, 저의 외양간에 어인 일로 오신 겁니까?
아폴로 난 이곳에서 저 소 치는 옷을 입고 일 년 동안 살았소.

(아드메투스는 소 치는 사람의 옷과 아폴로를 번갈아 보며 망연자실한다.)

아폴로 내가 키클롭스들을 죽인 벌로 나의 아버지 제우스가 이곳에서 일 년 동안 노예 생활을 하라고 했던 것이오.
아드메투스 제가 알았더라면 소 치는 일을 허락하지 않았을 것입니다.
아폴로 몰랐으니 가능했지요. 그렇지 않으면 난 제우스에게 적합한 속죄를 할 수 없었을 것 아니요.
아드메투스 알겠습니다. 알겠습니다.
아폴로 제우스는 그의 피조물 중 가장 비천한 사람에게까지 친절을 베푸는 당신을 고맙게 생각할 것이오. 이제는 내가 당신을 위해서 무언가 하고 싶소. 알케스티스를 아내로 얻을 수 있도록 내가 도와주겠소.
아드메투스 그리되면 영원히 감사할 것입니다.
아폴로 자 이올코스로 떠납시다. (페이드아웃.)

[페이드인: 실내. 이올코스. 펠리아스 왕의 궁전. 펠리아스 왕. 아드메투스, 알케스티스.]

펠리아스 왕 당신은 이 결혼에 조건이 있는 건 알고 있겠지요.
아드메투스 네. 가장 중요한 것은 알케스티스와 저는 깊이 서로 사랑하고 있다는 사실입니다.

펠리아스 왕 당신이 처음 청혼하러 우리 궁전에 온 이후로 내 딸이 목적 없이
　　　　　　멍하니 궁을 돌아다니는 걸 보니, 판단컨대 당신 말이 맞는 것 같소.

아드메투스 전하의 시험을 치를 준비가 되었습니다.

펠리아스 왕 좋소. 전차는 내정 안뜰에 있고 사자와 멧돼지는 각각 우리 안에
　　　　　　있소.

(안뜰에 있는 아드메투스를 지켜보려고 펠리아스 왕과 알케스티스는 창문으로
간다. 페이드아웃.)

[페이드인: 옥외. 안뜰. 아드메투스는 궁에서 나와 안뜰로 들어선다. 그는 사자
우리와 멧돼지 우리로 간다. 그가 짐승들에게 가까이 갈 때 아폴로는 짐승들을
향해 직선으로 강렬한 빛을 쏜다. 아드메투스가 각각의 우리를 열었을 때 아폴
로가 쏜 빛으로 인해 짐승들은 기력이 빠져있다. 그는 약해진 짐승들을 손쉽게
전차에 묶는다. 아드메투스는 태양을 올려다본다.]

아드메투스 고마워요, 아폴로.

(아드메투스는 이제 궁 안으로 들어와서 그의 신부를 요구한다. 페이드아웃.)

[페이드인: 실내. 페라에. 5년 후. 왕의 침실. 아드메투스는 심히 아파서 누워있
다. 그의 아내 알케스티스와 어린 아들과 딸이 왕을 위로하고 있다.]

알케스티스 아드메투스, 아드메투스. 당신의 고통을 덜기 위해서 어떻게 하면 좋
　　　　　　을까요.

아드메투스 누구도 날 위해서 해줄 수 있는 일이 없소. 여보, 이제 내 운명이 다

한 것 같소.

(*알케스티스는 슬픔으로 정신이 나간 상태이다. 그녀는 두 아이들을 끌어안는 다.*)

알케스티스 얘들아, 아버지 없는 너희들을 어떻게 해야 하니. 남편 없는 나는 또
어째야 하고?
아드메투스 계속 슬퍼만 하고 있으면 안 되오, 여보. 그러다간 당신도 병날 수
있어요.
알케스티스 당신 대신 내가 아프고 당신을 살릴 수만 있으면 얼마나 좋겠어요.
아드메투스 쓸데없는 소리 하지 마시오. 그런 소리 하면 못 써요, 여보.

(*아폴로가 갑자기 나타난다. 알케스티스와 아이들 눈에는 그가 보이지 않는다.*)

아드메투스 알케스티스, 아이들을 데리고 나가 있어요. 애들을 잠시 놀게 하시
오.
알케스티스 알았어요. 당신 뜻이라면 그렇게 하지요, 여보.

(*알케스티스와 아이들은 아폴로의 존재를 인식하지 못한 채 나간다.*)

아폴로   나의 친구여, 당신이 아프다는 걸 알고 즉시 달려왔소.
아드메투스 아폴로를 보니 내 고통이 덜합니다.
아폴로   고통을 덜어주기보다 더한 것을 내가 해줄 수 있지 않을까요?

(*아폴로는 떠난다. 페이드아웃.*)

[페이드인: 실내. 올림포스산. 운명의 여신 셋이 사는 곳. 세 명의 여인들은 인간의 운명을 결정하는 끝없는 임무에 전념하고 있다. 한 여신은 각 사람의 생명의 실을 잣고 또 한 여신은 자아낸 실을 자로 재고, 셋째 여신은 각 사람의 운명 길이에 따라 이를 자르고 있다. 아폴로는 열심히 일하고 있는 이들에게 다가가서 말을 건다.]

아폴로 안녕하세요, 자매님들. 언제나 바쁘시군요.

클로토, 실 잣는 자 인간이 계속 세상에 태어나는 한 이 생명의 실을 지어야 하지 않겠어요.

라케시스, 운명의 제도사 각자 살아가는 운명이 내 손에 달렸으니까요.

아트로포스, 실을 자르는 자 사람마다 죽을 때가 오면 내가 가위로 생명의 실을 잘라야 하니까요.

아폴로 그래서 내가 여길 찾아온 겁니다. 아트로포스, 청이 하나 있어요. 내 친구 아드메투스 왕의 실을 자르지 말아주세요.

아트로포스 아폴로, 당신은 영광스러운 신이지만, 제우스조차도 우리의 교령을 바꾸지 못하는 사실을 아시지요? 아드메투스는 그의 운명의 길이에 따라 죽어야 합니다.

아폴로 네, 당신 말이 맞아요. 그런 요청을 하는 내가 어리석지요. 그런데 이렇게 일을 계속하면서, 자매님들은 휴식이 좀 필요치 않으신가요.

라케시스 출생과 사망이 끊이지 않는 인생이니, 우리 노동도 쉴 틈이 없다오.

아폴로 그래도 일하면서 시원한 음료는 들 수 있지 않겠어요? 여기 내 염소 가죽 통에 포도 열매로 만든 디오니소스 주스가 있어요. 한번 마셔보세요.

(*아폴로는 가죽 통을 라케시스에게 준다. 그녀는 주스를 조금 마신다.*)

라케시스 몸이 뜨듯해지면서 기분 좋은데. 클로토, 너도 한번 마셔 봐.

(*자매들은 염소 가죽 통을 돌려가며 취할 때까지 마시고 기분이 매우 좋아진다.*)

아트로포스 내가 할 수 있는 걸 얘기해 볼게요, 아폴로. 난 정해진 숫자의 실을 자르게 되어 있어요. 만약 누군가 아드메투스의 죽음을 대신해준다면 나의 가위를 피할 수 있지요.

아폴로 자매님의 메시지를 아드메투스에게 전하겠어요. (페이드아웃.)

[페이드인: 실내. 페라에. 왕의 침실. 아드메투스는 여전히 중병 중에 있다. 그와 함께 그의 부친 페레스, 모친 페리클리메네, 아내 알케스티스가 함께 있다.]

아드메투스 그래서요, 아버지. 아폴로가 말하기를 나 대신 누가 죽어주면 운명의 여신들이 날 살려준다고 합니다. 아버지는 이제 늙으셔서 돌아가실 때도 되었으니 제 죽음을 대신해 달라고 청해도 그리 큰 희생일 것 같지는 않아서요.

페레스 아들아, 내가 죽을 때가 된 건 사실이다. 그러나 얼마 남지 않은 날들이 더없이 소중하구나. 청년일 때는 시간이 빨리 지나가기를 바라지만, 늙어서는 얼마 남지 않은 시간들을 음미하고 이 시간들이 끝나지 않았으면 하고 바란단다. 죽으면 빛이 없어. 얼마 남지 않은 빛이 있는 이 귀중한 시간들을 포기하고 싶지 않구나.

(*아드메투스는 그의 어머니를 애걸하는 눈빛으로 본다.*)

페리클리메네 내 아들아, 어미가 아이를 세상에 내어놓을 때는 한 번씩 생명의 위험을 겪는단다. 그런 산고의 위험을 무릅쓰고 너에게 생명을 한 번

주었는데, 그런데 네가 또 달라고 요구하는 건 공정하지 않구나.

(*아드메투스는 알케스티스를 돌아본다.*)

아드메투스 알케스티스, 당신은 이제 나의 유일한 희망이오. 당신한테 요구하는
  건 너무 심한 줄 알지만 달리 찾아볼 사람이 없구려.

알케스티스 내가 말했지요. 나는 나 자신보다도 당신을 더 사랑한다고. 기꺼이
  당신 대신 그 죽음의 자리로 가겠어요.

아드메투스 오, 알케스티스, 고맙소, 여보. 내가 살아있는 동안 당신의 추억을 명
  예롭게 간직하겠소. 어느 여인과도 우리의 침상을 나누지 않을 것이오.

알케스티스 아드메투스, 내가 없더라도 당신이 우리 아이들을 갑절로, 헌신적으
  로 양육해줄 것을 약속해주세요.

아드메투스 약속하오. 죽음의 사신이 지금 내 머리 위에 머물고 있는데 너무 무
  서워요. 이 공포를 참고 견딜 수만 있어도 이런 부탁을 당신한테 하지
  않을 터인데 말이오.

알케스티스 이해해요, 여보. 당신에 대한 사랑이 모든 것을 견딜 수 있게 해줍니
  다.

(*아드메투스는 천천히 힘이 솟아오르는 것을 느끼고, 반대로 알케스티스는 앓기
시작한다. 왕은 침상에서 일어나고 왕비는 침상에 힘없이 주저앉는다.*)

알케스티스 거래는 끝났어요. 이제 죽음의 사자가 내 머리 위를 맴도는 게 보입
  니다. (*페이드아웃.*)

[페이드인: 실내. 조의를 표하는 커튼이 드리워진 궁중의 침실. 아드메투스가 침
실 옆에 무릎을 꿇고 있다. 아이들의 울음소리가 들린다.]

아드메투스 (슬피 울며) 알케스티스, 당신의 고운 마음씨가 내게서 죽음의 사자를 몰아내고 내게 새 생명을 돌려주었소. 그러나 난 비참하고 못된 못난 놈이요. 내 생명의 가치는 이제 없어졌소. 전에는 존경받고 살았는데 - 널리 알려진 나의 공정성과 정의 때문에 신들조차 우리 가문을 택했는데 - 숭앙받던 내 명성은 불명예스러운 이름으로 땅에 떨어졌소. 죽음을 무서워하고 아내 치마폭에 숨는 겁쟁이가 되었소. 친부모님께 죽음을 대신해달라고 요구한 비겁한 불효자로 추락한 흉측한 놈이 되었다오. 당신과 함께라면 차라리 어두운 지하 세계의 혼령들과 같이 있고 싶소. 이 지상 세계와 태양은 이제 내게 기쁨을 주지 못하는구려.

(*아드메투스는 심한 비애감에 그의 머리를 침대에 묻는다.* 페이드아웃.)

[페이드인: 실내. 지하 세계의 하데스와 페르세포네의 침실. 잠자리를 준비하는 페르세포네를 하데스는 침대에서 감탄스럽게 지켜본다.]

하데스 나의 왕국에는 외부로부터 들어오는 빛이 없지만, 페르세포네, 당신의 미모와 선행에서 흐르는 빛은 참으로 눈부시오. 이곳이 가장 두렵고 피하고 싶은 곳이라 해도 나의 아내는 가장 아름답고 가장 존경받는 자요.

페르세포네 내가 아는 것은 나야말로 이 세상에서 가장 행복한 아내라는 겁니다.

하데스 나도 세상에서 가장 완벽한 아내를 둔 가장 운 좋은 남편이오.

페르세포네 우리가 너무 행복하기 때문에 가엾은 알케스티스를 보면 내 심장이 피 나는 것처럼 아파요.

하데스 그 경우는 가장 파렴치한 남편과 가장 고귀한 아내가 잘못 만난 탓 아니겠소. 난 아드메투스에 대해 갖고 있던 존경심이 다 사라졌어요. 제 2의 인생을 얻었는지는 몰라도 그건 정말 가치 없는 치사한 인생이오.

페르세포네 무례하고 수치스러운 인생이지요. 나도 동감이어요. 그러나 알케스티스는 억울하게 당한 거여요.

하데스 뭐가 억울하게 당했다는 거요? 그 여자 스스로 그렇게 선택한 일인데.

페르세포네 그건 그래요. 그러나 사랑에서 비롯된 행동이지요. 사랑은 때로는 판단을 흐리게 하거든요.

하데스 맞는 말이오. 그 여자 경우엔 확실히 판단력을 잃었던 거지. 한 생명을 희생하려면 최소한 가치 있는 이유가 있어야 하는데, 기껏, 좁쌀 같은 아드메투스를 위해서라니 - 그건 아니지.

페르세포네 난 당신 영역에 간섭하지 않는 건 아시지요. 그러나 알케스티스의 경우, 당신이 좀 관대하게 대해주면 어떨까 해서요.

하데스 여보, 죽어서 여기 온 자들을 내가 지상으로 돌려보내면 내 권위가 서지 않아요. 날 어려워하지도 않을 것이고 경외심도 없어져요. 처음엔 에우리디케를 돌려보내라더니 지금은 알케스티스를 또 보내라는 거요?

페르세포네 나 때문에 이런 요청받으실 일은 앞으로 절대 없을 거예요. 그러나 알케스티스는, 그녀의 아내다운 고귀함이 내게 각별한 감동을 주었어요.

하데스 당신이 날 그런 눈으로 쳐다보면 어떤 요구도 거절할 수가 없단 말이야. 좋소. 그러나 다시는 이런 요구를 하지 않겠다는 약속은 지키시오.

페르세포네 오, 고마워요, 여보, 약속을 꼭 지킬게요.

(*페르세포네는 남편에게로 넘어가서 키스한다. 페이드아웃.*)

[페이드인: 실내. 아드메투스의 왕실. 아폴로가 아드메투스와 함께 있다.]

아폴로　자, 아드메투스, 이제 원하는 모든 것을 가졌어요. 당신의 목숨도 다시
　　　　　건졌고 또 알케스티스도 돌아왔고요.

아드메투스　알케스티스를 다시 찾게 된 건 너무 감사한 일이지만, 난 내가 다시
　　　　　는 얻지 못할 것들을 잃었어요.

아폴로　무슨 말인지 이해할 수 없군요.

아드메투스　내가 그동안 살아온 인생의 가치를 다 잃었어요- 나의 자존심, 나
　　　　　의 위엄성. 전에는 백성들이 나를 존경하고 명예롭게 생각했지만 지금
　　　　　은 안 그렇소. 지금은 나를 아내만도 못하고, 부모들로부터 미움받고,
　　　　　용기없는 천한 자로 여기고 있어요. 나의 부모는 나와 함께 더 이상
　　　　　같이 살지도 않고, 나의 백성은 이제는 나를 마음에 두지도 않고 있소.
　　　　　오직 알케스티스만이 변함없이 나를 사랑하고 있는데, 아내의 애정은
　　　　　오히려 나 자신에 대한 혐오감만 더 증폭시킬 뿐이라오. 아폴로, 당신
　　　　　은 지금 무엇이 아이러니인지 아시오? 그 아이러니를 당신은 아시지
　　　　　요?

아폴로　몰라요, 친구. 그게 뭡니까?

아드메투스　난 이젠 죽음이 날 데려가 주기를 바라고 있다오.

아폴로　난 내가 운명의 세 자매를 꾀어내는 데 성공했다고 자부심을 가졌는
　　　　　데, 결국 최후의 승자는 내가 아니고 그들이었군그래, 친구여.

(*아폴로는 슬픈 패배자 아드메투스를 두고 떠난다.*)

22
밀레아그로스와 아탈란타: 짝사랑

등장인물		
세 운명의 여신	아르테미스	아탈란타
알타이아	헤라클레스	플렉시포스
이아소스 왕	테세우스	토크세우스
유모	밀레아그로스	

[페이드인: 실내. 칼뤼돈. 궁전. 왕비 알타이아는 방금 아들 밀레아그로스를 낳았다. 운명의 여신 셋이 그 위를 맴돌며 생명의 실을 잣고, 재고, 자르고 있다. 이들은 불이 붙은 나무를 불 속에 던지면서 말한다.]

세 운명의 여신 밀레아그로스, 너의 생명은 이 나무가 다 타서 재로 변할 때까지이다.

(*이렇게 말하고 세 여신들은 떠난다. 알타이아는 침대에서 몸을 끌며 타고 있는 나무를 꺼낸다. 고통스럽게 그녀는 타고 있는 나무를 들어 바닥에 때려서 불을 끈다.*)

알타이아 운명의 여신들이 밀레아그로스의 고매한 목숨을 빼앗지 못하게 하겠다. 이 타다 남은 나무를 아무도 찾지 못하는 곳에 숨겨놓아야지. (페이드아웃.)

[페이드인: 실내. 아르카디아. 이아소스 왕의 궁전. 유모가 갓 태어난 왕의 딸을 안고 들어온다.]

이아소스 왕 아들이오?

유모 아닙니다, 전하. 아주 어여쁜 공주입니다.

이아소스 왕 딸이라고! 친족에게 폭력을 가하지 못하게 한 제우스 법이 두렵지만 않다면 난 그 아이를 죽이라고 명령할 텐데. 내 대를 이어줄 아들을 난 원하고 있다. 딸을 원하지 않는다.

(*유모는 옹알거리는 아기를 안고 나간다. 페이드아웃.*)

[페이드인: 옥외. 리카에온산. 담요에 싼 갓난아기가 버려져 있다. 암곰 한 마리가 아기에게 온다. 곰은 아기를 부드럽게 발로 건드려보고는 반응을 보이는 아기를 확인한다. 이상한 생물에 친근감을 느낀 곰은 아기를 들어 올려서 그의 동굴로 데리고 간다. 페이드아웃.]

[페이드인: 옥외. 리카에온산. 야생동물의 보호자이며 사냥의 여신 아르테미스는 그녀의 일행과 함께 사냥에 나선다. 그들은 암곰의 동굴에서 들려오는 아기의 울음소리를 듣는다.]

아르테미스 저건 무슨 소린가? 저 동굴 안에 아기가 있나 보다. (*시종에게*) 가서 아기를 이리 데려오너라.

(*시종은 동굴로 들어가서 아기를 팔에 안고 나온다.*)

아르테미스 아, 계집아이로구나. 이 아이는 내가 보호하는 아이로 삼고 이름은 아탈란타라고 부르겠다. (페이드아웃.)

[페이드인: 옥외. 몇 년 후. 테살리 이올코스의 바닷가. 아르고 원정대가 황금 양털을 탐색하러 나선다. 53명의 모험심 강한 젊은 남자들과 역시 모험심 강한 젊은 여자 한 사람이 흑해의 콜키스로 향하는 아르고선에 오르고 있다. 이들의 지휘관은 이아손이고, 53명의 남자들 가운데는 헤라클레스, 테세우스, 오르페우스, 네스토르와 밀레아그로스가 있다. 젊은 여자는 아탈란타로 그녀는 한쪽에 비켜서 어깨에 메고 있는 화살집에서 화살 하나를 열심히 갈고 있다. 헤라클레스는 그녀의 미모를 흠모하며 테세우스에게 말을 한다.]

헤라클레스 사촌, 난 이번 원정에서 저 여자를 내 보호 아래 두는 걸 마다하지 않겠네.

테세우스 꿈도 꾸지 마시오, 헤라클레스. 어떤 남자도 저 여자를 건드린 적 없고 또 그렇게 독신으로 살기를 원하는 아르테미스의 제자요.

헤라클레스 그게 그런가? 남자를 멸시할지는 몰라도 남자의 기술을 멸시하지는 않을 걸세.

테세우스 남자들 가운데 있어도 저 여자는 누구 못지않게 노력하며 자기 위치를 지키거든요.

헤라클레스 그래도 말이오, 테세우스, 정말이지 저 여자가 나만큼 강할 수는 없잖은가.

테세우스 헤라클레스만큼 강하지는 않겠지요. 힘으로 이기지 못하는 부분을 저 여자는 탁월한 궁술로 승부를 겁니다. 두 명의 켄타우로스 로이쿠스와 힐라에우소를 알지요?

헤라클레스 아르카디아에서 내가 한판 붙었던 자들 말이오?

테세우스 바로 거기 아르카디아에서 그자들이 아탈란타를 겁탈하려 했소. 저 여자의 솜씨가 자기 자리를 지킨다는 내 말이 바로 그 뜻인데, 저 여자는 그자들의 시도를 꺾어놓고 화살로 둘 다 죽였어요.

(테세우스와 헤라클레스는 주변을 전혀 의식하지 못한 채, 여인에게 정신이 팔린 밀레아그로스를 본다. 밀레아그로스는 아탈란타에 빠져 넋이 나간 듯 그녀를 뚫어지게 처다보고 있다. 헤라클레스가 그에게 다가가 어깨에 손을 얹는다.)

헤라클레스 잊어버리는 편이 낫네, 밀레아그로스. 자네한테 기회가 주어지지 않을 테니 말이야.

테세우스 그 말은 맞아, 밀레아그로스. 저 여자는 청춘을 아르테미스에게 바치기로 약속되어 있는 몸이야. 잊어버려.

(밀레아그로스는 아탈란타의 미모에 감격하여 그녀에게서 눈을 떼지 못한다. 페이드아웃.)

[페이드인: 옥외. 칼뤼돈. 몇 개월 후. 황금 양털 탐험에서 밀레아그로스가 돌아온 지 얼마 후이다. 귀국한 이후 그는 계속 침울하다. 알타이아가 우울한 이유를 아들에게 묻는다.]

알타이아 밀레아그로스, 무슨 일이 있느냐? 아르고선 원정 이후 너는 계속 침울해 보인다. 아버지를 도와 나랏일에 나서지도 않고- 남자가 해야 하는 훈련도 하지 않고, 한마디로 원정 이후 넌 전혀 그 전 같지 않구나.

밀레아그로스 어머니, 그건 사실이어요. 전 예전과 달라졌어요.

알타이아 달라진 이유가 뭐냐?

밀레아그로스 그건 어머니, 그건- 제가 사랑에 빠졌어요.

알타이아 사랑? 누구하고? 네가 관심 보이고 사귀는 여자를 칼뤼돈에서 보지 못했는데.

밀레아그로스 칼뤼돈 여자가 아니어요.

알타이아 그럼 어디 여자냐? 누군데?

밀레아그로스 첫 번째 질문의 답은 아르카디아 출신이고요.

알타이아 그렇지만 넌 아르카디아에 간 적이 없지 않으냐.

밀레아그로스 없지요. 그러나 아르고 원정대에 함께 있었어요.

알타이아 아탈란타를 말하는 건 아니겠지?

밀레아그로스 아탈란타– 그 이름을 들으니 제 마음이 기쁘고 동시에 슬픕니다.

알타이아 네가 슬퍼하는 건 이상할 게 없지. 그 여자는 어떤 남자와도 관계하지
　　　　　않는 헌신한 몸이야.

밀레아그로스 그게 바로 저의 딜레마여요, 어머니. 그 여자는 모든 남자와 거리
　　　　　를 두고 있어요. 나하고도 마찬가지고요. 그러나 어머니, 저는 오직 그
　　　　　녀만이 제 짝이라고 생각합니다.

알타이아 정신 차려라, 밀레아그로스. 넌 그 여자한테 완전히 웃음거리가 되고
　　　　　창피당하는 꼴이 된다. 너의 남자다움은 어떻게 된 것이냐?

밀레아그로스 저는 사랑 때문에 죽어가는 남자여요.

알타이아 네가 그따위 소리 하는 걸 들으니 불붙은 나무를 꺼서 네 생명을 구해
　　　　　준 내가 후회스럽구나.

밀레아그로스 어머니가 차라리 저를 구해주지 않은 편이 나을 뻔했어요. 아탈란
　　　　　타 없는 세상은 저에게 아무 의미가 없어요.

알타이아 다른 데 마음을 써보렴. 그럼 자연히 잊어버리게 된다. 칼뤼돈에는 저
　　　　　거대한 야생멧돼지를 해결해야 하는 절박한 문제가 있어. 화가 난 아
　　　　　르테미스가 이 나라를 황폐시키려고 보낸 멧돼지 말이다. 너도 알고
　　　　　있지. 너의 아버지가 아르테미스에게 희생 번제를 드리지 않아서 여신
　　　　　이 발끈한 사실 말이다. 그리스의 많은 용감한 영웅들이 지금 그 멧돼
　　　　　지를 사냥하러 이곳에 오고 있어. 곧 도착할 게다. 이 나라의 아들이
　　　　　요, 후계자인 네가 제우스의 손님 대접법에 따라 이들을 잘 보살펴야

한다.

밀레아그로스 비록 제가 상사병에 걸리기는 했지만 신들에 대한 임무를 저버린
적이 없고 앞으로도 그럴 일은 없을 겁니다.

알타이아 이제야 넌 내가 믿고 사랑하는 밀레아그로스처럼 말하는구나. (페이드
아웃.)

[페이드인: 실내. 왕실. 밀레아그로스는 영웅들이 집결해있는 왕실에 들어선다.
그는 손님 하나하나를 따뜻하게 맞이한다. 그들 중 많은 사람들은 그가 아르고
선에서 만난 얼굴들이다. 이아손을 포함해서 젊은 네스토르, 펠레우스, 모포소
스, 에우팔라모스, 펠라곤, 카스토르와 폴룩스 쌍둥이, 텔레몬이 있고 또 한쪽에
는 놀랍고 반갑게도 아탈란타가 있다. 너무 기쁜 나머지 그는 그녀 옆으로 급히
간다.]

밀레아그로스 아탈란타! 당신이 이곳에 오리라고는 꿈에도 몰랐어요.

아탈란타 멧돼지 사냥의 도전을 내가 거부할 수 없다는 정도는 알고 있어야지
요.

밀레아그로스 그렇지요. 알고 있었어야지요. 야생 멧돼지가 칼뤼돈을 파헤쳐 놓
는 건 반갑지 않지만, 당신을 이곳에 오게 만들었으니 반갑군요.

(*밀레아그로스는 아탈란타를 애정이 가득한 눈으로 바라본다. 그녀는 이를 못
본 척한다. 밀레아그로스는 계속 말을 한다.*)

밀레아그로스 아탈란타, 그동안 잘 지냈어요?

아탈란타 사냥하느라고 바빴고 아르테미스에 대한 지속적인 헌신으로 바쁘게
지냈어요.

밀레아그로스 당신은 정말 이율배반적이에요.

아탈란타 어째서요?

밀레아그로스 내가 알았던 어떤 여자보다도 남자들 하는 일에 충실하면서 또 한 편 대부분의 여인들은 아프로디테에게 충성하는데 당신은 아르테미스에게 헌신하니까요.

아탈란타 난 종류가 다르게 태어났으니까요. 남자들이 즐기는 것을 나 역시 좋아하지만 남자들이 나를 쫓아다니는 건 싫거든요.

밀레아그로스 그건 정상은 아니잖아요, 아탈란타.

아탈란타 정상이 아니라는 그런 말은 나한테 하지 마세요. 내가 단지 여자아이로 태어났다는 그 이유만으로 나를 산에 갖다 버려서 죽게 하라는 아버지의 행동은 정상인가요? 내가 뛰어다니며 사냥하는 게 왜 비정상인가요? 이 분야에서 난 대부분의 남자들보다 실력이 좋아요. 그리고 나 자신이 사냥을 즐기는데 뭐가 문제여요? 내가 여자로 태어났으니까 직물 짜는 일이 여자에게 어울리니, 그저 베틀 앞에나 앉아 있으라는 건가요?

밀레아그로스 당신 아버지의 행동이 비정상인 건 확실해요. 그리고 당신이 뛰어다니며 사냥하는 게 비정상이라고 생각해본 적은 없어요. 그러나 당신이 한 남자의 사랑을 원치 않는 것은 비정상이어요.

아탈란타 전에도 말했는데 난 다르게 태어난 종자입니다. 난 내가 사는 방식을 다른 여자들이 인정해주기를 요구하지 않고, 다른 여자들이 나처럼 살아야 된다고 주장하지도 않아요.

밀레아그로스 그렇지만, 아탈란타, 날 가엾게 여겨주세요. 난 당신만 사랑할 것이고 당신이 날 거부해도 다른 여자를 사랑하지 않을 겁니다.

아탈란타 그건 당신 문제여요, 밀레아그로스. 난 날 좋아해달라고 당신을 북돋은 적 없고 앞으로도 그런 일은 없습니다. 자 내가 왜 이곳에 왔는지 우리 그 얘기나 나누지요. 칼뤼돈 멧돼지는 어떤 겁니까?

밀레아그로스 좋아요, 아탈란타, 당신 식대로 하세요. 그렇지만 난 계속 당신을 설득하려고 노력하겠어요. 멧돼지라면, 나하고 같이 도시 성벽으로 가서, 직접 눈으로 확인하시지요.

(*밀레아그로스는 최소한 아탈란타와 함께할 수 있는 구실이 생겨서 좋아한다. 페이드아웃.*)

[페이드인: 옥외. 칼뤼돈의 도시 성벽 탑. 밀레아그로스와 아탈란타는 칼뤼돈 멧돼지가 날뛰는 것을 본다. 멧돼지는 크기가 코끼리만 하고 목에는 창 같은 털이 있다. 눈에는 불이 끓어오르는 핏발이 섰고, 그의 거대한 어금니와 어깨 주위에 우윳빛의 안개 같은 거품이 널리 퍼져나간다. 입에서 뿜어내는 번갯불로 쓰러진 나무들과 풀에는 불탄 자국이 남아있다. 그 주변에는 어떤 것도 살아남지 못한다. 농장의 동물이나 사람들이 멧돼지를 피하여 도시 성벽 위로 뛰어온다.]

밀레아그로스 저기 보세요. 저놈 잡는 일이 우리가 할 일이어요.
아탈란타 진짜 한판 전투가 벌어지겠군요.
밀레아그로스 아탈란타, 난 저 멧돼지한테 질투심이 생기네요. 저 동물은 당신을 흥분시키는데 난 그러지를 못하니.
아탈란타 그런 걸 다 질투하다니요. 두려워해야지요. 저놈하고 싸울 때 당신의 기량을 최대한도로 보여주세요. 전투에 질 때는 느긋한 마음과 과도한 자신감이 원인일 때가 많아요.
밀레아그로스 염려하지 마세요. 난 느긋하지도 않고 지나친 자신감도 없어요.
아탈란타 나 역시 그래요.
밀레아그로스 가장 뛰어난 남자가 – 아니 여자일 수도 있지요 – 내일이면 멧돼지 사냥의 승자가 될 것입니다.

(*아탈란타는 그가 수정해서 하는 말에 미소를 짓는다. 페이드아웃.*)

[페이드인: 옥외. 궁 앞. 남자 사냥꾼들과 한 여자 사냥꾼이 멧돼지 사냥에 나서 기에 앞서, 한자리에 모여 있다. 알타이아가 밀레아그로스에게 말한다.]

알타이아 밀레아그로스, 네가 저 아탈란타에게 하는 행동을 보니 혐오스럽기 짝 이 없구나.

밀레아그로스 어머니, 어쩔 수 없어요. 난 진정 사랑에 빠졌으니까요.

알타이아 저 여자는 분명히 널 좋아하는 것 같지 않은데.

밀레아그로스 네, 그렇지만 저 여자가 달리 좋아하는 남자도 없어요. 그래서 언 젠가는 제가 저 여인을 잡을 수 있다는 희망을 갖고 있습니다.

알타이아 지금은 멧돼지 잡는 일에나 집중해라.

밀레아그로스 멧돼지도 잡아야지요. 아탈란타는 저에게 영감을 줍니다.

알타이아 어미가 하는 말은 귓등으로도 듣지 않는구나. 어쨌든 조심해라, 아들 아.

밀레아그로스 네, 사냥 끝나고 봐요, 어머니.

(*밀레아그로스는 다른 사냥꾼들과 합류하여 칼뤼돈 멧돼지를 사냥하러 간다. 페 이드아웃.*)

[페이드인: 옥외. 큰 키의 풀들과 수양버들과 갈대로 둘러있는 숲속 가장자리의 늪. 갑자기 거대한 멧돼지가 늪에서 나와 가로막힌 나무들 절반을 쓰러트리면서 사냥꾼들 있는 쪽으로 나아간다. 사냥꾼들은 개들을 풀고 창과 화살을 짐승을 향해 날린다. 이에 아랑곳하지 않는 멧돼지는 나무들을 짓밟고 등나무들을 공중 에 던져버리면서 달린다. 날린 창과 화살들은 그의 피부를 뚫지 못하거나 표적 을 놓친다. 짐승은 이제 사냥꾼들을 알아보고 그들을 향해 돌진한다. 어떤 사냥 꾼들은 멧돼지 옆으로 피할 수 있었고, 어떤 이들은 그의 공격을 정면으로 받았 으나 요행히 곤두박질치고 쓰러질 뿐이다. 네스토르 같은 소수의 몇 사람은 짐

승을 피하려고 그들의 창을 둥근 천장 모양으로 나뭇가지 위에 둘러서 덮는다. 불행히도 히포쿤의 아들은 짐승에게 찔려 죽는다. 멧돼지는 이제 그의 늪으로 돌아간다. 그에게 창을 던질 만큼 빠른 사냥꾼이 없다. 그러나 아탈란타는 그녀의 날카로운 본능적 감각으로 화살을 날린다. 그녀의 화살은 짐승 등의 뻣뻣한 털을 통과하고 멧돼지는 피를 철철 흘린다. 이를 본 밀레아그로스는 괴물에게 한 방 먹인 첫 번째 사냥꾼이라고 그녀를 기쁨에 넘쳐 자랑스럽게 축하해준다. 안카이소스는 여자에게 지지 않겠다고 맹세하며 무거운 그의 도끼를 던진다. 대단한 자랑거리를 보여주기라도 하듯 멧돼지는 그의 이중 엄니로 안카이소스를 정확히 찌르고 안카이소스의 내장을 땅에 흩뜨린다. 피리토우스, 테세우스, 이아손은 모두들 최고의 실력을 발휘하고 공격하지만 모두 실패한다. 밀레아그로스는 이들보다 운이 좋다. 그의 첫째 화살은 맞추지 못하고 실패했으나 둘째 화살은 치명적으로 동물의 등 한가운데에 꽂힌다. 미친 듯이 몸을 뒤집고 돌리는 멧돼지와 끝까지 투쟁한다. 마침내 밀레아그로스는 창을 동물의 목에 꽂는 데 성공한다. 멧돼지는 땅에 쓰러진다. 밀레아그로스는 재빨리 짐승의 목을 베고 가죽을 벗긴다. 그는 아탈란타에게 말한다.]

밀레아그로스 아탈란타, 멧돼지 머리는 당신 것입니다. 가죽의 절반도 드릴게요. 멧돼지 피를 처음 흘리게 한 건 당신의 화살이었으니 당연한 대가입니다.

아탈란타 상급을 받겠어요, 밀레아그로스. 나도 당당히 한몫을 했다는 자부심을 느끼니까요.

밀레아그로스 당연하지요. 여기 계신 여러분들이 모두 증인입니다.

플렉시포스 이봐, 조카, 네 어머니 말씀에 따르면 네가 저 여자한테 웃음거리가 되었다던데 너 하는 짓을 보니 과연 증명이 되는구나.

토크세우스 조카가 상사병에 걸려서 여자에게 상급을 넘겨주는 창피스러운 일이 우리 가족에게 일어나선 안 되지!

(*밀레아그로스의 삼촌들은 멧돼지 머리와 가죽을 아탈란타에게서 빼앗는다. 화 가 머리끝까지 오른 분개한 밀레아그로스는 창으로 플렉시포스와 토크세우스의 심장을 찌른다.* 페이드아웃.)

[페이드인: 옥외. 그 후. 칼뤼돈의 거리. 검은 상복을 입은 알타이아는 가슴을 치 며 울면서 거리를 헤맨다.]

알타이아 밀레아그로스, 너를 살려준 그 날을 저주한다. 여자에게 정신이 빠진 네가 가문의 자존심을 진흙탕에 내던지는 어리석은 놈이 되었구나. 어 미는 이제 고개를 들고 다닐 수가 없게 되었다. 내 아들이 내 동생들 을 죽였어!

(*알타이아는 자제력을 잃고 흐느낀다.*)

알타이아 친족의 피를 부른 죗값을 너는 치러야 한다. 죄에 대한 신들의 뜻은 확실하니까. 아니다— 신들이 아니다—내가 직접 복수의 도구가 되겠 다.

(*알타이아는 궁으로 돌아간다.* 페이드아웃.)

[페이드인: 실내. 궁전. 알타이아는 밀레아그로스의 타다 남은 생명의 나무토막 을 숨겨둔 장 앞에 있다. 그녀는 그 나무를 꺼낸다.]

알타이아 원수는 내 손으로 갚는다. 밀레아그로스, 이건 네가 나의 두 동생들을 앗아간 대가야. 목숨 하나가 두 명의 목숨값이니 죽음의 거래다.

(세 운명의 여신들이 나타난다. 알타이아가 그들에게 말한다.)

알타이아 언젠가는 당신들이 신들의 방식으로 하리라는 것을 내가 알았어야 했
          는데 미처 몰랐군요.
세 운명의 여신 누구도, 제우스조차도 우리의 법령을 어길 수는 없지.
알타이아 당신들의 뜻은 이루어졌고 나의 뜻은 꺾였습니다.

(세 운명의 여신들이 지켜보는 가운데 알타이아는 막대기를 불 속에 던진다. 페
이드아웃.)

[페이드인: 실내. 궁전의 또 다른 방. 밀레아그로스와 아탈란타.]

아탈란타 내가 떠나기 전에, 밀레아그로스, 당신이 내게 보여준 신사적인 용감
          성과 예의 바른 시민성에 감사를 표시하고 싶어요. 당신이야말로 나를
          동등하게 대해준 최초의 남자입니다.
밀레아그로스 당신을 처음 만난 순간부터 난 당신을 동등하게 생각했을 뿐만 아
          니라, 다방면에서 나보다 월등하다고 느꼈습니다.
아탈란타 당신은 남자들에 대한 내 신뢰를 회복시켜주었어요.
밀레아그로스 그 말은 나에게 마음을 열어줄 수 있다는 뜻도 되나요?
아탈란타 당신은 내 심장을 흔든 최초의 남자라고 말하겠어요.
밀레아그로스 오, 아탈란타, 나를 정말 행복하게 해주는구려. 나는—

(갑자기 밀레아그로스는 옆구리를 움켜쥔다.)

아탈란타 왜 그래요, 밀레아그로스?
밀레아그로스 (고통스럽게) 내 몸 안에 불이 붙은 느낌이어요.

(*밀레아그로스는 온몸을 움켜잡고 신음하며 바닥에 쓰러진다.*)

아탈란타 내가 어떻게 해야 할지 모르겠네요. 이런 무력감은 평생 처음입니다.

(*아탈란타는 바닥에 무릎을 꿇고 앉아 두 팔로 밀레아그로스를 안는다. 밀레아그로스는 신음을 계속하며 마지막으로 힘겹게 "어머니" 하고 속삭인다. 페이드 아웃.*)

[페이드인: 실내. 궁전. 타고 있는 나무토막 앞에 목을 맨 알타이아의 시신이 달려있다. 세 명의 운명의 여신들은 알타이아의 혼령이 그녀의 몸을 벗어나 떠나는 것을 지켜본다.]

세 운명의 여신 알타이아, 우린 할 말을 했는데 당신은 이를 받아들이지 않았어요. 결국 우리말대로 되었고 당신 가문은 이제 막을 내립니다.

23

갈라테아와 폴뤼페모스: 미인과 야수

등장인물

포세이돈	갈라테아	아키스
폴뤼페모스	스킬라	

[페이드인: 실내. 시실리의 폴뤼페모스 동굴. 포세이돈이 아들을 방문하고 있다.]

포세이돈 아들아, 네 형 키클롭스 텔레모스의 예언에 신경 쓰기 바란다.

폴뤼페모스 형은 내가 시력을 잃을 것이라고 예언했지요. 아버지, 그게 뭐 대수
인가요. 내 심장을 잃는 것에 비하면 눈은 문제가 안 돼요.

포세이돈 바다 요정 갈라테아를 잊어버리라고 내가 말했잖느냐.

폴뤼페모스 갈라테아. 갈라테아. 미녀 중의 미녀.

포세이돈 넌 사랑하는 내 아들이지만 추남 중의 추남이야. 거부당할 걸 뻔히 알
면서 그러느냐.

폴뤼페모스 난 그 여자를 너무나 사랑해요. 내 외모 따위는 분명 너그럽게 눈감
아줄 거예요.

포세이돈 난 신이다. 누군가 너를 인정하고 사랑한다는 건 쉽지 않아. 그런 너를
거부할 수도 있어.

폴뤼페모스 어쩔 도리 없어요. 아버지, 난 어떤 경우에도 그 여자를 사랑해요.

포세이돈 소귀에 경 읽기로구나. 그래, 시간 낭비하지 않겠다. 그러나 한 번 더

경고하는데, 오디세우스라는 사나이에게 네가 눈을 잃게 된다는 텔레모스의 예언에 주의하기 바란다. 난 오디세우스를 알아. 아주 교활한 자야. 그자를 조심해야 해.

폴뤼페모스 말했잖아요, 아버지. 난 갈라테아 말고는 아무에게도 관심 없다고요.

포세이돈 알았다. 내가 할 수 있는 일은 그저 오디세우스를 네 근처에 오지 못하게 하는 것이니까. 내가 할 수 있는 일을 해보자. 그 안에 갈라테아에 대한 네 집착에 변화가 있으면 좋겠다.

(*포세이돈은 갈라테아 때문에 한숨짓는 아들을 두고 떠난다. 페이드아웃.*)

[페이드인: 옥외. 시실리. 바닷가. 두 명의 바다 요정 갈라테아와 스킬라가 바닷가에 앉아있다. 갈라테아는 스킬라의 머리를 빗겨주고 있다.]

갈라테아 스킬라, 너는 원치 않는 구혼자를 어떻게 따돌리는지 알지. 그동안 넌 여러 구혼자들을 거부한 경험이 있잖아. 내가 어떻게 해야 폴뤼페모스가 나에게 품고 있는 헛된 꿈에서 깨어나게 할 수 있겠니?

스킬라 갈라테아, 충고해줄 게 없는 것 같다. 날 사랑한 자들은 바보들이었어. 폴뤼페모스도 어리석은 키클롭스야.

갈라테아 알고 있어. 그가 거대한 외눈박이 거인이란 사실 때문에 그를 다루기가 더 힘들어. 그가 하는 짓이 얼마나 우스꽝스러운지 너도 한 번 봐야 해. 나한테 잘 보이고 싶어서 머리를 갈퀴로 빗고 수염을 낫으로 자른다니까.

스킬라 그래 봐야 더 나아 보일 것도 없을 텐데.

갈라테아 한 가지 다행인 건 난폭성이 사라졌어. 파괴하거나 죽이거나 하는 일에 매달리지 않고, 파선한 항해자들을 보고도 해칠 생각 없이 무관심해졌어. 오히려 자기가 만든 피리로 상사병에 걸린 애가를 부른다니까. 육지에 있는 모든 생물들이 듣기에는 틀림없이 거북한 소리겠지만.

스킬라   해결 방법이 없으니 문제로구나, 갈라테아. 해결책이 있으면 좋으련만.

갈라테아   상황이 더 나쁜 건 나는 내가 좋아하는 사람이 따로 있어.

스킬라   그래, 네가 판의 아들 아키스와 같이 있는 걸 본 적이 있어.

갈라테아   아키스는 열여섯 살밖에 안됐지만, 볼에는 남자 티를 내는 털이 보송보송 났단다. 아무튼 그 앤 나의 완벽한 연인이야.

스킬라   조심해야겠다. 너에 대한 애정으로 지금은 폴뤼페모스의 폭력성이 잠자고 있지만, 질투심이 생기면 다시 잔혹해질 수 있단 말이야.

갈라테아   그게 걱정이라니깐. 폴뤼페모스가 발견하지 못하는 곳에서 만나려고 아키스와 나는 언제나 주의하고 있어.

스킬라   나도 신경 쓰고 지켜볼게. 내가 할 수 있는 건 그뿐인 것 같다.

갈라테아   알아, 스킬라. 나에 대한 폴뤼페모스의 관심이 사라지기만을 바라야지.

(*스킬라는 친구를 떠나서 바다로 돌아간다.* 페이드아웃.)

[페이드인: 옥외. 그 후. 같은 바닷가. 갈라테아는 아직 그곳에 앉아있다. 폴뤼페모스가 그녀에게 다가온다. 갈라테아는 떠나려고 일어선다.]

폴뤼페모스   오 갈라테아, 내게서 달아나지 말아요. 해칠 생각은 없어요. 당신을 사랑합니다.

갈라테아   그런데 난 당신을 사랑하지 않아요. 절대 그런 일은 없을 거예요.

폴뤼페모스   절대라는 말은 절대 하지 마세요. 그런 고집은 당신 마음을 어둡게 합니다. 고집을 버리고 가슴을 저에게 열어주세요. 그러면 내가 사랑하는 것처럼 당신도 날 사랑하게 될 겁니다.

갈라테아 공손치 못한 태도를 보이고 싶지는 않지만, 폴뤼페모스, 우린 서로 결코 맞지 않아요. 당신이 아무리 잘 보이려고 머리를 갈퀴로 빗고 수염을 낫으로 깎고, 무슨 수를 써도 당신은 내 사람이 될 수 없어요.

폴뤼페모스 내 진심을 알게 되면 당신 마음도 변할 겁니다. 당신과 내가 이 섬의 주인이 되고 이곳은 우리의 지상낙원이 될 것입니다.

갈라테아 절대로 그런 일은 없습니다. 폴뤼페모스, 내겐 사랑하는 사람이 있어요.

폴뤼페모스 그게 누군데요?

갈라테아 판의 아들 아키스요.

폴뤼페모스 아니, 그 애는 아직 소년에 불과해요. 나 같은 남자 대신 그런 애송이를 선호한단 말이오?

갈라테아 사랑의 광기라는 거죠. 난 그에 대한 사랑을 멈출 수가 없어요. 당신이 날 사랑하는 걸 멈출 수 없는 것과 같은 거겠지요.

폴뤼페모스 경고합니다. 다른 자가 당신을 소유하는 걸 난 그냥 두고 보지 않을 거요, 갈라테아.

갈라테아 당신과는 얘기가 이성적으로 통하지 않는군요.

(*갈라테아는 바다로 뛰어들어간다. 폴뤼페모스는 그녀를 부른다.*)

폴뤼페모스 명심해요, 갈라테아. 내 마음은 정해졌어요. 난 당신 것이고 당신은 내 것이 될 거요. (페이드아웃.)

[페이드인: 옥외. 바다 쪽으로 뾰족 나온 절벽. 절벽 위에서 폴뤼페모스는 애처로운 연가를 노래하며 그의 양들과 염소들과 앉아있다. 그가 모르게 같은 절벽 아래 갈라테아와 아키스가 있다. 아키스는 소년처럼 돌멩이를 던져 다른 돌멩이

를 맞추는 놀이를 하고 있다.]

아키스   저 으르렁대는 소리 좀 들어봐요, 갈라테아. 폴뤼페모스의 저 불협화
         음은 정말이지 듣고 있기가 심히 괴롭군요.
갈라테아 어리석게 굴지 말라고 충고를 했어요. 그러나, 내 개인적 체험으로 볼
         때 사랑에 빠지면 누구도 못 말려요.
아키스   개인적 체험으로 안다는 건 무슨 뜻이어요?
갈라테아 난 당신을 사랑하잖아요. 내 머리로는 당신이 너무 어려서 진정한 사
         랑을 모를 거라고 하면서도 내 심장은 머리가 하는 소리를 듣지 않아
         요.
아키스   언제부터 진정한 사랑은 나이로 잰다고 했나요? 피라무스와 티스베는
         어떻고요?
갈라테아 그 두 사람은 나이가 비슷하고 서로 열중했지요. 그렇지만 내 나이는
         당신보다 훨씬 많고 당신은 사랑에 심취할 나이가 아직 아니라는 걸
         내가 알아야 해요. 그렇게 돌 던지는 놀이를 하는 당신 모습을 보면
         아직 절반은 어린아이에 가깝지요.
아키스   그렇지만 나머지 절반은 어른입니다.
갈라테아 청춘의 상징, 성급한 마술을 지닌 젊은이지요.
아키스   그 마술이 누구보다 더 달콤한 입술을 만들지요.

(아키스는 갈라테아를 포옹하고 키스한다. 그렇게 서로 껴안고 있을 때 폴뤼페
모스의 노래가 들리지 않은 지 오래된 사실을 두 사람은 모르고 있었다. 폴뤼페
모스가 그들 앞에 서 있다.)

폴뤼페모스 아, 하! 걸렸다!

(그의 소리가 어찌나 크던지 아이트나산이 진동한다. 폴뤼페모스는 그들에게 돌격한다. 갈라테아는 바닷속으로 재빨리 뛰어들어갔지만 바다 요정처럼 날쌘 몸놀림이 없는 아키스는 그를 피하지 못하고 육지에 있다. 아키스는 비명을 지르며 달린다.)

아키스　　갈라테아, 날 구해줘요!

(폴뤼페모스는 절벽에서 떨어진 많은 돌들을 집어 들고 아키스에게 던진다. 대부분은 그를 맞추지 못하지만 조각 하나에 맞은 그는 쓰러져서 많은 돌들 밑에 깔려 죽는다. 갈라테아는 바다에서 공포에 떨며 이를 지켜본다.)

갈라테아　내가 당신을 구해줄게요, 아키스. 내 가문에 호소하겠어요. 포세이돈
　　　　　보다 더 나이 많은 바다의 조상이시여, 나의 유산인 마술의 힘을 의지
　　　　　하여 간구하오니, 아키스를 부디 살려주소서.

(아키스가 묻힌 돌더미에서 땅을 촉촉이 적시는 피가 뿜어 나온다. 봄비에 섞여 녹아내린 눈처럼 물소리를 내며 개울이 되어 흐른다. 개울은 강이 되어 메마른 둔덕을 깨운다. 마른 둔덕은 터지는 소리를 내고 그곳에서 큰 갈대가 솟아난다. 갈대 밑의 거대한 갈라진 틈으로 강물이 콸콸 흐른다. 거대한 갈대는 허리 높이로 일어선 한 소년으로 바뀐다. 소년의 색은 바다 청색으로 실제 크기보다 큰 상(像)이다.)

갈라테아　아버지 네레우스, 고마워요. 나의 아키스는 이제 강신 아키스로 새로
　　　　　운 영역의 주인이 되었군요. (페이드아웃.)

[페이드인: 실내. 폴뤼페모스의 동굴. 포세이돈이 그의 아들을 다시 만난다.]

포세이돈 넌 내 말을 듣지 않지. 그렇지, 폴뤼페모스?

폴뤼페모스 아버지 난 심히 괴로워요. 아버지의 비난은 필요 없어요.

포세이돈 어쨌든, 얘야, 넌 너에게 가장 귀한 - 너의 하나밖에 없는 눈을 지켜야 한다.

폴뤼페모스 난 내 심장도 지키지 못했어요 - 영원히 잃어버렸어요.

포세이돈 넌 극복할 거다. 텔레모스의 예언을 명심해라. 오디세우스를 경계해야 해. 안 그러면 그가 네 눈을 뽑아낼 거야.

폴뤼페모스 최소한 내게 위로되는 한 가지는 있어요. 양과 염소들이오. 저들은 내 심장을 다쳐주지는 않아요.

포세이돈 네가 동물들을 돌아볼 생각을 하니 기쁘다. 그러나 내 말을 잊지 마라, 폴뤼페모스. 오디세우스를 조심해야 한다.

(침울한 심정으로 갈라테아를 생각하는 폴뤼페모스에게 아버지의 말은 들리지 않는다. 포세이돈은 혼잣말을 한다.)

포세이돈 아들이 아버지 말을 듣지 않을 때 아버지는 어째야 하는 건가!

(포세이돈이 고개를 절레절레 흔들면서 떠난다.)

24
글라우키스와 스킬라: 사랑의 묘약

	등장인물	
글라우키스	테튀스	키르케
오케아노스	스킬라	

[페이드인: 옥외. 안테돈. 보이오티아. 글라우키스는 사람이나 동물이 한 번도 다닌 적 없는 들판 옆의 바닷가 만에서 제물 낚시질을 하고 있다. 그곳에서 그는 줄들을 잡아당겨 그물을 펼쳐놓는다. 놀랍게도 그 안에 있는 물고기들이 펄떡펄떡 뛰면서 다시 잡혔던 만의 물 쪽으로 되돌아간다. 이를 본 글라우키스는 몹시 당황한다. 그는 풀을 살펴본 후 누군가 뜯어 먹은 흔적을 발견한다. 조심스럽게 그는 풀을 뜯어 맛을 본다. 이내 그의 심장이 뛰는 것을 느끼고 물을 갈구하는 온몸을 느낀다. 그의 의지와는 반대로 그는 물속으로 달려가 뛰어든다.]

글라우키스 육지여, 안녕! 모두 잘 있어라. 난 바다로 간다.

(*글라우키스는 바닷속으로 깊이 빨려 들어간다. 바다 밑바닥에서 그는 대양의 지배자들인 오케아노스 왕과 테튀스 왕비를 만난다.*)

오케아노스 글라우키스, 넌 우리와 어울리는 종자라고 생각했어.
테튀스 인간의 몸을 씻어버리고 우리들 바다의 신처럼 너도 불사신이 될 것이다.

(노래 부르는 한 무리의 바다 신들이 글라우키스를 둘러싸고 그의 주변을 아홉 번 돈다. 그리고 질펀한 물로 백 번 목욕을 시키고 강물을 온통 그의 몸에 붓는다. 과거의 기억은 다 없어지고 그의 머릿속은 바닷물 소리로 채워진다. 모든 주변이 깜깜해진다. 글라우키스가 깨어났을 때 그는 다른 종자로 변해있다. 그의 마음도 육체도 정신도 모두 다르다. 그는 얼굴에 푸른 수염이 난 것을 느끼고 그의 머리카락은 긴 초록색으로 변해있다. 육체도 푸른빛이고 두 다리 대신에 물고기 꼬리가 달렸다.)

글라우키스 오케아노스 왕과 테튀스 왕비시여, 저에게 다른 모습을 주셔서 감사합니다. 이제 저는 불사(不死)의 바다 신이 되었습니다. 운명의 힐책이나 잔혹한 인생을 견딜 필요가 없게 되었습니다.

오케아노스 왕 너의 새로운 신상은 너도 알게 되겠지만 불리한 점도 있다. 어차피 완벽한 건 없으니까. 불사신조차도 말이다.

글라우키스 그럴지도 모르지요. 그러나 현재 저는 대만족입니다. (페이드아웃.)

[페이드인: 옥외. 시실리 해안 근처의 바다. 글라우키스는 수영을 즐기고 있다.]

글라우키스 이건 정말 멋진 삶이야. 비천한 어부 인생이 아니라 누구나 존경하는 바다의 불사신이 되었으니.

(시원한 바닷물에 발을 담그고 앉아 있는 아름다운 바다 요정 스킬라가 그의 눈에 들어온다. 글라우키스는 그녀에게 헤엄쳐 간다. 그러나 그녀는 놀라서 도망간다. 그녀는 커다란 바위 위로 올라간다. 글라우키스는 그 밑에서 그녀에게 호소한다.)

글라우키스　나를 피하지 마세요. 아름다운 소녀여. 난 글라우키스라는 바다의 신이어요. 당신이 지금 내려다보는 지역은 모두 내 영역입니다. 당신을 뭐라고 부릅니까?

스킬라　난 스킬라여요. 그러나 당신이 바다 신이라면 정말 괴상하게 생겼군요.

글라우키스　난 원래 바다 신은 아니었어요. 한때는 어부였는데 이상한 마술 약초를 먹은 후에 오케아노스 왕과 테튀스 왕비의 은총을 입고 이렇게 신으로 변했어요.

스킬라　머리카락은 초록색이고 피부는 퍼렇고 물고기 꼬리를 달고 있으니 신이라기보다는 오히려 바다 아귀로 보이는군요.

글라우키스　아름다운 소녀여, 나의 이런 비상한 모습에 당신 눈이 아직 익숙하지 않아서 그래요.

(*스킬라는 그의 말을 비웃는다.*)

스킬라　그 잘난 외모로 다른 소녀들에게나 열을 내시지요. 난 그동안 멋진 구혼자들도 거부했는데 당신처럼 생긴 자에게 관심 가질 리가 없지요.

글라우키스　(*떠나면서*) 내가 말했지요. 내 외모에 익숙해질 거라고. 다시 찾아올게요.

스킬라　애정 상대로 다른 대상을 고르세요. 내가 말했듯이 구혼자 얘기가 나오면 난 고집불통이고 아주 까다로우니까요.

글라우키스　애정 문제에 있어서는 나 역시 고집스럽고 까다롭습니다. 다시 찾아올게요. (페이드아웃.)

[페이드인: 실내. 바다의 밑바닥. 글라우키스는 힘없이 물속을 걷고 있다. 테튀스 왕비가 그곳에 있다.]

테튀스　　글라우키스, 무슨 일이 있느냐? 왜 그리 시무룩하니?

글라우키스　스킬라를 사랑하는데 그 여자는 절 사랑하지 않아요. 가까이하려고
　　　　　애써보지만 매번 도망가고 퇴짜를 놓습니다.

테튀스　　스킬라를 내가 알지. 글라우키스, 넌 눈이 높구나. 스킬라는 정말 아름
　　　　　다운 바다 요정이야.

글라우키스　너무나, 너무나 아름다워요. 내 머리에서 그 여자를 지울 수가 없어
　　　　　요. 다른 대상을 찾으려고 해보지만 언제나 스킬라 얼굴만 떠올라요.
　　　　　모든 사람, 모든 것이 스킬라의 그림자를 통해서만 보여요.

테튀스　　잊어버리도록 해라. 많은 고귀한 청년들이 그녀의 마음을 사려고 애썼
　　　　　지만 실패했어. 이유는 단지 남자들에게 관심이 없기 때문인 것 같다.
　　　　　그 애는 남자들을 다 바보라고 부르니까.

글라우키스　알아요. 저도 여러 차례 가시 돋친 말을 들었어요. 그 여자가 거부한
　　　　　다는 구혼자들은 인간들이지만 저는 바다의 신이잖아요. 제가 사랑하
　　　　　는 여자를 얻을 수 있어야 하지 않겠어요?

테튀스　　꼭 그렇지만은 않다, 글라우키스. 신들이라고 해서 모든 걸 소유할 수
　　　　　는 없어. 신들 가운데 가장 미남인 아폴로는 많은 인간 소녀들로부터
　　　　　거절당했어. 넌 확실히 아폴로 급도 아니잖니.

글라우키스　그렇다면 신이 돼서 좋을 게 뭐 있어요?

테튀스　　우리가 말했지, 완벽한 건 없다고. 신조차도 말이다.

글라우키스　그래도 스킬라가 저를 사랑하게 만들 방법이 어디 있을 거예요.

테튀스　　아프로디테의 주술이나 다른 무슨 마법이 아니고서야 안 되지.

글라우키스　마법, 네, 바로 그거예요! 내가 그 마술 약초를 먹고 신이 되었으니
　　　　　스킬라가 날 사랑할 수 있는 묘약이 틀림없이 있을 거예요.

테튀스　　내 충고를 들어라. 스킬라가 널 사랑하지 않는다는 사실을 받아들여
　　　　　라. 마녀들과 상대해선 안 돼. 그럼 넌 패자로 끝난다.

글라우키스　스킬라 없는 지금 저는 패자예요. 변화가 있도록 노력해 볼래요. 키

르케와 의논하러 그녀의 섬으로 가겠어요.

(글라우키스가 헤엄쳐 사라지는 것을 보면서 테튀스는 고개를 좌우로 흔든다.
페이드아웃.)

[페이드인: 옥외. 아에아에아섬. 글라우키스는 헤엄쳐 가서 키르케가 베틀 앞에
앉아있는 것을 본다. 그녀의 주변에는 그녀의 마술로 원래는 사람이었으나 사
자, 늑대, 곰으로 변신한 동물들이 아양 떨며 둘러있다. 글라우키스가 조심스럽
게 다가간다.]

키르케   두려워 할 것 없어. 저것들은 해치지 않아. 실은 동물이 아니라 한때
          인간이었는데 불행한 운명 탓에 이곳에 오게 된 거지.
글라우키스   당신의 마술이 인간을 동물로 변화시킬 수 있나요?
키르케   내 마법은 그보다 더한 것도 할 수 있단다.
글라우키스   바로 그 이유 때문에 제가 여기 왔습니다.
키르케   야생동물로 변신하고 싶다는 뜻이냐?
글라우키스   오, 그건 아니어요. 당신의 마술을 이용할 수 있기를 바라서입니다.
키르케   무슨 목적에 쓰려고?
글라우키스   저는 바다 요정 스킬라를 너무나 사랑합니다. 저는 날이 갈수록 점
          점 더 사랑이 끓어오르는데 그 여자는 저를 볼 때마다 달아납니다.
키르케   그렇게 냉정한 아이에게 열정을 낭비하다니. 너만큼 뜨거운 상대를 찾
          지 그러느냐?
글라우키스   말은 쉽게 하시는데, 저로선 불가능한 일입니다.

(키르케는 글라우키스에게 매혹되어 열정적인 눈빛으로 그를 바라본다.)

키르케 날 믿어라, 글라우키스. 많은 여자들이 너의 그런 사랑에 감동할 거야.

글라우키스 키르케, 제 말을 듣고 계시지 않는군요. 다른 여자가 아니고 제가 원하는 건 오직 스킬라뿐이어요.

키르케 글라우키스, 날 믿어 봐. 너에게 필요한 건 진짜 여자, 나 같은 여자야. 나를 마음에 두면 내 주술이 스킬라를 사랑하는 너의 어리석음을 잊게 해줄 거다.

글라우키스 부인, 스킬라에 대한 내 사랑이 사라지려면, 먼저 저 나무들이 물속에 뿌리를 내리고 바다 식물들이 산꼭대기에서 자랄 것입니다. 이런 일이 일어날 수 없듯 제가 스킬라를 잊는 일은 절대 없습니다.

(키르케는 글라우키스에게 퇴짜맞은 것에 분개하지만 이를 숨긴다.)

키르케 *(혼잣말로)* 글라우키스, 키르케의 사랑을 거부한 이 날을 너는 반드시 후회할 것이다.

키르케 *(글라우키스에게)* 너의 그 어리석은 행위를 고집한다면 사랑의 묘약을 만들어주마.

글라우키스 사랑의 묘약! 바로 제가 원하는 게 그것입니다.

키르케 여기서 기다려라. 준비해 올 테니.

(키르케는 글라우키스를 바닷가에 놓아두고 그녀의 돌집으로 돌아간다. 그녀가 가는 길목에서 그의 짐승들이 애교를 부리며 그녀의 발에 키스한다. 페이드아웃.)

[페이드인: 옥외. 키르케섬의 바닷가. 키르케가 병을 하나 들고 온다. 그녀는 병을 글라우키스에게 준다.]

키르케　　자, 여기 사랑의 묘약이 있다.

(글라우키스는 행복하게 이를 받아 든다.)

글라우키스　　이걸로 스킬라가 날 사랑하게 할 수 있나요?

키르케　　스킬라가 즐겨 찾는 좋아하는 장소가 있느냐?

글라우키스　　네, 오목한 그릇 모양의 못이 있어요. 거기서 그녀를 처음 보았는데,
　　　　　　　　그 물속에 발을 담그고 있었지요.

키르케　　그녀가 오기 전에 이 묘약을 해가 가장 잘 비추는 쪽에 부어라.

글라우키스　　그런 후에는 스킬라가 제 여자가 되나요?

키르케　　확실한 건 그녀가 다른 남자에게 속하지 않는다는 거지.

글라우키스　　고마워요. 고마워요.

*(키르케는 행복에 겨워 헤엄쳐 가는 글라우키스를 거만한 자세로 교활하게 미소
를 머금고 바라본다.)*

[페이드인: 옥외. 스킬라가 즐기는 오목한 그릇 형태의 못이 있는 곳이다. 글라
우키스는 태양을 올려다보고 햇볕이 가장 잘 드는 쪽을 내려다본다. 그는 묘약
을 그 자리에 붓고, 물에서 나와 바위 뒤에 숨어서 스킬라에게 미칠 사랑의 묘약
의 효과를 지켜본다. 스킬라가 나타난다. 자기가 좋아하는 못으로 간다. 그녀는
허리에 물이 차는 곳까지 들어가서 해가 가장 잘 드는 곳으로, 글라우키스가 묘
약을 부은 그 자리로 간다. 글라우키스는 잔뜩 기대에 부풀어 지켜본다. 잔잔한
물이 소용돌이를 일으키고 스킬라는 소용돌이 속으로 빠져들어 간다. 소용돌이
가 멈추자 못에 있는 물은 모두 빠져나가고 그 한가운데 스킬라가 있다. 그러나
글라우키스가 사랑에 빠진 아름다운 바다 요정 그 스킬라가 괴물이 되어 그곳에
서 있다. 머리는 여섯이고 두 줄이던 이빨은 머리마다 세 줄의 이빨이 달렸다.

여섯 개의 머리에 모두 열두 개의 다리가 달렸다. 그녀의 허리는 미친 듯 짖어대는 게걸스러운 개들로 빙 둘려있다. 이 광경을 목격한 글라우키스는 공포에 질린다. 그는 그녀에게 달려가다가 스킬라의 여섯 개의 입이 위험하게 다가오자, 닿기 바로 직전에 멈춰 선다. 스킬라가 거대한 발로 물을 차면서 천둥 같은 물살을 일으키며 헤엄쳐 사라진다. 글라우키스는 안전하게 거리를 지키면서 스킬라 괴물이 메시나해협의 카리브디스의 소용돌이에 도착할 때까지 그 뒤를 따라간다. 스킬라는 물에서 떠나 소용돌이 반대편에 있는 동굴로 들어간다. 글라우키스는 동굴 안으로 사라지는 그녀를 지켜보고 슬퍼서 헤엄쳐 돌아온다. 페이드아웃.]

[페이드인: 옥외. 메시나해협의 카리브디스의 소용돌이. 글라우키스는 해협을 통과하는 배에서 스킬라가 한입에 하나씩 여섯 명을 물어 당기는 것을 지켜본다. 글라우키스는 울며 애통해한다.]

글라우키스　오, 스킬라, 나의 사랑이 증오를 낳게 했군요. 키르케의 증오가 부당하게 당신을 파괴했어요. 또 당신은 변신한 자신의 모습에 대한 증오심으로 가까이 지나가는 모든 항해자들을 파멸시키고, 그리고 나는— 나는— 사랑하는 스킬라, 마녀가 준 사랑의 묘약의 징벌을 받고 있습니다. 오, 스킬라, 스킬라, 스킬라. 난 세상에서 가장 불운한 어부입니다.

25
다프니스와 나이스: 경멸의 연인

등장인물		
드뤼오페	다프니스	크세니아 공주
판	아프로디테	가이스
목동 1	에로스	사이스
목동 2	나이스	

[페이드인: 옥외. 시실리. 에트나산 근처. 숲의 요정 드뤼오페는 방금 아들을 낳았다. 그녀는 아기를 담요에 싸서 월계수 아래에 놓는다. 아기에게 그녀가 말한다.]

드뤼오페 교활한 헤르메스가 날 속여서 너를 낳게 했다. 내가 혼자서 널 돌볼 수 없으니, 목동이 이곳을 지나다가 너를 발견하면 자기 임무로 알고 너를 키워줄 것으로 믿는다. 너는 고상한 아이임에 틀림없어.

(*드뤼오페는 아기에게 키스하고 떠난다. 페이드아웃.*)

[페이드인: 옥외. 같은 숲. 같은 월계수. 몇몇 목동들과 판이 그곳을 지난다. 염소 다리에 작은 뿔이 머리에 달린 목신(牧神) 판이 피리를 불고 목동들은 그의 피리 소리를 즐거워한다. 그들은 드뤼오페가 놓고 간 아기를 본다. 아기는 판의 피리 소리를 즐거워하는 듯이 보인다.]

판　　이게 뭐냐? 버린 아기?

(*판은 피리를 치우고 아기를 안는다.*)

판　　사내아기네. 목가적인 음악을 즐길 줄 아는 아기 같아. 자, 자, 내 친구
　　　　들인 자네들 도움을 받아서 이 아기를 내가 보호하겠다. 아기가 피리
　　　　를 좋아하는 것 같으니 내가 가르쳐줘야지.

목동 1　우리들은 이 아기에게 목가적인 생활을 가르쳐줄게요.

목동 2　월계수 아래 있으니 이 아이를 다프니스라고 부릅시다.

판　　예쁜 아기에게 어울리는 좋은 이름이다. 자 아기를 받아라, 아기가 음
　　　　악을 좋아하는 것 같으니 계속 피리를 불어줘야겠다.

(*목동은 아기를 안고 판은 피리 불기를 계속한다. 페이드아웃.*)

[페이드인: 옥외. 18년 후. 다프니스는 같은 월계수 아래 앉아서 판이 그에게 준
피리를 분다. 판이, 그에게 다가온다.]

판　　다프니스, 넌 이제 나만큼이나 잘 부는구나.

다프니스　판, 당신만큼 잘 불 수는 없지요. 그러나 자연이 저에게 불어 넣어주는
　　　　영감은 당신이 느끼는 거나 마찬가지일 거예요.

판　　그와 관련해서 너에게 들려줄 소식이 있어.

다프니스　무슨 소식인데요?

판　　네 형과 악수 한 번 하자.

(*판이 손을 내민다.*)

다프니스 당신은 저의 형이고 보호자이고, 나에게 당신은 모든 것이지요.

판   아니야, 아니야. 그런 뜻이 아니다. 우리 둘은 같은 아버지 헤르메스의
        아들이란 말이다.

다프니스 내 부모가 누구인지 아직껏 알아내지 못했잖아요.

판   이젠 알게 되었어. 넌 숲의 요정 드뤼오페와 헤르메스 사이에서 난 아
        들이야.

다프니스 그걸 어떻게 아셨어요?

판   너의 출생을 아는 숲의 요정을 우연히 만났지.

다프니스 제 출생 이야기가 어떤 건데요?

판   너의 어머니 드뤼오페가 숲에서 요정들과 보통 때처럼 놀고 있는데
        헤르메스가 보고는 유혹을 시도했어. 그런데 그녀가 절대로 넘어가지
        않자, 헤르메스는 거북이로 변신한 거야. 드뤼오페와 숲의 요정들이
        그 거북이를 애완동물로 삼았지. 어느 날 드뤼오페가 거북이를 무릎에
        놓고 있는데 헤르메스는 뱀으로 변신해서 그녀를 겁탈했단 말이다.
        숲의 요정들은 더 이상 그녀와 떠들며 노는 일을 피했어. 드뤼오페는
        가족에게 자기 상태를 숨겼지. 네가 태어날 때쯤 그 숲으로 돌아가서
        너를 낳고 우리가 너를 발견한 그 월계수 아래 놓아둔 거야.

다프니스 우리 어머니한테 그 후 무슨 일이 있었나요?

판   칼뤼돈의 왕과 결혼해서 지금은 그곳에 살아.

다프니스 형, 우리가 친족이라서 기뻐요. 난 처음부터 형한테 끌렸고, 우린 피리
        를 좋아하는 취미도 같아요.

판   그렇지만, 얘야, 너의 생활 방식은 나처럼 세속적인 성향을 타고나지
        않았어.

다프니스 네, 난 형처럼 요정들 꽁무니를 쫓아다니지는 않지요.

판   결국, 세속적이라는 건 말이야. 그건 번식력과 관계가 있으니까. 그런
        게 사는 전부가 아니겠냐.

다프니스 난 아프로디테와 그녀의 머슴 같은 아들 에로스의 유혹을 물리칠 수 있어요. 그의 물매와 화살을 피할 수 있을 만큼 난 충분히 강합니다.

판 아프로디테를 경멸하지 마라. 그녀의 힘이 엄청 크니라. 네가 아는지 모르겠지만 우리 아버지 헤르메스는 변신의 대가 중 대가야. 그런데도 아프로디테에게 당하고 우스꽝스러운 바보가 되었어.

다프니스 믿어지지 않는군요.

판 믿으렴. 사실이니까. 아무튼 아프로디테는 헤르메스에게 전혀 관심이 없어.

다프니스 교활한 헤르메스가 아프로디테의 마력에 빠졌다는 말이군요.

판 헤르메스는 너무 기분이 상해서 제우스에게 그녀가 자기를 좋아할 수 있게 속임수를 써달라고 도움을 청했지.

다프니스 우리 아버지가 아프로디테의 매력에 무릎을 꿇었는지는 몰라도 내겐 그런 방법은 통하지 않아요.

판 다시 말하는데, 사랑을 경멸하지 마라. 아프로디테는 자기를 우습게 보는 자와 겨루는 방법이 있어.

(*판은 확신을 갖지 않은 다프니스를 두고 떠난다. 페이드아웃.*)

[페이드인: 옥외. 올림포스산. 아프로디테와 에로스.]

아프로디테 (*화가 나서*) 에로스, 남자나 여자가 헌신을 위해 독신 생활을 하는 건 개의치 않지만, 나의 권위를 경멸하는 태도를 보면 화가 치민다.

에로스 어머니, 전 어머니가 시키는 대로 할 준비가 되어 있어요.

아프로디테 저 건방진 어린 다프니스에게 복수해주렴. 그 녀석이 물의 요정 나이스를 쳐다볼 때 너의 화살을 그에게 쏘아라.

(*활을 손에 들고 화살집을 등에 멘 에로스는 아프로디테의 명령을 수행하러 나 간다. 페이드아웃.*)

[페이드인: 옥외. 에트나산 근처의 강. 다프니스는 강에서 혼자 즐기고 있는 물의 요정 나이스를 바라보며 피리를 불고 있다. 다프니스의 눈에 띄지 않고 그가 느끼지 못하게 에로스는 화살을 당기어 다프니스를 맞춘다. 다프니스는 갑자기 그의 몸 안에 불이 붙는 것을 느낀다. 이전에는 달콤하던 그의 음악이 달콤하기만 한 것이 아니라 매혹적인 음악이 된다. 단순히 물의 요정이던 나이스가 이제는 그의 눈에 천상의 대상으로 보인다. 다프니스의 눈에 그녀는- 비교하기조차 믿기지 않게- 아프로디테와 닮았다. 주변의 자연 그 자체가 긍정적으로 강렬하다. 풀은 전보다 더 푸르고 물은 더 파란빛을 띠고 새들의 노래는 더 달콤하게 들리고 미풍은 더욱 부드럽다. 사실, 온 세상이 낙원이다. 다프니스는 강가로 걸어가서 물장구를 치고 노는 나이스에게 말을 건다.]

다프니스 나이스, 재미가 좋은 모양이어요.

(*나이스는 다프니스의 친절함에 놀란다.*)

나이스 다프니스, 무슨 일이어요? 어떻게 된 거여요? 나한테 말을 다 걸다니. 그런 적이 없었잖아요.
다프니스 내 음악에 너무 빠져있었던 거지요. 그래서 마음 상했다면 미안해요.
나이스 미안해할 것 없어요. 이러거나 저러거나 난 상관없으니까요.
다프니스 어쨌든 내가 보상할게요. 어떤 음악을 좋아하세요? 당신을 위해서 연주할게요.
나이스 다시 말하지만, 당신 맘대로 하세요. 좋을 대로 연주하시라고요. 난 상관없으니까.

(*나이스는 다프니스를 혼자 두고 헤엄쳐서 가버린다. 페이드아웃.*)

[페이드인: 옥외. 월계수 아래. 다프니스는 사용치 않은 피리를 옆에 놓고 무기력하게 시무룩하니 앉아있다. 판이 다가온다.]

판   무슨 일 있니? 우울해 보여.

다프니스 이젠 아무것도 재미가 없어요, 형. 음식을 입에 넣어도 씹히지 않고, 베개에 머리를 묻어도 잠이 안 오고, 피리를 불려고 입에 대어도 불고 싶은 의욕이 없어요.

판   너 정말 말이 아니게 나쁜 상태로구나. 이렇게 우울하게 된 게 무슨 병이냐?

다프니스 사랑 병이오.

판   (*놀라면서*) 뭐라고? 네가? 거품 뿜으며 사랑을 경멸하던 네가! 아프로디테의 유혹도 던져버릴 수 있다던 네가 말이냐?

다프니스 전에 내가 한 말들은 잘못이었음을 인정해야겠어요.

판   그런데, 세상이 끝난 것도 아닌데 뭘 그러냐. 자연스러운 현상일 뿐이다.

다프니스 다른 사람에겐 자연스러울지 몰라도 내게는 그렇지를 않아요.

판   너의 그 엄청난 열정의 대상은 누구냐?

다프니스 나이스요.

판   그 아름다운 물의 요정 말이냐? 다프니스, 넌 눈이 높아. 고급 취향이야.

다프니스 취향이건 정열이건 무슨 소용 있어요? 그 여자가 날 피하는데요. 날 보면, "당신이 황송하게 나한테 말을 걸어준다고 해서 내가 당신과 말하고 싶어 하는 건 아닙니다" 하면서 비웃어요.

판   여자들은 마음만 먹으면 복수를 한단다.

다프니스 난 어쩌면 좋아요? 그 여자는 나의 첫사랑이고 마지막 사랑이어요.

판 불행하게도 네가 가는 방향이 맞는 것 같구나. 너의 사랑이 너의 죽음이 될 거야. 너 정신 차려라.

다프니스 믿어주세요, 난 정말이지 정신 차리려고 노력했어요.

판 그렇다면 내가 끼어들어서 도와줄 때가 된 모양이다.

다프니스 오, 제발, 형이 도와줄 수만 있다면.

판 나를 믿어라. 난 요정들의 심리 상태에 익숙한 편이지.

(*판은 떠난다.* 페이드아웃.)

[페이드인: 옥외. 강가. 판과 나이스.]

나이스 그런 거창한 약속들은 나한테 하지 마세요, 판. 난 남자들이 거짓말쟁이인 걸 알아요.

판 나도 가끔은 속이는 걸 인정해요. 그러나 다프니스는 달라요. 다프니스는 당신을 보기 전에는 다른 여자들을 거들떠보지도 않았어요.

나이스 전엔 날 쳐다보지도 않았어요. 이건 일시적인 정열 현상임이 틀림없어요. 갑자기 사랑이란 생각이 그의 머리를 때렸나 보군요. 지속되는 그런 사랑이 아니어요.

판 전에는 당신을 쳐다보지도 않았다는 그 말은 맞아요. 그러나 당신에 대한 그의 사랑은 진심입니다. 아무것도 하지 않고 멍하게 지내요. 정말이 아니라면 어떻게 밥도 안 먹고 잠도 안 자고 피리도 안 불고, 그러고 살겠습니까?

나이스 문제가 있군요. 그의 구애를 받아볼게요. 그러나 조건이 있어요.

판 어떤 조건이오?

나이스 내게 영원한 지조를 맹세해야 해요. 다른 연인 때문에 사랑을 배신하는 일은 절대로 없어야 해요.

판   그게 전부요? 날 믿어요. 다프니스는 오로지 당신의 것이오. 다른 여
           자는 절대 쳐다보지도 않을 것이오.

나이스   좋아요. 다프니스가 이를 맹세한다면 그의 구애를 받아들이겠어요.

판   어서 가서 다프니스에게 전하고 그를 비참한 상태에서 구해야겠소. 나
           이스, 당신은 다프니스를 정말 행복하게 만듭니다.

나이스   다프니스가 맹세를 지키면 우리 둘 다 행복하지요. (페이드아웃.)

[페이드인: 옥외. 강가. 몇 개월 후. 다프니스와 나이스가 결혼하고 행복하게 강
둑 위에 앉아있다.]

다프니스   이런 행복을 정말 모르고 살았어요, 나이스. 전에는 내가 어떻게 존재
           했는지조차 모르겠어요.

나이스   나도 행복해요. 진정한 남편감을 찾지 못해서 거의 단념했었거든요.

판   당신은 내가 처음으로 사랑한 여인이고 영원한 유일한 연인이오.

나이스   당신은 내가 정절을 과도하게 강조한다고 생각할지 모르지만, 많은 남
           자들이 아내의 정절은 심각하게 여기면서 자신들은 그렇지를 못하기
           때문이어요.

다프니스   지나치다고 생각지 않아요. 완전히 이해합니다.

나이스   나를 다른 사람에게 완전히 주는 게 싫었어요. 난 그렇게 생긴 사람이
           어요. 전부든지 아니면 전부가 아니든지, 둘 중 선택하는 거지요.

다프니스   걱정 말아요. 당신은 나의 전부를 영원히 소유하고 있습니다.

(다프니스와 나이스는 정열적으로 키스한다. 페이드아웃.)

[페이드인: 옥외. 월계수 아래. 다프니스는 그곳에 앉아 피리를 분다. 크세니아

공주와 그녀의 수행원들이 지나간다. 공주는 다프니스의 피리 소리에 매료되어 멈춘다. 그가 음악을 그치자 그녀는 그에게 말을 건다.]

크세니아 공주 비범한 피리에 비범한 천상의 음악이로군요.

(다프니스가 앉은 자리에서 일어선다.)

다프니스 고맙습니다, 부인. 피리는 저의 형 판이 준 것이고 천상의 음악은 제
　　　　　　아내에 대한 그윽한 사랑에서 울어 나오는 소리입니다.
크세니아 공주 나의 수행원들과 내가 기분 좋은 이 숲속에 캠프를 치려고 해요.
　　　　　　저녁 식사 때 우리를 위해 피리를 불어주겠어요? 저녁 식사도 같이 하
　　　　　　고요.
다프니스 영광입니다. 기꺼이 그렇게 하겠습니다, 부인.
크세니아 공주 나를 소개하지 않았군요. 난 메시나의 크세니아 공주여요.
다프니스 원하시는 대로 나중에 다시 뵙겠습니다, 크세니아 공주님.
크세니아 공주 틀림없이 당신이 원하는 유쾌한 일이 있을 거예요.

*(크세니아 공주는 다프니스가 떠날 때 그를 감탄스러운 눈으로 바라본다. 페이
드아웃.)*

[페이드인: 실내. 크세니아 공주의 텐트. 다프니스는 판의 피리로 공주를 위한
즐거운 곡을 하나 끝낸 참이다.]

크세니아 공주 당신에겐 모순된 점이 많군요. 연구 대상이어요, 다프니스.
다프니스 어째서 그렇습니까?
크세니아 공주 개인적으로는 아주 남자다운데 음악은 너무나 부드럽고 곱거든

요.

다프니스 그 두 가지는 모순이 아닙니다. 남자는 남자다우면서 부드러울 수 있어요.

크세니아 공주 당신이야말로 그걸 증명할 수 있는 살아있는 존재로군요. 이리 와서 포도주를 드세요. 목이 마를 텐데.

다프니스 전 포도주에 익숙하지 않지만 마셔보겠습니다.

크세니아 공주 포도주는 피로를 확 풀어주지요.

(공주는 포도주를 따라서 다프니스에게 권한다.)

다프니스 공주님 말씀이 맞네요. 포도주가 제 목만 축여주는 게 아니라 온몸을 촉촉하게 흥분시켜주는군요.

(공주는 그의 잔에 포도주를 더 따른다.)

크세니아 공주 당신이 지금까지 디오니소스의 이 포도 열매 맛을 몰랐다니 놀랍군요.

다프니스 포도주를 마시고 술기운에 어리석은 짓을 하는 사티로스들을 보았거든요. 이들의 음탕한 공격을 받으면 숲의 요정들은 질겁하고 도망간답니다.

(크세니아 공주는 다프니스의 잔에 포도주를 더 따라준다.)

크세니아 공주 당신 아내도 요정이라고 했지요, 그렇지 않나요?

다프니스 네, 물의 요정이어요. 내가 나이스를 처음 만난 곳이 강가였어요. 아내는 얼마나 아름답고 얼마나 나긋나긋한지 몰라요. 크세니아 공주님,

공주님도 제가 보기에 제 아내를 닮았어요.

크세니아 공주 그렇게 정중하게 날 대하지 않아도 돼요. 그냥 크세니아라고 부르세요.

(다프니스는 완전히 취했다.)

다프니스 나이스의 머리카락은 얼마나 부드러운지 감히 말하자면 당신 머릿결만큼 부드러워요.

크세니아 공주 당신 아내의 머리가 더 부드럽겠지요.

다프니스 아니요. 내가 확신하는데 똑같이 부드러워요.

크세니아 공주 그럼 만져보고 확인하세요.

(다프니스가 가까이 다가가서 만진다. 크세니아 공주는 스스로 더 가까이 다가간다.)

크세니아 공주 아내 얼굴도 나만큼 부드럽겠지요.

(다프니스는 술에 취해 있고 또 가까이 다가온 공주의 유혹으로 함정에 빠진다. 그는 그녀의 뺨을 부드럽게 만진다.)

크세니아 공주 아내의 입술이 내 입술만큼 부드러운가요?

(공주는 다프니스의 입술에 정열적인 키스를 한다. 포도주의 효과와 키스는 다프니스가 거부할 수 없게 강렬하다. 정열은 자제력을 잃고 다프니스는 나이스에게 정절을 지키겠다고 한 맹세를 깨뜨린다. 페이드아웃.)

[페이드인: 옥외. 아나포스강. 나이스가 발을 물에 담그고 둑 위에 앉아 있다. 다프니스는 부끄럽고 당혹스러운 표정으로 그녀에게 다가온다.]

나이스　당신은 주눅이 든 개처럼 꼬리를 내리고 나한테 올 필요 없어요. 난 다 알아요. 당신이 크세니아 공주의 텐트에서 나오는 걸 가이스와 사이스가 보았어요.

다프니스　나이스, 내 설명을 들어봐요. 그건 내 탓이 아니고 나를 그렇게 만든 건 포도주의 저주 때문이어요.

나이스　맹세는 맹세에요. 당신은 맹세를 깼어요. 나의 사랑을 배신했어요.

(다프니스가 그녀를 만지려고 가까이 온다.)

나이스　내게 손대지 말아요! 난 당신을 다시는 보고 싶지 않아요. 강신에게 나를 위해 복수해 달라고 호소했어요. 당신이 날 다시는 보지 못하게 하고 어떤 물체도 어떤 것도 어떤 장소도 보지 못하게 해달라고 기원합니다. 당신에게 베푼 나의 맹목적인 믿음에 대한 배상으로 당신이 맹인이 될 것을 강신께 기원합니다.

(나이스가 이 말을 하자 두 마리의 거대한 뱀이 강에서 올라와 다프니스에게 기어간다. 뱀은 각각의 혀로 다프니스의 눈을 각각 찌른다. 다프니스는 두 손으로 그의 눈을 감싼다.)

다프니스　어찌 된 거요? 내 눈은 있는데 볼 수가 없어요. 나이스, 당신, 거기 있어요? 보이지를 않아요. 대답해 봐요.

(나이스는 이미 떠났다. 다프니스는 나무에 부딪히고 돌에 걸려 넘어지면서 숲

쪽으로 더듬고 간다. 가면서 그는 계속 나이스를 부른다. 페이드아웃.)

[페이드인: 옥외. 아나포스강. 나이스의 물의 요정 자매들인 가이스와 사이스는 잃어버린 사랑을 구슬프게 노래하는 다프니스를 지켜본다. 다프니스는 판의 피리를 집어 들고 똑같은 우울한 곡조를 분다.]

가이스 여러 달 동안 다프니스는 저렇게 자신의 불행을 노래하며 시골길을 헤매고 있어.

사이스 불쌍하기는 하지만 미안한 마음은 없어. 결국 포도주 때문이건 아니건 간에 우리 언니와의 맹세를 깨트린 거잖아.

가이스 저길 봐, 사이스. 다프니스가 위험하게 저 절벽 끝을 향해 걷고 있어. 강으로 떨어지게 생겼어. 수영할 줄도 모르잖아.

(이 말을 할 때 다프니스는 절벽 아래로 떨어져 강물에 빠진다. 자매들은 그가 물속에서 허우적거리는 것을 보지만 도와주러 가지 않는다.)

사이스 우리 언니한테 죄를 지었으니, 대가를 치러야지.

(다프니스는 계속 허우적거리다가 물속으로 사라진다. 가이스와 사이스는 물속에서 최후의 사투를 벌이는 그를 지켜보고 돌아서서 가버린다.)

26
케윅스와 알키오네: 짧은 행복

등장인물

케윅스	헤라	이리스
알키오네	다이달리온	모르페우스
제우스	히프노스	

[페이드인: 실내. 테살리. 케윅스 왕의 궁전. 케윅스와 알키오네 왕비. 케윅스와
알키오네는 서로 포옹하고 행복에 취해 있다.]

케윅스 알키오네, 사랑하는 그대여, 당신은 헤라만큼이나 세상에서 가장 달콤
한 아내요.

알키오네 계명성의 아들 케윅스, 나의 남편이여, 당신은 제우스보다도 더 빛납
니다.

케윅스 내가 감히 말하는데, 나의 인간 헤라여, 당신의 키스는 불멸의 상대자
보다 더 멋집니다.

알키오네 이 땅의 나의 제우스여, 당신의 잘생긴 외모와 남성미는 올림포스의
불멸의 상대보다 더 뛰어납니다.

케윅스 이런 행운이라니. 이런 행복이라니. 우린 테살리의 제우스와 헤라요.

(그들은 서로 기쁨에 흠뻑 젖어있다. 페이드아웃.)

[페이드인: 옥외. 올림포스산. 제우스와 헤라는 케윅스와 알키오네를 지켜보고 있다.]

제우스   하! 저 사람들 말하는 것 들었소, 헤라?

헤라   네. 서로들 우리의 이름으로 부르고 있네요.

제우스   인간들이 너무 잘난 척하는 걸 난 좋아하지 않소.

헤라   어떻게 보면 저들은 우리를 칭찬하고 있는 거예요.

제우스   인간들과 신을 동급에 놓고 얘기하는 그게 칭찬이란 말이오?

헤라   사실, 그들은 모르고 하는 소리잖아요. 우리도 저들처럼 경험을 해야 해요. 저들의 결혼 생활이 주는 기쁨이 우리들의 기쁨보다 훨씬 크고 행복이 넘치잖아요.

제우스   당신 또 불만을 시작하는군. 헤라, 그러지 맙시다. 우리의 결혼 상황이 어떻든 인간이 우리 신들과 과도하게 비교할 권리는 없소. 내가 보증하는데 저자들의 기쁨은 그리 오래 못 갈 거요. (페이드아웃.)

[페이드인: 실내. 궁전. 며칠 후. 케윅스는 그의 형 다이달리온의 방문을 맞는다.]

케윅스   계명성의 아들 다이달리온이 그런 우울한 표정을 하고 있으면 어울리지 않아요, 형님.

다이달리온   케윅스, 너에게 딸이 없기를 바란다. 아니면 얼굴을 어둡게 만드는 계명성의 또 다른 아들이 없든지.

케윅스   무슨 얘기여요? 형은 지금 아름다운 딸 키오네에 대해 불평을 하고 있는 건가요?

다이달리온   바로 그게 문제야. 너무 아름다운 게 탈이지. 그렇게까지 아름답지 않았더라면 아폴로와 헤르메스가 그 아이에게 사랑을 품지 않았을 텐데 말이다.

케윅스　그러나 형의 딸이 신들에게서 사랑받는 건 영광이지요.

다이달리온　불리한 점도 있어.

케윅스　그렇지만 형은 쌍둥이 손자를 둔 할아버지가 아니요. 하나는 헤르메스를 아버지로 두고 또 하나는 아폴로를 아버지로 두었으니 그보다 더 기쁜 일이 어디 있어요? 또 그뿐인가요. 키오네에게는 숱한 구혼자들이 있고요.

다이달리온　그렇지만 신들의 사랑을 받은 몸이라서 그 애가 인간 구혼자들을 시시하게 여긴단 말이다. 사실이지 자기 자신에 대해서 너무 거창한 생각을 갖고 있어. 자기를 아르테미스 여신과 동등하게 생각한다니까. 실은 자기가 아르테미스보다 더 아름답다고 생각하는 게 문제지.

케윅스　언젠가는 그 애의 마음을 사로잡을 구혼자가 나타날 겁니다. 그리되면 어리석은 생각은 하지 않겠지요.

다이달리온　아르테미스 여신이 이 소문을 듣기 전에 그런 일이 있으면 좋겠다. 아르테미스가 얼마나 복수심이 강한지 너 알지.

케윅스　니오베의 경우가 그런 예지요. 그렇지만 걱정 마세요, 다이달리온.

다이달리온　다시 말하는데, 넌 딸아이는 낳지 마라. (페이드아웃.)

[페이드인: 옥외. 테살리의 파르나소스 산봉우리. 다이달리온은 그의 아름다운 딸의 시신을 팔에 안고 서 있다. 케윅스와 알키오네가 함께 있다. 눈처럼 하얀 목에 은 화살이 꽂힌 키오네의 시신을 다이달리온이 화장용 장작더미 위에 놓는다. 그는 슬픔으로 몸을 떨고 있다. 여러 명의 병사들이 횃불을 들고 장작더미에 불을 붙일 준비를 하고 있다. 장작에 불을 붙일 수 있게 병사들은 다이달리온을 딸에게서 억지로 떼어 놓는다. 불이 붙은 후에도 그는 계속 운다.]

다이달리온　키오네, 내 딸아, 나도 같이 죽어서 너를 만나야겠다.

(*병사들이 그를 뒤에서 붙잡는다.*)

케윅스　다이달리온, 형을 파괴해봐야 아무 소용없어요. 그런다고 키오네가 살
　　　아올 것도 아니고요.

다이달리온　(*울면서*) 어리석은 나의 사랑하는 키오네, 아르테미스가 그녀의 은
　　　화살로 너를 보복했어. 케윅스, 내가 말했지. 아르테미스가 키오네의
　　　자만심을 그냥 두지 않을 거라고.

케윅스　알고 있어요. 이젠 다 끝난 일이어요.

알키오네　키오네의 분신들인 두 손자가 있잖아요.

다이달리온　그 애들이 키오네는 아니잖소. 난 키오네를 너무 사랑했소. 그 애 없
　　　이 산다는 건 너무 힘들어요.

(*이 말을 하고 다이달리온은 산봉우리의 가장 꼭대기로 올라간다. 그가 바위 꼭
대기에서 뛰어내리는 것을 모두들 공포에 질려 지켜본다. 그리고 놀랍게도 아폴
로가 떨어지는 그를 붙잡아 그에게 날개와 구부러진 부리와 구부러진 발톱을 주
는 것을 모두가 지켜본다. 한마디로 아폴로는 다이달리온을 한 마리의 매로 변
신시켰다. 케윅스와 알키오네는 사나운 매로 변한 다이달리온이 두려움 없이 걸
려드는 새를 모두 찢어버리면서 높이 솟아오르는 것을 지켜본다.*)

케윅스　자기 심장이 타들어 가는 고통을 다른 것들도 알아주기를 바라고 저
　　　렇게 무섭게 공격하는 것이오.

(*알키오네는 매가 된 다이달리온이 시야에서 사라지는 것을 지켜보며 슬프게 고
개를 끄덕인다. 페이드아웃.*)

[페이드인: 실내. 케윅스의 궁전, 침실. 몇 주일 후. 걱정스러운 케윅스가 아내에

게 얘기한다.]

케윅스   내 문제로 당신을 괴롭히고 싶지는 않지만, 여보, 우리 왕국이 어려움
        을 당하고 있는 것 같소

알키오네   알고 있어요. 다이달리온이 매로 변신한 후 왕국에 검은 그림자가 드
        리워졌어요.

케윅스   다이달리온이 공격적인 공포의 새가 돼서 사람을 여럿 죽인 일도 나
        쁜데, 백성들 사이에 음울하고 불안한 사건들이 빈번히 발생하고 있어
        요.

알키오네   그런 일이 일어나는 무슨 징조가 있나요?

케윅스   거대한 뻘건 눈의 괴물이 백성들을 파괴하고 있소. 사람이나 짐승이나
        가리지 않고 죽이는 행위 그 자체를 즐기기 위해서 마구 찢어발기고
        있어요.

알키오네   대체 이 나라에 일어나고 있는 이 죽음과 공포의 원인이 무엇 때문인
        가요?

케윅스   나도 모르겠소. 혹시 신들의 노여움을 산 건 아닌지 모르겠소. 아무튼
        신탁과 의논해보기 위해서 클라로스로 가볼 생각이오.

(이 말을 들은 알키오네는 매우 불안해한다.)

알키오네   클라로스는 위험한 바닷길이어요. 왜 델피로 가지 그래요?

케윅스   델피는 전투적인 플레기아인들이 가로막고 있소.

알키오네   여보, 내 말 들으세요! 바다 여행은 삼가세요. 이상한 예감이 들어요.
        검은 바다가 배를 파선시키고 텅 빈 무덤들을 만드는 예감이어요.

케윅스   여보, 당신 신경이 과민해서 환상을 보는 거요.

알키오네   위험한 뱃길을 꼭 택해야 한다면 나도 같이 가겠어요. 우리가 함께 있

는 게 좋아요.

케윅스   난 당신을 나보다 더 사랑하오. 위험한 여행에 당신을 노출시키는 그
런 짓은 꿈도 꾸지 않을 것이오.

알키오네   그렇지만—

케윅스   그렇지만 이란 건 없소. 여보, 두 달 안에 돌아올 것이고 우리가 헤어
진 날부터 계산해서 그 기간을 우리 서로 복된 생활로 다시 채우고 메
꾸도록 합시다.

알키오네   나로선 그 두 달이 끝없는 낭비의 시간이 될 겁니다. 당신이 돌아오기
만을 기다리며 살겠어요.

케윅스   그러니 내가 빨리 떠나면 그만큼 빨리 돌아오는 게 되오.

(*그는 알키오네에게 부드럽게 키스하고 떠난다. 알키오네는 창문에 서서 그가
보이지 않을 때까지 지켜본다. 그리고는 슬퍼서 침대에 쓰러진다. 페이드아웃.*)

[페이드인: 옥외. 바다 한가운데. 케윅스의 배. 밤. 바람이 심하게 분다. 돛을 조
이느라고 남자들이 열심히 힘쓰고 있다. 다른 사람들은 배 바닥에 괸 물을 퍼내
고 있다. 그러나 거대한 물살이 사방에서 밀려들어 오면서 이들의 수고는 수포
로 돌아간다. 산처럼 어마어마하게 큰 파도가 배를 약화시키기 시작한다. 케윅
스는 장인에게 소리치며 기도한다.]

케윅스   바람의 신 보레아스여, 내 아내의 부친이시여, 제 간구를 들어주소서.
저를 위해서가 아니라면 당신의 딸을 위해서라도 바람을 잠재워 주소
서. 제가 일찍 죽는 일로 그녀를 슬프게 하지 마옵소서. 저는 죽는 게
겁나지 않습니다. 알키오네에게 슬픔을 안겨 주는 것이 두렵습니다.

(*바로 그때에 보다 큰 거대한 파도가 덮치면서, 이미 깨어진 배의 한쪽을 꽉 붙*

들고 있는 케윅스를 삼킨다. 파도는 케윅스를 흰 거품으로 휘몰아 물에 빠트려 죽게 한다. 그의 시체는 바다에 떠 있다. 페이드아웃.)

[페이드인: 실내. 약 두 달 후. 알키오네는 아직 케윅스의 죽음을 모르고 있다. 그녀는 매일 같이 거의 끊이지 않고 헤라의 제단 앞에서 케윅스가 안전히 돌아오도록 간구하고 있다. 부질없는 기도 소리를 두 달이나 듣고 있는 헤라는 거짓 희망을 붙들고 있는 딱한 알키오네를 더 이상 두고 볼 수가 없다. 페이드아웃.]

[페이드인: 옥외. 올림포스산. 헤라는 그녀의 특별한 메신저 이리스에게 말한다.]

헤라   이리스, 수면 왕의 궁으로 가라. 가서 케윅스의 유령을 알키오네의 꿈 속에 보내어 남편이 물에 빠져 죽은 사실을 알게 해주도록 일러라.

(*이리스는 무지개 옷을 입고 수면 왕 히프노스의 궁으로 가는 길에 하늘을 무지개색으로 물들인다. 페이드아웃.*)

[페이드인: 실내. 히프노스의 궁이 있는 키메리아 지방의 동굴. 이리스는 궁에 들어가서 권태, 나태, 무관심이 나란히 잠들어 있는 방들을 통과한다. 동굴 전체는 그늘져서 어둡다. 하데스처럼 아폴로의 태양은 이곳에 전혀 들어오지 않는다. 오직 구름이 땅에서 숨결 따라 들어오고 고요할 따름이다. 고요를 깰까 봐 삐걱거리는 문소리도 들리지 않게 방마다 문이 없다. 문 없는 방들을 지나 이리스는 가장 깊숙이 있는 방으로 간다. 그곳에는 검은 벨벳이 드리워진 침대가 있고 부드러운 벨벳 위 침대에 히프노스가 쭉 뻗고 누워있다. 그의 주변에는 텅 빈 형상의 꿈들이 떠다닌다. 이리스는 그 형상들을 옆으로 밀어내고 침대 가까이 다가간다. 그녀의 몸에서 발산하는 무지개색이 히프노스를 깨운다. 그는 그녀를 알아보고 팔꿈치로 몸을 받치면서 몸을 일으킨다.]

히프노스 이리스, 당신이오? 누구의 심부름으로 왔나요?

이리스 헤라 왕비의 메시지여요.

히프노스 그녀의 소원은 내가 들어줘야 하오.

이리스 테살리의 왕비 알키오네가 남편이 아직 살아있는 줄 알고 있어요. 그녀의 잘못된 희망을 알려주고 싶은 것이 헤라 왕비가 원하는 것입니다. 헤라는 당신이 알키오네에게 사랑하는 남편 케윅스의 죽은 모습을 꿈속에서라도 보게 해서 이 사실을 전해주기를 바라고 있어요.

히프노스 내 아들 모르페우스를 보내겠소. 꿈속의 인간을 형상하는 데는 그 애가 가장 적합하니까.

이리스 헤라가 고마워할 것입니다.

(*그렇게 말하고 이리스는 잠의 영향을 받을까 두려워 급히 그곳을 빠져나온다. 페이드아웃.*)

[페이드인: 실내. 알키오네의 침실. 알키오네는 침대에 누워 잠자고 있다. 모르페우스가 바닷물을 뚝뚝 떨어트리면서 죽은 케윅스의 형상으로 알키오네의 꿈속에 나타난다.]

모르페우스 여보, 슬픈 알키오네여, 나요. 나, 당신 남편이 죽었어요. 나를 위해 기도하느라고 헛수고하지 말아요. 난 이미 죽은 몸이오. 엄청난 바람과 산더미만 한 파도가 내 배를 엄습해서 당신 이름을 부르는 내 입을 물로 가득 채웠소. 이제 당신은 과부의 수의를 입고 남편을 애도하시요.

(*알키오네는 신음하며 두 팔로 남편을 붙잡으려고 하지만 모르페우스는 사라진다.*)

알키오네 케윅스, 케윅스, 어디 있어요? 날 기다려줘요.

(*알키오네는 급히 겉옷을 걸치고 궁 밖으로 나가서 바닷가로 간다. 그녀는 남편이 떠난 그 장소로 간다.*)

알키오네 (*혼잣말로*) 여기가 바로 여러 번 닻줄을 내린 바로 그 자리야. 우리가 여러 번 키스한 그 자리, 그가 갑판에 서 있고 내가 여러 번 그에게 손을 흔들던 그 자리야.

(*그녀가 바다를 바라볼 때 남자의 시신 같은 것이 물가로 떠밀려오는 것을 본다. 그녀는 가까이 가본다. 그녀가 케윅스를 위해 직접 짠 윗옷을 알아본다. 그녀는 시신의 얼굴을 살피고 그녀가 가장 두려워한 일을 확인한다.*)

알키오네 남편이여, 이게 사실이군요. 바다가 당신의 생명을 앗아갔군요. 공평하기 위해서 바다가 내 생명도 가져가야 합니다.

(*그녀는 곧바로 바다로 걸어 들어간다. 페이드아웃.*)

[*페이드인: 옥외. 올림포스산. 제우스와 헤라가 알키오네를 지켜보고 있다.*]

헤라 제우스, 케윅스와 알키오네가 주제넘은 짓 좀 했다고 저런 벌을 주는 건 당신 너무 심하다고 생각지 않으세요?

제우스 인정하오, 헤라. 내가 너무 가혹했던 것 같소.

헤라 어떻게 좀 할 수 없어요?

제우스 지켜보구려.

(이들은 내려다보면서 알키오네가 파도에 잠기는 것을 목격하는데, 그녀가 물에 휩쓸릴 때 그녀의 두 팔은 날개가 되고 그녀의 입은 부리가 된다. 한마디로 그녀는 한 마리의 새가 된다. 알키오네는 케윅스의 시신이 있는 곳으로 날아가서 그녀의 부리를 그의 입속에 넣는다. 그러자 케윅스의 입술도 부리가 되고 그 역시 한 마리의 새가 된다.)

헤라   오 정말 기뻐요. 저 부부는 이제 언제나 같이 있을 수 있네요.

제우스   아니요, 여보. 저들의 행복한 시간은 여전히 짧다오. 일 년에 오직 일주일만 같이 살고 저 물 위에서 새끼를 칠 것이오. 그 일주일 동안은 보레아스가 바람을 잠재워 그의 손자들이 평화롭게 바다 위에서 지내도록 보호해줄 거요.

헤라   그 일주일은 어부들에게도 고요한 행복의 날들이 되겠군요.

(이들은 케윅스와 알키오네가 행복하게 함께 날아가는 것을 지켜본다.)

27
에코와 나르시스: 자기애

등장인물

사제	에코	사이스
테이레시아스	헤라	네메시스
라리오페	나르시스	

[페이드인: 실내. 테베 근처. 장님 예언자 테이레시아스의 거처. 테이레시아스는 잎새들을 들썩이며 주의 깊게 귀를 기울인다. 그의 사제가 들어와서 테이레시아스가 일 끝내기를 기다린 후 말을 한다.]

사제   어르신, 아름다운 사내아이를 안고 온 젊은 물의 요정이 뵙기를 청합니다.

테이레시아스   알았네. 들어오라고 해.

(*사제는 아기를 안고 있는 아름다운 물의 요정 라리오페를 안내한다.*)

테이레시아스   내 옆에 와서 앉아라, 얘야.

라리오페   명성 높으신 예언자시여, 가능하다면 이 아이의 장래를 예언해주시겠습니까?

테이레시아스   그러기에 앞서 이 아이에 대한 얘기를 좀 들려주렴.

라리오페 이 아이는 제가 겁탈당해서 태어난 아이어요. 아이 아버지는 굽이진
개울에서 저를 거의 물에 빠져 죽게 할 만큼 완력으로 공격했어요.

테이레시아스 흠— 흥미롭군. 물속에서 생긴 아이란 말이지.

라리오페 제가 물의 요정인 것만큼이나 이 아이에게 물이 중요한 역할을 해요.

테이레시아스 물은 아이의 일생에 중요한 역할을 할 것이다.

라리오페 제가 알고 싶은 것은 어린 나르시스가 커서도 인생을 즐길 것인지 궁
금해요.

테이레시아스 아기를 내 팔 위에 놓아라.

*(라리오페는 아기를 그의 팔에 얹는다. 테이레시아스는 고개를 뒤로 젖히고 몽
환에 빠진다. 잠시 후 그는 입을 연다.)*

테이레시아스 나르시스는 자신을 알지 못해야만 늦도록 살 것이다.

라리오페 그런데 위대한 예언자시여— 저는 그 말씀이 무슨 뜻인지 모르겠어요.

테이레시아스 애야, 난 예언만 할 뿐 설명은 하지 않는다. 내 예언이 항상 맞는
다는 사실만 믿어라.

라리오페 제가 예언을 이해하지 못한다 해도, 감사하기 그지없습니다.

테이레시아스 편안한 마음으로 가라. 너의 아름다운 나르시스와 즐겁게 보내렴.
그 아이의 운명은 네 손 밖에 있다.

*(라리오페는 나르시스를 데리고 떠난다. 같은 방에 줄곧 같이 있던 사제가 테이
레시아스에게 말한다.)*

사제 어르신, 제가 할 수 있는 일은 무엇이든 어르신을 도와드리라는 제우
스의 명을 받고 이곳에 왔습니다. 그러나 저는 명령에 의해서 보다는
애정과 존경심에서 어르신께 봉사합니다.

테이레시아스 나도 똑같은 애정과 존경심을 자네한테 갖고 있네. 자네는 내게 없
　　　　　는 내 아들이 되었어.

사제　　　　주제넘게 보이고 싶지 않습니다만, 마음먹고 제 호기심을 말씀드려도
　　　　　될까요?

테이레시아스 뭐든지 말해봐라, 아들아.

사제　　　　어르신이 어떻게 장님이 되고 동시에 예언 능력을 갖게 되셨는지 궁
　　　　　금해요.

테이레시아스 그래 들려주마. 난 내가 아는 걸 뭐든지 너와 나누고 싶구나. 잘
　　　　　들어봐. 그런데 이야기가 좀 복잡해요. 난 원래 장님으로 태어나지 않
　　　　　았네. 제우스와 헤라 사이의 언쟁을 말리려다 시력을 잃게 되었다네.

사제　　　　어떤 언쟁이었는데요?

테이레시아스 말했듯이 아주 복잡해요. 설명하려면 말다툼 그 이전으로 돌아가
　　　　　야 하는데. 청년 시절 내가 키타에론산 숲속을 거닐고 있을 때 괴물
　　　　　같은 커다란 뱀 두 마리가 거기서 짝짓기를 하고 있는 거겠지. 난 이
　　　　　들을 때렸어. 그중 암놈이 맞았는데, 그 즉시 내가 여자로 변하는 거였
　　　　　어.

사제　　　　그렇지만 지금은 어르신이 남자니까 그 마술은 풀린 셈이네요.

테이레시아스 그렇지. 그런데 풀어지는 데 7년이 걸렸다네. 내가 여자로 사는 동
　　　　　안 여인이 즐길 수 있는 기쁨, 슬픔, 쾌락의 감정을 모두 맛보았지. 8
　　　　　년째 되던 해에 그 똑같은 두 마리 뱀이 또 짝짓기하는 것을 보고 이
　　　　　번에는 수놈을 때렸거든.

사제　　　　그때에 남자로 변신하셨군요.

테이레시아스 바로 그거야.

사제　　　　이 문제하고 제우스와 헤라의 말다툼이 무슨 상관이 있나요?

테이레시아스 그건 말이다. 어느 날 제우스와 헤라가 농담을 하고 있었는데 제우
　　　　　스가 여자들이 남자보다 성행위를 더 즐긴다고 하니까, 헤라가 이에

	반박하고 남자가 여자보다 쾌락을 더 맛본다고 한 거야.
사제	그래서 남자 여자 다 겪어본 어르신을 언쟁의 해결사로 불렀군요.
테이레시아스	그렇게 됐지. 그래서 내가 여자가 남자보다 아홉 배는 더 쾌감을 맛본다고 했겠다. 헤라가 여인 특유의 냉소로 나를 비웃고는 장님으로 만들어 버렸어.
사제	부부싸움에 끼어드는 건 절대 현명한 일이 아닌 것 같습니다.
테이레시아스	그때는 내가 그걸 알만큼 현명하지를 못했다네. 그러나 어쨌든 제우스는 헤라가 나한테 분풀이한 마술을 풀어주지 못했어.
사제	신들은 다른 신이 한 일을 또 다른 신이 풀어줄 능력이 없기 때문이겠지요.
테이레시아스	바로 그거야. 그래서 제우스는 나의 어둠의 운명을 가볍게 해주려고 예언의 능력을 내려준 거란다.
사제	나쁜 거래는 아니네요. 현재의 시야를 미래의 시야로 바꾼 셈이지요.
테이레시아스	난 만족하고 있어. 이제 나르시스에 관한 내 예언이 맞는다는 걸 너도 알게 될 거다.
사제	라리오페처럼 저 역시 어르신의 예언을 이해하지 못합니다.
테이레시아스	진실이 증명되면 그때는 너도 이해하게 된다. (페이드아웃.)

[페이드인: 옥외. 테베의 숲 근처. 16년 후. 제우스가 또 다른 숲의 요정과 사랑을 나누는 동안 숲의 요정의 여동생 에코가 헤라가 오는지 망을 보고 있다. 헤라는 제우스가 밀회하는 현장을 포착하려고 살피고 있다. 에코가 사랑의 행위를 하고 있는 두 사람 가까이로 간다.]

| 에코 | 어서 이곳을 떠나요. 헤라가 이쪽으로 오고 있어요. |

(*제우스와 숲의 요정은 급히 도망간다. 그러는 동안 에코는 헤라와 마주치고 헤*

라는 연인들이 이곳에서 도망쳤는지 에코에게 확인하려고 그녀를 붙잡는다.)

헤라 내 바람잡이 남편을 보았니?

에코 아니요. 제가 아르테미스와 함께한 사냥 얘기를 들려드릴게요.

헤라 무슨 특별한 이야기라도 있니? 넌 언제나 아르테미스를 따라다니지
      않니.

에코 이번 사냥은 달랐어요.

헤라 어떻게 달랐는데?

에코 아르테미스가 이번에는 자기에게 헌신한 여인을 사냥했어요.

헤라 요점을 말해라, 에코.

에코 아르테미스가 칼리스토를 잡았는데 그건 칼리스토가 처녀성을 잃었기
      때문이었어요. 그래서 아르테미스는 칼리스토를 곰으로 변신시켰어요.

헤라 그러고는 진짜 화살로 쏘았단 말이지. 칼리스토가 처녀성을 지키는 맹
      세를 깨트렸으니까. 그래, 칼리스토가 처녀성을 누구에게 주었는지 넌
      아니? 그건 내 바람잡이 남편하고 그 짓을 했던 거다. 여자 꽁무니 따
      라다니는 그 불한당이 지금 또 다른 처녀를 꾀어내고 있어.

(*헤라는 계속 걸어가다가 잔디가 문드러져 있는 제우스의 밀회 장소를 발견한
다.*)

헤라 그러니까, 제우스가 여기 있었고, 에코, 너는 그 사람들이 달아날 시간
      을 벌어주려고 나를 의도적으로 붙잡고 있었구나.

(*에코는 죄의식으로 두려워하며 헤라를 쳐다본다.*)

헤라 두려워하는 게 당연하지. 에코, 부부 사이의 애정 문제에 끼어들면 안

되는 걸 모르니?

에코   그렇지만—

헤라   그렇지만 뭐? 할 말을 잊었어? 에코, 너답지 않구나. 이제부터 너답게
해주마. 날 속인 그 혀를 몇 마디만 하게 해줄게. 그 몇 마디는 언제나
다른 사람이 하는 말의 끝 마디가 될 것이다. 첫마디가 아니고.

(*헤라는 떠나고 에코는 말을 하려고 하지만 "첫마디가 아니고"란 말만 나온다.
페이드아웃.*)

[페이드인: 옥외. 테베 근처의 숲. 나르시스는 그의 사냥꾼 일행과 떨어져 헤매
고 있다. 나무와 덤불 뒤에서 그를 본 에코는 그에게 말을 걸고 싶어 하며 그
뒤를 따라가지만, 그가 먼저 말할 때까지 인내심을 갖고 기다린다. 그를 지켜보
는 가운데 그녀의 가슴에는 이 미모의 청년에 대한 사랑의 불꽃이 일어난다. 나
르시스는 여전히 그의 동료들을 찾으면서 부른다.]

나르시스   호! 나 여기 있어요.

(*덤불 뒤에서 에코가 대답한다.*)

에코   여기 있어요.

(*나르시스는 두리번거리고 보지만 아무도 눈에 뜨이지 않는다.*)

나르시스   그럼 이리 나와요.

에코   이리 나와요.

(나르시스는 그의 뒤를 돌아본다.)

나르시스 거기 있으면 왜 도망가는 거요?
에코 도망가는 거요.

(나르시스는 멈춰 선다.)

나르시스 장난하지 말고 나한테 와요.

(에코는 숨어 있던 곳에서 나르시스 앞으로 나온다.)

에코 나한테 와요.

(에코는 두 팔을 벌리고 나르시스를 포용하려고 그에게 달려간다.)

나르시스 당신 누구요? 날 건드리지 말아요. 차라리 죽는 게 낫지.
에코 *(애통해하며)* 죽는 게 낫지.

(에코는 돌아서서 숲으로 달아난다. 나르시스는 잃어버린 그의 일행을 찾아 계속 간다. 페이드아웃.)

[페이드인: 옥외. 같은 숲. 며칠 후. 에코는 숲속 깊이 들어가서 이루지 못한 그녀의 사랑의 슬픈 감정을 삭이고 있다. 숲의 잎새들, 덤불들, 키가 큰 풀들 사이에 숨으려 하나 이들은 그녀를 거부한다. 그녀는 몸을 숨기기 위해 이 덤불 저 덤불 찾아다니지만 모두에게 거부당한다. 거절당한 수치심을 숨기기 위해 그녀는 숲의 동굴로 들어가서 치욕의 슬픔을 삼키고 있다. 그녀는 이제 한낱 공기에

불과한 존재가 되어 대부분의 시간을 동굴과 절벽에서 보낸다. 그럼에도 나르시스에 대한 집착을 떨쳐버릴 수 없는 그녀는 나르시스가 숲에 나타날 때면 그가 가는 곳마다 따라다닌다. 페이드아웃.]

[페이드인: 옥외. 강둑. 물의 요정 사이스가 울고 있다. 그녀의 울음에 아무 동요를 보이지 않는 나르시스가 그 옆에 앉아있다.]

사이스　어떻게 그렇게 잔인할 수 있어요, 나르시스?

나르시스　당신은 날 잔인하다고 하는데 내가 언제 당신을 학대한 적이 있습니까?

사이스　물리적으로 그런 적은 없지만 전에는 날 사랑했는데 지금은 나를 버리려고 하잖아요.

나르시스　나를 먼저 사랑한 건 그쪽이었다는 사실을 상기시켜줄게요.

사이스　그렇지만 내 사랑을 받아주었잖아요.

나르시스　그때는 당신한테 호감이 있었으니까.

사이스　그때라고요! 당신의 사랑은 너무 순간적이군요. 하나의 사랑에서 또 다른 사랑으로, 마치 벌이 꿀을 찾아 이 꽃 저 꽃 옮겨 다니듯 훌쩍 날아가 버리는군요.

나르시스　벌과 다른 점이 있다면, 내가 꽃들을 찾아가는 게 아니라 꽃들이 날 찾아온답니다. 난 그저 뭐랄까― 네, 그들에게 "꿀"을 제공해줄 뿐이오.

사이스　이건 공평치 않아요. 당신이 너무 잘생기고 너무 아름다워서 여자들이 어쩔 수 없는 거지요.

나르시스　많은 여자들에게 일시적이나마 행복을 안겨주기 위한 존재로서, 내가 이 땅에 있는 모양입니다.

사이스　영원한 비애를 남겨주면서 말이지요.

(*나르시스는 어깨를 으쓱해 보인다.*)

사이스　난 당신을 저주해요, 나르시스! 사랑에 대한 당신의 이기심을 저주해
요.

나르시스　자, 자, 사이스. 우리 치사하게 굴지 맙시다. 사랑이 지속되는 동안은
멋있었다고 그렇게 생각합시다.

(*나르시스는 상심하여 격렬하게 우는 사이스를 버려두고 일어나서 떠난다. 그가*
떠난 뒤 네메시스 여신이 그녀에게 와서 위로한다.)

네메시스　너무 상심하지 마라, 얘야. 실연은 치명적인 건 아니니까. 고통은 지나
가면 잊어버리게 되어 있어.

사이스　나르시스가 저렇게 교만하지만 않아도 제가 견디기 쉬울 거예요. 나르
시스는 여자들을 재미 보고 나서 버리는 쾌락의 도구로만 삼고 있어
요.

네메시스　얘야, 거만하고 건방진 인간의 행위는 벌 받게 되어 있다. 내가 여기
온 건 네 저주의 소리를 들었기 때문이란다. 나르시스는 내 응징을 피
할 수 없지. 자, 눈물을 닦아라. 말했지만, 네 고통은 사라질 것이고 넌
다시 사랑을 찾게 될 거야.

(*네메시스는 어느 정도 진정된 사이스를 보고 그곳을 떠난다. 페이드아웃.*)

[페이드인: 옥외. 네메시스가 깊은 숲속에 있는 연못 옆에 서 있다. 연못은 깊고
은빛으로 맑다. 이 연못은 어떤 목동도 새도 짐승도 건드린 적 없는 처녀 못이
다. 나무의 잎조차 이 못에 떨어진 잎새는 하나도 없다. 주변은 짙은 초록의 풀
로 둘러싸여 있다. 무성한 어두운 나무들로 해가 비치지 않아서 물은 차갑다.]

네메시스 처녀 연못아, 나의 신성한 분노의 도구야, 저 냉혹한 연인 나르시스에
　　　게 나의 징벌을 실행해다오. 테이레시아스의 예언을 이루어다오. 나르
　　　시스가 제 자신을 알도록 이곳으로 오게 해라.

(은빛 연못은 선명한 거울이 된다. 페이드아웃.)

[페이드인: 옥외. 같은 연못. 나르시스는 사냥하느라 지치고 목이 말라 이곳 은
빛 못으로 온다. 그는 구부리고 물을 마신다. 물을 마신 그는 거울 같은 연못에
비친 자신의 모습을 본다. 그 모습이 자신의 모습인 줄 모르는 그는 물 위에 떠
오른 상을 보고 지금까지 본 어느 누구보다 가장 아름다운 피조물로 생각한다.
그는 가슴을 땅에 대고 엎드려 거기 비친 상을 뚫어지게 쳐다보며 열광한다.]

나르시스 신성한 피조물이여, 아폴로도 당신과는 비교가 안 되겠소. 당신의 눈,
　　　머리카락, 뽀얀 우윳빛 목과 어깨, 오 내 평생 처음으로 진정한 사랑에
　　　빠지는구나. 당신을 사랑할 뿐만 아니라 숭배합니다. 한 번의 키스로
　　　내 사랑의 열기를 식히렵니다.

*(나르시스는 자신의 상에 키스하려고 하지만, 물론, 그의 두 팔과 입술은 단지
연못의 물만 건드릴 뿐이다. 페이드아웃.)*

[페이드인: 옥외. 몇 주일 후. 나르시스는 여전히 자신의 반영을 들여다보고 있
다. 식욕도 잃고 잠도 잊고 그저 꼼짝 않고 자신의 반영만 예찬하며 들여다볼
뿐이다.]

나르시스 난 먹는 것도 싫고 잠자기도 싫고, 오로지 희망 하나만 안고 삽니다.
　　　당신과 나 사이를 갈라놓는 이 물의 베일을 벗기면 우리가 닿을 수 있

다는 그 희망만 갖고 삽니다.

(*또다시 그는 헛되이 물속의 자신을 포옹하려고 애쓴다. 나르시스는 보상받지 못한 사랑의 슬픔으로 한없이 눈물을 흘린다. 많은 양의 눈물은 수면을 흔들고 물결을 일으키면서 그의 상이 사라진다.*)

나르시스 어디로 가는 겁니까? 날 떠나지 마세요. 당신을 보기만 하고 만져보지 못하니 비참하기 이를 데 없군요. 그래도 불행한 고통 속에 뒹굴어도 당신을 쳐다볼 수만 있다면, 그러고만 살 수 있어도 그편이 좋습니다. 오, 난 어떻게 해야 합니까?

(*나르시스는 옷을 찢고 그의 맨가슴을 주먹으로 두들긴다. 드디어 그는 무의식에 빠진다. 언제나 나르시스 가까이 있는 에코가 그의 옆으로 온다. 그녀는 그를 불쌍히 내려다본다. 나르시스는 그의 몸 안에서 불사르는 사랑의 불꽃으로 인해 쇠약해졌다. 핏기도 없고 힘도 없으나 미모의 흔적은 남아있다. 나르시스는 움직이며 작은 소리로 읊조린다.*)

나르시스 나의 사랑이 나를 파멸시키는구나.
에코 나를 파멸시키는구나.
나르시스 잘 있어요.
에코 잘 있어요.

(*숲속 전체가 작별인사의 분위기다. 나르시스는 사랑의 마지막 한숨을 내쉬고 에코는 일어나서 스틱스강, 하계로 나르시스의 혼령을 따라간다. 에코는 카론의 배에 타고 있는 그의 혼령을 지켜본다. 지옥의 좁은 해협을 통과하면서 그가 그의 이미지를 보려고 배에 기댈 때 에코는 나르시스가 여전히 자신의 이미지의*

노예가 되어 있음을 본다. 페이드아웃.)

[페이드인: 옥외. 라리오페가 물의 요정들과 함께 나르시스의 장례를 준비하려고 그의 시신을 가지러 연못으로 온다. 그녀와 다른 요정들이 그의 시신을 찾아보지만 찾지 못한다. 그 대신 하얀 꽃잎들이 둘러있는 황금 꽃을 발견한다. 라리오페가 그 꽃을 부드럽게 만지며 말한다.]

라리오페 나르시스, 네가 너 자신을 알게 될 때 세상은 너의 꽃을 통해서 너를 알게 될 것이다.

(*라리오페와 다른 물의 요정들이 꽃 주변에 무릎을 꿇고 앉아 나르시스를 애도한다.*)

28
베르툼누스와 포모나(이피스와 아나케레테): 극중 사랑의 극

등장인물

	등장인물	
베르툼누스	판	아나케레테
포모나	이피스	네메시스

[페이드인: 옥외. 사과나무 과수원이 담으로 둘러싸여 있고 문은 잠겨있다. 숲의 요정 포모나가 방향이 일정치 않게 제멋대로 뻗은 나뭇가지들을 칼로 다듬고 잘라내어 다른 가지들이 여유 있게 자라도록 한다. 나무의 늙어버린 몸통은 접목시켜서 그녀가 사랑하는 사과가 잘 자랄 수 있게 해준다. 과수원 담 너머로 그녀에게 말을 건네 오는 미남 청년 베르툼누스 때문에 그녀의 애정 어린 노동이 중단된다.]

베르툼누스 포모나, 확실히 당신은 원예 재배에 탁월한 솜씨가 있어요. 당신이 만지는 것마다 꽃을 피우고 열매를 맺지 않습니까?

(포모나는 일하다가 올려다본다.)

포모나 당신이군요, 베르툼누스. 난 아프로디테가 즐기는 그런 사랑의 논쟁엔 관심 없다고 분명히 말했는데요.

베르툼누스 내 애기는 다른 사람들에 관한 게 아니고 나와 당신이 아프로디테의 방식으로 즐기는 점을 얘기한 것입니다.

포모나　그래서 내가 여기다 담을 쌓고 문을 잠근 겁니다. 계속 나를 쫓아다니고 성가시게 하는 당신 같은 남자들과 거리를 두고 가까이 못 오게 하려는 거지요.

베르툼누스　난 단순히 당신 뒤만 쫓아다니는 게 아니어요. 당신을 진심으로 사랑합니다. 누구도 나만큼 당신을 사랑할 수는 없어요.

포모나　그거야 남자들이 하는 똑같은 소리지요. 당신한테 불손하게 대하고 싶지는 않지만, 베르툼누스, 다른 데서 연인을 찾아보세요. 내 열정의 대상은 나의 정원, 나의 과수원입니다.

베르툼누스　그건 당연하지요. 당신에겐 재배의 탁월한 솜씨가 있다고 내가 말했잖아요. 내가 말하는 열정의 뜻은 두 사람 사이 몸 안에서 나오는, 개인적으로 체험하는 그런 열정을 뜻합니다.

포모나　그러고 싶은 생각은 없어요. 난 내가 추구하는 일에 행복해요. 당신은 아프로디테식의 사랑을 좋아하는 그런 여자를 찾아가세요.

베르툼누스　그렇지만, 포모나, 난 다른 여자는 원치 않아요.

포모나　당신과는 말이 안 통하는군요. 그러니 다시는 이곳에 나타나지 않기를 간청합니다. 여기 들어오는 것을 절대 허락지 않습니다. 또다시 담이나 대문 밖에서 기웃거리면 난 당신 눈에 띄지 않게 피할 테니까요.

(*이 말을 하고 포모나는 과수원 안으로 깊이 들어가 버리고 눈에서 사라진다. 베르툼누스는 정원 문에 머리를 숙이고 "포모나, 포모나"를 부르며 한숨짓는다. 페이드아웃.*)

[페이드인: 옥외. 길. 가지치기용 칼과 사다리를 멘 베르툼누스는 농부의 모습으로 위장하고 걸어가고 있다. 생각에 몰두한 나머지 그는 지나가던 판을 사다리로 칠뻔한다.]

베르툼누스 오, 미안해요, 판. 머릿속이 포모나로 가득 차 있어서 당신을 보지
      못했어요.

판   베르툼누스, 자네 또 변장했군그래. 확실히 자넨 변장의 달인이야.

베르툼누스 다행이네요. 내 변장술이 최소한 포모나의 눈을 속이고 그녀 가까이
      갈 수 있겠네요. 그녀를 자주 볼 수 있고 적어도 쳐다볼 수는 있을 테
      니 말이에요.

판   포모나는 고집이 센 요정이야. 내가 잘 알지. 내 음악으로 그녀를 유혹
      해보려고 했는데 아예 접근을 막더군. 결과적으로 그 여자는 나뿐만
      아니라 내 음악도 들을 수 없게 됐으니까.

베르툼누스 마땅히 존경받는 당신이지만, 판, 당신이 보여주는 애정은 기분 전환
      의 유희여요. 그러나 그녀에 대한 내 사랑은 생존의 문제여요.

판   흠- 그건 사실이야. 내 애정은 언제나 처음엔 뜨거운데 어느덧 식어
      버리거든. 그저 내가 자네에게 해줄 수 있는 거라면 행운을 빌어주는
      것밖에 없겠다. 그런데 지금까지 많고 많은 구혼자들을 포모나는 모두
      거절했다는 사실이야.

베르툼누스 난 그래도 계속 노력할 거예요.

판   그런 사랑을 난 이해할 수가 없어. 어쨌든 베르툼누스, 앞으로도 틀림
      없이 자네의 변장한 모습을 계속 보게 되겠지.

베르툼누스 그럴 겁니다.

(*베르툼누스는 어깨에 사다리를 메고 손에는 가지치기 칼을 들고 계속 걸어간
다. 페이드아웃.*)

[페이드인: 옥외. 포모나의 대문. 포모나가 외부인의 출입을 허락한 여러 날 동
안 변장한 베르툼누스가 등장한다. 그때마다 그는 추수 보리 통을 들고 있거나,
건초더미 치우는 자가 되어 있든지, 쇠 박차와 회초리를 든 소몰이꾼이 되었든

지, 낚싯밥과 낚시도구를 든 어부가 되었든지, 다양하게 변장한 모습으로 각기 다른 날 등장한다. 페이드아웃.]

[페이드인: 옥외. 포모나의 대문. 이날 오후 베르툼누스는 챙이 없는 모자를 쓴 회색빛 머리의 노파로 분장하고서 비틀거리며 지팡이를 짚고 나타난다. 노파를 본 포모나는 대문을 열어주고 그녀를 부축하여 도와준다.]

포모나 도와드릴게요, 할머니.

(*베르툼누스는 포모나가 그의 옆으로 오자 너무 기뻤지만 감정을 숨기려고 애쓴다.*)

베르툼누스 고마워요, 아가씨. 난 그저 이 과수원의 싱싱한 사과와 복숭아를 보고 감탄하고 있었어요. 그렇지만 어떤 열매보다도 아가씨가 가장 보기 좋군요.

(*베르툼누스가 열을 내며 그녀에게 키스하자 포모나는 깜짝 놀란다. 그러나 그녀는 노인이 표시하는 젊음에 대한 찬사로 받아들인다.*)

포모나 안으로 들어와서 과일 맛을 보세요. 보는 것만큼 맛도 좋다는 걸 아시게 될 겁니다.

베르툼누스 고맙소, 아가씨. 나도 좀 쉬고 목도 축일 수 있으면 좋지요.

(*포모나는 그녀를 사과나무 아래로 인도한다. 나무에 달린 과일들을 따서 노파에게 준다.*)

베르툼누스 아가씨, 이리 와서 내 옆에 가까이 앉아요.

(*포모나는 노파 옆으로 가서 앉는다.*)

베르툼누스 아가씨는 축복받은 사람이오. 이 풍성한 과일들과 아가씨가 기른 목
초를 보니 신들이 아가씨에게 재배 기술의 축복을 내려준 게 틀림없
어요.

포모나 원예 일을 하는 게 나는 제일 기쁘거든요. 난 개울물이나 숲에는 관심
이 없어요. 내 생각에 개울은 목마른 나무에게 필요하고, 나무는 그늘
을 만드는 게 목적이 아니라 열매를 맺는 일이 나무가 해야 하는 일차
적 목적이라고 생각해요.

베르툼누스 그건 아주 적절한 철학으로 들립니다. 언젠가는 아가씨도 자신의 씨
를 키워서 손수 사랑하고 돌봐주는 나무들처럼 열매를 맺게 될 테지
요.

포모나 그건 아니어요. 무슨 그런 말씀을 하세요, 할머니. 난 아니어요. 내 열
정은 그쪽이 아니랍니다.

베르툼누스 아나케레테의 이야기를 들려줄게요. 그 얘기를 들으면 아가씨 마음
에 변화가 생길지도 몰라요.

포모나 어른들의 이야기를 난 좋아해요. 얘기 속에 담긴 삶의 지혜를 항상 감
탄하게 돼요.

베르툼누스 그럼 들어봐요. 아나케레테는 아주 오래된 명성 높은 가문의 딸로
태어났어요. 어느 날 비천한 집안의 청년 이피스가 그녀를 보고, 사랑
의 불꽃이 타올랐지요.

포모나 그 여자는 그의 사랑에 응했나요?

베르툼누스 이야기의 자세한 내용이 중요해요. 아가씨, 눈을 감고 머릿속으로 상
상하면서 들어보세요. (페이드아웃.)

[페이드인: 옥외. 품위 있는 대저택. 아나케레테의 보모나 하인들에게 이피스는 그녀에 대한 애정을 전해달라고 애원하며 거지처럼 그 집 뒷문에 자리 잡고 있다. 이들은 때때로 그가 쓴 눈물로 범벅이 된 연애편지들을 아나케레테에게 전달해주기도 한다. 그는 또 잠긴 문에 꽃장식을 하기도 한다. 그러나 지금까지 그의 노력은 냉대와 조롱을 받을 뿐이다.]

이피스   아나케레테, 당신의 노예가 되고 싶습니다. 문 좀 열어주세요. 내 사랑을 확신시켜 드리면 당신은 날 사랑하지 않을 수 없을 겁니다.

(문 뒤에서 아나케레테가 냉소적으로 비웃는다.)

이피스   날 조롱하지 마세요. 내 사랑이 희망 없다고 하지 마세요.
아나케레테 건방진 촌뜨기. 네가 누군지, 네 부모가 누군지, 들어본 사람이 어디 있기나 하냐? 감히 테우케르의 딸을 꿈꾸다니. 넌 지금 우리 집 대문을 더럽히고 있어. 어서 꺼져 버려, 비천한 녀석.

(아나케레테는 비웃으며 들어가 버리고 이피스는 문밖에 구부리고 서 있다. 페이드아웃.)

[페이드인: 옥외. 이피스가 아나케레테의 저택 문기둥에 서 있다.]

이피스   아나케레테, 난 포기합니다. 내 사랑의 선언을 더 이상 참지 않아도 됩니다.

(이피스는 문기둥에 줄을 던진다.)

이피스   이 화환처럼 차갑고 잔인한 나의 연인이여, 어떠십니까? 당신을 향한 내 사랑의 빛과 나의 생명의 빛인 이 두 눈이 빛을 잃으면 당신은 어떻겠습니까?

(*이피스는 그의 머리를 줄의 올가미에 넣고 고개를 아나케레테의 창문을 향하게 두고 올가미를 떨어트려 자신의 목을 맨다. 가까이 있던 네메시스 여신이 다가와서 줄을 끊고 이피스의 시신을 부드럽게 내려놓는다.*)

네메시스   이피스, 믿어라. 아나케레테는 나의 징벌을 피할 수 없다. 대리석처럼 차가운 아나케레테는 나의 분노가 뜨거운 만큼이나 그녀의 심장이 차가울 수 있다는 것을 알게 될 것이다.

(*아나케레테의 하인들이 이피스의 시신을 그의 부모에게 옮겨간다. 페이드아웃.*)

[페이드인: 옥외. 아나케레테의 저택 근처에 장례용 장작더미가 세워진다. 아나케레테가 그녀의 창가에 서서 이피스의 시신이 그녀의 집 앞을 지나 장작더미 있는 곳으로 운반되는 것을 내다본다. 그녀는 시신이 장작더미 위에 올려지는 것을 지켜보고 있다. 이피스의 시신에 불이 붙고 활활 타오를 때, 반대로 아나케레테의 몸에서 열기가 빠져나간다. 흡사 그녀의 피가 이피스의 시신을 지피는 불꽃의 땔감이 되는 것 같다. 그녀는 점점 생명의 온기를 잃어간다. 그녀의 심장은 문자 그대로 대리석이 되어 그녀의 피는 더 이상 혈관을 통하지 않는다. 피 대신 그녀의 심장은 이제 대리석을 뿜어내면서 이를 각 혈관으로 보낸다. 그리하여 아나케레테는 대리석으로 된 석상으로 변한다. 페이드아웃.]

[페이드인: 옥외. 포모나의 과수원. 포모나와 노파가 앉아 있는 사과나무 밑.]

포모나   다시는 따듯한 피가 아나케레테의 혈관으로 돌아오지 않았나요?

베르툼누스   돌아오지 않았지. 사실, 오늘 이날까지도 그 여자의 석상이 살라미스 카프리시에 서 있다오. 연인들에게 잔인하게 구는 삐뚤어진 처녀들의 상징으로, 이를 바라보는 사람들에게 교훈감으로 거기 세워진 것이라오.

포모나   아주 흥미진진한 얘기네요.

베르툼누스   아가씨도 아나케레테처럼 아가씨를 사모하는 사람을 냉정하게 대하는 일이 없기를 바라요.

포모나   걱정 마세요, 할머니. 내 심장은 아나케레테가 보여준 그런 교만과 이기심으로 차갑지는 않으니까요.

(철저히 실망한 베르툼누스는 노파 역할의 변장을 모두 벗어버린다.)

베르툼누스   오 신들이여, 포모나! 당신 마음을 얻으려면 이제 내가 무엇을 어떻게 더 해야 할지 정말 모르겠소! 난 당신 옆에 있기를 소원하여 상상할 수 있는 온갖 모습으로 변장해봤지만 다 소용없군요.

포모나   떠돌이 추수 일꾼, 건초더미 일꾼, 소몰이꾼- 그게 모두 당신- 베르툼누스 당신이었단 말이어요?

베르툼누스   그렇소. 그게 다 나였소- 나요, 나. 모두 나였다고요. 당신을 쳐다볼 수 있고, 당신 옆에 있고 싶어서 그런 짓을 한 것이오.

(그의 열정과 그의 빛나는 모습에 감동한 포모나는 그의 열기에 고무된다.)

베르툼누스   그게 모두 실패로 돌아갔어요. 내 고백으로 당신 마음을 얻을 수 없다면, 이피스와 아나케레테의 이야기로 당신 마음을 움직일 수 있을까 생각했던 겁니다. 그런데, 포모나, 나의 인내와 내가 버틸 수 있는 한계도 거기까지인 것 같습니다.

(*포모나는 두 팔로 베르툼누스를 포용한다.*)

포모나   그만하면 충분합니다. 오, 베르툼누스!
베르툼누스   그럼— 그렇다면— 오, 포모나!

(*베르툼누스는 정신 나간 듯 흥분해서 포모나를 포용하고 키스한다. 포모나도 흥분해서 정신 나간 듯 베르툼누스를 포용하고 키스한다.*)

29
에로스와 프시케: 거짓말 같은 사랑 이야기

	등장인물	
왕	아프로디테	강신
프시케	에로스	페르세포네
왕비	아폴로	헤르메스
첫째 딸	목소리	제우스
둘째 딸		

[페이드인: 실내. 신화적인 왕국의 왕실. 왕과 왕비가 세 명의 공주들과 함께 있다. 세 공주는 기막히게 아름답지만 막내딸 프시케는 그중에서도 특별히 보기 드문 빼어난 미인이다.]

왕   (*창밖을 내다보면서*) 프시케, 군중들이 너를 보려고 또 잔뜩 모여들었구나. 네 미모를 찬양하는 노래를 부르고 궁전 길목마다 꽃잎으로 단장하고 있어.

프시케   저러지들 말았으면 좋겠어요, 아버지. 저는 제 위치를 알아요. 여신 아프로디테의 미모와는 견줄 수 없지요. 정말이지 사람들이 저에게 표시하는 저런 가당치 않은 찬사는 불편해요.

왕비   애야, 난 네가 걱정된다. 이런 과찬을 너는 경멸하고 또 네 잘못이 아니라 해도, 그럼에도 아프로디테는 복수심이 강한 여신이라서 신경이 쓰인다.

프시케 아프로디테에 대한 헌신을 마음에 두고 그녀를 위해서 일하고 싶지만 돕는 손길 없이 저 혼자서 제단을 지킬 수는 없어요. 그러다 보니 실제로 아무도 그녀의 제단을 돌보고 지켜주는 자가 없어요.

(군중이 합창으로 찬양하는 노랫소리에 이들의 대화는 중단된다. 첫째 딸이 창으로 간다.)

첫째 딸 프시케, 너에 대한 숭배로 집착한 저 사람들이 광기가 들린 것 같아. 내가 보기에는 네가 나보다 더 아름답지도 않은 데 말이야.

둘째 딸 프시케, 실은 너보다는 내가 더 아름답다고 생각해.

프시케 언니들, 날 믿으세요. 난 언니들 말에 동감해요. 정말이지 제발 저 사람들이 광기 좀 그만 부렸으면 좋겠어요. 난 저런 찬사를 조금도 원치 않고 저런 찬사는 아프로디테에게 돌려야 해요. 아프로디테야말로 정당하게 찬사를 받을 여신이지요.

왕 그렇지만, 프시케, 저들의 헌신을 너는 인정해야 하고 저 사람들 앞에 네가 나타나 줘야 그게 예의다. 이리 오너라, 내 딸아.

(왕과 프시케는 방을 나가서 안뜰로 간다. 페이드아웃.)

[페이드인: 옥외. 올림포스산. 아프로디테가 아들 에로스와 함께 있다. 에로스는 그의 사랑의 화살들을 화살집에 넣고 있다.]

아프로디테 *(화가 나서)* 내 아름다움에 도전하는 인간이 또 나타났어.

에로스 이번엔 누구예요? 뮈르라한테 일어난 사건을 보고도 똑같은 사건이 또 있으리라고는 어머니도 생각지 못했겠지요.

아프로디테 인간들은 절대로 배우지를 못한다니까. 아들아, 너도 그걸 알지.

에로스   무슨 의도로 그러시는데요, 어머니?

아프로디테   우선 그 여자의 미모를 취소해야겠다. 그 애의 미모가 다른 사람들
보다 더 빛난다 해도 그 애와 결혼하고 싶어 하는 자가 한 명도 없게
해야겠어.

에로스   수많은 사람들의 흠모와 찬사를 받아도 한 남자의 사랑과 정열을 받
지 못하게 하겠다, 그 말씀이군요.

아프로디테   그리고—

에로스   그리고 또 뭐가 더 있어요?

아프로디테   그 여자가 지구상에서 가장 악하고 천박하고 비천한 피조물을 쳐다
볼 때 거기다 네 사랑의 화살을 꽂아라. 그래서 지금 받고 있는 찬사
대신 조롱거리가 되게 하란 말이다.

에로스   도대체 그 불행한 여자는 누군데요?

(아프로디테는 저 아래 내려다보이는 신화적 왕국을 가리킨다.)

아프로디테   저 왕국의 프시케라는 애다.

에로스   예, 가보겠습니다. 어머니 분부대로 할게요.

(에로스는 화살집을 어깨에 조절해서 걸머지고 날아간다. 페이드아웃.)

[페이드인: 옥외. 프시케는 혼자 피크닉을 나간 숲속에서 잠들어 있다. 에로스는
그녀가 숲속의 가장 천한 피조물과 사랑에 빠지게 하라는 어머니의 명령을 수행
하기 위해서 잠들어 있는 그녀에게 온다. 그는 화살을 꺼내 들고 잠든 공주를
들여다본다. 프시케를 보는 순간 그는 그녀의 미모에 사로잡혀 우발적으로 그만
화살을 자기 자신에게 쏜다.]

에로스 (*혼잣말로*) 이런 아이러니도 있나. 내 화살에 내가 찔려 내 함정의 희생자가 되다니. 난 어떻게 해야 하나? 잠자는 이 미녀와 어쩔 수 없이 사랑에 빠졌으니 어머니의 명령을 수행할 수 없게 되었구나. 이건 딜레마다. 아폴로와 의논해야겠어. 아폴로는 내게 도움이 되는 충고를 해줄 거야.

(*에로스는 올림포스산으로 다시 날아간다. 페이드아웃.*)

[페이드인: 옥외. 올림포스산. 에로스가 아폴로에게 말하고 있다.]

에로스 내 함정에 내가 빠져서 벌을 받는 거라고 봐요.

아폴로 비록 우리가 신이기는 하지만, 에로스, 우리도 어쩔 수 없는 운명에 상처 입기가 쉽단다.

에로스 그렇지만 확실한 건, 내 화살 탓이든 아니든 상관없이 난 프시케를 끔찍하게 사랑하고 있다는 사실이어요. 그 여자가 내 아내가 되기를 소원합니다.

아폴로 아, 그건 ─ 프시케라고 했냐?

에로스 네.

아폴로 그 애 아버지가 델피의 내 신탁을 방문한 적이 있어. 프시케가 세 딸 중 가장 빼어난 미녀인데도 다른 두 딸은 결혼을 했는데 아직 어떤 왕자도 프시케에게는 구혼하는 자가 없다는 거야. 그래서 그 이유를 알고 싶다고 찾아왔었지. 혹시 신들의 심기를 어떻게 건드렸기 때문은 아닌지 궁금해하며 왕은 내 대답을 듣고 싶어 했어.

에로스 그건 제 어머니가 꾸민 일이어요. 그렇지만 프시케가 제 아내가 되는 것과 그 일이 무슨 상관이 있겠어요?

아폴로 내 신탁으로 하여금 프시케는 어떤 인간 왕자와는 결혼할 운명이 아

니라고 할게. 미래의 남편은 차라리 괴물이고 산꼭대기에 있는 그 괴
물에게 가야 한다고 해줄게.

에로스   아, 알겠어요. 산꼭대기요. 그러면 제 문제는 거기서부터 풀면 되겠네요.

아폴로   거기서부터는 네가 어떻게 할 것인지 잘 알아서 할 것이다.

에로스   (*행복해하며*) 네, 틀림없이 압니다. (페이드아웃.)

[페이드인: 실내. 궁전. 가족들이 모두 슬피 울고불고하는 가운데 프시케는 신부
의상을 입고 있다.]

프시케   난 죄가 없고 이런 벌을 받는 게 합당치 않음에도 불구하고, 이 일은
아프로디테가 저에게 내리는 벌로 알고 있어요.

왕비   내 가슴이 찢어진다, 딸아. 너에 대한 혼인 기대가 컸는데 - 이렇게 되
다니 -

(*왕비는 울음을 터트린다.*)

프시케   울지 마세요, 어머니. 전 신들의 명령에 복종합니다.

왕   내가 무척 상심했지만, 프시케, 너를 산꼭대기까지 궁중 행렬로 데려
다주겠다.

(*프시케와 그녀의 가족은 왕국의 행렬을 따라 궁을 떠난다. 눈물과 한숨을 지으
며 이들은 산꼭대기를 올라간다. 꼭대기에 다 왔을 때 이들은 프시케를 그곳에
혼자 놓아두고 떠난다. 페이드아웃.*)

[페이드인: 옥외. 산꼭대기. 프시케가 외롭게 홀로 서 있다. 바람 제피르가 그녀
를 살짝 들어 올려 꽃으로 가득 찬 넓은 골짜기에 데려다 놓자 그녀는 놀란다.

그녀는 근처의 나무숲을 보고 숲속으로 들어간다. 숲 가운데 아주 맑고 시원한 물이 나오는 분수를 본다. 그녀는 물을 마시고 여기저기 걸어 다닌다. 가까이에 훌륭한 궁전이 있는 것을 발견한다.]

프시케 (혼잣말로) 오, 이건— 이건 아닐 거야— 이건 올림포스산에나 있을 법한 멋진 궁전이잖아.

(조심스럽게 그녀는 안으로 들어가 본다. 사람이 있는 것 같지 않다. 지붕을 지탱하고 있는 황금 기둥들과 정교한 조각품들, 벽에 걸린 그림들을 그녀는 둘러본다. 거닐면서 각기 다른 형태의 독특한 비장품들이 방마다 있는 것을 발견한다. 놀란 눈으로 보석 달린 장들을 보고 있을 때 어떤 목소리가 들린다.)

목소리 나의 연인이여.

(프시케는 목소리가 들린 쪽을 돌아다보지만 아무도 보이지 않는다.)

프시케 누구세요? 아무도 보이지 않는데요.
목소리 난 당신의 종입니다. 여기서 들리는 모든 목소리들은 당신의 종들입니다. 우리는 당신의 요구를 들어드리기 위해 여기 있습니다. 무엇이든 원하는 것을 말씀하십시오.
프시케 이 궁전 주인은 누구인가요?
목소리 신탁이 운명으로 선언한 당신의 남편이 주인입니다.
프시케 그런데 그 운명의 남편은 어디 있나요?
목소리 당신이 잠자리에 든 한밤중 야음을 틈타 그가 올 것이고 종달새 울기 전에 떠날 것입니다.
프시케 그렇지만—

목소리　신탁의 명령에서 벗어난 질문은 하지 마십시오. 선언대로 되는 것이 신탁의 뜻입니다. 이제 목욕 준비를 해드리겠으니 목욕하시고 저녁 식사하시고, 그리고 뭐든지 원하시는 것이 있으면 요청하십시오.

프시케　목욕하고 저녁 간단히 먹고, 네, 아주 좋은데요. (페이드아웃.)

[페이드인: 실내. 에로스의 궁전. 프시케의 침실. 신랑이 오는 것에 신경 쓰면서 프시케가 침대에 누워있다. 방안이 암흑이라 아무것도 보이지 않지만 그녀는 누군가 방에 있는 느낌을 받는다. 누군가 그녀 옆으로 들어오는 것을 느낀다. 그는 인간 형태의 에로스이다.]

에로스　두려워하지 마세요, 프시케. 내게 관심 가져달라고 당신한테 강요하지 않겠어요. 나를 그냥 받아주는 신부가 되어주면 좋겠어요.

프시케　괴물 같지는 않은데, 당신은 누구세요?

에로스　난 인간의 형태를 지닌 신이어요. 이런 식으로 당신한테 접근하는 것은, 나를 신이 아닌 한 남자로 받아주고 사랑해주기를 바라기 때문입니다.

프시케　그렇지만 볼 수도 없는데 어떻게 사랑할 수 있어요?

에로스　진정한 사랑은 겉으로 보이는 것을 초월하지요. 우리의 경우 진정한 사랑이 이루어지는 건 장님이 된 것 같은 맹목적 사랑입니다.

프시케　당신의 음성이 달콤하고 애정과 친절이 전해지는 것을 인정하겠어요.

에로스　나의 사랑하는 프시케. 진정으로 당신을 사랑합니다. 머지않아 당신도 내게 똑같은 정열과 사랑을 느끼리라고 믿습니다.

프시케　당신 옆에 있는 게 이처럼 편안하게 느껴진다면 이건 사랑의 전주라고 할 수 있겠지요. 나도 당신과 사랑에 빠질지 몰라요.

에로스　프시케, 내가 당신을 사랑하듯 당신도 날 사랑해주는 것 - 그것이 내가 원하는 전부입니다.

(프시케는 에로스에게 좀 더 가까이 기어들고 곧 잠이 든다. 페이드아웃.)

[페이드인: 실내. 몇 개월 후. 프시케의 침실. 프시케가 에로스 옆에 누워있다.]

프시케   내가 비록 당신을 볼 수는 없지만, 여보, 난 개의치 않아요. 당신의 외
            모는 중요치 않아요. 내가 사랑하는 건 당신의 내면이니까요.

에로스   당신한테 바라는 오직 한 가지 조건이 바로 그거요 - 나를 보지 않는
            것. 그것만 동의해주면 우리의 행복은 영원할 것이오. 그리고 당신 뱃
            속에 있는 우리 아이는 신이 될 것이오.

프시케   우리 사랑은 나한테 완벽해요. 당신을 보지 못해도 괜찮아요.

(에로스는 그녀에게 키스한다.)

에로스   당신이 행복해하니 나도 기쁘오, 프시케.

프시케   아주 행복해요. 단 한 가지 아주 작은 불행이 있다면 -

에로스   그게 뭐요?

프시케   내 부모, 내 언니들이 내가 행복하다는 사실을 알았으면 좋겠어요. 우
            리 가족은 나의 상황을 아직 모르고 있어요.

에로스   동의하고 싶지는 않지만, 당신 마음이 편해진다면 자매들이 이곳을 방
            문해도 좋아요. 제피르에게 내가 지시해 놓겠소.

프시케   오, 여보, 난 이 세상에서 가장 행복한 아내여요! (페이드아웃.)

[페이드인: 옥외. 산꼭대기. 프시케의 두 자매가 올림포스산에 있는 에로스의 궁
으로 운반된다. 프시케는 언니들을 마중하고 서로 포옹한다.]

프시케   언니들, 어서 오세요. 우리 집으로 안내할게요.

(이들은 프시케를 따라 화려한 궁으로 들어간다. 그들은 그 많은 찬란한 보물들을 부러운 눈으로 바라본다. 목소리들이 이들의 편안을 위해서 필요한 것들을 충족시켜준다. 드디어 세 자매는 각종 요리로 가득한 식탁에 둘러앉는다. 눈에 보이지 않는 연주자들이 이들이 들어본 적 없는 기막힌 화음의 최고의 아름다운 연주를 들려준다.)

첫째 딸 프시케, 네 남편이 어떻게 생겼는지 말해다오. 남편은 지금 어디 있어?

프시케 (*약간 당황해하며*) 응ㅡ 그이는 아주 잘생겼어.

둘째 딸 어떻게 생겼는데?

프시케 (*더듬거리며*) 어ㅡ 키가 크고ㅡ 어ㅡ 날씬하고ㅡ

첫째 딸 남편 모습에 확신이 없구나.

둘째 딸 직접 만나보고 싶은데, 남편은 언제 돌아오니?

프시케 그건ㅡ 저ㅡ 언니들은 남편을 만날 수 없어. 보통 하루 종일 사냥하고 밤늦게야 돌아오니까.

첫째 딸 너 뭔가 회피하는 눈치다. 너 무언가 숨기는 게 있지?

프시케 난 남 속이는 데는 서투르니까. 사실은 내 남편이 어떻게 생겼는지 나도 몰라. 깜깜한 밤에만 오고 나한테 자기를 보지 말라고 요구했어.

둘째 딸 (*질투심이 나서*) 하! 실은 네 얘기가 너무 근사해서 진실이라고 믿기 어려웠거든. 네 남편은 괴물이라 자기 모습을 숨기는 게 틀림없어.

프시케 그런 건 아니야. 아니야. 괴물은 아니야. 그 사람 옆에 누워 자는 내가 아는데 남편은 괴물이 아니야.

첫째 딸 그렇지만 너 그 사람을 본 적이 없다면서. 그가 괴물인지 아닌지는 너도 확실히 모르잖니.

둘째 딸 신탁에 따르면 네 운명은 괴물이 네 남편이 될 거라고 했잖아.

(프시케는 눈에 띄게 동요되어 걱정스러운 표정이 역력하다.)

첫째 딸 그 괴물이 지금은 너한테 무척 잘해주겠지만 나중엔 널 먹어버릴 수
도 있어.

프시케 그렇지만 그의 아기를 갖고 있는 나를 먹지는 않을 거야.

둘째 딸 그 괴물이 기다리고 있는 게 바로 그거란 말이다. 네가 아이를 낳고
나면 널 먹어치울 생각이지.

(프시케는 울기 시작한다.)

프시케 오, 안 돼. 그이는 그런 짓 할 사람이 아니야. 그이는 괴물이 아니야.

첫째 딸 내가 너라면 직접 보고 확인하겠다.

프시케 그렇지만, 어떻게? 그 사람은 언제나 한밤중에 오고 그의 모습을 보지
않기로 약속했는데.

둘째 딸 약속 같은 건 잊어버려. 넌 그 괴물의 희생자가 되고 싶으니?

첫째 딸 내가 가르쳐줄게. 침실에 램프와 단도를 숨겨 놓으라고.

둘째 딸 그래, 램프가 있으면 괴물인지 아닌지 네 눈으로 직접 확인할 수 있고,
또 단도는 너를 방어하기 위해서 준비해둘 필요가 있지.

프시케 오, 언니들이 내 마음에 의심을 품게 하고 불안감을 심어주었어. 내 남
편이 괴물이 아니라는 걸 확인하기 전에는 그전처럼 난 행복하지 못
할 것 같아.

첫째 딸 이 언니들한테 고마워하렴, 프시케. 우리가 네 생명을 구해주는 것인
지도 몰라.

프시케 언니들이 내 안전을 걱정해주는 건 알겠는데, 미안해. 그래도 이 문제
는 나 혼자 좀 더 생각해 볼게.

둘째 딸 네 마음을 이해한다. 우린 이제 가볼게.

프시케   제피르가 언니들을 산꼭대기까지 데려다줄 거야.

첫째 딸   네 안전을 염려하고 너를 생각할게, 프시케.

둘째 딸   잘 있어.

프시케   잘 가, 언니들. (페이드아웃.)

[페이드인: 실내. 프시케의 침실. 한밤중. 에로스는 잠들어 있다. 프시케는 조용히 일어난다. 그녀는 숨겨둔 곳에서 램프와 단도를 꺼낸다. 램프에 불을 켜고 에로스 가까이 가지고 간다. 그녀가 보니 너무나 기쁘게도 에로스는 괴물이 아니고 황금빛 곱슬머리에 가벼운 날개를 어깨에 달고 있는 아름다운 신이다. 그녀는 더 자세히 보려고 램프를 가까이 댄다. 그러는 과정에 뜨거운 기름이 램프에서 흘러 에로스에게 떨어진다. 에로스는 깨어나고 프시케를 비난의 눈빛으로 한참 쳐다본다.]

프시케   오, 나의 남편이여, 용서해주세요. 우리 언니들이 내 가슴에 의심을 품게 했어요. 그래서 당신을 괴물로 생각했어요.

에로스   프시케, 당신은 큰 실수를 했소. 심히 후회할 거요. 내 어머니의 뜻을 어기면서까지 난 당신에게 모든 사랑을 바쳤는데, 당신은 언니들 뜻을 내 뜻보다 더 중시했군요. 좋아요, 이제 언니들한테 돌아가도 좋소. 난 지금 떠나면 다시 돌아오지 않을 것이오. 남편을 전적으로 믿지 못하는 아내와는 같이 살 수 없소.

(그렇게 말하고 에로스는 창으로 가서 날개를 펴고 날아가 버린다. 프시케는 궁 밖으로 달려나가 그를 따라가려 했으나 하늘에서 사라지는 그의 희미한 모습만 보일 뿐이다. 그녀는 다시 궁으로 돌아오지만 궁은 그 자리에 더 이상 있지 않음을 발견한다. 프시케는 땅에 쓰러져서 심장이 터지도록 운다. 페이드아웃.)

[페이드인: 옥외. 올림포스산. 프시케는 에로스를 찾아 정처 없이 헤맨다. 그녀는 근사하게 보이는 신전 앞에 서 있다.]

프시케   어쩌면 이곳에 내 남편이 살고 있는지도 몰라.

(프시케가 안으로 들어가 보니 과일들과 수확 도구들이 무질서하게 놓여 있다.)

프시케   여긴 내 남편의 거처가 아니구나. 이건 데메테르의 신전임이 틀림없어. 정리를 좀 해줘야겠다. 데메테르가 오면 내 남편 찾는 일을 도와줄지도 몰라.

(프시케는 보리와 옥수수를 분리하고 갈퀴, 낫, 호미 도구들을 깔끔하게 정돈한다. 그녀가 일을 하고 있는 동안 데메테르가 들어온다.)

데메테르   프시케 너였구나.
프시케   저를 아세요?
데메테르   알지. 우리 신들은 모든 걸 다 알고 있단다. 넌 아프로디테 눈 밖에 났지. 아프로디테는 자기 아들하고 네가 결혼하는 걸 반대했거든.
프시케   바보짓을 해서 남편을 잃게 된 제 자신이 저도 너무 싫어요.
데메테르   내가 할 수 있다면 도와주고 싶은데, 동료 신들의 애정 문제에 개입할 수는 없단다.

(프시케는 불쌍하게 운다. 데메테르가 그녀를 위로한다.)

데메테르   자, 자, 진정해, 프시케. 내가 개인적으로는 끼어들 수 없지만 너에게 충고는 해줄 수 있지.

프시케   전 무엇이든지 할 용의가 있어요.

데메테르   아프로디테의 궁전을 찾아가라. 가서 용서를 구해. 아프로디테에게 납
          작 엎드려서 복종해라.

프시케   오, 그렇게 할게요. 아프로디테가 요구하는 건 뭐든지 하겠어요. (페이
          드아웃.)

[페이드인: 실내. 아프로디테의 궁전. 프시케가 그녀 앞에 겸손히 서 있다.]

아프로디테   그래서, 마침내 네가 나의 우월성을 인정한다는 거냐?

프시케   저는 언제나 존경심을 갖고 인정해왔습니다. 제가 받는 찬사는 합당치
          않다고 항상 주장했습니다.

아프로디테   합당치 않다는 말은 맞다. 내 아들을 남편으로 삼는 것도 너에겐 합
          당치 않아.

프시케   제가 용서를 구하기 위해서 그를 만날 수만 있다면, 저는 그가 다시
          제게 와주리라고는 기대하지 않습니다. 단지 제가 가졌던 의심을 용서
          해주기만을 원할 뿐입니다.

아프로디테   바보 같은 에로스! 자기가 쏜 화살에 자기가 맞다니.

프시케   그이는 어때요? 제가 부주의하게 입힌 상처가 염려됩니다.

아프로디테   그 상처 때문에 몸져누워있어. 너의 약속 위반이 안겨 준 상심도 크
          고.

프시케   제 잘못을 보상하기 위해서 저는 뭐든지 할 용의가 있습니다.

아프로디테   좋다. 네 뱃속에 있는 내 손주를 생각해서 베푸는 거다. 내가 주문하
          는 몇 가지 아주 어려운 임무 수행을 네가 완성한다면, 그래서 너의
          가치를 증명한다면 내가 너를 용서해주마.

프시케   명령대로 따르겠습니다.

(프시케는 아프로디테를 따라 방 밖으로 나간다.)

[페이드인: 실내. 아프로디테의 창고. 그곳에는 보리, 밀, 수수, 완두콩, 편두 콩, 강낭콩이 한 데 섞여서 산더미를 이루고 있다.]

아프로디테 이 곡물들을 각각 분류해서 쌓아 놓아라. 12시간 안으로 임무를 완성해야 한다.

(산처럼 쌓여 있는 곡식을 보면서 실망하고 절망감에 사로잡힌 프시케를 두고 아프로디테는 나간다. 페이드아웃.)

[페이드인: 옥외. 아프로디테 궁전의 외곽. 에로스는 개미 언덕의 대장을 손에 집어 든다.]

에로스 개미 대장아, 나의 귀여운 프시케를 가엾이 여기고 너의 개미 군단이 그녀를 도와주도록 지시해주기 바란다.

(에로스는 개미를 내려놓는다. 개미 대장은 그의 개미 군단을 이끌고 창고로 들어간다. 각기 다른 곡식 알갱이를 헛되이 분류하고 있는 프시케에게 온다. 개미 군단은 프시케의 손에 있는 알갱이들을 취하여 각각 분류해서 쌓기 시작한다. 열두 시간 안에 각 알갱이들을 분류하여 쌓아 올리기를 마치고 그들은 떠난다. 아프로디테는 돌아와서 분류되어 쌓여있는 곡식을 보고 놀란다.)

아프로디테 너 혼자 이 일을 완성했다고 보지 않는다. 에로스가 아직도 자기가 맞은 화살에 넋이 나가 있구나. 좋다. 내일은 또 다른 날이고 네가 할 임무가 또 있다. (페이드아웃.)

[페이드인: 실내. 아프로디테의 궁전. 다음 날 아침. 프시케가 아프로디테 앞에 서 있다.]

아프로디테 이번에 네가 할 일은 강 건너에 있어. 강 건너 숲에 가면 황금 털이 있는 양 떼가 있다. 그 양털을 하나하나 모아 오거라.

(*프시케는 두 번째 임무를 수행하기 위해 떠난다. 페이드아웃.*)

[페이드인: 옥외. 프시케가 물결이 출렁이는 강을 건너려고 한다. 에로스가 강신을 일깨워 미리 말해두었다.]

강신 프시케. 지금은 물살이 세니까 건너지 말고 정오까지 기다렸다가 그때 건너도록 해라. 사나운 양들도 그때는 잠이 들어 있을 것이다.
프시케 그 양털의 견본을 볼 수 있나요?
강신 그건 안 돼. 지금은 양들을 깨울 수 있으니까 그건 안 되지. 너를 보면 그것들이 찢어놓을 거야.
프시케 그럼 그 양털을 어떻게 구할 수 있지요?
강신 그 양들은 어찌나 거칠고 사나운지 관목들과 나무들을 마구 부숴트리거든. 몸을 비비고 부딪힌 관목과 나무에 그 털들이 붙어 있을 것이다.

(*프시케는 강신의 충고를 따른다. 그녀는 정오에 강을 건너서 나무와 관목에 붙어있는 양털을 모아 황금 양털을 팔에 한 아름 안고 돌아온다.*)

[페이드인: 실내. 아프로디테의 궁전. 프시케는 팔에 하나 가득 안고 온 황금 양털을 아프로디테에게 건넨다.]

아프로디테   넌 또 도움을 받았구나. 내가 알지. 그러나 이번 마지막 임무는 누구
　　　　　도 너를 도와줄 수 없을 것이다. 이 상자를 하데스에 가지고 가라. 그
　　　　　리고 페르세포네에게 그녀의 미모 일부를 여기 담아 보내주도록 청해
　　　　　라.

프시케   그렇지만 하데스에서 돌아오는 사람은 아무도 없지 않나요.

아프로디테   그게 너의 마지막 임무야. 할 것인지 말 것인지는 네가 결정해라.

(프시케는 가망 없는 태도로 상자를 들고 길을 나선다.)

프시케   *(혼잣말로)* 하데스에 가면 다시는 못 돌아올지도 몰라. 차라리 세상을
　　　　　하직해서 나의 종말을 고하고 혼령으로 하데스에 들어가는 편이 나을
　　　　　지도 모르겠다.

*(프시케는 아프로디테 궁전의 가장 높은 탑으로 올라간다. 그녀는 뛰어내리려고
탑 창틀에 올라선다. 어떤 한 목소리가 그녀를 멈추게 한다.)*

목소리   프시케, 왜 그리도 믿음이 약합니까? 다른 임무를 수행할 때 도움을
　　　　　받지 않았습니까?

프시케   그렇지만 하데스로 가는 건 이야기가 다르지요.

목소리   믿음이 있으면 불가능은 없어요. 내 지시를 따르면 마지막 임무도 성
　　　　　공적으로 마칠 수 있어요. *(페이드아웃.)*

[페이드인: 옥외. 펠로폰네소스의 타에나룸에 있는 동굴. 프시케는 그녀가 들고
있는 보따리 꾸러미를 살펴본다.]

프시케   *(혼잣말로)* 어디 보자. 내가 필요로 하는 게 다 있는지 확인해 봐야지.

아프로디테의 상자, 은화 두 닢, 케이크 두 쪽, 딱딱한 빵 하나, 자 됐다. 은화는 카론에게 줄 오고 가는 왕복 뱃삯이고, 케이크는 하데스 문을 통과할 때 케르베로스의 관심을 따돌리기 위해 사용할 것이고, 딱딱한 빵은 나를 위한 거지. 하데스에서는 내가 그곳의 음식을 같이 먹으면 안 되니까.

(프시케는 하데스로 가는 동굴로 들어간다. 페이드아웃.)

[페이드인: 실내. 하데스의 궁전. 페르세포네가 프시케를 식탁으로 초대한다.]

페르세포네 여기 앉아서 함께 음식을 듭시다.

(프시케는 앉으려다가 경고를 기억한다.)

프시케 *(혼잣말로)* 목소리가 나에게 경고했지. 어느 의자에도 앉으면 안 된다고 했어. 앉게 되면 음식에 손대지 않고서는 절대 일어날 수 없다고 했고, 그랬다가는 절대로 그곳을 떠날 수 없다고 경고했어.

프시케 *(페르세포네에게)* 불손한 의도는 전혀 아닌데요, 저는 이 바닥에 앉아서 제가 가지고 온 딱딱한 빵을 먹을게요.

페르세포네 좋아요. 편한 대로 하세요. 자 이제 방문한 목적이 뭔지 말해 볼래요?

프시케 저의 여주인 아프로디테가 당신 미모의 일부를 이 상자에 담아주시면 가지고 오라고 했어요.

(프시케는 보따리에서 상자를 꺼내어 페르세포네에게 준다.)

페르세포네 아프로디테의 미모는 천하가 다 아는 유명한 미모인데요. 내 미모의 어느 부분도 필요 없을 텐데. 그러나 원한다면 기꺼이 드려야지요. 여기서 기다려요.

(*페르세포네는 상자를 들고 나간다. 그녀는 이내 돌아온다.*)

페르세포네 뚜껑을 단단히 닫았으니 조금도 새나가지 않을 겁니다. 꽉 닫힌 채로 그대로 있어야 해요. 혹시 열리면, 아가씨가 슬픈 고통을 당하게 됩니다.

프시케 잘 보관해서 갖고 갈게요. 감사합니다, 부인.

(*프시케는 상자를 보따리에 넣고 궁전을 떠난다. 그녀는 갈 때도 케르베로스를 성공적으로 따돌리고, 카론에게 은화 한 닢을 주고 스틱스강을 건너 돌아온다. 페이드아웃.*)

[페이드인: 옥외. 타에타룸의 동굴 밖. 프시케는 상자를 보따리에서 꺼낸다.]

프시케 (*혼잣말로*) 지금까지 견뎌 온 고생으로 내 얼굴이 형편없이 나빠졌을 거야. 마침내 남편을 만날 텐데, 신의 미모를 약간 빌려 나를 좀 호감 있게 보일 필요가 있지 않을까. 추해진 내 모습을 보고 남편이 달아나는 일이 생기지 않도록 말이지.

(*프시케는 뚜껑이 꽉 닫혀 있는 상자를 어렵게 열어보지만, 그 안에 뭐가 있는 것 같으나 보이는 것은 없다. 안에 있는 것은 하데스의 죽은 듯한 잠이다. 그 잠이 상자에서 빠져나와 프시케의 몸을 사로잡는다. 프시케는 땅에 쓰러져 죽은 듯이 잔다. 페이드아웃.*)

[페이드인: 옥외. 타에나룸의 동굴 밖. 에로스는 쓰러져 있는 프시케에게 날아온다. 그는 그녀의 몸에서 죽은 듯한 잠을 거두어들이고 이를 다시 상자에 담는다.]

에로스　죽은 듯한 잠은 모두 모아서 상자에 도로 담았으니 이제 내 화살로 당신을 한번 건드리면 당신은 다시 생명을 얻게 된다.

(에로스는 프시케를 화살로 건드린다. 프시케는 깨어나고 기쁨에 넘쳐 에로스를 포옹한다.)

프시케　오, 나의 남편, 날 용서해줄 수 있어요? 또 내 호기심 때문에 내가 또 일을 저질렀어요.

에로스　그래요. 이번에도 당신은 인간적인 면을 또 보여주었소. 내 사랑, 난 당신이 받아야 할 벌을 뒤집어 놓을 수 있지만, 그러나 당신이 먼저 할 일은 하데스로 다시 돌아가서 내 모친의 마지막 임무를 완성해야 하오.

프시케　네, 당신이 하라는 대로 아무 소리 않고 하겠어요.

에로스　그럼 어서 다녀와요. 날 믿어요.

(프시케는 동굴로 다시 들어간다. 페이드아웃.)

[페이드인: 실내. 제우스의 궁전. 올림포스산. 제우스, 에로스, 그리고 다른 신들과 여신들이 있다. 헤르메스와 프시케가 함께 들어온다.]

헤르메스　에로스, 프시케가 왔어요. 약속했던 대로 하데스에서 돌아왔어요.

에로스　제우스의 약속을 난 의심한 적이 없어요.

제우스   너와의 약속을 지키기 위해서 난 아프로디테와 하데스를 달래고 회유
         해야 했다. 아프로디테는 얼마 지나지 않아서 내 생각을 따라 주었지
         만, 내 형제 하데스의 허락을 받아내기 위해서 난 정말이지 진절머리
         나게 지껄여대야 했으니까. 하데스 말로는 최근에는 들어오는 혼령보
         다 나가는 혼령이 더 많다더군.

에로스   알고 있어요. 성급히 떠나는 혼령들이 있었어요. 페르세포네의 간청으
         로 알케스티스와 에우리디케가 그곳을 떠났고 지금은 프시케가 떠났
         어요. 그렇지만 프시케는 신격(神格)의 신부가 될 것이니까 하데스도
         예외로 참작했겠지요.

제우스   자 이제 우리 일을 진행하자. 프시케, 이리 와서 에로스 옆에 서라. 그
         리고 이걸 마시렴.

(프시케는 넥타르가 든 컵을 들고 마신다.)

제우스   이 넥타르는 너를 신으로 만들어 주는 거다. 이제 너와 에로스는 두
         명의 신으로서 결혼하는 것이다. 서로 손을 잡아라.

(프시케와 에로스는 손을 잡는다.)

제우스   나방이 형태에서 변신 과정을 잘 견디어내고 한 마리의 나비가 되는
         것처럼, 프시케, 너는 하데스까지 갔다가 죽지 않는 연인을 찾아 돌아
         왔다. 네 연인은 네가 가지고 있는 인간적인 약점들을 순수한 애정으
         로 용서해주었어. 그래서 나는 너희 둘이 가치 있는 존재임을 인정하
         고 영원히 하나가 되도록 맺어주는 것이다.

(에로스는 프시케에게 키스하고 다른 신들도 이 기쁜 혼인을 축하한다.)

30
테레우스, 프로크네, 필로멜라: 악마 같은 삼각관계

	등장인물	
판디온 왕	알렉토	프로크네
부관	메게라	필로멜라
테레우스	티시포네	하인

[페이드인: 아테네의 판디온 왕의 궁전. 왕의 부관이 들어온다.]

판디온 왕 라바다쿠스 왕과 그의 테베인들이 아테네를 점령하고 있소. 다른 펠로
폰네소스 국가들의 외교적 관계가 이보다 더 악화된 때가 없었소. 지
금이 최악인 것 같소.

부관 그 점을 보고 드리려고 왔습니다, 전하.

판디온 왕 뭐라고? 그럼 전부 패했다는 거요?

부관 아닙니다. 다 잃은 것은 아닙니다. 트라키아의 테레우스 왕은 강력한
그의 군대로 테베인들을 물리쳤습니다.

판디온 왕 놀랄 일은 아니요. 테베인들이 테레우스 왕을 맞서 싸울 힘은 없지.

부관 예, 테레우스 왕은 전쟁의 신 아레스의 아들이지요.

판디온 왕 뛰어난 용사요. 그런데 좀 야만스러운 데가 있어요. 어쨌든 고마운 일
이오. 우릴 구해준 데 대한 감사 표시를 하고 싶다는 내 말을 전해주
시오

부관　알겠습니다, 전하.

(*부관은 나간다.* 페이드아웃.)

[페이드인: 실내. 그 후. 판디온 왕의 궁전. 판디온 왕은 테레우스 왕을 영접한다.]

판디온 왕　어서 오시오, 테레우스 왕.

테레우스 왕　선물을 주시니 황송합니다, 전하.

판디온 왕　약소하나마 아테네를 구해준 감사의 표시요.

테레우스 왕　과찬이십니다, 전하.

판디온 왕　아니요, 아니지요. 공적에 대한 당연한 감사의 표시인데, 그보다 더 해드려도 모자랄 판입니다.

테레우스 왕　그러시다면, 그렇게 말씀하신다면, 전하, 제가 너무 무례하다고 생각지 않으신다면, 전하께 요청하고 싶은 게 한 가지 있습니다.

판디온 왕　무엇이든 요청하시오. 무엇이든.

테레우스 왕　저는 신붓감을 찾고 있는데, 프로크네 공주야말로 제가 찾는 신붓감인 것 같습니다.

(*판디온 왕은 이런 요구를 상상치 못했으나 그가 테레우스에게 진 빚을 고려하면 거절할 처지가 못 된다.*)

판디온 왕　테레우스 왕이여, 아레스의 피가 당신에게 흐르는데, 그리고 트라키아는 아테네처럼 예술과 문명의 조예가 깊은 나라는 아니지만, 내 딸이 타고난 선한 성품과 함께 아테네의 문화를 그곳에 이식한다면 축복이 될 것으로 믿습니다.

테레우스 왕 전적으로 동감입니다. 결혼 문제는 해결된 것으로 보아도 무방하지
요?

판디온 왕 그렇소. 가능하면 빨리 결혼식을 올리도록 준비시키겠소. (페이드아
웃.)

[페이드인: 실내. 며칠 후. 프로크네 공주의 신부 방. 세 명의 복수의 여신들이
신부의 침상을 준비 중이다.]

알렉토 메게라, 티시포네, 횃불 좀 높이 올려 봐..

메게라 자, 알렉토, 우린 횃불에 불을 잘 지폈어.

티시포네 그래. 장례용 장작더미를 횃불로 불붙여서 활활 잘 타올랐지.

(올빼미 우는 소리가 들린다.)

메게라 네가 일할 때는 올빼미의 반주도 있구나, 알렉토. 친절하게 잘 울어주
고 있지 않으냐.

알렉토 메게라, 횃불을 티시포네에게 주고 넌 이리 와서 내가 침상 만드는 걸
도와줘야겠다.

(메게라는 티시포네에게 그녀의 횃불을 주고 알렉토를 도와주러 온다.)

메게라 나라면 결혼 첫날 밤을 이 침대에서 보내고 싶지 않겠다.

티시포네 올빼미 우는 소리는 나쁜 징조야.

메게라 그것도 그렇고, 히멘과 세 은총의 여신들이 이 결혼을 축하해주러 오
기를 거부했잖아.

티시포네 우리 복수의 여신들이 이 침상을 준비하는 것도 좋은 징조는 아니야.

(알렉토와 메게라가 결혼 침상 준비를 마친다.)

알렉토 자, 프로크네, 우린 너를 위해 신부의 침상을 준비했지만 너는 이 침대에 영원히 눕게 될 거다.

(알렉토, 메게라, 티시포네는 악마처럼 웃고 그곳을 떠난다.)

[페이드인: 실내. 트라키아. 5년 후. 테레우스 왕의 궁전. 프로크네는 4살 된 이티스를 무릎 위에 놓고 남편 테레우스를 조르고 있다.]

프로크네 테레우스, 여보, 당신과 결혼해서 아들 이티스도 생기고 난 행복해요. 그런데 당신이 내 부탁을 하나 들어주면 더 행복할 텐데요.

테레우스 바라는 게 뭐요, 프로크네?

프로크네 내 동생 필로멜라가 보고 싶어요. 결혼한 지 5년이나 되었는데 그동안 한 번도 만나 보지 못했어요. 내가 아테네로 가서 만날 수도 있지만 동생이 나를 방문하러 오면 더 좋지요.

테레우스 아버님이 필로멜라의 방문을 허락한다면 내가 아테네로 가서 기꺼이 동생을 데려오겠소.

프로크네 아버지는 그 애를 몹시 사랑하고 특히 내가 떠난 후로는 그 애를 많이 의지하고 계실 거예요. 그러나 방문이 길지 않고 내가 무척 행복해할 거라고 하면 아버지께서 승낙해주실 걸로 믿어요.

테레우스 좋소. 내가 아테네로 가서 당신의 절실한 청을 전하리다.

프로크네 오, 고마워요, 테레우스. 아버지가 허락하시기를 빌게요.

테레우스 아버님을 설득하기 위해 최선을 다하겠소. 서둘러 떠나야겠소.

프로크네 준비를 도울게요. 난 너무 행복해요. *(페이드아웃.)*

[페이드인: 실내. 아테네. 판디온 왕의 궁전. 판디온 왕과 테레우스.]

판디온 왕 그게 말이오— 테레우스, 아무리 짧은 기간이라 해도, 필로멜라와 헤어지는 건 나로선 어려운 일이라네.

테레우스 잠시 동안입니다. 프로크네가 동생을 만나보는 기쁨이 얼마나 큰지도 고려해주시지요.

판디온 왕 필로멜라 본인이 결정하도록 하겠네.

(*왕은 메신저에게 필로멜라를 불러오도록 한다.*)

판디온 왕 필로멜라가 방문하겠다고 동의하면, 테세우스, 자네에게 조건이 하나 있네.

테레우스 제 아내를 기쁘게 하는 일이라면 무슨 조건이든 말씀만 하십시오.

판디온 왕 자네가 내 친아들처럼 내 딸을 보호해줄 것을 부탁하네. 여행길에 어떤 해도 받지 않도록 최선을 다해서 지켜주겠다는 약속을 하게.

테레우스 필로멜라를 보호해야 할 책임을 느낍니다. 확신을 갖고 절 믿어주세요. 필로멜라가 어떤 해도 받지 않고 무사하도록 제가 목숨 걸고 지킬 것입니다.

판디온 왕 알겠네. 자네 말을 들으니 내 마음이 한결 편하군.

(*필로멜라가 들어온다.*)

판디온 왕 필로멜라, 네가 잠시 언니를 방문할 수 있도록 테레우스가 트라키아 여행길에 너를 보호하려고 왔다. 네 생각은 어떠냐?

필로멜라 아버지 곁을 떠나는 건 싫지만 언니를 보고 싶은 마음이 간절해요.

판디온 왕 네가 그곳에 있는 동안 아버지를 잊지 않겠지?

필로멜라 그럴 리가요! 절대, 절대로 잊지 않아요.

(*필로멜라는 아버지와 키스하고 껴안고 또 키스하고 껴안는다. 아버지와 딸은 서로서로에게 빠져서 테레우스의 음흉한 눈길을 보지 못한다. 테레우스는 필로멜라가 아버지에게 보이는 밀착된 애정 표현에 질투를 느끼고 마음속에 음욕을 불태우며 지켜보고 있다. 페이드아웃.*)

[페이드인: 옥외. 트라키아 해변. 테레우스의 배가 정박한다. 테레우스는 필로멜라의 손을 잡고 해변 길을 안내한다.]

필로멜라 여기서 궁전이 먼가요?
테레우스 저기 보이는 저 작은 돌집 너머에 있어요.

(*테레우스는 필로멜라에게 말을 하는 동안에도 그의 정욕을 참을 수 없어 한다. 필로멜라는 그의 이상한 몸짓을 느끼면서도 그가 프로크네와 다시 만날 기대감에 부풀어 그러려니 하고 수상한 생각이 드는 것을 떨쳐버린다. 그들이 작은 돌집에 도달했을 때 테레우스는 문을 열고 그녀를 강압적으로 끌고 들어간다.*)

필로멜라 뭐 하는 거예요? 프로크네가 여기 있어요?

(*음욕에 불타는 테레우스는 몸을 부들부들 떤다.*)

테레우스 아니, 프로크네는 여기 없어. 너하고 나, 우리 둘만 있어.

(*필로멜라는 놀람과 공포로 떨고 있다.*)

필로멜라   제발, 이런 악한 짓을 하면 안 돼요. 난 당신한테 친동생이나 다름없고
          당신 아내의 동생이어요.

(그녀는 테레우스 앞에 무릎을 꿇는다.)

필로멜라   이렇게 빌게요. 차라리 내 생명을 가져가세요. 날 범하지 말고 언니의
          사랑을 배반하는 일도 하지 마세요.
테레우스   내가 널 궁전에서 처음 보았을 때부터 이 순간을 위해 참아왔는데, 이
          런 기회를 놓칠 것 같으냐?

(극렬한 욕망에 빠진 그는 숨을 헐떡이고 떨면서 필로멜라를 바닥에 쓰러트리
고, 그녀가 울면서 비명을 지르는 가운데 음탕한 욕구를 채운다.)

필로멜라   나를 죽여 줘! 나를 죽여라! (페이드아웃.)

[페이드인: 실내. 작은 돌집. 얼마 후. 테레우스와 필로멜라.]

필로멜라   넌 야만스러운 짐승만도 못한 놈이야! 넌 우리 아버지한테 어떤 해도
          받지 않게 날 보호하겠다고 약속했어.
테레우스   조용히 해. 창녀야!
필로멜라   그래, 맞다. 넌 내 언니를 속이고 날 창녀로 만들었어. 내 언니를 배신
          했어. 너의 악행을 끝까지 완성시켜라. 어서 날 죽여!
테레우스   난 널 죽이지 않아. 왜 내가 널 죽이겠냐? 널 여기 두고 특별히 갈증을
          느낄 때마다 와서 재미를 볼 것인데.
필로멜라   내가 조용히 있을 것 같으냐? 너의 그 추악한 짓을 천장이 무너지게
          소리쳐서 네 더러운 악행을 온 세상에 알릴 것이다. 제우스도 하늘에

서 내 얘기를 들을 것이다.

(*테레우스는 필로멜라의 머리채를 잡고 그의 칼을 뺀다. 죽기를 간구하는 필로멜라는 그녀의 목을 들이대어 그가 내려칠 수 있게 한다. 그러나 테레우스는 그녀의 목을 치는 것이 아니라, 그녀의 머리를 위로 젖히고, 그의 두 다리 사이에 칼을 끼어놓고, 그녀의 혀를 잡아 뽑아 번개처럼 눈 깜짝할 사이에 그녀의 혀를 자른다.*)

테레우스 오냐, 네가 온 세상에 대고 얼마나 떠들 수 있나 보자.

(*잔인하게 그는 필로멜라를 바닥에 내던진다.*)

테레우스 내가 떠나기 전에 한 번 더 재미를 봐야지.

(*테레우스는 또다시 필로멜라를 능욕한다. 페이드아웃.*)

[페이드인: 실내. 테레우스의 궁전. 프로크네는 이티스를 데리고 필로멜라의 도착을 애타게 기다리고 있다. 테레우스가 울면서 들어온다.]

프로크네 무슨 일이에요, 테레우스? 필로멜라는 어디 있어요?
테레우스 슬픈 일이오, 여보. 내 잘못이오.
프로크네 당신 잘못이라니요? 무슨 소리에요? 어서 말해요.

(*테레우스는 정신을 차리는 시늉을 한다.*)

테레우스 내가 그 폭도 놈들을 미리 경계했어야 하는데―

프로크네　폭도들이오? 테레우스, 무슨 일이 일어난 건지 어서 말해보세요.

테레우스　당신은 트라키아의 야만적인 폭도들이 지방에 많이 돌아다니는 사실을 알고 있지 않소.

프로크네　네, 알고 있어요.

테레우스　우리 일행이 궁으로 오고 있을 때 그놈들이 우리도 모르는 사이 뒤를 밟아 필로멜라를 붙잡아 갔소.

프로크네　필로멜라가 붙잡혀 갔다고!

테레우스　우린 그녀가 끌려가는 걸 지켜볼 수밖에 없었소.

프로크네　찾아올 가망이 없어요?

테레우스　없을 것 같소. 여보, 그 야만인들은 붙잡아 간 사람들을 먹잇감인 양, 동물처럼 다룬단 말이오.

(프로크네는 가슴이 미어지게 운다.)

프로크네　내 잘못이어요. 내가 이기적인 생각으로 그 애를 데려와 달라고 한 게 잘못이어요. 그러지만 않았어도 그 앤 죽진 않았을 텐데. 나의 불쌍한 아버지. 아버지 생명의 불을 내가 껐어요.

(프로크네는 히스테리 지경에 이른다.)

테레우스　프로크네, 너무 상심하지 마오. 당신이 그러면 내 슬픔이 더 커질 뿐이오.

프로크네　미안해요, 여보. 우리가 서로 위로할 때지요.

(두 사람은 서로 붙들고 운다. 페이드아웃.)

[페이드인: 실내. 일 년 후. 작은 돌집. 돌집 주위에 지금은 담이 쳐 있다. 안에는 필로멜라와 그녀를 돌보는 하인이 함께 있다. 필로멜라의 일과는 베틀 앞에 앉아 수놓는 일이 전부다. 매일 같이 그녀는 수를 놓고 또 놓고 계속 수를 놓는다. 색색으로 짠 아주 정교한 태피스트리 벽걸이 장식이다. 그 위에 그녀는 자신의 이야기를, 그녀의 배신당한 이야기를 상세히 그려 넣는다. 이제 태피스트리는 완성되었으며 그녀는 이를 돌돌 만 뒤 하인을 부른다.]

하인   이게 뭔가요, 아가씨?

(필로멜라는 하인에게 태피스트리를 왕비에게 선물로 전해줄 것을 손짓으로 설명한다.)

하인   이것을 왕비에게 전달해주기를 원하십니까?

(필로멜라는 고개를 끄덕이고 부드럽게 하인을 문 쪽으로 민다.)

하인   선물을 빨리 전하고 싶으시군요. 알겠어요. 신들도 아가씨가 행복하지 못한 걸 알고 있을 텐데. 아가씨를 기쁘게 하는 일이라면 어서 해야지요.

(하인은 태피스트리를 가지고 프로크네에게 간다.)

[페이드인: 실내. 궁전. 프로크네는 돌돌 말린 태피스트리를 들고 그녀에게 절을 하는 하인을 맞이한다.]

프로크네   우리 백성 한 분이 매우 특별한 선물을 나를 위해 준비했다고 했나요?

하인   예, 왕비 마마. 불행하게도 혼자는 말을 할 수 없는 아주 아름다운 소
　　　　녀가 보낸 것입니다.

프로크네 왜 말을 할 수 없는 거지요?

하인   그건 저도 잘 모릅니다. 태어날 때부터 사고가 있었는지 아니면 다른
　　　　이유가 있었는지 저는 정확한 이유는 모릅니다만, 혀가 없는 아가씨여
　　　　요.

프로크네 오, 가엾기도 해라. 그 선물을 이리 주세요.

(하인이 선물을 프로크네에게 전하자 그녀는 이를 풀어본다. 그림을 통해서 프로크네는 테레우스의 배신과 필로멜라의 이야기를 읽고 자세한 내용을 알게 된다. 프로크네의 얼굴이 사색이 된다.)

하인   왜 그러십니까, 왕비 마마? 얼굴에 핏기가 없으십니다.

(프로크네는 정신을 차린다.)

프로크네 이 태피스트리가 너무 아름다워서, 그림을 보고 감동해서 그래요. 당
　　　　신 여주인께 전하세요. 내가 선물을 소중히 감상하고 또 개인적으로
　　　　감사 인사차 한번 방문하겠다고 전해주세요.

하인   오, 왕비 마마, 아가씨가 무척 기뻐할 겁니다. 그녀 일생에 기쁜 일이
　　　　없음을 하늘도 안타까워할 텐데, 왕비께서 기쁘게 해주십니다.

(하인은 떠난다.)

프로크네 (혼잣말로) 복수의 여신들이 준비한 나의 신부 침상의 처절한 운명을
　　　　이제 알겠구나. 내가 개인적으로 섬기는 여신 헤라시여, 테레우스에게

원수를 갚기 전에는 내 북받치는 감정이 그 괴물에게 들키지 않게 해주소서. 무심코 내심을 들어내는 실수를 저지르지 않도록 저에게 힘을 주시고 도와주소서. (페이드아웃.)

[페이드인: 실내. 작은 돌집. 프로크네와 필로멜라. 필로멜라는 프로크네 앞에 무릎을 꿇고 애원한다.]

프로크네 일어나라, 나의 사랑하는 필로멜라. 이 사건의 책임이 너에게 있는 줄로 내가 생각할 줄 아니? 천만에. 전혀 아니지. 사건의 책임은 내가 결혼한 저 음탕한 불신의 괴물에게 있지.

(*필로멜라는 일어나서 언니와 포옹한다.*)

프로크네 필로멜라, 얘야, 네 잘못은 하나도 없다. 누군가 잘못이 있다면 그건 내 잘못이야. 내 결혼 전에 있던 끔찍한 흉조에 주의를 기울이지 않았던 내 잘못이 크다. 그러나 모든 일은 바로 잡힐 거야. 우리는 이티스를 데리고 아테네로 갈 것이다. 이 야만의 나라 트라키아는 테레우스와 그 종자들에게 두고 우리는 떠나야 한다.

(*필로멜라는 행복해서 언니를 껴안는다.*)

프로크네 그러나 테레우스는 자기가 지은 죄에 대한 합당한 징벌을 받아야만 해. 너를 잡아갔다고 거짓말한 그 야만인들이 테레우스를 잡아갈 것이다. 그들 몇 사람이 테레우스를 배반할 것을 나한테 제안했어. 우리가 안전하게 떠나는 보장이 되면 그때는 그 야만인들이 행동에 옮길 것이고 우리는 사랑하는 아버지와 재결합하게 된다.

(*기쁨의 눈물이 필로멜라의 눈에서 홍수처럼 쏟아진다.*)

프로크네 모든 건 다 내게 맡겨.

(*프로크네는 동생에게 키스하고 떠난다. 페이드아웃.*)

[페이드인: 옥외. 출항하려는 배 위에 프로크네, 필로멜라, 이티스가 타고 있다.
도시에서 번개 같은 불이 삽시간에 타오르고 하늘을 뻘겋게 물들인다.]

프로크네 근친상간의 겁탈자! 저 궁전의 불길이 너의 그 추악한 부정한 정열을
　　　　　모두 불살라 버려라!

(*필로멜라는 프로크네가 한 말을 인정한다는 표시를 한다.*)

프로크네 그래, 나의 사랑하는 필로멜라, 저 야만인들이 약속을 지켜주었어. 저
　　　　　들이 궁전에 불을 질렀어. 그 안에 있는 괴물 테레우스도 불에 타 없
　　　　　어지게 말이야. 우리는 이제 아테네로 간다.

(*필로멜라와 이티스는 불길을 지켜보면서 프로크네와 더 가까이 붙는다.*)

프로크네 때가 되면 우리의 상처는 치유될 거야. 전에는 내 결혼식을 축복해주
　　　　　지 않았던 은총의 세 여신들이 아마 이제는 우리의 남은 인생을 축복
　　　　　해줄 것이다.

(*필로멜라는 행복해서 눈물 흘리며 미소 짓는다.*)

31
피라무스와 티스베: 비운의 연인들

등장인물

피라무스	티스베의 아버지	피라무스의 어머니
티스베	피라무스의 아버지	

[페이드인: 옥외. 벽돌 성벽이 높이 둘린 바빌론 도시. 바빌론에서 가장 미남 청년인 피라무스와 가장 아름다운 소녀 티스베는 서로 이웃집에 살면서도 만나 본적이 없다. 양쪽 부모들이 서로 앙숙이기 때문이다. 왕래가 금기된 두 집은 높은 담으로 갈라져 있다. 그리하여 두 선남선녀는 이웃에 살면서도 교제한 적이 없다. 어느 날 부모님이 집을 비운 사이 피라무스는 호기심에 담 위로 올라가 본다. 담 위에 앉아 이웃집 마당을 둘러보다가 꽃밭에서 꽃을 꺾고 있는 티스베를 발견한다. 티스베는 꽃에 몰두하여 피라무스를 보지 못한다. 피라무스는 담에서 뛰어내려 그녀에게로 간다.]

피라무스 어떤 것도 당신보다 더 아름다울 수는 없어요. 아름다운 소녀여, 꽃들이 당신과 비교되어 고통받고 있네요.

(*티스베는 놀라지만 무서워하지는 않는다.*)

피라무스 겁을 주었다면 미안해요.

티스베   겁나지는 않았어요.

피라무스 그냥 좀 놀랐나요?

티스베   네.

피라무스 왜 나를 겁내지 않지요? 생판 낯선 사람인데요.

티스베   무언가 설명하기 어려운 게 있어요.

피라무스 아마 내가 설명할 수 있을 겁니다.

티스베   듣고 싶네요.

피라무스 내가 낯선 사람으로 보이지 않으니까 겁이 안 난 겁니다.

티스베   그건 사실이어요. 난 지금 처음으로 당신을 보았는데 마치 평생 알고
         지낸 사람처럼 느껴져요.

피라무스 당신이 꽃을 꺾고 있는 것을 보면서 내가 느낀 똑같은 감정입니다.

(*티스베는 꽃 한 송이를 그에게 준다.*)

티스베   그렇지만 조심하셔야 해요. 난 이 꽃처럼 연약해요.

피라무스 나도 겉으로는 용감해 보이지만 속은 그렇지 못해요.

티스베   당신은 누구세요?

피라무스 피라무스라고 해요. 담 너머에 사는 이웃입니다.

티스베   난 티스베에요. 저의 부모님이 당신 집하고 사귀지 말라고 경고했어
         요. 당신 집을 아주 증오하셔요.

피라무스 우리 부모도 당신 집을 증오해요. 왜 증오하게 되었는지 기억도 못 하
         면서 말입니다.

티스베   기억하든 않든, 우리가 서로 격리되어 있는 건 확실하니까요.

피라무스 아주 절망적으로 생각지는 마세요. 우리 둘 사이의 감정이 급속도로
         뜨겁게 진전했는지는 모르지만, 진심이니까요. 부모님들이 비이성적
         으로 열을 올리는 증오심을 우리는 분명히 극복할 수 있어요.

티스베　부모님의 증오심을 가라앉히도록 담 이쪽 편에서는 내가 노력할게요.

피라무스　담 저쪽 편에서는 내가 노력하고요.

티스베　당장은 우리 부모님한테 들키지 않도록 어서 돌아가세요.

(*피라무스는 그녀가 준 꽃을 그의 심장 바로 옆에 꽂는다.*)

피라무스　또 다른 꽃 한 송이를 얻기 위해서 내가 다시 돌아올게요.

(*피라무스는 사랑의 날개를 타고 담 위로 뛰어 올라간다. 페이드아웃.*)

[페이드인: 옥외. 티스베의 꽃밭. 피라무스는 또 담을 넘어왔다. 티스베는 기뻐서 그를 보자 키스로 맞이한다.]

피라무스　처음 여기 왔을 때보다 지금처럼 날 맞이해 주는 게 훨씬 좋다는 말을 꼭 해야겠어요.

티스베　나도 그래요. 그렇지만 우리의 사랑이 어긋나서 실패로 돌아갈까 봐 그게 걱정이어요. 부모님께 당신네 가족과 친구가 되면 어떻겠냐고 슬쩍 꺼내 보았는데, 당신네 가족하고는 절대 말도 붙이지 말라는 명령이 내렸어요.

피라무스　아, 이를 어쩌나. 우리 부모도 그쪽 부모와 반응이 똑같아요.

티스베　우린 어떻게 해야 돼요, 피라무스?

피라무스　나도 모르겠어요. 한 가지는 알아요 — 부모님들이 뭐라고 하시든 당신에 대한 내 사랑을 멈출 수는 없다는 사실입니다.

티스베　피라무스, 사랑으로 가득 차 있는 우리 두 사람이 잔혹한 미움의 희생자가 된다는 게 정말 너무 불공평해요.

피라무스　우리의 만남이 나를 살게 하는 겁니다.

티스베　나도 그래요.

(*이번에는 티스베의 아버지 때문에 이들의 만남이 저지당한다.*)

티스베의 아버지　뭐야! 저주받은 이웃집 아들 녀석이 여기 있다니!

티스베　아버지, 이 사람은 내가 원해서 여기 있는 거예요.

티스베의 아버지　네가 원해서라고! 언제부터 네 뜻이 아버지 뜻보다 더 중요했느냐? 너 내 말 잘 들어, 딸아. 저 녀석하고 다시는 만나선 안 된다.

(*티스베는 울기 시작한다.*)

티스베　그렇지만 아버지—

티스베의 아버지　한 마디도 더 듣고 싶지 않다.

피라무스　따님의 잘못이 아닙니다. 제가 먼저—

티스베의 아버지　입 다물어! 나한테 말 시키지 마! 원수의 아들하고는 말하지 않겠다. 어서 꺼져버려!

피라무스　제가 사랑하는 소녀의 아버님께 정중히 말씀드리려고 했는데— 그 대신 항의를 해야겠습니다.

티스베의 아버지　네가 항의를 하겠다고? 이 자식이 감히! 내 땅에서 썩 나가라. 안 그러면 하인을 시켜 치안판사를 불러오겠다.

피라무스　어떤 치안판사도 어떤 아버지도 제가 사랑하는 티스베에게서 저를 떼어놓을 순 없습니다.

티스베의 아버지　치안판사도 떼어놓을 수 있고 나도 떼어놓을 수 있어. 그리고 티스베는 너 같은 놈이 사랑하는 티스베가 아니야.

(*티스베의 아버지의 화가 머리끝까지 오르자 티스베가 끼어든다.*)

티스베　제발, 피라무스, 당신을 위해서 그리고 나를 위해서 떠나주세요.

(*피라무스는 티스베의 간청에 마음을 진정시킨다.*)

피라무스　좋아요, 티스베. 당신을 위해서 갈게요.

티스베의 아버지　지금부터 네 놈이 다시는 여기 못 나타나게 티스베가 정원에 나올 때마다 하인을 시켜 지키게 하겠다.

피라무스　어떤 하인도, 어떤 담벼락도, 치안판사도, 아버지들도 나를 티스베로부터 갈라놓지 못합니다.

티스베의 아버지　오냐, 두고 봐라!

(*피라무스는 슬퍼하는 티스베와 분이 나서 부글거리는 아버지를 두고 담을 훌쩍 뛰어올라 넘어간다. 페이드아웃.*)

[페이드인: 옥외. 한 달 후. 피라무스와 티스베 집 사이의 담. 피라무스와 티스베가 담 양쪽에서 서로 듣고 말한다.]

피라무스　내 심장이 너무 아프다. 한 달이 마치 영원한 시간 같구나. 티스베의 목소리도 못 들어보고 내가 티스베를 보지도 듣지도 키스도 못 한다면 나의 눈, 나의 귀, 나의 입술이 무슨 쓸모가 있겠는가.

(*담 저편에서 그의 이름을 속삭이는 소리가 들린다.*)

피라무스　티스베, 당신의 달콤한 목소리가 들리는 건가요?

티스베　네, 여기 담 사이에 틈이 있어요. 내 목소리가 들리는 곳으로 따라오세요.

(피라무스는 그녀의 목소리가 들리는 방향을 느끼면서 쫓아간다.)

피라무스 알았어요, 네 알았어요, 여기군요! 여기다 당신 입술을 가까이 대보세
요, 티스베.

(두 사람은 그들의 입술을 담에 밀착시키지만 두 입술은 서로 닿지 않는다.)

피라무스 당신 입술에 닿을 수가 없네요. 그러나 당신의 기분 좋은 숨결은 느껴
져요, 내 사랑.

티스베 나도 느낄 수 있어요.

피라무스 티스베, 당신을 만나야겠어요.

티스베 나도 얼마나 당신이 보고 싶은지 몰라요. 그런데 어떻게 만나지요?

피라무스 어디 다른 곳에서 만나면 되지 않을까요?

티스베 그렇지만 난 계속 감시당하고 있어요.

피라무스 밤에는 감시하지 않겠지요.

티스베 밤에는 감시하지 않아요.

피라무스 밤에 몰래 우리 도시 외곽에서 만나요.

티스베 네. 내가 아는 장소가 있어요. 니누스 무덤가의 하얀 뽕나무 아래서 만
나요. 거긴 외진 곳이고 밤에는 특별히 사람들도 오지 않아요.

피라무스 그래요. 나도 거기가 어딘지 알아요. 그 근처에 맑은 개울물이 흐르는
아름다운 곳이지요.

티스베 그럼 오늘 밤 우리 니누스 무덤가에서 만나요.

(기쁨의 오한이 그녀를 오싹하게 만든다.)

티스베 우리가 만날 생각을 하니 너무 행복해서 그런지 오한이 나네요.

피라무스 당신을 내 팔 안에 꼭 껴안아서 오한을 느끼지 못하게 해줄게요. 약속 합니다.

티스베 오늘 밤 만날 때까지, 그럼 안녕. (페이드아웃.)

[페이드인: 옥외. 니누스 무덤가. 티스베는 얼굴을 가리려고 흰색 베일을 쓰고 하얀 뽕나무가 있는 곳에 도착한다. 그녀는 어둠 속을 두리번거려 보지만 아직 피라무스는 도착하지 않았다.]

티스베 피라무스는 아직 오지 않았구나. 아, 저기 그가 오는 게 보인다. 그런 데, 아이고머니, 저게 뭐야?

(*티스베는 앞에서 오고 있는 암사자를 보고 혼비백산한다.*)

티스베 입에 피가 묻은 암사자가 개울 쪽으로 가고 있어. 잡아먹히지 않으려 면 빨리 도망가야겠다.

(*급히 도망가는 길에 그녀의 베일이 동굴 근처에 떨어진다. 암사자는 베일을 본 다. 이를 입에 물어보지만 굶주림이나 갈증을 해소시켜주지 않음을 알고 뱉어버 린다. 사자 입에 묻었던 피가 베일에 묻는다. 암사자는 개울로 가서 갈증을 풀고 그 지역을 떠난다. 잠시 후 피라무스는 하얀 뽕나무 있는 곳으로 간다. 그는 티 스베를 찾았으나 그녀는 보이지 않고 피 묻은 찢긴 베일을 발견한다.*)

피라무스 티스베! 설마! 티스베, 오, 안 돼!

(*그는 그녀의 베일을 부드럽게 집어 들고 거기에 키스하며 베일을 눈물로 적신 다.*)

피라무스 잔인한 야수야, 돌아와서 나도 잡아먹어라. 네 배가 아직 반도 안 찼을
         텐데, 와서 날 잡아먹고 배를 채워라!

(피라무스는 하얀 뽕나무 아래 몸을 굽히고 누워서 울며 머리를 잡아 뜯는다. 그
는 그의 칼집에서 칼을 뽑아 든다.)

피라무스 오너라, 야수야, 여기 너를 위한 식사가 마련되어 있다. 어서 오너라!

(피라무스는 칼로 옆구리를 찌르고, 치명적인 급격한 움직임으로 본의아니게 찔
린 칼을 다시 빼니, 피가 위로 분출한다. 뿜어 나온 피는 하얀 뽕나무 열매에 핏
물을 들여 나무뿌리뿐만 아니라 열매까지 붉은 핏빛으로 영원히 변하게 만든다.
암사자와 마주쳤던 공포에 아직도 떨면서 티스베가 그 자리에 곧 나타난다. 그
녀는 니누스 무덤가의 뽕나무 있는 곳으로 간다.)

티스베   암사자 때문에 내가 얼마나 겁을 먹었던지 길을 잃었어. 그렇지, 여기
         가 무덤가야. 그런데 뽕나무 열매가 하얀색인데 이건 자주색이잖아.

(당황하여 그곳에 서 있을 때 나무 아래에 무언가 움직인다. 내려다보고 피라무
스인 것을 알아본 그녀는 공포에 떤다. 그녀는 무릎을 꿇고 피범벅인 그의 몸을
꼭 붙잡는다. 그녀의 눈물이 그의 상처를 씻어준다. 그녀의 키스가 그의 차가운
입술을 녹여준다.)

티스베   머리 좀 들어봐요. 나예요, 당신의 티스베예요.

(티스베 이름이 들리자 피라무스의 속눈썹이 살랑 움직인다. 그는 그의 연인을
한동안 바라보고는 고개를 뒤로 떨어트리고 죽는다. 그때에 티스베는 찢어진 피

묻은 베일을 꼭 붙들고 있는 그의 손을 본다.)

티스베   잔인한 가족들과 불행한 운명이 나의 진정한 남편을 내 삶에서 **빼앗**
아 갔구나. 그러나 그들도 내 남편을 절대로 죽음에서 훔쳐가지는 못
한다.

(*티스베는 피라무스의 손에서 칼을 취하여 자기 가슴에 대고 칼 위에 쓰러진다.*
페이드아웃.)

[페이드인: 옥외. 피라무스와 티스베 집 사이의 담이 이제 헐리고 있는 중이다.
양가의 부모들은 슬픔에 젖어 이를 지켜보고 있다. 티스베의 아버지가 피라무스
의 아버지에게 손을 내민다.]

티스베의 아버지   내 딸의 목숨을 잃은 후에야 비로소 증오가 비극을 낳는다는
교훈을 터득하게 되는가 봅니다.
피라무스의 아버지   우리의 아이들이 미래 세대를 위해 본보기를 보여준 것이니
희망을 가르쳐준 것 같소.

(*피라무스의 어머니는 그녀의 팔로 티스베의 어머니를 감싼다.*)

피라무스의 어머니   내 아들 피라무스와 당신 딸 티스베가 기쁨에 넘치는 영원한
사랑을 극락세계에서 이루고 있을 겁니다.

(*티스베의 어머니는 눈물을 닦으며 고개를 끄덕인다.*)

32
바우키스와 필레몬: 순박한 연인들

	등장인물	
제우스	바우키스	필레몬
헤르메스		

[페이드인: 옥외. 올림포스산. 제우스와 헤르메스.]

제우스 바로 그거야, 헤르메스! 내가 인류를 멸망시킬 예정이야!

헤르메스 제우스, 당신을 탓한다는 말은 하지 않겠어요.

제우스 인류를 건설하겠다고 프로메테우스가 헤파에스투스에게서 불을 훔쳐 갔을 때부터 인류에게 희망이 없다는 걸 알았어야 했는데. 그의 솜씨 가 어떤 결과를 가져오는지 지켜보기만 한 게 후회된다.

헤르메스 최근에 우리가 아르카디아에 답사 여행을 갔을 때 특출한 종족을 만 들어내지 못할 거라고 확인시켜 드렸지요.

제우스 리카온 왕과 그의 아르카디아 백성은 인간성이 악해서 악행과 부패 행위를 일삼는 본보기야.

헤르메스 이제 어떻게 하실 생각이세요?

제우스 저 악한 거주민들을 거대한 홍수로 지구상에서 쓸어버릴 것이다.

헤르메스 구원받을 가치 있는 사람이 하나도 없을까요?

제우스 헤르메스, 내가 어떻게 할 것인지 들려주마. 우리가 다시 변장하고 내려가서 진실한 사람을 찾을 수 있다면 그들은 구원받아야겠지. (페이드아웃.)

[페이드인: 실내. 프리기아. 초가집. 바우키스와 그의 아내 필레몬이 간소한 음식을 차린 식탁 앞에 앉아있다.]

바우키스 여보, 필레몬, 여러 해 동안 충실하고 경건하게 살아온 당신한테 미안하오. 그저 목숨이나 간신히 지탱할 간소한 음식밖에는 마련하지 못하는 무능한 남편이 되어 괴롭구려.

필레몬 그런 일로 마음 아파하면 안 돼요, 바우키스 당신이 나에게 주는 헌신적인 사랑이야말로 인생에서 가장 필요한 보물이 아니겠어요?

바우키스 그렇지만 내가 당신과 결혼했을 때 많은 물질을 베풀어주기 원했는데, 이렇게 누추한 초가집에 살게 하고 저녁상이라고는 초라하기 짝없으니 내 마음이 아파요.

필레몬 우리 초가집이 누추하고 밥상이 초라해도 우리의 가슴은 사랑과 행복이 넘치잖아요. 호화찬란한 궁전이나 호사스러운 음식이 우리 가슴을 사랑과 행복으로 채워줄 수 있겠어요?

바우키스 그렇게 못하겠지. 그런 것들이 우리 가슴을 따듯하게 채워줄 수는 없소. 난 다만 변변치 못한 생활이 당신을 불행하게 하는 건 아닌지 걱정될 뿐이오.

필레몬 웅장한 궁전이나 거창한 왕비의 생활보다 지금의 내 생활이 훨씬 더 행복하니 그런 줄 아세요. (페이드아웃.)

[페이드인: 옥외. 바우키스와 필레몬의 초가집 근처. 변장한 제우스와 헤르메스는 아버지와 아들로 여행자 행세를 하고 있다.]

제우스   헤르메스, 인간들은 아무래도 망할 수밖에 없겠다.

헤르메스   네, 그러네요. 우리가 지금까지 천 개의 대문을 두들겼지요.

제우스   그리고 천 개의 대문이 우리 면전에서 꽝 하고 닫혔지.

헤르메스   인류의 마지막 희망을 가늠해 볼 초가집 하나가 저기 보이네요.

제우스   지금껏 본 중 가장 초라한 집이로구나.

(*제우스는 바우키스와 필레몬의 집 문을 두들긴다. 바우키스가 문을 연다.*)

제우스   안녕하세요. 저희들은 여행 중인 피곤한 나그네입니다. 먼지를 뒤집어
        쓰고, 배는 고프고, 힘든 형편입니다.

바우키스   어서 들어오세요, 나그네 양반. 당신과 함께 있는 분도―

제우스   여기는 제 아들이오.

(*필레몬은 두 개의 의자 위에 방석덮개를 얹어놓는다.*)

필레몬   접대할 손님이 있으니 우린 기뻐요. 어서들 앉으세요. 불을 지피고 두
        분의 저녁 식사를 준비할게요.

(*제우스와 헤르메스는 의자에 앉는다. 필레몬은 동 냄비 밑에 불을 지피고 집 마
당에서 새로 캐온 양배추를 다듬는다. 바우키스는 서까래에서 베이컨 한쪽을 꺼
내어 내린다.*)

바우키스   죄송하게도 저의 집 찬이 너무 약소합니다. 그러나 저희는 가난한 농
        부라서 우리 집에선 이것이 대접할 수 있는 최고의 음식입니다.

제우스   최고의 수고를 대접하는 분이 사과할 필요는 전혀 없지요.

(*필레몬은 그 집의 가장 좋은 식탁보를 식탁 위에 깐다.*)

필레몬   남편 바우키스와 저는 결혼생활 50년 동안 신들이 저희에게 내려주신
        모든 것을 함께 나누며 살았어요.
제우스   신들이 두 분께 친절했나요?
필레몬   그렇다고 저는 믿어요. 우리 두 사람의 사랑은 변함없고 진실했으니까
        요.
바우키스   저 사람보다 더 좋은 아내를 요구할 수 없지요.
필레몬   저에게도 저 사람보다 더 좋은 남편은 없어요.
제우스   50년을 함께 살고 난 후 그렇게 느낀다면 신들이 두 분께 친절했다고
        말할 수 있겠군요.
바우키스   이웃 중에는 우리 부부의 초라한 생활을 경멸하는 사람들도 더러 있
        답니다.

(*필레몬은 다리 셋 달린 식탁의 다리 하나가 짧아서 그 밑에 깨진 그릇을 받침
대로 삼아 괴어 놓는다.*)

바우키스   그 사람들은 말이지요, 예를 들면, 우리가 이렇게 식탁 괴는 걸 보고도
        항상 조롱해요.
헤르메스   어르신, 식탁에 있는 음식이나 식탁을 괴는 것은 문제가 되지 않아요.
        문제는 그 가정이 행복한가, 준비한 음식은 신들에게 합당한가, 이런
        게 중요하겠지요.
바우키스   젊은이는 오래 살아 본 지혜 있는 사람처럼 말하는구려. 젊은이의 친
        절한 말이 고맙소.
필레몬   어서 식사하시지요. 다 준비되었어요.

(필레몬은 과일과 포도주를 먼저 대접한 후 치즈와 수프를 대접한다. 양배추와 베이컨 요리의 주식이 끝난 후 포도주 안주로 호두, 무화과 열매, 대추야자가 식탁에 놓인다. 목이 마른 제우스와 헤르메스가 질그릇에 따른 포도주를 마시려 하자 곧 말라버린다. 바우키스와 필레몬이 서로 쳐다보고 손님들에게 사과하려는 찰나에, 너무나 놀랍게도 질그릇 안에 포도주가 스스로 다시 채워진다.)

바우키스 필레몬, 당신 보았소? 질그릇에 술이 저 혼자 채워졌소!
필레몬 당신도 보았군요. 난 내 눈이 장난하는 줄 알았어요. 이건 기적이어요.
바우키스 기적은 오직 신들만 할 수 있는 거요.

(천천히, 바우키스와 필레몬이 서로 비로소 깨달은 듯 제우스와 헤르메스를 경건한 눈으로 바라보고는 그들 앞에 무릎을 꿇는다. 제우스와 헤르메스는 식탁에서 일어난다.)

필레몬 저희들이 신께 어울리지 않는 음식을 제공한 것을 사과드립니다.
제우스 이 집에 신에게 어울리지 않는 것은 하나도 없소. 신에게 어울리지 않는 건 당신을 에워싼 이웃들이오.
헤르메스 저희는 지금까지 진실된 백성 두 사람을 찾아다녔어요. 온 인류 가운데 아무도 찾지 못하고 포기하려던 참이었는데 당신들을 만났어요.
제우스 당신들 두 사람으로 인해서 프로메테우스 아들과 그 아내가 건설한 새로운 종족의 인류가 지속될 것을 허락하는 바요. 그러나 이 땅에 홍수를 보내어 모두 파괴할 것이오.
바우키스 언제나처럼 저희는 신들의 뜻을 받아들입니다.
제우스 당신 민족은 파멸할 것이지만 당신들은 아니요. 이제 곧바로 이 집을 떠나서 산꼭대기 가장 높은 곳으로 어서 올라가시오.

(바우키스와 필레몬은 그대로 실행한다. 그들은 산꼭대기로 올라가는 길을 따라 끈질기게 걷는다. 꼭대기에 도달했을 때 떠나온 곳을 뒤돌아본다.)

필레몬   바우키스, 저길 좀 봐요. 온 나라가 완전히 물바다가 되었어요.

바우키스 우리 집 있는 곳만 빼고 모두 잠겼군.

필레몬   우리 집 자리에 사원 같은 것이 섰네요.

바우키스 그러네, 필레몬. 큰 대리석 기둥에 대리석 테라스가 둘러 있는 황금으로 된 둥근 천장이 있네.

(제우스가 그들 앞에 우뚝 선다.)

제우스   당신들이 원하는 가장 귀한 소원을 들어주겠소. 그 소원이 무엇이요?

(바우키스와 필레몬은 서로 의논한다.)

바우키스 저기 보이는 거대한 신전에서 우리의 여생을 당신의 종으로 살고 싶습니다.

필레몬   그리고 우리가 이 세상을 떠날 때는 우리 둘이 동시에 같이 가기를 원합니다.

제우스   오랜 세월이 지난 후 당신들 소원이 이루어질 것이오. 이제 물이 빠졌으니 나의 신전을 돌보며 살고 싶다는 첫 번째 소원을 이루기 바라오.

바우키스 프리기아에서 우리가 가장 행복한 사람들입니다.

제우스   프리기아에서 가장 좋은 사람들이고 또 유일하게 생존한 부부요.

(바우키스와 필레몬은 그들이 힘들어하며 올라갔던 길을 행복하게 다시 내려온다. 페이드아웃.)

[페이드인: 옥외. 몇 년 후. 신전 문 앞.]

바우키스 여보, 우린 함께 오랫동안 행복하게 살았소.

필레몬 네, 바우키스. 이제 우리 삶이 끝날 때가 되었어요. 근래에 난 기력이
너무 쇠하고 힘이 없어서 신전 돌보는 임무도 잘 못 하겠어요.

바우키스 여보, 이제 세상을 하직할 때가 되었소. 내 마지막 인사를 하리다.

필레몬 안녕, 나의 사랑하는 남편.

*(그들이 마지막 포옹을 하고 있을 때 잎새가 무성한 가지들이 그들의 얼굴을 덮
고 나무껍질은 입술을 따라 올라가서 그들을 덮는다. 두 사람은 두 그루의 나무
로 자라면서 서로 합쳐져 하나의 줄기가 되어 뻗는다.)*

제4부 인물들

33
특별한 투시력을 지닌 프로메테우스

등장인물		
제우스	테티스	포세이돈
헤파에스투스	브리아레오스	헤라클레스
프로메테우스		

[페이드인: 옥외. 올림포스산. 제우스는 불빛이 점을 이루고 있는 하늘 아래 땅을 내려다본다. 화가 몹시 난 그는 폭풍같이 궁으로 가서 그의 하인들인 크라토스와 비아를 부른다.]

제우스　크라토스! 비아! 너희들의 도움이 필요하다.

(*크라토스와 비아가 나타난다.*)

제우스　가서 헤파에스투스를 데리고 오너라. 쇠사슬을 가지고 오라고 해. 그리고 저 도둑놈 프로메테우스를 체포해서 그를 코카서스산으로 데려오너라. (페이드아웃.)

[페이드인: 옥외. 오케아강이 흐르는 코카서스산 가장 높은 봉우리. 크라토스와 비아가 프로메테우스를 데려오고 헤파에스투스는 그를 산봉우리 위에 쇠사슬로

결박한다.]

헤파에스투스 제우스, 내가 만든 쇠사슬을 끊고 도주할 자는 없음을 믿으셔도 됩니다.

제우스 좋다. 프로메테우스, 내가 이 산을 선택한 것은 이곳이 인간들로부터 가장 멀리 있는 곳이기 때문이오.

프로메테우스 좋을 대로 하시오. 난 인류를 위해서 올림포스 불을 훔친 것을 후회하지 않소.

제우스 아마 내 독수리들이 당신 간을 쪼아 먹은 후에는 좀 후회가 될 것이오.

프로메테우스 제우스, 내게 특별한 투시력이 있어서 당신이 모르는 것을 내가 알고 있다는 사실을 당신은 알지요. 내가 한 임무는 인류를 위해서 반드시 해야만 했던 필요한 일이었소.

제우스 그럼 당신은 어떻게 될 것 같소? 살아남을까?

프로메테우스 에키트나와 피톤, 그 괴물 독수리들이 낮에 내 간을 쪼아 먹겠지만, 나의 불멸의 간은 밤이면 다시 온전하게 회복되니까.

제우스 아, 그래도 낮에는 그 고통을 견디어내야 한단 말이오.

프로메테우스 제우스, 당신은 최고의 통치자 자리를 과연 영원히 누릴 수 있을까 하는 불확실성을 고민해야겠지. 나의 어머니가 그 문제에 대한 정보를 내게 주었소.

제우스 최초의 투시자인 당신 어머니 테미스가 준 정보인 거요?

프로메테우스 그 괴물들이 내 간을 먹어 대는 동안에는 당신은 이 정보를 얻을 수 없소.

제우스 그거야— 며칠 쪼아 먹히다 보면 당신 마음이 변할 테니까.

(*제우스는 독수리를 풀어놓으라고 지시하고 독수리는 프로메테우스의 간을 쪼*

아 먹기 시작한다. 페이드아웃.)

[페이드인: 옥외. 올림포스산. 제우스, 테티스, 그리고 팔이 100개 달린 거인 브리아레오스.]

제우스 테티스, 나에 대한 당신의 충성심은 뛰어난 당신의 미모를 능가하는구려.

테티스 그건 브리아레오스 덕분이지요. 헤라, 아테나, 포세이돈이 당신을 타도하려는 계략을 좌절시킨 건 그의 힘이었으니까요.

제우스 브리아레오스, 너도 내가 영원히 고마워하고 있는 걸 알고 있겠지.

브리아레오스 영원이라고 말씀하시니까, 저는 타르타로스로 돌아가서 티탄들을 지키는 제 임무를 수행하겠습니다.

제우스 브리아레오스, 너의 영원한 임무를 위한 그곳 생활이 심심치 않도록 아름다운 키모폴레를 네 반려자 신부로 보내주마.

브리아레오스 오랫동안 그녀에게 눈독을 들이고 있었어요. 감사합니다, 제우스. 언제든 당신을 방어하는 일에 만전을 기하고 있겠습니다.

테티스 반항하는 신과 여신들이 이번 기회에 교훈을 얻었겠지. 곧 너의 신부가 될 여인과 행복하게 살아라, 브리아레오스.

브리아레오스 감사, 감사합니다. 이제 가보겠습니다.

(브리아레오스는 떠난다.)

제우스 신부 얘기가 나왔으니 말인데, 테티스, 당신은 신부 되는 문제에는 왜 그렇게 성미가 꼬인 거요? 내가 보기에 당신은 아프로디테만큼 아름다우면서도 아프로디테의 교만성은 전혀 없는 복스러운 성품의 소유자인데 말이오.

테티스   나 자신을 아프로디테와 비교하지 않겠어요. 그리고 난 신부가 되는 생활을 추구하지 않아요. 현재의 내 생활에 만족하고 행복합니다.

제우스   당신은 행복한지 몰라도 우리 남자들은 당신을 탐내지 않고는 못 배겨요. 나와 포세이돈의 불화도 그래서 생겼어요. 우리 둘 다 당신과 결혼하기를 원하기 때문에 나와 포세이돈 사이가 더 벌어진 것이오.

테티스   참으로 영광입니다만, 내 경향은 그런 쪽이 아니거든요.

제우스   테티스, 당신은 현재 생활에 너무 빠져있어요. 무언가 변화가 필요한 것 같소.

테티스   아니오, 전혀 부족함 없이 이 상태로 아주 행복합니다. 난 어떤 변화도 바라지 않아요.

(*테티스는 떠난다. 페이드아웃.*)

[페이드인: 옥외. 코카서스산. 프로메테우스는 여전히 산봉우리 위에 묶여있다. 제우스가 그곳에 있다.]

제우스   자, 프로메테우스, 당신의 간은 충분히 먹힌 것 같은데, 이제는 나와 관련된 당신 모친의 비밀을 말해줄 때가 되지 않았소?

프로메테우스   아니, 나를 풀어주기 전에는 말하지 않을 것이오.

제우스   특별한 정보를 당신이 갖고 있다고 난 믿지 않소. 당신 도움 없이도 조금 전에 재난을 내가 막아냈으니까. 테티스와 타르타로스의 팔 100개 달린 브리아레오스의 도움으로, 당신의 특별한 정보 없이도, 헤라, 포세이돈, 아테나, 이들의 반란을 진압했단 말이오.

프로메테우스   내가 갖고 있는 예언의 비밀은 그 재난을 말하는 게 아니오.

(*제우스는 화를 낸다.*)

제우스 프로메테우스, 당신은 내 화를 돋우고 있소. 정정당당하게 털어놓으시
오, 어서!

프로메테우스 듣고 싶으면 먼저 날 풀어줘요. 그러면 당신 주권에 대한 안전 문
제의 비밀을 알게 될 것이오. 이건 오직 나 혼자만 알고 있는 비밀이
오.

제우스 아니지, 당신을 풀어주지 않겠소. 난 당신한테 협박당하지 않을 거요.

(*프로메테우스는 어깨를 으쓱해 보이고 제우스는 화가 나서 나간다. 페이드아
웃.*)

[페이드인: 옥외. 올림포스산. 제우스와 포세이돈.]

포세이돈 제우스, 모든 문제의 의견을 당신에게 양보해야 한다는 어려운 사실을
깨달았소. 그러나 당신이 테티스와 결혼하지 않는다면 내가 그녀와 결
혼할 것이오.

제우스 그 여자는 당신도 나도 다 원치 않아요.

포세이돈 테티스는 바다의 여신이오. 그 여자는 바다의 신인 나의 지배 아래 있
소.

제우스 그 여자가 강요에 의해서 결혼할지는 몰라도 테티스는 좀 특별한 존
재요. 난 그녀와 강요해서 맺어질 생각은 없지만, 그녀가 결혼을 해야
할 것만 같은 느낌이 드는군. 테티스의 현재 상태와 프로메테우스의
꽉 다물고 있는 예언이 불안하단 말이오. 어째 이 두 가지가 연결되어
있는 예감이 드네. 프로메테우스를 풀어주는 한이 있어도 그 비밀을
알아야겠소.

포세이돈 좋아요. 테티스 문제를 곧 해결해주시오. (페이드아웃.)

[페이드인: 옥외. 코카서스산. 여전히 묶여있는 프로메테우스와 제우스.]

제우스　당신과 거래할 의향이 있소, 프로메테우스. 당신의 그 비밀을 꼭 알아
　　　　야겠소.

프로메테우스　좋소. 내가 풀리는 방법은 당신 아들 하나가 해야 하오.

제우스　그 임무에 맞는 유일한 아들은 헤라클레스요.

프로메테우스　바로 그 아들이 해야 합니다. 당신과 헤라클레스는 절대적으로 필
　　　　요한 보상을 받게 될 거요.

[페이드인: 옥외. 코카서스산. 프로메테우스는 산봉우리에 묶여 있고 독수리가
그의 간을 파먹고 있다. 그곳으로 헤라클레스가 온다.]

헤라클레스　프로메테우스, 바다의 신 네레우스에 따르면, 당신이 헤스페리데스
　　　　의 황금 사자를 어떻게 얻을 수 있는지 그 방법을 알려줄 것이라고 했
　　　　어요. 그래서 저의 열한 번째 임무를 완성할 수 있다고 했습니다.

프로메테우스　네가 나를 풀어주면 가르쳐주마.

헤라클레스　히드라의 독이 묻은 이 화살 하나면 독수리의 간 파먹는 식사는 영
　　　　원히 끝납니다.

(*헤라클레스는 그의 활을 꺼내어 화살을 당겨서 독수리의 심장을 쏜다. 독수리
는 죽어서 아래로 떨어진다. 헤라클레스는 그의 곤봉을 휘둘러 쇠사슬을 끊는
다. 프로메테우스는 풀려난다.*)

프로메테우스　헤라클레스, 너에게 헤스페리데스의 황금 사과를 얻을 수 있게 해
　　　　줄 자는 오직 아틀라스뿐이다. 그가 황금 사과를 가지러 가는 동안만
　　　　은 그의 어깨에 지고 있는 하늘을 네가 대신 짊어지고 있어야 하는데,

그다음에는 네 어깨의 그 짐을 풀어주고 싶지 않을 것이다. 그의 어깨 위 제자리로 다시 하늘을 옮겨 놓는 일은 네가 지혜를 모아서 해결해야 한다.

헤라클레스 아틀라스가 어떻게 할 것인지 제가 알고 있으니, 준비하겠습니다. 걱정하지 마세요, 프로메테우스. 하늘을 영원히 짊어지고 있을 제가 아니지요.

프로메테우스 헤라클레스, 넌 잘 이겨낼 거야. 이제 난 제우스와 또 다른 거래를 하러 가야 한다. (페이드아웃.)

[페이드인: 옥외. 올림포스산. 프로메테우스가 제우스에게 말하고 있다.]

프로메테우스 하늘의 불을 훔치기는 했지만, 난 약속을 지키는 남자요. 내가 불을 훔친 이유는 인류가 가져야 할 것을 당신이 부당하게 **빼앗았다**고 믿었기 때문이었지.

제우스 그건 그렇다 칩시다. 도둑질한 대가도 치렀으니. 이제는 당신만 알고 있다는 그 비밀을 내게 말해줄 차례요.

프로메테우스 당신이 부친 크로노스를 어떻게 타도했는지 내가 알고, 나 또한 그 일에 가담해서 당신을 도왔소.

제우스 물론, 그건 나도 알아요. 당신이 나의 아버지를 저버리고 또 나를 돕기 위해 당신 동족인 티탄을 버린 사실을 난 감사하게 생각하고 있소.

프로메테우스 그와 똑같은 일이 당신한테도 일어날 것이오.

제우스 무슨 뜻이오?

프로메테우스 당신이 테티스와 맺어지면, 그 여자 사이에서 생기는 더 강력한 아들에 의해 당신은 타도될 것이오.

제우스 어떻게 그럴 수 있는 거요?

프로메테우스 내 어머니의 예언에 따르면 테티스가 아버지보다 더 위대한 아들을 낳을 것이라고 했소.

제우스   아- 과연 그 재난이 내 눈앞에 있구나. 프로메테우스, 난 테티스와 이 토록 결혼하고 싶다는 강한 유혹을 받은 적이 없었소.

프로메테우스   테티스를 다른 남자에게 시집보내시오. 명예는 있지만 위상이 비 교적 중요치 않은 그런 인물을 찾으시오. 자기보다 더 위대한 아들을 받아들일 수 있는 그런 남편감을 말이오.

제우스   그런 남자를 한 사람 알고 있소- 프티아 왕 펠레우스요.

프로메테우스   펠레우스는 그리스 영웅 중 가장 위대한 영웅의 아버지가 될 것이 오.

제우스   그리고 나 제우스는 이 우주 최고의 지배자 위치를 그대로 유지할 것 이고

34
신화 속 괴물들과 포세이돈과의 친족 관계

등장인물	
트리톤	포세이돈

괴물들과 포세이돈의 관계

포르키스 = 케토		
고르곤	그라이아이	사이렌
1. 스테노	1. 에니요	1. 레우코시아
2. 에우리알레	2. 펨프레도	2. 리게이아
3. 메두사	3. 데이노	3. 파르테노페

메두사 = 포세이돈
|

페가소스	
크리사오르	

크리사오르 = 칼리로에
|

게리온	에키드나

에키드나 = 튀폰
|

키마이라	레르나의 히드라	케르베로스

[페이드인: 옥외. 바닷가. 인간의 몸통과 머리에 물고기 꼬리가 달린 트리톤이 그의 아버지 포세이돈과 소라를 찾으면서 걷고 있다.]

트리톤   아, 여기 소라 하나 찾았어요.

포세이돈   트리톤, 넌 그 소라를 좋아하는구나, 그렇지, 아들아?

트리톤   네 좋아해요, 아버지. 아버지 포세이돈은 세상의 괴물들과 모두 직접적인 연관이 있지요.

포세이돈   그건 사실이야, 트리톤. 직접적이든 간접적이든 거의 다 내 자손들이니까.

트리톤   아버지, 괴물들과의 관계를 얘기해주실래요? 유전적이라 그런지 전 괴물에 관심이 많아요.

포세이돈   그래. 여기 모래 위에 앉자. 괴물들 얘기를 들려주마.

트리톤   메두사에 대해서 알고 싶어요. 가장 유명한 괴물이잖아요.

포세이돈   메두사하고 나는 개인적인 관련이 있지. 메두사 가족 얘기부터 할게. 그 여자 어머니와 아버지는 아주 흉측한 괴물들을 낳아 길렀어.

트리톤   메두사의 부모에 대해 얘기해주세요, 아버지.

포세이돈   그 여자 아버지는 바다의 노인 포르키스였고 어머니는 케토였는데, 이들에게는 고르곤, 그라이아이, 사이렌이라고 불리는 세 세트의 쌍둥이 자매들이 있었다.

트리톤   메두사는 첫 번째 자매에서 나온 세쌍둥이 중 하나지요?

포세이돈   그래, 맞아. 메두사만 빼고 다른 자매들은 죽지 않는 신들이었어. 거기다 생김새도 메두사만 빼고 모두 추악한 괴물들이었지.

트리톤   하데스의 혼령들조차 무서워하는 괴물 메두사가 원래는 괴물이 아니었단 말씀이어요?

포세이돈   처음엔 그런 괴물이 아니었어. 그 반대로 아주 아름다운 소녀였단다. 내 눈을 사로잡을 만큼 너무나 아름다웠어.

트리톤 메두사가 아버지 눈을 사로잡았다고요?

포세이돈 그 얘기는 좀 있다가 들려줄게. 우선 포르키스와 케토의 가계부터 시작하자. 두 번째 세쌍둥이들을 그라이아이라고 하지.

트리톤 애초부터 노파로 출생한 여인들이지요?

포세이돈 그렇단다. 처음부터 회색 머리에 주름투성이고 거의 장님에다 이도 없고—

트리톤 거의 장님이라면, 어느 정도 장님인데요?

포세이돈 세쌍둥이들이 공용으로 번갈아 돌아가며 사용하는 눈이 하나 있고 이빨도 공동으로 쓰는 게 하나 있을 뿐이야.

트리톤 세 번째 세트의 자매들은 어떤가요?

포세이돈 사이렌들인데 메시나해협 근처의 아테모에사라고 하는 섬에 살았어. 이들은 어찌나 달콤하게 노래를 불렀던지 해협을 지나던 뱃사람들이 노래에 홀려서 그곳을 떠날 수가 없었단다. 그래서 노래에 유인되어 꼼짝없이 그곳에 있다가, 배는 파선되고 뱃사람들의 뼈다귀는 그 섬 바닷가에 널려있지.

트리톤 오디세우스는 그들의 유혹을 뿌리칠 수 있었다고 들었는데, 그렇지 않았나요?

포세이돈 오디세우스는 키르케의 충고를 듣고 사이렌 소리가 들리지 않게 미리 부하들 귀를 밀랍으로 막게 했으니까. 그리고 부하들에게는 자기를 돛에 묶어놓으라고 해서 모두들 무사히 사이렌의 섬을 빠져나갈 수 있었단다.

트리톤 계보는 다 말씀해주셨으니까 이제 메두사와 아버지의 개인적 관계에 대한 얘기를 듣고 싶어요.

포세이돈 그건 말이야, 트리톤, 내가 말한 대로 메두사가 너무 아름다웠어. 어느 날 오케아 강가에서 수영하고 있는 그녀를 몰래 숨어서 보고 있었는데, 아들아, 그 여자는 정말 볼 만했다.

트리톤 그래서 어떻게 되었어요?

포세이돈 매력적인 여인이었으니 난 자연히 그 여자를 쫓아가서 구애를 했고, 그 여자도 내 구애를 받아들였어. 우린 아테나의 신전을 밀회 장소로 삼았지.

트리톤 설마요, 아버지! 성스러운 행동을 해야 한다고 믿는 아테나의 신전에서 그런 부도덕한 행위를 하면 아테나의 분노를 살 위험이 크잖아요.

포세이돈 우리가 들키리라고는 생각지 못했는데, 그런데 들키고 말았어. 네 말대로 그녀의 분노는 대단했어. 바로 내가 보는 눈앞에서 메두사를 망자들조차 끔찍하게 무서워하는 그런 괴물로 만들어 버렸으니까.

트리톤 그래서 그런 괴물로 변신했군요.

포세이돈 아테나의 복수는 거기서 그친 게 아니야. 페르세우스를 도와서 메두사 머리를 잘라버렸어. 베어 버린 목에서 나온 피가 흥건히 땅을 적셨고 거기서 페가소스와 크리사오르가 나온 거란다.

트리톤 그러니까 이중 인물 메두사의 초상이라 할 수 있겠군요 - 하나는 날개 달린 놀라운 페가소스로 표현되었고.

포세이돈 또 하나는 우리 세계에서 유명한 괴물들의 조상인 크리사오르로 나타난 거지.

트리톤 그렇다면 대부분 우리 세계의 유명한 괴물의 창시자가 바로 아버지 포세이돈인 셈이네요.

포세이돈 그래서 그게 포세이돈 친척 관계라는 거다.

트리톤 그 친척에 대해서도 들려주세요 아버지.

포세이돈 크리사오르는 오케아니스인 칼리로에와 결혼해서 머리가 셋 달린 거인 게리온과 에키드나를 낳았는데, 에키드나는 반은 아름다운 여인이고 반은 독사야. 많은 괴물들이 헤라클레스의 임무 수행 때 죽임을 당한 것처럼 게리온도 헤라클레스가 죽였지.

트리톤 에키드나는요?

포세이돈 에키드나는 타르타로스의 튀폰과 짝을 지었어. 튀폰은 뱀 같은 머리가 100개 달렸는데 머리마다 무섭고 시끄러운 괴성을 냈어.

트리톤 두 괴물 사이에서는 어떤 괴물이 태어났나요?

포세이돈 어디 보자. 첫째가 키마이라야. 키마이라는 부분적으로 옆구리는 사자 몸인데, 입으로는 불을 뿜어내지. 가운데 몸통은 암염소이고 꼬리는 뱀 꼬리로 되어 있고.

트리톤 키마이라가 어떻게 되었는지 난 알아요. 벨레로폰 형이 페가소스 말을 타고 공격해서 찔러죽이는 데 성공했지요.

(포세이돈이 고개를 끄덕인다.)

트리톤 튀폰은 또 어떤 괴물의 아버지였나요?

포세이돈 레르나의 히드라 아버지였어. 몸뚱이는 개 형상이고 머리는 100개 달린 괴물인데 100개 중 한 개는 죽지 않는 머리였단다.

트리톤 그걸 상대하기는 큰 도전이겠어요. 이번에도 헤라클레스가 도전한 게 틀림없겠지요.

포세이돈 헤라클레스가 그의 두 번째 임무에서 해치웠어. 헤라클레스는 그의 화살에 히드라의 몸에서 나온 독을 발라 사용했어. 마지막으로 에키드나가 낳은 건 머리가 셋 달린 하데스의 감시견 케르베로스야.

트리톤 케르베로스는 지금도 하데스의 문을 지키고 있잖아요.

포세이돈 그 개는 그 문을 영원토록 지킬 것이다. 튀폰은 불행하게도 제우스에 의해서 괴물 후손들을 더 이상 낳지 못하게 되었지.

트리톤 그건 왜 그렇게 되었는데요?

포세이돈 튀폰이 제우스에게 도전하는 만용을 부렸거든. 그래서 제우스가 에트나산 아래 던져서 영원히 유폐시켜버렸어.

트리톤 에키드나는 어떻게 되었어요?

포세이돈 아르카디아의 골칫거리 역병이 되었단다. 거구의 목동 아르구스가 있었는데 그에겐 잠 안 자는 100개의 눈이 달려있었어. 그중 오직 두 개의 눈만 원하면 언제든 감을 수 있었지. 제우스가 그 목동을 아르카디아로 보내서 역병을 없애게 했어. 아르구스는 에키드나가 잠들기를 기다렸다가 죽여버렸지.

트리톤 그래서 에키드나와 괴물의 족보가 끝이 났군요.

포세이돈 그런 셈이지. 메두사와 나 사이의 씨 종자였던 괴물 크리사오르부터 내려온 족보는 거기서 끝난 거야.

트리톤 아버지는 스스로를 괴물 생산자라고 생각해본 적이 있으세요?

포세이돈 난 거칠고 격렬한 바다의 신이야. 격렬하면 괴물을 낳게 되어 있어.

트리톤 저도 알아요, 아버지. 저는 성품이 비교적 부드러운 편인데도 때로는 격렬한 순간들이 있거든요.

포세이돈 너의 그런 성격을 알고 있다. 보이오티아의 타나그라 사람들에게 물어보면 다 알지. 그 사람들은 너를 위협적인 존재로 묘사하니까.

트리톤 아버지, 이제 저의 괴물 친척들에 대해 알고 나니까 저 자신을 더 잘 이해할 것 같아요.

포세이돈 그거 다행이다. 네가 이해한 것을 좋은 데 적용해라. 아들아, 내 충고를 들어라.

트리톤 그럴게요. 아버지 충고를 들을게요.

(포세이돈은 일어나서 아들과 작별인사를 한다.)

35
제우스와 튀폰의 투쟁

	등장인물	
가이아	델퓌네	클로토
헤르메스	아이기판	라케시스
제우스	에키드나	아트로포스
튀폰		

[페이드인: 실내. 소아시아 남동쪽 킬리키아의 코리키아 동굴. 가이아는 방금 괴물 튀폰을 낳았다. 튀폰은 뱀 같이 생긴 머리가 100개 있고, 머리마다 날름거리는 검은 혀가 있으며 두 눈은 불같이 번쩍인다. 머리마다 각각 무서운 다른 목소리가 나오는데, 이 목소리들은 신들의 언어를 다양하게 말하거나 또는 황소처럼 으르렁대거나 또는 휘파람 부는 소리를 내거나 개 짖는 소리를 낸다. 카오스에게서 처음 출생한 땅의 여신 가이아는 새로 태어난 튀폰에게 말한다.]

가이아 　난 내 손자 제우스한테 몹시 화가 나 있다. 제우스가 고자세로 너무
　　　　힘이 세졌어. 자기 친아버지 크로노스를 포함해서 나의 티탄들을 저
　　　　무저갱 타르타로스, 지옥 밑바닥 끝없는 구렁에 가두어둔 걸 상상해
　　　　보려무나. 네가 이다음에 커서 어른이 되면, 제우스를 맡아서 훈계하
　　　　고 가르쳐라.

(튀폰은 100개의 머리로 시커먼 혀를 내두르며 흔들어댄다. 각 머리마다 목구멍

으로 독특한 소리를 낸다. 페이드아웃.)

[페이드인: 옥외. 올림포스산. 제우스와 헤르메스.]

헤르메스 제우스, 당신 할머니 가이아가 당신 아버지와 다른 티탄들을 무저갱 타르타로스에 가둔 것을 결코 용서하지 않는 걸 아시지요.

제우스 그 괴물 아들 튀폰이 내 통치권을 위협하고 있단 말이다. 그자에게 무슨 조치를 취하지 않으면 안 되겠어.

헤르메스 말씀하신 대로 그는 괴물이어요. 제압하기가 쉽지 않을 텐데요.

제우스 헤르메스, 내게 천둥 번개들이 있다는 걸 기억해라. (페이드아웃.)

[페이드인: 옥외. 소아시아 남동쪽 킬리키아의 코리키아 동굴 밖. 제우스는 천둥 번개 병기들을 들고 튀폰이 동굴 밖으로 나오기를 기다리고 서 있다. 100개의 머리에서 온갖 불협화음의 요란한 소리를 내면서 튀폰이 나온다. 귀청이 떨어져 나갈 것 같은 잡다한 소리가 들리는 가운데 제우스는 그에게 번개들을 던져 시리아의 카시오스산까지 몰아낸다. 그곳에서 튀폰은 움직이지 못하고 절망적으로 멈춰 선다. 잠시 후 튀폰은 제우스의 몸을 돌돌 말아서 낫으로 제우스의 사지에서 힘줄을 끊어내고 힘 못 쓰는 제우스를 땅바닥에 던진다. 그리고는 제우스와 그의 힘줄들을 집어 들고 코리키아 동굴로 돌아간다. 동굴 안에는 반은 여자 몸이고 반은 뱀인 또 다른 괴물 델퓌네가 있다. 튀폰은 제우스의 힘줄들을 동굴 안에 있는 곰 가죽 밑에 넣어두고 힘없는 제우스를 동굴 벽에 던진다.]

튀폰 델퓌네, 잘 들어. 넌 제우스의 힘줄들을 정신 차리고 지켜야 한다. 힘 빠진 제우스의 몸뚱이는 걱정할 것 없어. 힘줄 없이는 아무 데도 못 움직이니까.

델퓌네 튀폰, 당신 일이나 걱정해요. 힘줄은 내가 지킬 테니. (페이드아웃.)

[페이드인: 옥외. 올림포스산. 헤르메스와 아이기판이 킬리키아로 날아가기 위해서 날개 달린 마차를 타고 있다.]

헤르메스 아이기판, 너의 피리와 나의 속임수만 있으면 속기 잘하는 델퓌네한테서 제우스의 힘줄을 다시 찾아올 수 있어.

아이기판 우리 둘은 절대 패배하지 않는 탁월한 2인조라고 할 수 있지요. (페이드아웃.)

[페이드인: 옥외. 킬리키아의 코리키아 동굴 밖. 헤르메스와 아이기판이 델피아가 동굴에서 나올 때를 기다리며 빈둥거리고 있다.]

헤르메스 아이기판, 넌 피리만 부는 거야. 잊지 마. 말은 내가 할 테니까.

아이기판 판의 피리는 수많은 동물들을 매료시켰어요. 이번에는 델퓌네의 혼을 빼줘야지.

헤르메스 판의 피리와 나의 속임수― 그건 델퓌네가 상대할 수 없지. 입구에서 무슨 소리가 들린다. 자 이제 피리를 불어, 아이기판.

(*아이기판이 피리를 분다. 음악에 끌린 델퓌네가 그들에게 다가온다. 델퓌네는 적대적이지는 않고 호기심을 보인다.*)

헤르메스 아, 신이 버린 이런 장소에서 이렇게 아름다운 미인을 만날 수 있으리라고는 전혀 뜻밖인데요.

(*델퓌네는 분명히 아첨에 넘어간다.*)

델퓌네 내 여성성과 뱀 모습의 조합이 아주 매력적이라는 말은 나도 들었어

요.

헤르메스 네, 아주 독특합니다.

델퓌네 저 아름다운 소리는 뭔가요? 난 머리 100개 달린 튀폰이 내는 불협화음에 시달려서 그런지, 실제로 지금 이 소리는 내 피곤한 귀를 진정시켜주는군요.

헤르메스 판의 저 피리 소리는 우리 귀에 마술적인 치유 효과가 있어요. 음악이 얼마나 듣기 좋은지 신들조차 즐거워합니다.

델퓌네 내가 한번 불어 봐도 될까요?

헤르메스 물론이지요. 그런데 불기 전에 예행 준비가 필요합니다.

델퓌네 예행 준비라니요?

헤르메스 네, 그건 이 특별한 피리를 불기 위해서는 자연과 반드시 교감을 해야 합니다. 이 피리는 땅에 내재한 소리를 발산하거든요. 그래서 땅의 소리를 전달하려면 우리 몸이 직접 땅의 소리를 흡수해야 해요.

델퓌네 그럼 자연과 교감을 어떻게 하는지 가르쳐 주세요.

헤르메스 몸을 땅 위에 쭉 뻗고 누워서 땅 내면의 소리를 당신 몸에 온전히 스며들게 하세요. 그러는 동안에는 집중할 수 있게 눈을 가리고 있는 게 좋습니다.

델퓌네 눈을 가리라고요? 그렇지만—

헤르메스 허락해주신다면, 제 겉옷으로 당신의 얼굴을 덮어드릴 수 있다면 영광이겠습니다. 이토록 아름다운 얼굴을 가린다는 게 좀 웃기는 일이지만, 잠깐이면 되니까요.

델퓌네 음악을 들을 수 있는 게 얼마나 좋은지 몰라요. 저런 음악을 내가 직접 연주할 수 있다는 상상을 해보세요.

헤르메스 그러게 말입니다. 땅과 완전히 일치가 되도록 누워보세요. 제 옷으로 얼굴을 덮어드리겠습니다.

(델퓌네는 누웠고 헤르메스는 그녀의 얼굴을 옷으로 덮는다. 아이기판은 계속해서 가장 매혹적인 피리 음악을 연주한다. 헤르메스는 동굴 안으로 들어가서 벽에 힘없이 기대고 있는 제우스를 본다.)

제우스　헤르메스, 내 힘줄- 힘줄들이 곰 가죽 밑에 있다.

(헤르메스는 힘줄들을 꺼내어 제우스의 사지에 도로 끼워넣는다.)

제우스　이제 내 몸을 다시 찾았군, 헤르메스. 아, 한시름 놓았어.

헤르메스　빨리 서둘러야 해요. 아이기판이 델퓌네를 얼마나 더 붙잡아 둘 수 있는지 알 수 없어요.

(헤르메스와 제우스는 조심스럽게 동굴 밖으로 나온다. 아직 땅 위에 길게 뻗고 누워있는 델퓌네를 지나서 계속 피리를 불고 있는 아이기판을 지나간다. 헤르메스는 그에게 계속 피리를 부르도록 손짓하고 그런 후에 아이기판을 데리러 온다는 손짓을 보낸다. 제우스와 헤르메스는 날개 달린 마차 가까이 온다. 그들은 마차를 타고 올라간 후 아래로 휙 내려가서 아이기판을 낚아채어 마차에 태우고 날아간다. 음악을 들으면서 긴장이 풀린 델퓌네는 소리가 멈춘 것도 눈치채지 못한다. 음악이 멈춘 것을 알았을 때 그녀는 말한다.)

델퓌네　계속하세요. 계속 연주하세요. 땅에 내재된 자연의 소리를 아직 내 몸에 완전히 흡수하지 못했어요.

(음악이 여전히 들리지 않자, 델퓌네는 겉옷 한 귀퉁이를 들어 올린다.)

델퓌네　내 말 안 들려요? 그 예행 준비가 아직 내 안에 완성되지 않았다고요.

(그래도 음악 소리가 들리지 않자 그녀는 겉옷을 던져버리고 일어나 앉아서 두리번거린다. 아무도 보이지 않고 아무 소리도 들리지 않는다. 델퓌네는 동굴로 급히 뛰어들어가 곰 가죽 있는 곳으로 가본다. 곰 가죽을 들어 올린다. 힘줄들이 사라졌다. 동굴 벽을 쳐다본다. 제우스도 사라졌다. 델퓌네는 울부짖는다.)

델퓌네 내가 속았어! 속았어!

(그녀는 화가 나서 곰 가죽을 갈기갈기 찢어버린다. 페이드아웃.)

[페이드인: 옥외. 올림포스산. 5년 후. 제우스와 헤르메스.]

제우스 튀폰은 이제 전보다 더 위협적이 되었어. 그자가 내 천둥 번개를 몇 개 갖고 있단 말이야.

헤르메스 지난 5년 동안 튀폰은 자기가 좋아하는 일만 하면서 편안하게 지내고 있어요.

제우스 에키드나와 짝이 되어 끔찍한 한 배의 괴물들을 낳은 것 아니냐.

헤르메스 키마이라, 레르나의 히드라, 케르베로스 – 정말 끔찍한 괴물들이지요.

제우스 어미가 에키드나고 아비가 튀폰인데, 그 사이에서 나온 괴물들한테 무얼 기대하겠느냐?

헤르메스 당신의 형제 하데스가 머리 셋 달린 케르베로스 개를 하데스의 문지기로 편입시켰어요.

제우스 하데스에게 아주 적절한 문지기가 생겼군.

헤르메스 당신의 통치권을 끊임없이 위협하는 튀폰을 처치할 수 있는 합당한 해결책이 무얼까요?

제우스 헤르메스, 고백하는데, 나도 모르겠어. 난 그를 이겨낼 수 없고 그도 나를 이겨낼 수 없으니, 우린 서로 막다른 골목에 처한 것 같다.

헤르메스 이제는 완력을 쓰기보다는 속임수를 써야 할 때가 온 것 같아요. 저한
테 아이디어가 하나 있기는 해요.

제우스 헤르메스, 그게 무어냐? 어서 말해봐. (페이드아웃.)

[페이드인: 옥외. 니사산. 튀폰과 그의 짝 에키드나. 에키드나는 일부는 아름다운
여자 몸이고 일부는 치명적인 뱀이다.]

튀폰 에키드나, 난 이런 식으로 계속 살 수는 없소. 내가 제우스를 한번 쓰
러트리고 나면, 다음에는 그가 나를 쓰러트리고, 이런 식이 반복된단
말이오.

에키드나 내가 당신이라면, 튀폰, 운명의 세 여신들과 의논해 보겠어요. 그들이
이 근처에 있어요. 미래를 예언하는 능력은 없지만 이 여신들은 모든
사람의 약점과 강점을 다 알고 있지요.

튀폰 어쩌면 내가 제우스를 패배시킬 수 있는 특별한 방법을 가르쳐줄지도
모르겠군.

에키드나 누군가 할 수 있는 일이라면 그들도 할 수 있어요.

(*튀폰은 세 운명의 여신들을 만나러 간다. 페이드아웃.*)

[페이드인: 옥외. 니사산. 세 운명의 여신, 클로토, 라케시스, 아트로포스가 인간
의 운명을 짜고, 자로 재고, 가위로 자르는 각각의 맡은 일을 하고 있다. 이들은
괴물 튀폰이 미끄러져 들어오는 것을 본다.]

클로토 튀폰이 오고 있어, 언니들.

라케시스 헤르메스가 그가 올 거라고 하더니 정말 나타나는군.

아트로포스 우린 튀폰이 원하는 적당한 충고를 갖고 있으니까.

(이들은 100개의 머리와 100개의 으스스한 목소리로 괴성을 울리며 꿈틀거리고 들어오는 튀폰을 지켜본다. 튀폰은 그의 잡다한 소리가 울리는 가운데서 가장 강력한 목소리로 말한다.)

튀폰   자매님들의 지혜로운 충고를 듣고 싶어서 찾아왔소이다.

클로토   우리의 충고를 듣고 싶다면 100개의 당신 머리에서 나오는 불협화음 소리를 줄여줘야 하겠어요.

튀폰   최대한 줄여볼게요. 그렇지만 완전히 줄일 수는 없으니까 자매님들이 귀를 기울이고 잘 들어야 해요.

라케시스 자, 어서 말해 봐요, 튀폰.

튀폰   내가 제우스를 이길 수 있는 특별한 힘을 어떻게 하면 얻을 수 있는지 좀 가르쳐주세요.

아트로포스 생명의 실을 자르는 게 내 임무지요. 나의 그런 입장에서, 한 가지 답이 있다면, 인간 흉내 내는 걸 제안하고 싶어요.

튀폰   인간의 어떤 흉내를 내면 됩니까?

아트로포스 인간들이 먹는 음식을 드세요. 그러면 당신이 필요로 하는 특별한 힘이 생길 겁니다.

(튀폰은 세 운명의 여신들에게 100개의 머리를 끄덕이고 미끄러져 나간다. 세 운명의 여신들은 그가 사라지는 것을 보면서 의기양양하게 미소 짓는다. 페이드 아웃.)

[페이드인: 옥외. 하이모스산. 트라키아. 인간 음식을 먹은 튀폰은 반대 현상이 일어나서 약해져 있다. 약해진 튀폰이 이제 제우스와 마주한다.]

제우스   이젠, 포기하는 게 낫지 않은가, 튀폰? 인간 음식은 당신을 강화시킨

게 아니라 오히려 약화시켰어.

튀폰　내가 약화됐는지는 몰라도 아직 비축된 힘이 많이 남아 있다.

(제우스는 그를 몇 개의 천둥 번개로 때린다. 산둥성이는 튀폰의 피로 물든다. 튀폰은 뒤로 물러난다. 제우스는 남쪽 이탈리아 바다 쪽으로 그를 몰아낸다. 제우스는 바다에서 섬을 하나 들어 올려 그 섬을 튀폰의 머리 위에 얹어놓는다. 그렇게 해서 불멸의 튀폰은 섬 내부에 영원히 감금되었고, 그 섬은 후에 시실리로 알려진다. 튀폰의 100개의 머리에서 뿜어 나오는 불같은 호흡은 에트나산이 된다.)

제우스　지금은 네가 천둥처럼 울리고 불같은 분노를 터뜨린다 해도 너는 다시는 세상에 나올 수 없어. 다시는 내 주권에 도전할 수 없다.

(제우스는 자신이 손수 만든 작품을 보고 만족해하며 떠난다.)

36

데메테르와 페르세포네: 어머니와 딸

등장인물

하데스	퀴아네	아레투사
아프로디테	한 요정	페르세포네
에로스	데메테르	헤르메스
제우스	노파	

[페이드인: 옥외. 지하 세계의 하데스. 이곳 이름인 주인 하데스는 튀폰이 에트나산 밑에 유폐된 사실에 신경이 쓰인다. 튀폰이 일으키는 진동과 격동이 땅을 갈라지게 할지도 모르고, 또 그가 가장 두려워하는 외부의 빛이 그의 왕국에 들어올까 봐 매우 염려하고 있다.]

하데스 아무래도 튀폰이 묻혀있는 시실리로 가서 좀 살펴봐야겠어. 내 왕국의 어둠을 유지해야 하는데, 빛이 들어오면 큰일이지. (페이드아웃.)

[페이드인: 옥외. 시실리. 하데스는 번쩍이는 그의 흑마들이 이끄는 마차에서 내린다. 땅의 기반을 조사해 보려는 참이다. 아프로디테는 그녀의 신전 방문차 그곳에 들렀다가 하데스가 있는 것을 보고 그녀의 아들 에로스에게 말한다.]

아프로디테 에로스, 하데스가 데메테르의 아름다운 딸 페르세포네를 쳐다볼 때 그의 심장에 너의 화살을 쏘아라.

에로스   어머니 분부대로 할게요. 그런데 어머니는 왜 하데스에게 어울리지 않는 상대를 택하시나요? 그 이유를 알고 싶어요. 페르세포네는 삶을 소생시키는 풍요의 여신 데메테르의 딸이고 하데스는 죽음의 저장소인 지하 세계의 주인인데요.

아프로디테   넌 서로 반대되는 것끼리 끌어당기는 힘이 있다는 말도 못 들어봤니, 아들아?

에로스   들어봤어요, 어머니. 서로 다른 둘 중에서 제 화살을 맞는 쪽이 더 강한 힘을 갖겠지요.

아프로디테   바로 그거다.

(*에로스는 어머니의 요청을 수행하기 위해 떠난다.* 페이드아웃.)

[페이드인: 옥외. 하데스가 땅의 기반을 살펴보는 동안 꽃을 꺾고 있는 페르세포네를 바라본다. 근처에서 에로스가 무릎을 꿇고 목표를 향해 정확히 하데스의 심장에 활을 쏜다. 이런 일이 있은 직후 페르세포네는 어머니 데메테르와 만난다. 어머니는 여기저기 손으로 가리키며 원예의 다양한 생태를 딸에게 설명해준다. 두 모녀는 행복한 시간을 보낸다. 하데스는 이제 페르세포네에게 열정을 느끼지만, 데메테르가 딸의 결혼 계획을 전혀 생각지 않고 있음을 알고 있다.]

하데스   제우스를 만나야겠어. 페르세포네와 결혼할 수 있게 해달라고 요청해야지. 데메테르와는 도무지 이야기가 통하지 않을 테니까. (페이드아웃.)

[페이드인: 옥외. 올림포스산. 제우스와 하데스.]

하데스   페르세포네를 내 아내로 맞고 싶어서 허락을 청하러 왔소.

제우스 내 허락은 쉽지만 데메테르가 동의하지 않을 거요.

하데스 혹시 결혼을 먼저 하고 나면 데메테르도 동의할 수밖에 없지 않을까?

제우스 알겠소. 결혼 전에 페르세포네를 당신 것으로 만들고 싶다는 뜻이군. 그런 다음에는 데메테르도 어쩔 수 없이 동의해 줄 것이다 그 말이군.

하데스 제우스, 이건 나의 순간적인 정열이 아니라는 것만 알아두시오. 데메테르에게 강요하는 최후 수단일 뿐이오. 난 진심으로 페르세포네를 사랑하고 그녀를 내 왕비로 삼고 싶은 마음이 간절하오.

제우스 하데스, 나를 믿게 하려고 애쓸 필요는 없소. 난 당신을 훌륭한 남편감으로 생각해요. 당신은 이 우주의 삼 분의 일을 지배하는 통치자가 아니요. 문제는 어떻게 페르세포네가 혼자 있을 때를 찾아 구애할 수 있는가 하는 거겠지. 그 애 옆에는 어머니가 있든지 요정들이 있든지, 언제봐도 그 애 혼자 있을 때가 없으니까.

하데스 꽃을 꺾고 있는 그녀를 보았소. 혹시 당신이 특별히 아름다운 꽃을 좀 떨어진 으슥한 곳에 심어 놓으면 어떨까. 그 애의 관심을 끌어서 꽃을 따라오면 기회를 잡을 수 있지 않을까?

제우스 적절한 꽃과 적합한 장소를 내가 알고 있소. (페이드아웃.)

[페이드인: 옥외. 시실리. 헨나 마을 근처의 페르고스 호수. 호숫가는 언덕이 있고 사방이 꽃으로 덮여 있다. 페르세포네는 그녀의 요정들과 꽃바구니를 들고 꽃을 꺾고 있다. 더 많은 꽃을 열심히 찾으면서 그녀는 요정들에게서 떨어진 곳을 둘러본다. 그녀는 제우스가 그곳에 갖다 놓은 유난히 짙은 푸른빛의 수선화를 발견한다. 그녀가 꽃을 꺾자 그 순간 땅이 활짝 열리고 마차를 탄 하데스가 땅속에서 나온다. 비명을 지르는 페르세포네를 낚아채고 땅 아래로 내려가려는 찰나, 물웅덩이에서 나온 퀴아네는 하데스의 납치 장면을 목격한다.]

퀴아네 각하, 멈춰요! 안 돼요. 순결한 어린 소녀를 정복하려고 완력을 쓰면 안 됩니다!

(퀴아네는 길을 막으려고 두 팔을 벌린다. 하데스는 그의 목적을 변경할 기분이 아니다. 그는 그의 주권을 드러내는 홀을 웅덩이에 던진다. 그의 홀이 떨어진 자리에 길이 열리고 비명을 지르는 페르세포네를 데리고 하데스는 지하 세계로 사라진다.)

퀴아네   오 나의 가엾은 페르세포네! 불쌍한 페르세포네!

(퀴아네는 너무도 울어서 그녀의 사지와 몸의 마디마디가 액체가 되어 자신의 물웅덩이에 녹아 들어간다. 페이드아웃.)

[페이드인: 옥외. 다른 요정들은 뒤늦게 페르세포네가 없어진 것을 발견하고 데메테르에게 미친 듯이 달려간다.]

한 요정   페르세포네가 없어졌어요! 어머니 데메테르, 페르세포나가 보이지 않아요!

데메테르   "어머니! 어머니!" 하고 울부짖는 소리를 나도 들었다. 그 애를 찾아야 해. 내 귀한 페르세포네를 찾아야 해.

(데메테르는 에트나산에 두 개의 횃불을 밝히고 잃어버린 딸을 찾아 헤매기 시작한다. 아흐레 낮과 밤을 계속 찾고 있다. 음식도 거르고 물도 마시지 않고 쉬지도 않는다. 급기야 목구멍이 말라서 갈라진 데메테르는 작은 어느 초가집에 다다른다. 문을 두드리자 노파가 나온다.)

데메테르   목이 너무 말라붙었어요. 물 좀 주시겠습니까?

노파　　물론이지요. 어서 오세요.

(*노파는 데메테르에게 시원한 보리차를 가져온다. 데메테르가 물을 마시자 옆에서 어린 소년이 목이 말라 꿀꺽꿀꺽 들이키는 그녀를 뚫어지게 지켜보고는, 버릇없이 그녀의 물 마시는 흉내를 낸다. 데메테르는 소년의 무례함에 화를 내고 마시다 남은 보리차를 소년의 얼굴에 뿌린다. 노파는 소년의 모습이 변하는 것을 보고 놀란다. 소년의 피부는 점투성이가 되고, 두 팔은 사이에 꼬리가 달린 두 다리로 변한다. 몸은 쪼그라들면서 점으로 뒤덮인 도마뱀이 된다.*)

데메테르　　자기보다 더 위대한 자를 조롱하는 자는 스스로 더 낮아지는 것이오. 보리차를 대접해주어 고맙소, 할머니.

(*데메테르는 떠난다. 페이드아웃.*)

[*페이드인: 옥외. 시실리로 돌아가는 길에 데메테르는 퀴아네의 물웅덩이를 지난다. 비록 퀴아네가 자신의 물웅덩이에 물이 되어 녹아버려서 말을 할 수는 없지만, 그녀는 페르세포네의 허리띠를 웅덩이 수면 위로 가지고 올라온다. 데메테르가 허리띠를 보고는 자신의 머리를 쥐어뜯고 가슴을 때린다.*]

데메테르　　땅덩어리야, 너를 저주한다. 너를 위해서 내가— 가꾸고 열매 맺게 하고 그렇게 애썼는데, 그 보답이 이것이냐— 내 사랑하는 딸을 누군지도 모르는 사람에게 납치당하게 하느냐? 땅아, 너를 저주한다. 특히 이런 불상사를 일으킨 시실리 땅을 내가 저주한다. 시실리, 너는 나의 선물인 곡물을 이제 받을 수 없고, 풍요로운 수확은 앞으로는 없다.

(*무서운 기세로 데메테르는 쟁기들을 부서트리고 소 떼도 파멸시키고 땅에 심은*

씨들을 말려버린다. 태양열을 과도하게 쏘아 거의 비도 내리지 않게 해서 땅을
황무지로 변화시킨다. 페이드아웃.)

[페이드인: 옥외. 데메테르는 퀴아네의 물웅덩이 옆에 앉아서 한 손으로는 페르
세포네의 허리띠를 부드럽게 만지고, 또 한 손으로는 머리를 뜯고 가슴을 때리
는 일을 번갈아 한다. 그때 숲의 요정 아레투사가 수면 위로 얼굴을 내민다. 아
레투사는 열정적으로 그녀에게 접근하는 강신 알페이오스를 피하기 위해서 우
물로 변신하였다. 아레투사는 그의 긴 머리를 흔들며 말한다.]

아레투사 딸 페르세포네를 잃어버린 어머니시여, 이런 말을 하는 저를 용서하세
　　　　요. 당신이 이 땅을 벌하는 것은 옳지 않습니다. 이 나라는 강간이 강
　　　　요된 곳이지, 강간을 시작한 나라는 아닙니다.

(*데메테르는 슬픔에서 깨어난다.*)

데메테르 강간이라고! 분명하게 말해다오, 얘야. 페르세포네의 행방불명에 대해
　　　　네가 알고 있는 게 뭐냐?
아레투사 저는 한때는 숲의 요정이었어요. 그러나 아르테미스의 은혜로 페르세
　　　　포네가 당한 그 비슷한 강간을 피해 우물로 변한 것입니다.
데메테르 오, 오- 나의 순결한 페르세포네! 오! 오!
아레투사 진정하세요, 어머니.
데메테르 그래, 그래. 어서 계속해봐라.
아레투사 제가 말씀드린 대로, 저는 우물로 변해서 땅 아래 있는 물속 통로들을
　　　　떠다니거든요. 이 특별한 사고가 일어난 때에 제가 스틱스강을 떠다니
　　　　고 있었는데, 그때 페르세포네를 보았어요.
데메테르 스틱스강에서? 하데스의 강 말이냐?

아레투사 네. 페르세포네는 울고 있었고 그 옆에 하데스가 있었어요.

데메테르 내 착한 딸을 납치해 간 게 하데스란 말이지. 제우스는 이 사실을 알아야 한다!

(*데메테르는 일어나서 날개 달린 뱀들이 끄는 그녀의 마차가 있는 곳으로 간다. 페이드아웃.*)

[페이드인: 옥외. 올림포스산. 데메테르와 제우스.]

데메테르 우리 딸 문제로 왔어요. 당신 딸이고 내 딸이지요. 실종된 애를 찾았어요. 우리 애가 죽음의 왕국 지하 세계의 주인 하데스 손에 파괴되었어요.

제우스 자, 자, 데메테르, 그렇게 극적으로 말할 건 없소. 페르세포네에게 해된 건 없어요.

데메테르 강간을 해라고 여기지 않는 당신을 내가 미처 몰랐군요. 그렇다고 칩시다. 그 애를 내게 돌려주기만 하면 강간당한 건 참겠어요.

제우스 하데스가 페르세포네를 강간한 건 맞지만 지금은 적법하게 둘이 결혼을 했소. 그리고 우주의 삼 분의 일을 지배하는 자에게 딸을 결혼시킨 것은 수치가 아니오.

데메테르 삼 분의 일이 문제가 아니라 우주 최고의 지배자라 해도 난 관심 없어요. 내 딸만 돌려주세요!

제우스 당신이 딸아이의 이혼을 결정한 것이라면 좋소. 하데스에 머무는 동안 그 애가 음식을 먹지 않았다면 이혼은 성립되오. 이 법은 운명의 여신들이 정한 것이오. 당신도 알다시피 나 제우스조차도 그 여신들의 법을 폐지할 수는 없는 것이오.

데메테르 알았어요.

제우스   헤르메스를 하데스로 보내서 페르세포네를 데려오도록 하겠소. 그리고 엘레우시스의 당신 있는 곳으로 그 애를 데려다주겠소. (페이드아웃.)

[페이드인: 옥외. 엘레우시스. 데메테르가 페르세포네를 데리고 온다. 다시 만난 어머니와 딸은 너무 기뻐서 껴안고 여러 차례 키스한다.]

데메테르   내 딸, 나의 착한 페르세포네! 너를 보니 너무나 기쁘구나.

(*페르세포네의 눈에 눈물이 고인다.*)

페르세포네   오, 어머니, 어머니를 마지막 본 후, 너무도 끔찍한 일이 일어났어요. 나는―
데메테르   나도 안다. 애야, 알고 있어. 남자들의 그 추악한 음욕을 알고 있다.
페르세포네   처음에는 무서웠지만, 그이는 아주 친절하고 나를 갈망하면서 여러 면으로 배려해주었어요.
데메테르   그건 이제 다 지나간 얘기다. 넌 지금 나하고 있고 여기서 사는 거야.

(*헤르메스가 이들의 반가운 재회를 방해한다.*)

헤르메스   페르세포네가 이곳에서 당신과 함께 영원히 살 수 있기 전에 해결할 문제가 하나 더 있지요.
데메테르   오, 그렇지. 페르세포네, 너 하데스에 있는 동안 먹은 음식이 있니?
페르세포네   없어요. 난 너무 슬프고 고민이 되어 아무것도 먹을 수가 없었어요. 오직 하나 있다면―
데메테르   오직 뭐, 페르세포네?

페르세포네 내가 떠날 때 하데스가 석류를 주었어요. 어머니를 만난다는 생각에 너무 기뻐서 식욕이 돌아왔어요.

데메테르 하데스에서 그럼 네가 석류 씨 하나라도 먹었단 말이냐?

페르세포네 네, 일곱 개 정도만 먹었어요.

데메테르 오, 페르세포네! 한 개라도 충분히 많은 거다.

(*데메테르는 울면서 딸을 포옹한다.*)

헤르메스 운명의 여신들 명령에 따라 저는 페르세포네를 하데스로 돌려보내야 합니다.

데메테르 헤르메스, 기다려요. 먼저 제우스와 상의하겠어요.

헤르메스 좋습니다. 여기서 페르세포네와 기다리고 있겠어요.

데메테르 곧 돌아올게, 애야. 어쩌면 어떤 협상이든지 타협을 봐야 할 지 모른다.

(*데메테르는 뱀이 이끄는 그녀의 마차를 타고 올림포스산으로 간다. 페이드아웃.*)

[페이드인: 옥외. 올림포스산. 데메테르와 제우스.]

데메테르 제우스, 이건 공평하지 않아요. 처음에는 하데스가 페르세포네를 강제로 끌고 갔고, 지금은 계획적으로 석류를 먹게 하는 속임수를 썼어요.

제우스 데메테르, 당신 이야기도 일리는 있소. 그렇지만 페르세포네가 하데스에 있는 동안 무얼 먹었다는 그 사실은 남아 있소. 그리고 나조차도 운명의 신들이 만든 법을 어길 수는 없는 거요.

데메테르 그렇다면 반반의 상황인 만큼, 반반의 해결책이 있을 수 있겠군요.

제우스　당신이 제안하는 그 반반의 해결책이라는 게 뭐요?

데메테르　당신은 당신의 세력 범위가 있고 운명의 여신들은 그들의 영역이 있고, 나도 나대로의 영역이 있어요.

제우스　그래서-

데메테르　그래서 내가 땅에 베푸는 관대한 박애 정신과 축복을 다시 인류에게 제공하겠어요. 다만 페르세포네가 나하고 함께 있는 동안만 그렇게 베풀 것입니다.

제우스　당신이 말하는 반반의 해결책이라는 게 무언지 알겠소, 데메테르. 일 년의 절반을 페르세포네와 보내고 싶다는 뜻이로군.

데메테르　딸아이가 나하고 함께 있는 동안에는 기쁨으로 땅이 풍성한 풍작을 이룰 것입니다.

제우스　좋소. 이건 공정한 타협이라고 인정하오.

데메테르　네, 제우스, 나로선 반쪽짜리 빵이나마 한 개도 없는 것보다야 나으니까요.

제우스　이 점에서 보면 당신과 인류는 동등하군. 그들도 반쪽 빵으로 만족해야겠구려.

데메테르　신들이 누리는 영원한 젊음과 영원한 생명을 제외하고는 놀랍게도 신이나 인간이나 동등하다는 걸 난 발견했어요.

제우스　그렇소, 데메테르. 당신이 무슨 뜻으로 말하는지 알겠소.

37
아폴로와 파에톤: 아버지와 아들

등장인물

에파포스	아폴로	제우스
파에톤		

[페이드인: 옥외. 이집트. 멜피스의 에파포스 왕이 파에톤의 출생에 대해 비웃고 있다.]

에파포스 자네 어머니가 클리메네인 줄은 알지만 아버지가 누군지는 누가 알겠어. 클리메네의 남편 메롭스가 자네 아버지가 아닌 건 확실해.

파에톤 메롭스는 제 아버지가 아니어요. 저의 아버지는 영광스러운 태양신 아폴로입니다.

에파포스 그건 자네가 하는 소리지.

파에톤 사실이어요. 제가 증명해 보일 겁니다. 저의 아버지는 태양이 떠오르는 동쪽에 궁전이 있어요. 그곳으로 아버지를 방문해서 저의 출생을 직접 확인할 것입니다.

에파포스 그건 자네가 쫓겨나기를 청하는 거나 다름없네.

파에톤 두고 보세요. (페이드아웃.)

[페이드인: 옥외. 태양이 뜨는 동쪽 아폴로 궁전. 긴 여행 후 파에톤은 숨이 막힐

정도로 찬란한 건물 앞에 도달한다. 기둥은 눈부신 태양 빛의 금과 황동으로 되어 있고 문은 모두 번쩍이는 은으로 되어있다. 파에톤은 층계를 올라가서 거대한 홀 안으로 들어간다. 아폴로의 눈 부신 빛 때문에 그는 눈을 가려야 했다. 다이아몬드와 에메랄드로 빛나는 자주색 겉옷이 반사하는 화려한 광채는 그를 겁에 질리게 한다. 아폴로가 그에게 말한다.]

아폴로   네가 왜 이곳에 있느냐, 파에톤?

파에톤   제가 누군지 아시는군요. 당신을 제 아버지라고 부를 권리가 저에게 있나요? 제 마음속에 있는 출생의 의심을 풀어주세요.

(*아폴로는 그의 눈부신 왕관을 벗고 파에톤에게 가까이 오도록 부른다. 그는 파에톤을 포용하고 말한다.*)

아폴로   너는 내가 낳은 아들이다. 클리메네는 진실을 말해준 거야. 그 증거로 너는 내게 너에게 줄 수 있는 뭐든지 요구해도 좋다.

파에톤   날개 달린 말들이 끄는 아버지 마차를 하루 종일 몰고 싶은 꿈을 늘 갖고 있었어요.

(*아폴로는 그의 요구에 당황해한다.*)

아폴로   네가 주장하면 약속은 지키겠다. 그러나 너 자신의 안전을 위해서 마차 모는 것 말고 다른 것을 요구하면 좋겠구나.

파에톤   그렇지만 아버지, 제 소원은 아버지의 마차를 한번 몰아보는 것입니다.

아폴로   내 말을 잘 들어라, 아들아. 지금 네가 원하는 건 네가 할 수 있는 영역에서 훨씬 벗어난 거야. 넌 인간에 지나지 않아. 신들 가운데서도 그 날개 달린 말들을 몰 수 있는 특별한 능력의 소유자는 오직 나 하나다. 제우스조차 나하고 같이 있을 때만 그 마차를 탈 수 있으니까. 그러니, 파에톤, 내 말을 잘 새겨들어. 네 마음을 바꿀 시간은 아직 있어. 넌 이 아버지 얼굴에 근심이 보이지 않느냐? 마차만 빼고 뭐든지 요구해라.

파에톤　　제 안전을 걱정하시는 걸 보니 아버지가 제 아버지임엔 틀림없군요. 전 행복해요. 그렇지만 아버지가 마차를 몰고 다니신 똑같은 행로를 저도 한번 꼭 돌아보고 싶어요.

(아폴로는 깊은 한숨을 쉬고 무거운 심정으로 파에톤을 그의 마차 있는 곳으로 데리고 간다. 그의 마차는 헤파에스투스가 만든 것으로 바퀴살이 은으로 된 황금 차륜의 위용 있는 마차이다.)

아폴로　　파에톤, 지금이라도 네가 하려는 이 어리석은 시도를 멈췄으면 좋겠구나. 그만둘 수 있는 마지막 기회야.

파에톤　　아니어요, 아버지. 제 마음은 확정되었어요.

(파에톤은 마차에 올라탄다. 날개 달린 네 마리의 말들은 신이 탔을 때보다 가벼움을 느끼고 날아간다. 이들은 구름과 바다를 통과하여 빠른 속도로 동쪽 하늘을 난다. 무게도 가볍고 고삐 잡는 솜씨가 서툴고 불확실함을 느낀 말들은 평소의 궤도를 벗어나서 나름대로 방향을 자유롭게 바꾼다. 겁이 난 파에톤은 온몸이 떨린다. 그에게는 말들을 제어할 힘이 없다. 말들은 아폴로의 마차를 익숙하지 않은 낯선 곳으로 몰고 간다. 처음으로 북극 행로를 택한 말들은 열기에 고통받는다. 북극곰들이 낯선 열기에 놀라고 격앙되어 날뛴다. 파에톤은 힘없이 무릎을 부들부들 떨며 아래를 내려다본다. 아버지의 충고를 듣지 않은 것을 후회해보지만 이미 늦었다. 파에톤은 황도대의 괴물 자리인 하늘의 섬들을 지난다.

괴물들이 모두 그곳에 있다. 양, 황소, 게, 사자, 전갈— 황도대의 열두 생물의 별자리들이 모두 일어서서 파에톤을 잡아채려 하자 무서움에 질린 파에톤은 그만 고삐를 놓치고 만다. 고삐 풀린 말들은 높이 솟아올랐다가, 땅에 긁힐 만큼 곤두박질 내려갔다가, 이리저리 돌면서 완전히 통제 불능이 된다. 마차에 긁힌 땅에서는 불이 난다. 산과 높은 땅에 불이 붙고, 점점 낮은 키의 나무들, 들판, 도시가 온통 태양의 뜨거운 열기로 타들어 가서 잿더미로 변한다. 마차를 타고 있는 파에톤은 극도의 뜨거운 공기와 연기로 질식사할 지경이다. 날리는 잿가루는 그의 눈을 거의 멀게 한다. 마차에 오랫동안 닿았던 지구의 부분들은 사막으로 변한다. 포세이돈과 그의 바다생물들조차도 깊은 동굴 속으로 퇴거하고 데메테르는 가장 깊숙한 그녀의 우물 속으로 들어간다. 연기와 열기는 아틀라스에게도 영향을 주어 어깨에 메고 있는 하늘을 떨어트릴 위험에 처해있다. 올림포스산 가장 높은 곳에 있는 제우스는 파에톤이 우주에서 일으키고 있는 대재앙을 내려다보고 있다.)

제우스　　지구의 파멸을 막기 위해서는 오직 나만이 할 수 있는 초강력 방법을 사용해야겠구나.

(그는 그의 손에서 번개를 보낸다. 번개는 파에톤과 마차를 직접 때린다. 부서진 잔재들이 지구 여기저기 흩어진다. 불에 그슬린 파에톤의 시체가 동서를 가로질러 에리다노스강으로 들어간다. 서쪽의 나이아드들이 파에톤의 그슬린 시체를 매장한다. 제우스는 말한다.)

제우스　　불을 끄려면 맞불 작전을 쓰는 수밖에 없지. (페이드아웃.)

[페이드인: 옥외. 아폴로는 서쪽의 나이아드들을 동반하고 파에톤의 무덤으로 온다. 그는 부드럽게 아들의 시신을 안고 무덤 안에 놓고 문을 봉한다. 그는 무

덤 밖에 앉아서 슬퍼하고 있다.]

아폴로 파에톤, 파에톤, 넌 내 말을 들었어야 했다. 넌 나의 빛을 어둠으로 바꾸었구나. 네가 빛을 질리게 만들어서 내가 빛에 지쳐버렸으니, 앞으로는 세상에 빛을 밝히는 내 임무를 그만두겠다.

(아폴로는 며칠이고 계속 무덤 밖에 앉아 슬퍼하고 있다. 그러는 동안 온 세상은 빛을 잃은 어둠 속에 잠겨 있다. 페이드아웃.)

[페이드인: 옥외. 파에톤 무덤 밖. 제우스가 아폴로에게 온다.]

제우스 파에톤의 죽음을 애도한다. 파에톤에게 번개를 던져야 했던 것은 세상을 구하기 위해서였어. 완전한 파괴만은 막아야 했기 때문에 어쩔 수 없었던 거다. 넌 이해할 수 있겠지. 미안하구나, 아폴로. 달리 방법이 없었어.

(제우스의 사과 발언에 아폴로의 마음이 누그러진다.)

아폴로 내 잘못이어요. 내 잘못이 제일 큽니다.
제우스 아버지들은 때때로 승산 없는 상황에 놓일 때가 있다.
아폴로 그래요. 우린 아들들에게 날개를 펴라고 용기를 주고, 위대해지기를 바라고 힘내라고 하지요. 아버지들 마음 한편으로는 아들의 앞날을 두려워하면서도 말입니다. 나의 슬픔을 세상에 대고 쏟아내는 내 태도는 옳지 않은 것 같습니다.
제우스 그런 뜻을 네가 알아주니 고맙다. 이제 세상은 다시 한번 빛을 볼 수 있겠구나. 아폴로, 내가 지금 너를 자극하려고 의도적으로 빛이란 단어를 사용한 건 아니야.

아폴로 의도적으로 하신 게 아닌 걸 나도 알아요. 제우스의 말이 맞아요. 내
슬픔을 밀어내고 내가 해야 할 임무를 수행해야지요.

제우스 네 임무는 세상에 빛을 밝히는 것이다.

아폴로 네. 나에게만 특별히 있는 능력이지요. 헤파에스투스에게 마차를 새로
만들어 달라고 부탁하겠어요. 다시 내 말들의 견인 줄을 매야지요.

제우스 난 참 기쁘다, 아폴로. 이 세상도 기뻐할 것이다.

38

크레우사와 이온: 어머니와 아들

등장인물

크레우사	쿠투스	이온
아폴로	퓌티아 여사제	여자 노예
헤르메스		

[페이드인: 옥외. 아테네. 아크로폴리스 신전 아래 동굴. 아폴로는 크레우사를 납치하여 이곳에 데리고 왔다.]

크레우사 아폴로, 제발 이러시면 안 됩니다. 난 쿠투스의 충실한 아내여요. 제발 나의 정절을 당신의 음탕한 행위로 더럽히지 말아 주세요.

아폴로 크레우사, 당신은 내 운명의 아이러니를 아시오? 난 아름다운 태양신인데 애정 관계는 참 힘들고 어둡답니다.

(아폴로는 크레우사와 몸싸움을 벌이고 그녀를 땅에 눕힌다.)

크레우사 제발, 아폴로, 제발 이러지 말아요.

아폴로 잠자코 있어요, 크레우사.

(아폴로는 강압적으로 그의 욕정을 불태운다. 페이드아웃.)

[페이드인: 9개월 후. 아크로폴리스 신전 아래 있는 같은 동굴. 크레우사는 방금 아들을 출산했다. 그녀는 아기를 여러 헝겊으로 돌돌 말아 싼다.]

크레우사 이런 짓을 하는 내 가슴이 미어지지만, 아들아, 너를 여기 두고 죽게 할 수밖에 없다. 남편이 나의 수치를 알면 절대로 안 돼.

(크라우사는 아들에게 키스하고 돌돌 만 헝겊을 매만지며 바로 잡는다. 그리고 는 눈물을 흘리면서 떠난다. 페이드아웃.)

[페이드인: 옥외. 올림포스산. 아폴로와 헤르메스.]

아폴로 헤르메스, 크레우사가 방금 내 아들을 아크로폴리스 밑에 있는 동굴에 버려서 없애려고 하네. 자네가 그 아기를 델피의 퓌티아 여사제에게 데리고 가주게. 그 아기의 출생 상황을 그녀에게 자세히 말해주고 내 아들이 신전에서 나를 위해 헌신하도록 일러주게.

헤르메스 이 아기는 그럼 당신이 실패한 또 다른 사랑의 씨앗인가요, 아폴로?

아폴로 헤르메스, 자네의 냉소는 반갑지 않네. 그저 내 아들이 퓌티아 손에서 보호받고 자라게 해주게.

헤르메스 난 임무 수행을 게을리한 적은 없으니까요.

(헤르메스는 챙이 없는 모자를 쓰고 날개 달린 신발을 신으면서 미소 짓는다. 페 이드아웃.)

[페이드인: 실내. 아테네. 수년 후. 쿠투스 왕과 크레우사 왕비의 궁전.]

쿠투스 여보, 난 마음을 정했소. 델피로 가서 퓌티아 여사제에게 당신이 아기

를 생산하지 못하는 원인을 알아보고 오겠소

크레우사 그 여사제가 필요한 처방을 내려주면 좋겠어요. 우리의 완벽한 결혼 생활에 오직 흠이 있다면 나의 불임이군요.

쿠투스 곧 떠날 준비를 하겠소. (페이드아웃.)

[페이드인: 실내. 델피. 아폴로 신전. 퓌티아 여사제와 쿠투스 왕.]

쿠투스 저에게 후사가 없으니, 아내의 불임을 고치려면 어떻게 해야 하는지 알고 싶습니다.

퓌티아 여사제 불임은 언젠가 저절로 고쳐집니다. 그러나 지금은 당신이 이 신전을 나설 때 처음 마주치는 남자가 당신 아들입니다.

쿠투스 그런데 크레우사는 제게 아들을 낳아준 적이 없는데요.

퓌티아 여사제 신탁의 소리를 의심치 마세요. 이 신전을 떠날 때 당신이 처음으로 보는 남자가 당신 아들입니다.

(*쿠투스는 신전을 나서면서 혼자 생각한다.*)

쿠투스 (*혼잣말로*) 여사제의 말은 혹시 내가 밀통했던 여인들 중에 누가 내 아기를 낳았단 말인가? 그 애를 내가 만난다는 것인가?

(*쿠투스는 신전 밖으로 나간다. 그때 그가 처음 본 남자는 체격이 늠름하고 다부지고 보기에 매우 아름다운 고귀한 모습의 청년이다.*)

쿠투스 이보게, 젊은이. 퓌티아 여사제가 나에게 방금 알려준 정보에 의하면 이 신전을 나갈 때 처음 마주치는 남자가 내 아들이라고 했소.

젊은이(이온) 저는 퓌티아 여사제를 도와 이 신전을 위해 일생을 바친 사람입니다. 여사제가 그렇게 말씀했다면, 저는 당신의 아들입니다.

쿠투스   너를 이온이라고 부르겠다. 도중이라는 뜻이지.

이온   네, 이온이오. 알겠어요, 아버지.

(*쿠투스 왕은 행복하게 새로 발견한 아들을 두 팔로 감싸 안는다. 페이드아웃.*)

[페이드인: 실내. 아테네. 궁전. 크레우사 왕비와 여자 노예.]

여자 노예 왕비 마마, 노예들 사이에서 들리는 소문인데요. 쿠투스 왕이 델피에
　　　　　서 사생아 아들을 데리고 온답니다. 그 아들이 왕위 계승자라고 하네
　　　　　요.

크레우사 뭐라고! 내게서 난 아들이 아니고! 절대, 절대로 그런 일은 용납할 수
　　　　　없지.

(*크레우사는 몹시 얼떨떨해하는 여자 노예에게서 돌아선다. 페이드아웃.*)

[페이드인: 실내. 궁전. 연회장. 쿠투스 왕, 크레우사 왕비, 이온, 퓌티아 여사제
및 많은 귀족들이 이온의 왕세자 책봉 축하식에 참여하고 있다.]

쿠투스 왕 자, 먼저 신들께 헌주를 올립시다.

(*쿠투스 왕은 신들을 찬양하며 포도주를 뿌린다. 그리고 자신의 잔에 포도주를
따르고 이온과 크레우사 잔에도 따른다. 크레우사는 몰래 이온의 술잔에 독을
넣는다.*)

쿠투스 왕 우선 우리 셋이 새롭게 맺은 관계를 위해 축배를 들고, 그리고 이 자

리에 모인 여러 하객들과 함께 축배를 들도록 합시다.

(쿠투스 왕과 크레우사 왕비는 그들의 잔을 높이 든다. 그때 이온이 비명을 지른다.)

이온   마시지 마세요! 누군가 불길한 전조의 말을 내뱉었어요. 아버지, 신들께 헌주를 다시 올려주시기를 청합니다.

(쿠투스, 크레우사, 이온은 그들 잔에 든 포도주를 다시 부으면서 쿠투스는 되풀이해서 신들을 찬양한다. 이온의 포도주가 바닥에 떨어지자 아폴로의 신성한 비둘기 한 마리가 이를 마시고 고통 속에 몸을 뒤틀며 죽는다. 이온과 쿠투스는 크레우사를 비난의 눈초리로 노려보고, 이온은 크레우사를 공격하려고 칼을 빼든다. 퓌티아 여사제가 그 사이를 가로막는다.)

퓌티아 여사제   참아요, 이온, 참아요! 아폴로의 축복으로 성장한 당신이 당신의 생모를 죽이는 죄를 범하고 싶습니까?

(이 말에 크레우사, 쿠투스, 이온 모두 충격을 받는다.)

퓌티아 여사제   네, 크레우사, 이건 사실입니다. 이온은 당신과 아폴로 사이에 태어난 아들입니다. 아크로폴리스 신전 아래 동굴에서 없애려 했던 그 아들입니다.

(퓌티아 여사제는 그녀의 옷 속에서 아기가 태어났을 때 아기를 돌돌 말았던 그 헝겊을 꺼낸다.)

퓌티아 여사제　아기를 쌌던 그때의 헝겊입니다.

(*크레우사는 헝겊을 받아 그녀의 얼굴에 대고 부드럽게 비빈다.*)

크레우사　네, 이 헝겊을 내가 어찌 잊을 수 있겠습니까? 아기를 없애려고 한 그
　　　　　때를 생각하면─ 오, 내 아들, 이 어미를 용서해주겠니?

(*이온은 그녀에게 다가간다.*)

이온　　용서를 구할 사람은 접니다, 어머니.

퓌티아 여사제　쿠투스 왕이시여, 당신 아내의 서자를 왕위 계승자로 기꺼이 받아
　　　　　들이겠습니까?

(*쿠투스 왕은 머뭇거린다.*)

퓌티아 여사제　쿠투스 왕이시여, 생각해 보십시오. 왕이 방종하게 어울렸던 여인
　　　　　들 가운데서 출생한 사생아를 왕의 후계자로 기꺼이 삼으려 하지 않
　　　　　았습니까? 크레우사는 아폴로와 방종하게 어울린 여인이 아닙니다.
　　　　　크레우사는 겁탈당한 것입니다. 그녀는 마음속으로 언제나 당신께 충
　　　　　실했어요.

쿠투스 왕　여사제의 주장은 공정하다고 생각합니다. 이온이 나의 서자인 줄 알았
　　　　　을 때는 받아들였는데─ 이제 똑같은 심정으로 이온을 받아들이겠습
　　　　　니다.

퓌티아 여사제　당신이 신들의 뜻을 받아들였으니 당신과 크레우사는 이중의 축
　　　　　복을 받고 장차 더 많은 아들들을 갖게 될 것입니다. 그리고 당신의
　　　　　아들들은 이온과 함께 그리스 백성의 위대한 세 갈래 가문의 시조가

될 것입니다.

쿠투스 왕 여러분, 다 같이 축배의 잔을 높이 듭시다.

39
시지포스의 잔꾀

등장인물

시지포스	아소포스	지도자 1
메로페	제우스	지도자 2
아우톨뤼쿠스	헤르메스	아레스
안티클레아	타나토스	하데스

[페이드인: 옥외. 코린트. 시지포스는 그의 아내 메로페와 함께 그의 소 떼를 점검하고 있다. 소 한 마리의 발굽을 들어 올려보고 그가 발굽 안에 만들어 놓은 새김 눈을 아내에게 보여준다.]

시지포스 메로페, 내가 무얼 만들었는지 이걸 좀 봐요. 아우톨뤼쿠스가 내 소들을 훔쳐간 걸 이제는 증명할 수 있게 되었소, 여보.
메로페 그렇지만 시지포스, 그 사람은 계속 부인하고 있잖아요.
시지포스 그는 거짓말쟁이요. 내가 꼭 증명할 거요. (페이드아웃.)

[페이드인: 옥외. 아우톨뤼쿠스의 목장. 시지포스가 아우톨뤼쿠스에게 다가온다.]

시지포스 아우톨뤼쿠스, 내 소 떼는 점점 줄어드는데 어떻게 자네 소 떼는 점점 불어나는 거요?

아우톨뤼쿠스 시지포스, 내가 또 자네 소를 훔쳐갔다고 우기는 거요? 한번 말한
건 백번이라도 말할 수 있으니까. 난 당신 소를 훔치지 않았소.

시지포스 그래, 자네는 나한테 백번 말했는데 자네 답은 백 번 다 거짓말이오.

아우톨뤼쿠스 젠장, 시지포스! 나한테 싸움을 걸고 있군.

(시지포스는 소의 발굽을 들어 보여준다.)

시지포스 여기 새김 눈 모양이 보이시오? 내 암소들에게 내 손으로 직접 만들어
박아준 거요.

아우톨뤼쿠스 암소 발굽이 탈선하면 그런 모양이 나오는 거요.

시지포스 아니, 그렇지 않지. 자네 소 떼를 모두 조사해 보라고. 나한테서 훔쳐
간 소들은 모두 이런 모양을 갖고 있을 것이고, 훔치지 않은 소들은
이런 새김 눈이 없을 테니까.

*(아우톨뤼쿠스는 그의 소 떼를 조사하고 이를 관찰하는 시지포스에게 그의 도둑
행위가 발각된다.)*

시지포스 내 머리를 따를 자가 없지. 자네가 도둑 대장인지는 몰라도 난 꾀가
많은 꾀 대장이오.

아우톨뤼쿠스 그래서— 어떻게 할 셈이오?

시지포스 내 소들은 내가 다시 데려갈 것이고, 자네한테는 내가 어떤 식으로든
복수해줄 것이니 그리 아시오.

아우톨뤼쿠스 당신 소 떼나 끌고 사라지시오! 내게 복수할 방법도 없으면서.

시지포스 두고 보면 알게 될 거요.

(시지포스는 그의 소 떼를 모아서 몰고 떠난다. 페이드아웃.)

[페이드인: 옥외. 아우톨뤼쿠스의 딸 안티클레아가 시지포스의 팔에 안겨있다.]

안티클레아   시지포스, 이건 미친 짓이어요. 난 당신을 밀어낼 힘이 없어요.

시지포스   안티클레아, 걱정하지 마. 이 순간을 위해서 그저 자신을 잊고 포기하
       면 돼.

안티클레아   그렇지만 아버지가 아시면 날 죽일 거예요.

시지포스   너의 아버진 알 리가 없지. 내가 꾀의 명수라는 사실을 네가 잊어버렸
       구나, 애야.

안티클레아   아니요. 당신이 꾀쟁이인 건 잘 알지요. 난 당신의 그 꾀의 희생자이
       고 당신을 밀치고 저항할 힘도 없어요.

시지포스   그러니까, 우리 그냥 즐기자. 애야, 우리 즐기자고.

(*시지포스는 안티클레아에게 정열적인 키스를 퍼붓는다. 페이드아웃.*)

[페이드인: 옥외. 목장. 시지포스와 메로페.]

메로페   그래서 도둑 대장의 허를 찔렀나요, 시지포스?

시지포스   내 소 떼도 찾아왔고 복수도 해줬지.

메로페   당신의 그런 복수를 난 인정하지 않아요. 안티클레아하고 그 아버지의
       도둑 행위와 무슨 상관이 있다는 겁니까?

시지포스   상관은 없지만 내가 대갚음을 해줄 수 있는 방법은 그 딸인걸.

메로페   시지포스, 제우스가 본을 보여주는 이 우주에서의 여자 위치를 내가
       알고는 있지만, 남자들이 그런 짓을 하지 않았으면 좋겠어요. 난 우리
       여자들의 위치가 남자와 동등하다고 생각해요. 남자들의 노리개가 되
       지 않기를 바랍니다.

시지포스   메로페, 어디서 그런 어리석은 엉뚱한 생각을 갖게 된 거요. 여자는 여

자고 남자는 남자요. 각각 서로 다른 법칙이 있는 거요.

메로페 그건 내가 말한 대로 제우스가 그런 법을 세웠기 때문이지, 법칙이 그래야 한다는 법은 없어요.

시지포스 당신 아무래도 정신이 좀 나간 게 확실하군, 메로페- 제우스의 법을 의심하고 있다니.

(*시지포스는 서 있는 그녀를 두고 떠난다. 페이드아웃.*)

[페이드인: 옥외. 아크로코린트의 높은 언덕. 시지포스는 산 위의 망루 안에 있다. 그는 강신 아소포스의 딸, 물의 요정 아이기나를 제우스가 유괴해가는 것을 본다. 그들을 쫓아오던 아소포스는 망루 앞에서 멈추고 시지포스에게 그의 딸의 행방에 대한 정보를 묻는다.]

아소포스 내 딸 아이기나를 제우스가 유괴해 가는 걸 보았소? 틀림없이 봤을 거요. 이쪽으로 지나갔으니까.

시지포스 네, 보았어요, 아소포스.

아소포스 내 딸을 제우스가 어디로 끌고 갔소?

시지포스 내가 가르쳐주면 당신은 그 대신 맑은 물이 솟는 샘물을 내게 하나 주시겠어요? 아소포스, 당신은 강신이니까 그런 샘물쯤이야 쉽게 만들 수 있잖아요.

아소포스 알았소. 여기 당신 샘이 있소.

(*아소포스는 아크로코린트산을 건드려서 피레네 샘물을 솟아나게 한다.*)

시지포스 제우스가 당신 딸을 데리고 오이노네섬으로 갔어요.

(*아소포스는 급히 사라진다.* 페이드아웃.)

[페이드인: 옥외. 올림포스산. 제우스와 헤르메스.]

제우스　헤르메스, 남의 일에 쓸데없이 참견하는 저 시지포스에게 따끔한 교훈을 가르쳐주게. 해서는 안 되는 짓을 했어. 아소포스에게 내가 아이기나를 데려간 곳을 일러주었단 말일세. 내 연애 문제에 끼어들면 안 된다는 것쯤은 알아야지.

헤르메스　어떻게 해주기를 원하세요, 제우스?

제우스　타나토스를 시켜서 저자를 하데스로 보내게.

헤르메스　그럼 시지포스는 이제 그만 사는 거네요.

제우스　살아있는 자를 죽은 자들 장소로 데리고 가는 것, 그게 타나토스가 제일 잘하는 일 아닌가.

헤르메스　좋습니다. 타나토스에게 제우스의 뜻을 전하겠습니다. (페이드아웃.)

[페이드인: 옥외. 코린트. 검은 겉옷에 검을 든 타나토스가 시지포스 앞에 나타난다.]

타나토스　시지포스, 자네의 머리카락을 한 개 가지러 왔네.

(*시지포스는 음침한 옷을 입은 낯선 자가 누구인지 알아보고 깨닫는다.*)

시지포스　제 머리카락 한 개로 하데스에 봉납하려는 거군요. 그런 것입니까, 타나토스?

타나토스　그 일을 하라는 특명을 제우스로부터 받았네.

시지포스　나는 기꺼이 갈 생각은 없어요. 날 데리고 가려면 날 묶어야 합니다.

타나토스 묶이든 묶이지 않든 그게 문제는 아니지.

시지포스 나를 묶을 쇠사슬이 있어요.

(*타나토스는 시지포스를 따라 헛간으로 간다. 꾀가 많은 시지포스는 쇠사슬을 그에게 넘겨주는 척하면서 타나토스를 대신 얽어 묶는다. 그리고는 묶여있는 타나토스를 헛간에 가두고 문을 잠가버린다. 페이드아웃.*)

[페이드인: 옥외. 트라키아. 한 남자가 사고로 절벽에서 떨어진다. 떨어진 남자는 일어나서 유유히 걸어간다. 이를 본 그의 일행은 놀란다. 페이드아웃.]

[페이드인: 실내. 아이톨리아. 한 살인자가 그의 희생자 가슴에 칼을 꽂는다. 희생자는 피를 흘리며 일어나서 살인 미수범을 두들긴다. 페이드아웃.]

[페이드인: 옥외. 크레타. 경주로. 경주에서 전차가 뒤집힌다. 전차를 모는 전사는 말들에게 짓밟힌다. 그러나 전사는 뼈가 몇 개 부러졌을 뿐 멀쩡하다.]

[페이드인: 실내. 아테네. 위원회의. 정치 지도자들이 모여서 와글와글 떠든다.]

지도자 1 사흘 동안 사망신고는 하나도 없었소. 병으로 죽은 사람도 없고, 음모사도, 사고사도, 사망 보고가 한 건도 없었다고요.

지도자 2 믿기지 않지만 사실이오. 아마 타나토스가 사망 임무를 그만두지 않았나 싶소.

지도자 1 이런 경우는 처음이오. 사람들이 저돌적이고 무모해졌어요. 죽음의 영향을 전혀 받지 않고 온갖 위험한 짓을 다 하고 있어요.

지도자 2 타나토스가 전혀 움직이지 않는 모양입니다.

지도자 1 그래서 정말 혼란스럽다니까요. (페이드아웃.)

[페이드인: 옥외. 올림포스산. 제우스, 헤르메스, 아레스.]

제우스　그 시지포스란 자가 생각보다 교활하군.

헤르메스　타나토스는 지금 그의 헛간에 묶여있어요. 죽음은 완전히 휴일을 만났
　　　　어요.

제우스　타나토스는 그의 희생자를 되찾아야 해. 아레스, 코린트로 가서 타나
　　　　토스를 풀어주게. 그리고 첫 희생자가 시지포스인지 알아보게.

아레스　예, 알겠습니다, 제우스.

(*아레스는 떠난다.* 페이드아웃.)

[페이드인: 실내. 시지포스와 그의 아내 메로페.]

시지포스　메로페, 내가 꾀가 많지만, 이번 타나토스를 가둔 일은 오래 버티지 못
　　　　하고 아무래도 벌을 받을 것 같소.

메로페　타나토스를 가둔 탓으로 지금 여기저기서 대혼란이 일어나고 있어요.

시지포스　곧 제우스가 누군가를 보내서 타나토스를 풀어줄 거요. 그리고 날 희
　　　　생자로 찾을 거요. 당신은 내가 하라는 지시대로 꼭 따르시오.

메로페　지시대로 따를게요. (페이드아웃.)

[페이드인: 옥외. 하데스. 하데스는 화가 나서 시지포스의 혼령에게 말한다.]

하데스　자네는 메로페가 무슨 짓을 했는지 아는가? 아니면 그런 짓을 하면 안
　　　　된다는 말을 내가 해줄까?

시지포스　(*교활하게*) 저는 모르는 일인데요, 전하. 무슨 일인가요?

하데스　그 여자가 자네 시신을 매장하지도 않고 망자에게 하는 제사도 치르

지 않았어.

시지포스 왜 그랬는지 저는 이해가 안 됩니다. 아내가 너무 슬퍼서 넋이 나간 모양입니다.

하데스 넋이 나갔는지 아닌지 좌우간에, 자네는 지상으로 돌아가서 아내한테 자네 시신을 매장하도록 이르고 오게.

시지포스 그러겠습니다, 전하. 꼭 그렇게 하도록 시키겠습니다.

(*시지포스는 행복하게 하데스를 떠난다.* 페이드아웃.)

[페이드인: 실내. 코린트. 수년 후. 시지포스는 고령이 될 때까지 살았다. 그러나 이제는 때가 찼고 타나토스는 그의 침상 옆에 서 있다.]

타나토스 자넨 내 허를 찌르고 이겼어. 하데스에게도 선수를 쳐서 메로페와 짜고 자네를 지상에 돌려보내는 허락을 얻었어. 우리가 있음에도 자네는 이렇게 늙도록 살았단 말이야. 이제는 지하 세계로 갈 때가 되었겠지. 자네가 또 무슨 꾀를 쓴들 소용없고, 이젠 끝났어.

시지포스 글쎄요. 난 후회는 없어요. 꾀를 써서 장수를 누렸지요. 신들까지 속이고 내가 이겼으니까요.

타나토스 자네가 무척 교활하니까 내가 말하는데, 시지포스, 최후에 웃는 자가 진짜 웃는 자다.

(*타나토스는 시지포스의 머리카락 한 개를 잘라서 이제는 육신을 떠난 그의 혼령을 가지고 사라진다.* 페이드아웃.)

[페이드인: 실내. 하데스의 가장 깊은 곳인 타르타로스. 타나토스는 시지포스가 커다란 돌을 굴리며 언덕 위로 올라가는 것을 지켜본다. 언덕 꼭대기에 닿으려

는 찰나에 돌은 밑바닥으로 굴러떨어진다. 시지포스는 떨어진 돌을 다시 밀어 올리고 꼭대기에 닿는 순간 다시 돌이 굴러떨어지면 또다시 올리고, 또 떨어지면 또 올리는 일을 반복한다. 타나토스는 그를 지켜보고 있다.]

타나토스 내세에서 최후에 웃는 자는 누구지, 시지포스?

(*타나토스는 웃으며 그곳을 떠난다. 시지포스는 계속 움직이지만 헛수고일 뿐이다.*)

40
탄탈로스와 그의 자녀들

	등장인물	
제우스	히포다미아	만토
헤르메스	아트레우스	아르테미스
오이노마오스 왕	티에스테스	레토
펠롭스	니오베	아폴로
뮈르틸러스	암피온	

[페이드인: 옥외. 올림포스산. 제우스와 헤르메스.]

제우스   너는 속이기 잘하는 내 아들 탄탈로스가 타르타로스 깊숙이 들어 있
        는 것을 확인했지, 헤르메스?

헤르메스 네, 단단히 그리고 영원히 그 안에서 벌을 받을 것입니다, 제우스.

제우스   잔꾀 많은 네가 무슨 벌로 그를 처벌한 거냐?

헤르메스 영원히 배고프고 영원히 목이 마를 겁니다. 무릎까지 차는 물에 서 있
        지만 물을 마실 수 없고, 열매가 주렁주렁 달린 과실수가 머리 위에
        있지만 따먹으려고 손을 대면 열매가 사라져 버리는 그런 벌입니다.

제우스   그뿐이냐?

헤르메스 한 가지 더 있어요.

제우스   네가 그럴 줄 알았다.

헤르메스 한 오라기 실에 걸려있는 거대한 돌이 그의 머리 위에 있으니 끝없는

공포를 느낄 겁니다.

제우스 좋다. 내 아들이기는 하지만 그런 운명을 받아 마땅한 녀석이야. 그 녀석이 너무 만용을 부렸어. 하늘의 넥타르 주스를 훔쳐 마시고 신들의 음식을 훔쳐 먹고- 신들의 신뢰를 그렇게 배신하다니- 나한테 거짓말하고. 나한테 말이다. 감히 나한테 거짓말을 한단 말이야- 나의 하늘을 수호하는 개에 대해서 그런 거짓말을 하다니.

헤르메스 제우스한테 직접 하지 않았더라도, 제가 그 수호견(守護犬)에 대해 물었을 때 저한테도 거짓말을 했어요.

제우스 수호견을 항상 갖고 있었으면서 없다고 했어. 그의 자식들이 그 아버지처럼 남을 속이지 않았으면 좋겠다.

헤르메스 아들 펠롭스의 속임수는 대단해요. 딸 니오베는 허영심이 가득하고요.

제우스 나쁜 피가 흐르는구나. (페이드아웃.)

[페이드인: 실내. 피사. 오이노마오스 왕의 궁전. 오이노마오스 왕이 펠롭스와 이야기를 나눈다.]

오이노마오스 왕 펠롭스, 누구든지 내 딸 히포다미아와 결혼하기를 원하는 자는 우선 전차 시합에서 이긴 자가 그 애를 쟁취할 수 있네.

펠롭스 그건 저도 알고 있어요. 쉬운 일은 아니라고 믿습니다.

오이노마오스 왕 지금까지는 불가능하다는 게 판명되었지. 자네보다 앞서 있던 구혼자들을 내가 추적해서 그들의 양어깨 사이에 창을 찔렀으니까.

펠롭스 전하께서는 유리한 점을 갖고 출발하시니 이 시합은 공평하지 않습니다. 아레스로부터 받은 출중한 갑옷을 입고, 아레스의 불사신 말들이 끄는 전차를 타고 시합을 하시지 않습니까.

오이노마오스 왕 지금까지 내건 조건에는 변함이 없네. 조건을 받아들이든지, 말든지, 그건 자네 선택일세.

펠롭스   받아들이겠어요. 저는 그 불리한 조건을 극복할 것입니다.

오이노마오스 왕   좋다. 내일 아침에 보자. 코스는 피사에서 코린트까지 90마일이다.

펠롭스   준비하겠습니다. (페이드아웃.)

[페이드인: 옥외. 궁전 마당. 펠롭스와 오이노마오스 왕의 마부 뮈르틸러스가 대화를 나눈다.]

펠롭스   뮈르틸러스, 오이노마오스 왕의 전차 바퀴 못을 자네가 계획대로 밀랍으로 바꿀 예정이지?

뮈르틸러스   네. 그러나 거래는 꼭 지키셔야 합니다.

펠롭스   물론 지키지. 자네가 히포다미아와 하룻밤 같이 자고 오이노마오스 왕국을 절반씩 서로 나누어 갖기로 한 조건을 난 꼭 지킬 것이네.

뮈르틸러스   바퀴의 못들은 모두 밀랍으로 바꾸어 놓겠습니다. (페이드아웃.)

[페이드인: 옥외. 코린트로 가는 경주 코스. 펠롭스는 그의 전차를 타고 오이노마오스는 그의 마부 뮈르틸러스와 함께 왕의 전차를 타고 있다.]

오이노마오스 왕   내가 얼마나 공명정대한 왕인지 보여주겠네. 아레스에게 내가 기도하는 동안 자네가 먼저 출발하도록 허락하겠네.

펠롭스   그거야말로 기대치 않았던 유리한 조건이네요.

오이노마오스 왕   이런 유리한 점을 잘 이용하게. 자네는 가능한 많은 도움이 필요할 테니까.

(펠롭스는 오이노마오스 왕이 아레스에게 기도를 올리는 동안 그의 전차를 출발시킨다. 펠롭스는 무슨 일이 일어날 것인지 알고 있기 때문에 말들을 최고 속도

로 몰지 않고 서두르지 않는다. 기도문을 끝낸 오이노마오스 왕은 뮈르틸러스에게 출발하도록 지시한다. 멀리 가지 않아 그의 전차 바퀴들이 빠져나가고 오이노마오스 왕과 뮈르틸러스는 흙 속에 던져진다. 펠롭스는 돌아서서 그의 창을 오이노마오스 가슴에 꽂는다. 오이노마오스 왕은 뮈르틸러스에게 배신당한 것을 알아차린다.)

오이노마오스 왕 너를 저주한다, 뮈르틸러스. 네가 나를 배신한 것을 안다. 이 배신으로 언젠가 너는 펠롭스에게 네 목숨을 잃게 될 것이다. (페이드아웃.)

[페이드인: 실내. 피사. 궁전. 펠롭스는 이제 왕이 되어 히포다미아와 결혼했고 왕국은 약속대로 뮈르틸러스와 반씩 나누어 갖는다. 펠롭스가 히포다미아와 이야기한다.]

펠롭스 히포다미아, 난 당신이 뮈르틸러스를 바라보는 눈길이 싫소. 그쪽을 혹시 남편으로 삼고 싶은 건 아니요?

히포다미아 바보 같은 소리 하지 마세요, 펠롭스. 당신이 그런 거래를 했기 때문에 하룻밤 같이 잔 것뿐이지 그 사람한테 감정이 있는 건 아니어요.

펠롭스 그럼에도 난 어쩔 수 없이 질투심이 생긴단 말이오.

히포다미아 당신 잘못은 없어요. 믿으세요. 내가 사랑하는 건 언제나 당신이니까.

펠롭스 내가 어리석은 모양이오.

히포다미아 아주 어리석어요.

펠롭스 당신 마음에 그런 생각이 들지 않도록 노력하겠소. (페이드아웃.)

[페이드인: 옥외. 펠롭스와 뮈르틸러스가 오이노마오스 왕의 전차를 몰고 있다.]

펠롭스 뮈르틸러스, 이제 밀랍 못 걱정은 안 해도 되는 건가, 어?

뮈르틸러스 안 해도 되지요. 우리 두 사람 사이에 그 거래는 아주 잘 성사되었다고 믿어요.

펠롭스 나보다는 그쪽이 이득을 더 본 셈이지.

뮈르틸러스 그건 왜지요? 왕국은 반씩 나누었지만 당신은 히포다미아를 왕비로 얻었잖아요.

펠롭스 그렇지만 자네도 하룻밤 함께 보냈잖은가.

뮈르틸러스 아내로 삼은 것하고 하룻밤 같이 보낸 것하고 어디 비교나 할 수 있나요?

펠롭스 자네에게 허용한 그녀와의 하룻밤 거래를 난 후회하고 있네.

뮈르틸러스 거래는 거래지요.

펠롭스 거래를 깨트리는 방법도 있지.

(*그렇게 말하면서 펠롭스는 전차를 절벽 가까이 몰고 가서 뮈르틸러스를 절벽 아래로 밀어 떨어트린다.*)

뮈르틸러스 펠롭스, 당신과 당신 후손들을 저주한다! (페이드아웃.)

[페이드인: 실내. 피사. 궁전. 몇 년 후. 히포다미아는 그녀의 두 아들 아트레우스와 티에스테스와 이야기하고 있다.]

히포다미아 너의 아버지가 아주 강력해지셨다. 남부 그리스 전체가 아버지 이름 아래 움직이고, 온 영역이 이제는 아버지 손안에 있어.

아트레우스 어머니, 펠로폰네소스 우리 백성에 대한 이야기는 아주 멀리까지 퍼져서 우린 유명해졌어요.

히포다미아 그런데, 아트레우스, 그 권력이 너한테나 티에스테스한테 가지 않고 크리시포스에게 넘겨질 것 같아 염려된다.

티에스테스 아버지가 크리시포스를 특별히 총애하는 건 부정할 수 없어요.

히포다미아 그래서 뭔가 해야 할 일이 있지 않은가 하는 생각이 든다.

아트레우스 "뭔가 해야 할 일"이란 무슨 뜻인가요?

히포다미아 그건 크리시포스가 펠로폰네소스의 후계자가 되어서는 안 된다는 뜻이지.

(*아트레우스와 티에스테스는 알아들었다는 뜻으로 서로 쳐다본다. 페이드아웃.*)

[페이드인: 실내. 피사. 궁전의 왕실. 펠롭스, 히포다미아, 아트레우스, 티에스테스.]

펠롭스 난 아트레우스에게 저주받고 티에스테스는 크리시포스를 습격하는 저주를 받았으니, 내 아버지 탄탈로스가 친부인 제우스에게 그때 받은 그 저주가 지금 우리 가문에 흐르는 것 같다.

히포다미아 당신은 어떻게 친아들들에게 그런 저주의 말을 할 수 있어요?

펠롭스 조용히 해, 여편네여! 이게 다 당신 소행인 줄 내가 알고 있어. 다시는 당신을 보고 싶지 않소ー 세 사람 모두 피사에서 추방한다! 모두 내 눈에서 사라져버려! (페이드아웃.)

[페이드인: 실내. 테베. 제투스와 함께 테베를 통치하는 암피온 왕이 수금을 켜고 있고 그 옆에는 니오베 왕비가 앉아있다. 수금 연주가 끝나자 니오베는 말한다.]

니오베 암피온, 원래 줄 네 개인 리라 악기에다 당신이 줄 세 개를 더 첨가하니, 과연 천상의 음악 소리가 나오는군요.

암피온   줄 일곱 개의 리라 악기를 축하하는 의미에서 테베 성문을 일곱 개 건
          설한 것 아니겠소.

니오베   그리고 오늘은 아폴로와 아르테미스의 어머니 레토를 위한 축제일이
          지요. 그래서 일곱 성문을 모두 열어놓고 많은 사람들의 참여를 허용
          하시는군요.

암피온   그렇소. 나의 사랑하는 니오베, 당신은 왕비로서 오늘 축제를 관장하
          는 영광을 누리시오.

니오베   맡은 임무를 충실히 수행하겠어요. (페이드아웃.)

[페이드인: 옥외. 테베의 거리. 테이레시아스의 딸이며 레토 여신의 헌신자인 만
토가 테베의 여인들에게 외친다.]

만토   테베의 여인들이여, 내 말을 들으세요. 나를 따라 레토의 신전으로 가
          서 레토와 레토의 쌍둥이 남매 아폴로와 아르테미스를 찬양합시다.

(여인들은 만토의 뒤를 대열을 지어 따라가면서 기도문을 읊는다. 그 뒤로 그리
멀리 떨어지지 않은 곳에서 황금빛 자주색 옷을 걸친 니오베가 군중들에게 말한
다.)

니오베   당신들은 왜 레토에게 기도문을 올립니까? 왜 당신들의 왕비인 나를
          무시합니까? 나의 아버지 탄탈로스는 신들과 나란히 식사를 함께한
          유일한 인간이었습니다. 자녀의 수만 해도 레토보다 내가 일곱 배나
          더 많습니다. 애를 못 낳는 레토는 겨우 둘만 출산했어요. 그러니 모두
          집으로 돌아가세요. 당신들 기도는 효험이 없습니다.

(여인들은 월계수를 버리고 집으로 돌아간다. 화가 난 만토는 니오베를 힐난한다.)

만토	테이레시아스의 투시력을 지닌, 그의 딸 나 만토가 말하는데, 니오베, 당신은 그 허망한 허영심 때문에 엄청난 대가를 치르게 될 것이오.

(*니오베는 어깨를 으쓱해 보인다. 만토는 떠난다. 페이드아웃.*)

[페이드인: 옥외. 델로스. 레토가 그녀의 쌍둥이 자녀 아폴로와 아르테미스와 함께 있다.]

아르테미스	어머니, 무슨 일이세요?
레토	탄탈로스 왕의 저 오만방자한 딸 때문이다!
아폴로	어머니, 우리 두 남매가 어머니를 얼마나 생각하는지 아시지요? 어머니를 괴롭히는 건 무엇이 되었든, 누가 되었든 우리를 괴롭히는 것이나 다름없습니다.
레토	니오베가 건방지게 나보다 자기가 더 칭송받아야 한다는구나. 니오베 말로는 나는 임신도 못 해서 겨우 아이 둘만 가졌지만 자기는 열넷이나 낳았다는 거야. 거기다 또ㅡ
아폴로	더 이상 말씀하실 필요 없어요, 어머니. 그 여자의 신성 모독 발언을 반복하실 필요는 없어요. 우리의 신속한 보복이 그만큼 늦어질 뿐입니다.

(*아폴로와 아르테미스는 그곳을 떠난다. 페이드아웃.*)

[페이드인: 옥외. 테베. 성벽 안 광장에 니오베와 암피온의 일곱 명의 아들들이 그들의 말들을 훈련시키고 있다. 보기에 찬란한 광경이다. 자줏빛 옷을 입은 일곱 명의 왕자들이 황금 고삐를 이리저리 움직이며 멋진 말들을 조종하는 모습은 장관이다. 이때 아폴로의 빠른 화살이 일곱 명을 하나씩 쓰러트려 왕자들은 죽

는다. 이를 지켜보던 니오베와 암피온과 그리고 일곱 명의 딸들이 비명을 지르고 쓰러진 왕자들에게 달려간다. 그들은 미친 듯이 이들에게 키스하고 생명을 살려보려고 애쓰지만 소용없다. 니오베는 하늘을 올려다보고 부르짖는다.]

니오베　레토, 당신의 승리는 추악하오. 난 아들들을 잃었지만 그래도 당신보다 낫습니다. 내겐 일곱 딸들이 아직 남아있지만 당신은 여전히 둘뿐이오.

(니오베의 이 말이 끝나기가 무섭게 공중에서 활 당기는 윙 소리가 들린다. 이번에는 니오베의 딸들이 화살 과녁이 되어 하나씩 쓰러진다. 니오베가 막내딸에게 달려가서 그녀의 몸을 자기 몸으로 가로막는다.)

니오베　오, 간청합니다. 자비를 베푸소서. 막내딸만은 살려주소서.

(아르테미스는 무자비하게 마지막 활을 당겨 막내딸의 목을 맞춘다. 니오베는 무릎을 꿇고 눈물을 쏟으며 여전히 하늘에 대고 애원하면서 죽은 막내 공주에게서 몸을 쳐든다. 무릎을 꿇고 울부짖을 때 니오베의 얼굴은 슬픈 모습으로 영원히 굳어진다. 그녀의 몸은 움직이지 않고 돌로 굳어 있으면서도 눈에서는 엄청난 양의 눈물이 계속 흘러나온다. 슬픔에 찬 암피온은 그의 칼을 빼어 들고 그 위에 엎드린다. 아폴로와 아르테미스는 그 장면을 내려다보고 있다.)

아르테미스　어머니에 대한 응징은 치렀어.
아폴로　그렇지.

(이들은 그곳을 떠난다.)

41-1
유로파와 카드모스의 전설

등장인물		
아게노르 왕	헤파에스투스	이크노바테스
텔레파사 왕비	하르모니아	아르테미스
제우스	아리스타이오스	이노
헤르메스	아우토노에	하인
카드모스	키론	아프로디테
여사제	악타이온	포세이돈
아테나	멜람포스	디오니소스
아폴로		

[페이드인: 실내. 페니키아. 아게노르 왕의 궁전. 아게노르 왕과 텔레파사 왕비.]

아게노르 왕 여보, 텔레파사, 난 내가 행복한 남자라고 생각하오.

텔레파사 왕비 그렇다면, 아게노르, 당신은 보기 드문 사람이어요. 대부분의 남자들은 자신의 운명을 불완전하게 생각하거든요.

아게노르 왕 아마 행복을 누리는 남자들이 드물기 때문일 거요. 난 아이들이 여섯이나 있고, 이 나라 페니키아는 먹을 것도 풍성하고, 또 문명 세계의 모범이라 할 수 있는 문자가 발달한 나라가 아니겠소.

텔레파사 왕비 아게노르, 호사다마(好事多魔)라는 말이 있어요. 모든 게 잘 되어 갈 때 더 걱정스러워요.

아게노르 왕 당신은 쓸데없이 걱정을 많이 하는 게 탈이오.

텔레파사 왕비 아마 그런지도 모르겠어요. 어쩌면 아마도. (페이드아웃.)

[페이드인: 옥외. 지중해 연안의 페니키아. 헤르메스를 동반한 제우스는 여자들과 놀고 있는 유로파를 본다.]

제우스 저기 바닷가에서 재밌게 뛰어노는 저 아름다운 소녀는 누군가?

헤르메스 아게노르 왕과 텔레파사 왕비의 딸 유로파입니다.

제우스 아, 아게노르의 딸이로군. 헤르메스, 오늘은 아게노르가 딸을 잃어버리는 날이네.

헤르메스 제우스는 연인을 얻었고요.

제우스 그렇지. 그런데 저 어여쁜 유로파를 페니키아 바다에서 데려와야 하는데.

헤르메스 어느 바다로 데려가시려고요?

제우스 내가 자란 크레타로.

헤르메스 마음에 드는 여자를 보면, 제우스, 당신은 누구도 못 말리지요.

제우스 그래 맞아. 넌 날 잘 알고 있으니까, 헤르메스. 내 목적을 달성하기 위해서 내가 변신을 해야겠는데, 이번에는 흰 황소가 되어야겠다.

헤르메스 좋아요, 제우스, 나중에 만나요.

(*제우스는 근사하게 생긴 흰 황소로 변신하여 여자들이 노는 곳으로 내려간다. 유로파는 진주색 뿔을 달고 있는 황소를 황홀하게 쳐다본다. 처음에는 만져보기를 주저했으나 그녀는 꽃을 꺾어서 조심스럽게 뿔 위에 꽂는다. 이에 성공한 그녀는 좀 더 대담해져서 황소를 부드럽게 어루만진다. 황소는 그녀에게 올라타라는 표시라도 하듯 납작 엎드려 앉는다. 유로파가 황소 등에 올라타자 황소가 일어선다. 유로파는 한 손은 소의 등에 대고 또 한 손으로는 뿔을 잡고 자신의 몸을 고정시킨다. 황소는 바닷가 모래 위를 껑충껑충 뛰어다니다가 두려움에 떠는*

포로를 등에 업고 바다로 헤엄쳐 들어간다. 페이드아웃.)

[페이드인: 실내. 아게노르 왕의 궁전. 아게노르 왕, 텔레파사 왕비, 그들의 아들 카드모스.]

아게노르 왕 카드모스, 너는 제우스가 우리 유로파를 어디에 숨겼는지 찾아오너라.

카드모스 동생을 찾기 전에는 돌아오지 않겠습니다.

텔레파사 왕비 아들아, 나도 너와 함께 가겠다.

아게노르 왕 그건 안 되오, 여보. 당신에겐 힘든 여행이오.

텔레파사 왕비 여기 앉아서 기다리고 있는 게 더 힘들고 괴로워요. 나도 카드모스와 함께 딸을 찾고 싶어요.

아게노르 왕 당신이 굳이 주장한다면, 좋소. 그렇게 하시오. 내가 행복한 남자라고 말한 게 옛날얘기가 되었구려.

텔레파사 왕비 그 말을 들을 때부터 어째 불안했어요. 이번 여행으로 우리의 불행이 끝나기를 기원합니다.

카드모스 어머니, 저와 함께 출발하시려면 서둘러 준비하셔야겠어요.

텔레파사 왕비 그래, 알았다, 아들아.

(텔레파사 왕비는 여행 준비를 하기 위해 나간다.)

아게노르 왕 카드모스, 내 마음이 무척 무겁구나. 어머니를 잘 모시고 다녀오너라.

카드모스 네, 아버지. 저희 집안의 불운이어요. 어머니를 모시고 가능하면 유로파를 꼭 찾아올게요.

아게노르 왕 그래, 알았다. 알았어.

(*아게노르 왕은 아들을 포옹한다. 페이드아웃.*)

[페이드인: 실내. 트라키아. 침실. 텔레파사 왕비가 누워서 죽어가고 아들은 그 옆에 있다.]

텔레파사 왕비 (*힘없이*) 카드모스, 유로파를 계속 찾겠다고 약속해다오.

카드모스 어머니, 말씀하지 마시고 가만히 계세요. 힘을 아끼셔야 해요.

텔레파사 왕비 난 이제 못 일어난다, 아들아. 내가 눈 감을 때가 왔어. 유로파를 찾겠다는 약속을 지켜다오.

카드모스 네, 약속합니다, 어머니.

텔레파사 왕비 트라키아를 떠나서 델피의 신탁으로 가거라. 너는 신탁의 지시를 받는 게 좋겠어.

카드모스 네, 그렇게 하겠어요. 먼저 어머니부터 완쾌하셔야지요.

텔레파사 왕비 내가 죽거든 꼭 신탁을 찾아가라, 아들아.

(*카드모스는 머리를 떨구고 어머니를 슬프게 내려다본다. 페이드아웃.*)

[페이드인: 실내. 델피의 신탁. 여사제와 카드모스.]

카드모스 제 여동생의 행방을 찾고 있습니다. 어디에 있는지요?

여사제 답은 이겁니다. 유로파를 찾는 일을 포기하세요. 유로파의 운명은 이미 예정되어 있어요.

카드모스 그렇지만 저는 동생을 찾아오겠다고 아버지와 약속했어요.

여사제 신들의 뜻이 당신 아버지의 뜻보다 앞섭니다.

카드모스 저는 언제나 신들의 뜻을 따랐습니다. 그러면 다음 지시는 무엇인가요?

여사제   시골로 가세요. 거기서 멍에를 매본 적 없고 한 번도 밭을 갈아본 적
         없는 흰 소를 보게 될 겁니다. 그 소가 쓰러질 때까지 뒤를 따라가세
         요. 소가 쓰러진 그 자리에 당신의 도시를 건설하고, 도시 이름을 테베
         라고 명명하세요.

(*카드모스는 머리 숙여 절하고 떠난다. 페이드아웃.*)

[페이드인: 옥외. 포키스. 카드모스와 그의 신하들이 펠라곤 왕의 가축들이 있는
곳으로 온다. 그 가운데 있는 흰 소를 카드모스는 눈여겨본다.]

카드모스   저기 흰 소가 있소. 저 소가 가는 데까지 따라갑시다.

(*카드모스와 그의 부하들이 아소포스강 근처까지 흰 소를 따라간다. 지친 소는
그 자리에 쓰러진다.*)

카드모스   여러분, 이 자리가 우리의 새 도시 테베가 세워질 곳입니다.

(*카드모스는 무릎을 꿇고 땅에 키스한다.*)

카드모스   여러분, 우리는 저 흰 소를 아테나에게 제물로 바쳐야 합니다. 근처 우
         물에서 물을 길어오십시오.

(*부하들은 근처 우물로 물을 길러 간다. 그러나 우물에 갔을 때 아레스가 만든
용 한 마리가 그곳을 지키고 있다가 신하들을 공격하고 잡아먹기 시작한다. 카
드모스가 부하들을 구하려고 달려간다.*)

카드모스 나의 친구들이여, 내가 이 괴물을 죽여서 복수하든지 싸우다 내가 죽든지 할 것이오.

(*카드모스는 거대한 돌을 던져서 괴물을 기절시킨다. 그리고는 긴 창으로 괴물을 찌른다. 고통스러워 몸부림치는 용은 머리를 들어 올리고 몸에 꽂힌 긴 창을 입으로 뽑아내려고 애쓴다. 긴 창은 어찌나 깊이 박혔는지 뽑히지 않는다. 용은 몸부림치며 땅 위에 뒹굴고 그의 힘줄들이 목구멍에서 터져 나온다. 흉측한 냄새를 풍기며 흰 거품이 입에서 뿜어져 나온다. 극도의 고통으로 용은 빙글빙글 돌고 미친 듯이 몸부림친다. 마침내 천둥 같이 울리는 소리를 내며 쓰러져 죽는다. 아테나가 나타난다.*)

아테나 카드모스, 아레스의 용 이빨들을 절반 뽑아서 땅에 묻어라.

(*카드모스는 지시에 따른다. 이빨들을 묻을 때 무장한 용사들이 불쑥 튀어나와서 서로들 싸운다. 죽기 살기로 싸운 끝에 다섯 명만 살아남는다. 그때 아테나가 싸움터에 등장하여 남은 자 다섯 중 한 명인 에키온에게 칼을 내려놓고 휴전협정을 맺으라고 명령한다.*)

아테나 카드모스, 이들은 너의 친구다. 신탁의 예언에 따른 테베 신도시 건설을 위해 이들이 너를 도와줄 것이다. 그러나 먼저 네가 아레스의 아들인 용을 죽였기 때문에 아레스에게 복종하여 8년간 망명 생활을 해야 한다. 그 후에 아레스가 그 땅을 너와 너의 신부가 될 왕비에게 줄 것이다.

카드모스 아테나 여신이여, 저는 지금까지 신들에게 복종하며 살았고, 앞으로도 기꺼이 그렇게 살 것입니다. 그런데 허락하신다면, 청을 하나 드려도 될까요?

아테나   무슨 청인지 말해 봐라.

카드모스   제 여동생 유로파의 운명을 알고 싶습니다.

아테나   너의 청을 들어주마. 유로파는 제우스가 크레타로 데리고 갔어. 유로
         파는 제우스에게 아들 셋을 낳아줄 것이고 그 후에는 크레타의 아스
         테리오스 왕의 배우자가 될 것이다.

카드모스   저의 아버지를 위해서 유로파를 찾지는 못했지만 동생이 신들의 가호
         아래 있다니 다행입니다.

아테나   그렇다. 너 역시 신들의 가호를 받을 것이다, 카드모스. (페이드아웃.)

[페이드인: 실내. 8년 후. 테베 궁중의 대연회장. 신들과 여신들이 아레스와 아프
로디테의 딸 하르모니아와 카드모스의 결혼식에 참석하고 있다. 신들의 결혼예
물 전달 행사가 방금 끝나가는 중이다. 한쪽 끝에서 아폴로가 헤파에스투스에게
말한다.]

아폴로   헤파에스투스, 이 결혼식이 자네한테는 썩 즐겁지 않다는 걸 알고 있
         네. 자네 눈앞에서 자네 아내와 아레스 사이에 나온 딸애가−

헤파에스투스   나야 아프로디테의 뻔뻔스러운 불륜 행위에 단련된 몸이니까.

아폴로   그래서 자넨 하르모니아에게 책임은 없는 거지. 아레스와 아프로디테
         의 불륜 관계에서 출생했으니까.

헤라에스투스   하르모니아에게 내가 나쁜 감정이 없다는 표시로 이 아름다운 목
         걸이와 결혼 의상을 선물로 준비했네.

아폴로   자네의 행동은 아무튼 고상해, 헤파에스투스.

헤파에스투스   하르모니아 후손들도 나를 고상하게 여겨주었으면 좋겠어.

(헤파에스투스가 선물을 하르모니아에게 전하는 것을 지켜보면서 아폴로는 헤
파에스투스가 방금 한 말에 어리둥절해 한다. 페이드아웃.)

[페이드인: 실내. 템페의 계곡. 테살리. 약 20년 후. 카드모스와 하르모니아는 큰 딸 아우토노에와 유명한 양봉가인 그의 사위 아리스타이오스를 방문 중이다. 아우토노에는 갓 난 아들 악타이온을 안고 있다.]

하르모니아 아우토노에, 벌들이 우리 귀여운 손자 악타이온을 쏠까 봐 겁나는구나.

아리스타이오스 걱정하지 마세요, 장모님. 벌들도 우리 가족이에요.

카드모스 여보, 염려 말아요. 아리스타이오스의 어머니 퀴레네와 다른 뮤즈들이 시골 생활에 필요한 여러 가지 기술을 손자에게 가르쳐줄 것이오.

아우토노에 그래서 템페 사람들이 아리스타이오스를 아주 존경해요.

아리스타이오스 제가 가르쳐서 사람들이 올리브 기름 짜는 법, 치즈 만드는 법에 익숙하고, 또 우리 벌들이 주민들에게 충분한 꿀을 공급하고 있지요. 단지 에우리디케의 비극적인 사고가 있었을 때만 이곳 사람들이 어려움을 겪었어요.

아우토노에 에우리디케가 뱀에 물린 그 불행한 사고를 당신은 잘 해결했어요. 그래서 에우리디케와 오르페우스 두 사람은 극락세계에서 영원한 복을 누리고 있지요.

하르모니아 너희 부부도 행복하게 살고 있는 걸 보니 기쁘구나.

아리스타이오스 우린 정말 행복해요. 비록 에우리디케의 사고로 제가 한동안 고통스러웠지만, 지금은 아름다운 우리 아들도 태어났고 주민들로부터 존경과 사랑도 받고 있으니, 정말 행복합니다.

카드모스 자네들 가정생활이 행복한 걸 보았으니, 우리 부부는 마음 놓고 테베로 돌아가겠다.

(카드모스와 하르모니아는 딸, 사위, 손자와 작별인사를 나눈다. 페이드아웃.)

[페이드인: 옥외. 펠리온산. 테살리. 16년 후. 켄타우로스인 키론, 아리스타이오스, 악타이온.]

아리스타이오스 키론, 우리 아들 악타이온을 가르쳐줘서 고맙습니다.

키론 악타이온은 나의 가장 우수한 생도 중 하나여요. 특히 사냥에선 누구보다도 뛰어납니다.

아리스타이오스 악타이온, 테살리 고향에 돌아가면 마음껏 사냥을 즐겨라. 고향엔 사냥할 곳이 많단다.

악타이온 전 어머니와 아버지를 제일 좋아하고 그다음으로 사냥을 좋아합니다.

키론 잘 가라, 악타이온. 사냥도 열심히 잘해라.

(*악타이온과 아리스타이오스는 작별의 손을 흔들며 떠난다. 페이드아웃.*)

[페이드인: 옥외. 테살리. 정오. 악타이온과 그의 친구들이 이른 아침부터 사냥을 하고 있다.]

악타이온 친구들, 오늘은 그만하는 게 어떤가? 올가미에 포획물도 가득 찼고 햇살이 너무 뜨거워 힘들군. 이마가 다 탈 지경이야.

멜람포스 그러지 뭐. 자넨 우리와 함께 집에 돌아가지 않을 건가?

악타이온 응, 멜람포스. 저기 그늘진 계곡을 좀 걸어볼 생각이야. 사냥도 끝났으니 자네들은 포획물을 챙겨서 먼저 돌아가게.

이크노바테스 알았네, 악타이온.

악타이온 이크노바테스, 자네도 먼저 가고, 다들 나중에 만나세.

(*모두들 포획한 올가미들을 들고 떠난다. 악타이온은 그늘진 계곡으로 내려간다. 페이드아웃.*)

[페이드인: 옥외. 악타이온이 소나무와 삼나무들로 둘러싸인 계곡에 들어선다. 좀 더 깊이 들어가자 샘물이 솟아서 그 옆의 작은 우물로 떨어지는 동굴이 눈에 들어온다. 작은 우물은 푸른 풀로 둘러싸여 있다. 그때 악타이온은 아르테미스가 긴 창과, 활 그리고 활 통을 벗어서 그녀의 요정들에게 넘겨주는 장면을 목격한다. 그녀가 옷을 벗자 다른 요정이 이를 받아들고 두 명의 다른 요정들이, 하나는 그녀의 신발을 벗겨주고 또 하나는 머리를 땋아주고 있다. 우물가에서 아름다운 여신의 나체를 본 악타이온은 황홀경에 빠져 그 자리에 굳어있다. 그녀의 미모에 취한 악타이온의 입에서 저절로 감동의 한숨 소리가 나온다. 그의 한숨 소리에 요정들과 아르테미스는 소스라치게 놀란다. 요정들이 아르테미스의 벌거벗은 몸을 가리려고 그녀 주위에 둘러선다. 아르테미스는 본능적으로 활을 잡으려 하나, 나체의 그녀 몸에는 화살집이 없어서 아무것도 잡을 수가 없다.]

아르테미스　너는 아르테미스 여신의 나체를 보았어.

(*악타이온은 너무나 놀라서 대답을 못 한다. 아르테미스가 그의 얼굴에 물을 뿌리자 물이 튀면서 돌멩이들로 변하여 악타이온의 얼굴과 몸에 떨어진다. 돌멩이 물에 맞은 그의 젖은 머리는 수사슴의 뿔이 되고 목은 길고 귀는 뾰족하고, 말굽 있는 네 개의 발이 달린 모습으로 변한다. 그의 온몸은 점박이 피부의 짧은 털로 덮여있다. 얕은 우물물에 비친 자신의 모습을 본 악타이온은 공포로 심장이 굳는다. 그는 말을 할 수는 없지만 생각은 인간처럼 할 수 있다. 아르테미스는 그에게 마지막 말을 던진다.*)

아르테미스　자, 너는 결코 보아서는 안 될 장면을 보았으니, 다른 사람에게 네가
　　　　　　　본 것을 말할 수 있으면 해봐라.

(*악타이온은 말은 할 수 없지만 그의 두뇌는 인간처럼 움직인다. 그는 그가 왔던*

길을 되돌아 달려간다. 그리고 혼자 생각한다.)

악타이온 오, 불쌍한 내 신세! 난 이제 어떻게 해야 하나? 아버지 궁으로 돌아가
서 다른 수사슴들과 뛰어놀 것인가, 아니면 나의 수치를 감추고 숲속
에서 살 것인가?

*(그가 생각에 잠겨 계곡 길목에 멈춰 있을 때 개들의 짖는 소리가 들린다. 그가
보니 그의 개들이 그를 사냥감으로 알고 달려오고 멜람포스와 이크노바테스가
응원하며 뒤에서 뛰어오고 있다.)*

멜람포스 야호-! 악타이온, 어디 있어? 좀 더 사냥을 계속하자.

이크노바테스 악타이온! 여기 멋진 사냥감이 있어. 자넨 지금 재미를 놓치고 있
는 거야.

악타이온 *(혼자 생각하면서)* 재미 문제가 아니다, 이크노바테스. 아르테미스의
복수가 내 눈앞에 있다.

*(악타이온은 그의 개 한 마리가 그의 등을 물고 공격하는 것을 느낀다. 또 한 마
리는 그의 어깨를 공격한다. 이내 사냥개들이 모두 덤벼들어 그를 물고 뜯고 찢
는다. 멜람포스와 이크노바테스는 사냥에 참여하라고 촉구하면서 계속 악타이
온의 이름을 부르고 또 열심히 개들을 북돋는다. 드디어 개들은 자기들 할 일을
끝낸다. 아르테미스와 요정들이 길 한쪽에서 이를 지켜보고 있다.)*

아르테미스 우리의 원한을 이제 풀었으니, 자 출발하자. (페이드아웃.)

[페이드인: 실내. 테살리. 카드모스와 하르모니아의 딸 이노의 남편 아타모스 왕
의 궁전. 이노는 갓 난 아들 디오니소스를 안고 있다. 카드모스와 하르모니아는

딸과 손자를 방문 중이다.]

카드모스 걱정이 없었는데 또 생겼어. 악타이온에게 일어난 사건을 넌 알고 있
니, 이노?

이노 네 알아요, 아버지. 아우토노에와 아리스타이오스가 가엾어요.

하르모니아 둘이 다 너무 상심해있어. 아리스타이오스는 자신을 탓하고 에우리
디케의 죽음이 원한이 되어 그렇게까지 되었다고 탓하고 있구나.

이노 우린 모두 각자 짊어진 고난이 있는 모양이어요.

하르모니아 그런 것 같다. 세멜레의 죽음도 우리가 견디기 어려운 역경이었지.

이노 헤르메스는 아기 디오니소스를 보살펴 달라고 저를 설득했어요. 제가
세멜레 언니와 제우스의 밀회를 인정한 적이 없는데도 불구하고요.

카드모스 헤라도 인정한 적이 없지. 헤라는 지금 우리 손자를 없애고 싶어 한다.

이노 그래서 헤르메스가 절 보고 디오니소스에게 여자 옷을 입히라고 일러
주었어요. 아기에게 쏟아질 헤라의 분노를 막으려는 거지요.

카드모스 아기를 돌봐주는 특권이 너한테 주어졌구나. 디오니소스는 신이지만
상당히 인간적인 면모를 갖고 있는 신이다.

이노 생모를 잃은 아기를 제가 대리모가 되어 최선을 다해 키우려고 해요.

하르모니아 세멜레가 눈부신 의상을 입은 제우스의 모습을 보고 싶다고 그에게
요구만 하지 않았어도 이런 일은 없었을 텐데. 그 모습을 보면 위험하
다는 제우스의 경고를 듣기만 했어도 그런 변은 당하지 않았을 텐데
말이다.

카드모스 그러게 말이오. 여보, 그런 요구를 하지 않았더라면 제우스의 눈부신
번갯불에 타지 않았겠지. 그랬더라면 세멜레가 손수 아들도 기를 수
있었을 테고.

하르모니아 카드모스, 신들이 우리 결혼식에 참석해서 우린 많은 축복을 받았는
데, 지금은 그 축복이 시들어가는 느낌이에요. 악타이온과 세멜레가

이렇게 되고 — 최소한, 이노, 너는 축복받은 것으로 보이는구나.

이노 바라건대, 어머니, 저는 꼬마 디오니소스가 신다운 축복을 받고 자랐으면 합니다.

카드모스 디오니소스의 존재에는 좋지 않은 면도 있을 거야. 그건 그의 출생에 헤라가 분을 품었기 때문이지.

이노 헤라의 분노가 저에게까지 미치지 않기를 바라요. 저는 그 문제에 직접 개입한 사람은 아니거든요.

하르모니아 여보, 카드모스, 우린 인제 떠납시다. 이노, 애야, 우리 손자 잘 돌보고. 너도 몸조심 잘하기 바란다. (페이드아웃.)

[페이드인: 실내. 테살리. 아타모스 왕의 궁전. 헤르메스와 이노. 이노는 디오니소스를 안고 있다.]

헤르메스 이노, 디오니소스가 여기 있는 게 더 이상 안전하지 않아요.

이노 아기의 소재를 헤라가 알아냈나요?

헤르메스 네. 디오니소스를 나사산의 히아데스로 데리고 가겠어요. 거긴 안전할 겁니다. 안전이란 말이 나와서 하는 소린데, 당신과 아타모스도 조심하세요. 헤라가 당신들한테 복수하겠다고 작심했어요.

이노 충고해주어 고마워요, 헤르메스. 그런데 알다시피 헤라를 막아낼 힘이 내겐 없잖아요.

헤르메스 나도 알아요. 아무튼 행운을 빌게요.

(*헤르메스는 디오니소스를 데리고 떠난다.* 페이드아웃.)

[페이드인: 실내. 테살리. 아타모스 왕의 궁전. 이노는 아들 멜리케르테스와 함께 있다. 하인이 미친 듯 급히 뛰어들어온다.]

하인　빨리 도망가세요. 목숨을 구하세요, 왕비 마마. 아타모스 왕이 실성했
　　　어요. 방금 아들 레아르코스에게 화살을 날렸어요.

(이노는 멜리케르테스를 붙들고 꼭 안는다.)

이노　왕의 광기는 헤라의 복수 때문에 빚어진 일이어요!
하인　어서 도망가세요! 멜리케르테스를 구하셔야지요. 왕이 왕비를 찾고 있어요.

(이노는 멜리케르테스를 안고 궁 밖으로 달려나간다. 그녀는 마을 끝의 바다로
향한 바닷가 절벽 쪽으로 달려간다. 그녀는 절벽에서 밑을 내려다보고, 궁 쪽을
돌아다본다. 누군가 그녀를 따라오는 것이 보인다. 아들을 가슴에 꼭 품고 있는
이노는 그곳에서 뛰어내리기로 결심한다. 그녀가 뛰어내리는 순간 아프로디테
가 바다 아래 나타난다.)

아프로디테　오, 위대한 포세이돈, 나의 손녀 이노와 증손자 멜리케르테스의 목숨
　　　을 구해주세요. 당신과 나는 똑같이 바다 출신의 신들입니다. 그런 뜻
　　　에서 특별히 청을 드립니다.

(이 말을 할 때 이노와 멜리케르테스는 바다에 떨어지면서 바닷물에 닿는 순간
포세이돈이 일어선다.)

포세이돈　이노와 멜리케르테스, 너희의 더러운 것들이 모두 깨끗하게 씻어졌다.
　　　이제부터 이노, 너는 바다의 여신 레우코테아가 되고, 네가 하는 일은
　　　파선된 항해자들을 돕는 일이다. 너의 아들 멜리케르테스는 팔라몬으
　　　로 불리고 어머니의 수고를 도와줄 것이다.
아프로디테　그 아이는 아직 어려요. 놀이 친구가 필요하지 않을까요?

포세이돈 바다의 돌고래들이 그 아이 친구지. 많은 항해자들이 돌고래 등을 타고 노는 아이를 보며 즐거워할 것이다.

아프로디테 고마워요, 포세이돈. 언젠가 당신의 은혜를 갚을 때가 있을 겁니다.
(페이드아웃.)

[페이드인: 실내. 테베. 수년 후. 펜테우스의 죽음 이후 디오니소스는 카드모스와 하르모니아와 함께 이야기를 나눈다.]

카드모스 내가 불손한 의도를 갖고 하는 말은 전혀 아니지만, 우리 딸 아가웨의 고통이 너무 심하다, 디오니소스.

하르모니아 디오니소스, 아가웨가 너의 영향으로 광기를 일으키고 있어. 아가웨가 펜테우스를 살해했어. 자신의 친아들을 말이다.

디오니소스 저의 방식에 문제 제기를 하는 것을 나쁘게 생각지 않습니다. 그 이유는 저도 그 슬픔에 동감하고, 또 더 중요한 이유는 두 분이 나의 조부모들이기 때문이어요. 난 할아버지, 할머니께 깊은 존경심을 갖고 있어요.

카드모스 그럼 이제 펜테우스 왕을 잃은 테베의 운명은 어떻게 되느냐?

디오니소스 테베는 "땅에 심어진 사람" 중 한 사람의 아들 메노에케우스가 통치할 것입니다. 사랑하는 할아버지, 할머니께서는 테베를 떠나셔야 해요. 테베를 떠나야만 슬픔의 위로를 찾으실 수 있어요.

하르모니아 우린 어디로 가야 하는 거냐? 너의 할아버지가 이곳 테베를 건설하셨어. 여기 말고 돌아갈 고향이 없다.

디오니소스 일리리아로 가세요. 그곳에서 새로운 왕조를 건설하시고 명예와 행복을 찾으십시오.

(*디오니소스는 그들에게 키스하고 떠난다.*)

41-2
오이디푸스: 개인적 비극

등장인물

펠롭스 왕	메로페 왕비	스핑크스
라이오스 왕	오이디푸스	폴뤼네이케스
이오카스타 왕비	테이레시아스	에테오클레스
테베 목동	여사제	안티고네
코린트 목동	마부	이스메네
폴리보스 왕	테베 시민	

[페이드인: 실내. 궁전. 테베. 피사의 펠롭스 왕은 테베의 라이오스 왕에게 아들 크리시포스를 돌려줄 것을 요구하고 있다.]

펠롭스 왕 라이오스, 당신을 저주하오. 당신 가문이 불행한 일로 수치당하기를 기원하오.

라이오스 왕 펠롭스, 당신이 날 저주할 필요까지는 없소. 당신의 아름다운 아들이 내 집안에 함께 있으면서 나의 왕비 이오카스타가 똑같이 아름다운 아들을 낳아줄 징조가 나타났어요.

펠롭스 왕 당신들은 나의 손님이었소. 제우스의 식대로 모든 예를 갖추어 대접했는데 그 은혜를 내 아들 크리시포스를 유괴하는 것으로 갚는단 말이오?

라이오스 왕 이유를 설명했잖습니까. 잠시동안만이라고.

(펠롭스 왕은 아들 크리시포스의 손을 잡는다.)

펠롭스 왕 당신 가문에 저주가 내리기를 바라오, 라이오스. (페이드아웃.)

[페이드인: 실내. 테베. 궁전. 라이오스 왕과 이오카스타 왕비.]

이오카스타 왕비 네, 내가 아이를 가진 게 확실해요, 라이오스.

라이오스 왕 알고 있소. 크리시포스의 존재가 좋은 징조를 증명했구려.

이오카스타 왕비 그 아이가 우리와 함께 있어서 내가 임신할 수 있게 된 징조라
면 행복한 일이지요. 그렇지만 펠롭스가 우리 가문에 내린 저주를 생
각하면 행복을 기대하기 어렵군요.

라이오스 왕 이오카스타, 내 마음도 불편하오. 이 문제로 델피의 신탁을 찾아가
서 내 심기를 풀어볼까 하오. (페이드아웃.)

[페이드인: 실내. 델피의 신탁. 라이오스 왕은 아폴로의 여사제로부터 의견을 듣
고 있다.]

라이오스 왕 펠롭스의 저주는 무엇입니까?

여사제 그의 저주는 벌써 효력을 발휘했어요. 이오카스타는 아들을 낳을 것이
고 그 아들은 당신 생명을 취할 것입니다.

라이오스 왕 저는 그럼 어떻게 해야 합니까?

여사제 신탁은 선언만 할 뿐 충고는 하지 않아요.

(여사제는 마음이 산란한 라이오스 왕을 혼자 두고 사라진다. 페이드아웃.)

[페이드인: 테베. 궁전. 몇 개월 후. 라이오스 왕과 그의 갓 난 아들. 라이오스

왕은 긴 못으로 아기의 발을 뚫는다. 그 옆에 테베 목동이 서 있다.]

라이오스 왕 자, 이제 됐다. 아기의 작은 발에 구멍이 뚫렸으니 그의 혼령이 나
를 괴롭히려고 돌아다니지 못할 것이다.

(*라이오스 왕은 아기를 테베 목동에게 건넨다.*)

라이오스 왕 이 아이를 키타에론산에 갖다 두어서 비바람 속에 짐승 밥이 되게
해라.
테베 목동 알겠습니다, 폐하. (페이드아웃.)

[페이드인: 옥외. 키타에론산. 테베 목동이 아기를 버리려고 갔을 때 코린트 목
동이 그곳에 나타난다.]

테베 목동 어이, 여보시오. 당신 옷을 보니 코린트 사람 같소.
코린트 목동 그렇소. 난 코린트 사람이오.
테베 목동 이 아기에게 동정심 좀 베풀고 코린트로 데려가 주면 안 되겠소? 내
양심으로는 도저히 아기를 여기 버려서 짐승 밥이 되게 할 수가 없소.
코린트 목동 발은 부었지만 왕자다운 풍모네. 우리 왕 폴리보스는 아이가 없어
요. 이 아기의 생김새는 왕의 아들로 손색이 없겠어요. 발이 부었으니,
이름을 오이디푸스라 하고, 우리 왕에게 데리고 가겠소.
테베 목동 그 아기는 왕의 아들 감이오. 왕족의 혈통을 갖고 있어요.

(*테베 목동은 오이디푸스라고 새롭게 이름 지어진 아기를 코린트 목동에게 넘겨
준다. 페이드아웃.*)

[페이드인: 실내. 코린트. 궁전. 20년 후. 폴리보스 왕과 메로페 왕비는 오이디푸스의 20세 되는 생일잔치에 하객들과 함께 참석한다.]

폴리보스 왕 오이디푸스, 너는 지난 20년 동안 우리의 큰 기쁨이었다.
메로페 왕비 그래, 아들이 있어서 우리 삶이 훨씬 행복했어.
오이디푸스 아버지와 어머니의 사랑을 듬뿍 받고 자란 저야말로 행복합니다.

(*맹인 예언자 테이레시아스가 불쑥 말을 던진다.*)

테이레시아스 오이디푸스, 자네는 폴리보스와 메로페의 친아들이 아니야.

(*테이레시아스의 이 말에 세 사람은 모두 충격을 받는다.*)

폴리보스 왕 노인, 무슨 그런 어긋난 말을 하고 있는 거요!
테이레시아스 내가 어긋난 사람인지는 몰라도 내 말은 진실이오.

(*테이레시아스는 기분이 상한 폴리보스, 메로페, 오이디푸스를 두고 연회장을 떠난다. 페이드아웃.*)

[페이드인: 실내. 델피의 신탁. 여사제와 오이디푸스. 여사제는 방금 신탁의 의견을 듣고 온다.]

오이디푸스 제가 폴리보스의 진짜 아들인지 확인이 되었나요?

(*여사제는 대답 대신 오이디푸스를 밀어내기 시작한다.*)

여사제　여기서 나가요! 이 신성한 신전을 더럽히지 말고 어서 나가요! 당신은 아버지를 죽이고 어머니와 근친상간의 결혼을 할 운명이오.

(오이디푸스는 충격을 받는다.)

오이디푸스　내가- 내가 아버지를 죽인다고? 그리고- 아, 아니야! 아니야! 절대 그런 일은 있을 수 없어! 내가 그토록 사랑하는 내 부모님들을- 말도 안 돼!

여사제　어서 사라지라니까! 당신은 이 성소를 더럽히고 있어!

오이디푸스　그렇지만 제 질문에 답을 주지 않았어요. 제가 폴리보스 왕의 친아들입니까?

여사제　나가라고! 어서 나가요!

(여사제는 물리적으로 오이디푸스를 밀어낸다.)

오이디푸스　한 가지는 확실하다. 난 코린트로 돌아가지 않겠다. 신탁의 말이 맞든 틀리든 비난의 소지는 없애야지. 아버지를 죽인다거나- 거기다 또 - 생각만 해도- 입에 담기도 끔찍한- 오, 어머니의 남편이 된다는 그런 일이 생길 수 있는 기회를 아예 없애야 한다. 신탁의 선언을 피해서 나는 보이오티아로 가겠다. (페이드아웃.)

[페이드인: 옥외. 보이오티아. 십자로. 오이디푸스는 마차 주인과 마부를 비롯한 네 명의 하인들이 타고 가는 마차가 다가올 때 십자로에 서 있다. 주인은 오이디푸스의 생부 라이오스 왕이지만 오이디푸스는 물론 이를 알지 못한다.]

마부　어이, 여행자, 길을 비키시오!

오이디푸스 당신은 탄원하는 여행자를 정중히 대하는 예법을 들어본 적도 없소?

(마부는 말들을 독촉하고 마차는 오이디푸스의 발을 치고 지나간다. 마차가 오이디푸스 앞을 지나치면서 주인 라이오스 왕은 그의 지휘봉으로 오이디푸스를 때린다. 이에 화가 난 오이디푸스는 왕의 지휘봉을 잡아끌어 라이오스 왕이 지휘봉과 함께 끌려온다. 오이디푸스는 왕을 죽인다. 마부와 하인 셋이 왕을 도우러 오지만 오이디푸스는 이들을 모두 죽인다. 남은 한 명의 하인은 도망간다. 오이디푸스는 가던 길을 계속 간다. 페이드아웃.)

[페이드인: 옥외. 테베. 오이디푸스는 도시로 들어와서 그곳 백성들이 고통에 허덕이고 있는 것을 발견한다. 오이디푸스는 한 시민에게 말을 건다.]

오이디푸스 무슨 일인가요? 무슨 일로 백성들이 고통을 받고 있습니까?

테베 시민 두 가지 큰 걱정거리가 생겼소. 우리 왕이 살해되었어요!

오이디푸스 나라가 왕을 잃었으니 슬픈 일이지요. 또 다른 걱정거리는 뭔가요?

테베 시민 라이오스 왕은 델피로 가는 길에 살해되었는데 델피에 가는 이유는 신탁의 말을 들으려는 것이었어요. 테베를 괴롭히는 역병을 없애려면 스핑크스의 수수께끼를 풀어야 하는데 지금까지 아무도 풀지를 못하고 있습니다. 현재 섭정을 맡은 크레온은 포고를 내렸어요. 스핑크스의 수수께끼를 푸는 자에게 왕권을 물려주고, 라이오스 왕의 미망인 이오카스타 왕비와 함께 이 나라를 통치하도록 하겠다고 했습니다.

오이디푸스 내가 그 수수께끼를 풀 수 있는지도 모르겠소. 스핑크스는 어디 있습니까?

테베 시민 저 외길을 계속 따라가면 있어요. 스핑크스가 틀림없이 당신을 오라고 부를 겁니다.

(오이디푸스는 외길을 따라간다. 페이드아웃.)

[페이드인: 외길. 오이디푸스는 높은 절벽 가까이 온다. 여자 머리에 사자 몸을 한 스핑크스가 그곳에 있다.]

스핑크스 살아서 통과하려면 내 수수께끼를 대답해야 한다.

오이디푸스 너의 수수께끼가 뭐냐?

스핑크스 네 발 달린 생물, 두 발 달린 생물, 세 발 달린 생물이 땅에서 같은 이름으로 불린다. 이 생물은 육지와 바다를 두루 다니면서 몸의 성질이 변화하는 유일한 생물이지만, 몸의 속도는 네 발로 걸을 때 가장 약하다. 이 생물은 무엇이겠느냐?

오이디푸스 그건 사람이다. 처음에는 땅에서 네 발로 기어 다니고, 커서는 두 발로 걷고, 늙어서는 지팡이를 셋째 다리 삼아 의지하고 걷는 인간이다.

(오이디푸스가 정답을 말하자 스핑크스는 절벽 아래로 떨어져 죽어버린다. 그가 떨어지면서 바닥에 부딪히는 소리는 마치 천둥 울리는 소리와 같다. 오이디푸스가 서 있는 외길로 테베 사람들이 몰려온다. 이들은 오이디푸스를 무등 태워 새 왕으로 모시고 궁으로 들어간다. 페이드아웃.)

[페이드인: 실내. 테베. 궁전. 수년 후. 오이디푸스는 왕이 되었고, 왕은 이오카스타와 결혼한다. 두 사람은 서로가 모자 관계라는 사실을 모르고 있다. 이들 사이에는 에테오클레스, 폴뤼네이케스 두 아들과 안티고네, 이스메네 두 딸을 두고 있다. 가족이 저녁 식사를 하고 있다.]

오이디푸스 이오카스타, 우리 부부는 두 아들과 두 딸이 있으니 다복하오.

이오카스타 지금까지 테베는 당신의 통치로 번영을 누리고 있어요.

폴뤼네이케스 그런데 끔찍한 역병이 테베를 또 황폐시키고 있어요. 이 땅에 새로운 아기도 더 이상 태어나지 않고 있어요. 눈에 보이는 적이라면 에테오클레스하고 제가 당당히 나서서 싸울 텐데 보이지 않는 적이니 어떻게 할 수도 없군요.

에테오클레스 그건 확실하지요, 아버지.

오이디푸스 아들들아, 너희가 당연히 앞장서서 싸울 것을 나도 안다.

안티고네 혹시, 신탁이 크레온 아저씨에게 이 역병의 원인을 말해주지 않았을까요?

오이디푸스 크레온이 그 원인을 알아오기를 기도하고 있어. 신탁이 어떤 명을 내리든지 우리는 그 명을 따라야 한다.

이오카스타 그렇게 되면 문제는 해결되고 우린 다시 행복한 시절로 돌아가겠지요.

이스메네 네, 어머니, 그렇게 될 거예요. 그동안 우린 정말 행복했어요.

이오카스타 우울한 얘기는 이제 그만 하고 즐겁게 식사합시다. (페이드아웃.)

[페이드인: 실내. 테베. 궁전. 오이디푸스를 코린트로 데리고 갔던 코린트 목동이 들어온다. 오이디푸스는 그와 포옹한다.]

오이디푸스 아, 나의 좋은 친구여, 당신은 내게 제2의 아버지나 다름없소. 코린트에서 무슨 소식을 가져 왔소?

코린트 목동 슬픈 소식입니다. 폴리보스 왕이 돌아가셨습니다.

(오이디푸스의 눈에 눈물이 고인다.)

오이디푸스 나의 아버지가 돌아가셨구나. 내겐 아버지에 대한 좋은 기억만 남아 있소.

코린트 목동 좋은 분이셨지요.

오이디푸스 신탁의 예언처럼 내 손에 돌아가시지는 않았군.

코린트 목동 부왕께서는 자연사하셨어요. 폴리보스 왕의 후계자로 코린트 백성들은 오이디푸스가 그들의 왕이 되어 주기를 원합니다.

오이디푸스 난 결코 코린트로 돌아갈 수 없어요. 신탁의 첫째 예언은 틀린 게 판명되었지만, 두 번째 예언이 아직 남아 있소. 그 위험을 안고 내가 그곳에 갈 수는 없소.

코린트 목동 지금 말씀하시는 그 신탁의 예언이란 게 어떤 겁니까?

오이디푸스 내가 폴리보스의 친아들이 아니라고 테이레시아스가 말했을 때 난 델피의 신탁을 찾아갔었소.

코린트 목동 신탁이 뭐라고 하던가요?

오이디푸스 폴리보스의 친자 문제는 대답해주지 않고, 내가 아버지를 죽이고 어머니와 결혼할 거라고 했소. 코린트로 내가 절대 돌아갈 수 없는 이유가 바로 거기에 있소.

코린트 목동 그렇지만, 폐하, 폐하는 폴리보스의 친아들이 아닙니다. 왕비 메로페도 폐하의 친모가 아닙니다.

오이디푸스 무슨 소리요? 어떻게 그럴 수 있소?

코린트 목동 폐하가 갓난아기였을 때 키타에론산에 갖다 버리라는 명을 받은 테베 목동이 차마 불쌍해서 아기를 버리지 못하고 저에게 주었어요. 저는 그 아기를 자식 없는 폴리보스 왕과 메로페 왕비께 전했고, 그분들이 업둥이를 왕의 후계자로 삼은 것입니다.

오이디푸스 그래서 신탁이 답을 주지 않았었구나. 그러나 난 확실하게 알아야겠소. 당신에게 아기를 넘겨주었다는 그 테베 목동은 아직 여기 살아 있소?

코린트 목동 그렇습니다, 폐하.

오이디푸스 그를 내 앞에 데리고 오시오. 내가 직접 그 사람과 확인하고 싶소.

(코린트 목동은 나가고 크레온이 들어온다.)

오이디푸스 크레온, 어서 오시오. 델피의 소식이 궁금하오.

크레온 신탁에 따르면 라이오스 왕을 살해한 자를 테베에서 몰아내야 한다고
합니다. 그래야 역병이 테베에서 사라질 것이라고 합니다.

오이디푸스 그렇지만 우린 그 살인자를 아직까지 찾지 못하고 있잖소.

크레온 그때 그 장면을 목격한 하인이 지금까지는 입을 다물고 있었는데, 그
를 통해 새로운 정보를 알게 되었습니다.

오이디푸스 그게 무슨 정보요?

크레온 그의 말에 따르면, 라이오스 왕과 그 일행을 죽인 범인은 한 사람이었
고 범행 장소는 십자로였다고 합니다.

(오이디푸스는 새로운 정보에 흔들린다.)

오이디푸스 십자로라고 했소?

크레온 네. 그런데 왜 그러십니까?

오이디푸스 나중에 자네에게 따로 들려주겠소. 이제 가보시오. 난 중요한 방문객
을 기다리고 있소.

크레온 이 문제는 나중에 다시 의논하기로 하지요. (페이드아웃.)

[페이드인: 실내. 궁전. 오이디푸스, 코린트 목동, 테베 목동.]

오이디푸스 나의 충실한 코린트 목동에게 당신이 넘겨주었다는 그 아기가 바로
나였던 것이 맞소?

테베 목동 예, 폐하의 발이 부어있었습니다. 그렇지 않습니까, 폐하? 부은 발은
그때 라이오스 왕이 못으로 상처를 입혔던 탓입니다. 아들의 유령이

쫓아다니며 괴롭히지 못하게 그리한 것이었습니다.

오이디푸스 내 발이 부은 것은 맞는 말이오. 그런데 왜 라이오스 왕이 나를 키타에론산에 버린 것이오?

테베 목동 델피의 신탁에 따르면, 라이오스 왕은 아들 손에 죽을 것이라고 예언했기 때문입니다.

(*오이디푸스는 그의 머리를 두 손으로 감싸 쥔다.*)

오이디푸스 맞아요. 난 내 아버지의 살인범이고 또- 오- 무섭다. 내가 내 어머니의 남편이라니!

(*오이디푸스는 비참하게 운다. 두 명의 목동은 머리를 절레절레 흔들며 나간다. 페이드아웃.*)

[페이드인: 실내. 궁전. 오이디푸스와 크레온.]

크레온 그러니- 당신이 나의 조카이고- 그리고 이오카스타가 당신의 어머니이면서 당신의-

오이디푸스 그만, 크레온! 이제 더 듣고 있을 수가 없소.

크레온 그렇다면, 십자로에서 죽인 자가 바로 당신의 아버지 라이오스 왕이 맞군요!

오이디푸스 나의 추악한 영원한 수치요. 난 죄인이오. 모르고 지은 죄지만 죄인이오.

크레온 황폐된 이 나라를 치유하기 위해서는 당신을 이 땅에서 추방할 수밖에 없습니다.

오이디푸스 나도 아오. 나의 끔찍한 운명을 끝낼 수 있는 선택이 있다면-

크레온   당신의- 비참한 운명은 어떻게 끝내든- 당신 손에 달렸소. 난 이 끔
          찍한 상황을 이오카스타에게 알려야겠소.

(*크레온은 나간다. 오이디푸스는 거울 앞으로 가서 자신의 얼굴을 들여다본다.*)

오이디푸스   괴물아, 거울을 들여다보아라. 뭐가 보이느냐? 아버지를 살해하고
          어머니를 취한 괴물! 아, 이런 괴물을 다시는 보고 싶지 않다.

(*자신의 모습을 보는 것이 견딜 수 없는 오이디푸스는 이오카스타의 브로치를
취하여 두 눈을 찌른다. 페이드아웃.*)

[페이드인: 옥외. 테베 외곽. 폴뤼네이케스와 에테오클레스가 오이디푸스를 마차
에 태워서 테베 성문 밖으로 나간다. 오이디푸스는 그의 큰딸 안티고네와 함께
있다. 외곽에 닿았을 때 그들은 마차에서 내린다.]

폴뤼네이케스   난 아버지를 뭐라고 불러야 할지 모르겠군요. 아버지라 해야 할지
          형님이라 해야 할지.
에테오클레스   어느 쪽으로 불리든 아버지는 더 이상 테베에서 환영받지 못하는
          존재요.
안티고네   무슨 일이 일어났든 아버지가 의도적으로 저지른 일은 아니어요. 아버
          지가 되던 형님이 되던, 우리 아버지는 오빠들보다 훨씬 훌륭한 분입
          니다.
폴뤼네이케스   안티고네, 어떻게 그런 소리가 나오느냐? 친아버지를 죽이고 친어
          머니와 결혼한 사람이, 거기다 또 목매어 죽은 어머니에게 책임 있는
          자가 어떻게 훌륭할 수 있단 말이냐?
안티고네   어머니는 스스로 목을 매어 돌아가셨어요. 아버지와는 아무 상관 없어

요.

에테오클레스 너의 그 효심은 대단히 존경스럽구나, 안티고네. 그러나 오이디푸
스에게 존경스러운 건 하나도 없다.

오이디푸스 난 저주의 희생자다. 이제 에테오클레스와 폴뤼네이케스, 너희들을
저주한다. 너희 두 형제는 서로 찔러 죽일 것이다. 아버지의 무거운 저
주를 어떻게 견디어낼지 두고 보아라.

(안티고네는 장님이 된 아버지 오이디푸스의 손을 잡고 인도한다.)

41-3
두 세대: 일곱 용사들의 테베 원정

등장인물

암피아라오스	티데우스	아이기알레우스
아드라스투스	힙시필레	테르산드로스
에리필레	에테오클레스	알크마에온
폴뤼네이케스	테이레시아스	

첫째 세대

[페이드인: 실내. 아르고스. 궁전. 아드라스투스 왕, 암피아라오스, 에리필레.]

암피아라오스 미래를 예측할 줄 아는 내 능력으로 볼 때, 아드라스투스, 당신과
는 말다툼을 하지 말아야 하는 걸 내가 미처 몰랐소. 우리 두 사람은
화해하게 되어 있는 운명을 몰랐던 거요.

아드라스투스 우린 둘 다 고집이 세니까요, 암피아라오스.

에리필레 두 사람의 언쟁을 내가 정리해드릴게요. 아드라스투스, 오빠의 누이동
생으로서 나의 특별한 특권을 주장합니다.

암피아라오스 당신은 나의 아내로서 그 특권을 나와 함께 나눠야 할 것이오.

아드라스투스 완벽한 협정이로군. 앞으로 혹시 어떤 불화가 우리 둘 사이에 생기
면 그때는, 에리필레, 네가 중재자다.

암피아라오스 난 만족하오. 장차 벌어질 수 있는 논쟁에서 에리필레에게 결정권

이 있다는 것을 난 존중하오.

에리필레 좋아요. 내가 두 사람 사이의 평화 중재자 역할을 하게 되니 기쁩니다.
(페이드아웃.)

[페이드인: 실내. 아르고스. 궁전. 아드라스투스 왕. 사자 털외투를 입고 있는 테
베의 폴뤼네이케스와 곰 털외투를 입고 있는 칼뤼돈의 튀데우스가 아드라스투
스 왕 앞에 서 있다.]

폴뤼네이케스 아드라스투스 왕이여, 저는 아버지로부터 저주받고 형제로부터는
부당하게 권좌를 빼앗긴 탄원자입니다.

아드라스투스 왕관을 쓰고 있는 자의 운명이 편하다고 말한 사람은 아무도 없었
소.

폴뤼네이케스 부친 오이디푸스는 그의 추방을 제 탓으로 돌리고 있습니다.

아드라스투스 내가 듣기로는 오이디푸스는 당신과 에테오클레스, 두 아들을 다
비난하고 저주한 것으로 알고 있는데요.

폴뤼네이케스 불행하게도 저의 집안은 최근에 비참한 일이 많았습니다.

아드라스투스 그리고 튀데우스, 당신은 무슨 일로 탄원자가 된 것이오?

튀데우스 저의 아저씨 아그리우스가 칼뤼돈의 제 아버지 왕위를 찬탈했습니다.
공정하신 아드라스투스 왕께서 저의 아버지의 정당한 왕권을 회복할
수 있도록 도움을 청합니다.

아드라스투스 음- 튀데우스, 당신이 입고 있는 그 외투는 곰 털이오?

튀데우스 예.

아드라스투스 폴뤼네이케스, 당신이 입고 있는 건 사자 털이오?

폴뤼네이케스 예.

아드라스투스 신들이 당신 양편에서 편들고 있는 줄로 압니다. 델피의 신탁은 내
딸들을 사자와 곰에게 결혼시키라고 했어요. 당신 두 사람은 각각 나

의 딸 아르기아와 데이필레와 결혼할 것이오. 따라서 당신들은 앞으로 내 사위가 될 터이니, 내가 도와줄 수밖에 없는 상황이오. 결혼하고 나면, 먼저 폴뤼네이케스부터 도와주겠소.

튀데우스 그렇게 정리해주시니 기쁩니다.

폴뤼네이케스 저도 기쁩니다.

아드라스투스 좋소. 그럼 두 쌍의 결혼식을 준비합시다. (페이드아웃.)

[페이드인: 실내. 아르고스. 궁전. 아드라스투스와 암피아라오스.]

아드라스투스 난 폴뤼네이케스에게 그의 왕권을 회복시켜주겠다고 약속했소. 그런데, 암피아라오스, 당신은 또 고집을 피우는구려.

암피아라오스 아드라스투스, 이건 고집의 문제가 아니오. 내 투시력을 알잖소. 테베를 공격하는 어떤 원정도 패배한다는 걸 난 알아요.

아드라스투스 암피아라오스, 당신 생각은 틀렸어요. 우리가 어떻게 실패할 수 있겠소? 내 군대도 막강하고 거기다 당신을 포함해서 가장 용감한 용사들이 일곱 명이나 있잖소.

암피아라오스 나 대신 딴 사람을 뽑으라고 하시오. 실패하게 되어 있는 전투에 난 참여하고 싶지 않소.

(*암피아라오스는 자리를 떠난다.* 페이드아웃.)

[페이드인: 실내. 아르고스. 궁전. 폴뤼네이케스는 하르모니아의 정교한 목걸이를 에리필레에게 준다.]

폴뤼네이케스 이 목걸이는 헤파에스투스가 나의 선조 하르모니아에게 선물한 것입니다.

에리필레 과연 신의 작품이로군요.

(*에리필레는 목걸이의 아름다움에 황홀해한다.*)

폴뤼네이케스 이제 이 목걸이는 당신 것입니다. 그 대신 작은 요청 하나만 들어
주십시오. 당신 오빠는 당신 남편 암피아라오스와 함께 테베 원정에
참여하기를 원하고 있습니다. 그런데 남편께서 거부하고 있어요. 그래
서 당신이 두 사람 사이의 중재자로서―

(*에리필레는 목걸이를 다시 돌려주려 한다.*)

에리필레 내 남편 암피아라오스는 당신한테서 어떤 선물도 받지 말라고 내게
특별히 당부했어요.

(*폴뤼네이케스는 에리필레의 주저하며 주춤하는 손가락에서 목걸이를 돌려받으
려는 참이다.*)

폴뤼네이케스 그렇다면 그게 당신의 결정이로군요.

(*에리필레는 목걸이를 손에서 놓지 못하고 다시 손에 쥔다.*)

에리필레 잠깐. 이 목걸이는 꼭 갖고 싶어요. 네, 내가 중재자 역할을 잘 해볼게
요. 암피아라오스는 테베 원정에 참여하게 될 것입니다. (페이드아웃.)

[페이드인: 옥외. 네메아. 일곱 명의 용사들과 그들의 군사들이 테베로 가는 도
중 물을 마시려고 멈춘다. 리쿠르고스 왕의 유모 힙시필레는 왕의 아들 오펠테

스 왕자를 안고 있다. 아드라스투스와 암피아라오스는 그녀에게 다가온다.]

아드라스투스 유모, 우린 마실 물이 필요합니다. 근처에 우물 있는 곳을 가리켜
　　　　　주겠소?
힙시필레 여기서 그리 멀지 않은 곳에 샘이 있어요. 어린 왕자 오펠테스를 파슬
　　　　　리 풀밭에 잠시 뉘어 놓고 가리켜 드릴게요.

*(힙시필레는 아기를 시원한 풀밭에 눕히고 군사들에게 따라오라고 한다. 이들이
사라지고 없는 동안 뱀이 아기에게 기어가서 아기의 몸을 돌돌 말고 문다. 페이
드아웃.)*

[페이드인: 옥외. 네메아. 힙시필레와 군사들이 돌아온다. 왕자를 다시 안으려는
유모는 아기를 감고 있는 뱀을 보고 무서워서 기절하듯 놀란다.]

힙시필레 오, 나의 왕자! 내가 무슨 짓을 한 거야!

(아드라스투스는 즉시 뱀을 죽이고 아이를 구출한다.)

아드라스투스 뱀은 죽였지만 너무 늦었군요.
암피아라오스 어린 왕자를 죽게 했으니, 너무 안됐소. 우리 모두에게도 안 된 일
　　　　　이오. 아드라스투스, 이 원정이 실패할 거라고 내가 말했는데 어린 왕
　　　　　자의 죽음은 불길한 전조요.
아드라스투스 원정의 시작인데 정말 불길한 징조로군요.
암피아라오스 패하게 되어 있는 원정이오.

(아드라스투스는 죽은 왕자를 안고, 힙시필레는 그 옆에서 큰 소리로 울며 같이

걸어간다. 페이드아웃.)

[페이드인: 실내. 테베. 궁전. 에테오클레스와 예언자 테이레시아스.]

에테오클레스 테이레시아스, 내 형제 폴뤼네이케스가 아드라스투스를 설득해서
　　　　　　일곱 명의 용사들과 군사들을 이끌고 이곳으로 오고 있소. 일곱 개의
　　　　　　우리 성문을 공격하고 내 권좌를 빼앗으려고 합니다.
테이레시아스 에테오클레스 왕, 나도 알고 있어요. 그러나 좋은 징조가 보입니
　　　　　　다.
에테오클레스 어떤 징조입니까?
테이레시아스 예고되었던 승리의 예언을 크레온의 아들 메노에케우스가 완수했
　　　　　　습니다. 테베 성벽에서 카드모스가 죽인 용이 굴속으로 몸을 던져 스
　　　　　　스로 희생했습니다.
에테오클레스 당신이 전에 "땅에 심어진 남자" 중 총각 청년이 희생하면 테베가
　　　　　　구원받을 것이라고 한 그 예언이 기억납니다.
테이레시아스 메노에케우스가 바로 그 총각 청년입니다. 테베는 이제 구원받았
　　　　　　어요.
에테오클레스 나는 어떻게 되나요? 구원받은 테베의 왕으로 남아있게 됩니까?

(*테이레시아스는 그의 질문에 불편해한다.*)

테이레시아스 저의 예언은 테베에 한한 것입니다.
에테오클레스 최소한 우리 아버지의 저주가 나와 폴뤼네이케스, 우리 두 형제에
　　　　　　게 똑같이 내려졌다는 점에서 어느 정도 만족합니다.
테이레시아스 오이디푸스가 두 형제에게 저주한 것은 공정한 처사였습니다.
에테오클레스 나의 운명이 어찌 되든, 지금은 테베의 일곱 개 성문을 방어하기

위해 현장에 가봐야겠소. (페이드아웃.)

[페이드인: 옥외. 테베의 성문. 일곱 용사들의 전투. 에테오클레스가 방어하고 있는 힙시스트 성문을 폴뤼네이케스가 공격하고 있다. 두 형제는 마주 보고 싸운다.]

폴뤼네이케스   너의 고집 때문에 우리가 이렇게 머리를 맞대고 싸우는구나. 왕위를 내놓을 시기가 되어도 어찌하여 양위하지 않는 것이냐?

에테오클레스   폴뤼네이케스, 네 임무는 실패하게 되어있어. 테이레시아스의 예언에 따르면 테베는 구원받는다고 했다.

폴뤼네이케스   테이레시아스는 앞을 보지 못하는 장님이고, 그가 하는 말도 앞을 보지 못하는 분별없는 소리야.

(폴뤼네이케스와 에테오클레스는 동시에 공격하여 서로의 팔에 엉켜있다.)

에테오클레스   우리 아버지의 저주가 내리고 있어, 폴뤼네이케스.

폴뤼네이케스   저주받은 어머니에, 저주받은 아버지에, 저주받은ㅡ

(폴뤼네이케스는 숨을 거둔다.)

에테오클레스   (죽으면서) 저주받은 아들들! (페이드아웃.)

둘째 세대

[페이드인: 실내. 아르고스. 궁전. 10년 후. 아드라스투스 왕의 궁전. 아드라스투스와 첫 테베 원정 용사들의 아들들.]

아드라스투스   나의 아들 아이기알레우스를 비롯한 용사 여러분, 첫 테베 원정의 일곱 용사들의 자제들이여, 복수의 때가 왔다.

아이기알레우스   아버지께서는 10년 전 테베 원정에서 살아남으셨지만, 그때 전 사한 다른 용사들의 아들들은 자신들 아버지의 원수 갚기를 열망하고 있습니다. 저도 열망하고 또한 폴뤼네이케스의 정당한 왕권 주장도 이 번 기회에 입증하기를 바라고 있습니다.

테르산드로스   제 아버지 폴뤼네이케스의 권리였고 지금은 제 권리인 왕권을 크 레온이 차지하고 있습니다.

아드라스투스   테르산드로스, 자네는 자네의 정당한 권리를 찾을 것이다. 좋은 징 후가 우리 편에 보이고 있어. 델피의 신탁이 이번에는 성공할 것이라 고 했네.

알크마에온   제2차 원정의 통솔자로서 저는 저의 아버지 암피아라오스의 내키지 않아 하셨던 1차 테베 원정을 이번에는 꼭 성공하도록 임무를 다 할 것입니다.

아드라스투스   10년 전에 나는 테베를 다시 공격하겠다고 약속했소. 그 약속을 지키기 위해서 이번 원정에 나도 참여할 것이오.

알크마에온   왕의 호의를 받게 되어 기쁩니다. 우리 모두 테베 원정의 승리를 다 짐합시다.

(*모두들 환호한다. 페이드아웃.*)

[페이드인: 실내. 테베. 궁전. 승리한 2차 원정대인 에피고노이들이 테르산드로스를 테베의 왕으로 옹립하는 대관식에 참여하고 있다. 테르산드로스가 연설한다.]

테르산드로스   1차 테베 원정 용사들의 고귀한 아들들이여, 여러분 선친의 혼령이 이제 편히 쉴 수 있게 되었습니다. 그분들의 임무가 완성되었습니다. 오늘의 승리에서 한 가지 가슴 아픈 일이 있다면 우리가 사랑하는 동지 아이기알레우스의 죽음입니다.

(*상심한 아드라스투스는 아들 이름을 듣는 순간 흐느낀다.*)

테르산드로스   아드라스투스 왕이여, 마음이 무거우시겠지만, 정정당당한 싸움에서 영웅으로 사망한 아이기알레우스의 용맹을 기뻐해 주십시오. 동지 여러분, 우리의 승리를 찬양하고 테베 피난민들이 고국으로 돌아오도록 초대합시다.

(*테르산드로스는 아드라스투스에게 다가와서 그를 위로한다.*)

테르산드로스   아드라스투스, 이런 난세에 모든 것을 말로 표현할 수 없음을 잘 압니다.

아드라스투스   테르산드로스, 자네의 옹호와 승리를 기쁘게 생각하네. 그러나 지금은 괴로움과 기쁨이 섞여 있는 때요. 1차 원정 때의 유일한 생존자로서 2차 원정에 목숨을 잃은 내 아들을 대신할 수만 있다면 기꺼이 내 생명을 내놓겠소.

테르산드로스   운명을 거래할 수는 없지요.

아드라스투스   그럴 수는 없겠지. 운명은 거래되는 게 아니라, 오직 우리에게 요구할 뿐이니까. 인간은 운명의 요구에 순응해야 하오.

(아드라스투스는 너무나 상심한 나머지 서 있기조차 힘들어한다. 몇몇 원정 용사들이 그를 부축한다.)

테르산드로스 아드라스투스 왕이여, 잠시 들어가 쉬시지요.

(디오메데스와 프로마쿠스는 아드라스투스를 부축하고 간다. 테르산드로스는 알크마에온에게 말한다.)

테르산드로스 저렇게 슬퍼하는 사람을 본 적이 없소.
알크마에온 나도 이런 경우는 처음이오.
테르산드로스 두 번에 걸친 원정의 피해가 너무 크고 희생자도 많이 내었소. 사실 내 왕국은 복구되었지만, 이를 위해 우리가 치른 대가가 너무 컸소. 두 차례의 전투로 테베는 완전히 황폐해졌고, 아드라스투스는 그의 외아들을 잃었소. 우리 가문에 내려진 저주는 아직도 그 효력을 발휘하고 있군요.
알크마에온 난 이 전투를 승리로 이끈 지도자지만, 얻은 것보다는 잃은 게 더 많은 것 같소.

42

피니아스와 하르피아이

등장인물

판디온	제우스	칼라이스
이다이아	아폴로	제테스
플레키프스	알레오	이리스

[페이드인: 살미데소스. 트라키아. 피니아스 왕과 그의 둘째 부인 이다이아와 첫 부인 클레오파트라의 소생인 두 아들 판디온과 플레키프스가 함께 있다.]

판디온　아버지, 제 어머니의 무덤에 대고 맹세하는데 제가 계모를 음탕한 눈으로 바라본 적이 없습니다.

이다이아　피니아스, 그게 사실이 아니라면 내가 왜 그런 소리를 하겠어요?

플레키프스　예, 당신은 충분히 그런 말을 할 수 있어요. 아버지와 결혼한 후 우리 두 형제를 제거할 궁리만 하였으니까요.

피니아스　플레키프스, 입 다물고 있어. 내 아내 이다이아에 대한 불손한 태도를 용납하지 않겠다.

판디온　저희들이 공정한 대우를 받는다면 불손한 태도를 보이지 않겠지요. 아내에 대한 사랑이 너무 치우쳐서 아버지는 공정성을 잃고 계십니다.

피니아스　너희 둘 다 지나쳐. 판디온 그리고 플레키프스, 너희들은 우리 가문의 불화의 씨앗이다.

플레키프스 불화의 씨앗은 우리가 아니라 아버지의 아내입니다. 근친상간이라는 추악한 불경죄를 우리는 결코 범하지 않았어요.

이다이아 저들이 거짓말하고 있어요, 여보! 거짓말이어요!

피니아스 심판은 내 몫이오. 당신 말이 옳다고 믿소, 이다이아.

판디온 아버지, 아버지는 원래 지혜로운 예언자이십니다. 그러나 이 여인한테는 눈먼 바보가 되셨어요.

피니아스 판디온, 넌 지금 네 입으로 선고를 내렸다. 계모를 유혹하려고 망측한 시도를 벌린 너와 플레키프스에게 눈먼 장님으로 투옥시키는 벌을 내린다.

플레키프스 계모가 이곳에 온 후로 저희들은 감옥에 갇혀 있는 거나 다름없이 살았어요. 그러나 우린 장님이 아니어요. 아버지, 우리의 눈만은 다치지 말아 주세요.

피니아스 벌의 선고는 이미 내려졌어. 경비들, 저들을 끌고 가서 내 언도를 집행하라.

(경비들이 플레키프스와 판디온을 붙들고 데리고 나간다.)

이다이아 이런 문제로 신경 쓰게 해서 미안해요. 그러나 판디온과 플레키프스를 해결할 선택이 나로선 없었어요.

피니아스 당신을 탓하지 않소, 여보. 우리 집안에 이제부터는 평화와 화합이 있을 것이오. (페이드아웃.)

[페이드인: 실내. 궁전. 살미데소스. 트라키아. 제우스와 피니아스.]

제우스 피니아스, 자네 무슨 짓을 저질렀는가?

피니아스 미래의 여자농락꾼들을 제거했습니다. 비록 제 아들들이라 할지라도 당연한 벌을 받은 것입니다.

제우스 자네 아들들의 억울한 호소가 올림포스산에 들렸어.

피니아스 저는 부당하게 심판하지 않았습니다. 그런 벌을 받아 마땅한 아이들입니다.

제우스 자네는 이다이아의 아버지에게 그 딸의 성품을 알아보았어야 했어. 어린 시절부터 남을 잘 속이는 아이였으니까, 자네의 심판이 너무 성급했단 말이다.

피니아스 제 아들들이 진실을 말했다는 것입니까?

제우스 그렇다. 그 애들 말이 진실이야. 그러니 엉뚱한 사람들에게 잘못된 벌을 내린 자네도 벌을 받아야 마땅하지. 하지만, 난 자네가 아들들에게 내린 것보다는 가벼운 벌을 주겠다. 선택해라.

피니아스 선택이오?

제우스 그래. 죽든지 장님이 되든지, 둘 중 하나를 선택해.

피니아스 그건 쉽군요. 저는 장님이 되는 쪽을 택하겠습니다.

제우스 알았다. 이제부터 너는 박쥐처럼 눈이 멀 것이다.

(*제우스는 그의 두 손을 들어 두 개의 작은 번개로 피니아스의 두 눈을 쳐서 장님이 되게 한다.*)

제우스 너는 앞으로 장님이 되어 눈이 있을 때보다 더 많은 것을 볼 수 있을 것이다. (페이드아웃.)

[페이드인: 올림포스산. 제우스와 아폴로.]

아폴로 제우스, 빛의 신인 저는 피니아스가 빛보다 생명 쪽을 택한 것이 못마땅합니다.

제우스   아폴로, 여기서 네가 할 수 있는 건 없어. 너도 알다시피 신이 한 일을 다른 신이 취소할 수 없잖으냐.

아폴로   그가 한 선택을 번복할 수는 없겠지만, 제가 그 인생을 비참하게 만들 수는 있겠지요.

제우스   그거야, 네 특권이니까. 너 알아서 하렴, 아폴로. (페이드아웃.)

[페이드인: 실내. 살미데소스. 궁전. 피니아스 왕이 식탁에 앉아있다. 여인의 얼굴을 한 네 마리의 괴상한 새들이 그의 식탁 위에 내려앉는다.]

피니아스   이것들, 하르피아이들이 또 왔구나! 배고파 죽겠다! 나 좀 먹고 살자! 나 좀 살려 줘!

(그중 한 마리 아엘로가 대답한다.)

아엘로   아폴로의 저주다! 아폴로의 저주야! 너의 빛을 즐겨라, 너의 빛을!

(하르피아이들은 피니아스의 음식을 갖고 날아가고, 그의 식탁을 새똥으로 잔뜩 더럽혀 놓고는 배고파서 항변하는 피니아스를 두고 사라진다. 페이드아웃.)

[페이드인: 실내. 살미데소스. 궁전. 피니아스 왕은 거의 굶어 죽게 생겼다. 보레아스의 쌍둥이 아들, 칼라이스와 제테스가 피니아스의 궁전에 온다. 피니아스의 첫 부인 클레오파트라는 이들 쌍둥이 형제의 누이였다. 칼라이스와 제테스는 출생 당시에는 정상으로 태어났지만 청소년기를 거치면서 황금 날개가 어깨에 솟아났다.]

칼라이스   피니아스 형님이로군요 - 그런데 어떻게 해서 예전 모습의 형체가 없어졌어요.

(피니아스는 두 손으로 귀를 막는다.)

피니아스 내가 잘못 들은 게 아니라면, 이건 처남 칼라이스의 목소리다.

제테스 어쩌다 장님이 되었어요? 무슨 일이 있었나요?

피니아스 내 아들들을 부당하게 처벌한 대가요. 그 애들을 장님이 되게 해서 감옥에 넣었는데. 내 아내 이다이아가 받아야 할 벌을 오히려 그 애들이 받았다네.

칼라이스 이다이아는 지금 어디 있어요?

피니아스 친정집으로 돌려보냈네.

제테스 그래서 슬퍼서 식사도 하지 않는 겁니까?

피니아스 아니지. 내 슬픈 탓은 아폴로의 복수 때문이야. 하르피아이들이 내 음식을 모두 먹어버리고 있어.

칼라이스 하르피아이라니! 오, 형님, 문제가 정말 심각하군요.

피니아스 그런데 자네들은 나의 왕궁에 무슨 일로 왔나?

칼라이스 우린 이아손의 황금 양털을 찾으러 가는 아르고 대원에 입대했어요. 피니아스 형님이 예언자니까, 아시겠지요. 우리 원정 결과가 어떻게 될 것인지 궁금해서 찾아왔습니다.

피니아스 그렇다면 우리 거래를 하면 어떤가. 도망자를 찾지 못하면 그 도망자는 어차피 하늘로부터 죽을 운명에 처해 있어. 그러니 다음번에 내 음식을 가로채고 식탁을 오물로 더럽히는 하르피아이들이 오면 그때는 자네들이 그것들을 추격해주기 바라네. 그러면 확실히 없어질 테니까. 자네들이 그것들을 잡지 못한다 해도 포고령에 따라 어차피 그것들은 죽게 되어 있으니까.

제테스 그러면 그 대가로 형님이 아르고 원정의 결과를 가르쳐주겠다는 건가요?

피니아스   그렇지.

칼라이스와 제테스   형님, 거래는 성사되었어요. (페이드아웃.)

[페이드인: 실내. 살미데소스. 궁전. 피니아스가 식탁에 앉아있다. 하르피아이들이 날아 들어온다. 이번에는 칼라이스와 제테스가 이들을 공격한다. 날아가는 하르피아이들을 추격해서 두 형제는 이오니아 바다까지 쫓아간다. 그곳에서 하르피아이들의 자매인 무지개 여신 이리스가 하늘에 나타난다.]

이리스   이보게, 제테스, 칼라이스, 내 자매들을 그만 쫓아다녀요. 하르피아이들은 나처럼 불사신이야. 자네들이 따르고 있는 그 명령 때문에 자연 법칙이 훼손되면 안 되지 않겠나.

제테스   그렇지만 우린 하르피아이들을 없애주기로 형님과 약속했어요.

이리스   이제 추격은 그만 접어 둬요. 저들은 당신 형님을 더 이상 괴롭히지 않을 테니까.

칼라이스   당신의 타협을 받아들이겠소.

(칼라이스와 제테스는 돌아선다. 페이드아웃.)

[페이드인: 실내. 살미데소스. 궁전. 피니아스는 방해받지 않고 처음으로 음식을 맘껏 즐기고 있다. 칼라이스와 제테스도 그와 함께 식탁에 앉아있다.]

피니아스   지금까지 내가 받은 고통은 내가 받아 마땅한 거였어. 지금 이렇게 하르피아이들의 방해 없이, 새똥 없이 앉아서 식사를 할 수 있으니 정말 좋군. 자네들 참으로 고맙네.

칼라이스   아르고선의 전망은 어떤가요? 성공할까요? 형님의 예측이 궁금하니다.

피니아스 아주 좋아. 이아손은 황금 양털을 가지고 돌아올 것이다. 메데이아의 도움이 반드시 필요한데, 그 도움도 이아손은 받을 것이다.

제테스 형님은 예언자로서 비길 자가 없어요.

피니아스 미래를 볼 수 있는 것처럼 내가 현재도 볼 수 있었더라면 얼마나 좋았겠나.

칼라이스 우린 누구나 한계가 있지요.

피니아스 슬프기 짝없게도 나 역시 그 한계점을 깨달았다네.

칼라이스 인간이나 신들이나 다 똑같은가 봐요, 형님.

(그들은 좀 더 심각한 모습으로 생각에 잠겨 식사를 계속한다.)

43

트로이의 유산

등장인물

에우리디케	아폴로	텔라몬
제우스	라오메돈 왕	헤시오네
일로스	스트리모 왕비	프리아모스
포세이돈	헤라클레스	

[페이드인: 옥외. 이다산 근처. 프리기아. 얼룩 암소 한 마리를 일로스와 그의 아내 에우리디케가 따라가고 그들 뒤에 50명의 남자와 50명의 여자로 이루어진 파견단이 뒤따라간다.]

에우리디케 일로스, 우린 지금 며칠째 이 얼룩소를 따라가고 있어요. 어디까지 가야 하는지요.

일로스 이 소가 쓰러질 때까지요, 에우리디케. 소가 지쳐서 쓰러지는 그곳에 미래의 새로운 도시를 세우라는 예언이 있소.

에우리디케 아직까지는 신탁의 예언대로 진행되고 있군요. 우리 뒤를 따르는 용감하고 의로운 청춘 남녀들이 당신이 건설하는 신도시의 진정한 후계자들이 되겠지요.

일로스 나의 조상 제우스가 저들을 확보할 수 있는 힘을 내게 포상으로 허락한 건 은총이오. 그래서 저들이 값진 나의 새로운 신하들이 될 수 있게 말이오.

에우리디케 소가 쓰러지려나 봐요. 뒤뚱거려요.

일로스 이 언덕이 바로 그 장소인 모양이오!

(*얼룩 암소는 언덕 위에 닿자 주저앉는다.*)

일로스 여러분, 이쪽으로 모이십시오. 저 소를 제우스에게 제물로 바치고 우리는 제우스의 인도를 받아야 합니다.

(*남자들은 제단을 준비하고, 그 앞에 모두 무릎을 꿇는다.*)

일로스 위대한 제우스여, 저의 아버지 트로스의 증조할아버지시여, 제우스 신의 명령을 따르겠습니다. 이곳이 제가 새 도시를 건설할 곳입니까? 이곳이 바로 그 장소인가요? 징표를 보여주시기를 간청합니다.

(*일로스는 경건하게 절을 한다. 거대한 크기의 독수리 한 마리가 부리에 조상(彫像)을 물고 일로스의 머리 위를 빙빙 돈다. 독수리는 잽싸게 나무로 된 아테나의 조상 팔라디움을 내려놓고 날아간다. 일로스는 그 조상을 매우 경건한 태도로 손에 든다.*)

일로스 에우리디케, 이것이 징표요. 제우스가 우리에게 수호신을 보내왔어요. 이 조상을 손상시키지 않는 한, 운명은 우리에게 미소 지을 것이고, 새 도시는 결코 적의 손에 흔들리지 않을 것이오.

에우리디케 일로스, 정말 기뻐요. 도시 이름을 뭐라고 부를 건가요?

일로스 나의 존경하는 아버지 트로스를 기념해서 트로이로 명명하겠소.

에우리디케 당신의 도시는 불멸의 도시로 역사에 기록될 거라고 신탁은 말했어요.

일로스   그렇소. 이다산 근처에 역사의 기운이 흐르고 있소. 트로이여, 너의 역사는 앞으로 오는 세대마다 기록될 것이다.

에우리디케   트로이에는 무언가 특별한 기운이 있어 보여요.

일로스   자, 이제 우리 모두 부지런히 움직입시다.

(일로스는 남자들에게, 그리고 에우리디케는 여자들에게 활동 지시를 한다. 페이드아웃.)

[페이드인: 실내. 올림포스산. 제우스의 궁전. 수년 후. 제우스는 아폴로와 포세이돈과 마주 앉아있다.]

제우스   포세이돈, 당신은 당신 위치를 또 망각했어. 당신이 나보다 나이는 많아도 올림포스의 으뜸 지배자는 나요. 지난번 아테나와 헤라와 한통속이 되어 나를 대적하려는 음모가 좌절되었을 때 교훈을 얻었다고 생각했는데, 그렇지 않은 모양이군.

포세이돈   제우스, 네 말대로 내가 너보다 나이가 위인 형이지. 그러니 연장자의 권리에 따라 으뜸 통치자는 당연히 나란 말이다.

제우스   아버지 크로노스를 패배시킨 건 나였어. 그 결과로 내가 최고의 통치권을 얻게 된 거요. 내가 아니었더라면, 포세이돈, 당신은 아직도 아버지 뱃속에 들어 있을 것이고, 그랬으면 지금처럼 바다의 지배자가 될 수 없었겠지.

포세이돈   그렇게 된 건 어머니 레아가 너를 편애했기 때문이야.

제우스   주어진 위치를 받아들여요, 포세이돈. 그게 순리요.

(포세이돈은 투덜거린다. 제우스의 관심은 이제 아폴로에게 쏠린다.)

제우스 그리고 너, 아폴로, 네가 포세이돈과 함께 공모를 꾸며서 나를 대적할
생각을 했다니 뜻밖이다. 그러나 생각해보면 넌 좀 방자한 데가 있어.
네가 나의 키클롭스를 죽였을 때 받은 벌은 너에게 별로 교훈이 되지
못한 모양이구나.

아폴로 그때는 그럴만한 이유가 있었음을 고백합니다. 그러나 이번 경우에는
제가 님프 요정들한테 약하다는 걸 잘 아시잖아요.

제우스 잘 알지. 넌 님프들하고 정말 문제가 있어. 넌 트로이의 라오메돈 왕과
도 문제가 생길 것이다.

포세이돈 라오메돈이라니! 그 악명 높은 협잡꾼 말인가? 우리보고 그에게 가서
봉사하라는 거야?

제우스 그렇소. 일 년 동안만 그 왕을 도와주기 바라오.

아폴로 그렇지만 라오메돈 왕은 언제나 자기가 한 약속을 어기는 신뢰할 수
없는 자입니다.

제우스 일 년만 둘이서 신분을 숨기고 암행으로 그를 도와줘야겠어. 일 년 후
에는 라오메돈과 무슨 일을 하든 마음대로 하시오.

(*제우스는 투덜대는 아폴로와 포세이돈을 두고 돌아서서 나간다. 페이드아웃.*)

[페이드인: 실내. 트로이. 궁전. 벽돌공으로 가장한 포세이돈과 아폴로가 라오메
돈 왕을 만나고 있다.]

라오메돈 왕 트로이는 유명한 곳이지. 이 도시를 탐내는 자들이 많이 있을 거야.

포세이돈 그래서 저와 제 친구가 라오메돈 왕을 도와드리려고 왔습니다.

아폴로 네, 그렇습니다, 폐하. 트로이에 성벽을 쌓으면 어떤 군대도 침투할 수
없는 난공불락의 도시가 될 것입니다.

라오메돈 왕 수고값은 얼마인가?

포세이돈 성벽 1피트 길이마다 1오볼입니다.

아폴로 견고한 성벽을 쌓는 것으로는 비싸지 않은 가격입니다.

라오메돈 왕 완성하려면 얼마나 걸리는가?

포세이돈 정확히 일 년입니다.

(*아폴로는 미소 지으며 고개를 끄덕인다.*)

라오메돈 왕 진행하라. 너희들이 쌓는 성벽이 내 마음에 안 들면 지불을 보류할
수도 있어.

포세이돈 우리가 하는 일을 처음에 지켜보시고 마음에 안 들면 그때 그만두라
고 하시면 됩니다. 그러나 괜찮다고 생각하시고 진행을 허락한 후에는
거기에 상응하는 대가를 성벽이 완성되는 바로 그 날 지불해주셔야
합니다.

라오메돈 왕 좋다. 너희들 계약에 동의한다.

(*포세이돈과 아폴로는 절하고 떠난다.* 페이드아웃.)

[페이드인: 옥외. 트로이. 성벽 쌓는 작업은 천천히 진행 중이다. 두 명의 석수
신들의 관리 아래 성벽 탑이 어마어마한 구조로 변한다. 일 년이 지난 후 당당한
탑들을 지닌 견고한 요새가 완성되었고, 변장한 포세이돈과 아폴로가 라오메돈
왕 앞에 서 있다.]

포세이돈 폐하, 성벽이 완성되었습니다. 모두들 성벽 모습이 어찌나 장관인지
신의 손으로 빚어진 것 같다고들 합니다.

(*아폴로는 포세이돈의 암시적인 빗댐을 들으며 미소 짓는다.*)

라오메돈 왕   그렇군. 성벽이 완성되었군.

포세이돈   폐하, 이제 수고비를 지불해주십시오.

라오메돈 왕   수고비를 달라고? 너희들, 비천한 석수들이! 감히 왕에게 수고비 타령을 하는 것이냐!

아폴로   폐하, 우리가 비천한 자들인지는 몰라도, 앞으로 어느 시대나 부러워할 훌륭한 성벽을 건설했으니, 그 수고에 대한 약정된 보수는 마땅히 지불하셔야 되지 않겠습니까?

라오메돈 왕   너희들이 내게서 마땅히 받아야 할 보수는 너희들 귀를 째고, 쇠고랑을 채워서 노예로 끌고 가는 것이다.

포세이돈   라오메돈 왕이여, 왕은 우리가 일 년 전에 서로의 신뢰 위에 맺은 약속을 깨뜨리고 있습니다.

라오메돈 왕   꺼져 버려, 어서! 방금 내가 선언한 보수를 집행하기 위해서 부하들이 내 명령을 기다리고 있다. 너희가 아직 자유인일 때 꺼지는 게 신상에 좋을 것이다.

아폴로   자기가 한 약속을 지키지 않는 자는 자기가 한 행동의 결과를 감수해야 합니다.

(*포세이돈과 아폴로는 떠난다.* 페이드아웃.)

[페이드인: 실내. 트로이. 궁전. 라오메돈 왕과 스트리모 왕비.]

스트리모 왕비   당신 무슨 짓을 한 거예요? 무슨 짓을 했냐고요?

라오메돈 왕   그 두 벽돌공이 포세이돈과 아폴로인 줄 누가 알았겠소?

스트리모 왕비   다른 사람과 약속한 거래는 지켜야 한다는 정도는 알고 있어야지요. 라오메돈, 난 당신을 정말 이해할 수가 없어요. 신들은 줄곧 트로이를 축복하고 있는데 당신은 신뢰를 저버리는 짓만 계속하고 있으니.

라오메돈 왕 스트리모, 내가 왕인 걸 기억하시오. 내가 왕이오. 자기 위치를 알고
　　　　　떠드시오!

스트리모 왕비 그러나 당신의 사기 행위 때문에 이 나라가 위협받고 있어요. 당
　　　　　신의 부정직한 행동이 이 나라에 악영향을 미치고 있다고요. 수많은
　　　　　백성이 죽어가는 끔찍한 역병을 아폴로가 일으켰고, 그리고-

라오메돈 왕 그리고 포세이돈은 개인적으로 우리를 힘들게 하고.

(스트리모 왕비는 한없이 운다.)

스트리모 왕비 그래요. 우리의 사랑하는 딸 헤시오네가 바위에 묶여있어요. 포세
　　　　　이돈의 거대한 바다뱀에게 잡혀 먹힐 운명이어요.

라오메돈 왕 여편네여, 울음을 멈추고 이제 그만 징징거려요. 아직은 헤시오네를
　　　　　구할 수 있을지도 모르잖소. 위대한 헤라클레스가 지금 아홉 번째 임
　　　　　무를 위한 아마존 임무 수행 중 트로이에 머물고 있소. 포세이돈의 바
　　　　　다뱀을 물리칠 수 있는 자가 있다면 그건 헤라클레스뿐일 것이오.

스트리모 왕비 헤라클레스라면 할 수 있지요. 그런데 그가 도와주려고 하겠어요?

라오메돈 왕 그를 끌어들일 수 있는 방법이 내게 있소.

스트리모 왕비 헤라클레스와 거래를 한다면 그 약속은 반드시 지켜야 한다는 걸
　　　　　잊지 마세요.

라오메돈 왕 내가 말했지, 내가 왕이라고. 당신은 당신 일에나 신경 쓰시오.

(라오메돈 왕은 떠난다. 페이드아웃.)

[페이드인: 옥외. 라오메돈 왕은 헤라클레스를 바닷가에서 만난다. 헤시오네가
바위에 묶여있다.]

라오메돈 왕 우린 서로 만난 적은 없지만 당신은 헤라클레스임이 틀림없습니다.

헤라클레스 내가 헤라클레스요. 그런데 어쩌다가 어여쁜 공주를 쇠사슬에 묶어 놓았소?

라오메돈 왕 이렇게 된 건 모두 나의 어리석음 때문입니다. 트로이의 멋진 성벽을 건설한 후 포세이돈과 아폴로와 맺은 약조를 내가 지키지 않았던 탓이오. 그 결과 아폴로가 역병을 일으켰고 포세이돈은 내 딸을 쇠사슬에 묶어서 바다뱀의 제물로 삼기를 원하고 있습니다.

헤라클레스 으음— 순결한 아름다운 공주가 바다 괴물의 밥이 되는 건 안 됐군.

라오메돈 왕 청하기가 주저됩니다만, 아버지로서의 절망감을 호소합니다. 포세이돈의 괴물을 처치할 수 있는 사람은 헤라클레스, 당신밖에 없습니다.

헤라클레스 그런 수고를 하려면, 첫째, 그만한 상급이 따라야 하오. 둘째, 당신은 약속을 지키지 않기로 유명한데, 나하고도 그런 일이 없으리라고 누가 보장하겠소?

라오메돈 왕 상급이라면, 당신은 말을 무척 좋아하는 것으로 알고 있습니다. 제우스가 나의 아버지 트로스에게 선물한 불사의 암말들이 있어요.

헤라클레스 그 암말들을 내가 항상 부러워했소. 상급 문제는 해결되었고, 둘째 문제에 대해선 어떻게 생각하시오?

라오메돈 왕 믿어주십시오, 헤라클레스. 그동안 약속을 어기는 행위로 인해 철저한 교훈을 얻었고, 그뿐 아니라 어찌 감히 위대한 헤라클레스와의 약속을 어길 수 있겠습니까?

헤라클레스 그럼, 약속합시다. 암말들은 내 소유가 될 것이고 당신 딸은 다시 당신 딸로 돌아갈 것이오. 그러나 라오메돈 왕, 약속은 반드시 지켜야 한다는 점을 잊지 마시오. 나하고 약속을 지키지 않는 자는 결코 무사하지 않을 거요.

라오메돈 왕 염려 마십시오. 꼭 지키겠습니다.

(*헤라클레스는 라오메돈 왕과 함께 바다 쪽으로 걸어간다. 페이드아웃.*)

[페이드인: 옥외. 바닷가. 헤시오네는 커다란 바위에 묶여있고 라오메돈 왕은 딸 옆에 있다. 거대한 바다뱀이 다가올 때 헤라클레스는 그녀 앞에 서 있다. 헤라클레스의 수호 여신 아테나가 헤라클레스 앞에 벽을 세워 그를 보호한다. 헤라클레스는 칼을 빼어 적을 찌르고 살짝 벽 뒤로 숨는다. 괴물은 가로막혀 있는 벽 때문에 헤라클레스를 공격하기가 쉽지 않다. 드디어 좌절감에 빠진 바다뱀은 머리를 들이박아 헤라클레스를 한입에 삼켜버린다.]

헤시오네 오, 아버지, 다 틀렸어요. 괴물이 헤라클레스를 삼켜버렸어요!

(*라오메돈 왕은 수심에 차서 머리를 흔든다. 그러나 완전한 낭패는 아니다. 헤라클레스는 바다뱀에게 먹혔지만 뱀의 뱃속에 살아있다. 그는 뱃속에서 칼을 마구 찔러댄다. 괴물의 창자는 모두 찢어지고 내장과 모든 기관이 칼에 찔려 괴물은 곧 쓰러진다. 괴물은 고통이 심하여 참지 못하고 몸을 뒤틀면서 모래 위에 뒹군다. 헤시오네와 라오메돈 왕은 바다뱀이 쓰러진 이유를 알 수 없어 한다. 피와 내장에 엉켜 범벅이 된 헤라클레스가 그의 머리를 괴물의 껍질 밖으로 불쑥 내민다.*)

라오메돈 왕 헤라클레스, 당신 모습이 보기에 끔찍합니다.
헤시오네 그러나 다시 볼 수 있어서 정말 반가워요.
라오메돈 왕 우선 씻기부터 하십시오, 헤라클레스.

(*헤라클레스는 물로 씻고 라오메돈 왕은 딸의 쇠사슬을 풀어준다. 페이드아웃.*)

[페이드인: 실내. 궁전. 라오메돈 왕과 헤라클레스.]

헤라클레스 자, 라오메돈 왕, 난 우리의 약속을 지켰소.

라오메돈 왕 네, 그래요. 그러나 난 당신에게 암말들을 줄 수가 없소이다.

헤라클레스 당신은 절대로 약속을 지키지 않는다는 걸 내가 간과했군. 단 한 번
도 지킨 적이 없고 앞으로도 절대 지킬 사람이 아니지.

라오메돈 왕 애당초 나하고 거래한 게 잘못이오.

헤라클레스 감히 나하고의 약속도 무시하리라고는 예측 못 했소.

라오메돈 왕 난 보시다시피 감히 그럴 수 있는 사람이오.

헤라클레스 당신은 반드시 후회할 날이 올 거요. 지금은 아홉 번째의 내 임무
수행 관계로 히폴리타의 허리띠를 미케네에 가져가야 하오. 그러나 돌
아오는 길에 나의 암말들을 꼭 찾을 것이고, 그리고 나와의 약속을 지
키지 않은 당신은 절대 무사할 수 없소.

(*헤라클레스는 화가 나서 떠난다. 페이드아웃.*)

[페이드인: 옥외. 몇 년 후. 트로이. 헤라클레스와 텔라몬. 살라미스 해변. 그의
배들이 트로이에 정박하고 있다.]

헤라클레스 텔라몬, 난 내 부하들하고 왼쪽 성벽으로 갈 테니 자네는 자네 파견
단을 이끌고 오른쪽 성벽으로 올라가게.

텔라몬 포세이돈과 아폴로가 성벽을 정말 멋지게 건설했군요. 무너트리기가
불가능해 보여요.

헤라클레스 텔라몬, 헤라클레스에게 불가능은 없네.

(*텔라몬이 큰 소리로 웃는다.*)

텔라몬 제가 말하는 순간 바로 그 점을 깨달았지요. (페이드아웃.)

[페이드인: 옥외. 왼쪽 성벽. 헤라클레스와 그의 군사들이 성벽을 무너트리려고 열심히 시도하고 또 시도하지만 성벽은 꼼짝 않는다.]

[페이드인: 옥외. 오른쪽 성벽. 텔라몬과 그의 군사들이 처음에는 성벽을 무너트리는 데 실패했지만, 초인적인 노력으로 텔라몬은 성공한다. 군사 몇 사람이 헤라클레스에게 알려 주기 위해 왼쪽으로 가고, 텔라몬 일행은 텔라몬의 뒤를 따라 성벽 위로 넘어간다. 페이드아웃.]

[페이드인: 옥외. 트로이 성벽 안. 헤라클레스는 방금 넘어왔다. 자신이 텔라몬에게 처진 느낌이 들어 자존심이 상하자, 울화가 좀 치밀었지만, 제단을 쌓는 텔라몬을 보고 마음이 누그러진다.]

텔라몬 헤라클레스 각하, 불가능을 모르는 위대한 헤라클레스께 이 제단을 헌정합니다.

헤라클레스 (*텔라몬의 행동에 마음이 완화되어*) 너의 일이 끝나면 우린 라오메돈 왕과 매듭지어야 할 미완의 업무가 있다. (페이드아웃.)

[페이드인: 옥외. 헤라클레스와 텔라몬은 궁을 포위하고 공격하면서 트로이시를 폐허로 만든다. 헤라클레스는 궁으로 들어가서 왕을 찾는다. 왕은 네 명의 아들들과 왕실에 있다.]

헤라클레스 라오메돈, 후회할 날이 있을 거라고 한 그날이 바로 오늘이오.

라오메돈 왕 암말들을 모두 가져가시고 부디 내 목숨만 살려 주십시오.

헤라클레스 그러기에는 너무 늦었소, 라오메돈.

(*헤라클레스는 그의 곤봉을 휘두른다. 그 곤봉을 맞고 살아날 자는 없다. 라오메*

돈 왕은 바닥에 쓰러져 죽는다. 헤라클레스는 왕의 네 아들들을 향하여 곤봉을 들어 올린다. 세 명을 죽였을 때 헤시오네가 막내오빠 포다르케스만은 살려달라고 애원하며 뛰어들어온다.)

헤시오네　헤라클레스, 작은 오빠 포다르케스의 몸값으로 제가 제 베일을 증표로 드리겠으니, 기회를 허락하시고 살려주시기를 간청합니다.

헤라클레스　난 무정한 정복자가 아니오. 포다르케스는 살려줄 터이니 새로운 삶을 이어가기 바란다. 그 기념으로 이제부터는 포다르케스의 이름을 프리아모스로 개명하겠소.

헤시오네　황공합니다.

프리아모스　저는 새로운 이름으로 새롭게 태어나서 잿더미의 트로이를 다시 영광스러운 트로이로 부활시키겠습니다.

헤라클레스　자네가 트로이를 잿더미에서 일으키고 이 도시가 다시는 멸망하지 않기를 기원하네.

프리아모스　우리가 명예를 손상시키지 않는다면, 그리고 신들의 기분을 상하게 하지 않는다면, 트로이는 다시는 잿더미가 되지 않을 것입니다.

헤라클레스　자네의 그 교의를 따르면 트로이인들 입에 재가 들어갈 일은 이제 없을 것이오. 나는 내 암말들을 끌고 가겠소. 트로이에는 영원히 돌아오지 않을 것이오.

44

밤의 여신 닉스의 가족

등장인물

닉스	히프노스	클로토
에리스	케르	타나토스
모모스	게라스	네메시스

[페이드인: 실내. 릭토스의 동굴. 크레타. 밤의 여신 닉스는 가족을 모두 불러 모았다. 컴컴한 동굴 속을 몇 개의 횃불이 희미하게 밝혀준다.]

닉스 얘들아, 하나뿐인 너희 이 엄마는 너희를 남자 없이 무정란 알처럼 출산했어. 그래서 너희들에게 부여한 독자적인 운명을 어떻게 꾸려 가는지 확인하고 싶어서 만나자고 했다. 최근에 어떤 일을 하고 있는지 궁금하구나. 에리스, 너는 다른 형제자매들에게 대체로 영향력이 큰 존재니까, 너부터 말해 보거라.

에리스 네, 어머니. 이번엔 정말 큰일을 했어요. 트로이 전쟁은 제가 일으킨 것이어요.

닉스 트로이 전쟁! 그거야말로 기념비적이고 역사적인 일이구나. 그걸 네가 어떻게 일으켰다는 거냐?

에리스 테티스한테서 제가 개인적으로 모욕받았다고 느낀 게 그 시작이었어요. 테티스와 펠레우스의 결혼식에 전 초대받지 못했거든요. 즐거운 결혼식에 불화를 원치 않는다고 절 보고 나가달라고 했어요.

닉스 다른 형제들과 마찬가지로 넌 어차피 네 생각대로 하는 애가 아니냐.

에리스 어머니는 저를 잘 아시지요. 그날 결혼식에서 그들에게 전 황금 사과를 한 개 던져주었어요. 그 사과에는 "최고의 미녀에게"라는 글귀가 적혀 있었지요.

닉스 자연히 여자들 사이에 다툼이 있었겠구나.

에리스 다툼이 있고말고요! 아테나, 헤라, 아프로디테, 세 여신이 나서서 각각 그 사과의 임자는 자기라고 주장했어요. 제우스는 식장의 질서를 잡아야 한다면서, 이 문제는 나중에 해결해주겠다고 약속했지요.

닉스 그래서 해결을 보았니?

에리스 네. 제우스가 직접 해결하지 않고 심사권을 트로이의 프리아모스 왕의 아들 파리스에게 주었어요.

닉스 그래서 파리스는 누굴 선택했니?

에리스 아프로디테요. 아프로디테가 제안한 상급을 파리스는 최상의 상급으로 간주했지요. 세상에서 가장 아름다운 여자, 바로 스파르타의 메넬라우스 왕의 아내 헬레네를 상급으로 약속했던 거예요.

닉스 네가 말썽 일으킬 때 보면 넌 정말 한몫 단단히 한다니까. 헬레네가 메넬라우스와 혼인할 때 신랑을 발표하기 전에, 그 여자 아버지가 다른 수많은 구혼자들과 맺은 협정이 있단다. 그 협정을 내가 알고 있지.

에리스 구혼자들은 모두 그리스 지도자들이었지요. 이들은 헬레네를 영원히 보호해주겠다고 약속했거든요. 그 결과 일천 척의 배들이 트로이 공격에 나서게 된 것이지요.

닉스 트로이 전쟁이 그렇게 시작이 된 거구나. 그게 바로 내가 말하는 투쟁이란 거다. 에리스, 네가 자랑스럽다. 넌 과연 네 이름에 걸맞게 부끄럽지 않은 삶을 살고 있어서 기쁘다.

에리스 고맙습니다, 어머니.

(에리스는 자리에 앉는다. 모모스가 끼어든다.)

모모스 에리스는 불화를 일으키려면 차라리 제우스와 하데스와 포세이돈 사이에 싸움을 일으키는 게 나았지요. 저에게 물으시면 그렇게 대답하겠어요.

닉스 모모스, 첫째, 너에게 아무도 묻는 사람은 없고, 둘째, 넌 무슨 일에나 항상 불평분자가 아니냐.

에리스 모모스, 넌 언제나 누구하고나 트집만 잡으려고 들어. 황소머리에 달린 뿔 갖고도 제우스를 비판했으니까.

모모스 그 문제라면 난 지금도 제우스를 비판할 수 있어. 황소 뿔은 머리 대신에 어깨에 달렸어야 옳아. 그건 상식이야. 황소 어깨가 가장 힘센 부분이니까.

닉스 알았다, 모모스. 불평은 이제 그만하고 어쨌든 너도 여전히 너의 특별한 방식으로 생활을 유지하고 있는 걸 보니 기쁘다. 히프노스, 넌 에리스의 트로이 전쟁에서 무슨 역할을 했느냐?

(반응이 없다.)

에리스 자고 있어요, 어머니. 히프노스가 쉽게 잠드는 건 아시지요.

(닉스는 그의 아들에게 다가가서 그를 깨운다.)

닉스 히프노스, 히프노스, 트로이 전쟁에서 네가 한 일을 말해보아라.

(히프노스는 잠결에서 깨어난다.)

히프노스 뭐라고요? 오— 네, 제 역할은 제우스하고 함께하는 거였어요.

닉스 그래?

히프노스 추측하시겠지만, 헤라는 그리스 편을 들었어요. 제우스는 어느 편도 들지 말고 중립을 지키라고 경고했지요.

닉스 헤라가 중립을 지키기는 어려웠겠다. 트로이의 파리스가 가장 아름다운 여인으로 헤라를 선택하지 않았으니 말이야.

히프노스 헤라는 그리스 편을 위해 전쟁에 관여하기를 원했지요. 그렇지만 제우스는 이다산 꼭대기에서 전쟁 상황을 지켜보고 있었거든요.

닉스 그 전쟁에서 네가 한 일이 무언데?

히프노스 그 얘기를 하려는 참이에요, 어머니. 헤라는 제우스를 애무해서 기분좋게 만족시켜준 후, 절 보고 제우스를 재워달라고 했어요.

닉스 그래서 그렇게 했니?

히프노스 사랑에 흠뻑 녹은 몸이니, 잠이야 저절로 오지 않겠어요?

닉스 헤라가 그래서 그리스 편을 돕기 위해 전쟁에 간섭했구나.

히프노스 그랬지요.

닉스 좋다, 히프노스. 넌 다시 자거라. 케르, 네 얘기 좀 들어보자. 에리스의 투쟁으로 너도 바빴겠구나.

(*뾰족한 집게발이 달린 멸망의 여신 케르는 피범벅인 코트를 입고 있다.*)

케르 눈코 뜰 새 없이 바빴지요, 어머니. 그 많은 시체들을 지하 세계로 끌고 가느라고 제 코트가 온통 피범벅이 된 게 보이지요? 너무 지쳐서 지금까지도 제 등짝이 쑤셔요.

닉스 불평하지 마라, 케르. 멸망의 여신으로서 가장 즐거운 활동을 그렇게 할 수 있는 때가 드물지 않으냐.

케르 저는 정말 제가 하는 역할을 즐겨요. 그래도 때로는 쿡쿡 쑤시는 등짝이 힘들어요.

닉스 넌 괜찮아. 넌 남보다 오래 살 거야. 자, 이제, 게라스, 노인 심판자인 넌 트로이 전쟁으로 활동이 단축되었겠구나.

게라스 네, 케르는 노동량이 과도했고 저는 미달이어요. 저하고 씨름해야 할 사람들이 전쟁으로 일찍 죽어버리는 바람에 제 역할을 하지 못한 셈 이지요.

닉스 게라스, 모든 건 공평하단다. 그래서 평형이 유지되는 거야. 너의 괴로 운 몫을 분산할 때도 올 것이다.

게라스 그때를 위해서 힘을 단련하고 있어요.

닉스 운명의 여신, 나의 세쌍둥이 딸들은 어땠는가?

클로토 우리가 이미 맞춰서 정해 놓은 운명의 과정을 트로이 전쟁에서 방해 하는 자가 없는지 감독하고 확인하는 일을 했지요.

닉스 방해자가 있었니?

클로토 네. 제우스요. 그의 아들 사르페돈이 파트로클로스 손에 죽었을 때 아 들의 죽음을 연기하고 싶어 했어요.

닉스 그걸 네가 허락해서는 안 되지. 누구도 운명의 여신의 지배력을 넘보 고 빼앗을 수는 없다.

(*타나토스가 끼어든다.*)

타나토스 그런데 누나들이 히프노스와 저에게 사르페돈의 시신을 전쟁터에서 리키아로 옮기는 것을 용인해주었어요. 리키아에서 명예를 손상치 않 는 매장을 그에게 해줄 수 있도록 말이지요.

닉스 그건 잘한 일이다. 우리에게도 온정이라는 게 아주 없는 건 아니니까. 타나토스, 전쟁 때문에 네가 해야 할 역할이 컸겠구나.

타나토스 저야 뭐 허구한 날 죽은 자들 머리털을 싹둑싹둑 자르는 게 일이니까

요.

닉스 시체들은 하데스에게 적절히 헌납되었겠지. 이제 내 자식들 얘기는 그 정도면 다 들은 것 같구나.

네메시스 어머니, 저를 잊으셨군요.

닉스 오, 나의 아름다운 딸 네메시스, 내가 어찌 너를 잊겠느냐?

네메시스 어머니도 아마 인간의 습성을 닮아가시는가 봐요. 인간들은 저를 잊어 버리려고 해요. 인간들은 저를 무시하고 온갖 악한 일에 열중할 수 있 다고 믿나 봐요.

닉스 그럴 리가 있겠느냐, 네메시스?

네메시스 네, 그래서는 안 되겠지요. 저는 지금은 그저 제 시간을 벌고 있을 뿐 이어요. 트로이 전쟁에서 벌어진 악한 만행들이 어떻게 징벌을 피하고 넘어갈 리 있겠습니까? 저의 때가 올 것입니다.

닉스 자 이제 내 자식들의 얘기를 모두 들었다. 내가 너희들 출산 때 심어 준 원래의 방식에 따라 모두가 독립적으로 부끄럽지 않게 살고 있는 걸 보니 내 마음이 기쁘다. 다음에 또 만나기로 하고, 엄마와 작별 키 스를 하자.

(*닉스의 자식들은 하나씩 어머니에게 키스하고 동굴을 떠난다.*)

45

튄다레오스와 불경스러운 저주

등장인물

튄다레오스	헬레네	안드로마케
메넬라우스	헤르미오네	펠레우스

[페이드인: 실내. 스파르타. 궁전. 메넬라우스와 헬레네는 방금 트로이에서 돌아왔다. 메넬라우스의 장인 튄다레오스는 그의 딸과 사위를 포옹한다.]

튄다레오스 헬레네, 메넬라우스, 나의 딸과 사위인 너희들을 다시는 못 보는 줄 알았다.

메넬라우스 한동안 저도 그렇게 생각했습니다.

헬레네 스파르타에 돌아오니 기쁘기 그지없지만 아내로서의 제 처신에 부끄러움을 느낍니다.

메넬라우스 헬레네, 자책하지 말아요. 파리스가 당신을 유괴한 일이오.

헬레네 상황은 그랬지만 그럼에도 저는 불륜의 죄를 범한 아내여요.

튄다레오스 딸아, 내가 잘못해서 그렇게 된 부분도 있다.

메넬라우스 어떻게 그렇습니까, 튄다레오스 아버님? 어떻게 아버님의 잘못이 있다는 거지요?

튄다레오스 내가 아프로디테의 석상을 쇠사슬로 묶어놓고 헌제를 드리지 않은 탓에 받는 벌이라네.

헬레네 그래서 저주가 내렸군요.

튄다레오스 그런 거지. 내 아내를 시작으로 우리 가문의 여인들에게 불의의 저주를 내리겠다고 아프로디테가 말했어.

메넬라우스 헬레네가 그 증거로군요. 헬레네 말로는 자기는 제우스가 백조의 형체로 변신해서 레다와 관계하고 낳은 딸이라고 했어요.

헬레네 아버지는 저의 육적인 아버지지만 어머니 말씀에 의하면 전 실제로는 알에서 태어났다고 하셨어요.

튄다레오스 그건 사실이다. 불행히도 레다는 아주 미녀였고 제우스는 미인만 보면 그냥 두지 않았으니까.

메넬라우스 그러면 헬레네의 쌍둥이 오빠 카스토르와 폴리데우케스의 아버지도 제우스로군요.

튄다레오스 난 그 애들의 인간 아버지지.

헬레네 트로이에서 돌아오는 길에 미케네에 들렸는데 아프로디테의 저주가 거기에도 있었어요.

튄다레오스 또 다른 간통죄가 있단 말이냐?

메넬라우스 더 지독한 경우였어요. 미케네에 머물렀을 때 아이기스토스와 클리템네스트라의 장례식이 있었어요.

튄다레오스 뭐라고? 나의 클리템네스트라가 죽었다고? 내 소중한 딸이 죽었어?

메넬라우스 전해드리기 슬프지만 사실입니다.

튄다레오스 어떻게 그런 일이?

헬레네 아버지 때문에 저주받은 클리템네스트라는 아이기스토스와 부정한 연인 사이였어요.

튄다레오스 클리템네스트라와 아이기스토스가? 메넬라우스, 클리템네스트라의 남편인 자네 형 아가멤논은 어떻게 하고?

메넬라우스 형이 저희들과 함께 트로이에 있는 동안 두 사람이 그렇게 밀통한 것 같습니다. 아가멤논이 귀국하자 그 두 사람이 형을 살해했어요.

튄다레오스 그런데 너희 둘이 클리템네스트라와 아이기스토스의 장례식을 지켜 보고 왔단 말이지? 그들은 어떻게 죽었느냐?

헬레네 포키스에서 돌아온 아들 오레스테스가 아버지를 살해한 사련(邪戀)에 빠진 두 사람을 복수한 것이지요.

튄다레오스 아프로디테의 복수는 만족을 모르고 끝이 없구나. 불륜의 벌이 모친 살해까지 뻗쳤으니.

헬레네 아버지, 한 가지 위로가 되는 건, 우리의 또 다른 자매 티만드로는 저 주받지 않고 잘 있잖아요.

튄다레오스 그 애도 무사하지 않다.

헬레네 티만드로와 아르카디아의 에케모스 왕의 결혼은 행복했잖아요.

튄다레오스 네 말대로 전에는 행복했었는데 지금은 그 애가 남편을 버리고 아들 도 버렸어. 둘리키움의 필레오스 왕 때문이지.

헬레네 아프로디테는 결국 우리 집안 모두에게 저주를 내린 셈이군요. 저의 딸 헤르미오네만은 제발 무사하기를 빕니다. 제가 유괴된 후로 그 애 를 보지 못했으니 벌써 9년이 흘렀네요.

메넬라우스 헤르미오네가 무사하기를 기도합니다. 그 애는 아킬레스의 아들 네 오프톨레무스와 약혼한 사이어요. 사실 우리 아이들의 결혼은 정해졌 고, 신랑은 곧 이곳에 올 예정입니다, 아버님.

헬레네 그렇지만 헤르미오네는 트로이 원정 이전, 어린 시절에 나의 조카 오 레스테스와 이미 약혼한 사이잖아요.

메넬라우스 난 트로이에서 네오프톨레무스와 내 딸과의 결혼을 약조했소. 여보, 그뿐 아니라 지금 상황으로 보아 오레스테스는 모친 살해범으로 복수 의 여신들이 따라다녀서 고통을 벗어날 수 없을 거요.

튄다레오스 내 생각으로는 우리 손녀딸이 아킬레스의 아들과 결혼하는 게 좋겠다.

헬레네 네, 아버지. 거대한 결혼식이 되도록 최선을 다하겠어요. (페이드아 웃.)

[페이드인: 실내. 결혼식 날 헤르미오네의 침실. 헬레네는 결혼식 전에 딸을 살펴주고 있다.]

헤르미오네   네오프톨레무스는 고귀하고 잘생겼어요. 그런데요, 어머니, 제 마음 속에는 오레스테스가 항상 내 신랑감으로 자리 잡고 있었어요.

헬레네   나도 알고 있다, 얘야. 그렇지만 너의 아버지가 네오프톨레무스하고 약조를 했으니, 네 운명으로 받아들여야지 어떻게 하겠니. 그뿐 아니라 오레스테스는 복수의 여신들로부터 괴로움을 당하고 있어. 오레스테스가 그 여신들 손에서 벗어나기는 어려울 거야.

헤르미오네   문제는 또 있어요, 어머니. 안드로마케가 문제여요.

헬레네   헥토르의 미망인, 레오프톨레무스의 첩 말이구나. 남자들에게는 첩을 둘 수 있는 특권이 있다는 걸 너도 알고 있겠지.

헤르미오네   알고 있는데요, 이거야말로 정말 가장 불공평한 특권이라고 저는 생각해요.

헬레네   나도 동감이야. 그렇지만 남자들 중심 세계에 사는 우리 여자들은 그걸 받아들일 수밖에 없단다.

헤르미오네   저도 알아요. 네오프톨레무스에게 좋은 아내가 되도록 최선을 다 할게요. 걱정 마시고 믿어주세요.

(*헬레네는 헤르미오네에게 키스하고 결혼식을 향해 침실을 나간다.* 페이드아웃.)

[페이드인: 실내. 몇 년 후. 프티아. 네오프톨레무스의 할아버지이고 아킬레스의 아버지인 펠레우스의 궁전. 헤르미오네는 그녀의 불임의 원인이 안드로마케 때문이라며 화가 몹시 나서 그녀를 비난한다.]

헤르미오네   안드로마케, 난 당신이 마녀인 걸 알고 있어요. 나의 불임은 당신 책임이요. 당신이 나한테 마법을 걸고 있어요!

안드로마케 내가 마녀라고요? 당신은 잊어버린 모양인데, 헤르미오네, 네오프톨 레무스는 헥토르와 나 사이의 유일한 아들을 트로이 성벽 아래로 던 졌어요. 내가 마녀였다면 내 아들 아스티아낙스를 그대로 죽게 두지 않았겠지요. 분명히 살렸을 겁니다.

헤르미오네 그때는 그렇다면 당신은 마녀가 아니었나 보군요. 그러나 지금은 마 녀여요. 그렇지 않고서야 당신은 네오프톨레무스에게 아들을 셋이나 낳아주고 나는 하나도 못 낳는 이유가 뭡니까?

안드로마케 그 세 아들이 차라리 당신 배에서 나왔더라면 좋았을 걸 그랬어요. 내가 낳은 아이들이지만 난 그 아버지를 증오합니다. 이곳을 떠날 방 법만 안다면 난 프티아에 있지 않을 것입니다.

헤르미오네 당신은 프티아를 떠날 것이 아니라, 이 세상에서 아주 떠날 것이오.

(헤르미오네는 소매 속에서 단도를 꺼내어 안드로마케를 향해 위협적으로 다가 선다. 안드로마케는 비명을 지른다. 그녀의 비명을 듣고 펠레우스가 달려 들어 온다. 그는 헤르미오네의 손에서 단도를 뺏고 안드로마케를 위로한다.)

펠레우스 헤르미오네! 정신 나갔느냐?

헤르미오네 네, 제정신은 네오프톨레무스와 결혼할 때 이미 나갔어요. 저는 어린 시절부터 오레스테스와 약혼한 사이어요. 결혼은 그 사람하고 했어야 합니다. 저의 불임은 그때의 약속을 저버렸기 때문에 받는 벌이라고 믿습니다.

펠레우스 네오프톨레무스는 지금 너의 불임의 원인을 알아보려고 델피의 신전 으로 갔다.

헤르미오네 그가 돌아왔을 때는 전 이곳에 없습니다. 저는 진정한 제 남편 오레 스테스를 찾아 스파르타로 갑니다.

펠레우스 여기서 일어나는 일들을 보면 널 붙잡아둘 생각이 없다.

(헤르미오네는 떠나고 펠레우스는 아직도 울고 있는 안드로마케를 위로하고 있다. 페이드아웃.)

[페이드인: 실내. 스파르타. 궁전. 튄다레오스, 메넬라우스, 헬레네.]

튄다레오스 오레스테스가 델피에서 네오프톨레무스를 죽였다고? 헬레네, 너 지금 그렇게 말했느냐?

헬레네 유감스럽게도 그렇습니다.

튄다레오스 이 일에 헤르미오네가 관련되었느냐?

헬레네 그런 것 같아서 걱정이어요. 그 애가 오레스테스와 결혼했어요.

튄다레오스 아프로디테의 불경스러운 저주가 한 바퀴 완전히 돌아, 내 손녀에게까지 뻗쳤구나.

헬레네 저주는 멈출 줄 모르고 계속 내리고 있어요.

튄다레오스 살인, 모친살해 — 살인 범죄들이 끊이지 않는구나.

메넬라우스 튄다레오스 아버님, 아버님은 최소한 아프로디테에게 상처 입힌 자는 결코 무사할 수 없다는 사실을 깨닫게 되셨군요.

튄다레오스 깨달았지. 깨닫는 그 대가가 너무도 크구나.

헬레네 그 대신 아버지의 실수를 통해서 그만큼 다른 사람들이 배우지 않겠습니까?

튄다레오스 내가 받는 저주가 궁극적으로는 다른 사람들에게 좋은 교훈이 되기를 기도한다.

(헬레네와 메넬라우스는 튄다레오스를 위로하고 그의 기도에 동참하는 뜻으로 고개를 끄덕인다.)

46
퀴벨레: 남녀추니

<table>
<tr><td colspan="3" align="center">등장인물</td></tr>
<tr><td>제우스</td><td>헤르메스</td><td>나나</td></tr>
<tr><td>포세이돈</td><td>퀴벨레</td><td>아티스</td></tr>
<tr><td>하데스</td><td></td><td></td></tr>
</table>

[페이드인: 옥외. 올림포스산. 제우스, 포세이돈, 하데스, 헤르메스.]

제우스 여러분을 이렇게 모이게 한 건 지금 우리 앞에 위기가 닥쳤기 때문이오.

포세이돈 무슨 위기요, 제우스?

제우스 프리기아를 방문하던 중 난 딘디모스산에서 잠시 잠이 들었소 잠자는 동안 내 몸의 종자 씨가 땅에 떨어졌는데, 그 씨에서 이상한 존재가 자란 거요.

하데스 어떤 이상한 존재요?

제우스 여성과 남성의 두 기관을 다 가지고 있는ㅡ 이를테면 남녀추니, 양성체요.

하데스 그 종자가 당신 몸에서 나왔다면 물론 신이겠군.

제우스 그렇소, 하데스, 그래서 걱정이오.

포세이돈 아, 그대가 걱정하는 이유를 알겠네. 양성을 다 갖고 있는 신이라면 우리들 누구보다도 우월할 수 있으니, 그게 걱정되겠구나.

제우스 정확히 바로 그거요, 포세이돈. 그 문제가 바로 나의 우월성과 당신들 우월성을 위험에 빠트릴 수 있다는 거지요.

헤르메스 제가 제안을 하나 할까요, 제우스.

제우스 그래, 헤르메스.

헤르메스 그 존재의 남근을 제거하면 어떻겠습니까? 그에게 여성성만 남겨두면 올림포스에서 그녀의 역할은 줄어들 텐데요.

포세이돈 그렇게 하면 해결되겠네.

제우스 헤르메스, 너의 제안이니, 네가 그 역할을 맡아주면 좋겠다.

헤르메스 네, 낫을 가지고 즉각 처리하겠습니다. (페이드아웃.)

[페이드인: 옥외. 프리기아. 딘디모스산. 양성체를 지닌 남녀추니 퀴벨레가 잠들어있다. 헤르메스가 낫을 들고 다가간다. 솜씨 빠른 그가 잽싸게 단번에 퀴벨레의 남근을 자르자 남근은 땅에 떨어진다. 순식간에 당한 퀴벨레는 깨어서 고통으로 울부짖는다.]

헤르메스 당신이 양쪽 성기를 모두 지닌 신이 되는 걸 신들은 바라지 않아요. 신들의 뜻을 받아들이기 바라오. 당신은 여신 퀴벨레가 되어 존경받고 존중될 것이오.

퀴벨레 내 운명을 받아들이겠어요. 난 불행하지 않아요. 나의 남근에 무슨 일이 일어났는지 보세요.

(*퀴벨레의 남근이 떨어진 자리에서 아몬드나무가 솟아난다.*)

헤르메스 퀴벨레, 이 아몬드나무는 당신의 또 다른 자아의 표현이 되는 것이오.

퀴벨레 나의 또 다른 자아는 영원히 사라졌습니다.

헤르메스 그거야 두고 봅시다, 퀴벨레.

(*헤르메스는 떠난다.* 페이드아웃.)

[페이드인: 옥외. 프리기아. 딘디모스산. 강신 산가리우스의 딸 나나가 아몬드나무 아래 앉아있다. 그녀가 앉아있는 동안 아몬드열매 한 개가 그녀의 무릎 위에 떨어진다. 무릎 위의 아몬드를 느낀 그녀가 이를 손에 쥐려고 하자 열매는 그녀의 자궁 속으로 들어간다. 이에 깜짝 놀란 나나는 겁에 질려 급히 달아난다. 페이드아웃.]

[페이드인: 옥외. 프리기아. 딘디모스산. 9개월 후. 똑같은 아몬드나무 아래서 나나는 아름다운 사내아이를 방금 낳았다.]

나나 넌 정말 아름다운 귀공자로 생겼구나. 내 아들아, 그렇지만, 너를 잉태하게 된 이 황당한 조롱거리를 나로선 감당할 수 없단다. 너를 비바람과 짐승의 먹잇감으로 내몰 수밖에 달리 선택이 없구나, 아가야.

(*나나는 아기를 나무 밑에 놓고 급히 사라진다. 지나가던 산양이 아기를 보고 멈춰서 아기에게 젖을 먹인다. 그리고 아기를 보호하며 그 곁을 맴돈다.* 페이드아웃.)

[페이드인: 옥외. 프리기아. 딘디모스산. 수년 후. 아기는 이제 아티스라는 이름의 미남 청년으로 성장하였고 여전히 산양들과 어울려 지낸다. 그러나 그의 빼어난 용모와 고귀한 자태는 그 고을에서도 유명하다. 퀴벨레는 그를 본 즉시 그에게 끌린다.]

퀴벨레	아름다운 청년이여, 난 땅의 여신 퀴벨레라고 하는데 당신 이름은 무엇인가요?
아티스	어머니가 지어준 이름은 아니지만 모두들 아티스라고 부릅니다.
퀴벨레	아, 그래요. 어떻게 그렇게 되었나요?
아티스	저는 어머니가 누군지 모르고 산양 젖을 먹고 컸어요. 저를 낳아준 어머니가 아마 저를 이곳에 버린 모양입니다.
퀴벨레	산양이 당신을 먹이고 키웠으니 얼마나 다행인가요. 당신처럼 아름답고 고결한 청년이 세상에 없었더라면 정말 애석할 뻔했어요.
아티스	산양들이 돌봐주어서 전 무척 행복합니다. 여기 딘디모스산에서 보내는 생활이 너무 좋아요.
퀴벨레	당신 같은 사람이 딘디모스산에 있는 것을 알았으니 내 삶도 훨씬 즐거워지겠네요. 곧 또 만나요, 아티스.

(아티스에게 홀딱 반한 퀴벨레는 떠난다.)

[페이드인: 옥외. 몇 개월 후. 퀴벨레와 아티스는 딘디모스산의 아몬드나무 아래서 정열적인 애정 행위를 벌인다.]

퀴벨레	오, 아티스, 아티스. 이렇게 황홀경에 빠져본 적이 없어요. 사랑해요. 사랑해요.

(퀴벨레는 열정적으로 아티스를 끌어안고 사랑의 표시를 퍼붓는다.)

아티스	퀴벨레, 당신은 땅의 여신으로서 남자를 즐겁게 해주는 방법을 확실히 알고 있군요.
퀴벨레	내가 당신을 즐겁게 해줘서 좋다면 그건 나의 즐거움도 됩니다. 내 사

랑, 이런 사랑은 난생 처음이에요. 당신은 마치 나 자신이 확대된 느낌
이에요. 당신에 대한 내 사랑은 너무나 완벽해요. 당신과 한 몸이 될
때 난 속으로 깊은 희열감을 체험해요. 오, 아티스, 아티스, 아티스.

(*퀴벨레는 아티스와 야성적인 육욕에 빠져있다. 페이드아웃.*)

[페이드인: 옥외. 딘디모스산. 몇 개월 후. 아티스는 퀴벨레와의 약속 시간에 늦
는다. 그녀는 굶주린 야수가 먹잇감을 찾듯 욕구를 채우기 위해 아티스를 기다
리고 있다. 마침내 아티스가 도착하자마자 퀴벨레는 그에게 와락 덤벼든다.]

퀴벨레   아티스, 어디 갔었어요? 당신을 만지고 싶어 미치겠어요.
아티스   잠깐 기다려요, 퀴벨레. 저- 저- 늦어졌어요.

(*퀴벨레는 아티스 살을 비벼댄다. 말 그대로 겁탈하듯 덤빈다. 그녀의 극도의 욕
정에 아티스도 빠져든다.*)

아티스   퀴벨레, 당신만큼 애정 행위에 능숙한 여자는 또 없을 겁니다.

(*잠시 후, 욕정을 푼 퀴벨레가 말한다.*)

퀴벨레   나만큼 애정 행위에 능숙한 여자는 또 없다고 한 그 말은 무슨 뜻이어
          요? 다른 여자와도 사랑 행위를 했어요?
아티스   그건, 저- 내가-
퀴벨레   누가 있군요! 그래서 늦게 나타난 거군요. 그 여자가 누구여요?
아티스   꼭 알고 싶다면- 페시노스 왕의 딸이어요.
퀴벨레   아티스, 당신이 어떻게 그럴 수가?

아티스	이왕 알게 됐으니까 더 얘기할게요.
퀴벨레	더라니? 할 얘기가 또 있어요?
아티스	그 여자하고 결혼할 생각이어요.
퀴벨레	결혼? 난 어떻게 하고요?
아티스	내가 당신만큼 애정 행위를 즐길 줄 아는 여자는 없다고 말했잖아요. 우리의 육체관계를 끝낼 이유는 없어요.
퀴벨레	있고말고. 당신이 그 여자도 갖고 나도 가질 수는 없지.
아티스	이러지 말아요, 퀴벨레. 당신은 날 포기하지 못해요. 나 없이는 재미볼 상대가 없잖아요. 지금도 내가 나타나기가 무섭게 덤벼들어 덮치는 걸 보세요.
퀴벨레	아티스, 말이 심하군. 인간이 신을 통제하려고 들면 그건 선을 넘는 거요.
아티스	퀴벨레, 난 통제하려는 게 아니어요. 당신이 통제력을 잃은 것이지.
퀴벨레	아티스, 내가 이 모욕을 다 갚아줄 거요. 이런 무례함을 그냥 넘어갈 수는 없지.
아티스	진정해요, 퀴벨레, 진정해요. 당신은 지금 통제력을 잃었어요. 당신이 나를 원하는 때는 언제든지 날 찾아오세요. 내가 어디 있는지 잘 아시잖아요.

(아티스는 의기양양해서 미소 짓고 떠난다. 질투심에 불타는 퀴벨레는 아몬드나무를 흔들어대어 아몬드열매들이 우수수 땅에 떨어진다. 페이드아웃.)

[페이드인: 옥외. 딘디모스산. 헤르메스와 퀴벨레.]

퀴벨레	그러니까 아티스는 실제로 그의 어머니 나나의 자궁에 심어진 나의 씨였단 말이군요.
헤르메스	그렇소. 아티스는 실제로 당신의 또 다른 육체의 아들이오.

퀴벨레   그래서 그에 대한 나의 정열이 통제되지 않는 거군요.

헤르메스   그렇소. 아티스는 당신의 살아있는 또 다른 분신이니까.

퀴벨레   남녀추니의 양성체로 태어난 내가, 아티스와 사랑의 그 짓을 한 것은 그렇다면 나 자신과 한 행위나 다름없겠군.

헤르메스   내가 했던 말을 기억하오? 우린 당신의 또 다른 몸이 영원히 사라졌는지 확인하려면 지켜봐야 한다고 한 내 말을 기억하는지 모르겠소.

퀴벨레   영원히 사라지지 않은 것을 알 수 있네요. 그렇지만 이런 상태로 나 자신의 정열을 소진하며 계속 살아갈 수는 없어요.

헤르메스   그건 당신의 의지에 달렸지요. (페이드아웃.)

[페이드인: 옥외. 딘디모스산. 퀴벨레가 아몬드나무 아래 앉아있는 아티스에게 다가온다. 그녀를 본 아티스는 승리감을 느낀다.]

아티스   당신은 날 어디서 찾을 수 있는지 내가 말했지요, 퀴벨레.

퀴벨레   네, 그래서 이렇게 찾아왔어요.

아티스   우리 두 사람의 관계를 깨트릴 이유가 없어요, 퀴벨레.

(*퀴벨레는 아티스 옆에 앉는다.*)

퀴벨레   당신은 내 안에 억제할 수 없는 충동을 일으켜요, 아티스.

(*퀴벨레는 억제할 수 없는 그녀의 강렬한 욕구를 아티스에게 뜨겁게 쏟아내는데, 이는 이전에 아티스가 경험하지 못한 훨씬 더 강렬한 욕정이다. 아티스는 정열적으로 가쁘게 숨을 몰아쉰다.*)

아티스   난 욕정에 미쳤어요, 퀴벨레.

(*퀴벨레는 아티스의 욕정을 극에 달하게 달구어놓고 결정적인 최후의 순간에 그녀는 그와 함께 몸을 불태우지 않는다.*)

아티스　퀴벨레, 나를 만족시키지 않은 상태에서 끝내지 말아요. 이렇게 미친 듯이 당신한테 열광한 적이 없어요. 이런 격정의 광포를 – 느낀 적이 –

(*퀴벨레는 일어선다.*)

아티스　가지 말아요, 퀴벨레. 아직 가지 말아요. 당신을 완전히 소유하게 해줘요.

퀴벨레　통제력을 가지세요, 아티스. 통제력을.

(*퀴벨레는 정욕에 미쳐버린 아티스를 놓아두고 떠난다. 욕정을 참지 못한 아티스는 만족감을 얻기 위해 아몬드나무에 대고 미친 듯이 밀어붙인다. 그 과정에 그의 남근은 심각하게 훼손되어 거세한 효과를 갖게 된다. 그는 나무 밑에 쓰러져 죽는다. 페이드아웃.*)

[페이드인: 옥외. 아몬드나무 아래. 퀴벨레와 그녀의 하인들이 아티스의 시신 앞으로 온다.]

퀴벨레　나의 신전으로 조심해서 모셔라. 그의 시신을 썩지 않게 해주기로 제우스가 약속했다. 그를 기념해서 환관 사제들로 구성된 제사를 제정할 것이고, 그렇게 해서 나의 다른 반쪽 몸인 아티스도 불사신이 될 것이다.

(*하인들은 아티스의 시신을 들고 가고, 퀴벨레는 그를 애도하며 뒤를 따라간다.*)

47
에뤼시크톤의 불경스러운 소행

<table>
<tr><td colspan="3" align="center">등장인물</td></tr>
<tr><td>에뤼시크톤</td><td>데메테르</td><td>기아의 여신</td></tr>
<tr><td>테살로니아 사람</td><td>드라이아드 대표</td><td>메스트라</td></tr>
<tr><td>성스러운 참나무 소리</td><td>오레이아스</td><td>임자</td></tr>
</table>

[페이드인: 옥외. 테살리. 데메테르의 신성한 숲. 숲 한가운데 거대한 참나무 한 그루가 서 있다. 둘레가 450피트나 되는 이 나무는 숲속에서 가장 두드러지게 솟아 있다. 드라이아드 일행은 나무에 화환을 얹어놓고 나무의 님프들을 향해 데메테르를 찬양하는 노래를 부른다. 이들은 서로 손잡고 나무 주위를 빙빙 돌며 춤춘다. 테살로니아 사람들은 드라이아드들의 의식을 지켜보고 있다. 도끼와 밧줄을 들고 나타난 에뤼시크톤과 그 부하들에 의해 드라이아드들의 의식은 중단된다.]

에뤼시크톤 모두 비켜라. 도끼날에 모가지가 날아가지 않으려거든 어서 비켜.

(공포에 질린 드라이아드들은 행복하게 추던 춤을 멈추고 몸을 움츠린다. 왕의 하인들은 성스러운 나무에 접근하기를 주저한다.)

에뤼시크톤 무얼 두려워하느냐? 난 너희들의 왕이다. 너희가 말하는 신들의 특

권이란 걸 난 인정하지 않아. 자, 도끼를 이리 내놔라. 내가 본을 보여
주마!

(*에뤼시크톤은 하인의 손에서 도끼를 낚아채서 나무를 찍으려고 들어 올린다. 그 순간 나무는 바들바들 떨고 한숨짓는다. 나뭇잎과 가지들이 창백해지고 하얗게 변한다. 신성 모독죄가 저질러지는 현장에서 목격자들은 충격을 받는다.*)

에뤼시크톤   훌쩍거리는 무식쟁이들! 데메테르가 나무 속에 들어앉아 있다 해도
나를 막을 수는 없지.

(*에뤼시크톤은 가지 하나를 자른다. 나무는 신음하고 가지가 잘린 자리에서 피가 분수처럼 솟아난다. 피를 본 관중은 벌벌 떨며 물러선다. 관중 가운데 지켜보던 한 사람이 용감하게 앞으로 나서서 더 이상 나무를 베지 못하게 왕을 가로막고 선다.*)

테살로니아 사람   데메테르의 신성한 참나무에 상처입히고 고통 주시려면 저를
먼저 죽이십시오.

에뤼시크톤   미신 같은 의식을 위해서 목숨을 내놓는 너 같은 바보가 죽기를 청
한다면, 오냐, 들어주마.

(*에뤼시크톤은 도끼로 테살로니아 사람의 머리를 내려쳐서 단번에 그의 목을 자른다. 그리고는 신성한 참나무를 마구 베어버린다. 그때 참나무에서 소리가 들린다.*)

성스러운 참나무 소리   난 데메테르 여신의 보호 아래 축복받는 데메테르의 님프
입니다. 당신은 나를 죽이지만, 불경죄를 범한 당신은 합당한 벌을 받

을 것입니다.

에뤼시크톤 여기서 왕은 나라고 했겠다. 나무에서 들리는 죽어가는 그 소리가
　　　　　내 결심을 단념시키지는 못하지.

(*에뤼시크톤은 돌아서서 그의 회초리로 하인들을 몰아세운다. 하인들은 거목에
대고 도끼를 휘두른다. 오래 걸리는 힘든 작업이지만 수없이 많은 도끼질을 한
후, 비로소 나무는 밧줄에 묶여 쓰러진다. 나무는 천둥 같은 소리를 울리면서 땅
에 넘어지고 넘어진 숲의 주변은 납작하게 되었다.*)

에뤼시크톤 자네들은 이제 이 숲의 주인이 누군지 알겠는가? 내 연회장 건설에
　　　　　필요한 충분한 목재는 확보되었다.

(*에뤼시크톤이 떠나자 드라이아드들은 테살로니아 사람의 매장 준비를 위해 시
신을 들어 올린다. 페이드아웃.*)

[페이드인: 옥외. 곡식밭. 데메테르는 밭 한가운데 서 있고 검은 상복을 입은 드
라이아드들이 데메테르에게 가까이 온다.]

데메테르 사랑하는 나의 님프들아, 웬 상복이냐?
드라이아드 대표 성스러운 참나무에 사는 데메테르 여신의 사랑하는 님프가 불
　　　　　경스러운 에뤼시크톤에 의해서 살해되었어요.

(*드라이아드들은 모두 신음하며 운다.*)

데메테르 나의 님프가 참나무 안에 있는데 그대로 나무를 잘라냈단 말이냐?
드라이아드 대표 연회장을 짓는 목재가 필요하다면서 그렇게 했습니다.

데메테르 연회장이라고 했니? 그가 과연 연회장을 사용할 수 있을지 두고 보자. 상복은 잠시 제쳐 놓아라, 얘들아. 에뤼시크톤에게 내가 꼭 같은 방법으로 갚아줄 것이다. 가서 오레이아스를 불러오너라. 그 애에게 심부름시킬 일이 있다.

(드라이아드들은 데메테르와 포옹하고 한결 가벼워진 마음으로 떠난다. 페이드 아웃.)

[페이드인: 옥외. 그 후. 산의 님프 오레이아스가 데메테르 앞에 서 있다.]

오레이아스 저에게 임무가 있다고 드라이아드들이 보내서 왔어요.
데메테르 그렇다, 얘야. 에뤼시크톤에게 기아의 벌을 내릴 계획이다. 너도 알겠지만 나하고는 서로 극과 극인 기아의 여신을 내가 마주 볼 수 없지 않겠니.
오레이아스 그렇지요. 풍요의 여신과 기아의 여신이 한자리에 설 수 없지요.
데메테르 바로 그거야. 기아의 여신은 스키티아 가장 북쪽 끝에서 그녀의 동반자들인 팔로르와 공포의 여신과 같이 살고 있어. 기아의 여신에게 가서 에뤼시크톤을 처치해주기를 내가 원한다고 전해다오. 그 왕의 핏줄과 내장에 속속들이 침투해서 아무리 먹어도 절대 포만감을 못 느끼게 해달라고 전해라. 언제나 배가 고픈 상태로 있도록 말이다.
오레이아스 새로 짓는 연회장이 쓸모없어질 것을 왕은 전혀 예측하지 못하겠군요. 그렇지요?
데메테르 그렇지. 영원히 쓸모없을 것이다. 얘야, 내 마차를 타고 가거라. 날개 달린 뱀들이 너를 싣고 황급히 다녀올 것이다.

(오레이아스는 데메테르의 마차에 오른다.)

데메테르 그리고 조심해야 한다. 기아의 여신 옆에 너무 가까이 가지 않도록 조심해라. 잘못하면 너를 마법에 걸 수도 있으니까.

오레이아스 조심하겠어요, 데메테르 어머니.

(*오레이아스는 데메테르의 마차를 타고 날아간다. 페이드아웃.*)

[페이드인: 옥외. 코카서스산. 오레이아스는 산 위에 마차를 세운다. 그녀는 돌밭 황무지에 웅크리고 앉아 있는 기아의 여신을 발견한다. 기아의 여신의 머리는 봉두난발이고 두 눈은 움푹 패었고, 얼굴은 흐릿한 달빛이고 입술은 잿빛이다. 활처럼 굽은 등은 숙폐로 헐벗었고 피부는 뼈마디에 어찌나 얇게 펴져 있는지 내부의 오장육부가 그대로 들여다보인다. 넓적다리뼈는 허리 위로 튀어나와 있다. 둥근 배가 있어야 할 곳은 푹 꺼진 동굴 같다. 젖가슴도 없고, 갈비뼈와 흉측한 이음뼈들만 보인다. 오레이아스가 그녀를 부를 때 기아의 여신은 갈쿠리 같은 손가락과 이빨로 풀을 뜯어 먹고 있었다.]

오레이아스 기아의 여신이여, 데메테르 어머니의 심부름으로 왔습니다. 데메테르 어머니는 당신이 테살리의 에뤼시크톤 왕에게 저주를 내려주시기를 청하십니다.

(*기아의 여신은 늘쩍지근하고 금이 간 목소리로 대답한다.*)

기아의 여신 데메테르와 나의 역할은 서로 상극이지만 그녀의 요청을 존중하겠다.

(*오레이아스는 기아의 여신이 풍기는 오싹한 한기를 벗어나 급히 마차에 오른다. 페이드아웃.*)

[페이드인: 실내. 침실. 에뤼시크톤 왕이 침대에 잠들어있다. 기아의 여신은 그의 침대에 올라와서 애인이 포옹하듯 그를 끌어안고 그의 목과 입술에 키스하고, 그 몸의 털구멍마다 아무리 먹어도 배부름을 모르는 굶주림을 불어넣는다. 임무를 끝낸 기아의 여신은 떠난다. 여신이 임무를 수행하는 동안 에뤼시크톤은 계속 잠을 자면서 연회장 식탁에 앉아있는 꿈을 꾼다. 이빨을 우두둑 갈고 입술을 쩝쩝거리며 먹는 꿈을 꾸면서 계속 잠을 잔다. 그는 배가 고파 미치겠다는 듯 잠에서 깬다. 그리고 하인을 부른다.]

에뤼시크톤   음식을 차려와라. 당장! 빨리! 빨리!

(*하인은 급히 나가서 음식을 잔뜩 들고 돌아온다. 에뤼시크톤은 걸신들린 듯 먹어댄다. 게걸스럽게 먹어치우고, 먹으면서 또 주문하고, 계속 음식을 가져오라고 한없이 요구한다.* 페이드아웃.)

[페이드인: 실내. 연회장. 에뤼시크톤 왕은 이제는 강박관념에 걸린 사람처럼 음식을 먹으면서 식탁에 앉아있다. 다 헐어 빠진 옷을 입은 그의 딸 메스트라는 아버지를 놀라운 눈으로 지켜본다.]

메스트라   아버지, 아버지의 음식에 대한 집착을 저는 이해할 수가 없어요.
에뤼시크톤   나도 이해 못 하겠다. 그렇지만 먹으면 먹을수록 만족감이 줄어들고, 먹을 때마다 점점 더 배가 고프니 어째야 좋으냐. 계속 음식을 찾게 된다.
메스트라   아버지의 그칠 줄 모르는 식욕을 채우려고 재물을 몽땅 팔았으니 이제 어떻게 하실 겁니까? 모두 팔아 없어서 남아있는 물건이 하나도 없어요.

(*에뤼시크톤은 딸의 얼굴을 의미심장한 표정으로 뚫어지게 들여다본다.*)

메스트라 안 돼요! 아버지, 저를 팔 수는 없어요!

에뤼시크톤 메스트라, 이해 못 하겠느냐? 내 식욕을 채우기 위해서 난 무엇이든
지 해야 한다.

메스트라 안 돼요! 안 돼요!

*(메스트라는 궁 밖으로 뛰어나가서 바닷가로 간다. 그곳에서 그녀는 무릎을 꿇
고 기도한다.)*

메스트라 저의 증조할아버지 포세이돈이여, 당신의 증손녀에게 자비를 베풀어
주세요. 아버지가 미쳤어요. 식욕을 채우려고 저를 노예로 팔겠다고
하십니다. 간곡히 청하오니 저를 구해주세요.

(탄원의 기도를 끝내자, 아버지로부터 딸을 산 임자가 바닷가에 나타난다.)

임자 거기 있었구나, 메스트라. 내가 너의 새 주인이다. 너의 아버지가 너를
내게 팔았어.

*(메스트라는 그에게서 도망간다. 새 임자는 도망가는 그녀를 보지만 그녀는 이
내 시야에서 없어진다. 바닷가에 보이는 유일한 사람은 어부뿐이다.)*

메스트라 *(바다 쪽을 향하여)* 증조할아버지, 고맙습니다. 저를 변신시켜주신 은
혜를 감사합니다.

(임자는 변신한 메스트라에게 다가온다.)

임자 어이, 여보시오! 다 헐어빠진 옷을 입은 소녀가 지나가는 거 보지 못

했소?

메스트라 아니요, 못 보았는데요. 고기 잡는 데 신경 쓰느라고요. 나 말고 또 다른 어부가 여기 있다면 난 더 잡지 못 할 것이오.

임자 소녀가 도망간 게 틀림없어. 대체 어떻게 도망갔는지 모르겠군. 아주 교묘하게 빠져나갔단 말이오.

(*임자는 그의 갈 길을 간다. 페이드아웃.*)

[페이드인: 실내. 연회장. 에뤼시크톤과 메스트라.]

에뤼시크톤 네가 여러 형태로 변신하는 능력이 있어도 내 식욕을 만족시켜주지는 못한다.

메스트라 정말 안됐어요. 저도 이젠 더 이상 어떻게 할 길이 없어요.

(*메스트라는 아버지를 떠난다. 에뤼시크톤은 자신의 몸을 보고 팔을 한입 문다.*)

에뤼시크톤 만족할 수가 없어. 절대 만족이 안 돼. 내 굶주린 배는 죽어도 채워질 수가 없구나.

(*데메테르가 나타난다.*)

데메테르 절대 채워지지 않지, 에뤼시크톤. 나의 님프에 대한 복수를 완전히 갚기 전에는 네 배는 항상 굶주려있을 것이다. 죽을 때까지 너의 몸을 뜯어먹어라.

(*미친 듯이 자기 몸을 갉아 먹는 에뤼시크톤을 두고 데메테르는 떠난다.*)

48

바보 미다스 왕

등장인물

미다스	실레노스	트몰로스
어머니	디오니소스	아폴로
농부	판	노예

[페이드인: 실내. 프리기아. 궁전. 미다스 왕과 그의 어머니.]

미다스 어머니, 아버지와는 어떻게 결혼하시게 된 거예요? 얘기 좀 해주세요. 어머니는 리키아의 텔메소스 출신인데 어떻게 두 분이 만나셨나요?

어머니 미다스, 얘야, 너의 아버지는 왕족이 아니고 비천한 농부였어. 어느 날 밭을 갈고 있는데 독수리 한 마리가 내려오더니 경작하는 멍에 위에 하루 종일 앉아있더란다. 너도 알다시피 독수리는 제우스의 새가 아니냐. 너의 아버지는 이걸 예언의 표시로 받아들였지. 그래서 리키아의 텔메소스로 왔단다.

미다스 텔메소스 사람들은 예언자들이지요, 그렇지요?

어머니 그래 맞아. 어쨌든 너의 아버지 고르디오스가 텔메소스에 도착했을 때 그의 눈에 처음 띈 사람이 우물가에서 물을 긷고 있던 바로 나였어. 경작지에 있던 독수리 얘기를 그때 내게 들려주시더구나.

미다스 어머니는 뭐라고 하셨어요?

어머니　제우스에게 헌제를 드리라고 일렀지. 그러면 언젠가 제우스는 이를 기억하고 있다가, 때가 되면 예기치 않은 재물과 명예를 안겨줄 거라고 했지.

미다스　어머니 말씀이 옳았군요.

어머니　그렇지만 내 예언이 사실로 판명되기까지는 세월이 오래 걸렸다. 고르디오스와 나는 결혼하고 네가 성인이 될 때까지 리키아에서 살았으니까. 그리고는 수레를 타고 프리기아로 돌아왔어. 우리가 광장에 도달했을 때 프리기아 사람들이 우리 수레 주변에 모여들면서 너의 아버지를 왕이라고 부르지 않겠니.

미다스　어째서요?

어머니　신탁이 장래의 왕은 수레를 타고 온다고 했다는구나. 그 사람들은 예언을 믿고 따랐던 거야. 그 신탁의 신이 누구라고 생각하니?

미다스　틀림없이 제우스였겠지요.

어머니　그래. 바로 제우스의 신탁이었어. 그래서 너의 아버지는 그 수레를 제우스에게 헌정하고, 지금은 고르디오스의 매듭으로 알려진 그 매듭으로 꼭꼭 묶어두었단다.

미다스　아직도 그 자리에 묶여있나요?

어머니　아시아를 하나로 통일할 운명의 지배자가 나타날 때까지 수레는 그 자리에 그대로 있을 것이다.

미다스　아버지의 쟁기 위에 앉아있던 독수리의 의미가 이루어진 거군요.

어머니　고르디오스는 천민 출신이었지만 현명하고 공명정대한 왕이었어.

미다스　저도 아버지의 발자취를 따라갈 생각입니다.

어머니　그게 내가 가장 원하는 바다. 그렇지만—

미다스　그렇지만 뭐가 문제인가요, 어머니?

어머니　그건— 그냥, 그쯤 해두자.

[페이드인: 실내. 프리기아. 궁전. 한 무리의 리디아 농부들이 미다스 앞에 서 있다. 이들은 사티로스인 실레노스를 붙잡아왔다. 실레노스의 코는 들창코이고, 말의 귀와 말꼬리가 달려있다. 머리는 대머리이고 배는 불룩 나왔다. 그는 꽃으로 묶여서 미다스 왕 앞에 서 있다.]

농부　　전하, 이 술주정뱅이가 큰소리를 내고 음탕하게 님프들을 쫓아다니고 있었습니다.

(*미다스 왕은 실레노스를 알아본다. 그는 디오니소스의 스승이었고 미다스와는 술친구였다.*)

미다스　　버릇없는 농부여, 그를 놓아주시오. 당신들은 이 실레노스가 디오니소스의 스승이었던 걸 모르시오?

(*농부들은 디오니소스 신의 이름을 듣자, 부끄럽고 무서워서 움츠러든다.*)

농부　　저희들을 용서해 주십시오. 죄송합니다. 불경한 의도는 없었습니다.

(*그들은 서로 부딪히고 넘어지면서 허둥지둥 나간다.*)

미다스　　교활한 내 친구 실레노스여, 또 익살스러운 짓을 했구려.
실레노스　　그저 포도 열매 주스를 마시고 즐거움을 맛본 것뿐이라오, 미다스
미다스　　우리 함께 잠시 즐깁시다. 그리고 나서 디오니소스가 있는 리디아로 내가 직접 데려다주겠소
실레노스　　그건 거절할 수 없는 제의로군.

(*미다스는 하인들을 불러오라고 명한다.*)

미다스 술상을 차려오너라.

(*왕은 실레노스를 보고 말한다.*)

미다스 자, 실레노스, 앉아요. 진탕 마시고 즐길 수 있는 낮과 밤들이 우리 앞
　　　　에 펼쳐져 있소.

(*하인들은 풍성한 음식과 술을 차려 내오고, 실레노스와 미다스는 식탁에 앉아
있다.*)

[페이드인: 옥외. 리디아. 술기운이 있는 미다스는 역시 취기에 빠진 실레노스를
디오니소스에게 데려다준다.]

미다스 당신의 오랜 친구이며 스승을 혹시 길에서 해 받을까 두려워 제가 직
　　　　접 모시고 왔습니다.
디오니소스 고맙소, 미다스. 실레노스와 내가 무척 가까운 사이라는 걸 당신은
　　　　알지요.
미다스 실레노스는 저와도 아주 가까운 술친구랍니다.

(*그들은 모두 한바탕 웃는다.*)

디오니소스 미다스, 고마워서 내가 당신 소원을 하나 들어주고 싶은데.
미다스 무슨 소원이든지요?
디오니소스 뭐든지 청하시오. 그러나 지혜로운 선택을 하기 바라오. 후회할 수도

있으니까.

미다스   황금의 손을 원합니다. 제가 만지는 건 뭐든지 금으로 변하는 그런 손이오.

디오니소스   허락은 쾌히 하겠지만 그건 바보 같은 선택이오.

(미다스는 황홀해서 춤을 추며 나간다.)

미다스   무슨 말씀을 그리 하는가, 바보 같다니!

(미다스는 작은 나뭇가지를 꺾는다. 그러자 가지는 순금으로 변한다.)

미다스   그래, 바보 같게 잘도 변하네. 와, 금이다. 전부 금이야!

(그는 흙 한 줌을 쥐어본다.)

미다스   금이잖아! 금!

(미다스는 그의 손을 시험해보려고 이것저것 만져본다. 사과, 밀, 집 기둥, 흐르는 물 등등, 뭐든지 그가 만지기만 하면 순금으로 변한다. 그는 하인들을 불러서 잔치를 벌인다. 하인들은 미다스 앞에 음식과 술을 차려놓는다. 미다스가 빵을 쪼개려 하자 먹을 수 없는 딱딱한 금이 된다. 고기를 먹으려 하니 입에 닿는 순간 금으로 변한다. 포도주를 따르지만 그의 손이 닿자 온통 금으로 변한다. 이런 일이 며칠 동안 계속되다 보니 미다스는 황금 부자는 되었지만 배가 고프고 목이 말라 죽을 지경이다. 절망에 빠진 그는 드디어 두 손을 하늘에 벌리고 부르짖는다.)

미다스   오, 디오니소스여, 당신 말이 맞습니다. 난 바보예요. 제 소원을 취소
        해주시기를 간청합니다. 저의 황금 손을 물리쳐주십시오. 저를 불쌍히
        여기시고 이 저주를 제거해주시기를 간구합니다.

(미다스의 간구를 들은 디오니소스는 그를 가엾게 여기고 나타난다.)

디오니소스 미다스, 불쌍하구려. 잘못된 생각을 이제 깨우쳤군.
미다스   네, 잘못을 깨우쳤습니다. 제가 잘못 생각했어요! 정말 잘못했어요.
디오니소스 좋소. 내가 내린 선물을 취소하오. 팍톨로스강으로 가서 강의 원천까
        지 걸어가시오. 벌거벗고 그 물에 몸을 말끔히 씻어요. 당신의 어리석
        음을 깨끗이 씻어버리시오.

(미다스는 디오니소스가 시키는 대로 실행한다. 그는 강으로 가서 나체의 몸을
물속에 담근다. 그러자 그의 몸에서 금이 떨어져 물로 흘러 들어간다. 강물은 금
으로 된 줄무늬를 만들고 모래는 금모래로 변한다. 페이드아웃.)

[페이드인: 옥외. 프리기아. 시골. 미다스와 판.]

판   미다스, 궁을 피하고 이 넓은 들판에서 저희들과 너무 오랜 시간을 보
        내시는 건 아닌지요. 우린 어차피 시골생활에 익숙하지만 당신은 왕이
        잖아요. 궁에서 사셔야 되는 것 아닌가요?
미다스   이보게, 판, 내가 어리석게도 황금 손을 선택한 이후로는 부와 화려한
        생활에 등을 돌렸소. 난 그게 싫어졌어요. 난 이제 이 넓은 들판이 궁
        보다 좋아요. 그리고 당신이 부는 피리 소리를 들으면서 함께 벗 삼고
        있으면, 그 무엇보다도 누구하고 있는 것보다도 행복하오.
판   당신은 판단할 줄 아는 사람이어요. 내 음악은 어떤 음악보다 우월합

니다. 아폴로의 천상의 악기도 나의 이 피리하고는 비교가 안 되지요.

미다스   나도 동감이요, 판. 나도 그렇게 생각하오.

판   사실 난 음악 경연대회에 나가서 아폴로와 한번 겨뤄볼 생각인데요. 산신 트몰로스에게 심사를 부탁하려고 해요.

미다스   당신이 경연대회에서 이길 건 너무나 확실하오.

(*판은 피리를 불고 미다스는 음악을 듣고 기뻐한다. 페이드아웃.*)

[페이드인: 옥외. 트몰로스는 산 위의 높은 곳에 앉아있다. 그는 나무 잎새들 소리 때문에 다른 소리를 듣지 못하는가 확인하려고 머리를 흔들고 있다. 그는 그의 짙은 녹색 머리 위에 도토리열매가 매달린 참나무 화관을 쓰고 있다. 트몰로스 밑으로 한쪽에는 털이 덥수룩한 염소 발꿈치의 판이 있고 또 한쪽에는 황금빛 머리에 월계관을 쓴 아폴로가 있다. 아폴로는 자주색 옷을 입고 왼손에는 다이아몬드로 아로새긴 상아 리라 악기를 들고 오른손에는 현악 연주용 채를 들고 있다. 트몰로스가 판에게 말한다.]

트몰로스   판, 자네가 먼저 연주해보게.

(*판은 그가 좋아하고 또 그의 음악을 끔찍하게 아끼는 미다스도 좋아하는 시골풍의 피리 곡을 연주한다. 그런 후 아폴로가 그의 현을 튕기기 시작한다. 숲속의 모든 것들은 천상의 음악을 연주하는 신에게 얼굴을 향하고 있다. 아폴로가 연주를 끝내자 트몰로스는 판단을 내린다.*)

트몰로스   판, 자네는 피리를 그만 부는 게 좋겠어. 우열의 차이가 너무 심해서 상대가 안 되네.

(*그의 심판에 나무들이 동의하고 머리를 끄덕거린다. 시골 사람들은 박수갈채를 보낸다. 그러나 미다스는 심사결과에 동의하지 않는다.*)

미다스   트몰로스, 난 당신이 귓속을 청소하는 걸 보았소. 지금도 당신 귀는 여
전히 잘 안 들릴 것이오. 그런 귀로 어떻게 심사할 수 있겠소? 판의
음악이 훨씬 더 우수하다는 것을 들을 귀 있는 자는 다 알 것이오.

(*아폴로는 미다스에게 화를 낸다. 그는 미다스에게 가서 그의 귀를 건드린다.*)

아폴로   귀가 고장 난 건 당신이오. 귓밥이 길어지면 잘 들을 수 있게 고쳐질
까?

(*아폴로가 미다스의 귀를 건드리자 그의 귀는 길어지고 귀 안팎으로 회색 털이 자란다. 털들은 더 잘 들을 수 있게 근육을 잡아당기고 밀고 끌면서 선회한다. 실제로 미다스의 귀는 수탕나귀의 귀로 변한다. 미다스는 그의 귀를 두 손으로 가리고 급히 자리를 떠나 사라진다. 페이드아웃.*)

[페이드인: 실내. 프리기아. 궁정. 머리에 자주색 두건을 두른 미다스는 창문 없
는 방에서 문을 잠그고 그의 머리를 잘라주는 노예와 함께 있다. 노예가 그의
두건을 벗기려고 한다.]

미다스   문은 확실히 다 잠갔느냐?
노예   예, 전하. 아무도 이곳에 들어올 수 없습니다.
미다스   너는 입을 다물어야 한다. 내 비밀을 누설하면 어떻게 되는지 알지?
노예   절대 입 밖에 내지 않기로 맹세했습니다.
미다스   좋다. 두건을 벗기고 머리를 자르도록 하라.

(노예가 두건을 벗기니 사람 귀 대신에 영원히 자리매김한 미다스의 당나귀 귀가 노출된다. 이를 본 노예가 할 수 있는 건 웃음을 억지로 참는 일뿐이다. 무거운 처벌의 공포가 웃음을 억제시키는 데 도움을 준다. 미다스의 머리를 손질하고 난 노예는 왕의 머리에 다시 두건을 둘러 당나귀 귀를 가린다. 미다스는 잠긴 문을 열고 방을 나간다. 노예는 혼자서 말한다.)

노예   오, 이 비밀을 누설하고 싶어 근질근질한 입술아. 아무한테도 말하지 않기로 다짐했지만 누군가에게 이 말을 해야만 살 것 같다. (페이드아웃.)

[페이드인: 옥외. 들판. 노예는 땅에 구멍을 판다. 구멍을 판 그는 그 앞에 무릎을 꿇고 앉아 구멍에 입술을 대고 구멍 바닥에 속삭인다.]

노예   미다스 왕은 바보다. 왕의 귀는 당나귀 귀!

(노예는 구멍에 속삭인 후 흙으로 구멍을 덮는다. 속이 시원한 그는 한편으로는 무서워서 그 자리를 피해 달아난다. 그 즉시 그 자리에는 두터운 갈대밭이 생긴다. 바람이 불 때마다 갈대는 노예가 속삭인 말을 누구나 들을 수 있게 되풀이한다.)

"미다스 왕은 바보다. 왕의 귀는 당나귀 귀!"

49
명장 다이달로스

등장인물

페르딕스	미노스	아리아드네
다이달로스	파시파에	이카로스
아테나		

[페이드인: 옥외. 아테네. 다이달로스와 그의 조카 페르딕스는 살아있는 실물 느낌을 주는 헤라클레스의 석상을 감상하고 있다.]

페르딕스　다이달로스 아저씨, 저 헤라클레스는 레르나의 히드라를 죽이는 모습과 정말 너무 똑같네요.

다이달로스　페르딕스, 내 가르침을 충실히 따르고 연마하면 너도 저런 기술을 모방할 수 있지.

페르딕스　노력할게요. 어머니한테 제가 아저씨 밑에서 배우고 싶다고 얼마나 졸랐는지 몰라요. 아저씨와 함께 일할 수 있어서 기뻐요.

다이달로스　너의 진지한 태도로 보아 넌 분명히 성공할 거다. (페이드아웃.)

[페이드인: 실내. 다이달로스의 작업장. 페르딕스는 그가 새롭게 창안한 작품을 들고 흥분해서 다이달로스에게 들고 간다.]

페르딕스 아저씨, 이것 좀 보세요.

(*페르딕스는 그에게 그의 발명품인 톱을 보여준다.*)

다이달로스 날카로운 이가 달린 도구로구나.

페르딕스 네, 뱀의 입안에 있는 뼈에서 착안한 건데요, 이제 나무를 정확하게 자를 수 있게 되었어요.

(*다이달로스는 조카의 창의성에 질투심이 생기지만 그의 감정을 숨긴다.*)

다이달로스 멋지다. 최근에 넌 나를 능가하고 있어, 페르딕스. 이번엔 톱을 고안했구나. 이전에는 기하학자들의 콤파스와 도공들을 위한 회전 기구를 창조하더니, 이젠 네가 내 스승이 되어야겠다.

페르딕스 저를 놀리시는군요, 아저씨.

다이달로스 아니, 놀리는 게 아니야. 그건 그렇고, 내가 지금 하는 작업의 지형 형세에 대해서 네 의견을 듣고 싶은데, 페르딕스, 같이 가보지 않겠니?

페르딕스 네, 가보고 싶어요. 제가 아저씨께 조금이라도 도움이 될 수 있으면 좋겠어요.

(*그들은 아크로폴리스로 떠난다. 페이드아웃.*)

[페이드인: 옥외. 아크로폴리스. 다이달로스와 페르딕스.]

페르딕스 살펴보실 지형이 어느 쪽 땅이지요, 아저씨?

다이달로스 저쪽이야. 몸을 구부리고 보면 보일 거다.

(*페르딕스가 땅의 형세를 보려고 몸을 구부릴 때 다이달로스는 그를 밀어서 아크로폴리스 언덕 아래로 떨어트린다.*)

페르딕스 아저씨! 아니, 어어-! 나 떨어져요!
다이달로스 나의 천재성을 넘보는 자는 떨어져라! 내 제자가 나보다 더 뛰어난 꼴을 참을 수 없지.

(*페르딕스가 떨어질 때 아테나가 그의 낙하를 저지하고 그를 자고새로 변신시킨다.*)

[페이드인: 실내. 크레타. 미노스의 궁전. 다이달로스와 미노스 왕이 함께 있다.]

미노스 다이달로스, 당신은 그런 이유로 아테네에서 추방당했군요.
다이달로스 네, 추방당해 마땅한 벌을 제가 받은 것입니다. 질투심을 이기지 못하고 조카에게 죄를 범했어요. 사는 동안 평생 후회할 짓을 했습니다.
미노스 나로선 전혀 예기치 못한 때에 당신이 이곳에 온 것이오.
다이달로스 기술연마에 전념해서 제가 지은 죄를 잊을 수 있기를 바랍니다. 전하를 위해서 어떤 일을 하면 좋겠습니까?
미노스 나의 왕위 계승권도 안전하게 확보되었으니, 이제는 크레타의 미래를 위해서 공학 기술을 현저한 수준으로 발전시키고 싶소.
다이달로스 그건 바로 저의 전문 분야입니다. 저의 지휘 아래 크레타는 놀라운 과학기술 보유국이 될 것입니다.
미노스 잘 됐소. 바로 착수해주시오. (페이드아웃.)

[페이드인: 실내. 궁전. 다이달로스와 파시파에 왕비가 함께 있다.]

파시파에 포세이돈이 헌제로 바치라고 보낸 황소를 바치지 않은 건 남편의 큰 잘못이어요.

다이달로스 그 소를 희생시키고 싶어 하지 않는 이유를 이해하겠어요. 정말 아름다운 황소더군요. 그런데, 제가 이해가 안 되는 건, 파시파에 왕비께서 그 황소와 사랑에 빠졌다고 하셨나요?

파시파에 내 입으로 그런 말을 하는 게 나 자신도 믿어지지 않아요, 다이달로스. 그러나 난 진정 그 황소와 사랑에 빠졌어요. 내 욕구를 황소와 함께 불태울 수 없어서 미칠 지경이어요.

다이달로스 왕비시여, 제가 불손한 의도로 말씀드리는 건 아닙니다만, 그건 자연법칙에 어긋나는 변태적인 생각이십니다.

파시파에 나도 알아요. 이 현상은 아마도 포세이돈의 복수인 것 같아요. 황소를 보낸 포세이돈의 뜻을 따라야 하는 남편이 이를 제물로 사용하지 않은 것에 대한 복수라고 생각합니다. 그 복수의 희생자가 바로 나인 것이 틀림없어요.

다이달로스 왕비의 비정상적인 기괴한 사랑이 발생하게 된 원인 설명은 되는군요.

파시파에 다이달로스, 당신께 청합니다. 남편을 속이고 황소와 내가 불륜 관계를 맺을 수 있도록 도와주세요. 창의력을 발휘해주실 것을 간청합니다.

다이달로스 한번 궁리를 해보지요. 황소는 암소와는 쉽게 짝을 맺지요.

파시파에 그래요. 그런데 난 암소가 아니잖아요. 그게 문제라고요.

다이달로스 흠─ 암소의 허울을, 즉 껍데기만 암소의 형상으로 만들어 드릴 수는 있어요. 그러면 그 안에 들어가서 왕비의 욕정을 불태울 수 있겠지요.

파시파에 그럼 그렇게 만들어주세요, 다이달로스. 광기의 내 욕정을 불사를 수 있게 해주세요.

다이달로스 네, 곧 착수하겠습니다, 파시파에 왕비. (페이드아웃.)

[페이드인: 옥외. 미노스 왕과 다이달로스는 파시파에와 황소 사이에 태어난 미노타우로스를 보고 있다. 미노타우로스는 몸은 사람의 몸이고 머리는 황소의 머리다.]

미노스 다이달로스, 저걸 보시오. 신하들이 모두 나를 비웃고 있어요.

다이달로스 미노타우로스의 형체는 남의 눈에 숨길 수 없게 생겼어요.

미노스 바로 그거요. 정확히 그 문제 때문에 당신 도움이 필요하오. 땅 아래 저놈을 숨겨둘 곳을 지어주시오.

다이달로스 궁리해 보겠습니다.

미노스 잘 궁리하고 바로 실행해주길 바라오. 사람들이 비웃는 조롱이 나에게 악영향을 미치고 있어요.

다이달로스 알겠습니다. 곧 시작하겠습니다. (페이드아웃.)

[페이드인: 옥외. 좁다란 통로와 넓은 공간으로 이어진 미궁의 입구. 미노스와 다이달로스가 그 입구에 서 있다.]

다이달로스 미노타우로스를 미궁 중간 지역에 두었습니다. 미궁에 들어간 사람은 누구도 밖으로 나올 수 없고 중간 지대에서 미노타우로스를 만나게 되어있지요.

미노스 당신에게 기대한 바로 그 창조적인 해결책을 완성해주었구려. (페이드아웃.)

[페이드인: 실내. 궁전. 미노스 왕의 딸 아리아드네 공주가 다이달로스와 이야기를 나눈다.]

아리아드네 미노타우로스를 죽일 수 있는 칼을 테세우스에게 내가 줄 것입니다.
그러나 그가 그곳을 빠져나와서 도피할 수 있는 방법을 강구해주세요.

다이달로스 저는 공주님의 가정 문제에 끼어 언제나 그 중간에 걸려있군요. 공
주의 아버님을 도와드렸고 어머님도 도와드렸는데, 이제는 공주님을
도와야 하는 처지가 되었습니다.

아리아드네 난 테세우스를 사랑해요. 아버지를 배반하는 일이 있어도 난 테세우
스를 도와야 해요.

다이달로스 잘 알겠어요. 여기 이 실타래를 테세우스에게 주십시오. 미궁에 들어
서면 실 한 끝을 입구 문에 묶어놓고, 계속 실타래를 풀면서 가라고
하십시오. 나중에 돌아올 때는 풀어 놓은 실을 되감으면서 그대로 따
라 나오면 됩니다.

아리아드네 오, 고마워요. 고마워요, 다이달로스.

(*아리아드네는 행복하게 실타래를 들고 나간다*. 페이드아웃.)

[페이드인: 실내. 미노스 왕과 다이달로스. 미노스는 아리아드네의 배신행위에
다이달로스의 역할이 있었음을 알게 된다.]

미노스 난 지금까지 당신을 매우 관대하게 대해주었소, 다이달로스. 아테네에
서 추방당했을 때 피난처를 제공했고, 파시파에에게 나무 암소를 만들
어주었을 때도 당신을 용서했소. 그러나 아리아드네를 도와준 건 지나
친 거요. 이젠 더 이상 당신과 관계하고 싶지 않소. 당신에게 딱 어울
리는 감옥은 당신이 만든 바로 그 미궁이오. 그 안에 당신과 나의 노
예 사이에서 태어난 당신 아들을 함께 가두어 놓겠소.

다이달로스 전하께서 제게 내리는 벌은 지당하십니다. 제 아들 이카로스와 함께
있도록 허락하시니 감사합니다, 전하. (페이드아웃.)

[페이드인: 실내. 미궁. 이카로스와 다이달로스]

이카로스 아버지, 우린 아버지가 만든 이 미궁 안에 영원히 갇혀 있게 되나요?

다이달로스 아니다, 아들아. 미노스 왕은 이 주변의 땅과 바다를 지배하지만 하
늘을 지배하지는 않는다. 하늘은 열려 있어. 열려있는 하늘을 어떻게
이용해서 도피할 것인가, 그걸 지금 궁리 중이다. 깃털들이 필요하니
네가 깃털 모으는 일을 도와줘야겠다.

이카로스 기꺼이 하겠어요, 아버지. (페이드아웃.)

[페이드인: 실내. 미궁. 다이달로스는 깃털을 크기 순서로 늘어놓고 밀랍을 사용
하여 새의 날개처럼 안전하게 붙여놓는다. 그리고 다이달로스는 한 쌍의 날개를
그의 양어깨에 입고서 시험 삼아 날갯짓을 하고 잠시 공중을 날아본다. 그는 날
개를 벗어서 이카로스의 어깨에 입혀준다. 그리고 다이달로스 자신도 한 쌍의
날개를 만들어 입는다.]

다이달로스 자, 아들아, 이제 준비가 다 됐다. 날아오르기 전에 주의할 점이 있
어. 너무 낮게 날면 바다의 짠 물이 날개 무게를 더 무겁게 할 우려가
있고, 너무 높게 날면 뜨거운 태양열이 붙여놓은 날개의 밀랍을 녹일
위험이 있다.

이카로스 네 명심할게요, 아버지. 무슨 뜻인지 알아들었어요.

다이달로스 내 옆에 붙어서 내가 가는 대로 따라와라. 자, 아들아, 내게 키스하
고, 네가 먼저 날아오르는 걸 도와주마.

(*다이달로스는 눈물 젖은 얼굴로 아들에게 키스하고 그가 날아오르도록 돕는다.
다이달로스도 날아올라 이카로스를 추월하여 길을 인도한다. 그들이 하늘 위를
나는 동안 어부들, 목동들, 농부들이 희한한 광경을 경이로운 눈으로 바라본다.*

다이달로스와 이카로스는 사모스, 델로스, 레빈토스 섬들을 지나간다. 날아가는데 자신감을 얻은 이카로스는 혼자서 점점 하늘 위로 높이 올라간다. 태양의 열기가 그의 등을 달구어 날개에 붙어있는 밀랍이 녹기 시작한다. 깃털들이 바람에 날리고 이카로스 팔에 있는 날개가 없어진다. 아래로 떨어지면서 이카로스는 아버지를 찾고 불러보지만 그의 입술이 바다에 부딪히자 말을 못 한다. 시야에서 사라진 아들 때문에 다이달로스는 부르짖는다.)

다이달로스   이카로스! 이카로스, 어디 있느냐? 이카로스!

(다이달로스는 하늘 주변을 둘러보지만 아들은 보이지 않는다. 그는 아래를 내려다본다. 처음에는 물 위에 떠 있는 날개가 눈에 들어오고, 그러고는 아들의 시신을 발견한다. 페이드아웃.)

[페이드인: 옥외. 이카리아섬. 다이달로스는 이카로스의 무덤을 봉하고 있다. 그러고 있을 때 자고새 한 마리가 무덤 위에 내려앉아 날갯짓을 하며 유쾌한 새소리를 낸다.]

다이달로스   아, 페르딕스, 너로구나. 넌 행복해 보인다. 그렇지? 아테나가 약속한
              그 보답을 넌 받았어. 그래서 높이 올라가는 것을 신중히 생각하고 경
              계하는구나. 나의 배신행위가 너에게 교훈을 준 거겠지. 불행하게도
              그 배신행위로 네가 깨달은 신중성을 난 내 아들에게는 깨우쳐주지
              못했구나.

(다이달로스는 무덤을 끌어안고 운다. 자고새는 만족스러운 듯 지켜본다.)

올림피아 신이라 함은 그리스 신들 가운데 올림포스산 정상에서 제우스의 통치 아래 살아가는 신들을 일컫는다. 이들 대부분의 신들은 우리 삶의 특정한 모습과 연관 지어져 있다. 이를테면 아프로디테는 사랑과 미의 여신, 아레스는 전쟁의 신, 하데스는 죽음의 신, 아테나는 지혜와 용기의 여신, 이런 식으로 그 성향을 구별 짓는다.

신화란 무엇인가? 우리에게 단군신화가 있듯이 민족마다 고유한 신화와 전설이 있다. 인류가 과학을 알기 훨씬 이전에, 우주의 신비를 설명하기 위한 의도적인 상상력의 산물이 신화다. 인간 생명의 근원은 무엇이며, 인간에게 공포심을 안겨주는, 번개, 벼락, 지진 같은 강력한 초자연의 힘은 왜 일어나고, 생명체는 왜 자라고 죽는가? 우리는 왜 여기 있고, 어디서 왔으며, 이 불완전한 세상을 누가, 어떻게 창조했는가? 세상이 그냥 불쑥 생겼다고 생각하는 사람은 없다. 인류의 모든 문화는 어떻게 세상이 존재하게 되었는지 설명하는 그 나름의 창조신화를 갖고 있다. 그래서 인류학자와 고고학자는 문화 연구의 한 방법으로 각 민족의 신화를 탐색한다. 전문적 연구가 아니더라도 다른 민족의 신화를 들여다보는 것은 내가 태어난 지역만 보는 좁은 안목과 눈앞의 관심만 생각하는 편협성을 털어낼 수 있다.

신화 창조의 충동은 회화, 드라마, 시 같은 보통의 예술처럼 상상력의 과정을 수반한다. 그러나 신화는 예술과 달리, 근본적으로 종교적이며 영적인 충동에서 출발하는 것으로, 심미적인 욕구에서 비롯되는 것이 아니다. 신화는 상징적 표현 형태지만 상징의 의미처럼 무언가 다른 것을 지칭하는 메타포는 아니다. 예술과 달리 신화는 의식적이거나 개인적인 창작물이 아니다. 누구도 인간의 신비에 대해 깊이 명상한 후 신화를 창작하지는 않는다. 신화는 여러 사람들이 공동생활에서 함께 체험한 집단적 표현 형태이다. 신화는 옳을 수도 없고, 틀릴 수도 없다. 신화적 상상은 그 대상들이 그냥 존재한다고 믿는 상상이다. 그러므로 특정한 신화를 믿는 사람들은, 다른 사람들 눈에는 미신적으로 보일지라도, 그 신화를 믿는 동안은 자아와 우주에 대한 신비한 숙제를 해결했다고 믿고 살아간다.

신화는 넓은 의미로 신, 왕, 영웅에 관한 이야기를 다룬다. 세상의 창조와 미래의 파멸과 관련지으면서 인간의 첫 탄생을 시작으로 다양한 신들과 인간 관계를 들려주는 경우가 대부분이다. 따라서 그리스신화 역시 세상의 기원과 신, 영웅의 다양한 모험을 설명한다. 대체로 신화는 무속신앙인, 사제, 시인, 이런 사람들이 만들어낸 것으로 인간의 상상력에 호소한다. 이성이 발달하지 못하거나 존재하지 않는 사회에서는 상상력이 유일한 진리의 심판 역할을 한다. 고대 그리스처럼 이성이 지배적이던 사회에서조차 상상력은 인간의 믿음에 강력하게 작용하였다. 태양은 왜 하늘을 가로질러 가는가? 그것은 태양신 아폴로가 매일 마차를 몰고 가기 때문이라는 해설처럼, 자연 현상의 궁금증을 원시적으로 신화에서 그 답을 찾았다.

신화와 전설은 단순한 재미로 그치는 것이 아니라 그 안에 의미와 아름다움이 담겨있다. 칼 융과 같은 심리학자는 민담을 넌센스로 여기지 말라며, 원시 형태의 이야기일지라도 인간 상상력의 근원임을 지적한다. 프로이트도 신화는 인간의 보편적이고 생물학적인 개념, 억압된 발상의 표현이라고 주장하였다. 그리스 드라마에는 신화와 민담에 근거한 번안물이 많고 이런 이야기는 복잡한 개념을 암시로 사용하여 잘 드러내 주기 때문에 설교나 보고문보다 훨씬 더 기억에 생생할 수 있다. 이솝의 우화가 그런 경우이다. 기독교에서 예수님은 이 점을 잘 파악하고 많은 군중에게 추상적 사고를 이해시키기 위해서 이야기 또는 비유 형식을 사용했다. 이를테면, 착한 사마리아인 이야기는 일반적인 형제애의 넓은 개념을 단순하게 설명해준다.

이 책에 번역된 신화는 수천 년 내려온 것으로 이렇게 생명력이 가능한 것은 신화의 기원이 생동감 넘치는 인간의 창조적 기능에서 비롯되었기 때문이다. 신화는 가치 있는 문학적 형태이다. 구비전승을 통해서 퍼진 그리스신화는 오늘날 그리스 문학의 시작으로 간주된다. 서구문학 사상 가장 우수한 문학적 천재로 일컬어지는 호머, 아이스퀼로스, 소포클레스, 에우리피데스, 버질, 이들의 창작 소재는 신화이다. 그리스신화는 특히 아테네 연극의 중심 소재였다. 기원전 5세기의 아이스퀼로스와 소포클레스 비극의 전형적 형태는 신화에서 가져온 내용이 많고, 에우리피데스의 연극은 언제나 신화를 주제로 하였다. 그리스신화는 고대 세계를 통해서 중세부터 21세기에 이르기까지 서구 인문교육의 근간을 형성했다. 그리스신화에 영향을 받은 영국 작가의 창조력은 초서, 셰익스피어, 밀턴을 시작으로 본격화되었다. 18세기 말에 와서는 낭만주의가 그리스신화를 비롯한 그리스 문화의 뜨거운 열풍을 주도하기 시작하여, 테니슨, 키츠, 바이런, 셸리 같은 시인들이 이에 깊이 심취하였고, 유진 오닐, T. S. 엘리엇을 비롯한 수많은 작가들은 신화에 깊이 젖어있었다. 19세기 미국의 토머스 불핀치나 나다니엘 호손 같은 작가들은 영미문학을 이해하는 데 고전 신화연구는 필수라고 하였다. 문학뿐 아니라, 서구 음악에서도 크리스토프 글루크, 루이기 체루비니, 리하르트 스트라우스 등의 작곡가들은 그리스의 신화적 주제를 많이 다루고 있다. 고대 세계의 예술, 조각, 건축은 신화를 주제/배경으로 한 작품이 넘치고, 르네상스 시대부터 피카소에 이르기까지 신화에 대한 이해 없이는 이들 예술가들의 작품을 충분히 이해한다고 할 수 없을 정도이다. 사실적 역사 기록인 성경을 제외하고, 역사상 가장 풍요로운 수집물은 그리스신화와 전설일 것이다.

그리스인들은 인생을 소중히 여겼고 죽음은 피할 수 없는 사실이었기 때문에 삶을 최대한 충실하게 살려고 했다. 그들에게 가치 있는 죽음은, 없어지지 않는, 사라지지 않는 전설적 이름에 대한 열망이었다. 이들은 호머에서 알렉산더 대왕에 이르기까지 명성을 추구한, 상상력 강한 민족이었다. 그러나 특히 명예와 명성에 대한 열망은, 이 책의 여러 이야기에서 보여주듯, 복수심과 분노를 미화하는 혈기왕성한 흔적을 많이 드러낸다. 올림피아 신들이 나타내는 기질들,

이를테면, 투쟁하기 좋아하고, 분개하며 용서하지 않고, 서로 지지 않으려고 우열을 다투기 좋아하는 자만심과 교만에 찬 기질들은, 겸손과 용서를 가르치는 기독교의 예수님 정신과는 정반대되는 성향으로, 그리스인들이 인정하고 흠모하는 덕목들이다. 또한 이런 자질들은 아름답고 힘 있는 인간의 육체로 묘사된다. 신화 속 그리스인들은 인간의 지능뿐 아니라 눈으로 보는 즐거움을 찬양하여, 육체의 힘, 외모의 아름다움을 높이 평가한다. 따라서 이와 같은 요인들은 그리스 신들이 인간을 재는 척도였다. 그래서 아테나 여신도 오디세우스의 뛰어난 체력과 탁월한 지모(智謀)를 아껴주고 그의 험난한 여정을 도왔다.

그리스신화만큼 영웅을 많이 생산한 신화도 드물 것이다. 그러나 모험적이고 투쟁적인 영웅들의 미덕은, 때로는 이들을 망가트리는 심각한 결함이 된다. 야심에서 비롯한 목적을 달성하려는 성급함과 잔인성과 같은 결점들은 패망의 결과를 가져오기도 한다. 비극적인 왕조의 전설은 영웅 개인의 흥망성쇠와 비슷한 굴곡을 보여준다. 크레타, 미케네, 테베, 아테네의 왕족들이 보여준 권력욕과 가차 없는 복수의 기질은, 나라를 높이 세우기도 했지만 파괴의 도구도 되었다. 그리스인들은 성격이 운명임을 분명히 이해한 민족이었다. 트로이 전쟁 이야기에는 영웅적인 요소와 비극적인 요소가 섞여 있다. 아마도 그리스 문화의 가장 우수한 전설이라 할 수 있는 이 이야기의 중요한 두 영웅, 아킬레스와 헥토르는 한창 젊은 나이에 격렬한 죽음을 맞는다. 영웅들은 운명의 도전에서 명예의 코드를 지키는 위엄을 보여준다.

전쟁에서 살아남은 대부분의 사람들은 긴 시련을 감내한다. 트로이 전쟁은 아무도 이길 수 없는 전쟁이다. 테베 원정 역시 희생자를 많이 낸 전쟁이다. 『일곱 용사들의 테베 원정』 이야기가 끝날 때, 테르산드로스에게 말하는 알크마에온의 대사는 시사하는 바가 크다. "난 이 전투를 승리로 이끈 지도자지만, 얻은 것보다는 잃은 것이 더 많은 것 같소."

그리스신화는 2000년 이상 서구 문명의 예술과 문학의 대들보가 되었다. 그리스인들은 이들이 그토록 열망하던 영원한 명성을 유산으로 남긴 셈이다.

| 출처 | 『극으로 읽는 그리스신화』에 등장하는 고유명사의 우리말 표기와 설명은 주로 『시사영어사/랜덤하우스 영한사전』에 의거하였고, 『New English-Korean Dictionary』(어문각)와 『에센스 영한사전』(민중서림)을 참고하였다. (동일한 사전 안에서도 통일이 안 된 고유명사의 우리말 표기의 경우, 그 선택은 옮긴이의 임의로 하였다.)

| ㄱ |

가이아 Gaia/Gaea: 고대 그리스신화 중의 땅의 여신으로 Uranus, Pontus 및 신들의 어머니; 또는 Uranus를 남편으로 한 Titan, Cyclops, Hecatonchire족의 어머니; 그 밖의 Eriyny(e)s를 포함한 온갖 존재의 어머니.

갈라테아 Galatea: (1) 거인 Polyphemus가 짝사랑한 바다의 요정; Polyphemus는 질투한 나머지 그녀의 연인 Acis를 살해했다. (2) Pygmalion이 조각한 상아로 된 처녀 상; 자기가 조각한 상에 사랑을 느낀 Pygmalion은 Aphrodite에게 청해서 이 상에 생명을 불어넣게 하여 아내로 삼았다.

게리온 Geryon: 머리와 몸통이 각각 셋인 괴물로서 많은 소를 소유하고 있었다. 그의 소를 훔치는 것이 Hercules의 열두 가지 난제 임무 중 열 번째 것이었다.

그라이아이 Graiae: 1개의 눈과 1개의 이를 공유하는, 태어나면서부터 노파인 세 사람의 바다의 여신; 그 자매인 Gorgons의 보호자였다.

글라우케 Glauce: (1) = Creusa. (2) Cychereus의 딸; Telamon의 어머니라고도 함.

글라우키스/글라우코스 Glaucis/Glaucus: (1) Scylla를 사랑한 해신(海神). (2)

Minos의 아들로 꿀 항아리 속에서 질식했다가 예언자가 발견한 마법의 풀에 의해 회생했다. (3) Lycia의 Troy측의 맹우(盟友)로서, 할아버지끼리 친구였음을 알고, Diomedes의 친구가 되어 갑옷을 교환했다.

글라우키아 Glaucia: Scamander의 딸.

| ㄴ |

나르시스 Narcissus: 샘물에 비친 자신의 모습에 반하여, 충족되지 못하는 소망이 안타까워서 수선화가 되었다는 젊은이.

나우시카아 Nausicaa: 파이아케스(Phaeaces)의 왕 Alcinotis의 딸; 난파한 Odysseus를 발견하여 호감을 품고 아버지의 궁전으로 안내한다.

네레우스 Nereus: 해신 Pontus와 Gaea 사이의 아들; 네레이스들의 아버지.

네레이스 Nereid: Nereus의 딸 50명 중 하나; 바다의 요정(sea-nymph).

네메시스 Nemesis: 인간의 잘난 체하는 불손한 행위에 대한 신의 노여움과 벌을 의인화한 여신. (play the Nemesis = 복수하다)

네메아 Nemea: 그리스의 동남부에 있는 골짜기.

네소스 Nessus: Hercules의 아내인 Deianira를 겁탈하려다가 Hercules의 독화살에 맞아 죽은 반인반마(半人半馬)의 괴물(centaur); Nessus는 죽기 직전에 Deianira를 속여 Hercules의 속옷(tunic)을 자기의 피에 담그면 그의 사랑을 잃지 않는다고 했다. 그 속옷에 묻은 독이 결국 Hercules를 죽음으로 몰아넣었다.

네스토르 Nestor: 트로이 전쟁에서 그리스군의 가장 현명하고 나이든 장군.

네오프톨레무스 Neoptolemus: Achilles와 Deidamia 사이의 아들; 트로이 함락 때 트로이 왕 Priam을 죽였다; Phyrrhus라고도 불린다.

네펠레 Nephele: 제우스가 Hera를 본떠서 구름에서 창출한 존재; 제우스가 이를

Ixion에게 보냈더니 호색가인 그는 이를 Hera로 알고 성교해서 켄타우로스 (the Centaurs)족이 생겨났다.

니오베 Niobe: Tantalus의 딸이며 테베(Thebes)의 Amphion 왕의 아내; 자기 자식 (아들 일곱, 딸 일곱)의 많음과 아름다움을 자랑하여 Leto를 비웃었기 때문에 Leto의 아들과 딸인 Apollo와 Artemis를 격노케 하여 복수당했다. 니오베의 자식들은 모두 살해되고 니오베 자신은 제우스에 의해 돌로 변신되었으나 죽은 자식들을 그리워하여 끊임없이 눈물을 흘렸다고 한다. (Like Niobe, all tears = 니오베처럼 눈물로 세월을 보내어. *Hamlet* 1.2.49)

닉스 Nyx: 밤을 신격화한 고대 그리스의 여신.

| ㄷ |

다나에 Danae: 아르고스 왕 아크루시우스(Acrusius)의 딸; 왕이 딸의 순결을 지키기 위해 청동의 방에 감금했으나 황금의 비 또는 구름으로 변신하여 그 방으로 잠입한 제우스와 맺어져 페르세우스(Perseus)를 출산했다.

다나우스 Danaus: 아르고스의 왕; 50명의 딸을 형제 Aegyptus의 아들 50명에게 출가시켜 첫날밤에 그 남편들을 죽이게 했다.

다르다노스 Dardanus: Zeus의 아들로서 Troy의 조상.

다리우스 1세(558?-486? B.C.) Darius: 페르시아 왕(521-486 B.C.)으로 두 번 그리스에 침입했다. Marathon 전투에서 패했다(490 B.C.).

다이달로스 Daedalus: 미노스 왕을 위해 크레타의 미궁(迷宮)을 만든 아테네의 명장(名匠); 테세우스가 미노타우로스를 죽이는 것을 도왔다는 이유로 미노스 왕에 의해 그 미궁 속에 갇혔으나 자기 자신과 아들 Icarus를 위해 밀랍으로 날개를 만들어 크레타섬에서 탈출하는 데 성공했지만, Icarus는 태양에 너무 가까이 가는 바람에 밀랍이 녹아 추락했다고 한다.

다이달리온 Daedalion: Heosphorus 또는 Phosphorus의 아들; 딸인 Chinoe 죽음을 슬퍼한 나머지 Parnassus에서 뛰어내려 자살했다. Apollo는 그를 매로 변신시켰다고 전해지고 있다.

다프네 Daphne: 아폴로에게 쫓기고 있을 때, 아버지가 월계수로 둔갑시켜서 구했다고 하는 요정.

다프니스 Daphnis: Hermes와 님프 사이의 아들; 그리스인인 그를 목가(牧歌)의 창시자로 여겼다.

데메테르 Demeter: 대지의 생산을 관장하고 결혼과 사회 질서를 보호하는 여신; 로마신화의 Ceres에 해당.

데우칼리온 Deucalion: (1) 프로메테우스의 아들; 아내인 피르라와 함께 대홍수 후에도 살아남아 새로운 인류의 조상이 되었음. (2) 미노스 왕의 아들이며 아리아드네의 오빠.

데이다미아 Deidamia: Skyros 왕 Lycomodes의 딸; Achilles와의 사이에 아들 Neoptolemus(Pyrrhus)를 낳았다.

데이아니라 Deianira: Meleager 자매의 한 사람으로 헤라클레스의 아내; 알지 못하고 Nesseus의 독혈(毒血)에 담겼던 셔츠를 남편에게 입혀 남편의 죽음을 초래했다.

데이필레 Deiphyle: Adrastus의 딸; Tydeus의 아내이고 Diomedes의 어머니.

델퓌네 Delphyne: = Python; 반녀반사(半女半蛇)의 괴물; Zeus가 Typhon에 의해 감금되었을 때 Zeus를 파수했다.

델피/델포이 Delphi: 그리스의 옛 도시; Phocis 지방 Delphi에 유명한 Apollo 신전이 있었다.

도도나 Dodona: 그리스 서북부 지방.

드라이아드 Dryad: 나무의 요정인 님프로 나무와 더불어 태어나고 나무와 운명을 함께한다고 한다.

드뤼오페 Dryope: 포플러로 모습이 바뀐 요정.

디도 Dido: 카르타고의 건설자라고 전해지는 여왕; Virgil의 *Aeneid*에 의하면 트로이 전쟁 후, 돌아가는 길에 카르타고에 들른 Aeneas를 사랑하여 그가 로마 건설을 위해 고국으로 떠난 것을 슬퍼하여 자살했다.

디오니소스 Dionysus: Zeus와 Semele 사이의 아들로 다산(多産)과 포도주와 연극의 신; 다른 이름은 Bacchus이며 로마인들은 흔히 이 이름을 사용한다.

디오메데스 Diomedes: (1) Epigoni(Thebes로 쳐들어간 7용사)의 한 사람이며 Tydeus의 아들; Troy를 공략한 그리스군 중에서 Achilles에 버금가는 용사로 일컬어졌다. (2) Thracia의 왕; 자기의 말 네 필을 사람 고기를 먹여 사육했는데, Hercules에 의하여 자신도 그 말의 먹이가 되었다.

딕티스 Dictys: 다나에와 페르세우스를 구출하여 보호한 어부.

| ㄹ |

라비니아 Lavinia: (로마신화) Latinus의 딸로서 Aeneas의 두 번째 아내.

라오메돈 Laomedon: 트로이의 왕으로 Priam의 아버지; 트로이의 성벽은 그를 위해 Apollo와 Poseidon에 의해서 만들어졌다.

라오콘 Laocoon: 트로이에 있는 Apollo 신전의 사제(司祭); 트로이 시민에게 목마(Trojan Horse)를 성안에 들여놓아서는 안 된다고 경고한 죄로 Athena 여신이 Apollo에게 보낸 두 마리의 거대한 바다뱀에게 두 아들과 함께 감겨 죽었다.

라이라프스 Laelops: 뒤쫓는 것은 무엇이든 잡을 수 있는 운명을 타고난 사냥개; 그 어떤 것에 쫓겨도 반드시 도망칠 수 있도록 운명 지워진 암여우를 사냥하기 위해 이 개를 Amphitryon이 Cephalus로부터 빌렸다. Zeus는 둘 다 돌로 변신시켜 이 대립을 해결했다.

라이오스 Laius: Thebes의 왕이자 Jocasta의 남편이고 Oedipus의 아버지; 아들

Oedipus에게 아버지인 줄 모르고 피살되었다.

라케다이몬 Lacedaemon: Zeus와 Taygete 사이의 아들; Sparta의 건설자라고 한다.

라케시스 Lachesis: 인간의 인생 길이를 정하는 운명의 여신, Morae 또는 Moirae 라고도 하는 3자매 중의 한 사람으로 동생인 Clotho가 생명의 실을 잣고, Lachesis가 그 길이를 정하면 언니인 Atropos가 그 실을 잘랐다.

라코니아 Laconia: 그리스 남부에 있었던 고대왕국; 수도는 Sparta.

라티누스 Latinius: (로마전설) Aeneas가 Latium에 도착했을 때 그곳의 왕; Lavinia의 아버지.

라피스족 Lapith race: 라피스족의 왕 Pirithous의 결혼식에서 술에 취한 반인반마의 괴물(centaurs)이 일으킨 싸움에서 패배한 사람들.

레다 Leda: Sparta의 왕 Tyndareus와의 사이에서 Castor와 Clytemnestra 두 아이를 낳았고, 또 백조의 모습으로 접근해 온 Zeus와의 사이에서 Polydeuces (Pollux)와 Helen 두 아이를 낳은 여성.

레르나 Lerna: 그리스의 Argos에 가까운 소택지(沼澤地); 전설적으로는 그리스신화의 Hercules에게 살해당한 Hydra가 살던 곳.

레아 Rhea: Uranu와 Gaea의 딸로 Cronus의 아내이자 누이동생; Hestia, Demeter, Poseidon, Hera, Hades, Zeus의 어머니; 신들의 어머니라고 불린다; Cybele와 동일시되며 로마의 Ops와 동일시된다.

레우코테아 Leucothea: 바다의 여신; 원래는 Ino라고 하는 처녀였으나 바다에 투신하여 신격화되었다. Odysseus가 폭풍으로 뗏목이 부서졌을 때 부낭(浮囊)으로 쓰도록 베일을 주어 그를 도왔다.

리노스 Linus: 리듬의 발명자로 알려진 음악가, 시인; 갖가지 전설이 있으며, 젊어서 죽은 데서 종종 농작물, 식물의 고사(枯死) 또는 가을걷이로 간주되었다.

리디아 Lydia: 소아시아 서부의 고대 왕국.

리카스 Lichas: (1) 독이 묻은 옷을 알지 못하고 Hercules에게 건네주어 돌로 변신된 Hercules의 부하이자 전령(傳令). (2) Orestes의 유골을 찾아 헤맸던 스파르타 사람.

리카온 Lycaon: Zeus의 신성을 시험하려고 인육을 권하자 Zeus의 노여움을 사서 늑대로 변신 당한 Arcadia의 왕.

리코메데스 Lycomedes: Theseus를 벼랑에서 밀어 떨어뜨린 Scyrus의 왕.

리쿠르고스 Lycurgus: (1) 기원전 9세기경의 Sparta의 입법자. (2) Dryas의 아들; Dionysus의 숭배에 반대함으로써 Zeus의 벌을 받아 장님이 되었다.

| ㅁ |

마에나드 Maenads: 디오니소스 신을 추종하는 열정적인 시녀들, 광란하는 여자들.

만토 Manto: Tiresias의 딸; 아버지와 마찬가지로 예언 능력이 있었다.

메가라 Megara: Creon의 딸; 남편인 Hercules가 광기의 발작을 일으켰을 때 그녀는 세 아들과 함께 살해되었다.

메네스테우스 Menestheus: Athens의 섭정으로 Helen에게 청혼했으나 거절당했다; Troy 전쟁에서 50척의 배를 이끌고 Menelaus를 원조했다.

메넬라우스 Menelaus: 스파르타의 왕; Helen의 남편으로 Agamemnon의 아우; Paris에 유괴된 Helen을 되찾아오기 위해 트로이로 출병할 것을 Agamemnon에게 간청했다.

메노에케우스 Menoeceus: (1) Sparti의 후손으로, Jocasta와 Creon의 아버지; Thebes의 만연한 전염병을 가라앉히기 위해서 자신의 몸을 희생했다; (2) Thebes의 Creon의 아들; Spaprti의 후손이 몸을 희생시킬 때 비로소 7인의 테베 공격을 막을 수 있다는 예언이 있었기 때문에 그에 해당하는 유일한 사람으로서 스스로 목숨을 끊었다.

메데이아 Medea: Colchis 왕 Aeetes의 딸로 Jason의 아내였던 여자마법사; Jason 을 도와 황금 양털(Golden Fleece)을 얻는 데 성공하게 했다.

메두사 Medusa: 세 자매의 괴물인 고르곤(Gorgons)의 한 사람으로서, 그녀만이 죽을 운명에 있었다. Perseus는 직접 보는 것을 피하면서 그녀를 죽이고 아직 도 자기를 보는 사람을 돌로 변신시키는 힘이 있는 그녀의 목을 Zeus와 Athena의 방패에 붙였다.

메로페 Merope: (1) 코린트의 여왕이며 Oedipus의 양어머니. (2) 메세니아의 여 왕이며 Cresphontes의 아내이자 Aepytus의 어머니; Aepytus와 함께 남편을 죽인 자들을 찾아 복수한다. (3) 코린트의 왕 Sisyphus의 아내.

메롭스 Merops: (1) (*Iliad*에서) 트로이 전쟁 때 자식들이 전사할 것을 미리 알고, 이를 막으려 했으나 실패한 Perkote시(市)의 예언자. (2) Clymene의 남편으로 Paeton의 의부(義父).

멜람포스 Melampus: 최초의 예언자이며 의사; 자기가 기른 뱀이 귀를 핥은 덕분 에 동물의 말과 지혜를 이해할 수 있게 되었다.

멜리케르테스 Melicertes: Atamas와 Ino 사이의 아들; 아버지가 그를 광기로 죽이 려 했을 때 바다의 신 Palaemon으로 변신했다.

멤논 Memnon: 트로이 전쟁에서 Achilles에게 살해된 에티오피아의 왕.

모르페우스 Morpheus: 잠의 신 Hypos의 아들로 꿈의 신(god of dreams).

모모스 Momus: Nyx의 아들로 비난과 조소의 신.

뮈르라 Myrrha: Cyniras 왕의 딸; 아버지와 밀통했기 때문에 뮈라(몰약[沒藥]나무 myrrh tree)로 변신하게 되었다; 그들의 아들인 Adonis는 그 나무의 갈라진 줄기에서 태어났다.

뮈르미돈 Myrmidons: Achilles를 따라 트로이 전쟁에 참가한 고대 Thessaly의 전 사들(Achilles의 충실한 부하들).

뮈르틸러스 Myrtilus: Oceanus의 마부; Pelops와 Oenomaus와의 2륜 전차 경주에 서 Pelops를 이기게 만들기 위해서 뇌물을 받았다.

미노스 Minos: Crete섬의 왕; Zeus와 Europa 사이의 아들로 Pasiphae의 남편; Daedalus에게 미궁(Labyrinth)의 건조를 명했다; 죽은 후 Hades에서 판관(判官)이 되었다.

미노타우로스 Minotaur: Minos의 아내 Pasiphae와 Crete섬의 황소 사이에서 태어난 자식으로 인신우두(人身牛頭)의 괴물; Minos에 의해 Crete섬의 미궁(Labyrinth)에 갇혀서, Ariadne의 원조를 받은 Theseus에게 살해되기까지 제물로 바쳐진 사람을 먹고살았다고 한다.

미뉘아스인 Mynians: Mynias의 자손으로 Boeotia의 Oorchomenus와 Thessaly의 Iolchus에서 살았다.

미다스 Midas: Phrygia의 왕; 손에 닿는 모든 것을 금으로 바꾸는 힘을 Dionysus로부터 받았다.

미시아 Mysia: 곡물 및 대지의 생산물의 신; Demeter의 덧붙인 이름; Demeter가 딸 Persephone를 찾고 있을 때 그녀를 위로해준 Mysius에서 유래.

미케네 Mycenae: 그리스의 옛 도시.

민테 Minthe: Persephone를 Hades로부터 지켜주기 위해 Siren들이 박하나무로 변신시킨 요정.

밀레아그로스 Meleager: (1) 기원전 1세기경의 그리스의 풍자시인. (2) (그리스전설) Althaea의 아들로 아르고선의 대원(the Argonauts) 중의 한 사람; 칼뤼돈의 멧돼지(Calydonian boar)를 죽인 영웅; 그의 수명은 장작불이 다 탈 때까지라는 예언을 어머니인 Althaea는 듣고 있었다; 죽인 멧돼지를 둘러싼 시비에서 그가 삼촌들을 살해한 것을 알자 어머니는 그 장작을 불에 던져서 아들의 목숨을 끊었다.

| ㅂ |

바우키스 Baucis: 아내 Philemon과 함께, 변장한 Zeus와 Hermes를 후대하여 포상을 받은 Phrygia의 늙은 농부.

베르툼누스 Vertumnus: 고대 로마의 4계절을 관장하는 신; 정원, 과수원의 신.

벨레로폰 Bellerophon: 천마(天馬) 페가소스를 타고 괴물 Chimera를 무찌른 코린트의 용사; 포세이돈의 아들.

보레아스 Boreas: 북풍의 신.

보이오티아 Boeotia: 아테네 서북쪽의 고대 그리스 지방; 주 도시는 테베.

브리세이스 Briseis: 아킬레스에게 사로잡힌 Mynes의 아름다운 처. 처음에는 아킬레스의 첩이었으나 뒤에 아가멤논이 강탈했는데 그것이 아킬레스와 아가멤논의 불화 원인이 되었다. 트로이 전쟁에서 아킬레스가 일시 전열에서 몸을 뺀 것은 이것이 원인이었다.

브리아레오스 Briareos: 50개의 머리와 100개의 손을 가진 3인의 백수거인(百手巨人, Hecatonchires) 중 한 사람.

| ㅅ |

사르페돈 Sarpedon: Lycia의 왕자이며 Zeus의 아들; 트로이 전쟁에서 Patroclus에게 살해되었다.

사이스 Sais: 이집트 북부, 나일강 델타 지대에 있던 고대 도시.

세멜레 Semele: Cadmus의 딸로서 제우스와의 사이에 Dionysus를 낳았다; 번개의 신 제우스의 가장 장엄한 모습을 보고 싶다는 그녀의 소원을 제우스가 들어줌으로 벼락/번갯불을 맞아 죽게 되었다.

셀리 Selli: Dodonna의 성스러운 숲에서 Zeus를 섬겼던 신관들.

스키로스섬 Scyros: 에게해 서부에 있는 그리스 영; Northern Sporades 여러 섬 중 가장 큰 섬.

스키론 Sciron: Theseus에게 피살된 도둑; 통행인에게 자기 발을 씻으라고 명령하고 그들이 발을 씻으려고 무릎을 꿇으면 그들을 낭떠러지 밑으로 차서 떨어뜨렸다.

스키티아 Scythia: 흑해와 카스피해의 북쪽 및 동쪽에 있으며, 유럽 동남부와 아시아에 걸쳐 있던 지역의 고대명; 현재는 러시아의 일부.

스킬라 Scylla: 바다의 괴물로 모습을 바꾼 요정; 동굴에 사는 머리가 여섯인 여자 괴물로서 Charibdis와 마주 보고 있으며 배가 소용돌이를 피해서 가까이 오면 선원들을 잡아먹었다고 한다.

스테노/스텐노 Stheno: 괴물 Gorgons 중 한 사람.

스팀팔로스 Stymphalus: Arcadia의 왕; 적대자 Pelops에게 속아서 살해되었다.

시논 Sinon: 트로이 전쟁 시 탈주병인 것처럼 꾸며서 트로이 목마와 함께 내버려진 그리스인; 트로이 최후의 왕 Priam에게 트로이가 만약 목마를 성안에 끌어들이면 그리스인을 정복할 수 있을 것이라고 속였다.

시니스 Sinis: Theseus에게 살해당한 Corinth 지협(地峽)의 노상강도; 나그네를 붙잡아 두 그루의 소나무를 휘어 여기에 다리를 하나씩 붙들어 맨 다음 나무를 놓아 찢어 죽이는 것을 흥미 삼아 했다; 뒤에 Theseus에게 살해되었다.

시지쿠스 Chzycus: 소아시아 서북부; Marmara해의 Kapidagi 반도에 있는 Mysia의 고대도시.

시지포스 Sisyphus: Aeolus의 아들이며 Corinth의 왕; 벌로서 지옥 Tartarus에서 큰 돌을 산꼭대기까지 밀어 올리는 일을 Zeus로부터 명령받았으나, 정상에 가까워지면 언제나 돌이 그의 손을 떠나 아래로 굴러떨어지므로, 영원히 이 수고를 되풀이해야만 했다고 한다.

시빌 Sibyl: 무당, 무녀; 예언하는 힘이 있는 것으로 알려진 고대의 여자 마법사.

실레노스 Silenus: 숲의 신; 종종 숲의 요정 Satyr와 함께 주신(酒神) Dionysus의

종복으로 반수반신(半獸半身); 종종 말의 귀와 하반신을 가진 털이 많고 술에
취해 미친 듯이 춤추는 노인으로 표현된다.

| ㅇ |

아가니페 Aganippe: 그리스의 Helicon 산기슭에 있는 Muses의 샘; 이 샘의 물을
마신 사람에게는 시의 영감이 주어졌다고 한다.

아가멤논 Agamemnon: 미케네의 왕; 트로이 전쟁 때 그리스군 총지휘관; 전후 부
정한 아내 Clytemnestra와 그녀의 정부 Aegistus에게 피살되었다.

아가웨 Agave: Cadmus와 Harmonia의 딸로서 Echion의 아내; 산속에서 광적으
로 춤에 미쳐있을 때 아들 Pentheus를 야수로 오인하여 찢어 죽였다.

아게노르 Agenor: (1) Poseidon과 Libya 사이의 아들로, Phoenicia 왕이 되었다.
(2) (*Iliad*에서) Antenor와 Theano 사이의 아들로, 싸움에 용맹한 것으로 이름
이 높았다.

아그리우스 Agrius: (1) 거인족의 한 사람. (2) Hercules를 공격한 반인반마(半人半
馬)의 괴물. (3) Circe와 Odysseus의 아들. (4) Thersites의 아버지.

아나케레테 Anaxerete: 그녀의 냉혹함을 미워한 Aphrodite에 의해서 돌로 변한
Cyprus 귀족의 딸.

아도니스 Adonis: 여신 Aphrodite의 사랑을 받았던 미모의 사냥꾼.

아드라스투스 Adrastus: Argos의 왕으로 테베 원정의 7용사(Seven against
Thebes)의 우두머리. (또는 Adrastos).

아드메투스 Admetus: 테살리의 왕으로 아르고선의 대원(Argonauts)의 한 사람;
Alcestis의 남편.

아레스 Ares: 군신; 제우스와 헤라의 아들. (로마신화의 Mars에 해당)

아레테 Arete: 파이아게스(Phaeacian)의 왕 Alcinous의 아내; Medea를 돕기 위하

여 남편에게 큰 영향력을 발휘하였다.

아레투사 Arethusa: 강신 Alpheus가 연모하여 쫓는 바람에 도망쳤는데, Artemis 가 샘물로 변신시켜 살려낸 숲의 요정.

아르게이아 Argia: (1) Oceanus와 Thetys 사이의 딸. (2) Polibus의 아내이고 Argo 선을 만든 Argus의 어머니.

아르고스 Argus: (1) 백 개의 눈을 가진 거인; 암소로 변신한 미녀 Io의 파수를 보고 있을 때 Hermes에게 피살되고 그 눈은 공작 꽁지깃의 무늬로 붙여졌다. (2) Phrixus의 아들이며 아르고선을 건조했다.

아르테미스 Artemis: 태양의 신 아폴로와 쌍둥이인 달의 여신; 또 사냥의 여신으 로서 수풀, 짐승, 양의 수호신. (로마신화의 Diana에 해당)

아리스타이오스 Aristaeus: Apollo와 Cyrene 사이의 아들; 양봉이나 포도주 제조 및 기타 농업의 신으로 그리스 각지에서 신봉; Eurydice를 사랑하여 쫓아갔지 만 그녀는 달아나려다 밟은 뱀에게 물려 죽었다.

아리아드네 Ariadne: 크레타 왕 미노스의 딸; 테세우스와 사랑하는 사이가 되어 그에게 실뭉치를 주어서 길 표시를 하게 하여 미궁에서 탈출하는 것을 도왔 음.

아마존 Amazon: 흑해 연안에서 살았다고 하는 용맹스러운 여인족; 이 나라에서 는 사내아이가 태어나면 곧 죽여 버리거나 이웃 나라에 사는 그 아비에게 보 내버렸다고 한다.

아마타 Amata: (로마전설) Latinus의 아내이며 Lavinia의 어머니.

아베르누스 Avernus: 이탈리아의 나폴리 부근의 호수; 옛날 그 물에서 나는 악취 때문에 호수 위로 날아가던 새가 죽었다고 하며, 지옥으로 가는 입구라고 여 겨졌었다.

아소포스 Asopus: 강신; 그의 20명의 딸들은 신들에게 납치되어 제각기 나름대 로의 생애를 보낸다.

아스카니우스 Ascanius: 아이네이아스(Aeneas)의 아들.

아스클레피우스 Asclepius: Apollo의 아들이며 의술의 신. 로마신화의 Aesculapius에 해당.

아스테리오스 Asterius: (1) Zeus와의 사이에 세 아들을 낳은 Europa를 아내로 삼고 그 자식들을 자기 양자로 삼은 Crete 왕. (2) Anaxes의 왕으로서 거인. (3) Pasiphae와 Crete섬의 황소 사이에서 태어난 인신우두(人身牛頭)의 괴물 (Minotaur). (4) Hyperasaius의 아들로서 아르고선 대원으로 참가.

아에손 Aeson: 아르고선 대원의 지도자 이아손(Jason)의 아버지.

아엘로 Aello: 날개가 있는 여자 괴물 하르피아이(Harpies) 중의 한 사람으로 바람의 요정.

아우게 Auge: Aleus 왕의 딸; Athens 신전의 무녀가 되어 자기 자식이 숙부들을 죽인다는 예언을 뒤엎었다; Hercules와의 사이에 Mysia 왕이 된 Telephus를 낳았다.

아우게우스 Augeas: Elis의 국왕; 아르고선(船) 대원(Argonauts)의 한 사람.

아우게우스 왕의 외양간 Augeas stables: 3천 마리의 소를 기르면서 30년간 소제를 하지 않았는데 Hercules는 Alpheus강의 물을 끌어다 단 하루 만에 청소했다고 한다. (clean the Augeas stables = 적폐를 일소하다)

아우토노에 Autonoe: Cadmus와 Harmonia 사이에서 난 딸; Aristaeus와의 사이에서 Actaeon을 낳았다.

아우토메돈 Automedon: (*Iliad*에서) Achilles와 그의 아들 Neoptolemus의 chariot (고대의 전차)을 모는 사람.

아우톨뤼쿠스 Autolycus: 헤르메스와 Chione의 아들로서 오디세우스의 조부가 되는 도둑; 훔친 물건의 모양을 바꾸거나, 장물 또는 자기 모습을 보이지 않게 하는 능력이 있었다.

아이게우스 Aegeus: Athens의 왕으로 Theseus의 아버지.

아이귑투스 Aegyptus: Egypt의 왕으로 Danatus와 쌍둥이 형제; Egypt를 정복하고 그 땅에 자기 이름을 붙였다.

아이기스토스 Aegistus: Clytemnestra와 밀통하고 그녀의 남편 Agamemnon을 살해했으나 그의 아들 Oretes에게 살해됨.

아이기알레우스 Aegialeus: Adrastus의 아들; Thebes의 2차 공격자(Epigoni)의 한 사람으로서 유일한 전사자.

아이기판 Aegipan: 염소의 모습을 한 Pan이란 뜻.

아이네이아스 Aeneas: Troy의 용사로 Anchises와 Aphrodite의 아들.

아이아스 Aias: Ajax라고도 함; 대 Aias와 소 Aias가 있음. (1) (Great Ajax: 트로이 전쟁 시 그리스의 영웅; Achilles를 구했지만 Achilles의 갑옷을 놓고 Odysseus와 다투다가 이에 실패하여 자살했다. (2) (Ajax the lesser) 트로이 전쟁의 영웅; Athena의 신전을 침범한 벌로 난파하여 죽었다고 전해진다; Achilles 다음으로 걸음이 빨랐다.

아이스퀼로스 Aeschylus: (525-456 B.C.) 그리스의 비극 시인, 극작가.

아이에테스 Aeetes: Cholchis의 왕으로 Medea의 아버지; 황금 양털의 소유자.

아이올로스 Aeolus: 바람의 신.

아이트라 Aethra: 아이게우스와의 사이에서 Theseus를 낳은 여인.

아카테스 Achates: Aeneas의 친구이며 그의 부관.

아켈로스 Achelous: Deianira의 사랑을 얻으려고 Hercules와 싸워 패한 강의 신; 사이렌들의 아버지.

아크리시우스 Acrisius: 아르고스의 왕; Danae의 아버지이며 Perseus의 조부; 페르세우스에게 (사고로) 살해되었다.

아키스 Acis: Galaltea의 애인; 질투한 나머지 Polyphemus에게 살해되었다.

아킬레스 Achilles: Homer의 *Iliad*에 나오는 영웅으로 트로이 전쟁에서 가장 위대했던 그리스의 투사; 유일하게 불사신이 아닌 곳인 발뒤꿈치를 적군 파리스에게 찔려 죽었다.

아타마스 Athamas: Thebes의 왕. 처음에는 Nephele의, 나중에는 Ino의 남편으로 Phrixus, Leucon, Helle, Melicertes, Learchus의 아버지.

아탈란타 Atalanta: Calydon 멧돼지에게 처음으로 상처를 입힌 여자 사냥꾼; 자기와 경주하여 이긴 남자와 결혼하겠다고 약속하고, 진 남자는 모두 죽였는데 마지막 경주자 Hippomenes는 경주 중에 Aphrodite로부터 받은 3개의 황금 사과를 떨어트려 그녀의 주의를 다른 데로 흩어지게 만들어서 이길 수 있었다.

아테 Ate: 신이나 사람의 마음을 어지럽게 하여 죄를 범하게 하는 숙명적인 무지(無知), 또는 무모함을 상징하는 고대 그리스의 여신.

아테나 Athena: 지혜, 예술, 공예, 전술의 여신; 그리스의 수도 아테네의 수호신. (로마신화의 Minerva에 해당)

아트레우스 Atreus: Mycenae의 왕으로, Plisthenes, Agamemnon, Menelaus 및 Anaxibia의 아버지; 동생 Thyestes와 추악한 싸움을 일으켜 동생은 형을 저주했다고 하는데, 이설(異說)이 많다.

아트로포스 Atropos: 운명의 세 여신 중의 하나로서 생명의 실을 끊는 역할을 했다.

아틀라스 Atlas: Iapetus의 아들로 Prometheus와 Epimetheus의 형제인 거인(Titan); Olympus 신들에게 반항한 죄로 평생 하늘을 양어깨에 떠받치고 있도록 운명 지어졌다.

아티스/아튀스 Attis: 여신 Cybele의 사랑을 받은 Phrygia의 젊은이; 질투심에 몹시 화가 난 Cybele에 의하여 미치광이가 되고, (스스로 자신의 손발을 토막내고) 죽는다. Cybele는 Zeus/Jupiter에게 부탁하여 그의 시신이 영원히 썩지 않도록 한다; 이는 식물의 생명 고사와 부활을 상징한다고 한다. (또는 Atys)

아폴로 Apollo: 늠름하고 아름다운 청년의 신으로 시, 음악, 예언, 의술 등을 맡아봄; 후에 태양신[Helios]과 동일시되었음.

아프로디테 Aphrodite: 연애와 미의 여신. (로마신화의 Venus에 해당)

악타이온 Actaeon: Artemis가 목욕하는 것을 엿보았기 때문에 그녀에 의해 사슴으로 변신 당해, 자기 사냥개에게 갈기갈기 찢긴 사냥꾼.

악티움 Actium: 고대 그리스의 서북부의 곶; 기원전 31년 Antony와 Cleopatra는 이 부근의 해전에서 Octavia와 Agrippa의 함대에게 패배했다.

안나 Anna: 카르타고의 여왕 Dido의 여동생.

안드로게오스 Androgeus: 아테네 왕; Aegeus의 음모에 희생되었던 Minos와 Pasiphae의 아들; 아들의 원수를 갚기 위해 Minos는 아테네에 싸움을 걸어, Minotaur(사람 몸에 소 머리를 한 괴물)에게 9년마다 7명의 처녀와 7명의 총각을 바치도록 아테네에 강요했다.

안드로마케 Andromache: Hector의 아내로 Astyanax의 어머니.

안드로메다 Andromeda: 에티오피아의 왕녀; 나라를 구하기 위하여 괴수(怪獸)에게 몸을 바쳤으나 Perseus에게 구조되어 그의 아내가 되었음.

안카이오스 Anchaeus: (1) Poseidon의 아들; 아르고선 대원(the Argonauts)이 되어 Argo호의 키잡이가 되었다. (2) 아르고선 대원 중에서는 Hercules 다음으로 힘이 셌던 Lycurgus의 자손.

안티고네 Antigone: Oedipus와 Jocasta 사이의 딸; 숙부인 Creon 왕을 배반하고 금기를 범하여 오빠 Polynices를 매장했기 때문에 동굴에 갇혔다가 목매어 죽었다.

안티노오스 Antinous: Odysseus의 아내 Penelope에게 구혼한 자들 중 한 명.

안티로쿠스 Antilochus: Nestor의 아들로 Achilles의 친구; 트로이 전쟁의 그리스군 장군 중 한 사람.

알케스티스 Alcestis: Thessaly의 왕 Admetus의 아내; 운명의 세 여신(the three Fates)에게 남편의 목숨을 구해달라고 기원하며 남편 대신 자기 목숨을 바쳤는데, 후에 저승(Hades)에서 Hercules에게 구조되어 이승으로 돌아왔다.

알크마에온 Alcmaeon: Amphiaraus와 Eriphyle 사이의 아들로, 제2차 테베 원정대를 지휘했다.

알크메나 Alcmena: Amphitryon의 아내; 제우스가 그녀의 남편으로 변장하여 찾아가 그들 사이에 헤라클레스가 태어남.

알키노우스 Alcinous: Phaeacians 왕으로 Nausica 및 Laodamas의 아버지; 알키노우스의 궁정에서 Odysseus가 그의 모험담을 이야기했다.

알키오네 Alcyone: Aeolus의 딸; 난파선에서 죽은 남편 Ceyx와 함께 물총새 (kingfisher)로 변신되었는데, 이 두 마리의 물총새가 둥우리를 만들고 있는 동안은 바다가 잔잔했다고 전해진다.

알타이아 Althaea: Oeneus의 아내로 Toxeus, Tydeus, Meleager 및 Deianira의 어머니.

알페이오스 Alpheus: 강신으로 Oceanus와 Tethys 사이의 아들.

암포테로스 Amphoterus: Alcmaeon과 Callirrhoe 사이의 아들로 Acarnan의 형제; 둘은 불과 하루 만에 성인이 되어, Phegeus의 아들들을 죽여 아버지의 원수를 갚았다.

암피노모스 Amphinomus: Odysseus의 아내 Penelope에게 구혼한 자들 중 한 명.

암피아라오스 Amphiaraus: 싸움에 나가면 죽는다는 것을 예언의 힘으로 알면서도 테베 원정 7용사(the Seven against Thebes)에 가담해서 싸우다가 도망 중 땅에 빠져 죽은 영웅; 죽은 뒤 그의 신전이 세워졌다.

암피온 Amphion: Zeus가 Autiope에게 낳게 한 쌍둥이 중의 한 사람으로, Niobe의 남편; 하프의 명수로 쌍둥이 형제 Zethus와 함께 Thebes의 성벽 쌓기를 했는데, 그의 하프 타는 소리에 돌이 저절로 움직여 성벽이 완성되었다고 한다.

암피트리온 Amphitryon: Alcaeus의 아들로 Alcmena의 남편; Zeus가 Amphitryon으로 변장해서 Alcmene를 범하여 Hercules를 낳게 했다.

에니요 Enyo: 고대 그리스 전쟁의 여신; 군신 아레스의 친척; 로마신화의 Bellona와 동일시된다.

에레크테우스 Erechtheus: Athens의 왕으로서 Procris의 아버지.

에로스 Eros: 고대 그리스 사랑의 신으로 Aphrodite와 Ares 사이의 아들; 로마신화의 Cupid에 해당.

에뤼시크톤 Erysichton: 여러 차례에 걸친 경고를 무시하고 Demeter에게 바쳐진

성스러운 나무를 잘라내어, 끝없는 굶주림의 벌을 받아 며칠 사이에 자기 가축을 잡아먹고는 마침내 자기 자신을 게걸스럽게 먹어치우고 죽은 사나이.

에르기노스 Erginus: 테베인과 자주 분쟁을 일으켰던 Minyae인의 왕.

에리니에스 Eriny(e)s: (1) 복수의 여신(Furies) 중의 한 사람. (2) Demeter의 덧붙인 이름; 'fury'라는 뜻.

에리만토스산 Mt. Erymanthus: 그리스 남부; Peloponnesus 반도 서북부에 있는 산.

에리만토스의 멧돼지 Erymantian boar: Erymanthus산에 살면서 Arcadia를 황폐하게 하다가, Hercules에게 잡힌 흉포한 멧돼지.

에리스 Eris: 고대 그리스의 불화/싸움의 여신으로 Ares의 자매; Peleus와 Thetis의 결혼 피로연 석상에서 손님들에게 불화의 사과(apple of discord)를 던졌다; 로마인들은 Discordia와 동일시한다.

에반드로스 Evander: 헤르메스의 아들로 그리스에서 이탈리아로 이주해서 로마의 Palatine Hill 기슭에 도시를 일으켰으며 Aeneas가 도착하자 그와 동맹을 맺었다.

에오스 Eos: 고대 그리스 새벽의 여신; 로마 사람은 Aurora와 동일시.

에우리디케 Eurydice: Orpheus의 아내, 나무의 요정; Orpheus는 독사에게 물려 죽은 아내를 살려내려고 명부(冥府)에 가서 음악의 힘을 빌려 신들을 감동시켜서 이승으로 나올 때까지는 뒤따라오는 아내를 돌아보지 않기로 약속해 놓고, 이제 한 걸음이면 빠져나오게 될 순간에 뒤돌아보고 그만 아내를 다시 명부의 암흑으로 놓치고 만다.

에우리로코스 Eurylocus: 트로이에서 돌아오는 길에 오디세우스를 따랐던 부하; 다른 부하들은 키르케 때문에 돼지로 변신되었음을 알렸다.

에우리스테우스 Eurystheus: Mycenae의 왕; Hercules의 사촌 아우로 나중에 Hercules에게 12가지 어려운 임무를 맡겼다.

에우리알레 Eeuryale: 3명의 괴물 Gorgons 중의 한 사람이고 Medusa의 자매.

에우리티온 Eurytion: (1) Olenus의 왕 Dexamenus의 딸을 폭력을 써서 아내로 삼으려다가 Hercules에게 살해된 반인반마의 괴물(centaur). (2) 트로이로부터 피해 나올 때 Aeneas의 동료 중 한 사람. (3) Actor의 양자; 착오로 Peleus에게 살해되었다. (4) Geryon의 소몰이꾼.

에우리토스 Eurytus: (1) Melaneus의 아들; 활쏘기 명수. (2) Molione의 아들. (3) Hermes의 아들.

에우테르페 Euterpe: 뮤즈(Muses)의 한 사람으로 음악, 서정시를 관장한다.

에코 Echo: 미소년 Narcissus를 사랑한 나머지 몸이 쇠약해져서 끝내 목소리만 남게 되었다는 산의 요정.

에키드나 Echidna: 상반신은 여자이고 하반신은 뱀인 괴물; Chimera, Hydra, Sphinx, Cerberus 따위 괴물의 어미이며 Argus에게 살해되었다.

에키온 Echion: Cadmus가 뿌린 용의 이빨에서 나온 전사들(Sparti) 중 유일한 생존자; Cadmus의 딸 Agave의 남편으로 Pentheus의 아버지.

에테오클레스 Eteocles: Oedipus 왕의 아들로서 Polynices와 형제; 왕위를 놓고 형제가 싸우다가 결투 끝에 둘 다 찔려죽었다.

에파포스 Epaphus: Zeus와 Io 사이의 아들; 이집트의 왕이 되었다.

에피고노이 Epigoni: Thebes 원정 7용사의 아들들.

에피메테우스 Epimetheus: 이아페투스의 아들로 프로메테우스와 아틀라스(Atlas)의 형제; 판도라의 남편으로 피르라(Pyrrha)의 아버지.

엘레우시스 Eleusis: 고대 그리스 Attica의 도시.

엘레우시스의 의식(儀式) Eleusis mysteries: Persephone의 유괴와 귀환을 기념하고, 또한 Demeter와 Bacchus를 찬양하여, 고대 그리스 도시 Eleusis와 Athens에서 매년 거행된 신비적 의식.

엘렉트라 Electra: Agamemnon과 Clytemnestra 사이의 딸; 동생 오레스테스를 사주하여 어머니와 그의 정부 아이기스토스를 죽여 아버지의 원수를 갚았다.

오디세우스 Odysseus: Ithaca의 왕; Laertes의 아들이며 Penelope의 남편;

Telemachus의 아버지; 트로이 전쟁에서는 그리스의 가장 현명한 지도자이기
도 했다.

오레스테스 Orestes: Agamemnon과 Clytemnestra 사이의 아들이며, Iphigenia,
Electra의 동생; 아버지를 죽인 어머니와 그녀의 정부 Aegistus를 죽여 아버지
의 원수를 갚았다.

오레이아스 Oread: 여신 Artemis를 수행하는 신의 요정.

오레튜이아 Orithyia: Erechtheus의 딸; 북풍(北風)의 신 Boreas에게 유괴되어
Thrace로 끌려갔다.

오르투스 Orthrus: 게리온(Geryon)의 소 떼를 지키는 쌍두(雙頭)의 괴상하게 생긴
짐승으로 Hercules에 의해 살해되었다.

오르페우스 Orpheus: Calliope의 아들; Trace의 시인이며 수금의 명수; 죽은 아내
Eurydice를 쫓아 하계로 내려와 음악으로 Hades를 매료시켜 아내를 지상으로
데려올 수 있도록 허락을 받았으나, 이승에 나올 때까지 아내를 돌아보지 말
라는 약속을 마지막 순간에 어기고 뒤돌아보았기 때문에 영원히 아내를 잃게
되었다고 한다.

오이네우스 Oeneus: Calydon의 왕으로, 포도를 처음으로 재배한 사람으로 전해
진다; 여신 Artemis에게만 수확의 만물 바치기를 잊어버렸기 때문에 Artemis
는 칼뤼돈의 멧돼지(Calydonian boar)를 부려서 그의 포도원을 망가트렸다.

오이노마오스 Oenomaus: Pisa의 왕; Hippodamia의 아버지.

오이노에 Oenoe: Mount Ida의 님프; Paris의 아내가 되었으나, 그가 Helen을 사
랑했기 때문에 버림받았다.

오이아그로스 Oeagrus: Trace의 왕; 예술의 여신인 Calliope와의 사이에 Orpheus
를 낳았다; 또한 음악가 Linus의 아버지라고도 전한다.

오케아노스 Oceanus: 거인 족 티탄(Titan)의 하나로 물을 상징하는 신; Uranus(하
늘)와 Gaea(대지)를 부모로 하고, Tethys의 남편; 강의 신들과 대양의 여신들
(Oceanids)의 아버지.

오펠테스 Opheltes: Nemea의 왕 Lycurgus의 아들; 어릴 때 뱀에 물려 죽었는데 그를 추도하기 위해 네메아 경기(Nemean games)가 개최되었다.

올림포스산 Mount Olympus: 그리스 신들이 살고 있었다는 산.

옴팔레 Omphale: Hercules가 3년 동안 노예로 섬겼던 Lydia 여왕.

운명의 세 여신 the Fates: 인간의 탄생을 주관하여 생명의 실을 잣는 클로토 (Clotho), 인간의 생애를 마음대로 조종하는 라케시스(Lachesis), 그 죽음을 주관하여 생명의 실을 끊는 아트로포스(Atropos)의 세 여신(the Sisters/the Weird Sisters); 그리스에서는 Moerae, 로마에서는 Parcae로 알려져 있다.

유네오스 Euneos: Jason과 Hypsipyle 사이에서 난 아들.

유노모스 Eunomus: Hercules가 무심코 휘두른 손에 맞아서 죽은 소년.

유로파 Europa: Cadmus의 자매; 흰 수소 모양으로 변한 Zeus에게 유괴되어 Crete섬으로 끌려가서 Rhadamanthys, Minos, Sarpedon을 낳았다.

유마이오스 Eumaeus: 오디세우스의 충실한 돼지치기 꾼; 오디세우스가 귀국했을 때 그를 도와서 오디세우스의 아내 페넬로페에게 구혼자들을 없애는 일을 성취시켰다.

유몰포스 Eumolpus: 포세이돈과 키오네(Chione) 사이에서 난 아들; Eleusis의 신관단(神官團)의 시조.

유보이아섬 Euboea: 에게해 서부에 있는 그리스 최대의 섬. (현대 그리스명은 Evvoia 또는 Negropont)

이노 Ino: Cadmus와 Harmonia 사이의 딸; 발광한 남편 Athamas에게서 도망쳐 나와 아들과 함께 바다로 뛰어들어가서 후에 바다의 여신 Leucotea로서 받들어졌다.

이다이아 Idaea: (1) Phineus의 두 번째 아내. (2) Ida산의 요정으로 강신인 Scamander의 아내가 되어 Teucer를 낳았다.

이리스 Iris: 신들의 사자(使者); 무지개의 여신으로 간주되었다.

이스메네 Ismene: Oedipus와 Jocasta 사이의 딸; 언니인 Antigone가 금기를 어기

고 오빠 Polynices를 매장하려고 하자 그에 동조하기를 두려워했다.

이아소스 Iasus: Atalanta의 아버지; 아들을 바라고 있었기 때문에 딸인 Atalanta 를 산에 버렸다. Atalanta는 곰에 의해 성장되었다.

이아손 Jason: 아르고선 대원(the Argonauts)의 지도자; 삼촌 Pelias의 부탁을 받고 아르고선을 만들어서 동방의 만지(蠻地) Colchis로 향해 가서 Medea의 도움을 얻어 황금 양털(the Golden Fleece)을 Colchis 왕 Aeetes에게서 다시 빼앗았다.

이오 Io: Inachuss의 딸; Zeus의 사랑을 받았으나, Zeus의 아내 Hera의 질투 때문에 Zeus는 그녀를 젊고 흰 암소로 변신시켜 숨겨둔다; Hera는 그것을 이상하게 여겨 거인 Argus에게 망을 보게 한다; Zeus는 Argus를 죽였지만, 그래도 Hera는 그녀를 뒤쫓아 온 암소를 방랑하게 한다; 그러나 마지막으로 Egypt로 도망쳐 인간의 모습으로 돌아온다; 이집트인은 Isis와 동일시 한다.

이오카스타/이오카스테 Jocasta: Thebes의 왕비이자 Laius의 아내; Oedipus의 어머니인데, 후에 그의 아내가 되어 Eteocles, Polynices, Antigone, Ismene를 낳았다.

이올라우스 Iolaus: Hercules의 쌍둥이 형제인 Iphicles의 아들; Hercules의 조카이자 심복.

이올레 Iole: Eurytus의 딸로서 Hyllus의 아내.

이카리오스 Icarius: (1) 디오니소스에게 친절하였기 때문에 답례로 포도주 제조법을 전수받은 이타카 사람. (2) Penelope의 아버지.

이카로스 Icarus: 아버지 Daedalus와 함께 밀랍으로 붙인 날개로 Crete섬에서 탈출하려고 했던 젊은이; Daedalus는 성공했으나 아버지의 충고를 듣지 않고 그는 너무 높이 날았기 때문에 날개를 붙인 밀랍이 태양열에 녹아 바다에 떨어져 죽는다. (Patmos섬 및 Leros섬 사이에 있는 the Icarian Sea는 여기서 이름이 유래했다.)

이피게니아 Iphigenia: Agamemnon과 Clytemnestra의 딸로서, Orestes와 Elelctra

의 여동생; Agamemnon의 배가 트로이의 싸움터로 가는 도중에 Aulis에서 바람이 멎자, Artemis의 노여움을 풀고 바람을 얻기 위한 제물로 바쳐졌으나 Artemis에게 구조되어 그의 여신관이 되었다.

이피스 Iphis: (1) Crete섬의 소녀; 아버지가 자기 딸을 모두 죽이겠다고 했으므로 어머니가 사내자식으로 길렀다; Isis는 그녀가 아름다운 소녀 Ianthe와 사랑에 빠지자 Iphis를 남자로 변신시켰다.

이피토스 Iphitus: Eurytus의 아들로서 Iole의 형제; 아르고선 대원(Argonauts)으로 참가.

익시온 Ixion: Lapithae족의 왕; Hera의 사랑을 요구했기 때문에 제우스에게 벌을 받아 Tartarus의 영원히 돌아가는 불의 바퀴에 묶이게 되었다. (이 불의 바퀴를 Ixion's wheel이라고 한다.)

일리리아 Ilyria: 아드리아해 동해안에 있던 고대 국가.

일리움 Ilium: 고대 Troy의 라틴명.

일리튀이아 Illityia: 출산을 돕는 조산의 여신; 제우스와 헤라 사이의 딸.

| ㅈ |

제우스 Zeus: 고대 그리스 최고의 신; Cronus와 Rhea의 아들; Demeter, Hera, Hestia, Poseidon, Hades의 형제로서, 여러 신들과 반신반인(半神半人)의 아버지이고 인간의 아버지; 천상을 지배하는 으뜸신인 동시에 법률, 정치, 도덕 등에 관하여 인간 생활을 지배하는 신; 로마의 Jupiter에 해당.

제테스 Zetes: 북풍신 Boreas와 Orithyia의 아들로, 아르고선 대원(the Argonauts)의 한 사람.

제피르/제피로스 Zephyrus: 서풍(西風)의 신.

| ㅋ |

카론 Charon: 죽은 사람의 혼을 배에 태워 저승의 강(Styx)을 건네준다는 사공.

카산드라 Cassandra: 트로이의 왕 프리아모스와 헤카베 사이의 딸; 그녀의 예언
은 진실된 것이었으나 아폴로에게 저주를 받아 아무에게도 믿음을 받지 못했
다.

카스토르와 폴리듀케스(또는 폴룩스) Castor와 Polydeuces(또는 Pollux): Leda를 어
머니로 하는 쌍둥이 형제로 Helen의 오빠들; 형제애의 전형으로 알려져 있으
며, 또한 뱃사람의 수호신으로 일컬어진다; 두 형제는 Zeus의 허락을 얻어 하
루걸러 천상과 인간세계에서 살았다고 하며, 쌍둥이 좌(Gemini)의 두 별이 되
었다고 한다.

칼레 Calais: Dover해협에 면한 영국에 가장 가까운 프랑스 북부의 항구도시.

칼리로에 Callirrhoe: (1) Genymede의 어머니. (2) Alcmaeon의 아내; 자식들이 하
루 만에 성인이 되도록 Zeus에게 빌었다. cf. Amphoterus. (3) Calydon에서
전염병을 몰아내기 위해 희생이 되어줄 것을 요청받은 소녀.

칼리스토 Callisto: 아르테미스를 섬기는 요정; 제우스와 정사를 맺었기 때문에
벌을 받아 곰으로 변신한 뒤 그 모습으로 아르테미스에게 살해되었다.

칼리오페 Calliope: 서사시를 관장하는 여신, 학예의 여신(Muses)의 한 사람으로
서 서판(書板)과 철필(鐵筆)을 가진 모습으로 표현된다.

칼립소 Calypso: 오디세우스를 7년간 Ogygia섬에 사로잡아 두었던 요정.

칼카스 Calchas: 트로이 전쟁 때의 그리스군 최고의 예언자.

케르 Ker: 전쟁터에서 죽음을 가져오는 악령; 때로 복수의 여신들(Furies)과 동일
시 된다.

케르베로스 Cerberus: 지하 세계의 저승 문을 지키는 머리가 셋 달린 개.

케르키온 Cercyon: Hephaestus 또는 Poseidon의 아들; Arcadia의 왕이 되었다;
Alope의 아버지.

케윅스 Ceyx: Alcyone의 남편.

케토 Ceto: 자기 오빠인 바다의 신 Phorcys의 아내가 되어, Graeae 및 세 자매 (Gorgons)의 어머니가 되었다.

케팔로스 Cephalus: 프로크리스(Procris)의 남편; 의심을 품고 뒤쫓아 온 아내를 짐승으로 잘못 알고 창을 던져 죽였다. (Cephalonia섬은 그 이름에서 유래)

케페우스 Cepheus: 에티오피아의 왕; Cassiopeia의 남편이며 Andromeda의 아버지.

켄타우로스 Centaur: 반인반마(半人半馬)의 괴물; Ixion과 Nephele 사이에서 난 아들; Centaur족의 아버지.

코린트 Corinth/Corinthos: 옛 그리스의 예술과 상업의 중심지.

코마이토 Comaetho: Teleboes인의 왕 Pterelaus의 딸; 암피트리온이 쳐들어왔을 때 적인 그를 사랑하여, 부왕의 머리에 나 있는, 패배와 죽음을 모르는 힘을 가진 황금 머리털을 뽑아버렸다. 이 때문에 부왕은 죽고 암피트리온은 승리를 거두었지만 아버지를 배신한 그녀의 행위를 미워한 암피트리온에게 살해되었다.

코카서스 Caucasus: 코카서스 산맥; 러시아 서남부, 흑해와 카스피해에 걸쳐 있는 Caucasia 산맥.

코프레우스 Copreus: Eurystheus의 전령관(傳令官).

퀴레네 Cyrene: (1) 여자 사냥꾼이며, Apollo의 애인. (2) 키레네: 아프리카 북부 Cyrenaica지방에 있던 고대 그리스의 식민도시.

퀴벨레 Cybele: Phrygia를 중심으로 하여 소아시아에서 숭앙 되었던 대지모신(大地母神); 곡식의 결실을 상징하며 그리스신화에서는 Rhea, 로마신화에서는 Ops와 동일시되었다.

퀴아네 Cyane: (1) 술에 취하여 딸을 알아보지 못한 아버지에게 능욕을 당한 왕녀; 그 결과 전염병이 발생하고, 신탁이 불륜의 죄를 범한 자의 희생을 요구하여, 그녀는 아버지를 죽이고 자살했다. (2) Hades가 Persephone를 자기의 아내로 삼기 위해 저승으로 끌고 가려고 하는 것을 말리지 못한 시녀인 요정.

크레온 Creon: (1) 테베의 왕으로 Jocasta의 동생; Eteocles, Polynices, Antigone, Ismene의 숙부; Thebes 원정의 7용사(Seven against Thebes)를 쳐서 이겼다. (2) Corinthos의 왕으로서 Creusa의 아버지; Jason의 양부가 될 예정이었으나, Medea의 속임수로 죽게 된 Creusa의 목숨을 구하려다 살해되었다.

크레우사 Creusa: (1) 프리아모스의 딸로 아이네이아스의 아내; 트로이 멸망 시 도망하던 중 행방불명이 되었다. (2) Jason의 신부; 질투심 많은 메데이아의 마술로 살해되었다. (또는 Glauce 글라우케라고도 한다.)

크레타섬 Crete: 그리스 동남쪽 지중해연안의 그리스 영(領).

크로노스 Kronus: Uranus와 Gaea 사이에 태어난 거인의 한 사람; 아버지의 왕위를 빼앗았으나 후에 아들인 Zeus에게 폐위당했다; 로마신화의 Saturn에 해당; 또는 Cronos, Kronos라고도 함.

크리사오르 Chrysaor: 바다의 신 Poseidon과 Medusa 사이의 아들; 태어났을 때는 이미 검을 휘두를 정도로 자라있었다고 한다.

크리세이스 Chryseis: Apollo의 사제(司祭) Chryses의 아름다운 딸; 그리스군에게 체포되어 Agamemnon에게 주어졌다.

크리시포스 Chrysippus: Laius 왕에게 유괴된 소년.

크세니아 Xenia: Athena의 덧붙인 이름; "hospital"이라는 뜻.

크수토스 Xuthus: Helen(헬레네)와 Oreseis 사이의 아들로 Creusa의 남편.

클로토 Clotho: 운명의 세 여신 중 최연소자; "물레질하는 여인"을 뜻하며 그 물레에서 운명의 실을 뽑아낸다고 한다.

클리메네 Clymene: (1) Nauplis에게 팔린 Catreus의 딸. (2) Oceanus의 딸로서 태양신 Helios/Apollo 사이에서 Phaethon과 the Heliades를 낳았다. (3) Oceanus의 딸로서 Prometheus와 그 밖의 어머니. (4) Minyas의 딸로서, Phlacus 사이에서 Iphiclus와 Alcimede를 낳았다.

클리템네스트라 Clytemnestra: Tyndareos와 Leda 사이의 딸; 아가멤논의 아내로서 엘렉트라, 오레스테스, 이피게니아의 어머니; 남편이 집을 비운 사이 아이기스토스와 정을 통하고 귀국한 남편을 정부와 공모해서 죽였으나 오레스테스에 의해 정부와 함께 피살됨.

키론(또는 케이론) Chiron: 현명하고 친절한 켄타우로스(centaurs)의 한 사람; Apollo의 아들이며 의술의 신인 Asclepius와 Achilles 등을 교육했다.

키르케 Circe: 마녀; Homer의 *Odyssey*에 나오는 마녀로 오디세우스의 부하를 마법의 힘으로 돼지로 만들어 버렸다.

키마이라 Chimaera: 은상어.

키오네 Chione: Daedalion의 딸로 쌍둥이 아들의 어머니; 쌍둥이 중 Philammon의 아버지는 아폴로이고 다른 쌍둥이 아들 Autolycus의 아버지는 헤르메스이다.

키클롭스/큐클롭스 Cyclops: Sicily에 살았다고 하는, 이마 한가운데에 둥근 외눈을 가진 거인족의 한 사람; Polyphemus는 그중 한 사람; 포세이돈의 아들.

| ㅌ |

타나그라 Tanagra: 고대 그리스 Boeotia의 도시; 테라코타(terra-cotta)의 인형 출토로 유명; Sparta군이 Athens군을 격파했던 옛 싸움터(457 B.C.).

타나토스 Thanatos: 고대 그리스에서 의인화(擬人化)된 죽음.

타르타로스 Tartarus: (1) 저승 아래의 햇볕이 들지 않는 심연(深淵); Zeus는 이 심연에 Titans를 유폐했다. (2) 일반적인 저승(underworld).

타소스섬 Thasos: 에게해 북부에 있는 그리스 영의 섬. Thasian.

타피아군도 Taphian Island: (고대 지리에서) 이오니아해의 한 무리의 섬. 또는 Teleboides라고도 한다.

타유게테 Taygete: Pleiades의 한 사람; Zeus와의 사이에서 Lacedaemon을 낳았

다.

탄탈로스 Tantalus: (1) Phrygia의 왕으로서, 때로는 Zeus의 아들로 여겨지고 있다; 신들을 속이고 비밀을 누설한 죄로 저승의 맨 밑에 있는 Tartarus에 묶이는 벌을 받았다. 여기서는 목이 마르고 배가 고파도, 선 채로 턱까지 닿는 물에 잠겨서 물을 마시려고 하면 그때마다 물이 내려가고, 머리 위에는 과일이 주렁주렁 열린 가지가 늘어져 있지만, 과일을 따려고 하면 손이 닿지 않는 곳으로 물러갔다고 한다. (2) Pisa의 왕; Clytemnestra의 첫 남편.

테네스 Tenes: Cycnus와 Proclea 사이의 아들; Proclea의 사후(死後), 계모인 Phylonome가 자신을 유혹하려 했다고 허위사실을 고했기 때문에, 아버지로부터 추방당하고, 상자에 넣어 바다에 버려졌다.

테레우스 Tereus: 트라키아의 왕으로 Procne의 남편; 처제 Philomela를 욕보였고 그 벌로 후투티새(hoopoe)로 변했다.

테르산드로스 Thersander: Epigoni의 한 사람; 트로이 전쟁에서 그리스의 맹우(盟友)로 싸웠다.

테르시테스 Thersites: (*Iliad*에서) 추악하고 불구이며, 입이 험하고 호전적인 것으로 유명한 그리스인; 트로이 전쟁 때 Agamemnon을 욕심꾸러기라 비난하였고 Achilles를 비겁하다고 욕했는데, 결국 Achilles에게 살해되었다.

테미스 Themis: Titan 신족 중의 한 여신; Uranus와 Gaea 사이의 딸로서 Morae와 Horae의 어머니; 법률, 질서, 정의의 여신.

테살리아 Thessaly: 고대 그리스 동북부에 위치한 지역(에게해에 임한 지역).

테세우스 Theseus: Attica의 영웅; Athens의 왕; Aegeus의 아들이고 Phaedra의 남편; 도둑 Procrustes, Sinis, Sciron을 물리치고, Crete섬의 미궁을 돌파하여 괴물 Minotaur를 죽였으며, Amazons 정벌, Centaurs 정벌에 참가하였고, Persephone 유괴 획책 등의 모험을 했다.

테우크로스 Teucer: (1) Scamander와 Idaea 사이에서 난 아들로 Troy의 초대 왕. (2) Telamon의 서자로 Great Ajax의 배다른 동생; Troy 전쟁에서 활의 명수.

테이레시아스 Tiresias: 눈먼 예언자; 목욕하고 있는 Athena를 엿본 죄로 눈이 멀게 되었지만, 후에 눈이 먼 대가로 예언의 능력이 주어졌다.

테튀스 Thethys: 티탄 신족의 여신; Uranus와 Gaea 사이에 난 딸로 바다의 신 Oceanus의 아내; 바다의 님프 Oceanid들과 강의 신들을 낳았다.

테티스 Thetis: 바다의 여신(Nerneid); Peleus의 아내이며 Achilles의 어머니.

텔라몬 Telamon: 아르고선 대원의 한 사람으로서, Hercules의 친구; Ajax 및 Teucer의 아버지.

텔레마코스 Telemachus: Odysseus와 Penelope 사이의 아들; Odysseus를 도와 어머니의 구혼자들을 물리쳤다.

텔레포스 Telephus: Hercules와 Auge 사이의 아들; Mysia의 왕이 되었다; 그리스군이 트로이에 이르기 위한 항로도(航路圖)를 만들었다.

토아스 Thoas: (1) Hercules에게 살해당한 Gigantes의 한 사람. (2) Hypsipyle와 Jason 사이의 아들. (3) Ariadne의 아들로, Tauris의 왕이 된 Dionysus이거나 Theseus 중의 어느 사람; Iphigenia의 은인. (4) (*Illiad*에서) 트로이 전쟁 때 그리스군을 원조한 Helen의 구혼자.

토크세우스 Toxeus: Calydon의 왕 Oeneus 아들.

튀데우스 Tydeus: Diomedes의 아버지로 테베 원정 7용사(Seven against Thebes)의 한 사람.

튀르누스 Turnus: (로마신화) Aeneas와 함께 Lavinia를 두고 다툰 이탈리아의 왕; 마지막에는 Aeneas에게 살해되었다.

튀폰 Typhon: 티포에우스(Typhoeus)와 혼동되었던 괴물; 백 개의 뱀 대가리, 번쩍번쩍 빛나는 눈, 무서운 목소리를 가진 괴물; Zeus는 벼락을 내려 그를 불로 태워 Etna산 밑의 끝없이 깊은 연못 Tartarus에 던져버렸다.

튄다레오스 Tyndareos: 스파르타의 왕; Leda의 남편이며 Clytemnestra, Castor, Pollux 등의 아버지.

트라키아 Thrace: Balkan 반도 동부의 고대지역으로 시대에 따라 그 범위는 현저하게 다르다.

트로이젠 Troezen: 고대 지리에서 Peloponnesus 반도 동부, Saronic만 연안에 있던 도시; 전설에 따르면 Theseus의 출생지라고 한다.

트로일로스 Troilus: 트로이의 왕 프리아모스의 아들이고 Hector의 동생; 트로이 포위전에서 Achilles에게 살해되었다.

트리톤 Triton: 해신. (1) Poseidon과 아내 Amphitrite의 아들로, 머리와 동체는 사람, 아래는 물고기 꼬리로 되어있고, 아버지가 가진 소라를 부는 모습으로 묘사된다. (2) 해신의 권속인 바다의 여러 신들: 보통 상반신은 인간, 하반신은 물고기 모습으로 그려진다.

트몰로스 Tmolus: Lydia 왕; Artemis 신전에서 소녀 Arripe를 범했기 때문에 여신 Artemis에게 살해되었다.

티에스테스 Thyestes: Pelops의 아들로 Atreus와는 동기간이었는데, Atreus의 아내 Aerope와 간통했기 때문에 미움을 사게 되었고 그 벌로서 Atreus는 식사 때, 그의 자식들을 죽여 그 살을 차려냈는데, 그는 이를 모르고 먹었다. Thyestes는 이 때문에 Atreus의 집을 저주했다.

티탄 Titan: (1) Uranus(하늘)과 Gaea(땅) 사이에 태어난 아들 중의 한 사람; Coeus, Crius, Cronus, Hyeerion, Iapetus, Oceanus의 남신. (2) (the를 붙여서) = Helis.

티토누스 Tithonus: Troy의 왕; Laomedon의 아들; 새벽 여신 Eos의 사랑을 받았으며 Eos에게 불사의 몸이 되기를 청하여 그렇게 되었으나 늙어서 목소리만 살아있는 인간이 되자 Eos에게 다시 그 불사의 은총을 거두어 줄 것을 간청한 나머지 매미로 변신되고 말았다.

팀브라이오스 Thymbraeus: Laocoons의 쌍둥이 아들 중 한 사람.

파나테나이아 Panathenaea, Feast of Panathenaea: 전 아테네 축제; 여신 Athena
에게 드리는 제전; 고대 Athens에서 매년 거행되어 4년마다 대제전이 있고,
운동, 음악 따위의 경기/경연대회가 열렸다.

파르테노페 Parthenope: Odysseus가 사이렌들이 부르는 노래의 마력을 벗어 났
을 때 바다에 투신자살한 사이렌(Siren).

파리스 Paris: 트로이의 왕자; Priam과 Hecuba 사이의 아들이고 Cassandra의 아
우; 황금 사과를 Aphrodite에게 선사하여 그녀의 도움으로 Helen(Sparta의 왕
자 Menelaus의 아내)를 유괴할 수 있었지만 이 때문에 트로이 전쟁이 일어났
다. 황금 사과는 불화의 여신 Eris가 가져온 것이다.

파시파에 Pasiphae: Crete의 왕 Minos의 아내로 Ariadne의 어머니; 해신
Poseidon으로부터 Minos가 받은 흰 황소와 교접하여 황소의 머리와 사람의
몸을 가진 괴물 Minotaur를 낳았다.

파에톤 Paethon: 태양신 Helios/Apollo의 아들; 아버지의 해 수레를 빌렸으나, 수
레가 지구에 접근하여 위험해졌기 때문에 Zeus가 번갯불로 그를 때려 눕혀
세계가 불바다가 되는 것을 구제했다.

파이드라 Phaedra: Minos와 Pasiphae 사이에 난 딸; Theseus의 아내; Hippolytus
의 의붓어머니이면서 그를 사랑했으나 거절당하여, 결국 스스로 목을 매어 죽
었다.

파트로클로스 Patroclus: Achilles의 친구; 트로이 전쟁에서 Hector에게 살해되었
고 그 원수를 갚기 위해 Achilles가 싸움터로 되돌아갔다.

판 Pan: 고대 그리스의 숲, 들, 목양(牧羊)의 신; 머리, 가슴, 팔은 사람이고 다리
는 양이고 때로 양의 뿔이나 귀를 갖는다.

판도라 Pandora: Hephaestos에 의해 만들어진 인류 최초의 여자; 신들에게서 온
갖 아름다움을 부여받았다. 그녀는 Prometheus가 인류를 괴롭히는 모든 해악

을 봉해 넣은 상자와 함께 Epimetheus에게 보내졌는데 신들이 예상한대로, 그녀가 그 상자를 열었기 때문에, 안에서 여러 악이 빠져 나와 Prometheus의 모처럼의 노력이 허사가 되고 말았다; 일설에는 그 상자에는 갖가지 은혜로움이 들어 있었는데 모두 빠져 나가고 희망만이 남았다고 한다.

판디온 Pandion: (1) Phineus와 Cleopatra의 아들; 계모 Idaea가 그에 대하여 허위 고발을 했을 때, 아버지에 의해 형제인 Plexippus와 함께 장님이 되어 버렸다. (2) Athens의 왕; Erectheus, Butes, Procne, Philemon의 아버지. (3) 활의 명수 Teucer의 친구.

팔라메데스 Palamedes: 트로이 전쟁에 출정한 그리스 총사령관 Agamemnon의 부관; 출전하기 싫어하는 Odysseus를 끌어내기 위해 Ithaca로 가서 미친 척하고 있는 그의 정체를 간파하고 드디어 출정시키는 데 성공하지만, 뒤에 이로 인하여 원한을 사서 Odysseus의 계략으로 피살되었다.

팔라스 Pallas: (1) Aegeus 왕의 남동생; (2) Athens의 수호신인 여신 Athena의 이름(또는 Pallas Athena); (3) 아테나가 젊을 때 함께 놀다가 실수로 죽인 Triton의 딸; 아테나는 그 딸의 이름을 자기 이름으로 쓰고 그 초상을 만들었다.

팔라이몬 Palaemon: 바다의 신으로 변한 후의 Melicertes의 이름.

페나테스 Penates: (로마 종교) 가정이나 사회의 수호신.

페라에 Pherae: 고대 그리스 지방의 동남부에 있던 마을; 전설상의 Admetus와 Alcestis의 고향으로 일컬어진다.

페레스 Pheres: Pherae의 창건자; 그 이름의 시조이며 왕; Admetus, Idomene, Periapiss의 아버지.

페르딕스 Perdix: Daedalus 자매의 아들로 Daedalus가 조카인 그를 살해했을 때 아테나에 의해 자고(새)로 변신했다.

페르세우스 Perseus: Zeus와 Danae 사이의 아들; 여자괴물 Medusa를 살해하고, 뒤에 Andromeda를 바다의 괴물에게서 구해낸 영웅.

페르세포네 Persephone: 제우스와 Demeter 사이의 딸; Hades/Pluto에게 유괴되어 Hades의 왕비가 되었는데 한 해에 일정기간 지상으로 돌아가는 것이 허용되었다.

페리구네 Perigune: Theseus와의 사이에 Melanippus를 낳았다.

페리클리메네/페리클리메누스 Periclymene/Periclymenus: (1) Neleus의 아들; 마음대로 변신할 수 있었는데 Hercules에 대항해서 Neleus의 왕국을 지키고 있을 때에 그에게 살해되었다. (2) Poseidon의 아들; 테베 원정 7용사(Seven against Thebes)의 전투에서 자기의 도시를 지켰다.

페리페테스 Periphetes: (1) 자기의 쇠 곤봉으로 Theseus에 의해 살해된, 발이 부자유스러운 거인. (2) Mycenae의 Copreus의 아들. (3) 트로이 전쟁에서 트로이인의 동맹 Mysia의 일원.

펜테실레이아 Penthesilea: Amazon들의 여왕으로 트로이 전쟁에서 트로이 편을 들어 많은 강적들을 무찔렀으나, 끝내는 Achilles에게 피살되었다.

펜테우스 Pentheus: Thebes의 왕으로 Dionysus 신에 대한 숭배를 허락 하지 않았기 때문에, 어머니인 Agave와 그 밖의 Dionysus의 광신자들의 손에 의해 갈기갈기 찢겨 죽었다.

펠라곤 Pelagon: (*Iliad*에서) 트로이 전쟁에 참가했던 Lycia 사람으로, Sarpedon의 동맹자.

펠라스기 사람 Pelasgia: 펠라스기족; 역사 이전, 태고에 그리스 소아시아 동부 지중해제도(諸島)에 살았다고 전해지는 민이다.

펠레우스 Peleus: Myrmidons의 왕; Aeacus의 아들이며 Achilles의 아버지.

펠로폰네소스 반도 Peloponnesus: 그리스 남부의 반도; 초기 미케네 문명의 중심지로 Argos, Sparta 등의 강력한 도시국가가 있었다.

펠롭스 Pelops: Tantalus의 아들로, Niobe의 아우; 아버지 Tantalus에게 살해되어, 여러 신들의 식육으로 바쳐졌으나, 신들에 의해 부활되었다.

펠리아스 Pelias: Poseidon의 아들로, Jason의 삼촌; Jason에게 황금 양털을 찾아

나서게 했다.

포모나 Pomona: 로마의 과일이나 과수의 여신.

포세이돈 Poseidon: 고대 그리스 바다의 신으로 지진을 일으키는 힘을 가졌다. 로마인은 Neptune과 동일시했다.

포르키스 Phorcys: (1) Gorgons의 아버지가 된 바다의 신. (2) (*Odysseus*에서) Odysseus가 Phaeacia 사람에게 버림받은 Ithaca의 항구.

포키스 Phocis: 그리스 중부, Corinth만의 북쪽의 옛 지방; Delphi의 Apollo 신전이 있었다.

폴루스 Pholus: 반인반마(半人半馬)의 괴물(centaurs)의 한 사람; Dionysus가 그들에게 준 포도주를 지켰다.

폴뤼네이케스 Polynices: Thebes의 왕 Oedipus의 아들; 그가 Thebes의 왕으로 복귀하기 위해 Thebes로 향하는 일곱 명의 장군(Seven against Thebes)이 조직되었다; Thebes의 왕으로 있는, 형제간인 Eteocles와 싸워 서로를 죽였고 그 시체는 누이 Antigone에 의해 매장될 때까지 방치되었다.

폴뤼덱테스 Polydectes: Seriphus의 왕; Danae를 아내로 맞이하려 했으나 그녀의 아들 Perseus가 Medusa의 목을 보여주자 돌로 변했다.

폴뤼페모스 Polyphemus: (1) 식인종인 외눈의 거인 Cyclops의 한 사람; Galatea를 질투한 나머지 그녀의 애인 Acis를 죽이고 결국은 Odysseus에 의해 장님이 되었다. (2) Elatus의 아들로 아르고선 대원(Argonauts)의 한 사람.

폴리보스 Polybus: (1) Oedipus의 양아버지; Corinth의 왕. (2) 트로이 전쟁에서 그리스군과 싸운 용사; Antenor와 Theano의 아들.

폴리크세나 Polyxena: Priam과 Hecuba 사이에 난 딸로 Achilles에게 사랑을 받아, 그의 영혼을 달래기 위해 제물로 바쳐졌다.

퓌라 Pyrrha: Epimetheus와 Pandora 사이의 딸로 Deucalion의 아내가 되었다.

퓌티아 Pythia: Delphi에 있는 Apollo의 여자신관(神官)으로서 신탁(神託)을 전했다.

필라데스 Pylades: Strophius의 아들로 방황하는 Orestes를 도와, 항상 그의 곁에 있었다; 뒤에 Orestes의 누이 Electra와 결혼했다.

프로메테우스 Prometheus: Titan족의 한 사람; Deucalion의 아버지이고 Atlas, Epimetheus와는 형제; 인간에게 여러 가지 기술을 가르쳤으며, 또 상자 속에 인간의 모든 재난을 넣어 봉했는데, 그 상자를 제우스는 Pandora의 지참물로 서 Epimetheus 손에 넘어가도록 꾀했다; 제우스의 명을 거역하고 Olympus에 서 불을 훔쳐 인간에게 준 죄로 바위에 묶여 매일 큰 독수리에게 간을 파먹히는 고통을 당하다가 마침내 Hercules에게 구조되었다.

프로이토스 Proetus: Abas의 아들; 쌍둥이 형제인 Acrisius와 어머니 태내에 있을 때부터 평생의 적으로 서로 싸웠고, 아버지의 사망 후 왕국의 계승을 둘러싸고 싸우는 동안 두 사람은 둥근 모양의 방패를 발명했다.

프로크네 Procne: 아테네의 왕녀로 Philomela의 자매이고 Tereus의 아내; Procne가 죽었다고 거짓말을 하고 Philomela를 범한 남편을 응징하기 위해 자기 아들을 죽여서 그 고기를 남편에게 먹였다는 설도 있다. 나중에 그녀는 제비가 되었다.

프로크루스테스 Procrustes: 나그네를 자기 침대에 억지로 눕히고 그 신장이 침대보다 작을 때에는 침대의 길이에 맞도록 몸을 때려서 늘이거나 추를 매달아 잡아 늘이고, 침대보다 클 경우에는 다리를 잘라내고 줄여서 침대 길이에 맞추었다는 강도; Theseus에게 살해되었다.

프로크리스 Procris: (1) 아테네 왕 Erechtheus의 딸; 사냥을 나간 남편 Cephalus의 동정을 숲속에 숨어서 살피고 있을 때 Cephalus는 그녀를 짐승으로 오인하고 백발백중인 창을 던져서 그녀를 죽이게 되었다. (2) Thespius의 딸; Hercules와의 사이에 쌍둥이 아들을 낳았다.

프로테실라오스 Protesilaus: Iphiclus의 아들로서 Podarces의 형제; Thessay의 용사로서 트로이 전쟁 때, 그리스군의 선두에 서서 트로이 땅에 상륙하여 맨 먼저 전사한 그리스 사람.

프리기아 Phrygia: 소아시아에 있던 고대국가.

프리아모스 Priam: 트로이의 왕; Laomedon의 아들; Hecuba의 남편으로 Hector, Cassandra, Paris, Polyxena의 아버지; 트로이 함락 때 피살.

프릭소스 Phrixus: Athamas와 Nephele의 아들; 계모 Ino가 친자식들의 이익 때문에 꾸민 흉계에서 여동생인 Helle와 함께 숫양의 등을 타고 도망쳤다. 그가 신에게 산 제물로 바친 이 숫양의 모피가 황금 양털(the Golden Fleece)이다.

프시케 Psyche: 영혼의 의인화된 존재; 미녀 모습의 그녀는 Eros에게 사랑받았다.

프테렐라오스 Pterelaus: Poseidon의 자손의 한 사람; 한 타래의 금발을 잃지 않는 한, 불사(不死)의 생명이 약속되어 있었다.

프티아 Phthia: (1) Apollo와의 사이에 Dorus, Laodous, Polypoetes를 낳은 여성. (2) (*Iliad*에서) Amyntor의 아들 Phoenix가 어머니의 청으로 유혹한 아버지의 첩.

플레이아스 Pleaid/Pleiades: Atlas의 일곱 딸들로 Hyades의 배다른 어머니의 자매; Orion의 추적을 피하려고 별이 되었다고 한다; 그중 한 사람인 '사라진 플레이아스'(Lost Pleiad)는 슬픔에서인지 죽음에서인지 모습을 감추고 있다.

플레이오네 Pleione: Atlas와의 사이에서 the Pleiades를 낳은 여자.

플렉시포스 Plexippus: (1) Althaea의 형제로 Athalanta로부터 칼뤼돈 멧돼지 (Calydonian Boar) 털 가죽을 빼앗으려다 조카 Melegers에게 피살된다. (2) Phineus의 아들.

피네우스/피니아스 Phineus/Phineas: (1) Cadmus와 Europa의 형제; 두 아들에 대한 계모 Idaea의 중상을 믿고 그들을 눈이 멀게 했다; 그는 그 대가로 Zeus에 의해 장님이 되었다. (2) Cepheus의 형제; 약혼녀인 Andromeda를 바다의 괴물로부터 구할 용기가 없었고, Perseus는 Andromeda를 자기 아내가 되어야 한다고 주장하여, Phineus/Phineas를 Medusa의 머리에 노출시켜 마침내 돌이 되었다.

피라무스와 티스베 Pyramus and Thibe: Babylon의 젊은 연인들; 부모를 거역하고 몰래 벽의 갈라진 틈을 통해 이야기를 나눈다. 어느 날 들에서 Pyramus는 피가 묻어있는 베일을 보고 Thisbe가 사자에게 물려 죽은 줄 알고 자살하였고, Thisbe는 죽은 그를 보고 뒤따라 자살했다.

피리토우스 Pirithous: Thessaly의 Lapithae족의 왕으로 Theseus의 친구; 그와 함께 Hades의 왕비 Persephone를 유괴하려했으나 실패했다.

피사 Pisa: 이탈리아 서북부; Arno강에 면한 도시; 피사의 사탑(Leaning Tower of Pisa)으로 유명.

피티우스 Pittheus: Pelops와 Hiuppodamia의 아들; Aethra의 아버지; 당시 최고의 현인이라 생각되고 예언술에 뛰어 났으며 Thearios의 신전을 건립한 것으로 알려져 있다.

필레몬 Philemon: Bauchis의 남편; 아내와 함께 Zeus와 Hermes를 환대한 신앙심 깊은 가난한 농부.

필로멜라 Philomela: 아테네의 왕 Pandion의 딸; 형부 Tereus에게 능욕당하고 비밀을 누설하지 못하도록 Tereus는 그녀의 혀를 잘랐으나 나중에 그녀는 복수에 성공했다; 신은 이 공주를 nightingale로 변신시켰다.

필로크테테스 Philoctetes: Hercules의 갑옷을 가지고 다닌 활의 명수; 트로이 전쟁에서 그가 쏜 화살로 Paris가 죽었다.

필리오스 Pylius: 트로이 편을 도와주러 온, 지중해 제도에 있던 펠라스기아(Pelasgia)군의 장군.

| ㅎ |

하데스 Hades: 죽은 자의 혼이 있는 하계(下界) 망자(亡者)의 나라 명부(冥府); 옛날에는 가장 서쪽 땅인 Oceanus의 시냇물 건너편에 있으며, 그리스 각지의

깊은 동굴이 그 입구라고 생각했었다. 산 자와 죽은 자의 나라 사이에 Styx라는 강이 있고 뱃사공 Charon이 죽은 자를 배로 건네주었다고 한다. 하데스를 속칭 '지옥'(hell)의 완곡어로 쓰는 일이 있지만 Hades는 원래 지옥의 뜻은 없다. 지하 세계를 가리킨다.

하르모니아 Harmonia: Ares와 Aphrodite 사이의 딸로서 Cadmus의 아내.

할키온 halcyon: 신화 상의 새; 보통 호반새와 동일시 되는 물총새 과의 총칭; 동지 무렵 해상의 둥지에 알을 까며, 그동안에는 풍파를 가라앉히는 힘을 갖는다고 한다.

헤라 Hera: 고대 그리스 최고 여신; 하늘나라의 여왕; Cronus와 Rhea 사이의 딸; Zeus의 누님이며 또 아내; 여성을 위한 결혼생활의 수호신; 로마신화의 Juno에 해당.

헤라클레스 Hercules: Zeus와 Alcmene 사이의 아들; 힘이 장사인 것으로 유명한 영웅; 그의 수많은 공적 중에, 불사신이 되기 위해 사촌 Eurystheus에게 명령 받은 12가지 임무인 난업(難業)이 있다.

헤르메스 Hermes: 고대 그리스의 유력한 신의 한 사람; 신들의 사자로 통행, 상업, 발명, 간계, 도둑질 따위의 신; 로마신화의 Mercury에 해당.

헤르메스의 지팡이 Caduceus Staff: (1) 신들의 사자(使者)의 지팡이. (2) (1)의 지팡이 표상(表象); 의술(醫術)의 상징으로, 또 미육군(美陸軍) 군의부대의 기장(記章)으로 상용한다.

헤르미오네 Hermione: Menelaus와 Helen의 딸로 Orestes의 아내.

헤스페리데스 Hesperides: 대지의 여신 Gaea가 Hera의 결혼을 축하하기 위해 그녀에게 선물한 황금 사과가 심어진 동산을 가리킴.

헤스페리아 Hesperia: 저녁의 나라; 고대 그리스인, 로마인이 이탈리아와 스페인을 가리켜 사용하던 명칭.

헤스티아 Hestia: Zeus의 딸; 고대 그리스의 난로, 불의 여신; 로마신화의 Vesta에 해당.

헤시오네 Hesione: 트로이 왕 Laomedon의 딸로, Hercules가 바다의 괴물로부터 구해주었다.

헤카테 Hecate: 지상과 명부(冥府) Hades를 지배하는 여신.

헤파에스투스 Hephaestus: 불, 대장일, 수공예를 다스리는 고대 그리스의 신; 아프로디테의 남편으로 간주된다; 로마신화의 Vulcan에 해당.

헥토르 Hector: Priam 왕의 장자이며 Andromache의 남편; 트로이 전쟁의 트로이 최대의 용사; Achilles에게 살해되었다.

헬레 Helle: Nephele와 Athamas 사이의 딸; 오빠 Phrixus와 함께 계모 Ino의 모략을 피해 달아나다가 바다에 빠져죽었다. 그때로부터 그 장소를 그녀의 이름을 따서 Hellespont라고 부른다.

헬레네/헬렌 Helen: Zeus와 Leda 사이에 난 미녀이며 Sparta의 왕 Menelaus의 아내; Troy의 왕자 Paris에게 유괴된 것이 발단이 되어 트로이 전쟁이 터졌다.

헬렌 Hellen: Thessalia의 왕; Deucalion과 Pyrrha의 아들이며 그리스인(Hellenes)을 창건한 그 이름의 원조; 그리스민족의 선조. (여기서 유래한 단어 Hellenism/헬레니즘은 그리스어 풍, 그리스문화, 그리스정신, 그리스 국민성을 일컬음.)

황금가지 the Golden Bough: Prosepina에게 바쳐진 겨우살이 가지로서, Aeneas의 명계출입(冥界出入) 허가증이 되었다.

황금 양털 the Golden Fleece: Aeetes 왕이 Colchis에 보관해 두었던 황금빛 양털로 Jason과 아르고선 대원(the Argonauts)이 Aeetes 왕의 딸 Medea의 도움을 받아 훔쳐냈다.

히드라 Hydra: 헤라클레스가 퇴치한 머리가 아홉인 뱀; 머리 하나를 자르면 머리 둘이 돋아났다.

히멘 Hymen: 횃불을 든 청년의 모습으로 표현되는 혼인의 신; 로마신화의 Talassio에 해당.

히페름네스트라 Hypermnestra: Danaus의 딸 50명(Danaides) 중의 한 사람으로

유일하게 남편을 죽이지 않았다.

히포토오스 Hippothous: Alope와 Poseidon의 아들; Arcadia의 왕이 되었다.

히폴리타 Hippolyta: 아마존족의 여왕; Hercules에게 살해되었다고도 하고 Theseus에게 정복되어 그와 결혼했다고도 한다.

히폴리투스 Hippolytus: Theseus의 아들; 계모 Phaedra의 유혹을 거절하자 자기를 범하려 했다고 거짓으로 고해 바쳐 그것을 믿은 Theseus의 항의로 Poseidon 에게 살해되었다.

히피아스 Hippias: 기원전 6세기 말의 Athens의 참주(僭主)(527-510 B.C.); Pisistratus의 아들이며 Hipparchus의 형.

히프노스 Hypnos: 잠의 신; Thanatos와 형제간이며 흔히 Erebus와 Nyx 사이의 아들로 간주된다; 로마신화의 Somnus에 해당.

힐라이오스 Hylaeus: Arcadia의 지방의 켄타우로스(centaur).

힐로스 Hyllus: (1) Hercules와 Deianira 사이의 아들; Eurystheus를 쓰러트린 후 전사했다. (2) Hercles와 Meelite 사이의 아들.

힙시필레 Hypsipyle: Lemnos의 여왕이며 Jason과의 사이에서 쌍둥이 아들을 낳 았다; Lemnos섬의 여자들이 질투심에서 남자들을 모두 죽이기로 했을 때 아 버지 목숨만은 살린 것이 탄로나 Nemea의 Lycurgus에게 노예로 팔려 갔다.

| 지은이 | 바이올라 M. 라구소(Viola M. Raguso)

미국 시카고 출생. 노스웨스턴 대학(Northwestern University)에서 영문학 학사를, 드폴 대학(DePaul University)에서 영문학 석사를 취득한 후, 모교인 휑거 고등학교(Fenger Academy High School)에서 30년간 교편을 잡았다. 그의 저서로는 *Olympian Plays* 이외에 *Cassandra: The Untamed Woman; Oenone: The Displaced Wife* 그리고 *Helen: The Fairest Woman*이 있고, 그 이외에 다수의 대본이 있다. 올해 93세의 작가는 현재 시카고 교외에 살고 있다.

| 옮긴이 | 송옥

서울 출생. 고려대학교에서 영문학을 공부한 후, 미국 센트럴 워싱턴 대학(Central Washington University)에서 아동드라마로 석사 학위를 받고, 오리건 주립대학(University of Oregon)에서 희곡문학으로 박사 학위를 받았다. 한국현대영미드라마학회장과 한국고전르네상스영문학회장을 역임했으며, 고려대학교 영어교육과 교수를 지낸 후, 현재 고려대학교 영어교육과 명예교수로 있다. 저술에는 「Oedipus Rex와 비극정신」 「Teaching Shakespeare: 텍스트와 무대」 「The Ghost Sonata에 나타난 소나타형식의 영향」을 비롯한 많은 논문 이외에, 창작 시화집 『참새들의 연가』 『메데이아』 『셰익스피어: 독백과 대사』 『어린이와 어른을 위한 영시』 『성경이야기: 청소년을 위한 2인극』 등이 있다.

극으로 읽는 그리스신화

지은이 바이올라 M. 라구소
옮긴이 송옥

발행일 2018년 6월 16일
발행인 이성모
발행처 도서출판 동인
주 소 서울시 종로구 혜화로3길 5 118호
등 록 제1-1599호
TEL (02) 765-7145 / FAX (02) 765-7165
E-mail dongin60@chol.com
ISBN 978-89-5506-785-9
정 가 42,000원